Any screen.
Any time.
Anywhere.

原著（英語版）のeBook版を
無料でご利用いただけます

Elsevier eBooks+では，コンテンツの閲覧，検索，ノートやハイライトの作成，コンテンツの音声読み上げが可能です．

eBookのご利用方法

1. **http://ebooks.health.elsevier.com/** にアクセスします．
2. Log in（すでにアカウントをお持ちの方）もしくはSign upします（初めて利用される方）．
3. 左ページのスクラッチを削り，コードを入手します．
4. "Redeem Access Code" にeBook用のコードを入力します．
5. "REDEEM" ボタンをクリックします．

テクニカル・サポート（英語対応のみ）：
https://service.elsevier.com/app/home/supporthub/elsevierebooksplus/
call 1-800-281-6881（inside the US）
call +44-1-865-844-640（outside the US）

・本書の電子版（eBook）の使用は，http://ebooks.health.elsevier.comで許諾された譲渡不可の限定ライセンスの条件に従うものとします．eBookへのアクセスは，本書の表紙裏側にあるPINコードで最初にeBookの利用登録をした個人に限られます．eBookへのアクセスは，転売，貸与，その他の手段によって第三者に譲渡することはできません．
・事前予告なくサービスを終了することがあります．

コスタンゾ
明解生理学

原著 第7版

LINDA S. COSTANZO

監訳 林 俊宏　高橋 倫子

Costanzo Physiology
7th Edition

ELSEVIER

ELSEVIER

Higashi-Azabu 1-chome Bldg.
1-9-15, Higashi-Azabu,
Minato-ku, Tokyo 106-0044, Japan

COSTANZO PHYSIOLOGY

Copyright © 2022 by Elsevier Inc. All rights reserved.

ISBN: 978-0-323-79333-9

This translation of *Costanzo Physiology, Seventh Edition* by **Linda S. Costanzo**, was undertaken by Elsevier Japan KK and is published by arrangement with Elsevier Inc.

本書，**Linda S. Costanzo** 著：*Costanzo Physiology, Seventh Edition* は，Elsevier Inc. との契約によって出版されている.

コスタンゾ明解生理学　原著第 7 版 by **Linda S. Costanzo**.

Copyright © 2024, Elsevier Japan KK.
ISBN: 978-4-86034-688-1

All rights reserved. No part of this publication may be reproduced or transmitted in any form or by any means, electronic or mechanical, including photocopying, recording, or any information storage and retrieval system, without permission in writing from the publisher. Details on how to seek permission, further information about the Publisher's permissions policies and our arrangements with organizations such as the Copyright Clearance Center and the Copyright Licensing Agency, can be found at our website: www.elsevier.com/permissions.
This book and the individual contributions contained in it are protected under copyright by the Publisher (other than as may be noted herein).

注　意

本翻訳は，エルゼビア・ジャパンがその責任において請け負ったものである.　医療従事者と研究者は，ここで述べられている情報，方法，化合物，実験の評価や使用においては，常に自身の経験や知識を基盤とする必要がある.　医学は急速に進歩しているため，特に，診断と薬物投与量については独自に検証を行うものとする.　法律のおよぶ限り，Elsevier，出版社，著者，編集者，監訳者，翻訳者は，製造物責任，または過失の有無に関係なく人または財産に対する被害および／または損害に関する責任，もしくは本資料に含まれる方法，製品，説明，意見の使用または実施における一切の責任を負わない.

すべてを価値あるものにしてくれる
Richard，Dan，Rebecca，Sheila，Elise，Max
に捧ぐ

原著者序文

　生理学は医療の基礎である．医学生や実地医家にとって，生理学の原理をしっかりと理解することは必須である．本書は生理学を学ぶ医学や関連分野の学生を対象としている．教科別カリキュラムの参考書としても，統合型カリキュラムや問題解決型カリキュラムの教科書としても使うことができる．上級生には，病態生理学・内科学の講義やクリニカルクラークシップでの参考書としても役立つであろう．

　前版と同様に本書第7版においても，生理学の大切な概念を臓器系レベルと細胞レベルで説明した．第1章と第2章は細胞と自律神経系の生理学の基礎的な概念を説明した．第3章から第10章で主要な臓器系を扱った．すなわち，神経系，心血管系，呼吸，腎臓，酸塩基，消化器系，内分泌系，生殖の生理学である．そして，ホメオスタシスを実現する統合のしくみを明瞭にするため，各臓器系の連関を強調して説明した．

　生理学を学びやすくするために，本版では以下に述べる工夫を行った．

- **本文**は読みやすいように簡潔にまとめた．明確な見出しによって，学習内容の構成や階層構造の見当がつくようにした．複雑な生理機構の情報は，論理の流れがわかるよう，ステップごとに順を追って整然と説明した．そして，ある過程が特定の順序で起こる場合は各ステップに順に番号を振り，説明図と本文の番号も対応させた．読者が疑問に思うであろうことを予見して，本文中の各所に例題を入れた．熟考したうえで問いに答えることによって，難しい概念や，予期せぬ相反した知見を筋道立てて説明する方法を学ぶことができる．章末には簡潔なまとめを記した．
- **表と図**は本文とあわせて学習に用いることができるが，独立でも使えるように作成してあるので，復習用にも役立つであろう．表には分類や比較やまとめを記している．例を挙げると，

（1）消化管ホルモンをファミリー，分泌される部位，分泌を刺激する因子，作用に関してまとめて比較できるようにした表（**表8.2**），（2）Ca^{2+}ホメオスタシス異常をきたす疾患の病態生理の特徴を比較した表（**表9.17**），（3）異なる心組織ごとの活動電位の特徴を比較した表（**表4.2**）．図には表題をつけ，名称は図内に書き入れ，シンプルな図解やステップ順に番号づけした複雑な図解，フローチャートなどを用いた．

- **数式と例題**は本文に組み入れた．数式のすべての項と単位には説明をつけて，さらにそれぞれの数式を生理学的な文脈に位置づけられるように言葉で説明した．例題には数値計算の解答をつけて，さらに理屈を正しいステップで追えるように解説した．説明のステップを追えば，類題を解けるだけのスキルと自信を身につけることができる．
- **症例に学ぶ臨床生理学**をコラム（Box）で掲載して，典型的な疾患の擬似患者を呈示した．臨床所見と推奨される治療について，基礎をなす生理学的な原則に基づいて説明した．患者の病態をさまざまな臓器系から検討して，統合的な理解をはかった．例えば，1型糖尿病の症例は，内分泌系の障害のみならず，腎臓，酸塩基，呼吸，心血管系にも障害が生じるからである．
- **練習問題**を各章末に掲載した．練習問題は，簡潔（単語，語句，数字）に答えてもらえるように作成したが，個別事項の記憶を試すのではなく，学んだ原理や概念を問題解決のために応用できることを目標とした．問題の形式はさまざまで，出題順もランダムになっている．各章を学習したあとに，本文を参照することなく解いてみると効果的であろう．そうすることによって，内容の理解度を確かめて，理解が不十分な箇所を知ることができる．解答は巻末に掲載した．
- **教材動画**を掲載した（電子書籍・英語版）．複雑

な原理は口頭での説明のほうが理解しやすいかもしれないので、一部のトピックには補助教材として短い動画を用意した。

● **略語と正常値**を掲載した。よく使われる略語や正常値を本書の学習を通じて繰り返し参照すれば、慣れて使いこなせるようになるであろう。

本書は私が教育に対して抱いている3つの信念を体現している。(1)たとえ複雑な情報であろうと、体系的、論理的、段階的に説明すれば、明解に伝達することができる。(2)印刷された本でも対面授業に引けをとらない効果的な教育ができる。(3)内容が正確で教育効果が高く、専門家のみに必要な詳細は省いてある、参考文献リストのない教材が初学生には望ましい。本書はあくまで学生を読者に設定し、地に根ざしたプロフェッショナルな説明を繰り広げている。

読者が本書で生理学を楽しみながら学ぶことができれば望外である。生理学の原理を習得すれば、専門職としてのキャリアを通じて報われるであろう。

Linda S. Costanzo

謝辞

　エルゼビア社の Elyse O'Grady 氏，Jennifer Ehlers 氏，Kathryn DeFrancesco 氏，Umarani Natarajan 氏には，「コスタンゾ明解生理学　第7版」の制作にご尽力をいただいたことに深謝する．画家の Matthew Chansky 氏が図の改訂と新作を作成してくださったので，本文を美しく補うことができ，本書が完成した．

　Virginia Commonwealth 大学の同僚の先生方はいつも私の質問に丁寧に答えてくださった．特に Clive Baumgarten 先生に感謝する．医学部3年生の Zach Kons は，内リンパ液の産生のステップを解析するのを快く手伝ってくれた．また，前版で気づいたことを親切にも知らせてくれた全世界の学生にも心から感謝する．

　私の夫の Richard，子どもの Dan と Rebecca，義理の娘の Sheila，そして孫の Elise と Max が執筆を心から支持して無条件の愛情を注いでくれたので，本書に魂を込めることができた．

監訳者序文

本書は Linda S. Costanzo 先生による Physiology 7th edition の邦訳です．原著は 4 年ごとに改版を重ね世界中で読み継がれてきましたが，邦訳である「コスタンゾ明解生理学」は原著第 3 版が 2007 年，久々の新訳である第 6 版が 2019 年に出版され，多くの方々に受け入れていただきました．原著第 7 版では SARS-CoV2 など新しいトピックや図表が拡充されたなか，全体の分量は増えないように配慮されています．邦訳が速やかに企画され，また第 6 版の翻訳にあたられた先生方が皆様戻って来てくださったのも，本書の素晴らしさを関係者が共有していることを物語っています．より充実した「コスタンゾ明解生理学第 7 版」として，生理学を学ぶ医学，看護学，歯学，薬学，リハビリテーションなどの医療関連分野の学生の皆さんにお届けできることを嬉しく思います．

本書はいわば，Costanzo 先生のツボを押さえたわかりやすい講義が臨場感豊かに繰り広げられる講堂へのフリーパスです．理論的な内容が論理の流れを明解に浮き上がらせ，つまずきやすいところでは自問自答で立ち止まり，理解できたら計算問題の練習をして，さらに応用問題として典型的な疾患でみられる症候を生理学のことばで理解することを導き，その病態を是正する考え方まで伝授してくれます．丁寧に読み込んで自ら考えれば，その学習成果は著者が述べるとおり，臨床の場に出てからの考える力の足腰の強さや，洞察の鋭さとして活きること請け合いです．

本書の構成と特徴，さらに学習における活用法や留意点は，原著者序文に明解に述べられているので，まずは序文を熟読するようお勧めします．第 1 章の細胞の生理学と第 2 章の自律神経系は，各章で繰り返し出てくる基本原理や概念が丁寧に説明されているので，先に学習すると理解しやすいでしょう．各章の記載はそれぞれ完結しているので，もちろんどの章から学習することもできま

す．他章で説明される基本原理や他臓器系での類似点などには，その都度参照先が明記してあるので，あわせて勉強すると，生体の統合作用や各臓器系の連関への理解も深まります．本書を通じて生理学の基本的な考え方をじっくりと学んでほしいと思います．

本書は充実した和英併記の索引を備えており，章の中の小見出しも充実しているので，通読のみならず，短い調べ物にも便利でしょう．生理学の講義や実習の期間だけでなく，他教科や臨床実習において病態生理を基礎に立ち戻って確認するときなどに，本書を手元に置いて活用することで，より深い生理学と病態生理学の理解が得られるものと思います．

用語は「日本医学会医学用語辞典 WEB 版」に準拠し，各学会の用語集も参照しました．生理学はすべての臓器系にかかわるので，多分野で用いられる用語の訳語統一には困難なこともありましたが，生理学をはじめて学ぶ学生が理解しやすく臨床で使える知識を身につけることを優先し，全章を通じて訳語を統一する方向で選択にあたりました．その際には訳者の先生方にご無理をお願いすることもあり，また監訳者および編集者も努力を払いました．また，原著は Costanzo 先生の単著による統一性が大きな特徴ですが，翻訳では各分野の第一線の専門家の多大なるご尽力により，わかりやすさに加えて正確性もより担保できたものと自負しています．

最後に，森美那子氏をはじめとするエルゼビア・ジャパン編集部の皆様のすばらしい教科書作りへの献身に，心から感謝申し上げます．

2023 年 9 月

監訳者を代表して
林　俊宏

訳者一覧

― 監 訳 ―

林　　俊宏　　帝京大学医学部生理学講座　教授
高橋　倫子　　北里大学医学部生理学　主任教授

― 翻 訳 ―

磯尾　紀子　　帝京大学医学部生理学講座　講師［第3章］
上原　温子　　元 聖マリアンナ医科大学腎臓・高血圧内科　助教［第7章］
大野　孝恵　　帝京大学医学部生理学講座　准教授［第2章］
小川　純人　　東京大学大学院医学系研究科加齢医学　准教授［第10章］
桑名　俊一　　植草学園大学保健医療学部　教授［第5章］
小西　清貴　　順天堂大学医学部生理学第一講座　教授［第3章］
座間味　亮　　琉球大学医学部循環器・腎臓・神経内科学　助教［第7章］
柴垣　有吾　　聖マリアンナ医科大学腎臓・高血圧内科　教授［第7章］
寺尾　安生　　杏林大学医学部病態生理学　教授［第8章］
寺下　真帆　　聖マリアンナ医科大学腎臓・高血圧内科　助教［第7章］
中里　泰三　　順天堂大学　客員教授［第3章］
畠山　裕康　　北里大学医学部生理学　准教授［第9章］
林　　俊宏　　帝京大学医学部生理学講座　教授［第1章，第4章］
福田　英一　　北里大学医学部生理学　助教［第6章］
普久原智里　　手稲家庭医療クリニック［第7章］
増谷　　聡　　埼玉医科大学総合医療センター小児科　教授［第4章］
安岡有紀子　　北里大学医学部生理学　講師［第6章］

（五十音順）

― 原著第3版　監訳者・訳者一覧 ―

監 訳

岡田　　忠　　菅屋　潤壹

翻 訳

岡田　　忠　　菅屋　潤壹　　岩瀬　　敏　　塩野　裕之　　犬飼　洋子　　松本　孝朗
西村　直記　　清水　祐樹　　森　　一仁　　酒井　淳一　　浅井　光興

目次

1 細胞の生理学 　1
Cellular Physiology

体液の量と組成 ……………………………………………………………………… 1
細胞膜の特徴 ………………………………………………………………………… 4
細胞膜を横切る輸送 ………………………………………………………………… 6
拡散電位と平衡電位 ………………………………………………………………… 17
静止膜電位 …………………………………………………………………………… 21
活動電位 ……………………………………………………………………………… 22
シナプス伝達と神経筋伝達 ………………………………………………………… 29
骨格筋 ………………………………………………………………………………… 39
平滑筋 ………………………………………………………………………………… 47
まとめ ………………………………………………………………………………… 50
練習問題 ……………………………………………………………………………… 52

2 自律神経系 　53
Autonomic Nervous System

自律神経系の構成と主な特徴 ……………………………………………………… 53
自律神経系の受容体 ………………………………………………………………… 66
まとめ ………………………………………………………………………………… 74
練習問題 ……………………………………………………………………………… 75

3 神経系の生理学 　77
Neurophysiology

神経系の構成 ………………………………………………………………………… 77
神経系の細胞 ………………………………………………………………………… 80
感覚系と運動系の一般的性質 ……………………………………………………… 82
感覚系 ………………………………………………………………………………… 83
体性感覚系と痛覚 …………………………………………………………………… 89
視覚 …………………………………………………………………………………… 94
聴覚 …………………………………………………………………………………… 101
前庭系 ………………………………………………………………………………… 106

嗅覚 ･･ 109

味覚 ･･ 111

運動系 ･･ 114

神経系の高次機能 ･･･････････････････････････････ 125

脳脊髄液 ･･･････････････････････････････････････ 128

血液脳関門 ････････････････････････････････････ 130

まとめ ･･ 131

練習問題 ･･････････････････････････････････････ 132

4　心血管系の生理学 133

Cardiovascular Physiology

心血管系の回路 ････････････････････････････････ 133

血行力学 ･･････････････････････････････････････ 135

心臓電気生理 ･･･････････････････････････････････ 148

心筋収縮 ･･････････････････････････････････････ 162

心周期 ･･ 174

心拍出量と静脈還流量の関係 ･･････････････････････ 178

血圧調整 ･･････････････････････････････････････ 183

微小循環 ･･････････････････････････････････････ 191

特殊循環 ･･････････････････････････････････････ 195

体温調節 ･･････････････････････････････････････ 199

心血管系の統合機能 ･････････････････････････････ 201

まとめ ･･ 211

練習問題 ･･････････････････････････････････････ 212

5　呼吸の生理学 215

Respiratory Physiology

呼吸器系の構造 ････････････････････････････････ 215

肺気量分画と肺容量 ･････････････････････････････ 217

呼吸の機械的なしくみ ･･･････････････････････････ 225

ガス交換 ･･････････････････････････････････････ 237

血液による O_2 の輸送 ･･･････････････････････････ 246

血液による CO_2 の輸送 ･････････････････････････ 253

換気血流関係 ･･･････････････････････････････････ 257

呼吸の調節 ････････････････････････････････････ 264

統合機能 ･･････････････････････････････････････ 269

低酸素血症と低酸素症 ･･･････････････････････････ 274

まとめ	276
練習問題	277

6 腎臓の生理学 279

Renal Physiology

腎臓の構造と血液供給	279
体液	282
腎クリアランス	289
腎血流量	292
糸球体濾過	296
再吸収と分泌	304
単一ネフロンに関する用語	312
Na^+バランス	314
K^+バランス	328
リン酸，Ca^{2+}，Mg^{2+}バランス	336
水バランス—尿の濃縮と希釈	340
まとめ	351
練習問題	352

7 酸塩基の生理学 355

Acid-Base Physiology

体液の pH	355
体内での酸産生	356
緩衝作用	356
酸塩基平衡における腎臓の働き	363
酸塩基平衡異常	371
まとめ	385
練習問題	386

8 消化器系の生理学 387

Gastrointestinal Physiology

消化管の構造	387
消化管の神経支配	387
消化管の調整物質	390
消化管運動	397

分泌	405
消化と吸収	426
腸液および電解質の輸送	438
肝臓の生理学	443
まとめ	445
練習問題	446

9 内分泌系の生理学　　　449
Endocrine Physiology

ホルモンの生合成	449
ホルモン分泌の調節	453
ホルモン受容体の調節	455
ホルモンの作用機序とセカンドメッセンジャー	456
視床下部と下垂体の関係	462
下垂体前葉ホルモン	465
下垂体後葉ホルモン	472
甲状腺ホルモン	476
副腎髄質と副腎皮質	487
膵内分泌腺	501
Ca^{2+}とリン酸の代謝調節	509
まとめ	521
練習問題	523

10 生殖の生理学　　　525
Reproductive Physiology

性分化	525
思春期	528
男性における生殖生理	530
女性における生殖生理	536
まとめ	548
練習問題	549

練習問題の解答	550
略語と記号	555
正常値と定数	559
索引	562

Video 目次

以下のコンテンツは，本教材に記載されている PIN コードを使って，Elsevier eBooks+（http://ebooks.health.elsevier.com）から利用可能です．

4 心血管系の生理学
Cardiovascular Physiology

4.23 Left ventricular pressure-volume loop.

4.24A Increased preload: changes in the left ventricular pressure-volume loop.

4.24B Increased afterload: changes in the left ventricular pressure-volume loop.

4.24C Increased contractility: changes in the left ventricular pressure-volume loop.

4.32 Response of the baroreceptor reflux to acute hemorrhage.

4.33 Renin-angiotensin II-aldosterone system.

5 呼吸の生理学
Respiratory Physiology

5.10 Compliance of the lungs, chest wall, and combined lung and chest-wall system.

5.18 Diffusion-limited and perfusion-limited gas exchange between alveolar air and pulmonary capillary blood.

5.28 Variation in ventilation/perfusion ($\dot{V}/\dot{Q}$) in the three zones of the lung.

6 腎臓の生理学
Renal Physiology

6.43 Mechanisms for production of hyperosmotic urine in the presence of antidiuretic hormone.

6.44 Mechanisms for production of hyposmotic urine in the absence of antidiuretic hormone.

アニメーション

Action Potential
The Cardiac Cycle
The Countercurrent Multiplier
The Cross-Bridge Cycle
The Menstrual Cycle
Peristalsis
Mechanics of Pulmonary Ventilation
Chemical Synaptic Transmission

第1章

細胞の生理学

臓器系の機能を理解するためには，細胞レベルの基本的なしくみをよく知る必要がある．各臓器系の最終的な機能はそれぞれ異なるものの，その基盤には共通の生理学的な原理があるからである．

本章では，以下に記す生理学の基本原理を説明する：(1)体液，特に細胞内液と細胞外液の組成の違いに重点を置く．(2)異なる組成の体液を作り出す細胞膜の輸送過程．(3)細胞膜を隔てた電位差の由来，特に神経細胞や筋細胞といった興奮性細胞．(4)興奮性細胞での活動電位の発生と伝播．(5)シナプスにおける細胞間情報伝達と神経伝達物質の役割．(6)筋細胞の活動電位と収縮を連関させるしくみ．

ここに列挙した細胞生理学の原理は，繰り返し出てくる相互に関連したテーマにより組み立てられている．このような原理を理解できれば，後は原理をあてはめて統合することにより，各臓器系の機能を理解できるようになるであろう．

体液の量と組成

体液区分と水の分布

人体で水が体重に占める割合は高い．水分の総量は**体内全水分量**(total body water)といい，体重の50〜70%を占める．例えば，体内全水分量が65%である70 kgの成人男性は，45.5 kgまたは45.5 Lの水(水1 kg≒1 L)を有する．たいてい，体内全水分量は体脂肪率に逆相関する．したがって，体脂肪率が低い場合は体内全水分量が体重に占める割合は高く，体脂肪率が高い場合は体内全水分量が体重に占める割合は低い．女性は男性より体脂肪率が高いため，体内全水分量はより低い傾向にある．体液区分における水の分布については，本章で短く触れた後，**第6章**で詳細に説明する．

体内全水分量は，**細胞内液**(intracellular fluid：ICF)と**細胞外液**(extracellular fluid：ECF)という2つの主要な体液区分に分けられる(**図1.1**)．細胞内液は細胞内に存在し，体内全水分量の2/3である．細胞外液は細胞外に存在し，体内全水分量の1/3である．細胞内液と細胞外液は，**細胞膜**(cell membrane)によって隔てられる．

細胞外液は，さらに**血漿**(plasma)と**間質液**(interstitial fluid)という2つの区分に分けられる．小さい区分の血漿は血管内を循環する液体であり，大きい区分の間質液は細胞を浸す液体である．血漿と間質液は毛細血管壁によって隔てられる．間質液は血漿の**限外濾過液**(ultrafiltrate)であり，毛細血管壁により濾過されて生成される．血漿タンパク質などの高分子は毛細血管壁をほとんど通過しないため，間質液にはタンパク質は微量しか含まれない．

体液区分の水分量を推計する方法については**第6章**で触れる．

体液区分と組成

体液の組成は均一ではなく，細胞内液と細胞外液ではさまざまな溶質の濃度が大きく異なる．その違いのなかには，血漿と間質液の溶質濃度の違いのように，間質液にはタンパク質が含まれないことから予測ができるものもある．

■ 溶質の濃度の単位

溶質の**物質量**は，**モル**(mole)，**当量**(equivalent)，**オスモル**(osmole)で表すのが一般的であ

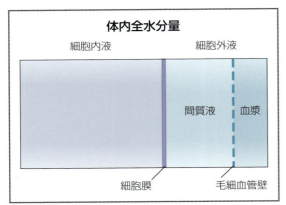

図1.1 体液区分.

る．また，溶質の**濃度**はモル毎リットル（mol/L），当量毎リットル（Eq/L），オスモル毎リットル（Osm/L）で表す．生体の溶液中の溶質濃度は非常に低いので，ミリモル毎リットル（mmol/L），ミリ当量毎リットル（mEq/L），ミリオスモル毎リットル（mOsm/L）で表す．

　1**モル**とは$6×10^{23}$分子の物質量である．1**ミリモル**は1/1,000すなわち10^{-3}モルである．濃度1 mmol/Lのグルコース（ブドウ糖）溶液は，1Lの溶質に$1×10^{-3}$モルのグルコースを含む．

　当量とは，荷電した（イオン化された）溶質の量を表すのに用いられ，イオンのモル数にその価数を乗じたものである．例えば，1モルの塩化カリウム（KCl）を溶解すると，1当量のカリウムイオン（K^+）と1当量の塩素イオン（Cl^-）に解離する．また，1モルの塩化カルシウム（$CaCl_2$）を溶解すると，2当量のカルシウムイオン（Ca^{2+}）と2当量のCl^-に解離する．すなわち，1 mmol/Lの濃度のCa^{2+}は2 mEq/Lに相当する．

　オスモルとは，溶質が溶解したときに解離する粒子数である．**容積オスモル濃度（osmolarity）**とは，オスモル毎リットルで表される溶液中の粒子の濃度である．もし，溶質が溶液中で解離しない場合は（例えば，グルコース），その溶質の容積オスモル濃度はモル濃度に等しい．もし，溶質が溶液中で2つ以上の粒子に解離する場合は（例えば，塩化ナトリウム（NaCl）），その溶質の容積オスモル濃度はモル濃度に溶質中の粒子数を乗じたものに等しい．例えば，1 mmol/LのNaCl溶液は，NaClが2つの粒子に解離するため2 mOsm/Lである．

　pHは水素イオン（H^+）濃度を表すのに用いられる対数項である．体液中のH^+濃度は非常に低いため（例えば，動脈血では$4.0×10^{-8}$Eq/L），対数で表したほうが便利である．マイナス符号がつくので，H^+濃度が増加するとpHは減少し，H^+濃度が減少するとpHは増加する【訳者注：$[H^+]$の［　］（ブラケット）は濃度を示す】．

$$pH = -\log_{10}[H^+]$$

例題

症例Aと症例Bには，体内に過剰な酸が産生される疾患がある．検査報告では，症例Aの酸度は$[H^+]$，症例Bの酸度はpHで表示されている．症例Aの動脈血$[H^+]$は$65×10^{-9}$Eq/L，症例Bの動脈血pHは7.3である．動脈血H^+濃度が高い症例はどちらか．

解答

各症例の血液の酸度を比較するために，症例Aの$[H^+]$を以下のようにしてpHに変換する．

$$\begin{aligned}
pH &= -\log_{10}[H^+] \\
&= -\log_{10}(65×10^{-9}\,Eq/L) \\
&= -\log_{10}(6.5×10^{-8}\,Eq/L) \\
\log_{10}6.5 &= 0.81 \\
\log_{10}10^{-8} &= -8 \\
\log_{10}6.5×10^{-8} &= 0.81+(-8) = -7.19 \\
pH &= -(-7.19) = 7.19
\end{aligned}$$

ゆえに，症例Aの血液中$[H^+]$から計算されたpHは7.19であり，症例Bの血液中pHは7.3と報告されている．症例Aの血液中pHのほうが低く，すなわち，$[H^+]$と酸度がより高い状態である．

■ 体液区分の電気的中性

それぞれの体液区分は，巨視的な**電気的中性（electroneutrality）**の原理に従わなければならない．つまり，それぞれの体液区分にはmEq/Lで同じ濃度の正電荷（**陽イオン，カチオン（cation）**）

と負電荷（陰イオン，アニオン（anion））が含まれていなければならない．陽イオンと陰イオンは必ず同数である．たとえ細胞膜を隔てて電位差があるときでも，（巨視的な）溶液の全体としての電荷のバランスは保たれている（なぜなら，電位差は膜近傍のごく微量の電荷の分離のみで生じるので，測定できるほど巨視的なイオンの濃度変化は起こらないからである）．

例題

ある体液検体のイオン濃度が，mEq/L で表して以下のように報告された．

陽イオン	陰イオン
Na^+，140 mEq/L	Cl^-，110 mEq/L
K^+，4 mEq/L	HPO_4^{2-}，6 mEq/L
Ca^{2+}，2 mEq/L	タンパク質，0 mEq/L

ここの検査室で HCO_3^- 濃度を測ることはできない．HCO_3^- 濃度は mEq/L で表すといくらか．

解答

すべての生体の溶液は電気的中性の原理に従わねばならないので，この体液検体の陽イオンと陰イオンの【訳者注：当量 mEq/L で表される】濃度（つまり正と負の電荷の濃度）は等しくなければならない．報告された全陽イオンの濃度は 146 mEq/L であり，全陰イオン濃度は 116 mEq/L なので，HCO_3^- 濃度は 30 mEq/L である．

■ 細胞内液と細胞外液の組成

細胞内液と細胞外液の組成は，**表 1.1** に示すように著しく異なる．細胞外液の主要な陽イオンは**ナトリウム (sodium) イオン**（Na^+）であり，それに均衡する陰イオンは**塩素 (chloride) イオン**（Cl^-）と**重炭酸 (bicarbonate) イオン**（HCO_3^-）である．細胞内液の主要な陽イオンは**カリウム (potassium) イオン**（K^+）と**マグネシウム (magnesium) イオン**（Mg^{2+}）であり，それに均衡する陰イオンはタンパク質と有機リン酸である．その他の重要な組成の違いは，Ca^{2+} と pH である．通常，細胞内液のイオン化 Ca^{2+} は非常に低濃度（≒ 10^{-7} mol/L）であるが，細胞外液の Ca^{2+} 濃度はお

表 1.1 細胞外液と細胞内液の組成.

項目（単位）	細胞外液	細胞内液[*1]
Na^+ (mEq/L)	140	14
K^+ (mEq/L)	4	120
Ca^{2+}，イオン化 (mEq/L)	2.5[*2]	1×10^{-4}
Cl^- (mEq/L)	105	10
HCO_3^- (mEq/L)	24	10
pH[*3]	7.4	7.1
容積オスモル濃度 (mOsm/L)	290	290

*1：細胞内液の主な陰イオンはタンパク質と有機リン酸である．
*2：この値に対応する細胞外液の全 [Ca^{2+}] は 5 mEq/L（10 mg/dL）である．
*3：pH＝$-\log_{10}$[H^+]．pH 7.4 のとき [H^+]＝4.0×10^{-8} Eq/L である．

よそ 4 桁高い．細胞内液は細胞外液よりも酸性であり pH が低い．このように，細胞外液で高濃度に存在する物質は細胞内液では低濃度であり，逆も同様である．

ここで大切なことは，個々の溶質の濃度はすべて異なるにもかかわらず，溶質の濃度の総量（**容積オスモル濃度**）は細胞内液と細胞外液で等しいということである．なぜ等しくなるかというと，水が細胞膜を自由に通過するからである【訳者注：水は細胞膜の脂質二重層を透過できないが，膜貫通型タンパク質のアクアポリン（水チャネル）を介して通過する】．一時的に細胞内液と細胞外液の容積オスモル濃度の違いが生じたとしても，再び濃度が等しくなるように水が細胞膜を横切って移動する．

■ 細胞膜を隔てた濃度差の形成

細胞膜を隔てた溶質の濃度差は，エネルギーを消費する細胞膜の輸送機構によって形成されて維持される．

そのなかで最も知られた輸送機構である Na^+-K^+ ATPase（Na^+-K^+ ATP アーゼ）（Na^+-K^+ ポンプ（Na^+-K^+ pump））は，細胞内液から細胞外液に Na^+ を輸送し，同時に K^+ を細胞外液から細胞内液に輸送する．Na^+ と K^+ の双方とも，それぞれの電気化学的勾配に逆らって輸送される．そ

れゆえ，エネルギー源としてアデノシン三リン酸（adenosine triphosphate：ATP）が必要になる．Na^+-K^+ ATPase は，細胞膜を隔てた Na^+ と K^+ の大きな濃度勾配（つまり，低い細胞内 Na^+ 濃度と高い細胞内 K^+ 濃度）を形成する役割を果たしている．

同様に，細胞内 Ca^{2+} 濃度は細胞外 Ca^{2+} 濃度よりもはるかに低く維持されている．この濃度差の一部は，Ca^{2+} を電気化学的勾配に逆らって輸送する細胞膜の Ca^{2+} ATPase によって形成される．Na^+-K^+ ATPase と同様に，Ca^{2+} ATPase も ATP を直接のエネルギー源として用いる．

直接 ATP を用いる輸送体の他，（Na^+-K^+ ATPase によってつくられた）Na^+ 濃度勾配をエネルギー源として利用し，濃度差を形成するような輸送体がある．グルコース，アミノ酸，Ca^{2+}，H^+ の濃度勾配は ATP を直接利用することなく形成される．

明らかに，細胞膜は大きな濃度勾配を形成するしくみをもっている．しかし，仮に細胞膜がすべての溶質を自由に透過させてしまえば，濃度勾配は速やかに消失するであろう．したがって，細胞膜はすべての物質を自由に透過させるのではなく，エネルギー消費を伴う輸送過程によって形成された濃度差を維持できるよう，**選択的**に物質を透過させることがきわめて重要である．

細胞内液と細胞外液の組成の違いは，直接的であれ間接的であれ，以下に例示するように，あらゆる重要な生理機能の基礎となっている：(1)神経と筋の静止膜電位は，細胞膜を隔てた K^+ 濃度差によってほとんど決まっている．(2)これらの興奮性細胞に生じる活動電位の立ち上がり相は，細胞膜を隔てた Na^+ 濃度差に依存している．(3)筋細胞の興奮収縮連関は，細胞膜内外と筋小胞体膜内外の Ca^{2+} 濃度差に依存している．(4)必須栄養素の吸収は，膜内外の Na^+ 濃度勾配に依存している（例えば，小腸でのグルコース吸収や腎近位尿細管でのグルコース再吸収など）．

■ 血漿と間質液の濃度差

前述の通り，細胞外液は 2 つの区分，間質液と血漿からなる．この 2 つの区分で一番大きな組成の違いは，血漿区分にはタンパク質（例えば，アルブミン）が存在することである．血漿タンパク質は分子が大きく容易には毛細血管壁を透過しないので，間質液には含まれていない．

間質液にはタンパク質が含まれないことにより，次の二次的な結果がもたらされる．血漿タンパク質は負に荷電しており，この負電荷によって小さい透過性の陽イオンと陰イオンが血管壁を横切る再分布を引き起こす．これを Gibbs-Donnan（ギブス・ドナン）平衡（Gibbs-Donnan equilibrium）という．この再分布は，以下のように説明される．血漿区分は透過性がなく，負電荷をもつタンパク質を含む．電気的中性を保つためには，間質液と比較して血漿は，低分子陰イオン（例えば，Cl^-）はわずかに低濃度で，低分子陽イオン（例えば，Na^+ と K^+）はわずかに高濃度である必要がある．この透過性イオンの小さな濃度差は Gibbs-Donnan 比（Gibbs-Donnan ratio）として示されるが，陰イオンに関しては間質液中の濃度に対する血漿中の濃度，陽イオンに関しては血漿中の濃度に対する間質液中の濃度で表す．例えば，血漿中の Cl^- 濃度は（非透過性のタンパク質があるため）間質液中よりわずかに低い．Cl^- の Gibbs-Donnan 比，すなわち $[Cl^-]_{血漿}/[Cl^-]_{間質液}$ は 0.95 である．一方，Na^+ の Gibbs-Donnan 比も 0.95 であるが，Na^+ は正電荷をもつため方向が逆となり，$[Na^+]_{間質液}/[Na^+]_{血漿}$ は 0.95 である．この程度の小分子陽イオン・陰イオンの血漿中と間質液中の濃度差は，無視できることがほとんどである．

細胞膜の特徴

細胞膜は主に脂質とタンパク質から構成される．脂質成分は，リン脂質，コレステロール，糖脂質であり，細胞膜が二酸化炭素，酸素，脂肪酸，ステロイドホルモンなどの脂溶性物質への透過性が高いことの原因である．また，脂質成分は細胞膜が，イオン，グルコース，アミノ酸といった水溶性物質への透過性が低いことの原因でもある．細胞膜のタンパク質成分として，輸送体，酵素，ホルモン受容体，細胞表面抗原，イオンチャネル，

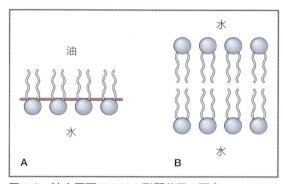

図 1.2 油水界面でのリン脂質分子の配向.
油水界面でのリン脂質の配向(**A**)と，細胞膜でみられる脂質二重層でのリン脂質の配向(**B**).

水チャネルがある．

細胞膜のリン脂質成分

リン脂質（phospholipid）は，1つのリン酸基が結合したグリセロール骨格（頭部）と2つの脂肪酸尾部から構成される（図1.2）．グリセロール骨格は**親水性**（hydrophilic）（水に可溶性）であり，脂肪酸尾部は**疎水性**（hydrophobic）（水に不溶性）である．したがって，リン脂質分子には親水性と疎水性の双方の性質があり，**両親媒性**（amphipathic）という．油水界面では（図1.2A）リン脂質分子は一層膜構造をとり，グリセロール骨格は水相に溶解し，脂肪酸尾部は油相に溶解するように配向している．細胞膜では（図1.2B），リン脂質は脂溶性の脂肪酸尾部が互いに向かい合い，水溶性のグリセロール頭部は離れるように配向し，細胞内液や細胞外液という水溶液に溶解している．この配向が**脂質二重層**（lipid bilayer）を形成する．

細胞膜のタンパク質成分

細胞膜に含まれるタンパク質には，内在するものと表在するものがある．リン脂質二重層の中にタンパク質が分布する様子を，**流動モザイクモデル**（fluid mosaic model）に即して図1.3に示す．

- **内在性膜タンパク質**（integral membrane protein）は，疎水性相互作用により細胞膜に埋め込まれて，つなぎ止められる．内在性膜タンパク質には，受容体，接着分子，溶質や水が細胞膜を横切る輸送にかかわるタンパク質，酵素，細胞シグナル伝達にかかわるタンパク質がある．内在性膜タンパク質を細胞膜から取り除くためには，脂質二重層への付着を（界面活性剤などで）分離する必要がある．内在性膜タンパク質の一種に**膜貫通型タンパク質**（transmembrane protein）があり，脂質二重層を1回以上横切るものである．したがって，膜貫通型タンパク質は細胞外液にも細胞内液にも接する．膜貫通型の内在性膜タンパク質の例として，（例えば，ホルモンや神経伝達物質に対する）リガンド結合型受容体，（Na^+-K^+ ATPase などの）輸送体タンパク質，水とイオンを通過できるようにする細孔とイオンチャネル，細胞接着分子，グアノシン三リン酸（guanosine triphosphate：GTP）結合タンパク質（Gタンパク質）がある．2種類目の内在性膜タンパク質として，脂質二重層に埋め込まれているが貫通していないものがある．3種類目の内在性膜タンパク質は，脂質二重層に埋め込まれていないが脂質成分に共有結合するものである．

- **表在性膜タンパク質**（peripheral membrane protein）は膜に埋め込まれておらず，また，細胞膜の構成要素との共有結合もない．表在性膜タンパク質が細胞膜に緩やかに付着しているのは，細胞膜の細胞内側または細胞外側のリン脂質の頭部基との**イオン間相互作用**（ionic interaction）による．もしくは，内在性膜タンパク質の細胞内側または細胞外側へ付着することを介してである．そのため表在性膜タンパク質は，イオン結合や水素結合を切断するような軽い処理で細胞膜から取り除くことができる．表在性膜タンパク質の一例として**アンキリン**（ankyrin）があり，それは，赤血球の細胞骨格であるスペクトリン-アクチンネットワークを内在性膜タンパク質である Cl^--HCO_3^- 交換輸送体（バンド3タンパク質ともいう）につなぎ止めている．

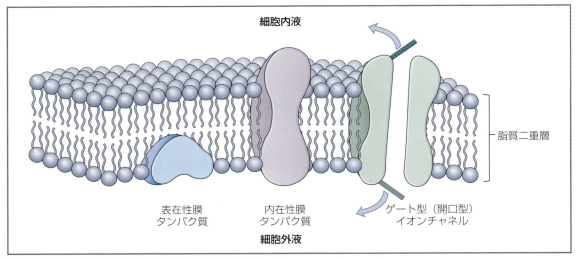

図 1.3　細胞膜の流動モザイクモデル.

表 1.2　膜輸送の種類とその性質.

輸送の種類	能動／受動	担体	代謝エネルギーの使用	Na^+濃度勾配の利用
単純拡散	受動（下り坂）	なし	なし	なし
促進拡散	受動（下り坂）	あり	なし	なし
一次性能動輸送	能動（上り坂）	あり	あり（直接）	なし
共輸送	二次性能動*	あり	あり（間接）	あり（溶質は Na^+と同じ方向に細胞膜を横切る）
対向輸送	二次性能動*	あり	あり（間接）	あり（溶質は Na^+と逆の方向に細胞膜を横切る）

＊：Na^+は下り坂輸送され，1つ以上の溶質が上り坂輸送される．

細胞膜を横切る輸送

細胞膜を横切り物質を輸送するしくみは数種類ある（表1.2）．

物質の輸送は，電気化学的勾配に従って（下り坂）もしくは逆らって（上り坂）行われる．**下り坂輸送（downhill transport）**は単純拡散または促進拡散のいずれかにより行われ，どちらも代謝エネルギーを必要としない．**上り坂輸送（uphill transport）**は能動輸送によって行われるが，エネルギー源により一次性と二次性に区別される．一次性能動輸送は代謝エネルギーにより直接駆動され，二次性能動輸送は代謝エネルギーを間接的に利用する．

さらに，輸送のしくみは担体（輸送体）タンパク質を介するか否かで分類される．単純拡散のみが担体を介さない輸送である．促進拡散，一次性能動輸送，二次性能動輸送はいずれも内在性膜タンパク質がかかわっており，**担体輸送（carrier-mediated transport）**とよぶ．すべての担体輸送は飽和，立体特異性，競合という3つの特徴を示す．

● 飽和（saturation）

飽和とは，担体タンパク質の溶質に対する結合部位は，ある限られた数だけ存在するという考えに基づいている．図1.4は，担体輸送の速度と溶質濃度の関係を示している．低濃度では，多くの結合部位が空いているので濃度が増加するにつれて速度も増加するが，高濃度では，結合部位の空きが少なくなるため輸送速度も横ばいとなる．最終的には，すべての結合部位が埋まって飽和状態となるが，その点を**最大輸送量（transport max-**

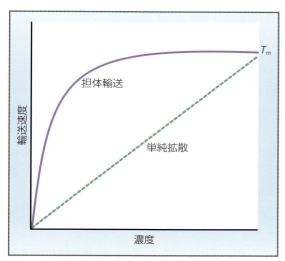

図 1.4　担体輸送の反応速度論.
T_m：最大輸送量.

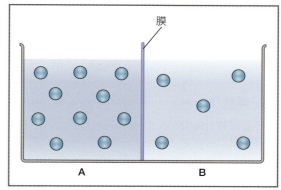

図 1.5　単純拡散.
2 つの溶液 A と B が，溶質（●）を透過させる膜で隔てられている．最初は，溶液 A が溶液 B よりも溶質の濃度が高い．

imum）（T_m）とよぶ．担体輸送の反応速度論は Michaelis-Menten（ミカエリス・メンテン）の酵素反応速度論に類似するが，どちらも限られた数の結合部位をもつタンパク質が携わることが共通点である（T_m は酵素反応速度論の V_{max} と類似している）．腎臓の**近位尿細管**（proximal tubule）における T_m 制限性のグルコース輸送は，飽和しうる輸送の一例である．

● **立体特異性**（stereospecificity）

輸送体タンパク質の溶質結合部位には立体特異性がある．例えば，腎臓近位尿細管のグルコース輸送体は，天然型の異性体である D-グルコースは認識して輸送するが，非天然型の異性体である L-グルコースは認識せず輸送しない．それとは対照的に，単純拡散では輸送体タンパク質はかかわらないので，2 種類のグルコース異性体の単純拡散に違いはない．

● **競合**（competition）

輸送体の溶質結合部位の特異性は非常に高いが，それでも化学的に類似した溶質を認識し，結合し，さらには輸送することもある．例えば，グルコース輸送体は D-グルコースに対して特異性があるが，類似の糖である D-ガラクトースも認識して輸送する．したがって，D-ガラクトースが存在すると，輸送体の結合部位の一部を占めて D-グルコースが利用できなくなるので，D-グル

コースの輸送は阻害される．

単純拡散

■ 非電解質の拡散

単純拡散（simple diffusion）は，分子のランダムな熱運動の結果として起こる．図 1.5 に示すように，2 つの溶液 A と B が，溶質を透過させる膜で隔てられている場合を考えてみる．最初，溶液 A の濃度は B の 2 倍とする．溶液分子は絶え間なく動き，ある分子が膜を横切りもう一方の溶液に入る確率は等しいとする．ところが，溶液 A には溶液 B の 2 倍の数の溶液分子が存在するため，A から B へと移動する分子のほうが B から A へと移動する分子よりも多い．つまり，A から B への溶質の**正味の拡散**（net diffusion）が起こり，それは 2 つの溶液濃度が等しくなるまで続く（もっとも，分子のランダム運動自体は永遠に続く）．

溶質の正味の拡散の速さ【訳者注：単位時間あたりに膜を透過する溶質の量，すなわち流量】を**流束**（flux, flow）（J）で表し，これは次の変数に依存する：濃度勾配，分配係数，拡散係数，膜の厚さ，拡散に有効な膜の表面積．

濃度勾配（$C_A - C_B$）

膜を隔てた溶液の**濃度勾配**（concentration gradient）が正味の拡散の**駆動力**（driving force）

となる．溶液 A と B の濃度差が大きいほど駆動力も大きくなり，正味の拡散も多くなる．したがって，もし 2 つの溶液の濃度が等しければ，駆動力はなく正味の拡散もない．

分配係数（K）

分配係数（partition coefficient）とは，ある溶質の水相中の濃度に対する油相中の濃度の比と定義される．水相よりも油相に溶解しやすいほど分配係数は高くなり，細胞膜の脂質二重層にもより溶解しやすくなる．無極性の溶質は油相に溶解しやすいので分配係数は高くなり，極性の溶質は油相に溶解しにくいので分配係数は低くなる．分配係数は，溶質をオリーブ油と水の混合液に加えて溶解し，水相での濃度に対する油相での濃度の比を求めることで算出できる．すなわち，

$$K = \frac{\text{オリーブ油中の溶質濃度}}{\text{水中の溶質濃度}}$$

拡散係数（D）

拡散係数（diffusion coefficient）は，溶質分子の大きさや溶媒の粘度などの特性に依存しており，Stokes-Einstein（ストークス・アインシュタイン）の式で与えられる．拡散係数は，溶質分子の半径と溶媒の粘度に反比例する．したがって，低粘度の溶媒中の小分子の溶質は拡散係数が大きくなり，拡散しやすいことがわかる．一方，高粘度の溶媒中の大分子の溶質は拡散係数が小さくなり，拡散しづらいことがわかる．すなわち，

$$D = \frac{kT}{6\pi r \eta}$$

ここで

D ＝拡散係数
k ＝Boltzmann（ボルツマン）定数
T ＝絶対温度（K）
r ＝分子の半径
η ＝溶媒の粘度

膜の厚さ（Δx）

膜が厚いと，溶媒が膜内を拡散して通過する距離が長くなるので，拡散の速度は遅くなる．

膜の表面積（A）

拡散に有効な膜の表面積が大きいほど，より速く拡散する．例えば，酸素や二酸化炭素のような脂溶性の気体は拡散して細胞膜を透過するのが特に速い．それは，細胞膜では脂質成分の占める表面積が大きいからである．

拡散をより単純に記載するため，今まで説明してきた特性を透過係数（permeability）（P）という 1 つの項にまとめる．ここで，透過係数は分配係数，拡散係数，膜の厚さを用いて，次のように表すことができる．

$$P = \frac{KD}{\Delta x}$$

複数の変数を透過係数として 1 つにまとめたことにより，正味の拡散の速さ（流量）は次のように，単純な式で表すことができる．

$$J = PA(C_A - C_B)$$

ここで

J ＝正味の拡散の流量（mmol/sec）
P ＝透過係数（cm/sec）
A ＝拡散に有効な表面積（cm^2）
C_A ＝溶液 A の濃度（mmol/L）
C_B ＝溶液 B の濃度（mmol/L）

例題

溶液 A と溶液 B は膜で隔てられていて，その膜の尿素の透過係数は 2×10^{-5} cm/sec，表面積は 1 cm^2 である．A の尿素濃度は 10 mg/mL，B の尿素濃度は 1 mg/mL である．油水混合液中の尿素の分配係数は 1×10^{-3} である．尿素の正味の拡散につき，その最初の速さと方向を答えよ．

解答

透過係数はすでに分配係数の情報を含むため，与えられた分配係数は不要であることに注意する．

正味の拡散の速さ，すなわち流束は，次の正味の拡散の式に与えられた値を代入することで得られる．

$$J = PA(C_A - C_B)$$

そして

$$J = 2 \times 10^{-5} \, \text{cm/sec} \times 1 \, \text{cm}^2$$
$$\times (10 \, \text{mg/mL} - 1 \, \text{mg/mL})$$

1 mL の水は 1 cm³ なので，

$$J = 2 \times 10^{-5} \, \text{cm/sec} \times 1 \, \text{cm}^2$$
$$\times (10 \, \text{mg/cm}^3 - 1 \, \text{mg/cm}^3)$$
$$= 1.8 \times 10^{-4} \, \text{mg/sec}$$

流束の大きさは 1.8×10^{-4} mg/sec と求められた．流束の方向は，濃度の高いほう（溶液 A）から低いほう（溶液 B）に向かうことは明らかである．正味の拡散は，2 つの溶液中の尿素濃度が等しくなり，駆動力がゼロになるまで続く．

■ 電解質の拡散

ここまでは，溶質は非電解質（電荷をもたない）であると仮定して，拡散を説明してきた．しかし，拡散する溶質が**イオン（ion）**，つまり**電解質（electrolyte）**である場合は，その電荷により，2 つの新たな作用がもたらされる．

第 1 に，膜を隔てて電位差があるとき，電位差は電荷をもつ溶質の正味の拡散の速さを変える効果がある（電位差は非電解質の拡散の速さには影響しない）．例えば，K^+ の拡散の速さは，正に帯電している方向への拡散は遅くなり，負に帯電している方向への拡散は速くなる．電位差による効果は，濃度差による効果と合算される．濃度勾配と電位差による効果が膜に対して同じ方向になる場合，拡散の速さは加算され，逆の方向になる場合は打ち消し合う．

第 2 に，電荷をもつ溶質が（膜を横切って）濃度勾配に従う下り坂の拡散をしたとき，その拡散自体によって，膜を隔てた新たな電位差が生じる．それを**拡散電位（diffusion potential）**とよび，後の項で詳しく説明する．

促進拡散

単純拡散と同様に，**促進拡散（facilitated diffusion）**も電気化学的ポテンシャルの勾配に従って生じるため，代謝エネルギーを供給する必要はない．しかし，単純拡散とは異なり，促進拡散には膜の担体タンパク質が使われるので，担体輸送のすべての特徴，すなわち，飽和，立体特異性，競合を示す．溶質の濃度が低いとき，促進拡散は担体の機能により，単純拡散よりもたいてい速く進行する（つまり，促進される）．しかし，溶質の濃度が高くなると，担体は飽和されるので促進拡散の速度は頭打ちとなる（一方，単純拡散は溶質の濃度勾配がある限り続く）．

促進拡散のよい例が，GLUT グルコース輸送体ファミリーに属する**グルコース輸送体 GLUT4** を介した，骨格筋細胞や脂肪細胞における **D-グルコース（D-glucose）**の細胞内取り込みである．グルコースの血中濃度が細胞内濃度よりも高い限り，グルコースの輸送は続く．そして，グルコース輸送の速度は輸送体が飽和されるまで速くなり，飽和したところで最大値となる．D-ガラクトース，3-O-メチルグルコース，フロリジンなどの他の単糖類は，輸送体の輸送部位に結合するため，グルコースの輸送を競合的に阻害する．競合する溶質がそれ自体も輸送される場合も（例えば，D-ガラクトース），単に結合部位を占拠してグルコースの結合を阻止するだけの場合も（例えば，フロリジン）ある．前述の通り，生理的でない（非天然型の）立体異性体である L-グルコースは促進拡散の担体には認識されないので，結合も輸送もされない．

その他の促進拡散の例として，尿素輸送体（urea transporter：UT）と有機アニオン輸送体がある．

一次性能動輸送

能動輸送では，1 つまたは複数の溶質が電気化学的ポテンシャルの勾配に逆らって（上り坂）輸送される．言い換えると，溶質は低濃度側（または低い電気化学的ポテンシャル）から高濃度側（または高い電気化学的ポテンシャル）へと輸送される．溶質の上り坂輸送を行うので，代謝エネルギーと

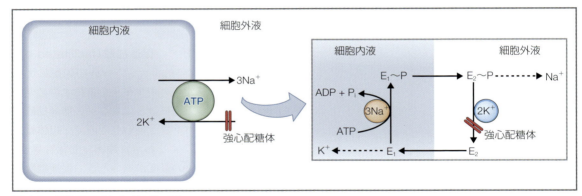

図1.6 細胞膜のNa⁺-K⁺ポンプ.
ADP：アデノシン二リン酸，ATP：アデノシン三リン酸，E：Na⁺-K⁺ ATPase，E〜P：リン酸化 Na⁺-K⁺ ATPase，P_i：無機リン酸.

してATPの供給を必要とする．輸送の過程で，ATPは加水分解されて，ATPの末端高エネルギーリン酸結合からエネルギーを放出し，**アデノシン二リン酸**(adenosine diphosphate：ADP)と**無機リン酸**(inorganic phosphate：P_i)になる．末端のリン酸基は放出されると輸送体タンパク質に転移し，輸送体タンパク質のリン酸化と脱リン酸化のサイクルが開始される．このように，エネルギー源としてATPが直接，輸送過程と共役しているものを**一次性能動輸送**(primary active transport)とよぶ．生理的システムでの例を3つ挙げると，Na⁺-K⁺ ATPaseはすべての細胞膜に存在し，Ca^{2+} ATPaseは筋小胞体と小胞体に存在し，H⁺-K⁺ ATPaseは胃の**壁細胞**(parietal cell)と腎臓のα間在細胞(α-intercalated cell)に存在する．

■ Na⁺-K⁺ ATPase(Na⁺-K⁺ポンプ)

Na⁺-K⁺ ATPaseはすべての細胞の細胞膜に存在し，Na⁺を細胞内液から細胞外液へ汲み出し，K⁺を細胞外液から細胞内液に取り込む(図1.6)．双方のイオンとも電気化学的勾配に逆らって移動する．化学量論的な関係はさまざまであるが，典型的には3個のNa⁺が細胞外へ汲み出され，2個のK⁺が細胞内に取り込まれる．この比率なので，Na⁺-K⁺ ATPaseによる輸送の1サイクルあたり，取り込まれる正電荷よりも汲み出される正電荷が1個多いことになる．電荷分離と電位差を作り出すことから，この輸送過程は**起電性**(electrogenic)とよばれる．Na⁺-K⁺ ATPaseによって細胞膜を隔てたNa⁺とK⁺の濃度勾配が維持され，細胞内Na⁺濃度を低く，そして細胞内K⁺濃度を高く保つことができる．

Na⁺-K⁺ ATPaseはαとβのサブユニットから構成される．αサブユニットは，輸送されるイオンであるNa⁺とK⁺との結合部位およびATPase活性をもつ．Na⁺-K⁺ ATPaseの主な立体構造の状態にはE_1とE_2の2種類があり，その間で切り替わる．E_1状態では，Na⁺とK⁺の結合部位は細胞内液側に面しており，Na⁺の結合親和性が高い．E_2状態では，Na⁺とK⁺の結合部位は細胞外液側に面しており，K⁺の結合親和性が高い．この酵素がイオンを輸送する機能(つまり，Na⁺を細胞外へ汲み出し，K⁺を細胞内に取り込む)は，ATP加水分解のエネルギーを得てE_1状態とE_2状態をサイクルすることにより築き上げられる．

この**輸送サイクル**(transport cycle)を図1.6に示す．サイクルは酵素にATPが結合したE_1状態から始まる．E_1状態では，イオン結合部位は細胞内液側に面し，Na⁺の結合親和性が高い．3個のNa⁺が結合し，ATPが加水分解され，ATPの末端リン酸基が酵素に転移され，高エネルギー状態であるE_1〜Pとなる．ここで大きな立体構造変化が起こり，E_1〜PからE_2〜Pへ切り替わる．E_2状態ではイオン結合部位は細胞外液側に面し，Na⁺の結合親和性は低く，K⁺の結合親和性

が高い．3個の Na^+ は酵素から細胞外液中に放出され，2個の K^+ が酵素に結合し，無機リン酸基は E_2 から脱離する．ここで酵素は細胞内の ATP と結合し，もう一度大きな立体構造変化が起こり，E_1 状態に戻る．2個の K^+ は細胞内液中に放出され，酵素は次のサイクルに入る．

強心配糖体（cardiac glycoside）（例えば，ウアバイン（ouabain）やジギタリス（digitalis）など）は，Na^+–K^+ ATPase を阻害する薬物のクラスである．このクラスの薬物による治療は，細胞内のイオン濃度にある予測できる変化を引き起こす．すなわち，細胞内 Na^+ 濃度は上昇し，細胞内 K^+ 濃度は低下する．強心配糖体は Na^+–K^+ ATPase の E_2〜P 型の細胞外液側 K^+ 結合部位に結合することで，E_2〜P 型が E_1 状態に戻るのを妨げて，Na^+–K^+ ATPase を阻害する．リン酸化と脱リン酸化のサイクルを中断することにより，酵素全体のサイクルを中断してその輸送機能を止める．

■ Ca^{2+} ATPase（Ca^{2+} ポンプ）

ほとんどの細胞膜（cell membrane），つまり形質膜（plasma membrane）には，Ca^{2+} ATPase，すなわち形質膜 Ca^{2+} ATPase（plasma-membrane Ca^{2+} ATPase：PMCA）があり，1分子の ATP が加水分解されるごとに，電気化学的勾配に逆らって細胞内から1個の Ca^{2+} を汲み出す．細胞内 Ca^{2+} 濃度が非常に低く保たれることの一部は PMCA の働きである．それに加えて，筋細胞の筋小胞体（sarcoplasmic reticulum：SR）とその他の細胞の小胞体（endoplasmic reticulum：ER）には，さまざまな Ca^{2+} ATPase が存在し，1分子の ATP が加水分解されるごとに2個の Ca^{2+} を細胞内液から筋小胞体や小胞体の内部に取り込む（Ca^{2+} 隔離）．これらの異型を総称して筋小胞体・小胞体 Ca^{2+} ATPase（SR and endoplasmic reticulum Ca^{2+} ATPase：SERCA）とよぶ．Ca^{2+} ATPase の機能は Na^+–K^+ ATPase と類似しており，Ca^{2+} の結合親和性が高い E_1 状態と，Ca^{2+} の結合親和性が低い E_2 状態がある．PMCA の場合は，E_1 状態で細胞内液側に Ca^{2+} が結合し，E_2 状態への立体構造変化が起こり，E_2 状態で細胞外液中に Ca^{2+} を放出する．SERCA の場合は，E_1 状態で細胞内液側に Ca^{2+} が結合し，E_2 状態で筋小胞体や小胞体の内腔に Ca^{2+} を放出する．

■ H^+–K^+ ATPase（H^+–K^+ ポンプ）

H^+–K^+ ATPase は，胃粘膜の壁細胞と腎集合管の α 間在細胞に存在する．胃では，壁細胞の細胞内液から H^+ を胃腔内に分泌し，胃内容物を酸性化する．オメプラゾール（omeprazole）は胃 H^+–K^+ ATPase の阻害薬であり，消化性潰瘍の治療として H^+ 分泌を減少させるのに用いられる．

二次性能動輸送

二次性能動輸送（secondary active transport）は，2つまたはそれ以上の溶質の輸送が共役する過程である．溶質のうち1つは，通常は Na^+ であるが，電気化学的勾配に従って（下り坂）輸送され，他の溶質が電気化学的勾配に逆らって（上り坂）輸送される．Na^+ の下り坂輸送が駆動力となり，他の溶質の上り坂輸送が行われる．したがって，ATP という形の代謝エネルギーを直接利用するわけではないが，細胞膜を隔てた Na^+ 濃度勾配という間接的な形で利用している（Na^+–K^+ ATPase が ATP を利用して，この Na^+ 勾配を形成して維持するため）．二次性能動輸送という名称は，エネルギー源として ATP を間接的に利用することを指している．

Na^+–K^+ ATPase の阻害（例えば，ウアバイン投与による）は，Na^+ の細胞内液から細胞外液への輸送を減少させて，細胞内 Na^+ 濃度を上昇させ，その結果，細胞膜を隔てた Na^+ 濃度勾配が減少する．したがって，Na^+–K^+ ATPase の阻害薬は，駆動力としての Na^+ 濃度勾配を減少させるという間接的な形で，すべての二次性能動輸送を減弱させる．

二次性能動輸送には2種類あり，溶質が上り坂輸送される方向によって区別される．溶質の上り坂輸送が Na^+ 輸送と同方向の場合は共輸送（cotransport, symport）といい，逆方向の場合は対向輸送（countertransport），逆輸送（antiport），交換輸送（exchange）という．

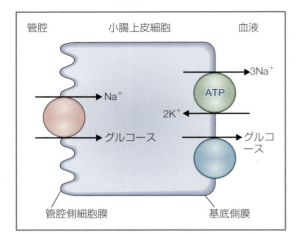

図1.7 小腸上皮細胞（管腔側細胞膜）のNa$^+$-グルコース共輸送.
ATP：アデノシン三リン酸.

■ 共輸送

共輸送とは，すべての溶質が細胞膜を横切って同方向に運ばれる二次性能動輸送のことである．Na$^+$は，その電気化学的勾配に従って輸送体を介して細胞内に運ばれ，Na$^+$と共輸送される溶質も同様に細胞内に運ばれる．共輸送はいくつかの非常に重要な生理的過程，とりわけ小腸上皮と尿細管上皮の吸収過程に関与している．例えば，**Na$^+$-グルコース共輸送体（Na$^+$-glucose cotransporter：SGLT）とNa$^+$-アミノ酸共輸送体（Na$^+$-amino acid cotransporter）**は，小腸と腎近位尿細管の上皮細胞の管腔側の細胞膜に存在する．腎近位尿細管にある共輸送体の別の例として**Na$^+$-K$^+$-2Cl$^-$共輸送体（Na$^+$-K$^+$-2Cl$^-$ cotransporter）**があるが，これは太い上行脚の上皮細胞の管腔側の細胞膜に存在する．どちらの例も，Na$^+$-K$^+$ ATPaseでつくられたNa$^+$勾配を使うことで，グルコース，アミノ酸，K$^+$，Cl$^-$といった溶質が電気化学的勾配に逆らって輸送される．

共輸送の原理を，**小腸上皮細胞（intestinal epithelial cell）**のNa$^+$-グルコース共輸送体（SGLT1）を例として**図1.7**に示す．共輸送体は細胞の管腔側細胞膜に存在し，Na$^+$とグルコースの2種類の特異的認識部位が露出している．Na$^+$とグルコースは，両方とも小腸の管腔内に存在するときに共輸送体に結合する．この構成で輸送タンパク質は回転して，Na$^+$とグルコースは両方とも細胞内で解放される（その後，Na$^+$はNa$^+$-K$^+$ ATPaseにより，グルコースは促進拡散により，双方とも基底側膜側の細胞外液である血中に輸送される）．もし，小腸管腔側からNa$^+$もしくはグルコースのいずれかがなくなると，共輸送体は回転できない．このように，共輸送には双方の溶質が必要であり，一方でも欠けると双方とも輸送されなくなる（Box 1.1）．

最後に，小腸でのNa$^+$とグルコースの共輸送過程は，小腸での炭水化物の吸収という文脈から理解することができる．食物中の炭水化物は消化管の酵素により，吸収のできる単糖類に消化される．単糖類の1つがグルコースであり，グルコースは小腸上皮細胞を横切って消化管内から血中に吸収されるが，それは小腸上皮細胞の管腔側のNa$^+$-グルコース共輸送体と基底側膜側のグルコース促進拡散という2つのしくみが協働することにより行われる．Na$^+$-グルコース共輸送は能動的な過程なので，グルコースを電気化学的勾配に逆らって小腸上皮細胞に取り込むことができ，その後グルコースは濃度勾配に従って血中に吸収される．

■ 対向輸送

対向輸送（もしくは，逆輸送，交換輸送）とは，複数の溶質がそれぞれ逆方向に細胞膜を横切って運ばれる二次性能動輸送である．Na$^+$は，その電気化学的勾配に従って輸送体を介して細胞内に運ばれ，対向輸送すなわちNa$^+$と交換される溶質は細胞外に運ばれる．対向輸送の例として，**Ca^{2+}-Na$^+$交換輸送（Ca^{2+}-Na$^+$ exchange）（図1.8）**とNa$^+$-H$^+$交換輸送がある．共輸送と同様に，対向輸送もNa$^+$-K$^+$ ATPaseでつくられたNa$^+$勾配をエネルギー源として利用するが，Na$^+$は下り坂輸送され，Ca^{2+}やH$^+$は上り坂輸送される．

Ca^{2+}-Na$^+$交換輸送はCa^{2+} ATPaseとともに，細胞内Ca^{2+}濃度を非常に低く（≒10^{-7} mol/L）保つ働きのある輸送機構である．Ca^{2+}-Na$^+$交換輸送をするには，Ca^{2+}を電気化学的勾配に逆らって細胞外に運び出すので，能動輸送がかかわらなければならない．図1.8に筋細胞膜のCa^{2+}-Na$^+$交換

Box 1.1　糖尿病による糖尿

▶ 症例

14歳の少年が，年1回の健診で頻尿と強い口渇を訴えた．尿試験紙法ではグルコースは陽性であった．グルコース（ブドウ糖）負荷試験を行い，1型糖尿病（type 1 diabetes mellitus）と診断された．インスリン（insulin）注射の治療を開始し，尿のグルコースも陰性となった．

▶ 解説

1型糖尿病は複雑な疾患であるが，ここでは頻尿と糖尿（glucosuria）（尿にグルコースが出ること）という症候のみを解説する．通常は，腎におけるグルコースの扱いは以下の通りである．血中のグルコースは糸球体毛細血管から濾過される．腎近位尿細管の上皮細胞は，尿にグルコースが排泄されないように，濾過されたグルコースをすべて再吸収する．したがって，健常人の尿試験紙法ではグルコースは検出されない．もし，近位尿細管の上皮細胞が濾過されたすべてのグルコースを再吸収して血中に戻せないと，再吸収されなかったグルコースは尿に排泄される．このグルコース再吸収を行う細胞のしくみは，近位尿細管上皮細胞の管腔側のNa^+-グルコース共輸送体である．これは担体輸送なので，グルコース結合部位は有限である．もし，結合部位がすべて埋まってしまうと，輸送は飽和する（最大輸送量）．

1型糖尿病の患者では，膵臓β細胞（pancreatic β cell）が産生するホルモンであるインスリンが十分に産生されていない．インスリンは，肝臓，筋やその他の細胞が正常にグルコースを取り込むのに必要である．インスリンが不足すると，グルコースは細胞によって取り込まれなくなるので，血糖値（血中グルコース濃度）は上昇する．血糖値がより高くなると，腎糸球体でより多くのグルコースが濾過され，Na^+-グルコース共輸送体による再吸収の能力を超えてしまう．共輸送体の飽和のために再吸収できなかったグルコースは，尿に溢れ出てしまう．

▶ 治療

1型糖尿病患者の治療は，外因性インスリンの注射である．インスリンは，膵臓β細胞から正常に分泌されたものか外因性かにかかわらず，細胞のグルコース取り込みを促進することにより血糖値を下げる．この患者がインスリン注射の治療を受けたところ，血糖値は下がった．そして，糸球体でのグルコース濾過量も減少し，Na^+-グルコース共輸送体は飽和されなくなった．すべての濾過されたグルコースを再吸収できるようになったため，尿に溢れ出なくなり，尿からグルコースは検出されなくなった．

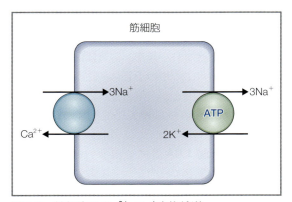

図 1.8　筋細胞の Ca^{2+}-Na^+ 交換輸送．
ATP：アデノシン三リン酸．

輸送の概念を示した．交換輸送タンパク質はCa^{2+}とNa^+の認識部位をもち，Ca^{2+}は細胞膜の細胞内側で結合し，Na^+は細胞外側で結合する．この構成で交換輸送タンパク質は回転し，Ca^{2+}を細胞外に運び，Na^+を細胞内に運ぶ．

Ca^{2+}-Na^+交換輸送の化学量論は，細胞種によりさまざまであり，時には1つの細胞種でも状況が異なると変化することもある．しかし，通常は1個のCa^{2+}を細胞外に運び出し，3個のNa^+が細胞内に入る．1個のCa^{2+}あたり3個のNa^+という比率なので，2個の正電荷が細胞外に出るのと交換で3個の正電荷が細胞内に入ることになり，Ca^{2+}-Na^+交換輸送は**起電性**となる．

浸透

浸透（osmosis）とは，半透膜の両側の溶液に濃度差があることが原因で水が半透膜を横切り流れることである．膜を隔てた非透過性の溶質の濃度差によって浸透圧較差が生じて，この浸透圧較差が浸透による水の流れを引き起こす．

14　第1章　細胞の生理学

■ 容積オスモル濃度

　溶質の**容積オスモル濃度（容積モル浸透圧濃度）**（osmolarity）とは，浸透圧を作り出す粒子の濃度であり，オスモル毎リットル（Osm/L）またはミリオスモル毎リットル（mOsm/L）で表される．容積オスモル濃度を計算するには，溶質の濃度，そして溶質が溶液中で解離するかを知る必要がある．例えば，グルコースは溶液中で解離しない．理論的には，NaCl は2つの粒子に解離し，$CaCl_2$ は3つの粒子に解離する．"g"の記号は溶液中の粒子数を示し，さらに解離が完全か不完全かも反映される．したがって，もし NaCl が完全に2つの粒子に解離するなら，g は2である．もし NaCl の解離が不完全なら，g は1と2の間の値をとる．容積オスモル濃度は以下のように計算される．

$$容積オスモル濃度 = gC$$

　ここで

　　容積オスモル濃度＝粒子の濃度（mOsm/L）
　　　　　g＝溶質1モルあたりの溶液中での
　　　　　　　粒子数（Osm/mol）
　　　　　C＝溶質の濃度（mmol/L）

　2つの溶液が計算上同じ容積オスモル濃度であるとき，**等浸透圧性**（isosmotic）という．2つの溶液が計算上異なる容積オスモル濃度である場合は，高い溶液を**高浸透圧性**（hyperosmotic），低い溶液を**低浸透圧性**（hyposmotic）という．

■ 重量オスモル濃度

　重量オスモル濃度（重量モル浸透圧濃度）（osmolality）とは，容積オスモル濃度（osmolarity）と似ており，浸透圧を作り出す粒子の濃度であるが，（1Lではなく）1kg の水あたりのオスモル濃度（Osm/kg）である．1kg の水はほぼ1L の水に等しいので，重量オスモル濃度と容積オスモル濃度はほとんど同じ数値となる．

例題

　溶液Aは2mmol/L の尿素溶液であり，溶液B

は1mmol/L の NaCl 溶液である．$g_{NaCl} = 1.85$ である．2つの溶液は等浸透圧性か．

解答

　両方の溶液の容積オスモル濃度を計算して，比較する．溶液Aに含まれる尿素は，溶液中では解離しない．溶液Bに含まれる NaCl は，溶液中で不完全に（すなわち，g＜2）解離する．したがって，

　容積オスモル濃度 A＝1 Osm/mol×2 mmol/L
　　　　　　　　　＝2 mOsm/L
　容積オスモル濃度 B＝1.85 Osm/mol
　　　　　　　　　×1 mmol/L
　　　　　　　　　＝1.85 mOsm/L

　2つの溶液の計算上の容積オスモル濃度は等しくないので，等浸透圧性ではない．溶液Aは高浸透圧性，溶液Bは低浸透圧性である．

■ 浸透圧

　浸透とは，半透膜の両側の溶液に濃度差があることが原因で，水が半透膜を横切り流れることである．溶質の濃度差が膜を隔てた浸透圧較差を作り出し，その圧較差が膜を横切る水の流れの駆動力となる．

　図 1.9 は浸透についての概念図である．大気に開放された2つの水溶液が**図 1.9A** に示されている．2つの溶液を隔てる膜は，水を透過させるが溶質は透過させない．最初，溶質は溶液1のみに存在する．溶液1の中の溶質は浸透圧を生じさせるため，水は溶液2から溶液1へと流れ，時間とともに溶液1の容量は増えて溶液2の容量は減る．

　図 1.9B は**図 1.9A** と同じ溶液の組であるが，溶液1にピストンで圧力を加えることにより，溶液1への水の流れを止めることができるような装置を使っている．この水の流れを止めるのに必要な圧が，溶液1の浸透圧である．

　溶液1の浸透圧（π）は，2つの因子に依存する．1つは浸透圧に関与する溶質粒子の濃度，もう1つは溶質粒子が溶液1中に留まるか（言い換えれば，膜を透過できるか否か）である．浸透圧は**van't Hoff（ファントホッフ）の法則**（van't Hoff

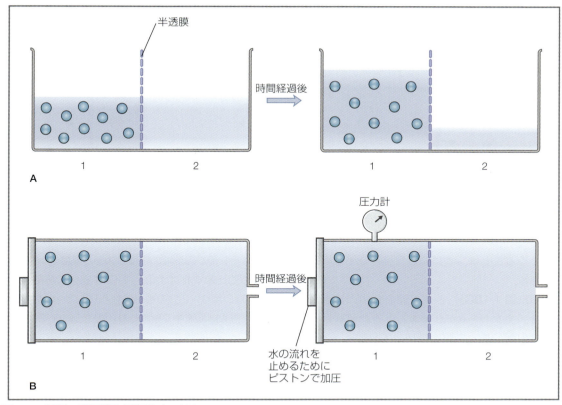

図 1.9　浸透：半透膜を横切る水の流れ.
A：半透膜に隔てられた片方の溶液 1 のみに溶質（●）が存在する．溶質によって生じた浸透圧較差により，溶液 2 から溶液 1 へ水は移動する．時間経過後の容積の変化を示す．**B**：溶液は閉じた容器に入っており，溶液 1 に圧力をかけるピストンがある．水の流れを止めるために必要な圧力が溶液 1 の有効浸透圧である．

law)を用いて，後述の式によって計算できる．この式は，粒子が元の溶液中に留まるかどうかを計算に入れたうえで，粒子の濃度を圧力に変換している．

すなわち

$$\pi = gC\sigma RT$$

ここで

π ＝浸透圧(atm または mmHg)
g ＝溶質 1 モルあたりの溶液中の粒子数(Osm/mol)
C ＝濃度(mmol/L)
σ ＝反射係数(0 ～ 1 までの値をとる)
R ＝気体定数(0.082 L−atm/mol−K)
T ＝絶対温度(K)

反射係数(reflection coefficient)(σ)は，溶質が膜を透過する容易さを 0 ～ 1 の値で示す無次元数(単位のない数)である．反射係数を 3 つの場合に分けて説明する(図 1.10)．

- $\sigma = 1$(図 1.10A)．溶質が膜を透過しない場合，すなわち，σ が 1 であるとき，溶質は元の溶液中に留まり，**有効浸透圧**(effective osmotic pressure)を作り出す効果は最大となり，引き起こす水の流れも最大となる．例えば，**血清アルブミン**(serum albumin)や**細胞内タンパク質**(intracellular protein)は $\sigma = 1$ の溶質である．

- $0 < \sigma < 1$(図 1.10B)．ほとんどの溶質は，膜に対して非透過性($\sigma = 1$)でも完全に透過性($\sigma = 0$)でもなく，反射係数は 0 と 1 の間の値である．有効浸透圧も 0 の場合と 1 の場合の間の

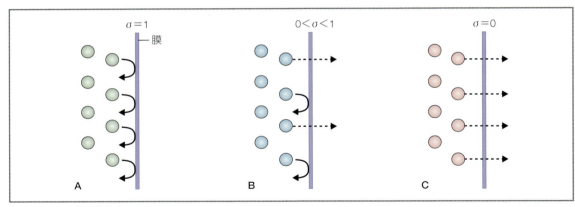

図 1.10 反射係数(σ).

値となることは，式に照らし合わせても明らかである．

- $\sigma=0$（図 1.10C）．溶質が膜を自由に透過する場合，すなわち σ が 0 であるとき，溶質はその濃度勾配に従って膜を横切って拡散し，2 つの溶液の濃度は等しくなる．この場合は，膜を隔てた有効浸透圧較差はなく，水の流れを起こす駆動力もない．式に照らし合わせても，$\sigma=0$ の場合は，有効浸透圧はゼロである．**尿素（urea）**は $\sigma=0$ に近い溶質の例である．

半透膜で隔てられた 2 つの溶液の有効浸透圧が同じとき，**等張 (isotonic)** という．このとき，2 つの溶液の間に有効浸透圧較差がないため，水の流れもない．2 つの溶液の浸透圧が異なるとき，低い有効浸透圧の溶液を**低張 (hypotonic)**，高い有効浸透圧の溶液を**高張 (hypertonic)** という．**水は低張液から高張液へと流れる**（Box 1.2）．

例題

1 mol/L の NaCl 溶液と 2 mol/L の尿素溶液が半透膜で隔てられている．NaCl は完全に解離しており，$\sigma_{NaCl}=0.3$，$\sigma_{尿素}=0.05$ である．この 2 つの溶液は等浸透圧か，もしくは等張か．また，正味の水の流れはあるか．あるとすれば，その方向はどうなるか．

解答

ステップ 1

2 つの溶液が等浸透圧であるかを決めるには，単にそれぞれの溶液の容積オスモル濃度（$g \times C$）を求めて比較すればよい．NaCl は完全に解離している（つまり，2 つの粒子になる）ので，$g=2$ である．尿素は溶液中で解離しないので，$g=1$ である．

$$\begin{aligned}
\text{NaCl}：\text{容積オスモル濃度} &= gC \\
&= 2 \times 1 \text{ mol/L} \\
&= 2 \text{ Osm/L}
\end{aligned}$$

$$\begin{aligned}
\text{尿素}：\text{容積オスモル濃度} &= gC \\
&= 1 \times 2 \text{ mol/L} \\
&= 2 \text{ Osm/L}
\end{aligned}$$

どちらの溶液も容積オスモル濃度は 2 Osm/L であり，等浸透圧である．

ステップ 2

2 つの溶液が等張であるかを判断するには，それぞれの溶液の有効浸透圧を求めなければならない．37℃（310 K），$RT=25.45$ L×atm/mol とすると，

$$\begin{aligned}
\text{NaCl}：\pi &= gC\sigma RT \\
&= 2 \times 1 \text{ mol/L} \times 0.3 \times RT \\
&= 0.6\,RT \\
&= 15.3 \text{ atm}
\end{aligned}$$

$$\begin{aligned}
\text{尿素}：\pi &= gC\sigma RT \\
&= 1 \times 2 \text{ mol/L} \times 0.05 \times RT \\
&= 0.1\,RT \\
&= 2.5 \text{ atm}
\end{aligned}$$

ステップ 1 の結果によると，2 つの溶液は同じ容積オスモル濃度，すなわち等浸透圧であったが，

Box 1.2 低浸透圧による脳浮腫

▶ 症例

　72歳男性．最近，肺燕麦細胞がん（小細胞肺がん）と診断されていた．コンサルタントの仕事に打ち込もうとしても活力が出なかった．ある夕方，傾眠傾向で錯乱ぎみであることに妻が気づいた．突然，男性は全身痙攣発作を発症して救急車で搬送された．救急外来にて測定した血漿Na^+濃度は113 mEq/L（基準値：140 mEq/L），血漿浸透圧（容積オスモル濃度）は230 mOsm/L（基準値：290 mOsm/L）であった．ただちに高張生理食塩水（NaCl水溶液）の輸液が開始され，症状は改善し，数日後に退院した．男性は厳格な水分制限を指示された．

▶ 解説

　小細胞肺がんは，自律的に（制御されずに）抗利尿ホルモン（antidiuretic hormone：ADH）を分泌するので，抗利尿ホルモン不適合分泌症候群（syndrome of inappropriate antidiuretic hormone：SIADH）の原因となる．SIADHでは，血液中のADH濃度が高く，腎臓の遠位尿細管後半部（late distal tubule）と集合管（collecting duct）の主細胞による水の再吸収が過度となる．過度に再吸収されて体内に留まった水は，細胞外液を薄めてNa^+濃度と容積オスモル濃度を下げる．容積オスモル濃度の低下によって細胞外液の有効浸透圧も低下するため，簡潔にいえば，細胞外液の有効浸透圧は細胞内液の有効浸透圧よりも小さくなる．細胞膜を隔てた有効浸透圧較差があるので，細胞外液から細胞内液へと浸透による水の流れが起こり，その結果，細胞は腫脹する．脳は頭蓋という固定の構造に入っているので，脳の細胞の腫脹は，痙攣を含めた重篤な神経症状の原因となりうる．

▶ 治療

　細胞外液の容積オスモル濃度と浸透圧を速やかに上げるために，高張生理食塩水の治療が計画された．それにより，脳の細胞膜を隔てた有効浸透圧較差が是正されて，浸透による水の流れと脳の細胞の腫脹を止めることができる【訳者注：低ナトリウム血症の急速な是正は，橋中心髄鞘崩壊症という重篤な合併症を招くおそれがあるので，注意深く行う必要がある】．

　ステップ2の結果によると，有効浸透圧が異なるので，等張ではない．この違いの理由は，NaClの反射係数が尿素よりも相当高く，NaClのほうがより大きな有効浸透圧を作り出すからである．水は尿素溶液からNaCl溶液へ，すなわち，低張液から高張液へと流れることになる．

拡散電位と平衡電位

イオンチャネル

　イオンチャネル（ion channel）は貫通型の内在性膜タンパク質であり，チャネルが開いたときに，特定のイオンのみを通過させる．つまり，イオンチャネルには**選択性**（selectivity）があり，特定の特徴をもったイオンのみを通過させる．あるイオンチャネルを通過できるのは陽イオンまたは陰イオンか，そしてどの特定のイオンか（例えば，Na^+，K^+やCa^{2+}）は，**選択性フィルタ**（selectivity filter）によって決められる．一例として，Na^+を通過させるがK^+は通過させない【訳者注：選択性の高い】陽イオン選択性チャネルがある．一方，他の陽イオン選択性チャネル（例えば，運動終板のニコチン性アセチルコリン受容体）のように選択性が低く，数種類の小さな陽イオンを通過させるものもある．

　イオンチャネルは**ゲート**（gate）によって制御されており，ゲートの位置を変えることによってチャネルを開閉する．チャネルが開いているとき，そのチャネルに選択性のあるイオンは，電気化学的勾配に従って受動的な拡散をすることによりチャネルを通過する．チャネルが開いている状態では，細胞外液と細胞内液を一続きにする通路ができており，そこをイオンが通過できる．チャネルが閉じると，電気化学的勾配の大きさにかかわらず，イオンは通過できない．チャネルの**コンダクタンス**（conductance）は，チャネルが開く確率に依存している．チャネルが開く確率が高いほど，コンダクタンス，すなわち透過性は高くな

る.

イオンチャネルのゲートは, 3種類の**センサー** (sensor)のいずれかにより制御されている. 1つ目は膜電位の変化に反応し(すなわち, 電位依存性チャネル), 2つ目はシグナル伝達物質の変化に反応し(すなわち, セカンドメッセンジャー依存性チャネル), 3つ目はホルモンや神経伝達物質などのリガンドの変化に反応するもの(すなわち, リガンド依存性チャネル)である.

- **電位依存性チャネル**(voltage-gated channel)は, 膜電位の変化で制御されるゲートをもつ. 例えば, 末梢神経の **Na$^+$チャネルの活性化ゲート**は, 神経細胞膜電位の脱分極によって**開かれる**. 活動電位の立ち上がり相は, このチャネルの開口によって起こる. 興味深いことに, Na$^+$チャネルの別のゲートである**不活性化ゲート**は, 脱分極によって**閉じられる**. 活性化ゲートのほうが不活性化ゲートよりも早く脱分極に反応するため, Na$^+$チャネルは最初に開いて次に閉じる. 活動電位の形と時間経過は, この2つのゲートの反応時間の違いによって説明できる.

- **セカンドメッセンジャー依存性チャネル**(second messenger-gated channel)は, 環状アデノシンーリン酸(cyclic adenosine monophosphate: cAMP)やイノシトール 1,4,5-トリスリン酸(inositol 1,4,5-trisphosphate: IP$_3$)といった細胞内シグナル分子の濃度によって制御されるゲートをもつ. 例えば, 心臓の洞房結節にある Na$^+$チャネルのゲートは, 細胞内 cAMP 濃度の上昇によって開かれる.

- **リガンド依存性チャネル**(ligand-gated channel)は, ホルモンと神経伝達物質によって制御されるゲートをもつ. ゲートのセンサーはイオンチャネルの細胞外側にある. 例えば, 運動終板のニコチン受容体は, **アセチルコリン**(acetylcholine: ACh)が結合すると開き, Na$^+$と K$^+$を通過させるイオンチャネルである.

拡散電位

拡散電位(diffusion potential)とは, 電荷をもつ溶質(イオン)が, その濃度勾配に従い膜を横切って拡散したときに, 膜を隔てて発生する電位差である. したがって, **拡散電位はイオンの拡散によって生じる**. そして, あるイオンの拡散電位は, そのイオンが膜を透過できる場合にのみ生じる. さらにいえば, あるイオンが膜を透過できない場合は, そのイオンの濃度勾配がどれほど大きくても拡散電位は発生しない.

拡散電位の大きさは, ミリボルト(mV)で表され, 濃度勾配の大きさに依存し, そして濃度勾配が駆動力となる. 拡散電位の符号は, 拡散するイオンの電荷による. そして, 拡散電位はごくわずかな数のイオンの移動で発生するので, 溶液全体のイオン濃度を変えるには至らない.

平衡電位

平衡電位(equilibrium potential)は, 単に拡散電位の概念を拡張したものである. あるイオンに関して膜を隔てた濃度差があり, 膜にそのイオンの透過性があると, イオンが透過して電位差(拡散電位)が生じる. この電位差が次第に大きくなると, そのイオンの正味の拡散は遅くなり, ゆくゆくは停止する. 例えば, ある陽イオンがその濃度勾配に従って拡散すると, 正電荷が膜を横切るにつれて正の帯電が大きくなるため, 次第にその陽イオンの拡散が遅くなって停止する. もしくは, ある陰イオンがその濃度勾配に従って拡散すると, 負電荷が膜を横切り, 次第にその陰イオンの拡散が遅くなって停止する. このように, 濃度勾配に従ってイオンが拡散する傾向にちょうど拮抗する(大きさの電位差となるような)拡散電位を平衡電位という. **電気化学的平衡**(electrochemical equilibrium)では, イオンに作用する化学的駆動力と電気的駆動力の大きさが等しく拮抗し合うので, これ以上の正味の拡散は起こらない.

以下に例として, 拡散する陽イオンと陰イオンについて, 平衡電位と電気化学的平衡の概念を図解する.

■ Na$^+$平衡電位の例

図 1.11 では, Na$^+$を透過させるが Cl$^-$は透過させない架空の膜で2つの溶液が隔てられている. NaCl 濃度は溶液2より溶液1のほうが高い.

拡散電位と平衡電位　19

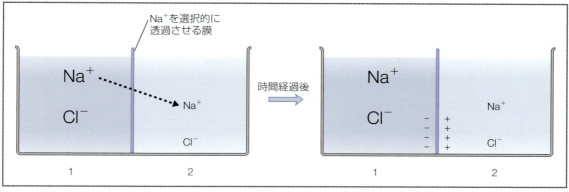

図 1.11　Na⁺拡散電位の発生.

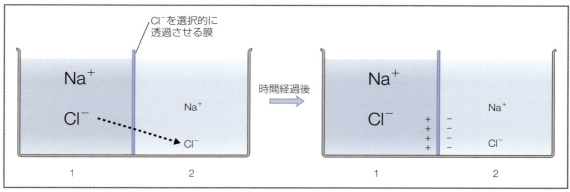

図 1.12　Cl⁻拡散電位の発生.

Na⁺は透過できるイオンなので，濃度勾配に従って溶液1から溶液2へと拡散するが，透過できないイオンであるCl⁻はNa⁺と一緒には拡散しない．溶液2へ正味の正電荷が移動する結果，**Na⁺拡散電位**が生じて溶液1に対して溶液2は正に帯電する．溶液2の正電位によってNa⁺が溶液2へ拡散するのは拮抗され，ゆくゆくは正味の拡散が起こらなくなる．Na⁺が濃度勾配に従って拡散する傾向にちょうど拮抗する電位差を**Na⁺平衡電位**という．Na⁺の化学的駆動力と電気的駆動力の大きさが等しく拮抗し合うとき，Na⁺は**電気化学的平衡**にあるという．Na⁺がごく少量拡散するだけで，拡散電位を発生させるには十分であり，溶液全体のNa⁺濃度は変化しない．

■ **Cl⁻平衡電位の例**

　図1.12は図1.11と同じ2つの溶液であるが，図1.12はNa⁺ではなくCl⁻を透過させる架空の膜である．Cl⁻は濃度勾配に従って溶液1から溶液2へと拡散するが，Na⁺は一緒には拡散しない．**Cl⁻拡散電位**が生じて溶液1に対して溶液2は負に帯電する．Cl⁻が濃度勾配に従って拡散する傾向にちょうど拮抗する電位差を**Cl⁻平衡電位**という．Cl⁻の化学的駆動力と電気的駆動力の大きさが等しく拮抗し合うとき，Cl⁻は電気化学的平衡にあるという．先と同様に，この程度のごく少量のCl⁻の拡散では，溶液全体のCl⁻濃度は変化しない．

Nernstの式

　Nernst（ネルンスト）の式（Nernst equation）は，あるイオンだけを透過させる膜を仮定したとき，膜を隔てた溶液中のイオン濃度の違いによる平衡電位を計算するのに用いられる．定義により，平衡電位は個々のイオンに関してそれぞれ計算される．すなわち，

$$E_X = \frac{-2.3RT}{zF} \log_{10} \frac{[C_i]}{[C_e]}$$

ここで

E_X ＝イオン X の平衡電位（mV）

$\frac{2.3RT}{F}$ ＝定数（37℃では 60 mV）

　　z ＝イオンの電荷数

　　　　（Na^+は＋1，Ca^{2+}は＋2，Cl^-は－1）

　　C_i ＝細胞内液中のイオン X の濃度（mmol/L）

　　C_e ＝細胞外液中のイオン X の濃度（mmol/L）

　単純にいうと，Nernst の式は，あるイオンの濃度の違いを電圧に変換する式である．この変換にはさまざまな定数が用いられる．R は気体定数，T は絶対温度，F は Faraday（ファラデー）定数である．2.3 を乗じることにより，自然対数（$\log_e$）を常用対数（$\log_{10}$）に変換している．

　慣習により，膜電位は細胞外電位に対する（基準とした）細胞内電位の値で表される．したがって，膜を隔てた電位差が－70 mV とは，細胞内が 70 mV だけ陰性であることを意味する．

　骨格筋細胞の典型的な細胞内外のイオン濃度を使って上述の通りに計算すると，主なイオンの平衡電位は，典型的には以下の通りとなる．

$$E_{Na^+} = +65 \text{ mV}$$
$$E_{Ca^{2+}} = +120 \text{ mV}$$
$$E_{K^+} = -95 \text{ mV}$$
$$E_{Cl^-} = -90 \text{ mV}$$

　これらの値を覚えておけば，静止膜電位や活動電位について考えるときに役立つ．

例題

　細胞内 $[Ca^{2+}]$ が 1×10^{-7} mol/L，細胞外 $[Ca^{2+}]$ が 2×10^{-3} mol/L のとき，細胞膜を隔てた電位差がどれくらいであれば Ca^{2+} に関して電気化学的平衡となるか．体温（37℃）で $2.3\ RT/F$＝60 mV とする．

解答

　質問を言い換えると，Ca^{2+} が膜を透過する唯一のイオンであるとき，与えられた細胞内外 Ca^{2+} 濃度での平衡電位はいくらになるかということである．Ca^{2+} は 2 価イオンなので，z＝＋2 であることに注意しなければならない．

$$
\begin{aligned}
E_{Ca^{2+}} &= \frac{-60 \text{ mV}}{z} \log_{10} \frac{C_i}{C_e} \\
&= \frac{-60 \text{ mV}}{+2} \log_{10} \frac{1 \times 10^{-7} \text{ mol/L}}{2 \times 10^{-3} \text{ mol/L}} \\
&= -30 \text{ mV} \times \log_{10}(5 \times 10^{-5}) \\
&= -30 \text{ mV} \times (-4.3) \\
&= +129 \text{ mV}
\end{aligned}
$$

　与えられた値を式に代入して計算する．log 関数なので，どちらが分子かわからなくなっても 129 mV という値は出るため，後で正しい符号を決めればよい．符号チェックの考え方として，$[Ca^{2+}]$ は細胞内液より細胞外液ではるかに高いため，Ca^{2+} は細胞外から細胞内に拡散する傾向があり，細胞内は陽性になる．したがって，Ca^{2+} は膜電位が＋129 mV（細胞内が陽性）のときに電気化学的平衡となる．

　ここで，平衡電位は与えられた Ca^{2+} の濃度勾配の値に基づいて計算された値であることに注意する必要がある．濃度勾配の値が異なれば，平衡電位の計算結果も異なるものとなる．

駆動力

　電荷をもたない溶質の場合は，正味の拡散の駆動力は，単に細胞膜を隔てた溶質の濃度差だけである．しかし，電荷をもつ溶質（すなわちイオン）の場合は，正味の拡散の駆動力として，細胞膜を隔てた濃度差と電位差の両方を考慮する必要がある．

　あるイオンに関する**駆動力**（driving force）とは，実測された膜電位（E_m）とそのイオンの計算上の平衡電位（E_X）の差である．イオンは移動して，実際の膜電位（E_m）を Nernst の式で計算される平衡電位（E_X）に向かわせようとする．イオン X に関する駆動力は，次のように計算される．

$$\text{正味の駆動力（mV）} = E_m - E_x$$

　ここで

$$\text{駆動力}=\text{駆動力}(mV)$$
$$E_m=\text{膜電位の実測値}(mV)$$
$$E_X=X\text{の平衡電位}(mV)$$

駆動力がマイナスの場合は（すなわち，E_m がイオンの平衡電位よりもマイナス側のとき），もし，イオン X が陽イオンなら細胞内に入り，陰イオンなら細胞外に出る．言い換えれば，イオン X は膜電位がマイナスすぎると"考えて"，平衡電位に近づけるように，拡散によって適切な向きに細胞膜を横切る．逆に，駆動力がプラスの場合は（E_m がイオンの平衡電位よりもプラス側のとき），もし，イオン X が陽イオンなら細胞外に出て，陰イオンなら細胞内に入る．この場合は，イオン X は膜電位がプラスすぎると"考えて"，平衡電位に近づけるように，拡散によって適切な向きに細胞膜を横切る．そして，E_m がイオンの平衡電位と等しい場合は，イオン X の駆動力はゼロであり，定義通り，イオン X は電気化学的平衡にある．駆動力もないので，イオン X が細胞膜を横切る正味の移動はどちらの方向にもない．

イオン電流

イオン電流(ionic current) (I_X)．電流の流れはイオンが細胞膜を横切ることで発生する．以下の2つの条件を満たすときに，イオンはイオンチャネルを通って細胞膜を横切って移動する：(1)イオンの駆動力がある．(2)膜にはそのイオンのコンダクタンス（つまり，イオンチャネルが開いていること）がある．すなわち，

$$I_X=G_X(E_m-E_X)$$

ここで

$$I_X=\text{イオン電流}(mA)$$
$$G_X=\text{イオンのコンダクタンス}(1/\Omega)$$
なお，コンダクタンスは抵抗の逆数
$$E_m-E_X=\text{イオン X の駆動力}(mV)$$

ここで，イオン電流の式は，単に Ohm（オーム）の法則，$V=I\times R$ または $I=V/R$（V は E と同じ）を書き換えただけだと気づくであろう．コンダクタンス (G) は抵抗 (R) の逆数なので，$I=G\times V$ である．

イオン電流の方向は，前項の説明の通り，駆動力の方向によって定められる．イオン電流の大きさは，駆動力の大きさとイオンのコンダクタンスによって決まる．ある与えられたコンダクタンスでは，駆動力が大きくなれば電流の流れも大きくなる．ある与えられた駆動力では，コンダクタンスが大きくなれば電流の流れも大きくなる．そして，駆動力またはイオンのコンダクタンスのいずれかがゼロであれば，そのイオンが細胞膜を横切る正味の拡散はないので，電流の流れはない．

例題

静止膜電位が$-85\,mV$の神経軸索において，細胞外K^+濃度が$4\,mEq/L$，細胞内K^+濃度が$130\,mEq/L$であった．この状態でK^+電流はあるか．ある場合は，どの方向か（K^+は膜を透過し，体温で$2.3\,RT/F=60\,mV$とせよ）．

解答

K^+電流があるかを決めるには，最初に与えられた条件（K^+濃度勾配）でのK^+平衡電位を計算する．

$$\begin{aligned}E_{K^+}&=-60\,mV\times\log_{10}\frac{130\,mEq/L}{4\,mEq/L}\\&=-60\,mV\times\log_{10}32.5\\&=-60\,mV\times1.51\\&=-90.7\,mV\end{aligned}$$

次に，この計算したK^+平衡電位と実際の膜電位を比較する．もし2つの値が等しいなら，K^+は電気化学的に平衡なのでK^+電流はないであろう．しかし，計算したK^+平衡電位は静止膜電位よりもさらに陰性である（K^+は膜電位の陰性を強めたいと考える）．膜電位をこの平衡電位に近づけようと，K^+は細胞外に動く．正電荷が細胞外に出ることを，外向き電流とよぶ．

静止膜電位

静止膜電位(resting membrane potential)とは，神経や筋などの興奮性細胞が活動電位を発火していない期間（つまり静止時）における，細胞膜

を隔てた電位差のことである．前述の通り，膜電位を表すには，細胞外電位に対する細胞内電位を示すのが慣例である．

静止膜電位は，さまざまなイオンの拡散電位によって形成されるが，拡散電位はイオンの膜を隔てた濃度差の結果として生じる（この濃度差は一次性と二次性の能動輸送機構によってつくられたことを思い出すこと）．透過性のあるイオンはそれぞれ，膜電位をそのイオンの平衡電位に向かって動かそうとする．静止時に最も高い透過率すなわちコンダクタンスをもつイオンが静止膜電位の形成に最も寄与し，透過率が最も低いイオンはほとんど寄与しない．

多くの興奮性細胞の静止膜電位は−80〜−70mV の範囲にある．この値は，細胞膜の各イオンに対する相対的な透過性を考えるとうまく説明できる．すなわち，静止膜電位は，静止時に透過性の高いイオンである K^+ と Cl^- の平衡電位に近くなる．また，静止時に透過性の低い Na^+ と Ca^{2+} の平衡電位からは遠くなる．

各イオンの膜電位に対する寄与を評価する方法の 1 つとして，**弦コンダクタンスの式（chord conductance equation）** を用いることがある．そこでは（Nernst の式で計算された）各イオンの平衡電位を，そのイオンの相対的コンダクタンスで加重する．最高のコンダクタンスのイオンが膜電位をそのイオンの平衡電位に向かって動かし，低いコンダクタンスのイオンは膜電位にはほとんど影響しない（静止膜電位を求めるその他の方法として，**Goldman（ゴールドマン）の式（Goldman equation）** を用いることもある．そこでは各イオンの寄与を相対的なコンダクタンスではなく，相対的な透過性を用いて考慮に入れている）．弦コンダクタンスの式を以下に示す．

$$E_m = \frac{g_{K^+}}{g_T}E_{K^+} + \frac{g_{Na^+}}{g_T}E_{Na^+} + \frac{g_{Cl^-}}{g_T}E_{Cl^-} + \frac{g_{Ca^{2+}}}{g_T}E_{Ca^{2+}}$$

ここで

$$E_m = 膜電位（mV）$$
$$g_{K^+} など = K^+ などのコンダクタンス（1/\Omega）$$
$$g_T = 全コンダクタンス（1/\Omega）$$

$$E_{K^+} など = K^+ などの平衡電位（mV）$$

静止時には，興奮性細胞の膜は Na^+ と Ca^{2+} よりもはるかに K^+ と Cl^- を透過させる．この透過性の違いによって静止膜電位を説明できる．

ところで，Na^+-K^+ ATPase は静止膜電位の形成にどのような役割を果たすのだろうか．答えは 2 つある．第 1 に，Na^+-K^+ ATPase の起電性による小さいが直接的な寄与があり，これは 2 個の K^+ が細胞内に取り込まれると 3 個の Na^+ が細胞外に汲み出されるという化学量論に基づいている．第 2 に，より重要な間接的寄与として，Na^+-K^+ ATPase は細胞膜を隔てた K^+ の濃度勾配を維持することによって K^+ の拡散電位が生じるので，膜電位を K^+ の平衡電位に向かって動かす力となる．つまり，Na^+-K^+ ATPase は K^+ の濃度勾配を形成して維持するのに必要であり，その濃度勾配が静止膜電位を形成している（似た議論は Na^+-K^+ ATPase の活動電位の立ち上がり相にもあてはまり，Na^+-K^+ ATPase は細胞膜を隔てた Na^+ の濃度勾配を維持している）．

活動電位

活動電位（action potential） とは，神経や筋といった興奮性細胞にみられる現象で，膜電位の急速な脱分極（立ち上がり相）とそれに続く再分極からなる．活動電位は，神経系と全種類の筋細胞における情報伝達の基本的なメカニズムである．

用語

以下の用語は，活動電位，不応期，活動電位の伝播について説明するのに用いられる．

- **脱分極（depolarization）** とは，膜電位の陰性（負電位）を"弱める（less negative）"過程である．先に説明したが，興奮性細胞の通常の静止膜電位は細胞内が陰性となっている．脱分極により細胞内の陰性が弱まり，もしくは細胞内が陽性になることさえある．
- **過分極（hyperpolarization）** とは，膜電位の陰性（負電位）を"強める（more negative）"過程で

ある.

- **内向き電流(inward current)**とは，正電荷が細胞内に入る流れである．したがって，内向き電流は膜電位を脱分極させる．内向き電流の例としては，活動電位の立ち上がり相での細胞内への Na^+ の流入がある．

- **外向き電流(outward current)**とは，正電荷が細胞外に出る流れである．外向き電流は膜電位を**過分極**させる．外向き電流の例としては，活動電位の再分極相における細胞外への K^+ の流出がある．

- **閾電位(threshold potential)**とは，活動電位が必ず発生するようになる膜電位である．閾電位は静止膜電位よりも陰性が弱く（より脱分極側であり），膜電位を閾電位にもっていくには，内向き電流による脱分極が必要である．閾電位では，正味の内向き電流（例えば，内向き Na^+ 電流）は正味の外向き電流（例えば，外向き K^+ 電流）よりも大きくなり，その結果としての脱分極が自律的に続くようになり，活動電位の立ち上がり相を引き起こす．正味の内向き電流が正味の外向き電流よりも小さい場合は，膜電位は閾電位まで脱分極せず，活動電位は発生しない（「全か無かの反応」を参照）．

- **オーバーシュート(overshoot)**とは，活動電位のうち膜電位が陽性（細胞内部が陽性）の部分を指す．

- **アンダーシュート(undershoot)**または**後過分極(afterhyperpolarization, hyperpolarizing afterpotential)**とは，活動電位のうち，再分極の後に，膜電位が静止膜電位よりもさらに陰性が強くなった部分を指す．

- **不応期(refractory period)**とは，興奮性細胞で次の活動電位が通常通りには引き起こされない期間を指す．不応期には絶対不応期と相対不応期がある（心筋では，もう1つ有効不応期もある）．

活動電位の特徴

活動電位には3つの基本的な特徴がある．定型的な大きさと形，伝播，全か無かの反応である．

- **定型的な大きさと形**
  同じ種類の細胞では正常な活動電位は同一のようにみえ，同じ電位まで脱分極し，同じ静止膜電位にまで再分極する．

- **伝播(propagation)**
  ある部位で生じた活動電位は，隣接する部位の脱分極を引き起こし，ついに閾値までに至らせる．活動電位のある部位から次の部位への伝播は**不減衰(nondecremental)**である．

- **全か無かの反応(all-or-none response)**
  活動電位は，発生するか，または発生しないかのいずれかである．興奮性細胞が通常通りに閾電位まで脱分極すると，活動電位は必ず発生する．一方，膜が閾電位まで脱分極されなければ，活動電位は発生しない．実際には，もし刺激が不応期の間に加えられたら，活動電位が発生しないこともあれば，発生したとしても定型的な大きさと形にはならない．

活動電位におけるイオンの役割

活動電位は，速い脱分極（立ち上がり相）と，それに続く静止膜電位に戻る再分極からなる．神経と骨格筋の活動電位の各ステップを図1.13に示す．

1. **静止膜電位**. 静止時の膜電位は，およそ -70 mV（細胞内が陰性）である．K^+ チャネルはほとんど完全に開いており，**K^+ のコンダクタンス**もしくは**透過性**が高く，K^+ は濃度勾配に従って細胞外に拡散する．この拡散が K^+ の拡散電位を形成することにより，膜電位を K^+ の平衡電位に近づけようとする．Cl^- のコンダクタンスも高いため（図示されていない），静止時の Cl^- もほぼ電気化学的平衡に近い．静止時の **Na^+ のコンダクタンスは低い**ため，静止膜電位は Na^+ 平衡電位から遠く離れており，Na^+ は電気化学的平衡から遠く離れている．

2. **活動電位の立ち上がり相(upstroke)**. 内向き電流は，通常は隣接する部位の活動電位から波及してきた電流であるが，神経細胞の細胞膜を約 -60 mV の閾値まで脱分極させる．この最初の脱分極により，Na^+ チャネルの**活性化ゲート(activation gate)**が迅速に開いて Na^+ コンダクタンスが急速に増加し，K^+ コンダクタンス

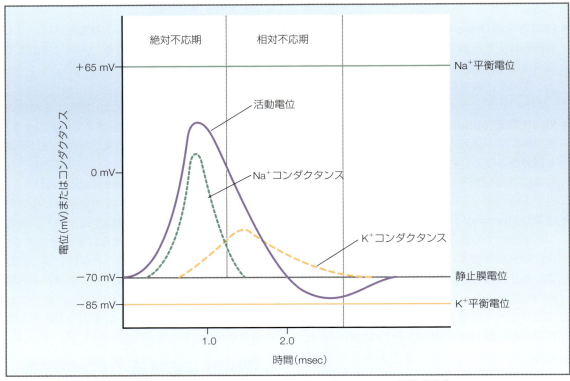

図1.13　神経線維に活動電位が発生しているときの電位とコンダクタンスの経時的変化.

よりも高くなる（**図1.14**）．Na^+コンダクタンスの増加は**内向きNa^+電流**を生じさせる．膜電位はNa^+の平衡電位である$+65\,mV$に向かってさらに脱分極するが，そこまでは至らない．フグ毒の**テトロドトキシン（tetrodotoxin）**と局所麻酔薬の**リドカイン（lidocaine）**は，電位依存性Na^+チャネルを阻害することにより，神経線維の活動電位の発生を妨げる．

3. **活動電位の再分極（repolarization）**．活動電位の立ち上がり相が終わると，膜電位は静止膜電位まで再分極するが，そこには2つのイベントがかかわっている．1つ目は，Na^+チャネルの活性化ゲートの開口よりも遅れて脱分極に反応するNa^+チャネルの不活性化ゲートが閉じることでチャネルが閉まる．このように，時間差でNa^+チャネルの**不活性化ゲート（inactivation gate）**が閉じることにより，活動電位の立ち上がり相は終わる．2つ目は，脱分極によりK^+チャネルが開き，K^+コンダクタンスは安静時よりもさらに増加する．Na^+チャネルが閉じることと，K^+チャネルが安静時よりさらに開くことで，K^+コンダクタンスはNa^+コンダクタンスよりもはるかに高くなる．こうして**外向きK^+電流**が生じ，膜は再分極される．**テトラエチルアンモニウム（tetraethylammonium：TEA）**は電位依存性K^+チャネルを阻害し，外向きK^+電流の発生と膜の再分極を妨げる．

4. **後過分極**または**アンダーシュート**．再分極後の短い間，K^+コンダクタンスは静止時より高いため，膜電位は静止時よりさらにK^+の平衡電位に近い負電位となる（後過分極）．最終的には，K^+コンダクタンスは静止時と同じに戻り，膜電位もわずかに脱分極して静止膜電位に戻る．そして，膜は刺激されたら次の活動電位が生じる状態となる．

神経細胞のNa^+チャネル

神経線維と骨格筋の活動電位の立ち上がり相は

活動電位　25

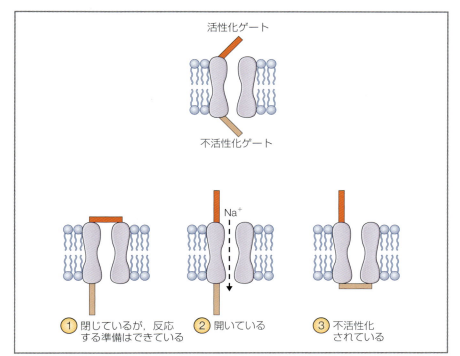

図1.14　神経線維のNa⁺チャネルの活性化ゲートと不活性化ゲートの状態.
①閉じているが, 反応する準備はできている. 静止膜電位にあるとき, 活性化ゲートは閉じていて, 不活性化ゲートは開いており, チャネルは閉じている (しかし, 脱分極が起これば反応できる). ②開いている. 活動電位の立ち上がり相の間は, 活性化ゲートも不活性化ゲートも開いていて, チャネルも開いている. ③不活性化されている. 活動電位のピークでは, 活性化ゲートは開いているが, 不活性化ゲートは閉じていて, チャネルも閉じている.

電位依存性Na⁺チャネル (voltage-gated Na⁺ channel) の働きによる. このチャネルは内在性膜タンパク質で, 1つの大きいαサブユニットと2つのβサブユニットから構成される. αサブユニットには4つのドメインがあり, それぞれのドメインは6つのαヘリックス膜貫通領域をもつ. αヘリックス膜貫通領域のリピート6つが中心の孔を取り囲み, そこをNa⁺が通過する (チャネルのゲートが開いているとき). ゲートの活性化と不活性化の機能を示すNa⁺チャネルの概念モデルが図1.14である. このモデルは, Na⁺がチャネルを通過するためには両方のゲートが開いていなければならないことを示している. ここで, 2つのゲートが膜電位の変化にどう反応したかを思い出すこと. 脱分極に反応して, 活性化ゲートはすばやく開き, 不活性化ゲートはそれに遅れて閉じる. 図は, ゲートの状態の3つの組み合わせとNa⁺チャネルの開口への影響を示している.

①**閉じているが, 反応する準備はできている**. 静止膜電位では, 活性化ゲートは閉じていて, 不活性化ゲートは開いている. したがって, Na⁺チャネルは閉じている. しかし, Na⁺チャネルはもし脱分極が起これば活動電位を発火する"準備"ができている (脱分極によって活性化ゲートが開くと, 不活性化ゲートは元から開いているので, Na⁺チャネルは開くことになる).

②**開いている**. 活動電位の立ち上がり相の間は, 脱分極により速やかに活性化ゲートが開かれ, 活性化ゲートと不活性化ゲートは (短い間だけだが) 両方とも開いている. Na⁺はチャネルを通過して細胞内に流れ込み, さらなる脱分極を引き起こす.

③**不活性化されている**. 活動電位のピークでは, 脱分極に反応して, 遅い不活性化ゲートがついに閉じる. Na⁺チャネルは閉じられ, 立ち上がり相は終わり, 再分極が始まる.

どのようにして Na^+ チャネルは，"閉じているが，反応する準備はできている"状態に戻るのだろうか．別の言い方をすると，どのように次の活動電位が発火できる状態に戻るのだろうか．再分極で静止膜電位まで戻ることにより，不活性化ゲートは開く．こうして，Na^+ チャネルは，"閉じているが，反応する準備はできている"状態に戻り，脱分極が起これば，次の活動電位を発火できるようになる．

不応期

不応期の間，興奮性細胞は通常の活動電位を発火することはできない（図 1.13 参照）．不応期には絶対不応期と相対不応期がある．

■ 絶対不応期

絶対不応期（absolute refractory period）は，活動電位のほとんど全期間と重なる．絶対不応期の間は，どれだけ強い刺激を加えても，別の活動電位を誘発することはできない．絶対不応期のしくみは，Na^+ チャネルの不活性化ゲートが脱分極に反応して閉じていることである．不活性化ゲートは再分極で静止膜電位に戻るまでの間は閉じており，その後，Na^+ チャネルが"閉じているが，反応する準備はできている"状態に復帰する（図 1.14）．

■ 相対不応期

相対不応期（relative refractory period）は，絶対不応期の終了とともに始まり，主に後過分極の期間と重なる．相対不応期では，活動電位を誘発することは可能であるが，通常の脱分極（内向き）電流よりも大きな刺激が加えられたときのみ誘発される．相対不応期のしくみは，静止時よりも高い K^+ コンダクタンスである．膜電位は（静止時よりも）K^+ 平衡電位により近くなっているため，通常より大きな内向き電流が加わらないと，次の活動電位が発生する閾電位にまで達しない．

■ 順応

神経細胞や筋細胞が，ゆっくりと脱分極させられた場合や脱分極した状態で維持された場合，通常の閾電位をすぎても活動電位が発火しないことがある．この過程は順応（accommodation）とよばれ，Na^+ チャネルの不活性化ゲートが脱分極により閉じることで起こる．もし，脱分極が十分にゆっくりと起こるなら，Na^+ チャネルは閉じたままとなる．内向き電流を起こすだけの十分な Na^+ チャネルの動員が得られないため，活動電位の立ち上がりも起こらない．順応の例は，血清カリウム濃度が高値，すなわち高カリウム血症（hyperkalemia）の患者にみられる．静止時には，神経細胞と筋細胞の膜は K^+ の透過性がとても高い．細胞外 K^+ 濃度の上昇は静止膜の脱分極を引き起こす（Nernst の式に示された通り）．この脱分極により膜電位は閾電位に近くなるので，より活動電位を発火しやすくなるように思うかもしれない．しかし実際には，細胞は活動電位を発火しづらくなる．なぜなら，持続的な脱分極が Na^+ チャネルの不活性化ゲートを閉じるからである（Box 1.3）．

■ 活動電位の伝播

活動電位が神経や筋線維を伝播していくのは，興奮部位の局所電流（local current）が隣接の未興奮部位へ広がることによって起こる．図 1.15 は，神経細胞の細胞体，樹状突起と軸索が描かれている．静止時には，軸索全体が静止膜電位にあり，細胞内部は陰性である．活動電位は細胞体に一番近い軸索の起始部で発生し，図に示されたように，局所電流の広がりとともに軸索を伝播していく．

図 1.15A では，軸索の起始部は閾電位まで脱分極され，活動電位を発火している（興奮部位）．内向き Na^+ 電流が流れた結果，活動電位のピークで，膜の極性は反転され軸索内部が陽性となる．隣接の軸索は未興奮のままで，軸索内部は陰性である．

図 1.15B は，局所電流が脱分極された興奮部位から隣接の未興奮部位に広がることを示している．興奮部位では，軸索内部の正電荷が隣接の未興奮部位の負電荷に向かって流れていく．この電流により，隣接の部位は閾電位まで脱分極される．

図 1.15C では，隣接の軸索は閾電位まで脱分

Box 1.3 筋力低下を呈した高カリウム血症

▶ 症例

インスリン依存性糖尿病の治療を受けている 48 歳の女性が，主治医に重度の筋力低下を訴えた．彼女は，高血圧に対してアドレナリンβ受容体遮断薬（β-adrenergic blocking agent）であるプロプラノロール（propranolol）を投与されていた．ただちに血液検査を行った結果，血清カリウム濃度が 6.5 mEq/L（基準値：4.5 mEq/L），また，血中尿素窒素（blood urea nitrogen：BUN）も上昇していた．主治医はプロプラノロールを漸減して中止し，インスリンの用量を調節した．2，3 日で血清カリウム濃度は 4.7 mEq/L まで低下し，筋力も元に戻った．

▶ 解説

この糖尿病患者の重度の高カリウム血症は，以下のような要因によると考えられる：(1)インスリンの用量が不十分であったため，不十分なインスリンの作用によって K^+ が細胞内から血中へ移行した（インスリンは K^+ の細胞内への取り込みを促進する）．(2)高血圧の治療に用いられたβ遮断薬のプロプラノロールも，K^+ を細胞内から血中へ移行させた．(3) BUN 高値は，この女性に腎症があることを示唆する．腎機能障害により，血中に蓄積した余分な K^+ を尿中に排泄することができなかった可能性がある．これらの機序は，腎臓の生理学と内分泌系の生理学の考え方に関連している．

この女性は重度の高カリウム血症（血清[K^+]の高値）を呈しており，彼女の筋力低下は，高カリウム血症の結果だと理解することが重要である．筋力低下の機序は以下の通りである．筋細胞の静止膜電位は，膜を隔てた K^+ の濃度勾配によって決まる（Nernst の式）．静止時の細胞膜は K^+ の透過性が非常に高く，K^+ は濃度勾配に従って細胞外に出て，K^+ の拡散電位を形成する．この K^+ の拡散電位が静止膜電位の主要因であり，細胞内は陰性である．K^+ の濃度勾配が大きくなるほど，細胞内は陰性が強くなる．ここで血液中の [K^+] が上昇すると，細胞膜を隔てた濃度勾配は正常よりも小さくなる．したがって，静止膜電位の陰性も弱くなる（すなわち，脱分極する）．

この脱分極によって，膜電位が閾電位に近づくので，筋の活動電位の発火も容易になるだろうと想像するかもしれない．しかし，脱分極のさらに重要な効果は，Na^+ チャネルの不活性化ゲートを閉じることである．不活性化ゲートが閉じてしまうと，たとえ活性化ゲートが開いても活動電位は発生できない．筋に活動電位が発生しなければ，筋収縮も起こらない．

▶ 治療

この患者の治療は，細胞内に K^+ を戻すことを目的として，インスリン用量を増やし，プロプラノロールの投与を中止した．患者の血液中の K^+ 濃度が正常に戻れば，骨格筋細胞の静止膜電位も正常に戻り，静止膜電位における Na^+ チャネルの不活性化ゲートも（本来あるべき状態の通り）開き，正常の活動電位を発火しうる状態となる．

極され，活動電位を発火している．膜電位の極性は反転し，軸索内部が陽性となる．この時点では，当初の興奮部位は静止膜電位にまで再分極され，内側の極性は陰性へと戻っている．今まで述べたような過程が続き，活動電位は軸索の遠位へと次々に伝播していく．

■ 伝導速度

活動電位が神経や筋線維に沿って伝導する速度を**伝導速度（conduction velocity）**という．伝導速度は神経系において情報を伝達する速度を規定するので，生理学的に非常に重要な特性である．興奮性組織の伝導速度を理解するためには，2 つの主要な概念である，時定数と長さ定数を説明す

る必要がある．これらの概念は**ケーブル特性（cable property）**とよばれ，神経や筋が電気的活動を伝達するのにいかにケーブル（電線）らしい挙動をするかを説明するものである．

時定数（time constant）（τ）は電流を通電して，電圧がその最終値の 63％（$1-e^{-1}=0.63$）の値に達するまでの時間である．言い換えると，時定数は，内向き電流に反応して細胞膜がどれだけ速く脱分極するか，もしくは外向き電流に反応してどれだけ速く過分極するかを示す．すなわち，

$$\tau = R_m C_m$$

ここで

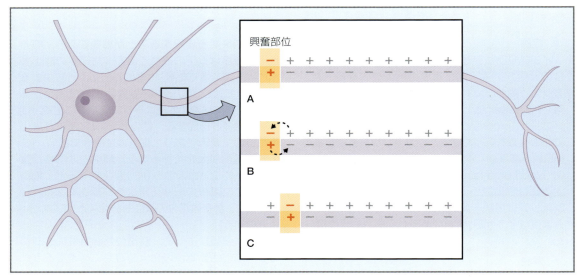

図1.15　神経線維における局所電流による脱分極の伝播.
A：軸索の起始部で活動電位を発火し，膜の極性は反転され軸索内部が陽性となる．隣接の軸索は未興奮のまま静止膜電位にあり，軸索内部は陰性である．**B**：興奮部位では，軸索内部の正電荷が隣接の未興奮部位に向かって流れていく．**C**：局所電流により隣接の軸索は閾電位まで脱分極され，活動電位を発火する．当初の興奮部位は再分極されて，静止膜電位まで戻る．

τ = 時定数
R_m = 膜抵抗
C_m = 膜容量

2つの因子が時定数に影響を与える．1つ目は，**膜抵抗**(membrane resistance) (R_m)である．膜抵抗が高いと，電流が細胞膜を横切って流れにくくなり，膜電位を変えにくくなるので，時定数を大きくする．2つ目は，**膜容量**(membrane capacitance) (C_m)であり，細胞膜が電荷を貯蔵する能力である．膜容量が大きいと，通電された電流は，膜を脱分極する前に膜のコンデンサを充電しなければならないので，時定数は大きくなる．したがって，膜抵抗も高く，膜容量も大きいとき，時定数は最も大きくなる(時間が最も長くなる)．

長さ定数(length constant) (λ)とは，電流を通電した部位から，電位が37％に低下する部位までの距離である．長さ定数は，脱分極させる電流がどれだけ遠くの軸索まで広がるかを示す．つまり，長さ定数が大きいほど，電流は神経線維の遠い部分まで広がりやすい．

$$\lambda \propto \sqrt{R_m/R_i}$$

ここで

λ = 長さ定数
R_m = 膜抵抗
R_i = 内部抵抗

再びR_mは膜抵抗を表す．内部抵抗R_iは，神経線維の細胞質の中の電流の流れやすさに反比例する．したがって，神経線維の直径が大きく，膜抵抗が高く，内部抵抗が低いときに，長さ定数は一番大きくなる．言い換えれば，電流は抵抗が最小となる経路を流れる．

■ 伝導速度の変化

神経の伝導速度を増加させるしくみは2つあり，神経線維の直径を増やすことと，神経線維の髄鞘形成である．これらは，時定数と長さ定数というケーブル特性からよく理解することができる．

● 神経の直径増加

神経線維の直径を大きくすると伝導速度が速くなるのは，次のように説明できる．内部抵抗R_iは断面積($A = \pi r^2$)に反比例する．したがって，

線維径が大きくなれば内部抵抗は低くなる。長さ定数は内部抵抗 R_i の平方根に反比例する（長さ定数の式を参照）。したがって、内部抵抗 R_i が小さくなれば（すなわち、線維径が大きくなれば）長さ定数（λ）は大きくなる。最も太い神経が最大の長さ係数をもち、電流は興奮部位から最も遠くまで広がって活動電位を伝播する。神経線維の直径を大きくするのは、確かに伝導速度を速くするのに重要な方法であるが、大きくするにも解剖学的な制約がある。そこで、2つ目のしくみである髄鞘形成が伝導速度の増加に意味をもってくる。

● 髄鞘形成（myelination）

ミエリン（myelin）は、軸索を取り巻く脂質の絶縁体であり、膜抵抗を増加させて膜容量を減少させる。膜抵抗が増加すると、電流は抵抗の高い細胞膜を横切る経路ではなく、抵抗が最小の軸索内部を流れるようになる。膜容量の減少は時定数の低下をもたらし、**髄鞘**（myelin sheath）の切れ目において、内向き電流による軸索膜の脱分極を速くする。つまり、膜抵抗の増加と膜容量の減少の両方とも伝導速度の増加をもたらす（Box 1.4）。

しかし、もしも神経線維の全長がすべて脂質の髄鞘で覆われていたら、脱分極させるために膜を横切って電流が流れる（抵抗の小さい）部位がなくなるので、活動電位は発生しないであろう。ここで、髄鞘には 1 ～ 2 mm おきに Ranvier（ランヴィエ）の絞輪（node of Ranvier）という切れ目があることが重要になってくる。Ranvier の絞輪では膜抵抗は低いので、電流は膜を横切って流れ、活動電位を発生させることができる。つまり、**有髄神経**（myelinated nerve）では、絞輪から次の絞輪へと長い距離を活動電位が"ジャンプ"する**跳躍伝導**（saltatory conduction）をするため、有髄神経の伝導速度は**無髄神経**（unmyelinated nerve）よりも速くなる。

シナプス伝達と神経筋伝達

シナプス（synapse）は、ある細胞から別の細胞へ情報を伝達する部位である。情報の伝達は、電気的（電気シナプス）もしくは化学的（化学シナプス）に行われる。

シナプスの種類

■ 電気シナプス

電気シナプス（electrical synapse）は、ギャップ結合（gap junction）という抵抗の低い経路を介して、ある興奮性細胞から隣の細胞へ電流を流すことができる。ギャップ結合は心筋といくつかの種類の平滑筋にあり、非常に速い情報伝達を担う。例えば、心室筋、子宮、膀胱では速い細胞間伝達があり、これらの組織の細胞が同時に興奮して協調的な収縮が起こることに役立っている。

■ 化学シナプス

化学シナプス（chemical synapse）では、シナプス前部の細胞とシナプス後部の細胞の細胞膜間に、**シナプス間隙**（synaptic cleft）とよばれるすきまがある。**シナプス前神経終末**（presynaptic terminal）から**神経伝達物質**（neurotransmitter）がシナプス間隙に放出され、それがシナプス後膜の**受容体**（receptor）に結合することにより、シナプス間隙を越えて情報が伝達される。

化学シナプスでは、次に述べるような一連のイベントが起こる。シナプス前神経終末に到達した活動電位が**電位依存性 Ca^{2+} チャネル**（voltage-gated Ca^{2+} channel）を開き、シナプス前神経終末に細胞外から Ca^{2+} が流入する。**シナプス小胞**（synaptic vesicle）の**開口放出**（exocytosis）が起こり、シナプス小胞に貯蔵されていた神経伝達物質が細胞外に放出される。

シナプス後膜の膜電位の変化には興奮性と抑制性がある。シナプス前神経終末から放出される神経伝達物質が結合する、シナプス後膜の受容体の特性によって興奮性・抑制性のいずれかに決まる。興奮性の場合はシナプス後細胞を脱分極させ、抑制性の場合はシナプス後細胞を過分極させる。

電気シナプスとは違い、化学シナプスの神経伝達物質による情報伝達は**一方向性**（シナプス前細胞からシナプス後細胞へ）である。**シナプス遅延**

Box 1.4　多発性硬化症

▶ 症例

　32歳の女性は，5年前にはじめてかすみ目を経験した．新聞やラベルの細かい字が読みづらくなった．視覚は自然に正常へ戻ったが，その10ヵ月後にかすみ目が再発し，このときは，複視や両下肢に"ちくちくする"感じと重度の筋力低下など，他の症状も出現した．両下肢筋力低下のために，階段を登りきることができなくなった．彼女は神経内科医に紹介されて一連の診察と検査を受けた．頭部MRIは典型的な多発性硬化症（multiple sclerosis）の所見であった．視覚誘発電位にて潜時の延長があり，神経の伝導速度の低下と合致する所見であった．2度の再発があったことから，多発性硬化症の診断のもと，彼女は現在インターフェロンβで治療中である．

▶ 解説

　活動電位は，局所電流が次に述べるように広がることで，神経線維に沿って伝播する．活動電位が発生すると，立ち上がり相の内向き電流が活動電位の発生した部位の膜を脱分極させて極性を反転する（つまり，短い間は細胞内が陽性になる）．脱分極は，局所電流の波及により神経線維の隣の部位に広がる．ここで大切なことは，局所電流が隣の部位を脱分極させて閾値に達すると，そこで活動電位が発火することである（すなわち，活動電位は伝播する）．この活動電位の伝播する速度を伝導速度とよぶ．局所電流が減衰せずに遠くまで広がることができるほど（これは長さ定数で表される），伝導速度は速くなる．長さ定数を大きくする要因は2つある．神経線維の直径の増加と髄鞘化が伝導速度を速くする．

　髄鞘は軸索を取り巻く絶縁体で，膜抵抗を増加し膜容量を減少させる．膜抵抗を増やすことにより，電流は膜を横切るよりも軸索内部に流れやすくなる（長さ定数を増加させる）．より多くの電流が軸索内を流れるので，伝導速度は速くなる．また，膜容量を減少させることで，局所電流は膜をより速く脱分極させることができるようになり，それも伝導速度を速くする．活動電位が有髄神経を伝播するためには，周期的な髄鞘の切れ目（Ranvierの絞輪）がなければならない．Ranvierの絞輪にはNa^+とK^+のチャネルが集中しており，活動電位の発生に必要なイオン電流が膜を横切って流れることができる（例えば，内向きNa^+電流は活動電位の立ち上がり相に必要である）．絞輪の間の髄鞘化された軸索は，膜抵抗が非常に高いため，電流は迅速に軸索内を流れて次の絞輪に到達し，そこで次の活動電位が発火される．このように，活動電位はあるRanvierの絞輪から次へと"跳ねて"いるようにみえるので，跳躍伝導とよばれる．

　多発性硬化症は，最も多い中枢神経系の脱髄性疾患（demyelinating disease）である【訳者注：日本では有病率が人口10万人あたり数名という稀少疾患だが，欧米では10万人あたり100人と，比較的高頻度な疾患である】．軸索を取り巻く髄鞘の崩壊により膜抵抗が減少し，局所電流が流れて広がる間に膜を越えて"漏れて"しまう．そのため，軸索を流れる局所電流の減衰がより速くなり（長さ定数が減少し），この減衰のために，次のRanvierの絞輪に届くときには，活動電位を発生するには不十分となる可能性がある．

（synaptic delay）は，化学シナプスでの1回の情報伝達に必要とされるすべてのステップにかかる時間の総計である【訳者注：通常は1 msec 程度】．

神経筋接合部─化学シナプスの例

■ 運動単位

　運動ニューロン（motoneuron, motor neuron）は筋線維を支配する神経細胞である．**運動単位（motor unit）**は，1つの運動ニューロンとそれが支配する筋線維からなる．運動単位の大きさ

はかなり多様であり，1つの運動ニューロンが支配する筋線維の数は，2，3のこともあれば，数千に及ぶこともある．推測できるだろうが，小さい運動単位は細かい運動（例えば，顔の表情など）にかかわり，大きな運動単位は粗大な運動（例えば，走るのに使われる大腿四頭筋など）にかかわる．

■ 神経筋接合部で起こる　一連のイベント

　運動ニューロンと筋線維のシナプスは**神経筋接合部（neuromuscular junction）**とよばれる（図

シナプス伝達と神経筋伝達　31

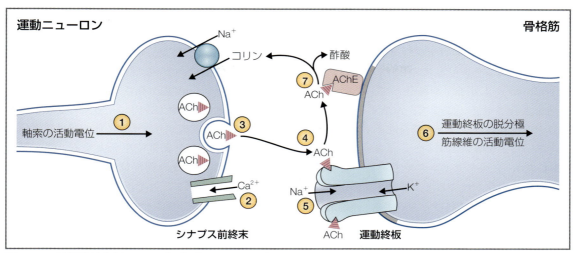

図1.16　神経筋接合部のシナプス伝達における一連のイベント．
①活動電位は運動ニューロンの軸索からシナプス前神経終末に伝播する．②シナプス前神経終末の脱分極により Ca^{2+} チャネルが開き，Ca^{2+} が終末内に流入する．③アセチルコリン（ACh）が，開口放出によりシナプス間隙に放出される．④AChは運動終板のニコチン性ACh受容体に結合する．⑤運動終板の Na^+ と K^+ を通すチャネルが開く．⑥運動終板の脱分極により，隣接した筋線維に活動電位が発生する．⑦AChは，アセチルコリンエステラーゼ（AChE）によりコリンと酢酸に分解される．コリンは，Na^+-コリン共輸送体によりシナプス前神経終末に回収される．

1.16）．運動ニューロンの活動電位が，支配する筋線維に活動電位を引き起こすまでの一連のイベントを次に説明する．各ステップの番号は図1.16中の○で囲んだ番号に対応している．

①運動ニューロンの活動電位は，前項での説明の通り，局所電流が近傍の軸索を閾電位まで脱分極させて次の活動電位を引き起こすことにより，次々と軸索の遠位へ伝播していく．最後に，シナプス前神経終末が脱分極されることによって，シナプス前膜の**電位依存性 Ca^{2+} チャネル**が開く．

② Ca^{2+} チャネルが開くと，シナプス前神経終末の Ca^{2+} 透過性が上がり，Ca^{2+} は電気化学的勾配に従って神経終末内に流れ込む．

③ Ca^{2+} の神経終末への流入により，あらかじめ合成されてシナプス小胞の中に蓄えられていた神経伝達物質の**アセチルコリン（ACh）**が放出される．AChの放出は，シナプス小胞がSNAREタンパク質の働きで細胞膜と融合して，内容物をシナプス間隙に開口放出することによって起こる．

　AChは，**アセチルCoA（acetyl CoA）（アセチルコエンザイムA（acetyl coenzyme A））**と

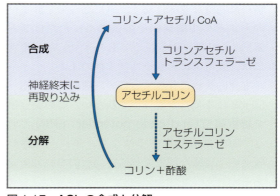

図1.17　AChの合成と分解．

コリン（choline）から，酵素の**コリンアセチルトランスフェラーゼ（choline acetyltransferase）**の作用で合成される（図1.17）．AChは，小胞内にATPおよびプロテオグリカンとともに蓄えられ，次の放出に備えている．1回に放出されるAChの最小量は，シナプス小胞1つ分（**1量子（quantum）**ともよばれる）であり，それゆえに，AChの**量子的放出（quantal release）**といわれる．

④AChは，シナプス間隙を拡散してシナプス後膜に到達する．シナプスを形成する筋線維の特

殊な部位は，**運動終板(motor end plate)**とよばれ，AChと結合する**ニコチン受容体(nicotinic receptor)**(ニコチン性ACh受容体)が存在する．ニコチン受容体の2つのαサブユニットにAchが1分子ずつ結合して，その立体構造を変化させる．ここで，AChと結合するニコチン受容体はリガンド依存性イオンチャネルであることを思い出すこと．ニコチン受容体はNa^+とK^+を通すチャネルでもある．受容体の立体構造変化が起こると，チャネルの中心孔が開き，運動終板におけるNa^+とK^+の透過性は増加する．

⑤チャネルが開くと，Na^+とK^+はそれぞれの電気化学的勾配に従って運動終板の膜電位をそれぞれの平衡電位に近づけようと流れるので，Na^+は運動終板の中へ，K^+は運動終板の外へ流れる．実際，もしも運動終板に他のイオンチャネルがなければ，運動終板はNa^+の平衡電位とK^+の平衡電位の中間である約0 mV(この0の値には特殊な意味はなく，単に2つの平衡電位のおよその中間値がその値であっただけである)にまで脱分極されるであろう．しかし現実には，膜電位に影響を及ぼす他のイオンチャネルも運動終板に存在するので，運動終板は約−50 mVにまでしか脱分極されない．この脱分極を**終板電位(end plate potential：EPP)**という．EPPは活動電位ではなく，単に，運動終板という特殊な部位で起こる局所的な脱分極である．

1つのシナプス小胞の中身が起こしたEPPの最小の膜電位変化を**微小終板電位(miniature end plate potential：MEPP)**という．MEPPが複数加算されてEPPができあがる．自発性のMEPPの(ゆらぎの)観察によって，神経筋接合部でのACh放出の量子的性質が証明された．

おのおののMEPPは，それぞれ1つのシナプス小胞の中身による脱分極であり，運動終板をおよそ0.4 mV脱分極させる．EPPは，この0.4 mVを1単位として，これが複数倍された脱分極である．それでは，運動終板を脱分極させてEPPを発生させるのに量子はどれだけ必要か．運動終板は，安静時電位の−90 mVから閾電位の−50 mVまで40 mV脱分極される必要がある．そして，40 mVの脱分極には100量子が必要である(なぜなら，1つの量子は運動終板を0.4 mV脱分極させるからである)．

⑥運動終板の脱分極(EPP)は，近隣の筋線維に局所電流として広がり，そこで筋線維は閾電位まで脱分極され活動電位を発火する．運動終板は，それ自体は活動電位を発火できないが，EPPが波及することで近隣の"通常の"筋細胞膜を十分に脱分極させて，活動電位を発火させることができる．活動電位は，さらに隣接した筋線維に伝播し脱分極させて活動電位を発火させ，この過程を繰り返す．

⑦運動終板にある**アセチルコリンエステラーゼ(acetylcholinesterase：AChE)**によってAChがコリンと酢酸に分解され，運動終板のEPPは終了する．約50%のコリンは**Na^+-コリン共輸送体(Na^+-choline cotransporter)**によってシナプス前神経終末に回収され，新しいACh合成の材料として再利用される．

■ 神経筋接合部の機能を変化させる薬物

神経筋接合部の正常な活動に干渉する薬物がいくつかあるが，干渉される神経筋伝達のステップを考えることで，薬物の作用機序を容易に理解することができる(**表1.3**，**図1.16**も参照)．

● **ボツリヌス毒素(botulinus toxin)**は，シナプス前神経終末からのAChの放出を阻害する．神経筋伝達を完全に遮断し，骨格筋を麻痺させ，呼吸不全をきたし，致死的である．

● **クラーレ(curare)**は，運動終板のニコチン受容体αサブユニットへの結合においてAChと競合し，EPPの大きさを減弱させる．大用量では麻痺をきたし，致死的である．クラーレの1種であるD-**ツボクラリン**(D-tubocurarine)は，全身麻酔時の筋弛緩薬として治療目的に用いられた．類似物質のα-**ブンガロトキシン**(α-bungarotoxin)は，ニコチン受容体に不可逆的に結合する．放射性物質で標識されたα-ブンガロトキシンは，運動終板のニコチン受容

シナプス伝達と神経筋伝達　33

表 1.3　神経筋接合部に作用する薬物.

薬物	作用	神経筋接合部への効果
ボツリヌス毒素	シナプス前神経終末からの ACh 放出を阻害	完全な遮断 呼吸筋麻痺による死亡
クラーレ	運動終板のニコチン受容体を ACh と競合	EPP の減弱 大用量では呼吸筋麻痺による死亡
ネオスチグミン	AChE の阻害	運動終板での ACh の作用延長と増強
ヘミコリニウム	シナプス前神経終末へのコリンの再取り込み阻害	シナプス前神経終末の ACh 貯蔵の枯渇

Box 1.5　重症筋無力症

▶ 症例

　18 歳の大学生の女性が，力が入りづらくなってきたという主訴で保健センターを訪れた．ときどき眼瞼が垂れてきて，また，疲れやすくなり，髪をとかすという日常動作でも疲れるようになった．階段を上る途中で転倒したことも何度かあった．症状は安静により軽快する．血液検査の結果，ニコチン性アセチルコリン（acetylcholine：Ach）受容体に対する自己抗体の血中濃度が上昇していることが判明した．神経伝導検査では，反復刺激に対する反応性が落ちていた．女性は重症筋無力症と診断され，ピリドスチグミン（pyridostigmine）を処方された．治療開始後，筋力は正常に戻った．

▶ 解説

　この若い女性は，典型的な重症筋無力症である．この自己免疫疾患では，骨格筋の運動終板にあるニコチン性 ACh 受容体に対する自己抗体が産生される．重い筋力低下（眼輪筋，上腕，下肢）は，ニコチン性 ACh 受容体を阻止する抗体の存在により説明可能である．運動ニューロンの終末から通常量の ACh が放出されるが，運動終板の受容体への ACh の結合が障害される．ACh が結合しないので，

運動終板の脱分極（終板電位：EPP）が起こらず，骨格筋で正常な活動電位も発生しない．その結果，筋力低下や易疲労性が生じる【訳者注：抗体は受容体への ACh 結合を阻止するのみでなく，受容体の減少など運動終板の構造変化も引き起こしうる】．

▶ 治療

　重症筋無力症患者の治療には，神経筋接合部の生理学についての正しい理解が必要である．この患者の症状は，ピリドスチグミン（長時間作用型のアセチルコリンエステラーゼ（acetylcholinesterase：AChE）阻害薬）の投与によって改善したことで，この患者の診断が重症筋無力症だと確定した．運動終板に存在する AChE は，ACh を分解する（つまり，AChE が ACh の作用を終了させる）．ピリドスチグミンによって，ACh を分解する酵素を阻害することで，神経筋接合部で高い ACh 濃度が維持されるようになり，ACh がより長い時間にわたって運動終板の受容体を活性化させられるようになる．このようにして，ニコチン性 ACh 受容体の多くは抗体に阻止されても，より正常に近い筋線維の EPP が生じるようになる．

体の密度を測定する実験手法として用いられた．

● ネオスチグミン（neostigmine）などの**アセチルコリンエステラーゼ阻害薬（AChE inhibitor, anticholinesterase）**は，ACh がシナプス間隙で分解されるのを阻害して，ACh の運動終板への作用を長引かせて増強させる．**重症筋無力症（myasthenia gravis）**とは，骨格筋の易疲労性と筋力低下を主徴とし，ニコチン受容体が自己抗体によって阻害される疾患である（**Box 1.5**）．AChE 阻害薬は，重症筋無力症の治療に

用いられる．

● ヘミコリニウム（hemicholinium）は，シナプス前神経終末のコリン再吸収を阻害し，運動神経終末のコリン貯蔵を枯渇させて，ACh の合成を減少させる．

シナプスの結合様式

　シナプスの入力（シナプス前の要素）と出力（シナプス後の要素）の関係には，1 対 1，1 対多，多対 1，という種類がある．

34　第1章　細胞の生理学

- **1対1シナプス（one-to-one synapse）**

　1対1シナプスの例として神経筋接合部を説明する（図1.16参照）．シナプス前細胞である運動ニューロンの1つの活動電位は，シナプス後細胞である筋線維に1つの活動電位を引き起こす．

- **1対多シナプス（one-to-many synapse）**

　1対多シナプスの例は多くないが，例えば，脊髄の運動ニューロンからRenshaw（レンショウ）細胞へのシナプスにみられる．シナプス前細胞である運動ニューロンからの1つの活動電位は，シナプス後細胞の活動電位のバースト発火を引き起こす．この構成は活動の増幅をもたらす．

- **多対1シナプス（many-to-one synapse）**

　多対1シナプスは神経系で非常によくある構成である．この種のシナプスでは，シナプス前細胞の1つの活動電位はシナプス後細胞の活動電位を引き起こすのに十分ではない．その代わり，多数のシナプス前細胞からの神経終末が1つのシナプス後細胞に**収束（converge）**しており，これらの入力が合算され，その合計によりシナプス後細胞が活動電位を発火するか否かが決められる．

シナプス入力—興奮性と抑制性のシナプス後電位

　多対1シナプスは，多数のシナプス前細胞が1つのシナプス後細胞へ収束するというよくある構成であり，入力には**興奮性（excitatory）**と**抑制性（inhibitory）**がある．シナプス後細胞は収束してきた情報をすべて統合し，もし，入力の合計によりシナプス後細胞の膜電位が閾値に達したら，活動電位を発火する．

■ 興奮性シナプス後電位

　興奮性シナプス後電位（excitatory postsynaptic potential：EPSP）は，シナプス後細胞を**脱分極**させるシナプス入力であり，膜電位を閾値そして活動電位の発火へと近づける働きがある．EPSPはNa^+チャネルとK^+チャネルの開口によって発生する（神経筋接合部のニコチン性ACh受容体と似ている）．膜電位は，Na^+とK^+の平衡電位のおよその中間値である0 mVに向かって脱分極する方向に動く．興奮性の神経伝達物質

には，ACh，ノルアドレナリン，アドレナリン，ドパミン，グルタミン酸，セロトニンなどがある．

■ 抑制性シナプス後電位

　抑制性シナプス後電位（inhibitory postsynaptic potential：IPSP）は，シナプス後細胞を**過分極**させるシナプス入力であり，膜電位を活動電位発火の閾値から遠ざける働きがある．IPSPはCl^-チャネルの開口によって発生する．膜電位は，Cl^-平衡電位（約−90 mV）に向かって過分極する方向に動く．抑制性の神経伝達物質には，γ-アミノ酪酸（γ-aminobutyric acid：GABA）とグリシンがある．

シナプスにおける情報の統合

　シナプス前部の情報は，シナプスにおいて空間的または時間的の2通りの方法で統合される．

■ 空間的加重

　空間的加重（spatial summation）は，2つ以上のシナプス前部からの入力がシナプス後細胞に同時に到着したときに起こる．もし，双方の入力が興奮性であれば合算され，1つずつの場合よりも大きな脱分極を起こす．もし，1つの入力が興奮性でもう片方が抑制性であれば，互いに打ち消し合う．EPSPもIPSPも細胞膜上をとても速く伝導するので，神経細胞体上の遠く離れた入力であっても空間的加重は起こりうる．

■ 時間的加重

　時間的加重（temporal summation）は，2つのシナプス前部入力がシナプス後細胞へすばやく立て続けに到着した場合に起こる．2つの入力（によるシナプス後電位）に時間的な重なりがあるため，加重される．

■ シナプス活動を変化させる その他の現象

　促通（facilitation），増強（augmentation），反復刺激後増強（post-tetanic potentiation）は，シナプスで起こる現象である．どの場合も，反復された刺激によって，シナプス後細胞の反応が予

表 1.4 神経伝達物質の分類.

ACh	生体アミン	アミノ酸	神経ペプチド
ACh	アドレナリン セロトニン ドパミン ノルアドレナリン ヒスタミン	γ-アミノ酪酸(GABA) グリシン グルタミン酸	エンケファリン エンドルフィン オキシトシン ガストリン放出ペプチド(GRP) グルカゴン グルコース依存性インスリン分泌刺激ポリペプチド(GIP) 血管作動性腸管ペプチド(VIP) 甲状腺刺激ホルモン放出ホルモン(TRH) コレシストキニン サブスタンス P セクレチン ソマトスタチン ダイノルフィン ニューロテンシン ニューロフィジンⅡ バソプレシン(抗利尿ホルモン(ADH)) 副腎皮質刺激ホルモン(ACTH)

ACh：アセチルコリン.

測以上に大きくなる．促通は，神経への刺激頻度が短期的に増加したことへの反応であり，一刺激あたりに放出される量子数が増加することによって起こる．増強や反復刺激後増強は，シナプス前神経終末における Ca^{2+} 蓄積によってシナプスへの神経伝達物質放出が増加することが原因だと考えられている．**長期増強**(long-term potentiation)は記憶の貯蔵の際に起こり，シナプス前神経終末からの神経伝達物質放出の増加と，シナプス後膜の神経伝達物質への感受性増大の両方がかかわっている．

シナプス疲労(synaptic fatigue)，**短期抑圧**(short-term depression)は，反復刺激によりシナプス後細胞の反応が予想より小さくなったことを指し，シナプス前神経終末の神経伝達物質の貯蔵が枯渇するためと考えられている．

神経伝達物質

化学シナプスでの情報伝達には，シナプス前細胞から神経伝達物質が放出され，シナプス間隙を拡散し，シナプス後膜の特異的な受容体に神経伝達物質が結合し，膜電位に変化を起こす，という過程がかかわる．

ある物質が神経伝達物質であると正式に認められるために用いられる基準は，以下の通りである：シナプス前細胞で合成されること，刺激に反応してシナプス前細胞から放出されること，外からシナプス後膜に生理的濃度で加えると，*in vivo* でのシナプス後細胞と同様の反応が起こることである．

神経伝達物質は次のカテゴリーに分類される（表 1.4）．ACh，**生体アミン**(biogenic amine)，**アミノ酸**(amino acid)，**神経ペプチド**(neuropeptide)．

■ アセチルコリン

神経伝達物質としての**アセチルコリン**(ACh)の役割は，いくつかの理由によりきわめて重要である．ACh は神経筋接合部で利用される唯一の神経伝達物質である．ACh は副交感神経系のすべての節前ニューロンとほとんどの節後ニューロン，交感神経系のすべての節前ニューロンから放出される．さらに，副腎髄質のシナプス前ニューロンからも放出される．

図 1.17 は ACh の合成と分解の経路を示す．シナプス前神経終末にて，コリンアセチルトランスフェラーゼを触媒として，コリンとアセチル CoA から ACh が合成される．ACh がシナプス前神経終末から放出されると，拡散してシナプス後膜に到着し，そこでニコチン性 ACh 受容体と結合して活性化させる．アセチルコリンエステラーゼ(AChE)はシナプス後膜に存在し，ACh をコリ

ンと酢酸に分解する．分解されることで，ACh のシナプス後膜での作用が終了する．分解産物のコリンの約半分はシナプス前神経終末に回収され，新しい ACh の合成に再利用される．

■ ノルアドレナリン，アドレナリン，ドパミン

ノルアドレナリン（noradrenaline）（ノルエピネフリン（norepinephrine）），アドレナリン（adrenaline）（エピネフリン（epinephrine）），ドパミン（dopamine）は，生体アミンという同じファミリーに属する．共通の前駆体であるチロシンから共通の生合成経路で合成される（図1.18）．チロシンは L-ドパ（L-dopa）に変換され，L-ドパはドパデカルボキシラーゼ（dopa decarboxylase）によりドパミンに変換される．もし，神経終末の小型有芯小胞（small dense-core vesicle）【訳者注：シナプス小胞の一種，電子顕微鏡下で小胞中心部に濃色の芯を有する】にドパミン β-ヒドロキシラーゼ（dopamine β-hydroxylase）が存在すると，ドパミンはノルアドレナリンに変換される．もし，フェニルエタノールアミン-N-メチルトランスフェラーゼ（phenylethanolamine-N-methyltransferase：PNMT）（とメチル基供与体として S-アデノシルメチオニン）が存在すれば，ノルアドレナリンはメチル化されてアドレナリンに変換される．

前シナプス細胞にどのような合成経路が存在するかによって，どの神経伝達物質が放出されるかが決まる．ドパミン作動性ニューロン（dopaminergic neuron）は，シナプス前神経終末にチロシンヒドロキシラーゼ（tyrosine hydroxylase）とドパデカルボキシラーゼをもつが，それ以外の酵素をもたないので，ドパミンを分泌する．アドレナリン作動性ニューロン（adrenergic neuron）は，チロシンヒドロキシラーゼとドパデカルボキシラーゼに加えて，ドパミン β-ヒドロキシラーゼをもつが，PNMT をもたないので，ノルアドレナリンを分泌する．副腎髄質（adrenal medulla）は，経路の酵素をすべてもつため，主にアドレナリンを分泌する．

ドパミン，ノルアドレナリン，アドレナリンを

不活性な物質に分解するには，2つの酵素，カテコール-O-メチルトランスフェラーゼ（catechol-O-methyltransferase：COMT）とモノアミンオキシダーゼ（monoamine oxidase：MAO）がかかわる．COMT はメチル化酵素で，神経終末には存在しないが，肝臓などその他の組織には広く存在する．MAO はシナプス前神経終末に局在し，酸化的脱アミノ反応の触媒である．MAO によって分解される神経伝達物質は，まずシナプスからシナプス前神経終末に再取り込みされる必要がある．

どの生体アミンも，MAO 単独，COMT 単独，もしくは MAO と COMT の両方（いずれの順序でも）によって分解されうる．したがって，1つの神経伝達物質から3種類の代謝産物が生じる可能性があり，代謝産物は主に尿中に排泄される（図1.18）．ノルアドレナリンの主要代謝産物はノルメタネフリン（normetanephrine），アドレナリンはメタネフリン（metanephrine）である．ノルアドレナリンもアドレナリンも 3-メトキシ-4-ヒドロキシマンデル酸（3-methoxy-4-hydroxy-mandelic acid）（バニリルマンデル酸（vanillylmandelic acid：VMA））に分解される．

■ セロトニン

セロトニン（serotonin）は，もう1つの生体アミンで，脳と消化管のセロトニン作動性ニューロン（serotonergic neuron）においてトリプトファンから合成される（図1.19）．シナプス前ニューロンから放出された後，セロトニンはそのままの形で神経終末に回収されることも，シナプス前神経終末で MAO によって 5-ヒドロキシインドール酢酸（5-hydroxyindoleacetic acid）に分解されることもある．また，松果体では，セロトニンを前駆体としてメラトニンが合成される．

■ ヒスタミン

ヒスタミン（histamine）も生体アミンであり，ヒスチジンデカルボキシラーゼの触媒でヒスチジンから合成される．ヒスタミンは，視床下部のニューロンの他，消化管の肥満細胞（mast cell）のような非神経組織にも存在する．

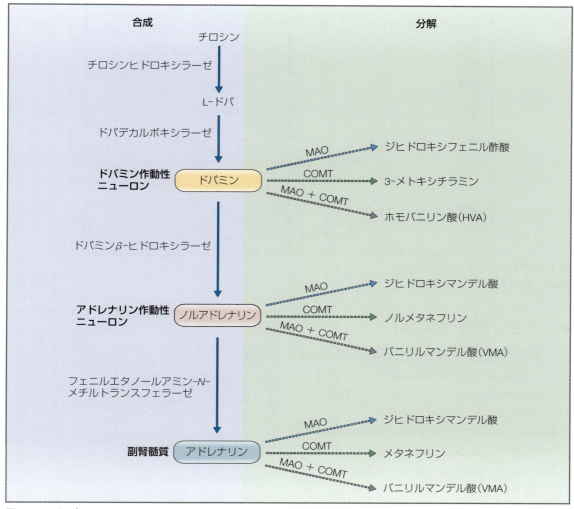

図1.18 ドパミン，ノルアドレナリン，アドレナリンの合成と分解.
COMT：カテコール-O-メチルトランスフェラーゼ，MAO：モノアミンオキシダーゼ.

■ グルタミン酸

グルタミン酸（glutamate）はアミノ酸で，中枢神経系の主要な**興奮性**神経伝達物質である．**グルタミン酸受容体（glutamate receptor）**は大きく2つに分けられる．そのうち1つは**イオンチャネル型受容体（ionotropic receptor）**すなわちリガンド依存性イオンチャネルで，NMDA（N-methyl-D-aspartate）受容体が代表である．もう1つは**代謝調節型受容体（metabotropic receptor）**で，ヘテロ三量体GTP結合タンパク質（Gタンパク質）と共役して間接的にイオンチャネル開閉の調節を行う．

■ グリシン

グリシン（glycine）はアミノ酸で，主に脊髄と脳幹にみられる**抑制性**神経伝達物質である．グリシン受容体はイオンチャネル型受容体で，イオンチャネルが開くと，シナプス後膜のCl^-**コンダクタンスが増加**することによって，シナプス後膜の膜電位はCl^-の平衡電位に向かって過分極される．すなわち，グリシン受容体は抑制性に働く．

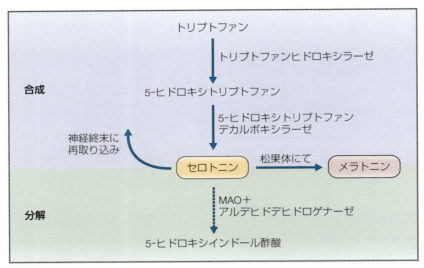

図 1.19　セロトニンの合成と分解.
MAO：モノアミンオキシダーゼ.

■ γ-アミノ酪酸（GABA）

γ-アミノ酪酸（γ-aminobutyric acid：GABA）は，中枢神経系の GABA 作動性ニューロン（GABAergic neuron）に広く分布する抑制性神経伝達物質である．GABA 作動性ニューロンのみに特異的に存在する**グルタミン酸デカルボキシラーゼ**（glutamic acid decarboxylase：GAD）を触媒として，GABA はグルタミン酸から合成される（図 1.20）．シナプス前ニューロンから放出され，シナプス後膜に作用した後，GABA はシナプス前神経終末に再回収されるか，GABA トランスアミナーゼで分解されてクエン酸回路に入る．神経伝達物質として働く他のアミノ酸（例えば，グルタミン酸やグリシン）とは異なり，GABA に代謝的な機能はまったくない（つまり，タンパク質には組み込まれない）．

シナプス後膜には 2 種類の GABA 受容体，GABAA 受容体と GABAB 受容体がある．**GABAA 受容体**は，直接 Cl⁻ チャネルを開口させる**イオンチャネル型受容体**である．刺激されると，Cl⁻ コンダクタンスを増加させてシナプス後細胞を過分極させ，抑制性に働く．GABAA 受容体は，中枢神経系での**ベンゾジアゼピン**（benzodiazepine）と**バルビツール**（barbiturate）の作用点である．**GABAB 受容体**は，G タンパク質と共役して K⁺

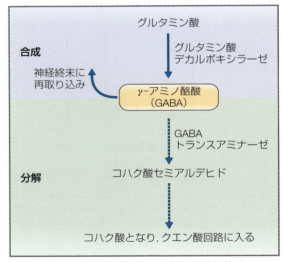

図 1.20　γ-アミノ酪酸（GABA）の合成と分解.

チャネルの調節を行う**代謝調節型受容体**である．刺激されると，K⁺ コンダクタンスを増加させてシナプス後細胞を過分極させる．

Huntington（ハンチントン）病（Huntington disease）は，不随意運動の一種である多動性の舞踏様運動を特徴とし，不随意運動は，線条体から淡蒼球への GABA 作動性神経投射の欠落による GABA 欠乏と関連づけられている．

■ 一酸化窒素

一酸化窒素(nitric oxide：NO)は，中枢神経系と消化管内の短時間作用型の抑制性神経伝達物質である．シナプス前神経終末で，**NO合成酵素**(NO synthase)はアルギニンをシトルリンとNOに変換する．そして，NOは透過性ガスなので，(通常の神経伝達物質のようにシナプス小胞に充填されて開口放出により放出されるのではなく)シナプス前神経終末から標的細胞に単純拡散する．NOは神経伝達物質として働くのみならず，血管平滑筋などのさまざまな組織でグアニル酸シクラーゼを受容体とする情報伝達にもかかわる(第4章)．

■ 神経ペプチド

神経ペプチド(neuropeptide)は，神経修飾物質，神経ホルモン，神経伝達物質として働く．新たな神経ペプチドが発見され続けているが，その一部を**表1.4**に記す．

● 神経修飾物質(neuromodulator)は，シナプス前細胞に働いて，刺激に反応して放出される神経伝達物質の量を変える．その他，神経伝達物質と共放出され，シナプス後細胞の神経伝達物質への反応性を変えることもある．

● 神経ホルモン(neurohormone)は，その他のホルモンと同様に，分泌細胞(この場合はニューロン)から血中に放出され，遠隔部位で作用する．

● いくつかの状況では，神経ペプチドは古典的な神経伝達物質と一緒にシナプス小胞に充填されて共放出される．例えば，**血管作動性腸管ペプチド**(vasoactive intestinal peptide：VIP)は，特に消化管のニューロンで，AChと一緒に貯蔵されて分泌される．ソマトスタチン(somatostatin)，エンケファリン(enkephalin)，ニューロペプチドY(neuropeptide Y)，ニューロテンシン(neurotensin)はノルアドレナリンと分泌される．**サブスタンスP**(substance P)とエンケファリンはセロトニンと分泌される．古典的な神経伝達物質はシナプス前神経終末で合成されるが，それとは対照的に，神経ペプチドはニューロンの細胞体で合成される．すべてのタンパク質合成と同じく，DNAはメッセンジャーRNAに転写され，リボソームでポリペプチドに翻訳される．通常は，シグナルペプチド配列を含んだ前駆体ポリペプチドが最初に合成され，シグナルペプチドは小胞体で削除され，最終形のペプチドが**分泌小胞**(secretory vesicle)に運搬される．分泌小胞は**軸索輸送**(axonal transport)によってシナプス前神経終末まで運搬され，そこでシナプス小胞となる．

■ プリン体

プリン体(purine)のアデノシン三リン酸(adenosine triphosphate：ATP)とアデノシン(adenosine)は，自律神経系と中枢神経系で神経修飾物質として働く．例えば，ATPは血管平滑筋を支配する交感神経節後ニューロンで合成され，通常の神経伝達物質であるノルアドレナリンとともに貯蔵され共分泌される．ニューロンは刺激されるとATPとノルアドレナリンを放出して，どちらの伝達物質も平滑筋の収縮を引き起こす．実際，ATP誘発性収縮はノルアドレナリン誘発性収縮に先行する．

骨格筋

骨格筋(skeletal muscle)の収縮は，随意もしくは反射で制御される．おのおのの骨格筋細胞は，1つの運動ニューロンの軸索の側枝によって支配される．活動電位は，運動ニューロンの軸索を遠位へと伝播して神経筋接合部においてAChが放出されることにより，運動終板を脱分極させ，筋線維に活動電位を引き起こす．

それでは，どのようなイベントによって筋線維の収縮が引き起こされるのか．筋線維に活動電位が発生して筋線維が収縮するまでの間のイベントを，**興奮収縮連関**(excitation-contraction coupling)という．本章では，骨格筋と**平滑筋**(smooth muscle)の興奮収縮連関のしくみについて説明し，心筋の興奮収縮連関は**第4章**で説明する．

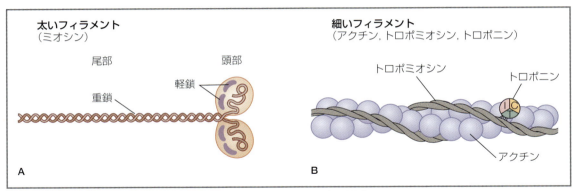

図1.21 骨格筋の太いフィラメント(A)と細いフィラメント(B)の構造.
トロポニンは3つのタンパク質の複合体である.I：トロポニンI,T：トロポニンT,C：トロポニンC.

筋フィラメント

おのおのの**筋線維**(muscle fiber)は単一ユニット(1つの単位)として活動する多核細胞で,多数の**筋原線維**(myofibril)を含む.筋原線維は**筋小胞体**に囲まれ,**横行小管(T管)**(transverse(T) tubule)が筋原線維に陥入している.おのおのの筋原線維は,太いフィラメントと細いフィラメントが交互に入り組んだ配列をもち,**筋節**(sarcomere)とよばれる単位で長軸方向にも横断面方向にも規則正しく配列している(図1.22).筋節が繰り返し並ぶ構造により,**横紋筋**(striated muscle)(骨格筋と心筋が含まれる)にみられる特徴的な縞模様がつくられる.

■ 太いフィラメント

太いフィラメント(thick filament)は,ミオシン(myosin)という分子量の大きいタンパク質で構成されている.ミオシンは6つのポリペプチド鎖からできており,1対の**ミオシン重鎖**(myosin heavy chain)と2対の**ミオシン軽鎖**(myosin light chain)からなる(図1.21A).ミオシン重鎖のほとんどはαヘリックス構造をとり,2本の重鎖が撚り合わさってミオシンの**尾部**を形成する.おのおのの重鎖N末端側には2つの軽鎖が結合し,計2個の球状の**頭部**を形成する.球状の頭部のアクチン結合部位でアクチンとのクロスブリッジを形成し,また,頭部にはATPと結合して加水分解する部位(ミオシンATPase)もある.

■ 細いフィラメント

細いフィラメント(thin filament)は,アクチン,トロポミオシン,トロポニンの3つのタンパク質から構成される(図1.21B).
アクチン(actin)は球状(globular)のタンパク質であり,その形からG-アクチンとよばれる.細いフィラメントでは,G-アクチンは2本の線維がねじれ撚り合わさったらせん形で重合して線維状(filamentous)アクチンとなっており,F-アクチンとよばれる.筋が弛緩している静止時には,アクチンのミオシン結合部位はトロポミオシンで覆われており,アクチンとミオシンは相互作用できない.
トロポミオシン(tropomyosin)は,アクチン線維がねじれて撚り合わさった溝に沿って結合する線維状のタンパク質である.筋の静止時に,アクチンのミオシン結合部位を阻害する働きがある.収縮が起こるためには,アクチンとミオシンが結合できるよう,トロポミオシンを移動させなければならない.
トロポニン(troponin)は,3つの球状タンパク質(トロポニンT,トロポニンI,トロポニンC)の複合体で,トロポミオシンフィラメントに沿って,規則正しい間隔で結合する.**トロポニンT**(Tはトロポミオシンに由来)は,トロポニン複合体をトロポミオシンに結合させる.**トロポニンI**(Iは阻害(inhibition)に由来)は,トロポミオシンと協同してアクチンのミオシン結合部位を覆い,ア

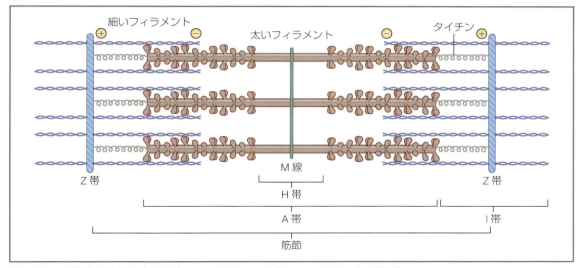

図1.22 骨格筋の筋節の中での太いフィラメントと細いフィラメントの配列．
細いフィラメントの⊕と⊖はアクチン線維の極性（プラス端・マイナス端）を示す．

クチンとミオシンの相互作用を阻害する．**トロポニンC**（CはCa^{2+}に由来）はCa^{2+}結合タンパク質で，筋収縮の開始に中心的な役割を担う．細胞内Ca^{2+}濃度が上昇すると，Ca^{2+}はトロポニンCに結合し，トロポニン複合体の立体構造が変化する．この立体構造変化によってトロポミオシンを移動し，アクチンがミオシン頭部と結合できるようになる．

■ 筋節の中での太いフィラメントと細いフィラメントの配列

筋節（sarcomere）は収縮の基本単位であり，Z帯により区切られている．筋節の中心部にA帯があり，その両側にはⅠ帯がある（図1.22）．

A帯（A band）は筋節の中央に位置し，偏光顕微鏡で観察すると暗くみえる．太いフィラメント（ミオシン）を含む．太いフィラメントと細いフィラメントはA帯で重なり合う．この重なり合った部位でクロスブリッジ形成が可能である．

Ⅰ帯（Ⅰ band）はA帯の両側にあり，偏光顕微鏡では明るくみえる．細いフィラメント（アクチン），中間径フィラメント，Z帯を含む．太いフィラメントは含まれない．

Z帯（Z band）（Z線）はⅠ帯の中央を横切る構造で，偏光顕微鏡では暗く，電子顕微鏡では濃染されてみえる，一筋節の端の区切りである．

H帯（H zone）は各筋節の中央に位置する．H帯には細いフィラメントがないので，細いフィラメントと太いフィラメントの頭部が重なり合わず，クロスブリッジ形成は起こらない．

M線（M line）は電子顕微鏡で観察されるH帯の中央を横切る，濃染される構造である．太いフィラメントの中央部分を連結させるタンパク質を含む．

■ 細胞骨格タンパク質

細胞骨格タンパク質（cytoskeletal protein）は筋原線維の構造を築き上げ，太いフィラメントと細いフィラメントが適切な間隔で正しく配列されるようにしている．

横行する細胞骨格タンパク質は，筋原線維内の太いフィラメントと細いフィラメントを連結して筋原線維の骨組みをつくり，また隣接する筋原線維の筋節とも連結している．中間径フィラメントによって，筋原線維は並列した状態で束ね合わせられる．筋原線維の配列全体を細胞膜につなぎ止めるのは，**ジストロフィン**（dystrophin）というアクチン結合タンパク質である（進行性筋ジストロフィーの患者の多くで，ジストロフィンの異常や欠損がみつかる）．

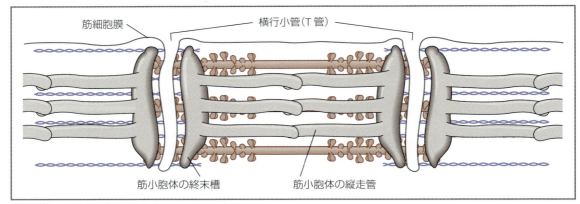

図 1.23　骨格筋の横行小管(T 管)と筋小胞体.
横行小管(T 管)は筋細胞膜と連続していて筋線維の内部に深く陥入し，筋小胞体の終末槽と接する．

　縦走する細胞骨格タンパク質には，タイチンとネブリンという 2 つの大きなタンパク質がある．**タイチン(titin)** は，太いフィラメントと結合し，M 線から Z 帯までにわたる大きなタンパク質である．タイチン分子の一部は太いフィラメントと並走し，残りの部分はバネ型で弾性があり，Z 帯につなぎ止められている．筋節の長さの変化につれ，タイチン分子のバネ型の部分の長さも変わる．タイチンは太いフィラメントを筋節の中央の位置に保つのにも役立っている．**ネブリン(nebulin)** は細いフィラメントに結合する．1 分子のネブリンが細いフィラメントの端から端まで伸びており，"分子定規" として細いフィラメントが重合するときにはその長さを決める役割がある．**α-アクチニン(α-actinin)** は細いフィラメントを Z 帯につなぎ止める．

■ 横行小管(T 管)と筋小胞体

　横行小管(T 管) は，筋線維に深く陥入する**筋細胞膜(sarcolemma)** の広範な網目状構造である．T 管は，筋細胞表面の活動電位による脱分極を筋線維内部に伝える役割がある．T 管は筋小胞体の**終末槽**と接し，**ジヒドロピリジン受容体(dihydropyridine receptor)**（拮抗薬の名前に由来）とよばれる電位依存性 Ca^{2+} チャネルをもつ（図 1.23）．

　筋小胞体(sarcoplasmic reticulum：SR) は，管状構造の細胞内器官で，興奮収縮連関にかかわる Ca^{2+} を貯蔵し放出する部位である．前述の通り，筋小胞体の終末槽は T 管と接して三連構造となっている（図 1.23）．筋小胞体は**リアノジン受容体(ryanodine receptor)**（作動薬である植物アルカロイドの名前に由来）とよばれる Ca^{2+} 放出チャネルをもつ．T 管（とそのジヒドロピリジン受容体），筋小胞体（とそのリアノジン受容体）の位置関係の生理学的意義については，興奮収縮連関の項で説明する．

　筋小胞体膜にある Ca^{2+} **ATPase(SERCA)** の働きで，筋小胞体に Ca^{2+} が蓄積される．Ca^{2+} ATPase は，筋線維の細胞内液から筋小胞体内部に Ca^{2+} を汲み上げ，静止時の筋線維細胞内 Ca^{2+} 濃度を低く保つ．筋小胞体内では，Ca^{2+} は**カルセケストリン(calsequestrin)** という低親和性高容量性の Ca^{2+} 結合タンパク質と結合している．カルセケストリンは，筋小胞内で Ca^{2+} と結合することにより，筋小胞体内の遊離 Ca^{2+} 濃度を低く保ち，Ca^{2+} ATPase の仕事量を減らしている．このようにして，筋小胞体内の遊離 Ca^{2+} 濃度を著しく低く保ったまま，筋小胞体内に大量の Ca^{2+} を結合型として蓄えることができる．

骨格筋の興奮収縮連関

　筋の活動電位から力学的な張力の発生に変換される機構を**興奮収縮連関**という．図 1.24 は，骨格筋の筋線維の活動電位から始まり，続いて細胞内遊離 Ca^{2+} 濃度の上昇（筋小胞体からの Ca^{2+} 放

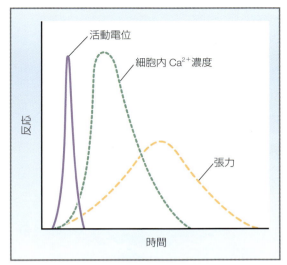

図 1.24　骨格筋の興奮収縮連関で起こるイベントの時間経過.
筋線維の活動電位，細胞内 Ca^{2+} 濃度上昇，筋線維収縮の順で起こる．

出），そして，筋線維の収縮という時間的関係を示している．この時間的前後関係は非常に重要であり，活動電位，細胞内 Ca^{2+} 濃度上昇，筋収縮，という順は必ず保たれる．

　興奮収縮連関の各ステップを以下に説明し，図 1.25 に示す（ステップ⑥は図 1.26 に示す）．

① 筋線維細胞膜の**活動電位**による局所電流が波及して **T 管**に伝播する．T 管は筋細胞膜と連続しており，筋線維の表面から内部へ脱分極を伝える．

② (a) **T 管の脱分極**は，T 管の (b) 電位依存性**ジヒドロピリジン受容体**の立体構造を変化させる．この立体構造の変化が，隣接して存在する**筋小胞体**上の (c) Ca^{2+} **放出チャネル（リアノジン受容体）**を開く（ちなみに，T 管のジヒドロピリジン受容体自体も L 型電位依存性 Ca^{2+} チャネルであるが，このチャネルを介した細胞内への Ca^{2+} 流入は，骨格筋の興奮収縮連関には必要とされない）．

③ この Ca^{2+} 放出チャネルが開くと，Ca^{2+} は筋小胞体の貯蔵部位から筋線維の細胞内液に放出され，**細胞内 Ca^{2+} 濃度が上昇する**．静止時は，細胞内遊離 Ca^{2+} 濃度は 10^{-7} mol/L 未満であるが，筋小胞体から Ca^{2+} が放出されると，細胞

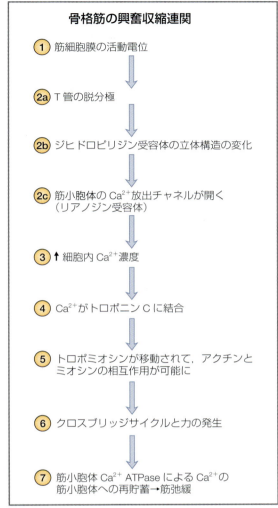

図 1.25　骨格筋の興奮収縮連関の各ステップ．
○で囲んだ番号については，該当する本文を参照のこと．

内遊離 Ca^{2+} 濃度は 10^{-7} mol/L 〜 10^{-6} mol/L まで上昇する．

④ Ca^{2+} が細いフィラメント上の**トロポニン C に結合**し，トロポニン複合体の立体構造変化を引き起こす．1 分子のトロポニン C に Ca^{2+} は 4 個まで結合できる．この結合は協同的であり，Ca^{2+} が 1 つ結合するたびに，トロポニン C の次の Ca^{2+} 結合の親和性が上昇する．したがって，少しの Ca^{2+} 濃度上昇だけでも，すべての Ca^{2+} 結合部位が満たされて，トロポニン複合体の必要な立体構造変化が引き起こされる可能性が高くなる．

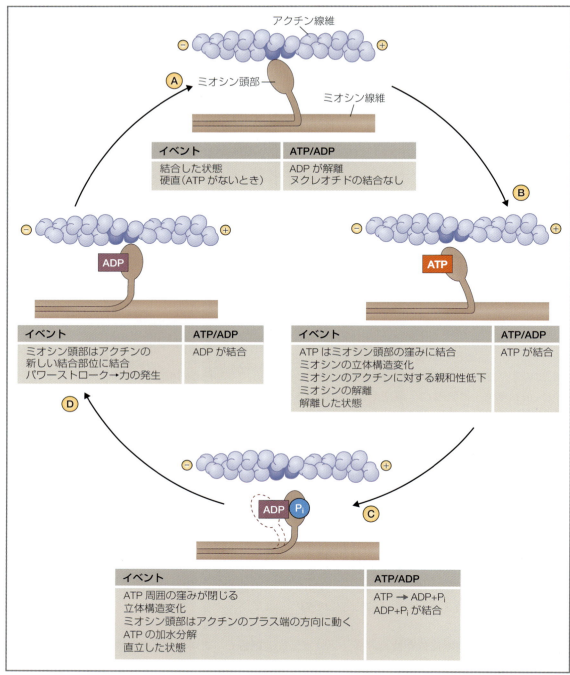

図1.26 骨格筋のクロスブリッジサイクル.
ミオシンがアクチン線維のプラス端に向かって"歩く"メカニズム. **A〜D**は，本文の⑥クロスブリッジサイクルの説明に対応する. ADP：アデノシン二リン酸，ATP：アデノシン三リン酸，P_i：無機リン酸.

⑤トロポニンの立体構造変化は，トロポミオシン（アクチンとミオシンの相互作用を阻害している）を移動させて，クロスブリッジサイクルが開始できるようになる．トロポミオシンが移動されると，覆われていたアクチンのミオシン結合部位が露出される．

⑥クロスブリッジサイクル（cross-bridge cycle）（図1.26）．Ca^{2+}がトロポニンCに結合してトロポミオシンが移動されると，ミオシン頭部はアクチンと結合して，いわゆるクロスブリッジ（cross-bridge）を形成することができるようになる．クロスブリッジの形成はATPの加水分解を伴い，力を発生させる．

クロスブリッジサイクルにおける一連のイベントを図1.26に示す．A：サイクルの最初は，ミオシンからADPが解離した直後であり，ヌクレオチドは結合していない．ミオシンは"硬直"した格好でアクチンに強固に結合している．急速に収縮している筋では，この"結合"した状態は短い．しかし，ATPがなければ，この状態が永続する（すなわち，死後硬直）．B：ミオシン頭部へATPが結合して，ミオシンの立体構造が変化し，アクチンに対する親和性が下がる．こうして，ミオシンは元のアクチン結合部位から解離する．C：結合したATP分子周囲の窪みが閉じて，ミオシン頭部をアクチン線維のプラス端向きに動かすような立体構造変化が生じる．ATPはADPとP_iに加水分解されるが，ミオシンに結合したままである．D：ミオシンはプラス端方向の新しいアクチン結合部位に結合し，1回分のパワーストローク（power stroke）が起こり，力学的な力を発生させる．1回のクロスブリッジサイクルで，ミオシン頭部は10 nm（1 nm ＝ 10^{-9} m）だけアクチン線維に沿って"歩く"（A）．Ca^{2+}がトロポニンCに結合している限りクロスブリッジサイクルは続き，ミオシンはアクチン線維のプラス端に向かって"歩き"続ける．

⑦Ca^{2+}が筋小胞体膜のCa^{2+} ATPase（SERCA）によって再回収されると，筋は弛緩（relaxation）する．細胞内Ca^{2+}濃度が10^{-7} mol/L未満になると，Ca^{2+}がトロポニンCに結合するには不十分となる．トロポニンCからCa^{2+}が解離すると，トロポミオシンは元の位置に戻り，アクチンのミオシン結合部位を阻害する．細胞内Ca^{2+}濃度が低い限りクロスブリッジサイクルは始まらず，筋は弛緩したままである．

クロスブリッジサイクルは，収縮要素のレベルで力（張力）を作り出す．この力を筋表面にまで伝えるためには，一連の弾性要素（例えば，タイチンなど）がまずは伸びきらなければならない．その結果，力がクロスブリッジから筋表面にまで伝達するには時間の遅れがある（図1.24参照）．また，クロスブリッジサイクルがいったん終了しても，筋張力が下がるのにも遅れがある．一連の弾性要素が伸びきっているので，細胞内Ca^{2+}濃度が低下してクロスブリッジサイクルが止まった後も，筋表面へ力は伝わり続ける．

強縮性収縮のしくみ

一発の活動電位によって，筋小胞体から一定量のCa^{2+}が放出され，筋の単収縮（twitch）が起こる．筋小胞体がこのCa^{2+}を再回収すると，単収縮は終了する（筋は弛緩する）．しかし，筋が繰り返し刺激された場合，筋小胞体がCa^{2+}を再回収する時間が十分にないので，細胞内Ca^{2+}濃度は筋が弛緩する低い濃度までは戻らない．むしろ細胞内Ca^{2+}濃度は高いままで，トロポニンCへCa^{2+}は結合したままとなり，クロスブリッジサイクルも続く．この状態では，単に1回の単収縮が起こるのではなく，持続した筋収縮が起こり，それを強縮性収縮（tetanic contraction, tetanus）とよぶ．

長さ張力関係

筋の長さ張力関係（length-tension relationship）は，筋線維が作り出す張力の大きさに及ぼす筋線維の長さの効果を指す（図1.27）．筋が等尺性収縮（isometric contraction）を行っているときの張力を測定する．等尺性収縮とは，一定の長さ（前負荷（preload）という）のもとで筋に張力を発生させることで，筋を短縮させないで行う（とても重いバーベルを持ち上げようとしても，張力

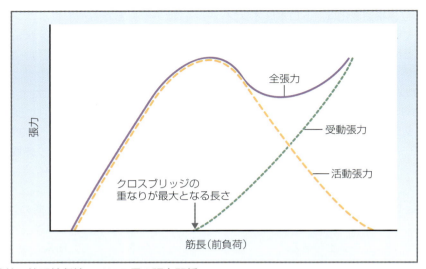

図 1.27　骨格筋の等尺性収縮における長さ張力関係.
最大活動張力は，太いフィラメントと細いフィラメントの重なりが最大となる筋長で発生する．

は非常に大きいが筋の短縮や動きは起こらないことを想像するとよい）．後述のような張力に関する計測を，前もって定めた長さ（前負荷）の関数として表すことができる．

- **受動張力 (passive tension)** とは，単に筋を伸ばして長さを変えることで発生する張力である（輪ゴムを引っ張ると，長くなるほど張力が発生することを考える）．
- **全張力 (total tension)** とは，刺激されて収縮したときに発生する張力であり，それをさまざまな前負荷（筋長）に変えて計測する．これは，筋節でクロスブリッジサイクルによって発生する活動張力と，筋を伸ばすことで発生する受動張力の合計である．
- **活動張力 (active tension)** は，全張力から受動張力を引いて求められる．この値は，クロスブリッジサイクルの間に発生する能動的な力を表す．

　活動張力と筋の長さの一見変わった関係を，**長さ張力関係**とよび，それはクロスブリッジサイクルのしくみから説明することができる（**図 1.27**）．発生する活動張力は，クロスブリッジサイクルにおけるクロスブリッジの数と比例する．したがって，太いフィラメントと細いフィラメントの重なりが最大のとき，すなわち形成

できるクロスブリッジの数が最多のときに，活動張力は最大となる．筋が伸ばされて形成できるクロスブリッジの数が減ると，活動張力も減少する．同様に，筋の長さが短くなると，筋節の中心部で細いフィラメントが重なり合うことになり，形成できるクロスブリッジの数は減るので，活動張力も減少する．

力速度関係

　力速度関係 (force-velocity relationship) は，筋収縮に抗して加える力，**後負荷 (afterload)** を変えたときの，筋が短縮する速度の変化を示している（**図 1.28**）．長さ張力関係のときとは異なり，力速度関係は筋を短縮させる設定で計測される．長さではなく，力を一定とするため，**等張性収縮 (isotonic contraction)** とよばれる．筋短縮の速度は，**クロスブリッジサイクルの速度**を反映する．短縮速度は筋への後負荷がゼロのときに最大（V_{max}）となるのは自明であろう．筋への後負荷が増えるにつれて，より高い抵抗が加わることによりクロスブリッジサイクルの回転も遅くなるので，短縮速度は遅くなる．後負荷をさらに増やすと短縮速度も低下し，ついにはゼロとなる（レンガの束と比べて，1 枚の羽毛ならどれだけ速く持ち上げられるかを想像すること）．

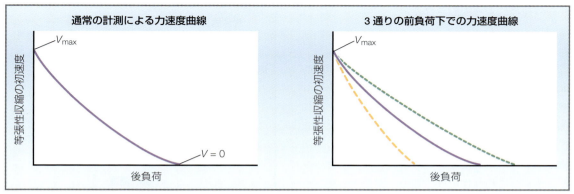

図1.28 骨格筋の等張性収縮の初速度と後負荷の関係.

さらに，最初の筋の長さ（前負荷）をある長さにしたうえで，後負荷の量を変えながら短縮速度の変化を計測することを，複数の前負荷に対して同様の計測を繰り返すことにより，短縮速度への後負荷の影響をさらに調べることができる（**図1.28右**）．図に示したのは，3通りの前負荷のもとでの力速度関係の曲線である．すべての曲線において，縦軸との交点はつねにV_{max}であり，そこでは後負荷はゼロで短縮速度が最大となる．

平滑筋

平滑筋（smooth muscle）には横紋がないことで，骨格筋や心筋と区別される．骨格筋と心筋にみられる横紋は，筋節の太いフィラメントと細いフィラメントが形成する縞模様である．平滑筋にも太いフィラメントと細いフィラメントは存在するが，それらが筋節として組織されていないので，横紋はみられない．

平滑筋は，消化管，膀胱，子宮，血管，尿管，細気管支，といった中空臓器の壁と，眼内筋に存在する．平滑筋の機能には以下の2通りがある．動きを作り出すこと（例えば，消化管内でび粥を前に進めることや，尿管内で尿を進めること）と，張力を維持すること（血管壁の平滑筋）である．

平滑筋の種類

平滑筋は，電気的な連結の有無で，多ユニットと単一ユニットに分類できる．単一ユニット平滑筋は細胞間がギャップ結合でつながっており，臓器全体に電気活動がすばやく伝播して，協調した収縮を行うことができる．多ユニット平滑筋には細胞間の電気的連結がほとんどない．3つ目として，血管平滑筋には，単一ユニット平滑筋と多ユニット平滑筋の両方がある．

■ 単一ユニット平滑筋

単一ユニット平滑筋（unitary smooth muscle）は，消化管，膀胱，子宮，尿管に存在する．これらの器官では，平滑筋は**ギャップ結合**で連結されているので協調的に収縮する．ギャップ結合は抵抗の低い電流の経路なので，細胞間を電気的に連結することができる．例えば，膀胱では全体の平滑筋で同時に活動電位が発生するので，膀胱全体が一度に収縮して尿を空にすることができる．

単一ユニット平滑筋のもう1つの特徴は，自発的**ペースメーカ**（pacemaker）活動，つまり**緩徐波**（slow wave）である．緩徐波の周波数によってその臓器の特徴的な活動電位のパターンが決まり，そして収縮の頻度が決まる．

■ 多ユニット平滑筋

多ユニット平滑筋（multiunit smooth muscle）は，虹彩筋，水晶体の毛様体筋，精管に存在する．おのおのの筋線維は個別の運動単位として（骨格筋のように）活動し，細胞間の連結はほとんどない．多ユニット平滑筋は副交感神経と交感神経の節後線維によって密に支配されており，機能もこ

れらの神経により調節される．

平滑筋の興奮収縮連関

平滑筋の興奮収縮連関（excitation-contraction coupling in smooth muscle）のしくみは骨格筋とは異なる．骨格筋では，トロポニンCにCa²⁺が結合してアクチンとミオシンが結合できるようになることを思い出すこと．しかし，平滑筋にはトロポニンはない．その代わり，アクチンとミオシンの相互作用は，別のカルシウム結合タンパク質である**カルモジュリン（calmodulin）**によって調節される．ここでは，Ca²⁺-カルモジュリンがミオシン軽鎖キナーゼを活性化し，ミオシン軽鎖キナーゼがクロスブリッジサイクルを調節する．

■ 平滑筋の興奮収縮連関の各ステップ

平滑筋の興奮収縮連関の各ステップは，図1.29および次の通りである．

1. **平滑筋の脱分極**により，細胞膜上の電位依存性Ca²⁺チャネルが開く．Ca²⁺が電気化学的勾配に従って細胞外液から細胞内に流入し，**細胞内Ca²⁺濃度が増加**する．骨格筋では，筋収縮を起こすのに活動電位が必要であるが，平滑筋では，閾電位未満の（活動電位を発火させない）脱分極でも**電位依存性Ca²⁺チャネル**が開き，細胞内Ca²⁺濃度は増加する．もし，平滑筋細胞膜の脱分極が閾電位に達したら，活動電位が発火し，さらに大きな脱分極と，より多くのCa²⁺チャネルの開口を引き起こす．

   電位依存性Ca²⁺チャネルを通って細胞内に流入したCa²⁺は，筋小胞体から，さらなるCa²⁺の放出を引き起こす（**Ca²⁺誘発性Ca²⁺放出（Ca²⁺-induced Ca²⁺ release）**とよばれる）．このように，平滑筋での細胞内Ca²⁺濃度の増加には，細胞外からの流入と，細胞内の筋小胞体の貯蔵からの放出という両方の寄与がある．

2. 細胞内Ca²⁺濃度を増加させるしくみはさらに2つあり，リガンド依存性Ca²⁺チャネルとIP₃依存性Ca²⁺放出チャネルである．平滑筋細胞膜上の**リガンド依存性Ca²⁺チャネル（ligand-gated Ca²⁺ channel）**は，さまざまなホルモ

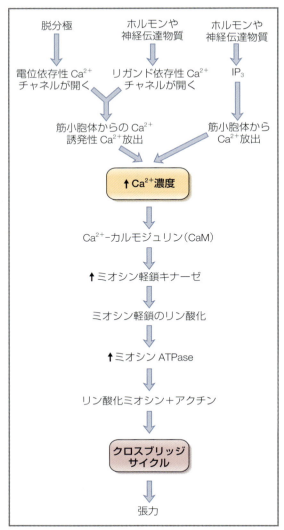

図1.29　平滑筋収縮で起こるイベントの時間経過．
IP₃：イノシトール 1,4,5-トリスリン酸．

ンや神経伝達物質により開かれるものがあり，細胞外液からさらにCa²⁺を流入させる．筋小胞体膜上の**IP₃依存性Ca²⁺放出チャネル（IP₃-gated Ca²⁺ release channel）**も，ホルモンや神経伝達物質により開かれる．これらのしくみによって，脱分極で起こる細胞内Ca²⁺濃度増加をより促進することがある．

3. 細胞内Ca²⁺濃度の増加により，Ca²⁺は**カルモジュリン**に結合する．骨格筋のトロポニンCと同様に，カルモジュリンも4つのCa²⁺と協同的に結合する．Ca²⁺カルモジュリン複合体

は，ミオシン軽鎖キナーゼ(myosin-light-chain kinase)に結合して活性化する.

4. ミオシン軽鎖キナーゼは，活性化されるとミオシン軽鎖をリン酸化する．ミオシン軽鎖がリン酸化されると，ミオシン頭部の立体構造が変化し，ミオシンのATPase活性が増強される(骨格筋のミオシンATPase活性がつねに高いこととは対照的である)．ミオシンのATPase活性増強によってミオシンはアクチンに結合できるようになり，こうしてクロスブリッジサイクルが始まり，張力を発生する．発生する張力の強さは細胞内Ca^{2+}濃度に比例する.

5. Ca^{2+}カルモジュリン複合体は，前述のミオシンに対する作用の他，細いフィラメントのタンパク質であるカルポニン(calponin)とカルデスモン(caldesmon)の2つにも作用する．細胞内Ca^{2+}濃度が低いとき，カルポニンとカルデスモンはアクチンに結合し，ミオシンのATPase活性を阻害し，アクチンとミオシンの相互作用を妨げる．細胞内Ca^{2+}濃度が高くなると，Ca^{2+}カルモジュリン複合体はカルポニンとカルデスモンをリン酸化し，これらによるミオシンのATPase活性の阻害を解き，アクチンとミオシンのクロスブリッジ形成を促進する.

6. 平滑筋の弛緩(relaxation of smooth muscle)は，細胞内Ca^{2+}濃度がCa^{2+}カルモジュリン複合体の形成に必要な濃度よりも低くなると起こる．細胞内Ca^{2+}濃度の低下はいくつかのしくみで起こりうるが，過分極(電位依存性Ca^{2+}チャネルが閉じる)，cAMPやcGMPなどのリガンドによるCa^{2+}チャネルの直接的な阻害，IP_3産生の阻害による筋小胞体からのCa^{2+}放出の減少，筋小胞体でのCa^{2+}ATPase活性の上昇などがある．その他にも，平滑筋の弛緩には，ミオシン軽鎖ホスファターゼの活性化によりミオシン軽鎖が脱リン酸化され，ミオシンATPaseが阻害されるというしくみもかかわる.

■ 平滑筋で細胞内Ca^{2+}濃度を上昇させるしくみ

平滑筋の脱分極は細胞膜上の電位依存性Ca^{2+}チャネルを開き，細胞外液からCa^{2+}が細胞内に流入する．前述の通り，これはあくまでも収縮に必要なCa^{2+}供給源の1つであり，Ca^{2+}は細胞膜上のリガンド依存性Ca^{2+}チャネルからも流入し，また，セカンドメッセンジャーであるIP_3に依存して筋小胞体から放出される(一方，骨格筋では細胞内Ca^{2+}濃度上昇は筋小胞体からのCa^{2+}放出のみで起こり，細胞外からの流入の寄与はない)(図1.30)．平滑筋におけるCa^{2+}流入は，次に説明する3つのしくみによって担われる.

● 電位依存性Ca^{2+}チャネルは筋細胞膜上にあり，細胞膜が脱分極すると開く．平滑筋細胞の活動電位によって，電位依存性Ca^{2+}チャネルは開き，電気化学的ポテンシャルの勾配に従って細胞外から細胞内にCa^{2+}が流入する.

● リガンド依存性Ca^{2+}チャネルも筋細胞膜上にあり，膜の電位変化ではなく，受容体へのリガンド結合によって調節される．さまざまなホルモンや神経伝達物質が筋細胞膜上の特異的受容体に結合し，それがGTP結合タンパク質(Gタンパク質)を介してCa^{2+}チャネルと共役している．チャネルが開くと，Ca^{2+}は電気化学的勾配に従って細胞外から細胞内に流入する(Gタンパク質の説明は第2，9章を参照).

● IP_3依存性Ca^{2+}放出チャネルは筋小胞体膜上にある．この過程は細胞膜から始まるが，Ca^{2+}の出どころは細胞外液ではなく筋小胞体である．まず，ホルモンや神経伝達物質が筋細胞膜上の特異的受容体に結合する(例えば，ノルアドレナリンとα_1受容体)．これら受容体は，Gタンパク質を介してホスホリパーゼC(phospholipase C：PLC)と共役している．PLCの触媒により，ホスファチジルイノシトール4,5-ビスリン酸(phosphatidylinositol 4,5-bis-phosphate：PIP_2)は，IP_3とジアシルグリセロール(diacylglycerol：DAG)に加水分解される．IP_3は拡散して筋小胞体膜上のCa^{2+}放出チャネルを開く(骨格筋のリアノジン受容体と類似したしくみである)．このCa^{2+}放出チャネルが開くと，Ca^{2+}は筋小胞体の貯蔵部位から細胞内液へと放出される(第9章のIP_3依存性のホルモン作用の説明を参照).

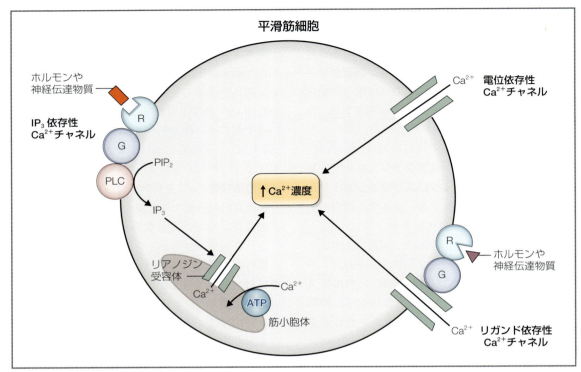

図 1.30 平滑筋の細胞内 Ca^{2+} 濃度増加のメカニズム.
ATP：アデノシン三リン酸，G：GTP 結合タンパク質（G タンパク質），IP_3：イノシトール 1,4,5-トリスリン酸，PIP_2：ホスファチジルイノシトール 4,5-ビスリン酸，PLC：ホスホリパーゼ C，R：ホルモンや神経伝達物質の受容体.

■ Ca^{2+} に依存しない平滑筋収縮の調節

　細胞内 Ca^{2+} 濃度上昇に依存する平滑筋の収縮機構に加えて，Ca^{2+} に依存しない収縮の調節機構もある．例えば，細胞内 Ca^{2+} 濃度が一定のもとでミオシン軽鎖キナーゼが活性化されると，より多くのクロスブリッジが稼働して大きな力を生み出し（Ca^{2+} 感作（Ca^{2+}-sensitization）），逆に，ミオシン軽鎖ホスファターゼが活性化されると，クロスブリッジの稼働が減り力も小さくなる（Ca^{2+} 脱感作（Ca^{2+}-desensitization））．

　骨格筋，平滑筋と心筋の主な特徴の比較については表 1.5 を参照すること（心筋は第 4 章で詳しく扱う）．

まとめ

- 水は身体の主要成分であり，細胞内液と細胞外液という2つの主な区分に分布する．細胞外液は，さらに血漿と間質液に区分される．細胞内液と細胞外液の組成の違いは，細胞膜の輸送タンパク質によって形成されて維持される．
- 輸送には受動輸送と能動輸送がある．輸送が電気化学的勾配に従うのみの場合は受動的であり，エネルギーを消費しない．輸送が電気化学的勾配に逆らう場合は能動的である．能動輸送のエネルギー源は，一次性（ATP を使う）と二次性（Na^+ 濃度勾配のエネルギーを使う）がある．浸透とは，膜で隔てられた溶液区分において，膜を透過しない溶質の濃度差によって浸透圧較差が生じて，膜を横切る水の流れが起こることである．

表 1.5 骨格筋，平滑筋と心筋の主な特徴の比較.

特徴	骨格筋	平滑筋	心筋
興奮	活動電位	徐波（活動電位を伴うことも伴わないこともある） ホルモン 神経伝達物質	活動電位
活動電位立ち上がり相	内向き Na^+ 電流	内向き Ca^{2+} 電流	内向き Ca^{2+} 電流（洞房結節） 内向き Na^+ 電流（心房，心室，Purkinje 線維）
活動電位プラトー相	なし	なし	あり（洞房結節を除く）
興奮収縮連関	活動電位→T管（ジヒドロピリジン受容体） 筋小胞体から Ca^{2+} 放出（リアノジン受容体） 細胞内 Ca^{2+} 濃度上昇	脱分極により細胞膜の電位依存性 Ca^{2+} チャネル開口 ホルモンや神経伝達物質による筋小胞体の IP_3 依存性 Ca^{2+} 放出チャネル開口	活動電位プラトー相での Ca^{2+} 内向き電流 筋小胞体からの Ca^{2+} 誘発性 Ca^{2+} 放出 細胞内 Ca^{2+} 濃度上昇
Ca^{2+} センサー	トロポニンC	カルモジュリン	トロポニンC

- イオンチャネルは，電荷をもつ溶質が膜を横切り移動するための経路である．イオンチャネルのコンダクタンスはゲートにより調節されるが，その調節は，電位，セカンドメッセンジャー，リガンドに依存して行われる．透過性イオンが濃度勾配に従って拡散すると拡散電位が生じ，その電気化学的平衡での値である平衡電位は Nernst の式で計算できる．複数の透過性イオンが存在すると，それぞれが膜電位をその平衡電位へ近づけようと移動し，最も透過性の高いイオンが静止膜電位の形成に最大の寄与をする．

- 神経と筋の活動電位は，急速な脱分極（立ち上がり相）と続いて起こる再分極からなり，これらの電位変化は複数のイオンチャネルの開閉により引き起こされる．活動電位は，局所電流の波及により次の活動電位を生じさせることで神経や筋を伝播していき，その伝導速度は組織のケーブル特性に依存する．線維径の増大や髄鞘化により伝導速度は速くなる．

- 細胞間のシナプス伝達は，電気的なものもあるが，多くは化学的である．化学シナプスの基本型である神経筋接合部では，ACh が神経伝達物質である．ACh はシナプス前神経終末から放出され，シナプス間隙を拡散し，運動終板の受容体に結合し，運動終板の脱分極を引き起こす．その他のシナプスの神経伝達物質には，興奮性（脱分極を起こす）と抑制性（過分極を起こす）のものがある．

- 筋では，活動電位が筋収縮に先行する．活動電位を収縮に変換するしくみを興奮収縮連関とよび，骨格筋と平滑筋ともに，Ca^{2+} が中心的役割を果たす．

- 骨格筋では，活動電位は T 管により細胞内部まで伝えられ，T 管の脱分極により隣接する筋小胞体の終末槽から Ca^{2+} が細胞内に放出される．Ca^{2+} は，細いフィラメント上のトロポニン C に結合してその立体構造を変化させることによって，ミオシン結合部位への阻害を除去する．そして，アクチンとミオシンが結合し，クロスブリッジサイクルが始まり，張力が発生する．

- 平滑筋では，活動電位が発生している間に電位依存性 Ca^{2+} チャネルを通じて細胞外から Ca^{2+} が流入する．Ca^{2+} はカルモジュリンと結合し，Ca^{2+} カルモジュリン複合体がミオシン軽鎖キナーゼを活性化し，それがミオシンをリン酸化する．リン酸化ミオシンはアクチンと結合し，クロスブリッジを形成して，張力が発生する．平滑筋では，細胞膜のリガンド依存性 Ca^{2+} チャネルと筋小胞体膜の IP_3 依存性 Ca^{2+} チャネルも細胞内 Ca^{2+} 濃度上昇に寄与する．

52　第 1 章　細胞の生理学

練習問題

各問に，単語，語句，数字で答えよ．選択肢が複数の場合，正解は 1 つとは限らず，ないこともある．正解は巻末に示す．

1　溶液 A は 100 mmol/L の NaCl 溶液，溶液 B は 10 mmol/L の NaCl 溶液である．溶液 A と溶液 B を隔てる膜は Cl^- を透過させるが Na^+ は透過させない．膜を隔てて形成される電位差の極性はどちら向きか．

2　50 mmol/L の $CaCl_2$ 溶液の容積オスモル濃度に最も近いのはどれか．

　50 mmol/L NaCl，100 mmol/L 尿素，150 mmol/L NaCl，150 mmol/L 尿素．

3　Na^+-K^+ ATPase を阻害すると，細胞内 Na^+ 濃度はどのように変化するか．

4　神経線維では，活動電位のどの時相が活動電位の隣接部位への伝播に重要か．

5　微小終板電位（MEPP）が 0.4 mV のとき，運動終板を -80 mV から -70 mV に脱分極させるのに必要な ACh の量子数はいくつか．

6　クラーレ中毒患者の症状を悪化させる薬物はどれか．

　ネオスチグミン，ニコチン，ボツリヌス毒素，ACh．

7　次のイベントを正しい時間的順序に並べよ．

　終板電位（EPP），筋線維の活動電位，シナプス前神経終末からの ACh 放出，微小終板電位（MEPP），リガンド依存性イオンチャネルの開口，シナプス前神経終末の Ca^{2+} チャネルの開口，ニコチン受容体への ACh の結合，神経線維の活動電位．

8　骨格筋において，筋長が最大活動張力を発生する筋長よりも短いとき，活動張力は全張力より大きいか，小さいか，ほぼ同じか．

9　ペプチダーゼで不活性化される神経伝達物質はどれか．

　ACh，サブスタンス P，ドパミン，グルタミン酸，γ-アミノ酪酸（GABA），ヒスタミン，バソプレシン，一酸化窒素（NO）．

10　溶液 A は 10 mmol/L のグルコース溶液，溶液 B は 1 mmol/L のグルコース溶液である．両方のグルコース溶液の濃度が 2 倍になると，溶液間のグルコースの流束はどう変化するか．

　1/2，変化なし，2 倍，3 倍，4 倍．

11　アドレナリン作動性ニューロンが合成するのはどれか．

　ノルアドレナリン，アドレナリン，ACh，ドパミン，L-ドパ，セロトニン．

12　次のものは神経伝導速度にどのような影響を与えるか．

　神経の直径の増加，内部抵抗（R_i）の増加，膜抵抗（R_m）の増加，膜容量（C_m）の減少，長さ定数の増加，時定数の増加．

13　高カリウム血症は静止膜電位をどう変えるか．また，なぜ筋力低下の原因となるのか．

　脱分極，過分極，影響なし．

14　骨格筋のクロスブリッジサイクルにおいて，ATP がミオシンに結合しているステップはどれか．

　硬直時，ミオシンの立体構造変化によりアクチンへの親和性が低下，力を発生するとき（パワーストローク）．

15　重症筋無力症患者で禁忌となる薬のクラスはどれか．

　ニコチン受容体拮抗薬，コリン再取り込み阻害薬，AChE 阻害薬，ACh 放出阻害薬．

16　溶液 A は 100 mmol/L のグルコース溶液，溶液 B は 50 mmol/L の NaCl 溶液である．g_{NaCl} は 2.0，$\sigma_{グルコース}$ は 0.5，σ_{NaCl} は 0.8 である．2 つの溶液が半透膜で隔てられているとき，水が膜を横切り流れる方向はどちらか．

17　ある神経の軸索の静止膜電位は -80 mV であった．静止時，膜は K^+ と Cl^- のみ透過する．E_{K^+} は -85 mV であり，E_{Cl^-} は -70 mV である．この状態で K^+ はどの方向に動くか．それは内向き電流か外向き電流か．また，この状態で Cl^- はどの方向に動くか．それは内向き電流か外向き電流か．

第2章

自律神経系

遠心性である運動神経系には，体性神経系と自律神経系という2つの系がある．2つの間でいくつもの相違点があるが，最も重要なのは，支配する**効果器官(effector organ)**の種類と，制御対象となる機能の種類が異なることである．

遠心性の**体性神経系(somatic nervous system)**は，意識下に制御を行う**随意(voluntary)**運動系である．各伝導路は単一の運動ニューロンと，それが支配する骨格筋線維で構成されている．運動ニューロンの細胞体は，中枢神経系である脳幹もしくは脊髄に局在し，その軸索は効果器官である骨格筋に直接シナプス結合をする．神経伝達物質である**アセチルコリン(acetylcholine：ACh)**は，運動ニューロンのシナプス前神経終末より放出され，骨格筋の**運動終板(motor end plate)**に局在しているニコチン受容体(ニコチン性ACh受容体)を活性化する．運動ニューロンの活動電位はシナプスを介して筋線維の活動電位を引き起こし，骨格筋の収縮をもたらす(体性神経系の詳細は**第1章**を参照)．

遠心性の**自律神経系(autonomic nervous system)**は，主として内臓の機能を制御して調節する**不随意(involuntary)**系である．自律神経系の経路はすべて，**節前ニューロン(preganglionic neuron)**および**節後ニューロン(postganglionic neuron)**とよばれる2つのニューロンから構成されている．節前ニューロンの細胞体は中枢神経系内に存在し，その軸索は中枢神経系の外に複数ある自律神経節のなかの1つで，節後ニューロンの細胞体にシナプス結合をする．節後ニューロンの軸索はさらに末梢へ向かい，心臓，細気管支，**血管平滑筋(vascular smooth muscle)**，消化管，膀胱，生殖器などの内臓効果器官にシナプス結合をする．自律神経系のすべての節前ニューロン

は，神経伝達物質としてAChを放出する．節後ニューロンはAChもしくは**ノルアドレナリン(noradrenaline)**を放出するが，一部に神経ペプチドを放出するものもある．

自律神経系の構成と主な特徴

自律神経系は，**交感神経系(sympathetic nervous system)**と**副交感神経系(parasympathetic nervous system)**という2つの系に分けられ，両者は相補的に標的器官の機能を調節している．自律神経系の第3の分類といえる**腸神経系(enteric nervous system)**は，消化管の神経叢にある(腸神経系の詳細は**第8章**を参照)．

自律神経系の構成を**図2.1**に示し，その詳細を**表2.1**にまとめる．交感神経と副交感神経を対比させてあり，比較のため体性神経系も含める．

用語

交感神経と副交感神経という用語は，厳密には解剖学用語であり，中枢神経系における節前ニューロンの解剖学的起始部位によるものである(**表2.1**)．交感神経系の節前ニューロンは胸髄および腰髄から起始し，副交感神経の節前ニューロンは脳幹および仙髄から起始する．

アドレナリン作動性(adrenergic)および**コリン作動性(cholinergic)**という用語は，交感神経系・副交感神経系のいずれに属するかにかかわらず，そのニューロンが合成して放出する神経伝達物質によって分類するのに用いられる．**アドレナリン作動性ニューロン**は，ノルアドレナリン(noradrenaline)を神経終末から放出し，効果器官に存在する受容体はアドレナリン受容体(ad-

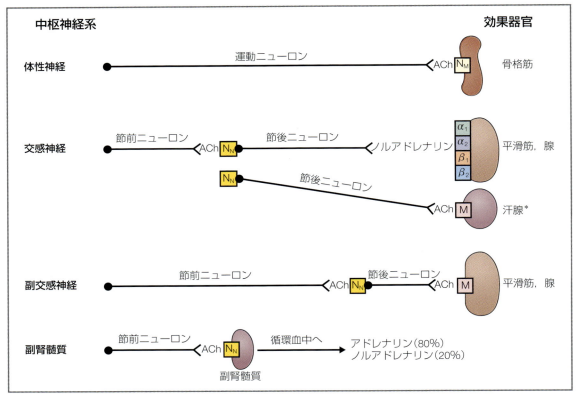

図 2.1 自律神経系の構成.
比較のため体性神経系も含める．ACh：アセチルコリン，M：ムスカリン受容体，N：ニコチン受容体．＊：汗腺は，交感神経支配であるにもかかわらず，コリン作動性神経支配を受けている．

表 2.1 自律神経系の構成.

特徴	交感神経系	副交感神経系	体性神経系*
節前ニューロンの起始	胸髄および腰髄 T1～L3（胸腰系）	動眼神経核，顔面神経核，舌咽神経核，迷走神経核および仙髄 S2～S4（頭仙系）	—
自律神経節の位置	椎傍神経節，椎前神経節	効果器官内または近傍	—
節前線維の長さ	短い	長い	—
節後線維の長さ	長い	短い	—
効果器官	平滑筋，心筋，腺	平滑筋，心筋，腺	骨格筋
神経効果器接合部	びまん性，分岐性，受容体は1ヵ所に集中していない	びまん性，分岐性，受容体は1ヵ所に集中していない	分離性，組織的．ACh受容体は運動終板に局在している
神経節における神経伝達物質と受容体の型	ACh／ニコチン受容体	ACh／ニコチン受容体	—
効果器官における神経伝達物質	ノルアドレナリン（汗腺を除く）	ACh	ACh
効果器官における受容体の型	α_1，α_2，β_1，β_2 受容体	ムスカリン受容体	ニコチン受容体

＊：体性神経系も比較のために含める．

renoreceptor）とよばれている．アドレナリン受容体は，アドレナリン作動性ニューロンから放出されるノルアドレナリン，もしくは副腎髄質から循環血液中に分泌される**アドレナリン（adrenaline）**により活性化される．**コリン作動性ニューロン**はAChを放出し，その受容体は**ACh受容体（ACh receptor）**（もしくは，**コリン作動性受容体（cholinoreceptor）**）とよばれている（第3の用語として**非アドレナリン非コリン作動性（nonadrenergic，noncholinergic）**という用語があるが，これは，消化管におけるいくつかの副交感神経節後ニューロンを説明する際に用いられるもので，神経伝達物質として，AChではなく，ペプチド（例えば**サブスタンスP（substance P）**）や他の物質（例えば**一酸化窒素（nitric oxide：NO）**）を放出する）．

まとめると，節前ニューロンは交感神経系であろうと副交感神経系であろうとすべてAChを放出するため，コリン作動性である．節後ニューロンは，アドレナリン作動性（ノルアドレナリンを放出する）かコリン作動性（AChを放出する）のいずれかである．ほとんどの副交感神経節後ニューロンはコリン作動性であるのに対し，交感神経節後ニューロンはアドレナリン作動性かコリン作動性のいずれかである．

自律神経系における神経効果器接合部

自律神経節後ニューロンとその効果器（標的組織）との間の接合部を**神経効果器接合部（neuroeffector junction）**とよび，体性神経系における神経筋接合部と似ている．しかしながら，神経筋接合部とは以下のような構造的あるいは機能的な相違点がある．(1)神経筋接合部（**第1章**）はそれぞれが分離独立しており，効果器官である骨格筋線維は単一の運動ニューロンからの神経支配を受けている．それに対して自律神経系では，標的組織を支配する節後ニューロンは**びまん性（diffuse）**の分枝したネットワークを形成している．**バリコシティ（varicosity）**ともよばれる数珠状の神経膨大部がこれらの分枝に連なって存在し，神経伝達物質の合成，貯蔵ならびに放出の場となっ

ている．したがって，このバリコシティは神経筋接合部におけるシナプス前神経終末に相当する．(2)異なる節後ニューロンから分枝したネットワークが重複して標的組織を支配するため，標的組織は複数の節後ニューロンからの入力を受けることになる．(3)自律神経系では，シナプス後部の受容体は標的組織上の広範囲に分布しており，骨格筋における運動終板に相当するような特化したシナプス構造は存在しない．

交感神経系

交感神経系のおおまかな働きは，**身体を活動する方向へ動員する**ことである．極端な例では，ある人が強いストレスに曝されると，交感神経系が活性化され，「闘争か逃走か（fight or flight）」として知られる反応を引き起こし，血圧は上昇，活動している筋肉への血流量は増加，代謝率も増加，血糖値は上昇，精神活動ならびに覚醒度は亢進する．このような反応が発動されること自体はめったにないが，交感神経系は日常的に働き続け，心臓，血管，消化管，気管支，汗腺など多くの器官の機能を調節している．

図2.2に，交感神経系の構成における脊髄，交感神経節，末梢効果器官の対応について示した．交感神経節前ニューロンは胸腰随の神経核から起始し，**前根（ventral root）**ならびに**白交通枝（white ramus）**を経て脊髄を出て，**交感神経幹（交感神経鎖）（sympathetic chain）**を構成している**椎傍神経節（paravertebral ganglia）**もしくは数個の**椎前神経節（prevertebral ganglia）**に投射する．つまり，節前ニューロンのある一群は，**交感神経幹**の一部である**椎傍神経節**（**上頸神経節（superior cervical ganglion）**など）内で節後ニューロンにシナプス結合をする．節前線維は，神経幹で同じ髄節の神経節にてシナプス結合をすることもあれば，節前線維が神経幹内で吻側あるいは尾側に走行してから異なる髄節の神経節でシナプス結合をすることもある．こうすることにより，多くの神経節とシナプス結合をすることが可能になる（交感神経機能のびまん性分布に合致している）．また，別の一群の節前ニューロンは，交感神経幹内ではシナプスを形成せずそのまま素通り

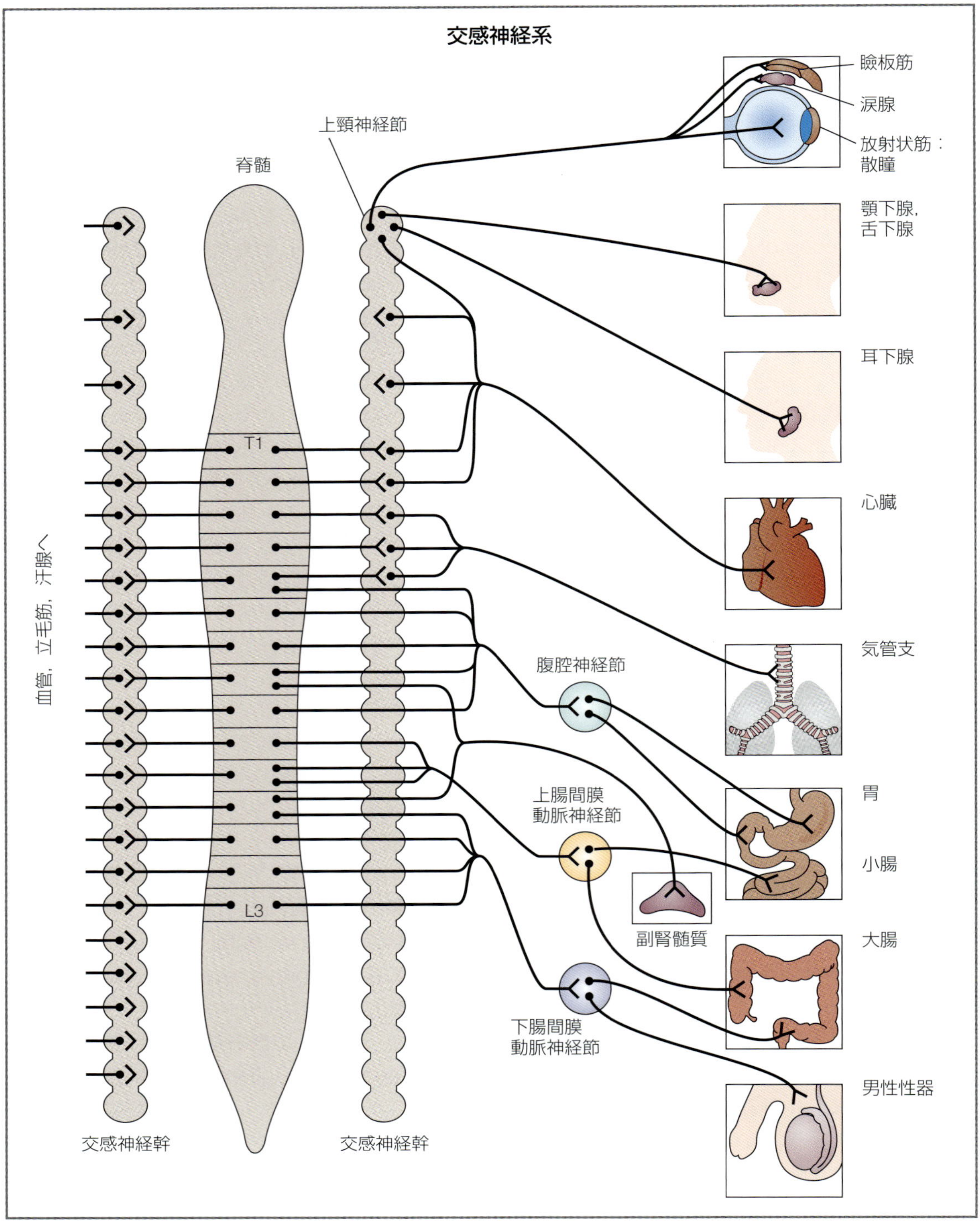

56　第 2 章　自律神経系

図 2.2　**交感神経系の神経支配.**
節前ニューロンは，脊髄の胸髄および腰髄の髄節（T1 〜 L3）に起始する.

し，椎前神経節（腹腔神経節（celiac ganglion），上腸間膜動脈神経節（superior mesenteric ganglion），および下腸間膜動脈神経節（inferior mesenteric ganglion））でシナプス結合をして，内臓，腺，消化管の腸神経系などを支配する．神経節内で，節前ニューロンは節後ニューロンにシナプス結合をし，その節後線維が末梢まで到達して効果器官を神経支配する．

以下に述べる交感神経系の特徴を，**表2.1** および**図2.2** に示す．

■ 節前ニューロンの起源

交感神経系の節前ニューロンは，胸髄および腰髄，特に第1胸髄から第3腰髄（T1～L3）の核から起始する．したがって，交感神経系のことを**胸腰系**（thoracolumbar division）とよぶこともある．

一般的に，節前ニューロンの脊髄内の起始部は，末梢での投射先と解剖学的に合致している．したがって，胸腔内臓器（例えば心臓）を支配する交感神経節前ニューロンは**上部胸髄**から起始し，骨盤内臓器（例えば大腸，性器）を支配する交感神経節前ニューロンは**腰髄**より起始する．血管，体温調節を行う汗腺，皮膚の立毛筋などを支配する交感神経節前線維は，交感神経幹の上下の高位にわたって多数の節後ニューロンにシナプス結合をしており，節前ニューロンの標的器官が全身にわたり広範に分布していることを反映している．

■ 自律神経節の位置

交感神経系の神経節は**脊髄の近傍**にあり，椎傍神経節（交感神経幹として知られている）もしくは椎前神経節のいずれかである．ここでも解剖は論理的である．上頸神経節からは，眼や唾液腺などの頭部の標的器官に投射する．腹腔神経節からは胃や小腸に，上腸間膜動脈神経節からは小腸および大腸に，そして下腸間膜動脈神経節からは下部大腸，肛門，膀胱そして性器に投射する．

副腎髄質は文字通り特化した交感神経節である．その節前ニューロンは胸髄（T5～T9）より起始し，節前線維は大内臓神経内を走行し，交感神経幹と腹腔神経節にはシナプスを形成せずに素通りして，副腎に到達する．

■ 節前ニューロンおよび 節後ニューロンの軸索の長さ

交感神経節は脊髄の近傍にあるため，節前ニューロンの軸索（節前線維）は短く，節後ニューロンの軸索（節後線維）は長い（末梢の効果器官に到達できるだけの長さがある）．

■ 神経伝達物質と受容体の種類

交感神経系の節前ニューロンは，すべて**コリン作動性**である．その終末から ACh を放出し，節後ニューロンの細胞体に存在するニコチン（N_N）受容体と結合する．交感神経系の**節後ニューロン**は，ほぼすべての効果器官に対して**アドレナリン作動性**であるが，例外として体温調節性の汗腺などはコリン作動性である．アドレナリン作動性交感神経ニューロンが支配する効果器官には，1つないしは複数の種類のアドレナリン受容体が存在する．アドレナリン受容体には大別して α と β があり，そのサブタイプとして α_1，α_2，β_1，β_2 がある．コリン作動性交感神経ニューロンが支配する体温調節性汗腺には，ムスカリン性 ACh 受容体が存在する．

■ アドレナリン作動性交感神経 バリコシティ

先述の通り，**アドレナリン作動性交感神経節後線維**（sympathetic postganglionic adrenergic nerve）は，血管平滑筋などの標的組織に向けて，バリコシティ（膨大部，軸索瘤）から神経伝達物質を放出する．アドレナリン作動性交感神経**バリコシティ**は，古典的な神経伝達物質であるノルアドレナリンと，非古典的な**アデノシン三リン酸**（adenosine triphosphate：ATP）や**ニューロペプチド Y**（neuropeptide Y）などを含んでいる．ノルアドレナリンは，バリコシティ内でチロシンから合成され（**図1.18** 参照），放出されるまで**小型有芯小胞**（small dense-core vesicle）内に貯蔵される．この小型有芯小胞は，合成経路の最終過程である**ドパミン**（dopamine）をノルアドレナリンに変換する酵素であるドパミン β ヒドロキシ

ラーゼ（ドパミンβ水酸化酵素）とATPを含む．ATPはノルアドレナリンと"共局在"しているといわれている．別種の小胞である**大型有芯小胞（large dense-core vesicle）**には，ニューロペプチドYなどが含まれている．

アドレナリン作動性交感神経節後ニューロンが刺激されると，小型有芯小胞からノルアドレナリンとATPが放出される．ノルアドレナリンとATPは両者とも，血管平滑筋などの標的組織におけるそれぞれの受容体と結合して活性化することで，神経効果器接合部における神経伝達物質として機能している．実際，ATPが標的組織上のプリン受容体と結合し，血管平滑筋の収縮といった生理学的作用を，まず最初に引き起こす．ノルアドレナリンの作用はATPに続いて起こり，血管平滑筋上のα_1受容体（α_1 receptor）などの標的組織にある受容体と結合し，ATPの収縮作用に続き，2番目のより長時間の収縮を生ずる．最後に，より強いもしくは高頻度の刺激が加わると，大型有芯小胞からニューロペプチドYが放出され，標的組織上の受容体と結合すると，3番目のさらに緩徐な収縮が引き起こされる．

■ 副腎髄質

副腎髄質は，自律神経の交感神経系における特殊な神経節である．節前ニューロンの細胞体は胸髄内に存在し，その軸索は大内臓神経内を走行して副腎髄質に到達すると，**クロム親和性細胞（chromaffin cell）**にシナプス結合をし，AChを放出することでニコチン受容体を活性化する．活性化されると，クロム親和性細胞はカテコールアミン（アドレナリンとノルアドレナリン）を体循環血液中に放出する．ノルアドレナリンのみ放出する交感神経節後ニューロンとは対照的に，副腎髄質は主に**アドレナリンを放出**し（80%），**ノルアドレナリンの放出量は少ない**（20%）．この違いの理由は，アドレナリン作動性交感神経節後ニューロンには存在しない**フェニルエタノールアミン-*N*-メチルトランスフェラーゼ（phenylethanolamine-*N*-methyltransferase：PNMT）**が副腎髄質には存在するからである（**図1.18**参照）．PNMTはノルアドレナリンからアドレナリンへの

変換を触媒するのだが，興味深いことに，このステップには髄質の近傍に位置する副腎皮質からのコルチゾールが必要である（コルチゾールは副腎皮質から流出する静脈血より副腎髄質へ供給される）．

副腎髄質の腫瘍である**褐色細胞腫（pheochromocytoma）**は，副腎髄質もしくは近傍に発生することも，身体の遠隔部位（異所性）に発生することもある（**Box 2.1**）．正常の副腎髄質が主にアドレナリンを分泌するのとは異なり，褐色細胞腫は主に**ノルアドレナリンを分泌**するが，その理由は，腫瘍の部位がPNMTの作用に必要なコルチゾールを分泌する副腎皮質から離れすぎたところにあるためである．

■ 「闘争か逃走か」反応

恐怖，極度のストレス，そして激しい運動などに対して，身体は副腎髄質を含む交感神経系の大規模かつ協調的な活性化を伴った反応をする．「闘争か逃走か」反応として知られるこの活性化は，各種ストレス状況に対して（例えば，難しい試験を受ける，火事から逃げる，襲撃者と戦うなど）身体が適切に対応できるように保証するものである．この反応には，心拍数・心拍出量・血圧の上昇，血流の皮膚や腎臓および内臓から骨格筋への再配分，気道の拡張による換気の増加，胃腸管の運動・分泌の低下，血糖値の上昇などがある．

副交感神経系

副交感神経系の総括的な機能は**回復**であり，**エネルギーを蓄える**方向に働く．**図2.3**に副交感神経系の構成における中枢神経系（脳幹と脊髄），**副交感神経節（parasympathetic ganglia）**，**効果器官**の対応について示す．副交感神経系の節前ニューロンは，その細胞体が脳幹（**中脳（midbrain）・橋（pons）・延髄（medulla）**）もしくは**仙髄（sacral spinal cord）**にある．節前線維は，効果器官の近傍にある一連の副交感神経節に投射する．

以下に，副交感神経系の特徴を，交感神経系との比較を交えて説明する（**表2.1**，**図2.3**）

自律神経系の構成と主な特徴　59

Box 2.1　褐色細胞腫

▶ 症例

　48歳女性．自称"パニック発作"とのことで外来を受診した．激しい動悸とともに，心臓が胸の中で飛び跳ねているように感じ，それがみえることさえあると訴える．また，拍動性の頭痛，手足の冷え，熱感，視力障害，悪心と嘔吐などの訴えもある．外来診察時，血圧が230/125と高度に上昇しており，高血圧の精査目的にて入院となった．

　24時間蓄尿の結果，メタネフリン，ノルメタネフリンおよび3-メトキシ-4-ヒドロキシマンデル酸（VMA）の上昇を認め，他の高血圧性疾患の除外を行ったうえで，褐色細胞腫という副腎髄質の腫瘍があると診断された．腹部CTにて右副腎に3.5cmの腫瘤を認めた．α_1遮断薬を投与後，腫瘍摘出術が施行された．患者は完治し，血圧は正常化，その他の症状も消失した．

▶ 解説

　この患者には典型的な褐色細胞腫，すなわち副腎髄質クロム親和性細胞の腫瘍が存在した．腫瘍から大量のノルアドレナリンおよびアドレナリンが分泌され，患者のすべての症状を引き起こし，尿中のカテコールアミン代謝産物の増加をきたしていた．正常の副腎が主にアドレナリンを分泌するのに対して，褐色細胞腫は主にノルアドレナリンを分泌する．

　カテコールアミンの生理学的作用を理解していれば，患者の症状を説明できる．アドレナリン受容体が存在するすべての組織が，循環血中に分泌された大量のアドレナリンとノルアドレナリンにより活性化される．本症例の最も特徴的な症状は，心血管系に起こる心悸亢進，頻拍，血圧上昇および手足の冷感である．これらの症状は，心臓および血管系に分布しているアドレナリン受容体の機能を考えれば理解できる．循環血液中のカテコールアミン濃度の増加により，心臓におけるβ_1受容体の活性化が起こり，心拍数の増加と心収縮力の増加（心臓が飛び跳ねるような感じ）をきたしたと考えられる．皮膚血管平滑筋におけるα_1受容体の活性化によって皮膚血管収縮が起こり，手足の冷感をきたすが，一方で，これにより放熱が阻害されるため患者はほてりを感じた．極度の血圧上昇は，心拍数の増加，心収縮力の増加および末梢血管収縮による．頭痛は血圧上昇に伴う二次性のものである．

　この患者にみられる他の症状も，その他の器官におけるアドレナリン受容体の活性化によるものであり，悪心・嘔吐は消化器系の，視覚障害は眼の症状である．

▶ 治療

　本例の治療は，腫瘍の位置を確認して外科的に摘出し，カテコールアミンの分泌を抑制することである．もし，腫瘍が摘出できない場合には，フェノキシベンザミンやプラゾシンなどのα_1拮抗薬とプロプラノロールなどのβ_1拮抗薬をあわせる薬物療法により，内因性カテコールアミンの作用を受容体レベルで遮断する治療を行う．

■ 節前ニューロンの起源

　副交感神経系の節前ニューロンは，脳神経核の動眼神経核（第Ⅲ脳神経核），顔面神経核（第Ⅶ脳神経核），舌咽神経核（第Ⅸ脳神経核），迷走神経核（第Ⅹ脳神経核），あるいは仙髄のS2～S4に起始核がある．したがって，副交感神経系は頭仙系（craniosacral division）ともよばれる．交感神経系と同様に，中枢神経系内の節前ニューロンの起始部は，末梢の効果器官への投射と合致している．例えば，眼筋への副交感神経支配の起始核は中脳のEdinger-Westphal（エディンガー・ウェストファル）核（Edinger-Westphal nucleus）にあり，動眼神経内を走行して末梢に投射する．心臓，細気管支，および胃腸管を支配する副交感神経の起始核は延髄にあり，末梢まで迷走神経（vagus nerve）内を走行する．泌尿生殖器官支配の起源は仙髄にあり，骨盤神経内を走行して末梢標的器官に到達する．

■ 自律神経節の位置

　中枢神経系の近傍にある交感神経節とは対照的に，副交感神経系の神経節は，効果器官のすぐそば，もしくはその表面や中に存在する（毛様体神経節（ciliary ganglion），翼口蓋神経節（pterygopalatine ganglion），顎下神経節（submandibular ganglion），耳神経節（otic ganglion）など）．

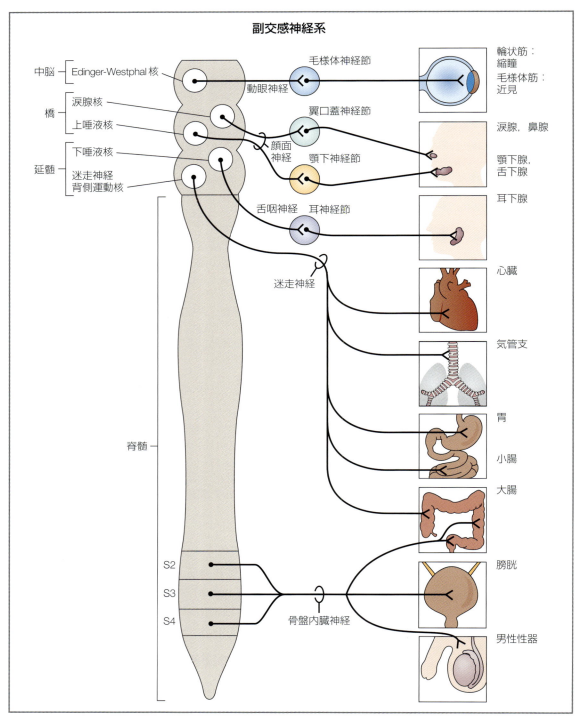

図 2.3　副交感神経系の神経支配.
節前ニューロンは, 脳幹(中脳, 橋, 延髄)の神経核および脊髄の仙髄の髄節(S2〜S4)に起始する.

■ 節前ニューロンおよび 節後ニューロンの軸索の長さ

副交感神経における節前ニューロンの軸索（節前線維）と節後ニューロンの軸索（節後線維）の相対的な長さは，交感神経におけるそれとは逆の関係にある．この違いは自律神経節の位置を反映している．副交感神経節は効果器官の近傍もしくは中にあるため，節前線維が長く節後線維が短い．

■ 神経伝達物質と受容体の種類

交感神経系と同様，すべての節前ニューロンはコリン作動性であり，ACh は放出されると，節後ニューロンの細胞体にあるニコチン（N_N）受容体に結合する．副交感神経系の節後ニューロンも，ほとんどがコリン作動性である．効果器官にある ACh の受容体は，ニコチン受容体でなく**ムスカリン受容体**（muscarinic receptor）である．したがって，副交感神経節前ニューロンより放出される ACh はニコチン受容体を活性化させるが，副交感神経節後ニューロンより放出される ACh はムスカリン受容体を活性化させる．これらの受容体およびその機能は，活性化もしくは抑制する薬物により区別される（**表 2.2**）．

■ コリン作動性副交感神経 バリコシティ

すでに述べたように，**コリン作動性副交感神経節後線維**（parasympathetic postganglionic cholinergic nerve）は，神経伝達物質をバリコシティから平滑筋などの標的組織に放出する．副交感神経のコリン作動性**バリコシティ**は，古典的な神経伝達物質である ACh と，非古典的な神経伝達物質である**血管作動性腸管ペプチド**（vasoactive intestinal peptide：VIP）や**一酸化窒素**（NO）の両者を放出する．ACh はバリコシティ内でコリンとアセチル CoA より合成され（**図 1.17** 参照），**小型透明小胞**（small clear vesicle）内に貯蔵される．もう 1 種類の小胞である**大型有芯小胞**（large dense-core vesicle）には，VIP などのペプチドが含まれる．さらに，バリコシティには**一酸化窒素（NO）合成酵素**（nitric oxide syn-

表 2.2　自律神経受容体の作動薬と拮抗薬.

受容体	作動薬	拮抗薬
アドレナリン受容体		
α_1	ノルアドレナリン フェニレフリン	フェノキシベンザミン プラゾシン
α_2	クロニジン	ヨヒンビン
β_1	ノルアドレナリン アドレナリン イソプロテレノール ドブタミン	プロプラノロール メトプロロール
β_2	アドレナリン ノルアドレナリン イソプロテレノール アルブテロール	プロプラノロール ブトキサミン
ACh 受容体		
ニコチン	ACh ニコチン	クラーレ（神経筋 N_M 受容体遮断薬） ヘキサメトニウム （神経節 N_N 受容体 遮断薬）
ムスカリン	ACh ムスカリン	アトロピン

thase）が含まれており，必要に応じて NO を合成することもできる．

コリン作動性副交感神経節後ニューロンが刺激されると，バリコシティから ACh が放出され，標的臓器にあるムスカリン受容体に結合して生理学的作用を引き起こす．強力な刺激や高頻度の刺激が繰り返されると，大型有芯小胞より VIP などのペプチドが放出され，標的組織の受容体と結合して ACh の作用を増強する．

器官系の自律神経支配

表 2.3 に，器官系機能の自律神経性制御について示す．この表は，主な器官系の交感神経および副交感神経支配と，その組織に発現している受容体の種類をまとめたものである．**表 2.3** は，作用と受容体のランダムな表としてみるのではなく，扱われる頻度の高いものをテーマ別に集めたと考えてもらうと，より有用である．

62　第2章　自律神経系

表2.3　器官系機能に対する自律神経系の作用.

器官	交感神経		副交感神経	
	作用	受容体	作用	受容体
心臓				
洞房結節，心拍数	↑	β_1	↓	M
房室結節，伝導速度	↑	β_1	↓	M
収縮力	↑	β_1	↓（心房のみ）	M
血管平滑筋				
皮膚，内臓	収縮	α_1		
骨格筋	収縮	α_1		
骨格筋	弛緩	β_2		
内皮			EDRF 放出	M
細気管支	拡張	β_2	収縮	M
消化管				
平滑筋（壁）	弛緩	α_2，β_2	収縮	M
平滑筋（括約筋）	収縮	α_1	弛緩	M
唾液分泌	↑	β_1	↑	M
胃酸分泌			↑	M
膵分泌			↑	M
膀胱				
壁，排尿筋	弛緩	β_2	収縮	M
膀胱括約筋	収縮	α_1	弛緩	M
男性性器	射精	α	勃起	M（NO）
眼				
瞳孔散大筋（虹彩）	瞳孔散大（散瞳）	α_1		
瞳孔括約筋（虹彩）			瞳孔収縮（縮瞳）	M
毛様体筋	弛緩（遠見）	β	収縮（近見）	M
皮膚				
汗腺，温熱性	↑	M*		
汗腺，精神性	↑	α		
立毛筋（鳥肌）	収縮	α		
涙腺			分泌	M
肝臓	糖新生，グリコーゲン分解	α，β_2		
脂肪組織	脂肪分解	β_1		
腎臓	レニン分泌	β_1		

＊：コリン作動性交感神経ニューロン
EDRF：内皮由来弛緩因子（endothelial-derived relaxing factor），M：ムスカリン受容体，NO：一酸化窒素.

■ 相反性の機能
―交感神経と副交感神経

ほとんどの器官は，交感神経と副交感神経の両方の神経支配を受けている．両者は**相反的**（reciprocally）あるいは**協同的**（synergistically）に作動し，調和のとれた反応を起こす．例えば，心臓は交感神経および副交感神経の二重支配を受けており，心拍数ならびに伝導速度に対して両者は相反的に作用する．消化管および膀胱の平滑筋壁は，**弛緩**（relaxation）を生じる交感神経と，**収縮**（contraction）を生じる副交感神経の両方の神経支配を受けている．消化管および膀胱の括約筋も同様に二重支配を受けているが，作用は逆で，交感神経で収縮，副交感神経で弛緩を生じる．また，虹彩の**放射状筋**（radial muscle）（瞳孔散大筋）は瞳孔散大に関与しており（**散瞳**（mydriasis）），交感神経支配である．一方，虹彩の**輪状筋**（circular muscle）（瞳孔括約筋）は瞳孔収縮に関与しており（**縮瞳**（miosis）），副交感神経支配である．この瞳孔筋の例の場合，異なる２つの筋肉により瞳孔径が調節されているが，総体的には，交感神経と副交感神経の効果は相反的である．男性性器では，交感神経活動により**射精**（ejaculation）が，副交感神経活動により**勃起**（erection）が調節されており，両者が協同して男性の性反応に働いている．

唾液の分泌は，副交感神経と交感神経の両方の活動によって刺激されるという点で異例である（相反性効果の考え方に反するように思われる）．しかし，副交感神経系は唾液の水性成分の分泌を促し，交感神経系は唾液の酵素成分の分泌を促している．すなわち，唾液の場合，自律神経系の制御は相補的なものである．

以下に，交感神経系と副交感神経系が，相反的かつ協同的に働いている３つの例を説明する．

洞房結節 ●●●●●●●●●●●●●●●●●●●●●●●●

心臓における**洞房結節**（sinoatrial (SA) node）の自律神経支配は，調和のとれた制御の一例である．洞房結節は正常な心臓のペースメーカであり，脱分極の速度が心拍数を決定している．洞房結節は交感神経および副交感神経の二重支配を受けており，心拍数の調節に両者は相反的に機能している．つまり，交感神経活動の増加により心拍数が増加し，副交感神経活動の増加により心拍数は減少する．これらの相反性機能を以下に示す．血圧の低下が生じた場合，脳幹の血管運動中枢が血圧の低下に反応して，洞房結節に対する交感神経活動を増加させると同時に，副交感神経活動を減少させる．これらの作用は，脳幹の血管運動中枢によって制御されており，心拍数増加という効果をもたらす．交感神経と副交感神経の作用は，互いに競合することなく協同的に働き，心拍数を増加させ，結果として血圧を正常化させることになる．

膀胱 ●●●●●●●●●●●●●●●●●●●●●●●●●●●●●●●●●

膀胱（urinary bladder）は，交感神経系と副交感神経系の**相反性神経支配**（reciprocal innervation）を受ける，もう１つの例である（**図2.4**）．成人では，**排尿**（micturition）つまり膀胱内を空にすることは，外尿道括約筋が骨格筋であることから随意制御下にある．しかし，排尿反射そのものは自律神経系によって制御されている．この反射は，膀胱が"充満している"と感知するところから始まる．膀胱壁の排尿筋と内尿道括約筋は平滑筋であり，それぞれ交感神経と副交感神経の二重支配を受けている．排尿筋と内尿道括約筋を支配する交感神経は腰髄L1〜L3に起始し，副交感神経は仙髄S2〜S4に起始する．

膀胱に蓄尿しているときは，交感神経による制御が優位となる．この交感神経活動はβ_2受容体（β_2 receptor）を介して排尿筋を弛緩させ，α_1受容体を介して内尿道括約筋を収縮させる．同時に外尿道括約筋を随意的に収縮させて，排尿を我慢する．排尿筋が弛緩し括約筋が収縮すれば，膀胱に蓄尿することができる．

膀胱が尿で充満されると，この充満感が膀胱壁の機械受容器に感知され，その情報を求心性ニューロンがまず脊髄に，次いで脳幹に送る．**排尿反射**（micturition reflex）は中脳にある中枢において調節され，今度は副交感神経による制御が優位になる．副交感神経の活動は，排尿筋を収縮

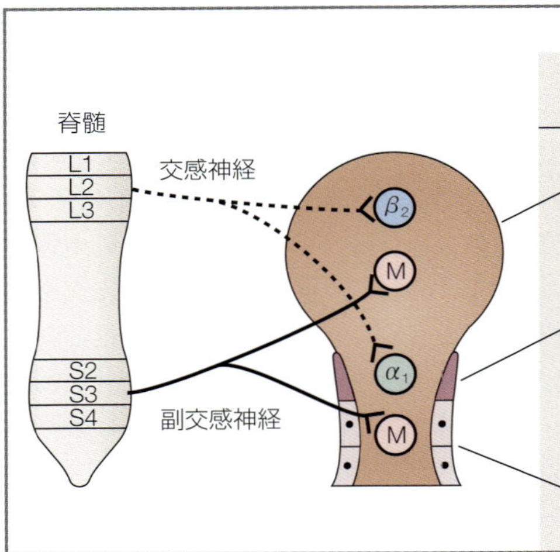

筋	蓄尿		排尿	
	状態	制御機構	状態	制御機構
排尿筋	弛緩	交感神経 β_2	収縮	副交感神経 M
内尿道括約筋	収縮	交感神経 α_1	弛緩	副交感神経 M
外尿道括約筋	収縮	体性神経（随意性）	弛緩	体性神経（随意性）

図 2.4　膀胱機能の自律神経性制御.
蓄尿時の膀胱は交感神経優位となり，排尿筋の弛緩と内尿道括約筋の収縮を引き起こす．排尿時には，副交感神経優位となり，排尿筋の収縮と内尿道括約筋の弛緩をもたらす．点線は交感神経支配，実線は副交感神経支配．α_1：内尿道括約筋内のアドレナリン受容体，β_2：排尿筋のアドレナリン受容体，L1〜L3：第1〜3腰髄，M：排尿筋ならびに内尿道括約筋のムスカリン受容体，S2〜S4：第2〜4仙髄．

させることにより膀胱内圧を上げて排尿を促し，また内尿道括約筋を弛緩させる．同時に，外尿道括約筋を随意的に弛緩させることにより，尿が排出される．

　膀胱に対する交感神経と副交感神経の作用は，明らかに相反的だが，うまく調整されている．蓄尿では交感神経作用が優位となり，排尿では副交感神経作用が優位となる．

瞳孔

　瞳孔径（size of the pupil）は虹彩の2つの筋肉，すなわち**瞳孔散大筋**（pupillary dilator muscle）（散瞳筋，**放射状筋**）と**瞳孔括約筋**（pupillary sphincter muscle）（瞳孔収縮筋（pupillary constrictor muscle）（縮瞳筋，輪状筋））により相反的に調節されている．**瞳孔散大筋**はα_1受容体を介して交感神経に支配されている．α_1受容体の活性化により**瞳孔散大筋**の収縮が起こり，瞳孔の散大，すなわち**散瞳**（mydriasis）が生じる．**瞳孔括約筋**はムスカリン受容体を介して副交感神経に支配されている．ムスカリン受容体の活性化により**瞳孔括約筋**の収縮が起こり，瞳孔の収縮，すなわち**縮瞳**（miosis）が生じる．

　例えば，**対光反射**（pupillary light reflex）に際しては，光が網膜を刺激すると，一連の中枢神経系の経路を経て，Edinger-Westphal核に起始する副交感神経節前線維を活性化する．副交感神経活動の増加により**瞳孔括約筋**が収縮し，瞳孔も収縮する．**調節反射**（accommodation reflex）では，網膜の画像がぼやけると，Edinger-Westphal核の副交感神経節前ニューロンが活性化され，**瞳孔括約筋**の収縮と縮瞳をもたらす．同時に**毛様体筋**（ciliary muscle）が収縮することで，水晶体の厚みが増し，屈折率が増加して近くの物体がよくみえるようになる．

　臓器の相反性神経支配という法則に対して特記すべき例外がある．交感神経単独支配の器官がいくつかあり，汗腺，血管平滑筋，皮膚の立毛筋，肝臓，脂肪組織，腎臓などがその代表である．

■ 器官の中での機能調整

　1つの器官における機能調整が，自律神経系の働きによりどのように調和的に行われているかは，繰り返し出てくるもう1つの生理学のテーマである（Box 2.2，2.3）．

　このような調節は，例えば膀胱の機能を考えてみると，きわめて明解である．膀胱においては，膀胱壁の排尿筋と括約筋との間で絶妙な協調が行

自律神経系の構成と主な特徴　**65**

Box 2.2　Horner 症候群

▶ **症例**

　66歳男性．右脳梗塞により，右眼瞼下垂，右瞳孔の収縮（縮瞳），右顔面の発汗障害（無汗症）をきたした．主治医がコカイン点眼試験を依頼．10%コカインを左眼に点眼したところ，瞳孔の散大（散瞳）を認めたが，右眼に点眼したところ散瞳は生じなかった．

▶ **解説**

　本例は脳梗塞後，二次性に生じた Horner（ホルネル）症候群（Horner syndrome）の典型的な症例である．この症候群では，患側の顔面への交感神経支配が欠落する．したがって，右の眼瞼を挙上させる平滑筋への交感神経支配がなくなり，右側に眼瞼下垂を引き起こす．また，右瞳孔散大筋への交感神経支配の欠落により，右瞳孔の収縮をも

たらす．そして，右顔面の汗腺への交感神経支配も欠落することにより，右顔面の無汗症をきたすのである．

　健側である左側にコカイン点眼薬を滴下すると，コカインが瞳孔散大筋を支配している交感神経終末へのノルアドレナリンの再取り込みを阻害する．その結果，アドレナリン作動性シナプスにおけるノルアドレナリン濃度が上昇することになり，虹彩の瞳孔散大筋の収縮が生じ，瞳孔の散大が続く．コカイン点眼薬を右眼に滴下した場合には，患側のシナプスにはノルアドレナリンが低下しているために，瞳孔散大は生じない．

▶ **治療**

　Horner 症候群の治療は，根底にある原因に対処することである．

われている（図2.4）．すなわち，膀胱内に蓄尿するときは交感神経活動が優位となり，膀胱壁を弛緩させて同時に内尿道括約筋を収縮させる．膀胱壁が弛緩し括約筋が閉まるため，膀胱に蓄尿が可能となる．排尿時には，副交感神経が優位となり，膀胱壁を収縮させ，同時に括約筋を弛緩させる．

　同様な論理が，**消化管**（gastrointestinal tract）における自律神経の調節にもあてはまる．副交感神経優位になると，消化管壁における輪状筋の収縮とともに括約筋の弛緩が起こり，消化管の内容物を肛門方向へ押し出す．一方，交感神経優位になると，消化管壁の輪状筋が弛緩し括約筋は収縮し，内容物の輸送を緩めたり停止させたりする．

■ 受容体の種類

　表2.3の記載から，受容体の種類と作用機序に関するいくつかの法則を見出すことができる．その法則とは，(1)副交感神経系においては，効果器官はムスカリン受容体を有する．(2)交感神経系においては，効果器官には$\alpha_1, \alpha_2, \beta_1, \beta_2$という4つのアドレナリン受容体を含む多種類の受容体が存在し，コリン作動性交感神経支配の組織においてはムスカリン受容体が存在する．(3)交感神経のアドレナリン受容体では，受容体の種類と器官における機能に関係がある．α_1受容体は平滑筋を収

縮させる機能があり，血管平滑筋，消化管および膀胱の括約筋，立毛筋，虹彩の放射状筋を収縮させる．β_1受容体は糖新生，脂肪分解，レニン分泌などの代謝機能，心臓のすべての機能に関与する．β_2受容体は細気管支，膀胱壁，消化管壁の平滑筋を弛緩させる．

視床下部および脳幹の自律神経中枢

　視床下部および脳幹の自律神経中枢は，自律神経による器官系の機能の制御を統合している．図2.5に，自律神経中枢の部位，すなわち体温調節中枢，飲水（口渇）中枢，摂食（満腹）中枢，排尿中枢，呼吸調節中枢および血管運動（心血管）中枢の部位をまとめてある．例えば，血管運動中枢は頸静脈洞の圧受容器を介して血圧情報を受け取り，この血圧をセットポイント（設定値）と比較する．もし補正が必要な場合，血管運動中枢は心臓および血管を支配する交感神経ならびに副交感神経の出力を変更して，血圧を適正な値に調節する．これら高次自律神経中枢に関しては，本書全体を通じて，各器官系の章で解説する．

66　第 2 章　自律神経系

Box 2.3　多系統萎縮症

▶ 症例

　58 歳男性．従来健康状態は良好にみえたが，心配な症状を自覚し始めた．患者は時折，勃起障害を自覚していたが，最近になり，彼の性交不能症は"毎回"に進行した．さらに，非常に強い尿意切迫感があるにもかかわらず，尿線の生成が困難となった．患者は，これらの問題について医師の診察を受けることに消極的であったが，ある朝，ベッドから起き上がった際に気を失った．彼が主治医の外来予約をした頃には，毎朝めまいがあり，歩行時のふらつき，消化不良，下痢，熱不耐症などを含む多彩な症状がみられた．

　脳神経内科を紹介受診したところ，メサコリンを結膜囊に点眼する眼球検査（メサコリン点眼試験）を施行され，メサコリンにて過剰な縮瞳を認めた（瞳孔括約筋の収縮による瞳孔収縮）．患者の臨床像の特徴と点眼試験の結果から，**多系統萎縮症（multiple system atrophy：MSA）**と診断された【訳者注：原著は，Shy-Drager 症候群という進行性の自律神経症状を主症状とする最近使われなくなった病名で記載されている．多系統萎縮症は自律神経障害，パーキンソニズム，小脳性運動失調の 3 系統の障害をきたす進行性の神経変性疾患である】．

▶ 解説

　多系統萎縮症はまれな進行性の疾患で，その自律神経障害は，脊髄中間帯外側細胞柱（中間質外側柱）の節前ニューロン，末梢の自律神経節，および視床下部自律神経中枢の変性による．したがって，交感神経系および副交感神経系の両者を含む高度な自律神経障害をきたす．

　勃起障害，尿閉，熱不耐症などの症状は，すべて交感神経および副交感神経障害にて説明可能である．男性の性反応は，勃起（副交感神経，ムスカリン受容体）と射精（交感神経，α_1 受容体）で成り立っている．膀胱における排尿筋は，交感神経系（β_2 受容体）ならびに副交感神経系（ムスカリン受容体）支配を受けており，内尿道括約筋も交感神経系（α_1 受容体）および副交感神経系（ムスカリン受容体）の神経支配を受けている．温度調節を行っている汗腺は交感神経単独支配である．

　メサコリン（ムスカリン受容体作動薬）点眼試験に対する患側眼の過敏反応は，患者が副交感神経障害をきたしていることを考えると一見驚くべき所見のように感じられるかもしれない．しかし，瞳孔括約筋に対する副交感神経の神経支配に障害をきたした場合，代償性に ACh 受容体の発現上昇が生じるため，外因性コリン作動薬の投与に対して健側よりも大きな反応が生じるはずであり，点眼試験の結果は理屈にかなった結果であるといえる（除神経性過敏）．

　患者は，起立性低血圧（起立時の血圧低下）を自覚している．起立の過程で血液は下肢に集まるため，動脈圧が低下する．健常人の場合，動脈圧の低下に伴い圧受容器反射が引き起こされ，交感神経および副交感神経の両者の活動が調節されることにより，自律神経系全体で動脈圧を正常化させる方向に働く．本患者の場合，圧受容器機構が高度に障害されているため，低下した血圧が自律神経反射によって正常化されず，したがって，めまいを感じたり，時には失神に至るのである．

▶ 治療

　起立に伴う血圧の低下を少しでも和らげるために頭を高くして寝るよう，下肢への血液の移動を阻止するために弾性ストッキングを着用するよう，また血圧を上昇させるためにアルドステロン類似化合物を内服するよう，患者に指示をした．これらの措置は，いずれもめまいや失神を軽減させることを目的とする対症療法にすぎず，最終的には致命的となる変性疾患を治す治療法はない．

自律神経系の受容体

　前述のように，自律神経系の受容体は，神経筋接合部，節後ニューロンの細胞体，効果器官などに存在している．受容体の種類とその作用機序により，生理学的反応の性質が決まる．さらに，生理学的反応は組織特異的であり，細胞種特異的である．

　この特異性を説明するために，洞房結節における β_1 受容体活性化の効果と，**心室筋（ventricular muscle）**の β_1 受容体活性化の効果を比較してみる．洞房結節と心室筋の両者とも心臓内にあり，そのアドレナリン受容体の種類と作用機序も同一であるにもかかわらず，その結果として生ずる生理学的作用はまったく異なる．**洞房結節の β_1 受**

自律神経系の受容体 67

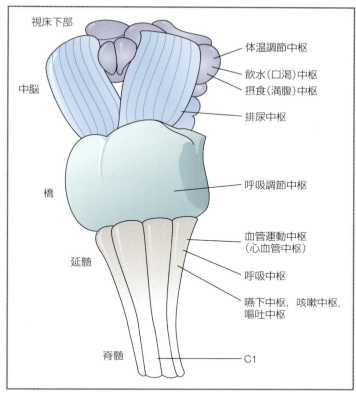

図 2.5　視床下部および脳幹における自律神経中枢.
C1：第 1 頸髄.

容体（β_1 receptor）は，自発性の脱分極速度を増加させて心拍数を増加させる機序と連関しているため，ノルアドレナリンなどのアドレナリン作動薬がこのβ_1受容体に結合すると心拍数が増加する．**心室筋のβ_1受容体**は，細胞内 Ca^{2+}濃度を上昇させて心筋収縮力を増加させる機序と連関しているため，アドレナリン作動薬がこのβ_1受容体に結合すると心収縮力を増大させるが，心拍数への直接の影響はない．

　受容体の種類が決まれば，どの薬物が作動薬や遮断薬となるかを予測することができる．そして，その薬物の効果は，正常の生理学的反応を理解することで容易に予測できる．例えば，β_1作動薬は心拍数と心収縮力を増加させ，β_1拮抗薬は心拍数と心収縮力を低下させると予測できる．

　表 2.4 にアドレナリン受容体と ACh 受容体の種類，標的組織，作用機序をまとめてある．表 2.2 はその手引きとして，それぞれの種類の受容体とそれを活性化（**作動薬**（agonist））および遮断（**拮抗薬**（antagonist））する代表薬を記載してある．この 2 つの表をあわせて，後述の作用機序に関する説明の参考にしてほしい．グアノシン三リン酸（GTP）結合タンパク質（G タンパク質），**アデニル酸シクラーゼ**（adenylyl cyclase），イノシトール 1,4,5-トリスリン酸（IP_3）などに関する機序は，第 9 章のホルモン作用の箇所で詳細に論じる．

G タンパク質

　自律神経系の受容体は GTP 結合タンパク質（G タンパク質）と連関して作用するため，まとめて **G タンパク質共役型受容体**（G protein-linked receptor）とよばれる．G タンパク質共役型受容体は，自律神経系のものも含めて，1 本のポリペプチド鎖がうねりながら細胞膜を往復して 7 回通過するため，**7 回膜貫通型受容体タンパク質**（seven-pass transmembrane receptor pro-

68 第2章 自律神経系

表2.4 自律神経受容体の標的組織および作用機序.

受容体	標的組織	作用機序
アドレナリン受容体		
α_1	皮膚・腎臓・内臓の血管平滑筋 消化管の括約筋 膀胱の括約筋 虹彩の瞳孔散大筋	IP_3を介して，細胞内Ca^{2+}濃度の増加
α_2	消化管の壁 アドレナリン作動性ニューロンシナプス前神経終末	アデニル酸シクラーゼの抑制，cAMPの減少
β_1	心臓 唾液腺 脂肪組織 腎臓	アデニル酸シクラーゼの刺激，cAMPの増加
β_2	骨格筋の血管平滑筋 消化管の壁 膀胱の壁 細気管支	アデニル酸シクラーゼの刺激，cAMPの増加
ACh受容体		
ニコチン	骨格筋の運動終板（N_M） 交感神経および副交感神経の節後ニューロン（N_N） 副腎髄質（N_N）	Na^+とK^+チャネルの開口により脱分極
ムスカリン	副交感神経系のすべての効果器官 交感神経系の汗腺	IP_3を介して，細胞内Ca^{2+}濃度の増加（M_1，M_3，M_5） アデニル酸シクラーゼの抑制，cAMPの減少（M_2，M_4）

cAMP：環状アデノシン一リン酸，IP_3：イノシトール1,4,5-トリスリン酸.

tein）として知られている．AChやノルアドレナリンなどのリガンドは，Gタンパク質共役型受容体の細胞外ドメインに結合する．これらの受容体の細胞内ドメインはGタンパク質と結合している．

これらGタンパク質は**ヘテロ三量体**（heterotrimeric）で，異なる3種類のサブユニットα，β，γを有する．αサブユニットは，グアノシン二リン酸（GDP）もしくはGTPと結合し，GDPと結合していると非活性型であるが，GTPと結合すると活性型になる．つまりGタンパク質の活性は，そのαサブユニットにGTPとGDPのどちらが結合しているかによって決まり，GTPが結合すれば活性化され，GDPが結合すると非活性化される．例えば，Gタンパク質がGDPを解離してGTPと結合すると非活性型から活性型に切り替わり，Gタンパク質の内因性GTPase（GTPアーゼ）活性によりGTPがGDPに変換されると活性型から非活性型に切り替わる．

Gタンパク質共役型自律神経受容体はGタンパク質によって各種の酵素と連関して生理学的作用をもたらす．代表的な酵素はアデニル酸シクラーゼおよび**ホスホリパーゼC**（phospholipase C）で，これらが活性化されると，それぞれ環状アデノシン一リン酸（cAMP）やイノシトール1,4,5-トリスリン酸（IP_3）というセカンドメッセンジャーを生成する．セカンドメッセンジャーは情報を増幅して最終的な生理学的作用をもたらす．ある種のムスカリン受容体など，なかにはセカンドメッセンジャーを介さずにGタンパク質が直接イオンチャネルの機能を変化させるものもある．

アドレナリン受容体

アドレナリン受容体（adrenoreceptor）は交感神経系の標的組織に存在し，カテコールアミンであるノルアドレナリンやアドレナリンにより活性化される．ノルアドレナリンは交感神経節後

自律神経系の受容体　69

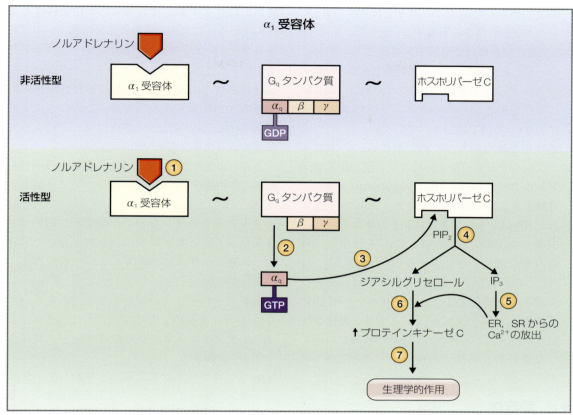

図2.6　α_1 アドレナリン受容体の作用機序.
非活性型においては，G_q タンパク質の α_q サブユニットは GDP と結合している．ノルアドレナリンが α_1 受容体に結合した活性型においては，α_q サブユニットは GTP と結合している．α_q，β，γ は G_q タンパク質のサブユニットである．〇で囲んだ番号は，本文中に記載してあるステップに対応している．ER：小胞体，GDP：グアノシン二リン酸，GTP：グアノシン三リン酸，IP_3：イノシトール 1,4,5-トリスリン酸，PIP_2：ホスファチジルイノシトール 4,5-ビスリン酸，SR：筋小胞体.

ニューロンより放出され，アドレナリンは副腎髄質より分泌され，循環血液を通じて標的組織に到達する．アドレナリン受容体には2つのサブタイプ α と β があり，さらに α_1，α_2，β_1，β_2 受容体に分類される．β_1 と β_2 受容体が同じ作用機序である以外は，それぞれ異なる作用機序を有し，いずれも異なる生理学的作用をもたらす（表2.3，2.4参照）．

■ α_1 受容体

α_1 受容体は，皮膚，骨格筋および内臓の血管平滑筋，消化管および膀胱の括約筋，瞳孔散大筋（虹彩の放射状筋）などに存在する．α_1 受容体の活性化により上記組織の収縮が生じる．この作用機序には，図2.6に示すように，Gqとよばれる G タンパク質とホスホリパーゼ C の活性化が関与している．図2.6内の〇で囲んだ番号は，以下に説明するステップに対応している．

1. α_1 受容体は細胞膜の中に埋め込まれており，そこで G_q タンパク質を介してホスホリパーゼ C と連関している．非活性型では，三量体 G_q タンパク質の α_q サブユニットは GDP と結合している．

2. ノルアドレナリンなどの作動薬が α_1 受容体に結合すると（ステップ①），G_q タンパク質の α_q サブユニットの立体構造に変化が起こり，2つの効果がもたらされる（ステップ②）．GDP が α_q サブユニットより解離して GTP に置換され，

GTP が結合した α_q サブユニットは残りの G_q タンパク質複合体より解離する.

3. α_q-GTP 複合体は細胞膜中を移動してホスホリパーゼ C と結合し,これを活性化させる(ステップ③).内因性 GTPase 活性により GTP は GDP に再び変換され,α_q サブユニットは非活性型に戻る(この図では示されていない).

4. 活性化されたホスホリパーゼ C は,ホスファチジルイノシトール 4,5-ビスリン酸(PIP_2)を**ジアシルグリセロール**(diacylglycerol)と IP_3 に分解する反応を触媒する(ステップ④).生成された IP_3 は,小胞体または筋小胞体などの細胞内プールに貯蔵されている Ca^{2+} を放出し,細胞内 Ca^{2+} 濃度を増加させる(ステップ⑤).同時に,Ca^{2+} とジアシルグリセロールは,タンパク質をリン酸化するプロテインキナーゼ C を活性化する(ステップ⑥).ここでリン酸化されたタンパク質が,例えば平滑筋の収縮というような最終的な生理学的作用を引き起こす(ステップ⑦).

■ α_2 受容体

α_2 受容体は抑制性であり,シナプス前神経終末にもシナプス後終末にも存在するが,α_1 受容体よりも少ない.アドレナリン作動性およびコリン作動性のニューロンのシナプス前神経終末や消化管などに多くみられる.α_2 受容体には,**自己受容体**(autoreceptor)と**ヘテロ受容体**(heteroreceptor)という 2 つの形態がある.

交感神経節後ニューロンの終末に存在する α_2 受容体は**自己受容体**とよばれている.その機能とは,シナプス前神経終末から放出されたノルアドレナリンにより α_2 受容体が活性化されることによって,この同じ終末からのノルアドレナリンのさらなる放出を抑制することである.この負のフィードバックにより,交感神経系の高刺激状態においてノルアドレナリンを節約して枯渇を防ぐ.興味深いことに,副腎髄質には α_2 受容体が存在しないため,負のフィードバック制御がない.その結果,長期間のストレスに伴い副腎髄質からカテコールアミンが枯渇してしまうことがある.

消化管における副交感神経節後ニューロンの神経終末に存在する α_2 受容体は**ヘテロ受容体**とよばれている.この副交感神経節後線維にシナプス結合をしている交感神経節後線維から,ノルアドレナリンが放出される.ノルアドレナリンにより活性化された α_2 受容体は,副交感神経節後線維からの ACh の放出を抑制する.このように交感神経系は副交感神経活動を抑制することによって間接的に消化管機能を抑制している.

これらの受容体による**アデニル酸シクラーゼの抑制**の作用機序を,以下のステップにより説明する.

1. ノルアドレナリンなどの作動薬が,抑制性 G タンパク質である G_i タンパク質を介してアデニル酸シクラーゼと連関している α_2 受容体に結合する.

2. ノルアドレナリンが結合すると,G_i タンパク質は GDP を放出して GTP と結合し,それにより α_i サブユニットが残りの G タンパク質複合体から解離する.

3. α_i サブユニットは細胞膜中を移動してアデニル酸シクラーゼと結合し,これを抑制する.その結果,cAMP 濃度が減少し,最終的な生理学的作用を引き起こす.

■ β_1 受容体

β_1 受容体は心臓に多く分布しており,洞房結節,房室結節,および心室筋に存在する.これらの組織における β_1 受容体の活性化により,洞房結節では心拍数の増加,房室結節では伝導速度の上昇,心室筋では収縮力の増加が生じる.β_1 受容体は心臓の他に,唾液腺,脂肪組織,腎臓(レニンの分泌を促進する)にも存在する.β_1 受容体の作用機序は,G_s タンパク質の関与により**アデニル酸シクラーゼの活性化**を起こすことである.この作用は**図 2.7** に図示してあり,下記のステップが関与する.このステップは図の○で囲んだ番号に対応している.

1. β_1 受容体は,他の自律神経系の受容体と同様に細胞膜に埋め込まれており,G_s タンパク質を介してアデニル酸シクラーゼと連関している.非活性型のときには,G_s タンパク質の α_s サブユニットは GDP と結合している.

自律神経系の受容体　71

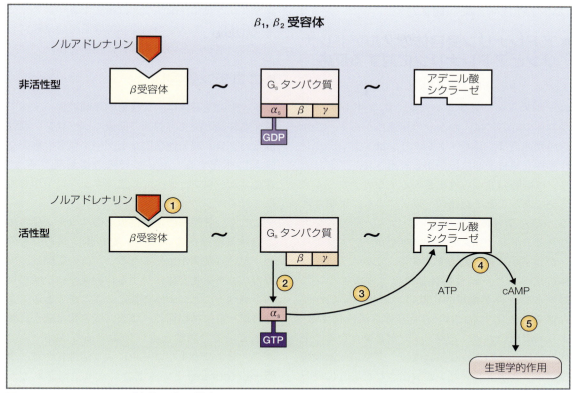

図2.7　βアドレナリン受容体の作用機序.
非活性型においては，G_sタンパク質の$α_s$サブユニットはGDPと結合している．ノルアドレナリンがβ受容体に結合した活性型においては，$α_s$サブユニットはGTPと結合している．$β_1$および$β_2$受容体は同様の作用機序を有する．○で囲んだ番号は，本文中に記載してあるステップに対応している．ATP：アデノシン三リン酸，cAMP：環状アデノシン一リン酸，GDP：グアノシン二リン酸，GTP：グアノシン三リン酸．

2. ノルアドレナリンなどの作動薬が$β_1$受容体に結合すると（ステップ①），$α_s$サブユニットに構造変化が起こる．この変化には2つの効果がある（ステップ②）．GDPが$α_s$サブユニットより解離してGTPに置換され，活性化された$α_s$サブユニットは残りのGタンパク質複合体より解離する．

3. $α_s$-GTP複合体は，細胞膜に沿って移動してアデニル酸シクラーゼと結合し，これを活性化させる（ステップ③）．GTPase活性によりGTPはGDPに再び変換され，$α_s$サブユニットは非活性型に戻る（この図では示されていない）．

4. 活性化されたアデニル酸シクラーゼは，ATPからセカンドメッセンジャーとして働くcAMPへの変換を触媒する（ステップ④）．cAMPは，プロテインキナーゼを活性化して，最終的な生理学的作用を引き起こす（ステップ⑤）．前述のように，これらの生理学的作用は組織特異的で，細胞種特異的である．$β_1$受容体が洞房結節内で活性化されると，心拍数が増加する．心室筋内で活性化されると，収縮力が増加する．唾液腺内で活性化されると，唾液の分泌が増加する．腎臓で活性化されるとレニンが分泌される．

■ $β_2$受容体

$β_2$受容体は骨格筋の血管平滑筋，消化管や膀胱の壁，細気管支などに認められる．これらの組織内にある$β_2$受容体の活性化により，組織の弛緩あるいは拡張が生じる．$β_2$受容体の作用機序は$β_1$受容体と類似している．まず，G_sタンパク質が活性化され，次に$α_s$サブユニットが解離され，次いで**アデニル酸シクラーゼの活性化**，

cAMP の生成へと続く（図 2.7）.

■ アドレナリン受容体のノルアドレナリンとアドレナリンに対する反応

ノルアドレナリンやアドレナリンなどのカテコールアミンに対する α_1, β_1, β_2 アドレナリン受容体の応答には，かなりの相違点がある．これらの相違点は，ノルアドレナリンはアドレナリン作動性交感神経節後線維から放出され，アドレナリンは副腎髄質から放出される主なカテコールアミンであることを念頭に，以下のように説明される．(1)α_1 受容体に対する効力は，ノルアドレナリンとアドレナリンでほぼ同等だが，アドレナリンがわずかに強い効力を有する．しかし，β 受容体に比べると，α_1 受容体はカテコールアミンに対する感受性が相対的に低い．したがって α_1 受容体を活性化するには，β 受容体を活性化する，より高濃度のカテコールアミンが必要となる．生理的には，そのような高濃度は，交感神経節後線維からノルアドレナリンが放出された場合に局所的に到達する以外には認められず，副腎髄質からカテコールアミンが分泌される際にはそのような濃度には到達しない．例えば，「闘争か逃走か」反応時における副腎髄質からのカテコールアミンの分泌量では，α_1 受容体を活性化するには不十分である．(2)β_1 受容体に対する効力は，ノルアドレナリンとアドレナリンで同等である．前述のように，β_1 受容体の活性化には α_1 受容体よりもかなり低濃度のカテコールアミンで十分である．したがって，交感神経節後線維から放出されるノルアドレナリンも副腎髄質から放出されるアドレナリンも，β_1 受容体を活性化することができる．(3)β_2 受容体はアドレナリンによって選択的に活性化される．したがって，副腎髄質より放出されるアドレナリンは β_2 受容体を活性化し，一方で交感神経終末から放出されるノルアドレナリンは活性化しない．

ACh 受容体

ACh 受容体（コリン作動性受容体）には，ニコチン性とムスカリン性の 2 種類がある．ニコチン受容体は運動終板，すべての自律神経節，副腎髄質のクロム親和性細胞などに存在する．ムスカリン受容体は，すべての副交感神経系の効果器官と一部の交感神経系の効果器官に存在する．

■ ニコチン受容体

ニコチン受容体は，骨格筋の運動終板，すべての交感神経と副交感神経の節後ニューロン，副腎髄質のクロム親和性細胞など，いくつもの重要な箇所に存在する．ACh が天然の作動薬であり，運動ニューロンとすべての節前ニューロンから放出される．

ここで，骨格筋の運動終板上のニコチン受容体と自律神経節内のニコチン受容体は同一のものか，という疑問が生じるだろう．この疑問は，両方のニコチン受容体に対する作動薬や拮抗薬の反応を調べることによって答えることができる．運動終板と自律神経節のニコチン受容体は確かに類似している．両者とも作動薬である ACh，ニコチン，およびカルバコールにより活性化され，クラーレ（curare）という薬物により遮断されるからである（表 2.2 参照）．しかし，ニコチン受容体に対する別の拮抗薬であるヘキサメトニウム（hexamethonium）は，自律神経節のニコチン受容体は阻害するが，運動終板のニコチン受容体は阻害しない．したがって，この 2 ヵ所のニコチン受容体は，類似しているが同一ではないことがわかり，骨格筋終板上のニコチン受容体は N_M，自律神経節のニコチン受容体は N_N と命名された．この薬理学的な区別から，ヘキサメトニウムのような薬物は神経節遮断薬（ganglionic-blocking agent）ではあるが，神経筋遮断薬（neuromuscular-blocking agent）ではないことがわかる．

ヘキサメトニウムのような神経節遮断薬について，2 つ目の結論を導くことができる．これらの遮断薬は，交感神経節と副交感神経節のいずれにおいてもニコチン受容体を遮断するため，自律神経機能に対して広範な影響を及ぼすはずである．しかし，ある特定の器官に対する神経節遮断薬の作用を予測するには，その器官の調節では交感神経と副交感神経のどちらが優位なのかを知っていることが重要である．例えば，血管平滑筋は交感神経単独の神経支配であり，その作用は血管収縮

自律神経系の受容体 73

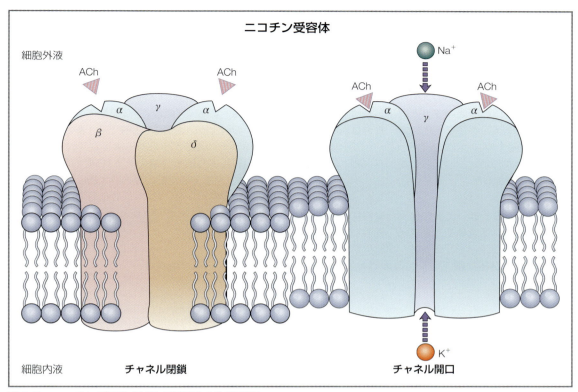

図2.8 ニコチン受容体（ACh受容体）の作用機序．
AChが作用するニコチン受容体は，Na^+とK^+のイオンチャネルである．この受容体は，2つのαと1つずつのβ，δ，γという5つのサブユニットからなる．

である．したがって，神経節遮断薬により血管平滑筋は弛緩し，血管拡張が生じる（この特性のため，神経節遮断薬は高血圧の治療に用いることができる）．一方，**男性性機能（male sexual function）**は，男性の性反応が交感神経（射精）および副交感神経（勃起）の両支配下にあるため，神経節遮断薬により劇的に障害される．

　ニコチン受容体の作用機序は，運動終板であろうと神経節内であろうと，このACh受容体がNa^+とK^+のイオンチャネルでもあるということに基づいている．ニコチン受容体がAChにより活性化されると，チャネルが開口し，それぞれの電気化学的勾配に従って，Na^+が細胞内へ流入し，K^+は細胞外へ流出する．

　図2.8は，ニコチン受容体とチャネルの，閉鎖と開口という2つの状態における機能を図示している．ニコチン受容体は，内在性膜タンパク質で，2つのαと1つずつのβ，δ，γ，合計5つのサブユニットから構成されている．これら5つのサブユニットは，中央にある開口部を囲んで漏斗状に配列されている．AChが結合していないときは，チャネルの開口部は閉鎖している．AChが2つのαサブユニットの両方に結合すると，全サブユニットの構造が変化し，チャネルの中央が開口する．中央が開口すると，Na^+とK^+は，それぞれ電気化学的勾配に従って流れ（Na^+は細胞内へ流入し，K^+は細胞外へ流出する），膜電位をそれぞれの平衡電位に向かわせようとする．その結果，膜電位はNa^+とK^+の平衡電位の中間である0 mV付近に位置することになり，脱分極状態となる．

■ ムスカリン受容体

　ムスカリン受容体は，副交感神経系のすべての効果器官，すなわち，心臓，消化管，細気管支，膀胱，男性生殖器などに存在する．これらの受容体はまた，汗腺など一部の交感神経系の効果器官

74 第2章 自律神経系

Box 2.4　ムスカリン受容体拮抗薬による乗り物酔いの治療

▶ 症例

10日間の船旅を計画している女性が，船酔いの予防薬を処方してほしいと医師に依頼した．医師は，アトロピンと同類のスコポラミンという薬を処方し，船旅の期間中ずっと服用し続けるようにすすめた．スコポラミン内服中，女性はまったく悪心も嘔吐もなかったが，その代わり，口腔内乾燥，瞳孔の散大（散瞳），心拍数の増加（頻脈），および排尿困難が生じた．

▶ 解説

スコポラミンは，アトロピンと同様に標的組織のムスカリン受容体を遮断する．確かに，乗り物酔いに対してスコポラミンは，病因に前庭系のムスカリン受容体が関与しているので有効である．

一方で，この患者が同時に体験した副作用についても，標的組織のムスカリン受容体の生理学を理解すれば，説明可能である．

ムスカリン受容体の活性化により，唾液分泌の亢進，瞳孔の収縮（縮瞳），心拍数の減少（徐脈），排尿中の膀胱壁の収縮などが生じる（表2.3 参照）．したがって，スコポラミンによるムスカリン受容体の阻害により唾液分泌の低下（口腔内乾燥），瞳孔の散大（交感神経支配の瞳孔散大筋に対抗する瞳孔括約筋の働きがないため），心拍数の増加，および排尿の遅延（膀胱壁の収縮力低下による）が生じたのである．

▶ 治療

スコポラミンの内服中止．

にも認められる．

ムスカリン受容体の一部には（M_1, M_3, M_5 など），α_1 アドレナリン受容体と同様の作用機序を有するものがある（図2.6 参照）．これらの受容体では，作動薬（ACh）のムスカリン受容体への結合により，Gタンパク質からαサブユニットが解離し，ホスホリパーゼCを活性化し，**イノシトール1,4,5-トリスリン酸（IP_3）**とジアシルグリセロールを生成する．IP_3 は貯蔵されている Ca^{2+} を放出し，細胞内 Ca^{2+} 濃度の上昇は，ジアシルグリセロールとともに組織特異的な生理学的作用を発現する．

その他のムスカリン受容体（例えば M_4）は，アデニル酸シクラーゼを抑制し，細胞内 cAMP 濃度を低下させることで作用する．

さらに別のムスカリン受容体（M_2）では，**Gタンパク質の直接作用（direct action of the G protein）**により生理過程を変化させる．この場合には，他のセカンドメッセンジャーは関与しない．例えば，心臓の洞房結節におけるムスカリン受容体は，ACh により活性化されると，G_i タンパク質を活性化させα_i サブユニットと$\beta\gamma$サブユニットが解離し，この$\beta\gamma$サブユニットが洞房結節の K^+ チャネルに直接結合する．$\beta\gamma$サブユニットが K^+ チャネルに結合すると，チャネルが開口し，洞房結節の脱分極速度を減少させて心拍数を低下

させる．この作用機序では，アデニル酸シクラーゼやホスホリパーゼCの刺激も抑制も起こらず，セカンドメッセンジャーの関与もまったくない．むしろ G_i タンパク質がイオンチャネルに直接作用する（Box 2.4）．

まとめ

- 自律神経系には，交感神経系と副交感神経系という2つの主要な系があり，両者は協調して，不随意機能を調節している．交感神経系は，その起始を胸髄と腰髄に有することから胸腰系ともよばれ，副交感神経系はその起始を脳幹と仙髄に有することから頭仙系ともよばれる．

- 自律神経系の遠心路は，節前ニューロンと節後ニューロンとで構成されており，両者は自律神経節内でシナプス結合をしている．節後ニューロンの軸索は末梢まで走行し，効果器官を支配する．副腎髄質は特化した交感神経節で，刺激されると，循環血液中にカテコールアミンを分泌する．

- 器官や器官系に対する交感神経支配および副交感神経支配は，相反性効果をもたらすことが多い．この相反性効果は，脳幹の自律神経中枢によって調整されている．例えば，脳幹の自律神

経中枢は，洞房結節への交感神経活動ならびに副交感神経活動を調節することにより，心拍数を制御している．

- 自律神経系の神経伝達物質に対する受容体は，アドレナリン作動性（アドレナリン受容体）もしくはコリン作動性（ACh 受容体）である．アドレナリン受容体は，ノルアドレナリンやアドレナリンなどのカテコールアミンにより活性化され，ACh 受容体は ACh により活性化される．

- 自律神経系の受容体は，刺激性（G_s）もしくは抑制性（G_i）の G タンパク質と結合している．これらの G タンパク質は，最終的な生理学的作用を担う酵素を活性化したり抑制したりする．

- アドレナリン受容体の作用機序は次のように説明できる．α_1 受容体は，ホスホリパーゼ C の活性化と IP_3 の生成を通じて作用する．β_1 受容体と β_2 受容体は，アデニル酸シクラーゼの活性化と cAMP の生成を通じて作用する．α_2 受容体は，アデニル酸シクラーゼの抑制を通じて作用する．

- ACh 受容体の作用機序は以下のように説明できる．ニコチン受容体は，Na^+ と K^+ のイオンチャネルとして作用する．多くのムスカリン受容体は α_1 受容体と同様の作用機序を有するが，いくつかはアデニル酸シクラーゼの抑制を通じて作用し，さらに少数のものは G タンパク質の直接作用により生理学的作用を発現させる．

練習問題

各問に，単語，語句，数字で答えよ．選択肢が複数の場合，正解は１つとは限らず，ないこともある．正解は巻末に示す．

1 以下の作用のうち，β_2 受容体によるものを選べ．

心拍数の増加，消化管括約筋の収縮，血管平滑筋の収縮，気道拡張，膀胱壁の弛緩．

2 胃腸障害に対しアトロピンを内服していた女性が，瞳孔が散大していることに気づいた．こ

れは，アトロピンが虹彩の_____筋にある_____受容体を遮断するためである．

3 以下の特徴のうち，交感神経の特徴ではなく，副交感神経の特徴であるものを選べ．

神経節が標的組織の中あるいは近傍にある，ニコチン受容体が節後ニューロン上にある，ムスカリン受容体が一部の標的組織上にある，β_1 受容体が一部の標的組織上にある，節前ニューロンがコリン作動性である．

4 プロプラノロールが心拍数の減少を引き起こすのは，心臓の洞房結節の_____受容体を____するからである．

5 以下の作用のうち，その機序がアデニル酸シクラーゼを介するものを選べ．

副交感神経系の作用により胃酸の分泌が亢進する，アドレナリンの作用により心収縮性が増加する，アドレナリンの作用により心拍数が増加する，ACh の作用により心拍数が減少する，ACh の作用により気道が収縮する，内臓血管床の血管平滑筋が収縮する．

6 副腎髄質はノルアドレナリンよりもアドレナリンを多く生成するが，これは何という酵素の働きか．

7 ある男性が褐色細胞腫によって高度な血圧上昇をきたした．摘出手術を受ける前に誤った薬物を投与され，血圧がさらに上昇してしまった．誤投与によりこのような高血圧の増悪をきたす可能性のある薬物を２種類挙げよ．

8 ある男性の膀胱に尿が充満している．彼が排尿する際には，_____受容体が排尿筋を_____させ，_____受容体が内尿道括約筋を_____させる．

9 α_1 受容体の作用機序として，ステップを正しい順序に並べ替えよ．

α_q が GDP と結合，α_q が GTP と結合，IP_3 の生成，細胞内貯蔵部位からの Ca^{2+} の放出，プロテインキナーゼの活性化，ホスホリパーゼ C の活性化．

10 ムスカリン受容体を介する作用を選べ．

洞房結節内伝導速度の低下，胃酸の分泌，散瞳，消化管括約筋の収縮，勃起，レニンの分泌，暑い日の発汗．

第3章

神経系の生理学

神経系とは，個体が環境との情報のやり取りを可能にする複雑なネットワークである．そのネットワークの構成要素には，環境からの刺激の変化を検出する感覚的要素と，動きを生み出し骨格筋や平滑筋を収縮させ，腺の分泌を引き起こす運動的要素がある．さらに,統合にかかわる要素では，感覚情報を受け取り，貯蔵し，処理したうえで適切な運動反応を組み立てる．

神経系の構成

神経生理学を理解するには，神経系の構成と各構造の肉眼解剖学的な配置をよく理解する必要がある．神経解剖学を包括的に説明するには1冊の教科書が必要なので，本章では解剖学は生理学を理解するのに必要な箇所のみに触れることとする．

神経系は2つの区分から構成され，脳（brain）と脊髄（spinal cord）からなる中枢神経系（central nervous system：CNS）と，感覚受容器（sensory receptor），感覚神経（sensory nerve），中枢神経系外の神経節からなる末梢神経系（peripheral nervous system：PNS）である【訳者注：運動神経（前根から運動終板まで）と自律神経系も末梢神経系に含まれる】．中枢神経系と末梢神経系は，相互に広く情報を交換し合っている．

神経系をさらに感覚系と運動系で対比して説明する．感覚系（sensory division）あるいは求心系（afferent division）は，末梢の感覚受容器で発生した情報を神経系に入力する．感覚受容器には，視覚受容器（visual receptor），聴覚受容器（auditory receptor），化学受容器（chemoreceptor），体性感覚（触覚，痛覚，温度覚）受容器（somatosensory receptor）がある．求心性情報は次々に，より高次の神経系へ，そして最終的には大脳皮質（cerebral cortex）へ伝達される．運動系（motor division）あるいは遠心系（efferent division）は，神経系から末梢へと情報を伝達する．遠心性情報によって，骨格筋，平滑筋，心筋の収縮，内分泌腺や外分泌腺の分泌が引き起こされる．

神経系における感覚系と運動系の機能を比較するには，第2章で説明した動脈圧調節を例に考えるとよい．動脈圧は頸動脈洞壁に存在する圧受容器により感知され，その情報は舌咽神経（第IX脳神経）により，脳幹の延髄（medulla）にある血管運動中枢へ伝達される（これが血圧調節の感覚路，つまり求心路である．延髄血管運動中枢では，感知された血圧値をセットポイント（設定値）と比較して，心臓および血管に対する交感神経出力と副交感神経出力を変化させるように指示を出し，それによって動脈圧が適正に調節される）．これが血圧調節の運動路，つまり遠心路である．

中枢神経系は脳と脊髄からなる．中枢神経系の主な構造を図3.1と図3.2に示す．図3.1は正確な解剖学的位置を示すが，模式図である図3.2のほうが学習ツールとして有用であろう．

中枢神経系の主な部位には，脊髄，脳幹（brain stem）（延髄，橋（pons），中脳（midbrain）），小脳（cerebellum），間脳（diencephalon）（視床（thalamus）と視床下部（hypothalamus）），大脳半球（cerebral hemisphere）（大脳皮質，白質（white matter），基底核（basal ganglia），海馬体（hippocampal formation），扁桃体（amygdala））がある．

脊髄

脊髄は中枢神経系の最も尾側にあり，頭蓋底か

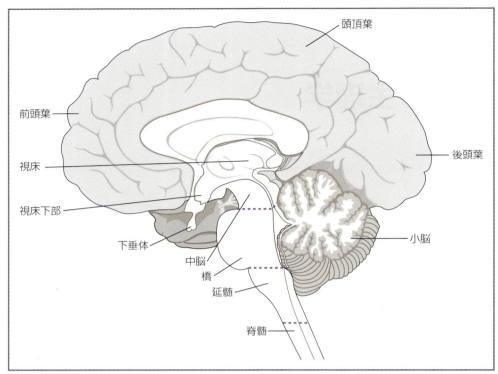

図 3.1 脳の中央矢状断面.
大脳皮質の脳葉（前頭葉，頭頂葉，後頭葉），小脳，視床，視床下部，脳幹（延髄，橋，中脳），脊髄の関係を示している．

ら第 1 腰椎にわたる．脊髄は髄節に分けられ，おのおのの髄節から 1 対，計 31 対の脊髄神経（spinal nerve）を出し，それには**感覚神経（sensory nerve）**（求心性神経（afferent nerve））と**運動神経（motor nerve）**（遠心性神経（efferent nerve））が含まれる．感覚神経は，末梢の皮膚，関節，筋，内臓からの情報を，後根神経節（dorsal root ganglia）と脳神経節（cranial nerve ganglia）を介して脊髄へと伝える【訳者注：脳神経の細胞体がある脳神経節は情報を脳幹に伝える．脊髄ではないことに注意すること】．運動神経は，脊髄からの情報を伝達し，体性運動神経は骨格筋を，自律神経系における運動神経は心筋，平滑筋，腺，分泌細胞を支配する（第 2 章）．

情報は脊髄の中を上方にも下方にも伝達される．脊髄の**上行路（ascending pathway）**は，感覚情報を末梢から高次の中枢神経系へと伝達する．脊髄の**下行路（descending pathway）**は，運動情報を高次の中枢神経系から末梢を支配する運動神経へと伝達する．

脳幹

延髄，橋，中脳を総称して脳幹とよぶ．12 対ある脳神経のうち 10 対（第Ⅲ～第Ⅻ脳神経）が脳幹から起始し，感覚情報を脳幹へ，運動情報を末梢へと伝達する．脳幹の構成要素は以下の通りである．

- **延髄**は脊髄の吻側（口の方向）への延長である．延髄には呼吸や血圧を調節する自律神経中枢，および嚥下反射，咳嗽反射，嘔吐反射を調節する中枢がある（第 2 章，図 2.5 参照）．
- **橋**は延髄の吻側にあり，延髄にある中枢とともに，姿勢の調整と維持，呼吸の調節を行う．また，橋は大脳半球から小脳への情報を中継する．
- **中脳**は橋の吻側にあり，眼球運動の制御を行う．聴覚系と視覚系を司る**中継核（relay nucleus）**も存在する．

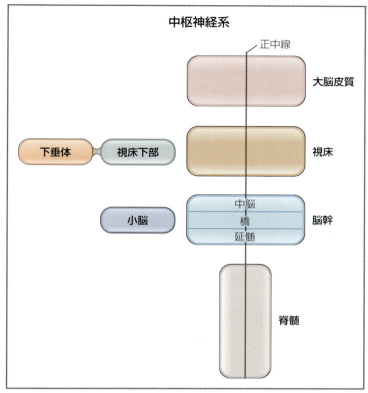

図3.2 中枢神経系の模式図.

小脳

小脳は葉状の構造を有し，脳幹に付着し，橋と延髄の背側に位置する．小脳の機能は，運動の協調，運動のプランと遂行，姿勢の維持，頭部・眼球運動の協調である．すなわち，小脳はこれらの機能の遂行に好都合な大脳皮質と脊髄の間にあって，"身体がどこにあるのか"という位置についての脊髄からの感覚情報，"身体がどのように動いているのか"という大脳皮質からの運動情報，内耳の前庭器官からの平衡感覚情報を統合する．

視床と視床下部

視床と視床下部をあわせて**間脳**という．"間に挟まれた脳（between brain）"という意味である．この名前は，視床と視床下部の位置が大脳半球と脳幹の間にあることを指している．

視床は，大脳皮質へ行くほとんどすべての感覚情報と，大脳皮質から脳幹や脊髄に来るほとんどすべての運動情報を処理する．

視床下部は視床の腹側にあり，体温，摂食，浸透圧を調節する中枢が存在する．視床下部は内分泌腺でもあり，下垂体のホルモン分泌を制御する．視床下部から下垂体門脈へ放出ホルモンや放出抑制ホルモンが分泌され，下垂体前葉ホルモンの放出を促進（あるいは抑制）する．視床下部には，抗利尿ホルモン（ADH）とオキシトシンを下垂体後葉に分泌するニューロンの細胞体もある．

大脳半球

大脳半球は，大脳皮質とその下部にある白質，そして3つの深部核（基底核，海馬，扁桃体）より構成される【訳者注：海馬は大脳半球の深部構造であるが，細胞構築は3層構造をもつ皮質であり，核ではない】．大脳半球の機能は知覚（perception），高次運動機能（higher motor function），認知（cognition），記憶（memory）と情動（emotion）である．

● 大脳皮質

　大脳皮質は，大脳半球の複雑に入り組んだ表面部分であり，4つの脳葉である，**前頭葉**(frontal lobe)，**頭頂葉**(parietal lobe)，**側頭葉**(temporal lobe)，**後頭葉**(occipital lobe)からなる．これらの脳葉は脳溝という溝によって区切られている．大脳皮質は感覚情報を受け取り，処理し，運動機能をまとめ上げる．大脳皮質の感覚野と運動野はさらに，感覚情報や運動情報の処理にどれだけ直接かかわるかによって，一次(primary)，二次(secondary)，三次(tertiary)と命名される．一次野は最も直接的に情報処理にかかわり，情報の入力源・出力先からのシナプス(synapse)中継数が最も少ない．一方，三次野は最も複雑な情報処理を行う場所で，シナプス中継数が最も多い．**連合野**(association area)は，多様な情報を目的のある行為に向けて統合する場所である．例えば，辺縁系連合野(limbic association area)は，動機(motivation)，記憶，情動に関与する【訳者注：連合野の分類法は一意ではないが，後方連合野(もしくは頭頂・側頭・後頭連合野)と前方連合野(もしくは前頭連合野)に分類するのが一般的であり，辺縁系連合野は側頭連合野の一部と考えることが多い】．次の例により命名法を理解できるであろう：(1)一次運動皮質(primary motor cortex)は，上位運動ニューロンが存在する場所である．上位運動ニューロンは脊髄に直接投射して，骨格筋を支配する下位運動ニューロンを興奮させる．(2)一次感覚皮質(primary sensory cortex)には，一次視覚皮質(primary visual cortex)，一次聴覚皮質(primary auditory cortex)，一次体性感覚皮質(primary somatosensory cortex)があり，2～3回のシナプス結合を経るだけで末梢の感覚受容器からの情報を受け取る．(3)二次および三次感覚・運動野(secondary and tertiary sensory area)は一次野の周囲に位置し，連合野と結合することで，より複雑な情報処理に関与する．

● 基底核，海馬，扁桃体

　大脳半球には3つの深部核がある【訳者注：前述の通り，海馬は核ではない】．**基底核**は，尾状核(caudate nucleus)，被殻(putamen)，淡蒼球(globus pallidus)からなる．基底核は大脳皮質の

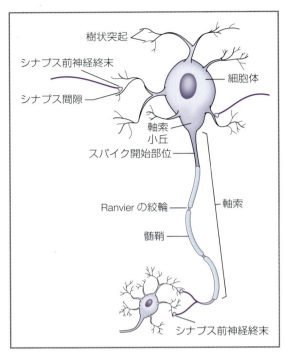

図3.3　神経細胞の構造．

すべての脳葉から入力を受け取り，動作制御を補助するために視床を介して前頭葉に投射する．**海馬**と**扁桃体**は辺縁系の一部である．海馬は記憶に関与する．扁桃体は情動に関与し，視床下部を介して自律神経系と連絡する(例えば，情動の影響は心拍数，瞳孔の大きさ，視床下部ホルモンの分泌に現れる)．

神経系の細胞

　ニューロン(neuron)あるいは神経細胞(nerve cell)は，信号(シグナル)を受け取ったり送ったりすることに特化している．ニューロンの構造は，細胞体(cell body, soma)，樹状突起(dendrite)，軸索(axon)，シナプス前神経終末(presynaptic terminal)からなる(**図3.3**)．グリア細胞(神経膠細胞)(glial cell)はニューロンよりも圧倒的に数が多く，星状膠細胞(astrocyte)，オリゴデンドロサイト(希突起膠細胞・乏突起膠細胞)(oligodendrocyte)，ミクログリア細胞(microglial cell)から

なり，おおまかにはニューロンを支持する機能を有する．

ニューロンの構造

■ 細胞体

細胞体はニューロンの核を取り囲み，中に小胞体とGolgi装置が存在する．細胞体は，ニューロンにおけるタンパク質の合成とプロセシングに関与する．

■ 樹状突起

樹状突起は，細胞体から生じて先細りしていく突起である．樹状突起は情報を受け取り，そのために近隣のニューロンから放出される神経伝達物質に対する受容体を有する．

■ 軸索

軸索は，軸索小丘(axon hillock)とよばれる細胞体の特殊な領域から生じる突起である．軸索小丘は，スパイク開始部位(spike initiation zone)(あるいは軸索起始部・初節(initial segment))という活動電位が発生して情報を送り出す部位に近接している．樹状突起は数が多く，短いのに対し，1つのニューロンは1本の軸索を有しており，軸索はきわめて長いこともある(長さは1mに至る)．

軸索の細胞質には，細胞体と軸索終末の間で細胞小器官や小胞(細胞体で合成されるタンパク質や神経伝達物質を含む)をすばやくやり取りしている微小管(microtubules)やアクチンフィラメント(microfilament)が密集し，平行に配列している．このような細胞体と軸索終末間の物質のすばやいやり取りは**速い軸索輸送**(fast axoplasmic transport)とよばれ，アデノシン三リン酸(ATP)依存的に動くモータータンパク質である**キネシン**(kinesin)を介して，ミトコンドリアや小胞を微小管に沿って輸送する．細胞骨格の構成要素や，さまざまな可溶性タンパク質も細胞体から軸索終末へと**遅い軸索輸送**(slow axoplasmic transport)によって運ばれる．速い軸索輸送も遅い軸索輸送も，物質が運ばれる方向は細胞体から軸索終末への一方向だけであるため，いずれも**順行性**

(anterograde)輸送という．また，成長因子や膜の断片は逆に軸索終末から細胞体へと運ばれることから，このような輸送を**速い逆行性輸送**(fast retrograde transport)という．

軸索は，ニューロンの細胞体から，その標的(他のニューロンあるいは筋)までの間で活動電位を伝導する媒体である．軸索は**ミエリン**(myelin)で構成される髄鞘によって絶縁されているものがあり，そうすると伝導速度は増加する(**第1章**)．Ranvier(ランヴィエ)の絞輪(node of Ranvier)において**髄鞘**(myelin sheath)は途切れている．

■ 多極ニューロン

哺乳類の神経系において最も一般的な型のニューロンは多極ニューロンであり，細胞体から生じる1本の軸索と多数の樹状突起を有する．多極ニューロンの形や軸索長，複雑な樹状突起ツリーの形態はさまざまである．樹状突起の分岐形成の広がりは，他のニューロンとの間で形成されるシナプス結合の数に相関する．例えば，小脳のPurkinje(プルキンエ)細胞の樹状突起ツリーは，なんと100万個ものシナプス結合を有しているのである．

■ シナプス前神経終末

軸索は多数に分枝して標的細胞(例えば，他の神経細胞など)に終止しており，その終末部をシナプス前神経終末とよぶ．活動電位が軸索を伝導してシナプス前神経終末に到達すると，神経伝達物質がシナプスに放出される．神経伝達物質はシナプス間隙(synaptic cleft)を拡散し，シナプス後膜(例えば，他のニューロンの樹状突起上)に存在する受容体に結合する．このようにして，情報はすばやくニューロンからニューロン(あるいは神経筋接合部(neuromuscular junction)の場合，ニューロンから骨格筋)へと伝達される．

グリア細胞

グリア細胞(神経膠細胞)は，脳の容積の半分以上を占めており，ニューロンを支持する働きをする．脳のグリア細胞のなかには，幹細胞(stem cell)の働きをもち，新しいグリア細胞や新しい

82　第3章　神経系の生理学

ニューロンにさえなりうるものもある．**星状膠細胞**は，乳酸のような代謝燃料をニューロンに供給するとともに，神経伝達物質を合成し，ニューロンの生存を促す栄養因子を分泌し，脳血流を調節し，脳内の細胞外 K^+ 濃度の維持を助ける．**希突起膠細胞・乏突起膠細胞**は，中枢神経系でのミエリンを合成し，Schwann（シュワン）細胞（Schwann cell）は末梢神経系でのミエリンを合成する．**ミクログリア細胞**は，神経損傷により増加し，壊死細胞片を除去する清掃員として働く．

感覚系と運動系の一般的性質

　感覚系と運動系の各論を説明する前に，共通する構成上の特徴について説明する．おのおのの系の詳細は異なるが，神経生理学における共通のテーマとしてまとめることができる特徴である．

シナプス中継

　一番単純なシナプスは1対1結合で，例えば**運動ニューロン(motoneuron)**のようなシナプス前要素と，骨格筋線維のようなシナプス後要素からなる．しかし，神経系では多くのシナプスはより複雑な構成をしており，多くのシナプスが収束する**中継核**においては，情報が統合される．中継核は中枢神経系の各所にあるが，特に視床に多い．
　中継核には，数種の異なる型のニューロンが存在するが，なかでも局所**介在ニューロン(interneuron)**と**投射ニューロン(projection neuron)**が特徴的である．投射ニューロンは，他の中継核や大脳皮質へと長く軸索を伸ばし，シナプスを形成する．大脳皮質を行き来するほとんどすべての情報が視床の中継核で処理される．

局在構成

　感覚系と運動系における際立った特徴の1つに，情報が**神経地図(neural map)**に符号化されているということがある．例えば，体性感覚系において，身体の特定の部位から情報を受け取り皮質の特定部位へ情報を送るニューロンの配置として，**体部位局在地図(somatotopic map)**が形成

されている．体部位局在は中継核の各レベルで存在するが，最高次の大脳皮質でもよく再現されている．つまり，体性感覚系では体部位局在情報は大脳皮質の感覚性小人間像(homunculus)として表されている（**図3.12**）．このような局在関係は，視覚系では**網膜部位局在(retinotopic)**，聴覚系では**周波数局在(tonotopic)**とよばれるものなどがある．

交叉

　ほとんどすべての感覚系と運動系の経路は左右両側で対称であり，しかも情報は脳や脊髄の一側（同側(ipsilateral)）から正中線を越えて他側（反対側(contralateral)）へ伝えられる（"交叉する(crossing)"という）．すなわち，身体の一側の感覚情報は反対側の大脳半球へと伝えられ，同様に身体の一側の運動は反対側の大脳半球によって制御される．
　しかし，すべての経路が中枢神経系の同じ高位で交叉するわけではない．痛覚の経路のように脊髄内で交叉するものもあるが，多くの経路は脳幹内で交叉する．このように，経路が正中線を越える部位を**交叉(decussation)**とよぶ．交叉性の軸索のみを含む脳の領域を**交連(commissure)**とよび，例えば，**脳梁(corpus callosum)**は両側大脳半球を連絡する交連である．
　なかには，交叉性，非交叉性いずれの経路も含む混合性の経路もある．例えば，視覚系では網膜から出る視神経の線維は**視交叉(optic chiasm)**において交叉するが，その軸索の半分は反対側に交叉し，半分は同側に残る．

神経線維の分類

　神経線維は，伝導速度(conduction velocity)によって分類される．伝導速度は線維の直径と髄鞘化の有無に依存する．線維の直径と髄鞘化による伝導速度への影響については**第1章**で説明したが，簡潔には，直径が大きいほど，また神経線維を髄鞘が囲うことにより伝導速度は速くなる．したがって，伝導速度は，大径有髄神経線維で最も速く，小径無髄神経線維で最も遅い．
　伝導速度をもとにした2つの分類法がある．1

表3.1 神経線維の分類.

分類	神経線維の種類	例	直径	伝導速度	髄鞘の有無
感覚神経と運動神経	Aα	α運動ニューロン	最大	最速	有髄
	Aβ	触圧覚	中	中	有髄
	Aγ	筋紡錘(錘内筋)支配のγ運動ニューロン	中	中	有髄
	Aδ	触圧覚,温度覚,痛覚(速い痛み)	小	中	有髄
	B	交感神経節前線維	小	中	有髄
	C	痛覚(遅い痛み),交感神経節後線維,嗅覚	最小	最遅	無髄
感覚神経のみ	Ⅰa	筋紡錘求心性線維	最大	最速	有髄
	Ⅰb	Golgi 腱器官求心性線維	最大	最速	有髄
	Ⅱ	筋紡錘からの二次求心性線維,触圧覚	中	中	有髄
	Ⅲ	触圧覚,痛覚(速い痛み),温度覚	小	中	有髄
	Ⅳ	痛覚,温度覚,嗅覚	最小	最遅	無髄

つは Erlanger(アーランガー)と Gasser(ガッサー)による分類で,感覚(求心性)神経線維と運動(遠心性)神経線維のいずれにも用いられ,A,B,C と分類されている.もう1つは Lloyd(ロイド)と Hunt(ハント)による分類で,こちらは感覚神経線維のみに用いられ,ローマ数字でⅠ,Ⅱ,Ⅲ,Ⅳと分類される.**表3.1** に,それぞれの分類における神経線維の種類のまとめを示す.各種類の例,線維径,伝導速度,髄鞘の有無を示している.

感覚系

感覚経路

感覚系は,環境からの情報を末梢の特殊化した受容器を介して受け取り,この情報を一連のニューロンがシナプスで中継して中枢神経系へと伝達する.感覚情報の伝達の流れを示す(**図3.4**).

1. **感覚受容器**.感覚受容器は環境からの刺激によって活性化されるが,感覚様式(sensory modality)ごとに受容器の性質は異なったものとなっている.視覚系,味覚系,聴覚系では,受容器は特殊化した上皮細胞であり,体性感覚系,嗅覚系では,一次感覚ニューロン,つまり**一次**求心性ニューロン(primary afferent neuron)である.性質は異なっていても受容器の基本的な機能は同じであり,音波や電磁波,圧力などの刺激を電気化学的なエネルギーへと変換している.この**感覚変換**(sensory transduction)とよばれる過程では,刺激によって開閉する特化したイオンチャネルが働いている.イオンチャネルの開閉は,感覚受容器細胞の膜電位に脱分極性あるいは過分極性の変化をもたらす.このような感覚受容器の膜電位の変化を**受容器電位**(receptor potential)とよぶ.

感覚変換および受容器電位が生じると,一連の求心性感覚ニューロンにより情報は中枢神経系へと伝達される.一連の求心性感覚ニューロンは,一次,二次,三次,四次ニューロンとよばれる(**図3.4**).一次ニューロンは最も感覚受容器に近く,高次のニューロンほど中枢神経系の中枢側に近づく.

2. **一次求心性感覚ニューロン**(first-order sensory afferent neuron).感覚系の一次ニューロンとは一次求心性感覚ニューロンのことであり,体性感覚や嗅覚においては受容器細胞でもある.感覚受容器が特殊化した上皮細胞の場合は一次ニューロンとシナプス結合をするが,感覚受容器が一次求心性ニューロンである場合には,このシナプス結合は必要ない.一次求心性

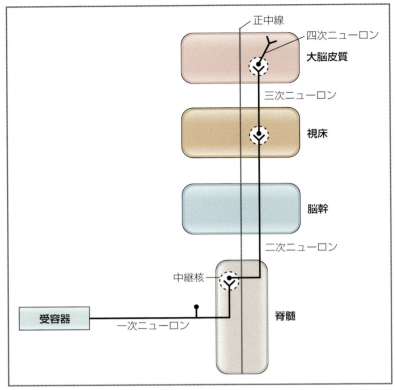

図 3.4 感覚経路.
感覚情報は，末梢の受容器から大脳皮質まで順次ニューロンを介して伝達される．中継神経核には，一次ニューロンと二次ニューロン，二次ニューロンと三次ニューロン，三次ニューロンと四次ニューロンの間のシナプス結合がある．二次ニューロンは脊髄（図示）や脳幹（図示されていない）で正中線を越えるので，感覚情報は反対側の視床や大脳皮質へと伝達される．

ニューロンの細胞体は脊髄後根神経節にある（例外は，聴覚系，嗅覚系，視覚系である）．

3. **二次求心性感覚ニューロン（second-order sensory afferent neuron）**．一次ニューロンは，脊髄や脳幹の**中継核**で二次ニューロンとシナプス結合をする．通常，多くの一次ニューロンが1個の二次ニューロンとシナプス結合をしている．また，中継核内には興奮性あるいは抑制性の介在ニューロンも存在しており，一次ニューロンから受け取った感覚情報を処理，修飾する．二次ニューロンの軸索は，中継核から視床にある次の中継核へと向かい，そこで三次ニューロンとシナプス結合をする．視床に向かう途中，二次ニューロンの軸索は**正中線を越える**．このような交叉は，図3.4に示すように脊髄内で起こることも，図には示していないが脳幹内で起こることもある．

4. **三次求心性感覚ニューロン（third-order sensory afferent neuron）**．三次ニューロンは通常，視床の中継核にある．やはり，多くの二次ニューロンが1個の三次ニューロンとシナプス結合をしている．中継核では，興奮性あるいは抑制性の局所介在ニューロンが受け取った情報を処理する．

5. **四次求心性感覚ニューロン（fourth-order sensory afferent neuron）**．四次ニューロンは大脳皮質の感覚様式特異的な感覚野に存在する．四次ニューロンは，例えば，聴覚経路では一次聴覚皮質に，視覚経路では一次視覚皮質にある．皮質には二次，三次の高次感覚野とともに連合野もあり，それらすべてが複雑な感覚情報を統合しているのである．

表 3.2　感覚受容器の種類とその例.

受容器の種類	感覚種	受容器	部位
機械受容器	触覚	Pacini 小体	皮膚
	聴覚	有毛細胞	Corti 器
	前庭覚	有毛細胞	平衡斑，半規管
光受容器	視覚	桿体と錐体	網膜
化学受容器	嗅覚	嗅覚受容器	嗅粘膜
	味覚	味蕾	舌
	動脈血 Po_2		頸動脈小体，大動脈小体
	脳脊髄液の pH		延髄腹外側
温度受容器	温度覚	冷受容器	皮膚
		温受容器	皮膚
侵害受容器	極度の痛覚と温度覚	温度または機械刺激に対する侵害受容器	皮膚
		ポリモーダル侵害受容器	皮膚

Po_2：酸素分圧.

感覚受容器

　感覚受容器において，環境からの刺激が電気信号へと変換されるという感覚経路における最初のステップを再び考えてみる．この項では，感覚受容器の種類，感覚変換の機構，感覚ニューロンの受容野，感覚受容器の順応，感覚情報の符号化について述べる．

■ 受容器の種類

　受容器を活性化させる刺激の種類で分類すると，機械受容器 (mechanoreceptor)，光受容器 (photoreceptor)，化学受容器 (chemoreceptor)，温度受容器 (thermoreceptor)，侵害受容器 (nociceptor) の 5 つの受容器に分類される．表 3.2 に受容器の種類とそれぞれの部位を示す．

　機械受容器は受容器に加わる圧力や圧変化により活性化される．皮下に分布する Pacini（パチニ）小体 (Pacinian corpuscle) や，皮膚の無毛部に存在する Meissner（マイスネル）小体 (Meissner corpuscle) などの触覚受容器，血圧変化を感知する頸動脈洞の圧受容器，聴覚の Corti（コルチ）器 (organ of Corti) や，平衡覚の半規管 (semicircular canal) の有毛細胞などがある．光

受容器は光照射で活性化され，視覚にあずかる．化学受容器は化学物質により活性化され，嗅覚や味覚，さらに呼吸の調節における O_2 や CO_2 の検出にもあずかる．温度受容器は皮膚の温度とその変化により活性化される．侵害受容器は強い圧刺激や熱，あるいは有害物質によって活性化される．

■ 感覚変換と受容器電位

　感覚変換とは，圧力や光，化学物質などの環境刺激により受容器が活性化され，電気エネルギーへと変換される過程のことである．多くの場合，この変換には受容器細胞膜のイオンチャネルの開閉がかかわっており，その結果，膜を横切るイオンの流れ（イオン電流の流れ）が生じる．電流は受容器電位とよばれる膜電位変化をもたらし，活動電位が発生する可能性を増やしたり減らしたりする．刺激により感覚受容器が活性化されたときの過程を次に記す．

1. 感覚受容器が環境からの刺激 (stimulus) を受けると，その特性が変化する．音波が Corti 器の有毛細胞を動かすように，機械刺激を受けると機械受容器に動きが生じる．光子は網膜に存在する光受容器の色素により吸収され，光受容器の膜上の化学物質であるレチナール (retinal)

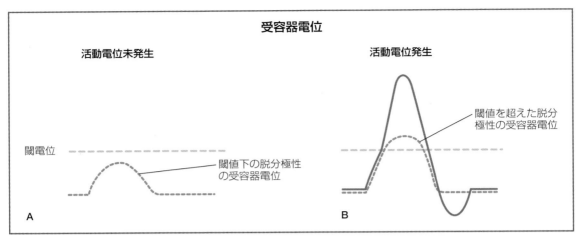

図 3.5　感覚受容器細胞の受容器電位.
感覚刺激を受けると，受容器は脱分極性（図示）あるいは過分極性（図示されていない）の受容器電位を発生する．**A**：脱分極性の受容器電位が閾値に達しないと，活動電位は発生しない．**B**：脱分極性の受容器電位が閾値に達すると，活動電位が発生する．

の光異性化（photoisomerization）を引き起こす．化学的刺激物質が化学受容器と反応することにより，G_s タンパク質とアデニル酸シクラーゼ（adenylyl cyclase）が活性化される．これらすべての変化は感覚受容器内に起こることである．

2. このような変化が，感覚受容器細胞膜に存在する**イオンチャネル（ion channel）**の開閉を引き起こし，その結果，膜を横切る電流が変化する．陽イオンが細胞内に流入して正味の電流が内向きであれば，膜は脱分極する．陽イオンが細胞外に流出して正味の電流が外向きであれば，膜は過分極する．脱分極性であっても過分極性であっても，膜電位に生じる変化を**受容器電位**あるいは**起動電位（generator potential）**とよぶ．受容器電位は活動電位ではない．むしろ，受容器電位は活動電位の発生する可能性を増加もしくは減少させるものである．受容器電位が**脱分極性（depolarizing）**か**過分極性（hyperpolarizing）**か，すなわち，膜電位が閾値に近づくか遠ざかるかによって，活動電位の発生する可能性の増減は決まる．受容器電位の大きさ（振幅）は，刺激の大きさによってさまざまに変化する．

3. **脱分極性**の受容器電位が発生すると，膜電位は閾電位に向かって上昇し，活動電位が起こりやすくなる（図3.5）．受容器電位の大きさには段階があり，振幅の小さい脱分極性の受容器電位が生じても，膜電位は閾電位より下で活動電位を発生できないかもしれない．しかし，大きな刺激によって大きな脱分極性の受容器電位が生じ，閾電位を超えると活動電位は生じるのである．**過分極性**の受容器電位が発生すると（図には示していない），膜電位は閾電位から離れて深くなり，活動電位の発生は抑制される．

■ 受容野

刺激が与えられたときに，ある感覚ニューロンの発火頻度が変化するような身体の領域を**受容野（receptive field）**という．発火頻度が増加する場合も減少する場合もあり，感覚ニューロンの発火頻度が増加する受容野は**興奮性（excitatory）**，減少する受容野は**抑制性（inhibitory）**とよぶ．

一次，二次，三次，四次感覚ニューロンはそれぞれ受容野をもち，例えば二次ニューロンの受容野は，このニューロンの発火頻度を変化させるような末梢の受容器が分布する領域をいう．

受容野の広さはさまざまであり（図3.6），受容野が狭いほど，刺激を受けた部位が先鋭に特定される．一般的には，中枢神経系のニューロンは高次のものになるほど，各中継核で多くのニューロンからの情報が収束するために，より複雑な受容野をもつようになる．すなわち，一次感覚ニュー

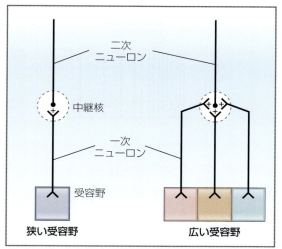

図3.6　感覚ニューロンの受容野.

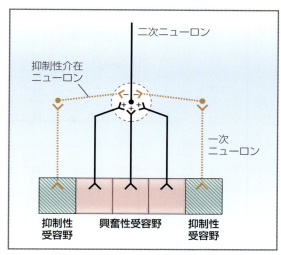

図3.7　感覚ニューロンの興奮性受容野と抑制性受容野.

ロンが最も単純な受容野をもち，四次感覚ニューロンが最も複雑な受容野をもつ．

　先述の通り，興奮性と抑制性の受容野があるために，興奮性と抑制性の受容野を組み合わせるパターンによって，**さらに多くの情報が中枢神経系に伝達される**ことになる．図3.7に，そのようなパターンをもつ二次ニューロンの例を説明する．このニューロンの皮膚の上での受容野は，中心に興奮性領域，その両脇には抑制性領域を有する．入力された情報すべては脊髄あるいは脳幹の中継核で処理される．この抑制性領域が，**側方抑制（lateral inhibition）**とよばれる現象の一因であり，境界のコントラストが増して境界部位が鮮明となり，刺激部位が正確に同定できるようになる．

■ 感覚情報の符号化

　感覚ニューロンは環境からの刺激を符号化する．感覚受容器で刺激が変換されると符号化が開始され，情報が中枢神経系の高次のレベルに伝達される過程でも符号化は続けられる．刺激をある観点からみた特徴が符号化され解釈される．例えば，赤いボールをみているとき，ボールの大きさや位置，色，奥行きが符号化される．感覚様式（sensory modality），空間位置，刺激の頻度や強度，閾値や刺激持続時間などの特徴が符号化される．

- **刺激の様式**は特定の経路によって符号化されることが多い．特定の経路は，その様式に特化した感覚ニューロンによって構成されており，例えば，視覚に特化した経路は網膜の光受容器に起始する．この経路は体性感覚，聴覚あるいは嗅覚刺激によって活性化されることはない．このように，刺激の様式ごとに決まった特定の経路が存在する．
- **刺激の位置**は感覚ニューロンの受容野によって符号化され，前述の通り側方抑制によって，さらに明確となる．
- **閾値（threshold）**は感知できる最も小さな刺激である．閾値は受容器電位とあわせて考えるとわかりやすいだろう．刺激が大きくなり，脱分極性の受容器電位が生じて閾値に達すると，活動電位が発生して感知されるようになる．より小さな閾値下の刺激は感知されない【訳者注：感覚刺激の大きさの閾値と，受容器電位の閾値（閾電位），両者は密接にかかわるが，異なる概念である．混同しないようにすること】．
- **刺激の強さ**は3通りに符号化される：(1)活性化される受容器の数として符号化される．したがって，刺激が強くなると刺激が弱いときと比べて多くの受容器が活性化され，大きな反応が生じる．(2)経路中の感覚ニューロンの発火頻度の違いとして符号化される．(3)異なる種類の受容器が活性化されることによって符号化される

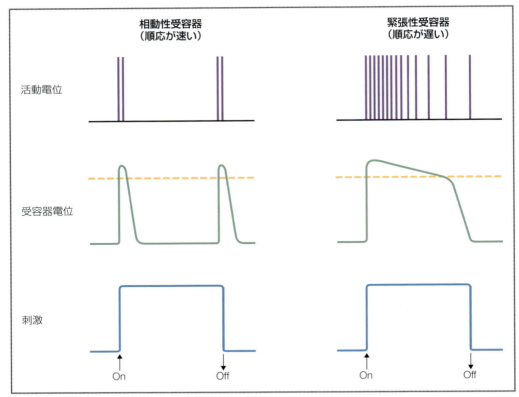

図3.8 相動性受容器と緊張性受容器の応答.

ことがある．例えば，皮膚への軽い触覚刺激は機械受容器だけを活性化させるが，皮膚を損傷するような強い刺激は，機械受容器に加えて侵害受容器も活性化させるであろう．強い刺激は，強いというだけでなく，痛みや不快感といった別の様式の刺激として感知される．
- 刺激情報は**神経地図**としても符号化される．神経地図は，異なる情報を受け取るニューロンがそれぞれ分離して規則性をもって並ぶことで形成される．その異なる情報の例として，体部位局在地図における身体の異なる部位からの情報，同様に網膜部位局在地図における網膜部位情報，周波数局在地図における音の周波数情報などがある．
- その他の刺激情報は**神経インパルスの様式**（pattern of nerve impulse）として符号化される．平均発射頻度や発火持続時間によって符号化されるものもあれば，時間的な発火様式によって符号化されているものもある．刺激の頻度は，感覚ニューロンの発射と発射の間隔として直接符号化されることもあり，スパイク間隔（interspike interval）とよばれる．
- 刺激の**持続時間**は，感覚ニューロンの発火の持続時間として符号化される．しかし，刺激が長く続くと受容器が刺激に対して"順応"し，発火頻度は変化することになる．感覚ニューロンには順応が速いものと遅いものがある．

■ 感覚受容器の順応

感覚受容器は刺激に順応する．**順応**（adaptation）は，同じ強さの刺激が持続して与えられるとみられる．はじめは受容器の活動電位は高頻度にみられるが，次第にその頻度は減少していく（図3.8）．受容器によって順応様式は異なり，例えばPacini 小体のように順応が速い受容器では発火は**相動性（一過性）**（phasic）であり，Merkel（メルケル）細胞のように順応が遅い受容器では**緊張性（持続性）**（tonic）に発火が生じる．

図3.8に，順応についての生理学的な基本事項を示す．一過性の発火を示す相動性受容器と，持続的な発火を示す緊張性受容器の2種がある．例えば，圧などの刺激が加わり (on)，その後取り除かれる (off) とする．刺激が加わっているときに，受容器電位と活動電位の発生頻度を計測する（図3.8では活動電位を"スパイク (spike)（とがったもの，棘波）"で表している）【訳者注：活動電位をスパイクとよぶこともある】．

- 相動性（一過性）受容器 (phasic receptor) には，振動の急速な変化を感知する Pacini 小体がある．Pacini 小体は，持続する刺激に対して急速に順応し，刺激の開始時 (onset) と終了時 (offset) や刺激が変化したときにだけ応答する．相動性受容器は，刺激の開始時に膜電位が閾値を超えるような脱分極性の受容器電位を生じて迅速に応答し，活動電位の短い発火バーストがみられる．その後，受容器電位は閾値下へと低下し，刺激が持続しても活動電位を発生することはない．刺激が終了すると，受容器は再度活性化されることがあり，受容器電位は閾値まで脱分極し，再び活動電位の短い発火バーストが発生する．

- 緊張性（持続性）受容器 (tonic receptor) には，皮膚の持続的な圧力を感知する機械受容器である Merkel（メルケル）受容器 (Merkel receptor) がある．Pacini 小体の振動刺激に対する急速な on-off 応答とは異なり，緊張性の機械受容器は刺激の持続時間や強さを符号化するようなしくみになっている．緊張性受容器は，刺激の開始時に脱分極性の受容器電位により膜電位が閾値を超えるような応答をし，その結果，活動電位が長時間持続する．受容器電位がすぐに基線へと戻ってしまう Pacini 小体とは異なり，受容器電位は脱分極したまま，刺激が終了するまで活動電位が持続する．受容器電位が再分極を開始すると，活動電位の発生頻度は減少し，最終的には静止状態へと戻る．緊張性受容器は，刺激の強さを符号化し，強度が大きくなるに従って脱分極性の受容器電位は大きくなり，活動電位が発生しやすくなる．したがって，緊張性受容器は刺激の持続時間も符号化し，持続時間が長くなるに従って受容器電位が閾値を超える時間が長くなる．

体性感覚系と痛覚

体性感覚系は，触覚，位置覚，痛覚，温度覚に関する情報を処理する．機械受容器，温度受容器，侵害受容器が，これらの感覚の変換を行っている．中枢神経系へ体性感覚情報を伝達する経路には，後索系と前外側索系の2つがある．後索系は，識別性の高い触覚，圧覚，2点識別覚 (two-point discrimination)，振動覚，固有感覚（四肢の位置覚）を，前外側索系は，痛覚，温度覚，軽い圧刺激などの触覚を伝達する．

体性感覚受容器の分類

体性感覚受容器は，受ける感覚刺激の種類によって分類される．主に，触覚や固有感覚にあずかる機械受容器，温度覚にあずかる温度受容器，痛覚や有害刺激の知覚にあずかる侵害受容器がある．

■ 機械受容器

機械受容器は，圧覚や固有感覚の刺激の種類によって分類される．皮膚の無毛部に存在するものもあれば，有毛部に存在するものもある．機械受容器について，構造と分布を図3.9に示し，皮膚や筋で存在する場所，順応性，感覚の種類に基づく分類を表3.3に示す．

受容器において重要な特徴とは，どのような順応性を示すかということである．Pacini 小体のように"順応が非常に速い"ものや，Meissner 小体や毛包のように"順応が速い"ものから，Ruffini（ルフィニ）小体 (Ruffini corpuscle) や Merkel 受容器，触覚円板 (tactile disc) のように"順応が遅い"ものまである．順応が速い，ないし順応が非常に速い受容器は，刺激の変化を感知することで速度の変化を感知する．順応が遅い受容器は，刺激の強さと持続時間に応じる．

- Pacini 小体

Pacini 小体 (Pacinian corpuscle) は，被膜が

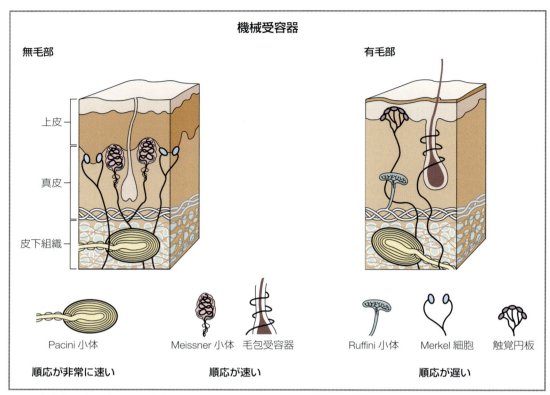

図3.9 皮膚無毛部と有毛部の機械受容器.

表3.3 機械受容器の種類.

種類	分布	順応	感覚の種類
Pacini小体	皮下,骨格筋内	非常に速い	振動覚,触覚(軽い接触)
Meissner小体	皮膚無毛部	速い	触覚(2点識別,軽い接触),粗振動
毛包受容器	皮膚有毛部	速い	触覚(速度と移動方向)
Ruffini小体	皮膚有毛部	遅い	触覚(皮膚伸張),関節の動き
Merkel受容器	皮膚無毛部	遅い	触覚(皮膚の凹み)
触覚円板	皮膚有毛部	遅い	触覚(皮膚の凹み)

神経終末を取り囲んでいる受容器であり,皮膚の有毛部,無毛部ともに真皮深層や皮下組織,さらには筋にも存在する.機械受容器のなかでも最も順応が速く,非常に速いon-off応答を示すため,刺激速度の変化を感知することができ,**振動覚**を符号化する.

- Meissner小体

 Meissner小体(Meissner corpuscle)もまた被膜に包まれた受容器であり,皮膚の無毛部の真皮,特に指先や口唇などの触覚の鋭敏な部位に多く存在する.受容野が小さいために,**2点識別**にあずかる.Meissner小体は順応が速い受容器であり,位置の識別,正確な位置の符号化を行うとともに,粗振動(tapping and flutter)の受容器としても働く.

- 毛包

 毛包(hair follicle)受容器は,皮膚の有毛部にある毛包の周囲に神経線維が巻きついた構造をしている.毛が抜けることにより,毛包受容器は興奮する.順応が速い受容器であり,毛が皮膚に対して動いた**速度**や方向を感知する.

- Ruffini小体

 Ruffini小体(Ruffini corpuscle)は,無毛部および有毛部の真皮と関節包に存在する.皮膚が伸張されるような刺激に反応し,受容野が広く,刺

激を加えられた部位から活性化した受容器まで離れていることもある．Ruffini小体は順応が遅い受容器であり，皮膚が伸張されると受容器はすぐに発火するが，次第に刺激の強さに応じた頻度で発火するようになる．Ruffini小体は，皮膚の**伸張**と関節の回旋を感知する．

● Merkel受容器と触覚円板

Merkel受容器（Merkel receptor）は順応が遅い受容器であり，皮膚の無毛部に存在し，非常に狭い受容野をもつ．皮膚の垂直方向への**陥凹**（indentation）を感知し，刺激の強さに応じて応答する．皮膚の有毛部では，触覚円板がMerkel受容器に代わって同じような働きをする．

■ 温度受容器

温度受容器は，皮膚温の変化を感知する順応の遅い受容器であり，冷受容器（cold receptor）と温受容器（warm receptor）がある（**図3.10**）．ともに広い温度域で活動がみられ，中間の温度域，例えば36℃では冷受容器も温受容器も応答する．皮膚温が36℃以上に加温されると冷受容器は次第に活動を停止し，36℃以下に冷却されると温受容器が活動を停止する．

皮膚が傷害されるほど高温（45℃以上）になると，温受容器が活性化されなくなる．すなわち，温受容器が極端な熱に対する痛みを伝達しなくなる代わりに，それ以上の温度域ではポリモーダル侵害受容器が活性化され，痛みを感知するようになり，同じように，極端に冷たい（凍るような）温度でも侵害受容器が活性化される．

温かい温度刺激の変換には，バニロイド受容体（vanilloid receptor）ファミリーの**一過性受容器電位チャネル**（transient receptor potential (TRP) channel），すなわちTRPVがかかわっている．辛い食べ物の成分であるカプサイシンのようなバニロイドを含む物質により活性化されるため，トウガラシの味を"熱い（hot）"と表現するのであろう．

冷たい温度刺激の変換には，別のTRPチャネルであるTRPM8がかかわっている．冷たい感覚を引き起こすメントールのような物質により，チャネルは開口する．

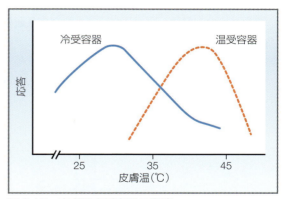

図3.10　皮膚温度受容器の応答．

■ 侵害受容器

侵害受容器は組織を損傷するような有害刺激に応答する．**温度または機械刺激に対する侵害受容器**（thermal or mechanical nociceptor）と，**ポリモーダル侵害受容器**（polymodal nociceptor）の大きく2種類に分類される．温度刺激または機械刺激に対する侵害受容器（TRPVやTRPM8チャネル）は，細い有髄線維であるAδ求心性神経線維にあり，鋭く刺すような痛み刺激に応答する．ポリモーダル侵害受容器は無髄C線維にあり，強い機械刺激や化学刺激，温刺激や冷刺激に応答する．

皮膚は損傷を受けると，ブラジキニン，プロスタグランジン，サブスタンスP，K^+やH^+といった**炎症反応**（inflammatory response）を引き起こす，さまざまな化学物質を放出する．血管透過性が亢進することで，皮膚の局所の腫脹と発赤がみられる．損傷部位近傍のマスト細胞（mast cell）がヒスタミンを放出し，侵害受容器を直接活性化させる．さらに，侵害受容器の軸索から放出される物質により，これまでは有害刺激でもなく強い痛み刺激でもなかった弱い痛み刺激に対して，侵害受容器は感作（sensitization）されてしまう．これを**痛覚過敏**（hyperalgesia）とよび，痛みに対する閾値の低下を含むさまざまな現象のもととなる過程である．

体性感覚経路

体性感覚情報は，後索系と前外側索系の2つの

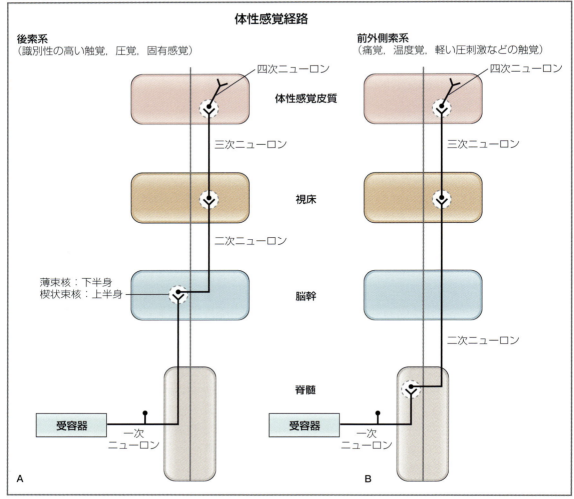

図 3.11 体性感覚の伝導路．後索系（A）と前外側索系（B）．
後索系は脳幹で，前外側索系は脊髄で正中線を越えて反対側へ交叉する．

経路で中枢神経系へと伝達される（図 3.11）．各経路の構成は感覚系の冒頭，感覚路の項で説明した一般論にのっとっている．

1. 体性感覚経路における**一次ニューロン**（first-order neuron）は一次求心性ニューロンであり，その細胞体は後根神経節や脳神経節にあり，体性感覚受容器細胞，すなわち機械受容器にシナプス結合をしている．感覚情報は受容器によって変換された後，一次求心性ニューロンによって中枢神経系へと伝達される．
2. **二次ニューロン**（second-order neuron）は，前外側索系では脊髄内に，後索系では脳幹内に存在し，一次ニューロンから受け取った情報を視床へと伝達する．二次ニューロンの軸索は，脊髄内あるいは脳幹内で**正中線を越えて**反対側へ交叉し，視床へと上行する．つまり，身体の一側の体性感覚情報は反対側の視床が受け取ることになる．
3. **三次ニューロン**（third-order neuron）は，視床の体性感覚核のうちの 1 つに存在する．視床では，体性感覚情報が体部位局在に従って配列している．
4. **四次ニューロン**（fourth-order neuron）は，S1 あるいは S2 とよばれる体性感覚皮質に存在し，さらに高次のニューロンや他の連合皮質で複雑な情報が統合される．S1 体性感覚皮質では，

体性感覚系と痛覚　93

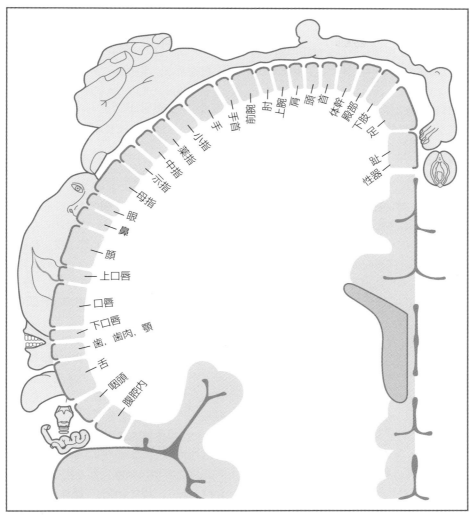

図3.12　体性感覚小人間像.
（Wilder Penfield; Theodore Rasmussen. The cerebral cortex of man : a clinical study of localization of function. © 1952, a part of Cengage, Inc. より許可を得て複製．www.cengage.com/permissions.）

視床と同じように体部位局在が再現されており，この感覚地図のことを**体性感覚小人間像**（somatosensory homunculus）とよぶ（図3.12）．なかでも最も広い領域を占めているのが，顔や手，指といった，体性感覚神経が密に分布し感覚が鋭敏な部位である．体性感覚小人間像は，体性感覚情報を"部位"によって符号化（place coding）した実例である（感覚情報の符号化の項を参照すること）．

■ 後索系

後索系は，**識別性の高い触覚**（discriminative touch），**圧覚**（pressure），**振動覚**（vibration），**2点識別**（two-point discrimination）や**固有感覚**（proprioception）についての体性感覚情報を伝達する．後索系は，主としてⅠ群，Ⅱ群とよばれる神経線維からなっている．一次ニューロンの細胞体は後根神経節ないし脳神経節にあり，同側の後索を上行し，脳幹の延髄にある**薄束核**（nucleus gracilis）（下半身から），あるいは**楔状束核**（nucleus cuneatus)（上半身から）へと至る．脳幹では，一次ニューロンが二次ニューロンに対してシナプス結合をし，二次ニューロンは**正中線を越えて**上行し，反対側の視床へ投射する．視床では，二次ニューロンが三次ニューロンに対してシナプス結合をし，体性感覚皮質へと上行し，四次ニューロンに対してシナプス結合をする．

■ 前外側索系

前外側索（脊髄視床）系は，**痛覚（pain）**，**温度覚（temperature）**，**軽い圧刺激などの触覚（light touch）**についての体性感覚情報を伝達する．前外側索系は，主としてⅢ群，Ⅳ群とよばれる神経線維からなっている（Ⅳ群の線維は，すべての感覚神経のなかで最も遅い伝導速度を示すことを念頭に置くこと）．一次ニューロンの細胞体は後根神経節内にあり，皮膚の温度受容器や侵害受容器とシナプス結合をし，脊髄内で二次ニューロンとシナプス結合をする．二次ニューロンは，脊髄内で**正中線を越え**，反対側の視床へと上行する．視床では，二次ニューロンが三次ニューロンに対してシナプス結合をし，体性感覚皮質へと上行し，四次ニューロンに対してシナプス結合をする．

針で刺されたときのような**速い痛み（fast pain）**は，Ⅱ群やⅢ群の線維であるAδ線維によって伝えられ，開始と終止が急峻であり，そして痛みがどこに局在するのか明瞭である．熱傷のときのような**遅い痛み（slow pain）**は，C線維によって伝えられ，焼けるようなズキズキと疼くような痛みであり，局在は不明瞭である．

内臓の病変による痛みを誤って皮膚の痛みと感じるとき，これを**関連痛（referred pain）**という．**皮膚分節（デルマトーム）の法則（dermatomal rule）**に従った痛みであることから"関連（referred）痛"と命名されている．皮膚分節とは，ある脊髄分節に含まれる感覚神経に支配される皮膚の領域のことであり，その皮膚からの求心性神経が入力するのと同じ脊髄分節に，内臓器官に分布する求心性神経が入ることにより関連痛が生じる．したがって，虚血性心疾患で生じる痛み（狭心痛）は胸部や肩に，胆嚢の痛みは腹部に，腎疾患の痛みは腰背部に関連痛として生じる．

視覚

視覚系は，電磁波である光刺激を感知して分析する．眼は，光の2つの特徴である明るさと波長の違いを感知する．ヒトは，**可視光（visible light）**とよばれる波長400〜750 nmの光を感知する．

眼球の構造

眼球の主な構造を**図3.13**に示す．眼球壁は同心3層の外層，中間層，内層からなる．外層は線維性の構造で，角膜，角膜上皮，結膜，強膜からなる．中間層は血管に富み，虹彩と脈絡膜からなる．内層は神経性の網膜で，**視神経（optic nerve）**の先端に相当する**視神経乳頭（optic disc）**による**盲点（blind spot）**を除き，眼球後部の内面を覆う．視力は**黄斑（macula）**とよばれる網膜の中心部で最も高く，光（外界の像）は黄斑の陥凹部分である**中心窩（fovea）**に焦点を結ぶ．水晶体は光を屈折させて網膜に結像させ，色素上皮は光を吸収して光の散乱を抑える．**眼房水（aqueous humor）**は前部の眼房を満たし，**硝子体液（vitreous humor）**は後部の眼房を満たす．

視覚受容器は網膜にある**視細胞（photoreceptor）**であり，**桿体（rod）**と**錐体（cone）**の2種類がある（**表3.4**）．**桿体**は閾値が低く，弱い光に反応し，暗所視に働く．**錐体**は桿体より光刺激に対する閾値が高く，明所視に働き，高い視力をもたらし，色覚にかかわる．錐体は弱い光刺激には反応しない．

光情報は，網膜にある視細胞により受容，変換され，網膜神経節細胞の軸索である視神経によって中枢神経系へと伝達される．視神経の約半分は視交叉で交叉し，残りの約半分は交叉せずに同側を走行する．主要な視覚経路は，視床の外側膝状体から視覚皮質へと投射する経路である．

光受容

■ 網膜の各層

網膜は，光刺激を受容するために特殊化した感

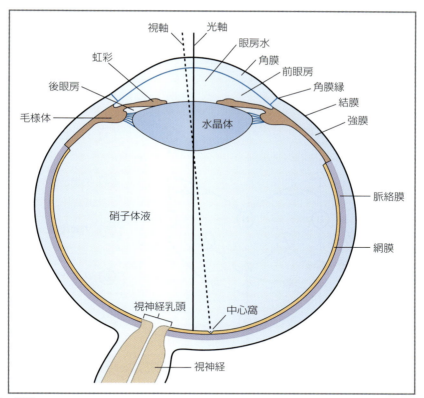

図 3.13　眼球の構造.

表 3.4　桿体と錐体の特性.

視細胞	光感受性	視力	暗順応	色彩視
桿体	閾値が低い 弱い光に応答 暗所視	視力は低い 中心窩には存在しない	順応速度は遅い	無
錐体	閾値が高い 強い光に応答 明所視	視力は高い 中心窩に存在する	順応速度は速い	有

覚上皮であり，視細胞をはじめとする細胞が層構造をなしている．網膜の細胞には，視細胞，介在ニューロン(双極細胞，水平細胞，アマクリン細胞)や神経節細胞がある．細胞間のシナプスは，外網状層と内網状層で形成されている．網膜の各層について，図3.14の○で囲んだ番号と対応させて記す．

①**色素上皮細胞層 (pigment cell layer)**．脈絡膜のすぐ内側の**色素上皮 (pigment epithelium)** の層から網膜は始まる (図3.13)．色素上皮細胞は，視細胞層に触手のような突起を伸ばして漏れ出る光を吸収して，視細胞間の光の散乱を防ぐ．また，色素上皮細胞は，オールトランスレチナール (all-*trans*-retinal) を 11-シスレチナール (11-*cis*-retinal) に変換して，11-シス型を視細胞に供給する(**図3.16** 光受容の各ステップを参照)．

②**視細胞層 (photoreceptor layer)**．視細胞には桿体と錐体があり，細胞体，外節と内節がある．図には桿体だけを示す．

③**外顆粒層(外核層) (outer nuclear layer)**．視細胞の核(R)で構成される．

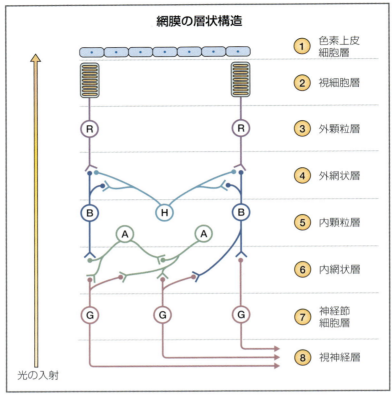

図 3.14 網膜の層状構造.
網膜からの出力細胞は網膜神経節細胞であり，その軸索が視神経を形成する．図中の○で囲んだ番号は本文の網膜各層に対応する．A：アマクリン細胞，B：双極細胞，G：神経節細胞，H：水平細胞，R：視細胞．

④**外網状層**(outer plexiform layer)．外網状層はシナプス層であり，網膜にある視細胞と介在ニューロンのシナプス前構造とシナプス後構造が存在する．介在ニューロンの細胞体は内顆粒層にある．視細胞と介在ニューロン間，また，介在ニューロン同士の間でシナプス結合される．

⑤**内顆粒層（内核層）**(inner nuclear layer)．双極細胞(B)，水平細胞(H)，アマクリン細胞(A)といった介在ニューロンの細胞体からなる．

⑥**内網状層**(inner plexiform layer)．内網状層は2番目のシナプス層であり，網膜にある介在ニューロンのシナプス前構造とシナプス後構造が存在する．介在ニューロンと神経節細胞間でシナプス結合される．

⑦**神経節細胞層**(ganglion cell layer)．網膜から中枢神経系へ出力を送る神経節細胞(G)の細胞体からなる．

⑧**視神経層**(optic nerve layer)．網膜神経節細胞の軸索が視神経層を構成している．軸索は黄斑部を避けて網膜を走り，視神経乳頭に入って視神経となり眼球を離れる．

桿体と錐体では視力に差があると記したが，これは網膜内の回路網における違いで説明できる（表3.4）．1個の双極細胞にシナプス結合をする**錐体**の数は**少なく**，双極細胞は1個の神経節細胞とシナプス結合をするため，視力は高くなるが感度は低くなる．視力が最高となる中心窩では，1個の錐体が1個の双極細胞に，さらに1個の双極細胞が1個の神経節細胞にシナプス結合をする．対照的に，1個の双極細胞にシナプス結合をする**桿体**の数は**多い**ため，視力は低いが感度は高くなる．なぜなら，どの桿体が1つでも光刺激を受けたら双極細胞は活性化することになるからであ

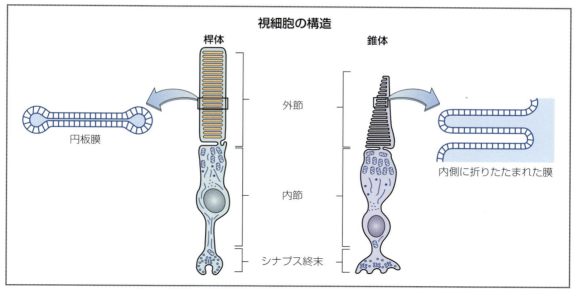

図 3.15　視細胞の構造.
外節を拡大して示す.

■ 視細胞の構造

　視細胞である桿体と錐体は，網膜の数層にわたって存在しており，外節と内節は視細胞層に，核は外顆粒層に，双極細胞や水平細胞と形成するシナプス終末は外網状層に存在する．桿体と錐体の構造を図 3.15 に示す．
　桿体と錐体の**外節 (outer segment)** には，光感受性色素（感光色素（photopigment））である**ロドプシン**が存在する．桿体の外節は長く，桿体の細胞膜から切り離された円板膜が積み重なっており，その膜上に大量のロドプシンが存在している．錐体の外節は，短い円錐状で，表面膜が内側に折りたたまれて層状に重なっている．この膜上にもロドプシンを含むが，桿体と比べると少ない．感光色素の量が多いほど光感受性は高くなるので，桿体の光感受性が高くなっている．**光子 1 個で桿体を活性化できるが，錐体を活性化するには数百個の光子が必要となる**．
　桿体と錐体の**内節 (inner segment)** は，1 本の線毛で外節とつながっている．内節にはミトコンドリアやその他の細胞内小器官が存在する．ロドプシンは内節で合成されて外節の膜に組み込まれる．**桿体**では，ロドプシンは新しい円板膜に組み込まれ，円板膜は外節の先端に向かって移動しながら桿体の形態形成を担い，最終的には脱落して色素上皮細胞に貪食される．**錐体**では，ロドプシンは折りたたまれた膜の中にランダムに組み込まれ，膜の脱落はない．

■ 光受容の各ステップ

　桿体と錐体が，光エネルギーを電気エネルギーへと変換する過程を光受容という．光感受性色素である**ロドプシン**は，オプシン（G タンパク質共役型受容体スーパーファミリーに属するタンパク質）とレチナール（ビタミン A のアルデヒド）から構成される．視細胞が光刺激を受けると，レチナールは光異性化という過程によって化学構造が変化し，変換過程が開始される．光受容の各ステップは，図 3.16 中の○で囲んだ番号に対応する．
①光が網膜に到達すると，**光異性化**が開始し，レチナールが 11-シス型からオールトランス型へと変換される．その後，オプシンに一連の構造変化が起こり，**メタロドプシンⅡ (metarhodopsin Ⅱ)** が産生される（11-シスレチナールの再生には，オールトランスレチナールがレチ

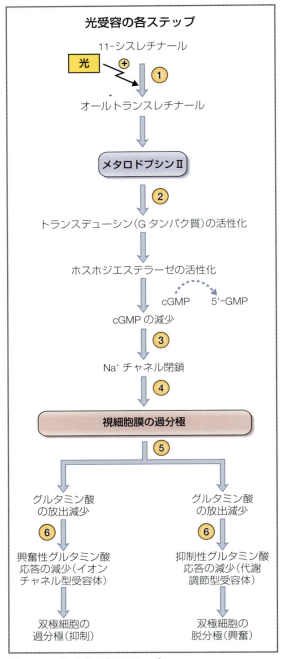

図3.16 光受容の各ステップ.
光刺激が網膜に加わると視細胞は過分極し、グルタミン酸の放出を減らして、双極細胞を過分極あるいは脱分極させる。○で囲んだ番号は、本文中に付したステップ番号に対応している。cGMP：環状GMP，GMP：グアノシン一リン酸．

ノール（ビタミンA）に再変換される必要がある）．

② メタロドプシンIIは，**トランスデューシン(transducin)** または G_t とよばれるGタンパク質を活性化する（このステップにおいて非常に大きな増幅効果が生じており，1個の光子によって活性化されたメタロドプシンIIの1分子は何と800ものトランスデューシン分子を活性化するのである）．トランスデューシンはホスホジエステラーゼを活性化し，環状グアノシン一リン酸（cyclic guanosine monophosphate：cGMP）を分解して $5'$-GMPへの変換を促進するので，cGMP濃度は減少する．

③ および ④．視細胞膜では，内向き電流を起こす **Na^+チャネル（Na^+ channel）**【訳者注：非選択性陽イオンチャネルであり，Ca^{2+} も流入する】の開閉は，cGMPによって調節される．暗所ではcGMP濃度が上昇し，内向き Na^+ 電流（**暗電流(dark current)**）が生じ，視細胞膜は**脱分極(depolarization)** する．明所では，cGMP濃度が低下し，視細胞膜の Na^+ チャネルは閉じ，内向き Na^+ 電流が減少して**過分極（hyperpolarization）** が生じる（光照射で活性化された状態を終わらせるには，細胞内 Ca^{2+} を減少させてcGMP濃度を元に戻す必要がある）．

⑤ 視細胞膜が**過分極**すると，視細胞のシナプス終末からの，**興奮性神経伝達物質であるグルタミン酸(glutamate)の放出が減少する**（図3.14で示したように，視細胞は外網状層で双極細胞と水平細胞にシナプス結合をしている）．

⑥ 双極細胞と水平細胞には，脱分極性（興奮性）の**イオンチャネル型受容体(ionotropic receptor)** と，過分極性（抑制性）の**代謝調節型受容体(metabotropic receptor)** の2種類のグルタミン酸受容体がある．（おのおのの双極細胞もしくは水平細胞が有する）受容体の種類によって，脱分極性（興奮性）の応答か過分極性（抑制性）の応答を示すかが決まる．つまり，グルタミン酸放出量の**減少**は，イオンチャネル型受容体を有する双極細胞には過分極および抑制，すなわち興奮性の減少をもたらし，代謝調節型受容体を有する双極細胞には脱分極および興奮，

視覚　99

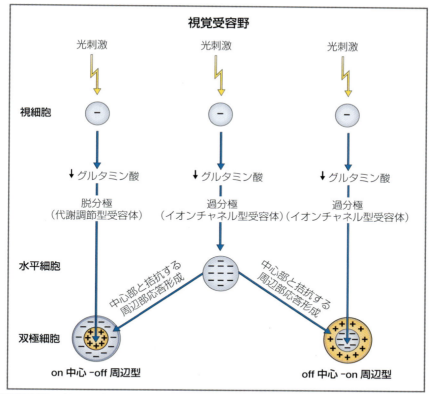

図3.17　網膜双極細胞の視覚受容野.
on中心型とoff中心型の2様式を示す.

つまり抑制性の減少による興奮をもたらす．このような過程が，視野における **on-off パターン (on-off pattern)** を作り出すのに関与している．

■ 視覚受容野

視覚経路の各段階における情報処理の特徴は，受容野の特性によって表される．視細胞，双極細胞と水平細胞，神経節細胞，視床の外側膝状体細胞，視覚皮質の細胞，それぞれが異なる特性の受容野をもち，高次の段階になるほど受容野は複雑な性質を示すようになる．

視細胞，水平細胞，双極細胞

図3.17に視覚受容野の構成の簡単な一例を示す．3個の視細胞，2個の双極細胞とこの双極細胞の間にある水平細胞の受容野を示している．光刺激を受けるとマイナス記号で表したように，視細胞はつねに過分極応答を示し，グルタミン酸の放出量は減少する（この過程を光受容という）．視細胞は，網膜の外網状層で双極細胞と直接シナプス結合をする．双極細胞の受容野は2つの同心円で示され，内側の円は "**中心 (center)**"，外側の円は "**周辺 (surround)**" とよばれる．受容野の中心は視細胞から直接入力を受け，前述の通り，双極細胞が有するグルタミン酸受容体の種類の違いによって **興奮 (on)** または **抑制 (off)** 系のいずれかに分かれ，代謝調節型グルタミン酸受容体を有する双極細胞は興奮性（＋），イオンチャネル型グルタミン酸受容体を有する場合は抑制性（－）の応答を示す．双極細胞の受容野周辺部は，水平細胞を介して隣接した視細胞からの入力を受け，受容野中心部とは反対の応答を示す．なぜなら，水平細胞は抑制性ニューロンであるため，視細胞から双極細胞への応答に介在することで直接の応答とは反対の応答へと変換するからである．図3.17に

双極細胞の2種類の受容野を示し，以下に説明する．

- **on 中心-off 周辺型**（on-center, off-sur-round）（もしくは **on 中心型**（on-center））．図の左に示す双極細胞は，受容野中心部を光刺激されると**興奮(on)**し，周辺を光刺激されると**抑制(off)**される．どのようにしてこのようなパターンは生じるのか．視細胞は光刺激を受けるとつねに過分極し，グルタミン酸の放出量を減少させる．視細胞は双極細胞の受容野の中心に入力しており，グルタミン酸は代謝調節型受容体に結合する．したがって，受容野中心は興奮，すなわち抑制性の減少による興奮を生じ，このような機構を符号反転とよぶ．双極細胞の受容野周辺部は水平細胞を介して入力している．

- **off 中心-on 周辺型**（off-center, on-sur-round）（もしくは **off 中心型**（off-center））．図の右に示す双極細胞では，受容野中心を光刺激すると**抑制(off)**され，周辺を光刺激すると**興奮(on)**する．どのようにしてこのようなパターンは生じるのか．繰り返しになるが，視細胞は光刺激を受けると抑制されるのである．視細胞は双極細胞の受容野の中心に入力しており，グルタミン酸はイオンチャネル型受容体に結合する．したがって，受容野中心は抑制され，このような機構を符号維持とよぶ．光刺激により周辺の視細胞も抑制されることにより，水平細胞も抑制される．水平細胞は双極細胞の受容野周辺に結合しており，水平細胞が抑制されると視細胞とは反対に受容野周辺部を興奮させる．

アマクリン細胞

アマクリン細胞は水平細胞と同様に抑制性ニューロンであり，双極細胞や神経節細胞の受容野周辺部の応答性を調節する．

神経節細胞

神経節細胞は，双極細胞とアマクリン細胞の両方から入力を受ける（**図3.14**参照）．神経節細胞は主として双極細胞から入力を受けているため，

双極細胞でできあがった on 中心型および off 中心型の様式が維持されている．

視床の外側膝状体細胞

視床の外側膝状体（lateral geniculate body）細胞の受容野は，神経節細胞の on 中心型または off 中心型のパターンがそのまま引き継がれ，維持される．

視覚皮質

視覚皮質のニューロンは，図形の形や方位を感知する．このような視覚の識別に，単純細胞，複雑細胞，超複雑細胞の3種類の細胞が関与している．**単純細胞**（simple cell）は神経節細胞や外側膝状体細胞と同じような，つまり on 中心型または off 中心型の受容野をもつが，その形は同心円ではなく長い棒状である．したがって，受容野の位置と方位に"よく合った"棒状の光に最もよく応答する．**複雑細胞**（complex cell）は，至適な方向に動かした棒状の光や至適な方位の光の境界部に最もよく応答する．**超複雑細胞**（hypercomplex cell）は，特定の長さや特定の曲率や角度をもつ線に最もよく応答する．

視覚経路

網膜から中枢神経系へと至る視覚経路を**図3.18**に示す．網膜神経節細胞の軸索は，視神経，**視索**（optic tract）となって視床の外側膝状体に至り，ここでシナプス結合をした後に視放線を通って視覚皮質へと上行する．

ここでは，耳側の視野は鼻側の網膜に投影され，鼻側の視野は耳側の網膜に投影されることに留意すること．両眼の**網膜の鼻半側**（nasal hemiretina）からの神経線維は視交叉で交叉して反対側を上行する．両眼の**網膜の耳半側**（temporal hemiretina）からの神経線維は，交叉せずに同側を上行する．したがって，**左眼**の鼻側網膜と**右眼**の耳側網膜からの線維が**右側**の視索を形成し，**右側**の外側膝状体ニューロンとシナプス結合をする．一方，**右眼**の鼻側網膜と**左眼**の耳側網膜からの線維が**左側**の視索を形成し，**左側**の外側膝状体ニューロンとシナプス結合をする．外側膝状体からの神

聴覚　101

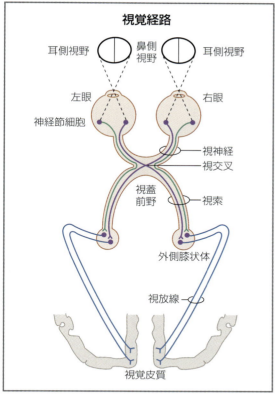

図 3.18　視覚経路.
耳側視野からの視神経線維は視交叉で交叉するが，鼻側視野からの線維は交叉しない．(Barrett, et al. Ganong's Review of Medical Physiology, 23rd ed., McGraw-Hill 2010 より改変.)

経線維は視放線 (optic radiation)（膝状体鳥距路 (geniculocalcarine tract) ともよばれる）を形成し，視覚皮質 (後頭葉の Brodmann（ブロードマン）17 野) まで上行する．右側の外側膝状体からの神経線維は右側の視放線を形成し，左側の外側膝状体からの神経線維は左側の視放線を形成する．

視覚経路が障害されると視野欠損をきたすが，視野欠損は視覚経路をたどることで推定でき，それを図 3.19 に示す．片眼または両眼の視野の半分の視覚が失われることを**半盲 (hemianopia)** という．障害部位と同側に視野欠損が起こると同側性半盲，反対側に起こると反対側性半盲という．以下に示す**障害部位**は網掛けのバーで示し，図中の○で囲んだ番号に対応している．

①**視神経**．視神経が切断されると同側の眼が失明する．したがって，左の視神経切断により左眼が失明する．視交叉で交叉する前に眼からの視神経が切断されるため，その眼からのすべての感覚情報が失われる．

②**視交叉**．視交叉が切断されると，同名性 (両眼性) 両耳側性半盲をきたす．すなわち，交叉する神経線維からの情報がすべて失われる．したがって，視交叉で交叉する両眼の視野耳側からの神経線維から伝えられる情報が失われる．

③**視索**．視索が切断されると，同名性反対側性半盲をきたす【訳者注：同名性反対側性半盲とは，両眼において切断された視索と反対側の視野が欠損することであり，両眼性である】．図に示す通り，左の視索が切断されると，右眼 (交叉性) の耳側と左眼 (非交叉性) の鼻側の視野欠損をきたす．

④**視放線**．視放線が切断されると，**黄斑回避 (macular sparing)**（黄斑部の視野は保たれる) を伴う同名性反対側性半盲をきたす．視覚皮質の障害では，黄斑部から入力を受けるニューロンのすべてが障害されることはないからである【訳者注：黄斑回避は皮質病変 (特に後大脳動脈領域の脳梗塞によるもの) で典型的にみられる．また視放線は白質であり皮質ではない】．

聴覚

聴覚は，音波を電気エネルギーへ変換し，その情報を神経系へと伝達することに関与している．音は増圧 (compression) と減圧 (decompression) が交互に繰り返し形成された波であり，空気や水といった弾力のある媒体を伝播していく．この音圧の相対強度を常用対数で表した単位が**デシベル (decibel：dB)** である．1 秒あたりの音波の振動する回数を音の周波数といい，**ヘルツ (hertz：Hz)** で表す．単一周波数の正弦波で構成される音波を純音という．

ほとんどの音は，いくつかの純音が混合したものである．ヒトの耳は 20 ～ 20,000 Hz の周波数の音を感知することができ，なかでも 2,000 ～ 5,000 Hz の範囲の音に対して最も感受性が高い．1,000 Hz の周波数の音で聞こえる音圧の閾値の

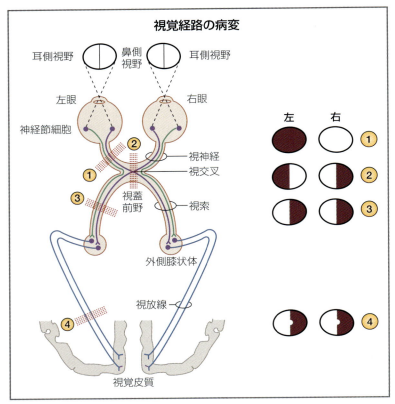

図3.19　視覚経路の障害でみられる視野欠損.
○で囲んだ番号は障害部位を示し，本文中に説明がある．(Barrett, et al. Ganong's Review of Medical Physiology, 23rd ed., McGraw-Hill 2010 より改変.)

平均を基準音として0 dBと定義すると，音圧(dB)は以下の式で計算できる．

$dB = 20 \log P/P_0$

ここで
dB：デシベル
P：測定音圧
P_0：閾値の周波数で測定した基準音の音圧

例えば，基準音より10倍大きな音圧は20 dB ($20 \times \log 10 = 20 \times 1 = 20$ dB)となり，100倍大きな音圧は40 dB ($20 \times \log 100 = 20 \times 2 = 40$ dB)となる．

ヒトの話し声は，通常300〜3,500 Hzの周波数域にあり，音圧はおよそ65 dBである．100 dBを超える音は聴覚器官に損傷を与え，120 dBを超えると痛みを生じるようになる．

耳の構造

図3.20に外耳，中耳，内耳の構造を示す.

- **外耳**(external ear)は耳介と外耳道からなる．外耳は空気で満たされており，外から入ってきた音波を外耳道へ収音している．
- **中耳**(middle ear)は**鼓膜**(tympanic membrane)と**ツチ骨**(malleus)，**キヌタ骨**(incus)，**アブミ骨**(stapes)という一連の耳小骨(auditory ossicle)からなる．鼓膜は外耳と内耳を隔て，卵円窓と正円窓が中耳と内耳の間に存在する．アブミ骨底は卵円窓にはめ込まれ，中耳と内耳のインターフェースとして働いている．中耳も空気で満たされている．
- **内耳**(inner ear)は，**骨迷路**(bony labyrinth)と**膜迷路**(membranous labyrinth)からなる．骨迷路は外側半規管，後半規管，前半規管の3

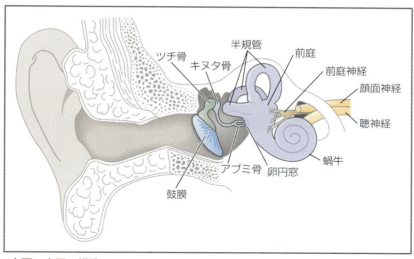

図 3.20　外耳，中耳，内耳の構造．
蝸牛が正面を向くように少し回転させて示す．

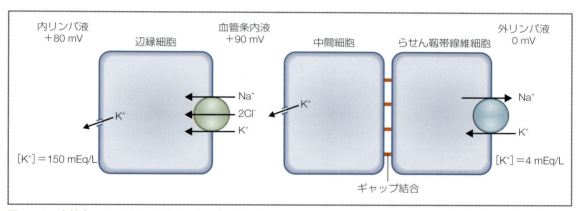

図 3.21　血管条による内リンパ液への K⁺ の分泌

つの**半規管**からなる．膜迷路は前庭階，鼓室階，中央階とよばれる3つの管からなる．

　蝸牛（cochlea）と前庭は，骨迷路と膜迷路からできている．蝸牛はらせん型の構造をしており，3つの管をもち，Corti 器がある．**Corti 器**には受容器細胞があり，聴覚情報の変換を行う場である．内耳は液体で満たされており，管内の液体の組成はそれぞれ異なる．前庭階と鼓室階は細胞外液と似た組成の**外リンパ液**（perilymph）で，中央階は **K⁺ 濃度が高く** Na⁺ 濃度が低い**内リンパ液**（endolymph）で満たされている．したがって，内リンパ液は細胞内液の組成と似ているが，それでも厳密には細胞外液と

いうことになる．

- 他とは異なり K⁺ が非常に高濃度であるという内リンパ液の組成は，血管条における多段階にわたる輸送過程により生じる（図 3.21）．図に示すように，らせん靭帯を構成する線維細胞に存在する Na⁺-K⁺ ATPase は，外リンパ液から細胞内液へと K⁺ を汲み上げる．ギャップ結合によって，線維細胞と中間細胞の間に抵抗の低い導管が形成されている．K⁺ は血管条内液に拡散した後，Na⁺-2Cl⁻-K⁺ 共輸送体によって辺縁細胞に再び汲み上げられる．最終的に K⁺ は，その電気化学的勾配に従って拡散することで，非常に高 K⁺ 濃度の内リンパ液を産生している．

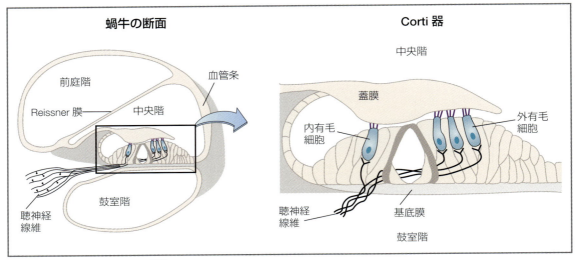

図 3.22　蝸牛と Corti 器の構造．

外リンパ液に対する内リンパ液の電位差は＋80 mV であり，この電位差は**蝸牛内電位**（endocochlear potential）とよばれる．

聴覚情報の変換

聴覚情報の変換とは，音波の電気エネルギーへの変換であり，聴覚器官に属する多くの構造が直接的，間接的に関与している．前述の通り，外耳と中耳は空気で満たされており，Corti 器がある内耳はリンパ液で満たされている．したがって，電気エネルギーへ変換するためには，空気を伝わってきた音波を液体中に伝わる圧力波に変換する必要がある．音響インピーダンスは，液体中のほうが気体中よりもはるかに大きい．鼓膜と耳小骨が，このインピーダンスの違いをうまく揃える器官として音波から圧力波への変換を可能にしている．鼓膜の表面積が大きいのに対して卵円窓の表面積は小さく，さらに耳小骨が"てこ"として働き，振動を増幅することで，**音響インピーダンスの整合**（impedance matching）を行っている．

外耳は音波を外耳道内へと導き，鼓膜へと伝達する．音波が鼓膜を振動させると，耳小骨連鎖を振動させてアブミ骨底を卵円窓へと押し出し，内耳のリンパ液を振動させる．

■ 蝸牛と Corti 器

蝸牛内にはエネルギー変換を行う Corti 器がある．図 3.22 に蝸牛と Corti 器の構造を示す．

断面図が示すように，蝸牛は前庭階，中央階，鼓室階という 3 つの階層からなる．前庭階と鼓室階は外リンパ液で，中央階は内リンパ液でそれぞれ満たされている．中央階は Reissner（ライスナー）膜（Reissner membrane）によって前庭階と，基底膜（basilar membrane）によって鼓室階と分離している．

Corti 器は蝸牛の基底膜上にあり，中央階の内リンパ液に浸かっている．Corti 器に存在する聴覚有毛細胞が，音波から電気信号への変換にかかわっている．Corti 器には，内有毛細胞と外有毛細胞の 2 種類の受容器細胞が存在する．**内有毛細胞**（inner hair cell）は数が少なく 1 列に並んでおり，**外有毛細胞**（outer hair cell）は数が多く数列にわたって平行に並んでいる．有毛細胞から伸びる感覚毛（cilia）は，蓋膜（tectorial membrane）に接している．つまり，有毛細胞の細胞体は基底膜上にあり，その感覚毛は蓋膜に接している．

Corti 器を支配する神経は内耳神経（vestibulocochlear nerve）（**第Ⅷ脳神経**）である．この神経の細胞体はらせん神経節にあり，軸索は有毛細胞と底部でシナプス結合をし，有毛細胞からの音情

報を中枢神経系に伝達する.

■ 聴覚情報変換の各ステップ

　Corti器の有毛細胞によって聴覚情報が電気信号へと変換されるまでに，いくつかの重要なステップを経る．音波が直接鼓膜に到達して鼓膜が振動すると，その振動は耳小骨から卵円窓へと伝えられ，蝸牛の中のリンパ液の振動へと変えられる．耳小骨の"てこ"としての働きと，大きな鼓膜から小さな卵円窓へと音波が収束されるという2つの効果によって音波の振動は**増強される**．このように，音波は空気で満たされた外耳から中耳へと増強されながら伝えられ，さらに，リンパ液で満たされ受容器細胞（すなわち聴覚有毛細胞）が存在する内耳へと伝達される．

　Corti器の有毛細胞では，以下のようなステップを経て音波から電気信号へと変換される（図3.23）．

①音波が内耳に伝わり，Corti器を**振動**させる．
②**聴覚有毛細胞**（auditory hair cell）は機械受容器であり，Corti器に存在する（図3.22参照）．有毛細胞の底部は基底膜上に結合し，感覚毛は蓋膜に接している．基底膜は蓋膜よりも弾性に富むため，Corti器の振動により有毛細胞の**感覚毛**は，蓋膜へ押し付けられる力が働くことにより**曲がる**．
③感覚毛が曲がると，有毛細胞膜のK^+**コンダクタンス**（K^+ conductance）が変化する．感覚毛が一方に曲がるとK^+コンダクタンスが上昇してK^+が流入し，脱分極を引き起こし，逆方向に曲がるとK^+コンダクタンスが低下して過分極を引き起こす（このような膜電位の変化が予想と逆の方向だと思った場合は，注意してほしい．なぜ逆なのだろうか？　ここで，有毛細胞の感覚毛はK^+濃度が高い内リンパに浸かっていることを思い出すこと．すなわち，細胞膜内外のK^+の濃度勾配は通常の細胞膜とは逆なのである．したがって，感覚毛によって生じるK^+コンダクタンスの変化は膜電位に通常とは反対の効果をもたらすのである）．
④このような膜電位の変化が聴覚有毛細胞の受容器電位となる．この変動する受容器電位を**蝸牛**

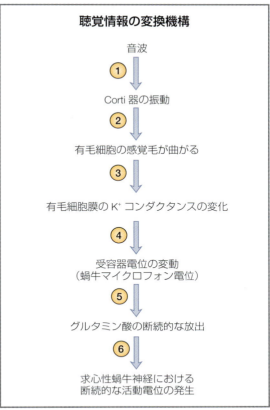

図3.23　有毛細胞による聴覚情報変換の各ステップ．○で囲んだ番号は，本文中に付したステップ番号に対応している．

マイクロフォン電位（cochlear microphonic potential）とよぶ．
⑤有毛細胞が脱分極すると，有毛細胞のシナプス前神経終末の電位依存性Ca^{2+}チャネルが開口する．その結果，Ca^{2+}が流入して興奮性神経伝達物質であるグルタミン酸が放出され，求心性蝸牛神経が興奮して活動電位を発生し，聴覚情報が中枢神経系に伝達される．一方，有毛細胞が過分極すると，逆にグルタミン酸の放出は抑制される．
⑥このように，有毛細胞の受容器電位が脱分極と再分極を交互に繰り返すことによって，グルタミン酸が断続的に放出され，求心性蝸牛神経が断続的に発火する．

■ 音の符号化

　それぞれの聴覚有毛細胞は特定の周波数の音で

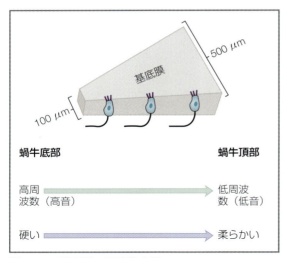

図3.24 基底膜の周波数応答.

活性化されるので，周波数の異なる音がどの有毛細胞を活性化させるかによって音の周波数，つまり，音の高低が符号化される．図3.24に示すように，特定の周波数の音は，**基底膜**に沿って存在する有毛細胞の中で，決まった**位置**の細胞を興奮させる．アブミ骨に最も近い**蝸牛底部(base)**の基底膜は，幅が狭くて硬い．蝸牛底部の有毛細胞は，高周波数の音に最もよく反応する．**蝸牛頂部(apex)**の基底膜は，幅が広く柔らかい．蝸牛頂部の有毛細胞は，低周波数の音に最もよく反応する．このように，基底膜に沿って特定の場所に位置する有毛細胞が異なる周波数の音に反応することで，基底膜は音の周波数の解析装置として働いている．音の周波数に関する空間的な部位局在は**周波数局在地図(tonotopic map)**とよばれ，その情報はさらに高次の聴覚系へと伝達される．

聴覚経路

聴覚情報はCorti器の有毛細胞から求心性蝸牛神経へと伝達され，延髄の背側および腹側蝸牛神経核(dorsal and ventral cochlear nuclei)で中継されて，そこから中枢神経系を上行する軸索を出す．この蝸牛神経核からの軸索の一部は，交叉して反対側の**外側毛帯(lateral lemniscus)**を上行し(一次聴覚路)，**下丘(inferior colliculus)**へと達する．残りの軸索は，そのまま同側を上行する．両側の下丘は下丘交連(commissure of inferior colliculus)によって連絡している．下丘からの神経線維は視床の**内側膝状体(medial geniculate nucleus)**へと上行し，さらに視床からの線維は**聴覚皮質(auditory cortex)**へと上行する．Corti器で生成された周波数局在地図は，中枢神経系の伝導路のどのレベルにおいても保存されている．聴覚皮質ではパターン認識などの複雑な特徴の識別を行っている．

聴覚伝導路の神経線維は一部が同側を，他は反対側に交叉して上行するため，中枢神経系のどのレベルにおいても両耳からの情報が再現されている．したがって，片側の蝸牛が損傷されると同側性の聴力障害が起こるが，中枢側での片側性の損傷では，同側の耳からの情報は損傷を受けていない側にも交叉して伝導されるため，聴力障害は起こらない．

前庭系

前庭系は，身体の**平衡**ないし**バランス**を保つために，頭部が回転して加わる**角加速度(angular acceleration)**や，頭部が傾いて加わる**直線加速度(linear acceleration)**を感知する．前庭系からの情報は，頭を動かしたときに外界の像をブレのないように網膜に結像させたり，バランスを保つために姿勢を調節するのに必要である．

前庭器官

前庭器官は側頭骨の中にあり，聴覚器である蝸牛に隣接して存在する．前庭器官は骨迷路とその内側の膜迷路からなる(図3.25)．膜迷路は，3つの互いに垂直な位置関係にある半規管(水平半規管，前半規管，後半規管)と，2つの耳石器官(**卵形嚢(utricle)**と**球形嚢(saccule)**)からなる．聴覚器のCorti器と同様，半規管と耳石器官の膜迷路は内リンパで満たされ，外リンパで満たされる骨迷路に周囲を囲まれている．

半規管は互いに垂直な位置関係にあるため，頭部の回転で生じる角加速度の主軸3方向成分の検出を可能としている．それぞれの半規管は内リン

前庭系 107

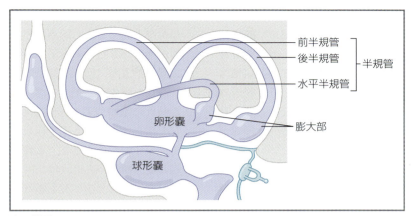

図3.25 前庭器官の構造.
互いに垂直に配列された3つの半規管と2つの耳石器官(卵形嚢と球形嚢)を示す.

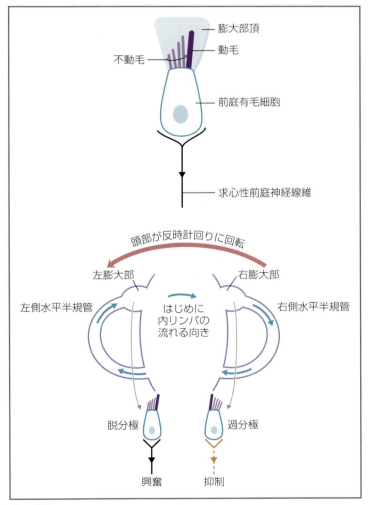

図3.26 前庭有毛細胞の構造.
水平半規管の有毛細胞の機能を示す.頭部が反時計回り(左向き)に回転し始めると,左側の半規管の有毛細胞は興奮し,右側の半規管の有毛細胞は抑制される.

パで満たされており，管の一端が太くなっていて**膨大部**（ampulla）とよばれる．膨大部には**前庭有毛細胞**（vestibular hair cell）があり，ゼラチン質の**膨大部頂**（cupula）に覆われている（**図 3.26**）．膨大部頂は膨大部の内腔を仕切っており，管内の内リンパと比重が等しい．頭部が回転すると，膨大部頂が変位して有毛細胞の興奮あるいは抑制が引き起こされる．

　卵形嚢と**球形嚢**は**耳石器官**（otolith organ）であり，重力などの直線加速度を感知する．卵形嚢や球形嚢の内部の耳石はムコ多糖類と炭酸カルシウム結晶からなり，枕のように前庭有毛細胞を覆っている．頭部が傾くと，重力が作用して耳石が有毛細胞に対して動くことにより，有毛細胞は興奮あるいは抑制される．そして，頭部の位置が変化したことを知らせる．

前庭情報の変換

■半規管

　図 3.26 に示すように，水平半規管は頭部の**角加速度**を感知する．図には左右の半規管と，それに付着する膨大部を示す．膨大部には前庭有毛細胞があり，ゼラチン質の膨大部頂に覆われている．前庭有毛細胞は，1 本の長い**動毛**（kinocilium）が多数の不動毛（stereocilia）とともに存在する点で，聴覚有毛細胞とは異なる．有毛細胞からの前庭情報を，化学シナプスを介して求心性神経線維が中枢神経系へと伝達する．

　例えば，**頭部が反時計回り**（左向き）に**回転すると**，両側の水平半規管では次のようなことが起こる．

1. 頭部が左向きに回転すると，水平半規管と膨大部も同じように左へと回転する．はじめに，膨大部の膨大部頂は内リンパが流れ始める前に動くことで，内リンパに引きずられるように変位し，有毛細胞の感覚毛は曲げられる．回転が続くと，ついに内リンパも流れ始める．
2. 不動毛が**動毛側**に曲げられると有毛細胞は脱分極し，求心性前庭神経の発火頻度が増加する．不動毛が逆方向，すなわち動毛から離れる方向に曲げられると有毛細胞は過分極し，求心性前庭神経の発火頻度が低下する．したがって，頭部が左方向に回転し始めると，左側の水平半規管が興奮して右側の水平半規管が抑制される．
3. 頭部が左方向に回転を続けていると，最終的には内リンパの回転が，頭部，膨大部や膨大部頂の動きに追いつく．感覚毛も元の位置に戻り，有毛細胞は脱分極も過分極も生じなくなる．
4. 頭部の回転が止まると，これまでと逆のことが起こる．回転停止直後は，内リンパは動き続けるので，膨大部頂と有毛細胞の動毛は回転開始時とは逆方向に曲げられる．そして，回転を始めたときに脱分極した有毛細胞は，停止時には過分極して求心性神経は抑制される．一方，回転を始めたときに過分極した有毛細胞は，停止時には脱分極して求心性神経は興奮する．頭部が左向きの回転を停止したとき，左側の水平半規管は抑制され，右側の水平半規管は興奮する．これらをまとめると，頭部が左側に回転を始めると左側の半規管が興奮し，右向きに回転を始めると右側の半規管が興奮するのである．

■耳石器官

　平衡斑は重力などの**直線加速度**を感知する．前述の通り，平衡斑の有毛細胞は耳石内に埋もれている．頭部が傾き，重力によって耳石塊が前庭有毛細胞上を滑ると，不動毛が動毛側あるいは動毛から離れる方向に曲げられる．不動毛が動毛側に曲げられると，有毛細胞は脱分極して興奮し，動毛から離れる方向に曲げられると，有毛細胞は過分極して抑制される．

　頭部がまっすぐ前を向いていると，卵形嚢の平衡斑は水平面に，球形嚢の平衡斑は垂直面に配置されている．頭部を前方あるいは外側に傾けると同側の**卵形嚢**（utricle）は興奮し，頭部を後方あるいは内側に傾けると同側の卵形嚢は抑制される．**球形嚢**（saccule）は頭部がどの方向に変位しても応答する．球形嚢の有毛細胞は，頭部の前後方向への動き（縦ゆれ（pitch））にも内外側方向への動き（横ゆれ（roll））にも興奮するとともに，上下方向への動きにも応答する．

　耳石器官は両側に存在するため，頭部がどの方位をとっても前庭有毛細胞が応答して，興奮ある

いは抑制の応答として符号化される．そのため，頭部の方位に対応した固有のパターンをもつ空間情報が，詳細に耳石器官から求心性前庭神経によって中枢神経系へと伝達される．

前庭経路

前庭有毛細胞とシナプス結合をする前庭神経の求心性線維は，延髄の**前庭神経核**（vestibular nucleus）（**上核**（superior vestibular nucleus），**内側核**（medial vestibular nucleus），**外側核**（lateral vestibular nucleus）（Deiters（ダイテルス）核（Deiters nucleus）），**下核**（inferior vestibular nucleus））へと投射する．**内側核と上核**は半規管からの入力を受け，その情報を内側縦束を介して外眼筋を支配する神経へと伝達する．**外側核**は卵形嚢からの入力を受け，その情報を，外側前庭脊髄路を介して脊髄の運動ニューロンへと伝達する．外側核からの投射は，抗重力筋の収縮を促進して姿勢反射の維持に働いている．**下核**は卵形嚢，球形嚢，半規管からの入力を受け，その情報を，内側縦束を介して脳幹や小脳へと伝達する．

前庭動眼反射

頭部の動きに応じて起こる前庭反射がいくつかある．**眼振**（nystagmus）とよばれる反射は，頭部の角加速度すなわち回転加速度に反応して起こる．頭部が回転すると，眼球は回転とは逆方向に動き始め，視線の方向を一定に保持しようとする．この最初の動きが眼振の緩徐相である．いったん，眼球が側方へ限界まで動くと，今度は頭部の回転と同方向に眼球がすばやく戻る．この動きが眼振の急速相であり，次の新たな固視点へジャンプして移動しているのである．眼振の方向は眼球運動の急速相の向きとして定義されるので，**眼振の方向は頭部の回転の向きと同方向である**．

頭部の回転が突然停止すると，眼球は回転の向きとは逆方向に動く．この動きは**回転後眼振**（postrotatory nystagmus）とよばれる．回転後眼振が生じているとき，自分自身は反対方向に回転しているように感じるため，反対側の伸筋が刺激されることによって頭部の回転方向に倒れそう

になる．

■ 前庭動眼反射の検査

前庭機能は，眼振や回転後眼振などの現象を利用して検査することができる．

Bárány（バラニー）検査（Bárány test）では，被検者を専用の椅子に座らせて10回転ほど椅子を回転させる．前庭機能が正常であれば，右回りの回転では右方向の回転性眼振（rotatory nystagmus）と左方向の回転後眼振（postrotatory nystagmus）が起こり，被検者は回転後に右側へ倒れる．同様に，左回りの回転では左方向の回転性眼振と右方向の回転後眼振が起こり，回転後に左側へ倒れる．

温度眼振試験（caloric test）では，内耳の水平半規管を左右別々に温度刺激する．被検者の頭部を後方に60度傾けて，水平半規管が垂直に向くようにする．外耳に温水あるいは冷水を注入すると，あたかも頭部が回転したかのように膨大部頂を変位させて内リンパの流れを起こし，眼振が生じて約2分間持続する．**温水**を注入すると注入側に向かう眼振がみられ，**冷水**を注入すると反対側に向かう眼振がみられる．

嗅覚

化学感覚とは，化学刺激を感知して電気エネルギーへと変換し，その情報を中枢神経系へと伝達するものである．においを感じる嗅覚は化学感覚であり，ヒトの生存に必須の感覚ではないが，生活の質を高め，危険から身を守るのに役立つ感覚である．

嗅覚が失われた状態を**嗅覚消失**（anosmia），においを感じにくくなった状態を**嗅覚減退**（hyposmia），本来とは違うにおいに感じる状態を**嗅覚異常**（dysosmia）という．頭部外傷，上気道感染症，前頭蓋窩腫瘍，嗅上皮を破壊する有害化学物質への曝露によって嗅覚障害が起こる．

嗅上皮と嗅覚受容器

におい物質（odorant）は気相に存在し，鼻腔を

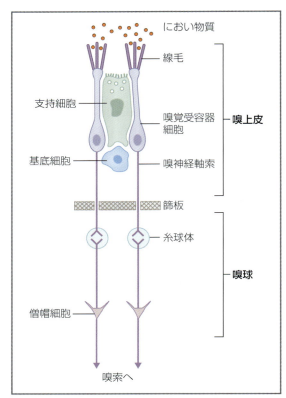

図 3.27 嗅覚経路.
嗅上皮と嗅球を示す.

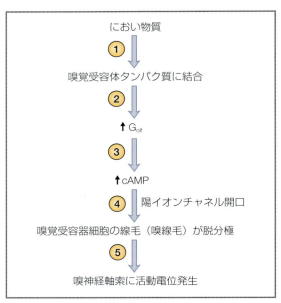

図 3.28 嗅覚情報変換の各ステップ.
○で囲んだ番号は,本文中に付したステップ番号に対応している. cAMP:環状 AMP.

通り嗅覚受容器に到達する.空気は外鼻孔から入り,鼻腔を通り抜け鼻咽腔に出る.鼻腔には鼻甲介とよばれる構造があり,嗅覚受容器細胞を含む嗅上皮で覆われている部分と,呼吸上皮で覆われている部分とがある.鼻甲介は整流板として,吸気に乱流を起こして鼻腔の上部へ到達させる働きがある.

嗅上皮 (olfactory epithelium) には,支持細胞 (supporting cell),基底細胞 (basal cell),嗅覚受容器細胞 (olfactory receptor cell) の 3 種の上皮細胞がある (図 3.27).

- 支持細胞は円柱上皮細胞であり,粘膜側は微絨毛で覆われ,分泌顆粒 (secretory granule) で満たされている.
- 基底細胞は嗅上皮の基底部に存在する未分化な幹細胞で,嗅覚受容器細胞へと分化する.幹細胞は細胞分裂することで受容器細胞を産生して置き換え続けている.

- 嗅覚受容器細胞は一次求心性ニューロンであり,におい物質を結合して感知し,電気エネルギーへと変換する.におい物質は,鼻粘膜へと伸びる受容器細胞の線毛に結合する.嗅覚受容器細胞の軸索は,嗅上皮から中枢側へ伸び嗅球へと至る.その途中で軸索は頭蓋底の**篩板 (cribriform plate)** を貫く.したがって,篩板を骨折すると,嗅神経が切断されて嗅覚消失などの嗅覚障害を生じる.嗅神経の軸索は無髄線維で,神経系では最も細く,最も伝導速度が遅い (**第 1 章**で述べた通り,線維径と髄鞘の有無,伝導速度には関連がある).

嗅覚受容器細胞は一次求心性ニューロンでもあり,基底細胞から分化して絶えず置換されるということは,つねに**神経新生 (neurogenesis)** があることを意味する.

嗅覚情報の変換

嗅覚系では,化学信号を電気信号へ変換して中枢神経系へと伝達する.嗅覚情報の変換の各ステップを以下に示す (図 3.28).

①特定のにおい物質に特異的に結合する**嗅覚受容**

体タンパク質（olfactory receptor protein）が嗅覚受容器細胞の線毛（嗅線毛）に存在する．1,000種類以上の嗅覚受容体タンパク質があり（Gタンパク質共役型受容体スーパーファミリーに属する），それぞれの嗅覚受容器細胞は異なる遺伝子にコードされる特定の受容体タンパク質を1種類のみ発現している．

② 嗅覚受容体タンパク質は，G_{olf}とよばれるGタンパク質を介して**アデニル酸シクラーゼ**と共役している．におい物質が結合すると，G_{olf}が活性化されアデニル酸シクラーゼを活性化する．

③ アデニル酸シクラーゼは，ATPからサイクリックアデノシン3',5'ーリン酸（cAMP）への変換を触媒する．細胞内cAMP濃度が上昇すると，嗅覚受容器細胞膜の**陽イオンチャネルが開口**してNa^+，K^+，Ca^{2+}を透過するようになる．

④ 受容器細胞膜が脱分極する（膜電位は3種の陽イオンの平衡電位の中間値に向かい，この場合は脱分極である）．脱分極性の受容器電位が膜電位を閾値に近づけ，嗅神経の軸索起始部を脱分極させる．

⑤ そして活動電位が発生し，嗅神経軸索に沿って伝播し，嗅球に到達する．

■ 嗅覚刺激の符号化

嗅覚刺激がどのように符号化されるのか，すなわち，どのようにバラのにおいやクチナシのにおい，特定の個人のにおいを**認識**しているのか，どのようにバラとクチナシを**区別**しているのか，正確には明らかになっていない．

明らかになっていることを以下に示す：(1)嗅覚受容体タンパク質は1つのにおい物質を検出するわけでは**なく**，何種類ものにおい物質に反応する．(2)それでも，嗅覚受容体タンパク質は選択性があり，ある種のにおい物質によく反応し，ある種のにおい物質にまったく反応しないものもある．(3)異なる嗅覚受容体タンパク質は，同じにおい物質に対して異なった反応を示す．例えば，受容体タンパク質Aは受容体タンパク質Bと比べてりんごのにおいに強い反応を示す．(4)1つのにおい物質に対して多くの受容器が反応するので，におい物質ごとに特有の応答パターンがみられる．これ

をアクロスファイバーパターンコード（across-fiber pattern code）とよぶ．それぞれのにおい物質に対して受容器細胞の集団が特有のパターンで反応し，そのパターンが嗅球の糸球体に投射される（におい地図（odor map））．このようなにおい地図を中枢が分析して，バラやクチナシ，特定の個人のにおいとして識別する．

嗅覚経路

これまで述べたように，嗅覚受容器細胞は嗅覚系における一次求心性ニューロンである．受容器細胞からの軸索は，嗅上皮から篩板を貫いて**嗅球**（olfactory bulb）に到達し，糸球体で二次ニューロンである**僧帽細胞**（mitral cell）の尖端樹状突起にシナプス結合をする．嗅球ではこのようなシナプスが多数集簇しており，**糸球体**（glomerulus）とよばれる（図3.27参照）．糸球体では，約1,000個の嗅覚受容器細胞の軸索が1個の僧帽細胞に収束している．僧帽細胞は嗅球において1層に配列しており，尖端樹状突起の他にいくつかの側方に伸びる樹状突起を有している．嗅球には他にも，抑制性介在ニューロンである顆粒細胞（granule cell）や糸球体周辺細胞（periglomerular cell）が存在し，隣接する僧帽細胞との間で**樹状突起間シナプス**（dendrodendritic synapse）を形成している．抑制性の入力は，網膜の水平細胞と同様に側方抑制をもたらし，中枢神経系へ伝達される情報に**コントラストをつける**．

嗅球の僧帽細胞は，中枢神経系の上位中枢へと投射している．嗅覚伝導路は，脳底部で外側路と内側路の2つの主要な経路に分かれる．**外側嗅索**（lateral olfactory tract）は，前梨状皮質などの一次嗅覚皮質に至りシナプス結合をし，**内側嗅索**（medial olfactory tract）は前交連を経て反対側の嗅球へと投射する．

味覚

味覚（gustation）は2種類目の化学感覚であり，味覚における化学物質は味物質とよばれ，味蕾に存在する化学受容器により感知され，電気信号に

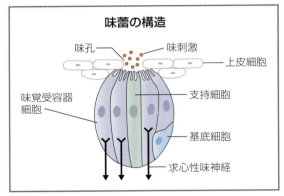

図3.29 味蕾の構造.

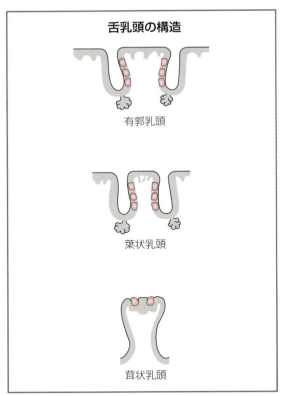

図3.30 舌乳頭の構造と味蕾の分布.

変換される．味には5つの基本味（elementary taste quality）があり，塩味（salty），甘味（sweet），酸味（sour），苦味（bitter），旨味（umami）（セイボリーというハーブの味で，グルタミン酸ナトリウムを含む）の組み合わせでできている．

味覚障害は生命には危険を及ぼさないが，生活の質を損ない，栄養状態を悪化させ，毒物を誤って摂取する危険を高める．味覚障害には，味覚が失われた状態である**味覚消失（ageusia）**，味を感じにくくなった状態である**味覚鈍麻（hypogeusia）**，味に過敏な状態である**味覚過敏（hypergeusia）**，また本来と違う味を感じたり味覚刺激がなくても味を感じてしまう**味覚異常（dysgeusia）**がある．

味蕾と味覚受容器

味覚受容器細胞（taste receptor cell）は，舌，軟口蓋，咽頭，喉頭にある味蕾の中に存在する．舌にある味蕾は舌乳頭に存在し，1乳頭あたり数百個の味蕾が存在する．味蕾は解剖学的に嗅上皮と似ており，支持細胞，基底細胞，受容器細胞の3種類の細胞からなる（図3.29）．

- **支持細胞**は味覚受容器細胞の間に存在するが，味覚刺激には応答せず，その役割はよくわかっていない．
- **基底細胞**は味覚受容器細胞の前駆細胞としての未分化な幹細胞であり，嗅覚受容器細胞の前駆細胞としての基底細胞と同様の役割である．基底細胞は**つねに受容器細胞を新生している**．約10日ごとに細胞が新生され，新生細胞は味蕾の中心部へ移行し，受容器細胞へと分化し，古くなって舌から剥がれ落ちる細胞と置き換わる．
- **味覚受容器細胞**は味覚系における化学受容器であり，味蕾を囲むように配列し，味孔に微絨毛を伸ばしている．**微絨毛（microvilli）**によって表面積が大きくなることで，化学刺激を感知しやすくなっている．受容器細胞が一次求心性ニューロンである嗅覚系とは異なり，味覚系では受容器細胞はニューロンではなく，化学受容器として化学刺激を電気信号に変化するために特殊化した上皮細胞である．求心性神経細胞の味神経は味覚受容器細胞に分布し，この味覚情報を中枢神経系へと伝達する．

舌の味蕾は，有郭乳頭，葉状乳頭，茸状乳頭の3種類の**乳頭（papilla）**に存在する（図3.30）．

- **有郭乳頭（circumvallate papilla）**は最も大きいが最も少ない乳頭であり，舌根部に並んでいる．

味覚 113

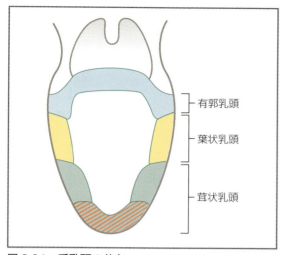

図3.31 舌乳頭の分布.
有郭乳頭, 葉状乳頭, 茸状乳頭の分布.

有郭乳頭は深い溝に囲まれており, その溝の側面に味蕾が配置されている. 数は少ないが大きいので, 全味蕾の半数は有郭乳頭に存在する. 有郭乳頭に存在する味覚受容器細胞は, **顔面神経**(第Ⅶ脳神経)と**舌咽神経**(第Ⅸ脳神経)の支配を受ける.

- **葉状乳頭**(foliate papilla)は舌の後方外側縁に存在し, 乳頭の側溝に味蕾が存在している.
- **茸状乳頭**(fungiform papilla)は舌の背面に散在しているが, 舌の先端近傍に最も多く存在する. 茸のような形をしていて, 乳頭1個あたり3〜5個の味蕾が存在する. 茸状乳頭は透明であるため, 豊富な血流により舌表面で赤い斑点状にみえる. 茸状乳頭に存在する味覚受容器細胞は, **顔面神経**の分枝である鼓索神経の支配を受ける.

味覚情報の変換

5つの基本味に対する感受性は舌の部位によって異なる(図3.31). 5つの基本味は舌の全表面で感知される.

5つの基本味の化学信号が, どのように電気信号に変換されるかを図3.32に示す. ほとんどの場合, 化学刺激によって味覚受容器細胞膜に脱分極性の受容器電位が生じ, 舌に投射する求心性神経線維に活動電位が発生する. **苦味**の場合, 味物質が味覚受容器細胞膜上のGタンパク質共役型受容体に結合すると, イノシトール1,4,5-トリスリン酸(IP_3)/Ca^{2+}経路を活性化し, TRPチャネルを開口して脱分極を起こす. **甘味**と**旨味**の場合は, 味物質が味覚受容器細胞膜上の別のクラスのGタンパク質共役型受容体に結合し, IP_3/Ca^{2+}経路を活性化し, TRPチャネルを開口して脱分極を起こす. **酸味**の場合は, H^+が**上皮性Na^+チャネル**(epithelial Na^+ channel : ENaC)を通って味覚受容器細胞内へと流入し, 脱分極を起こす. **塩味**の場合は, 同様にENaCを通ってNa^+が味覚受容器細胞内へと流入することで, 直接脱分極を引き起こす.

味覚刺激の符号化

味質がどのように中枢神経系で符号化されるのか, 正確にわかってはいない. 1つの考え方として, **アクロスファイバーパターンコード**があり, おのおのの味神経線維はある1つの味覚刺激に最もよく応答するが, 他の味覚刺激に対しても応答するというものである. 塩味に最もよく応答する味神経線維は酸味にも応答し, 酸味に最もよく応答する味神経線維は苦味にも応答する. このように, それぞれの味神経線維は多くの味覚受容器細胞からの入力を受けるため, 味ごとに特定の応答パターンを示すのである. 多くの神経線維により形成された応答パターンは, このようにして特定の味として符号化される.

味覚経路

これまでに述べた通り, 味覚は味蕾に存在する味受容器細胞で化学信号が変換されることで生じる. 化学信号の変換は脱分極性の受容器電位を発生させ, 舌の特定の領域に入力する一次求心性ニューロンに活動電位を発生させる. 3種類の脳神経の分枝が舌の異なる領域を支配している. 舌の後部1/3は舌咽神経が, 舌の前部2/3は顔面神経が支配し, 咽頭の奥や喉頭蓋は迷走神経(第Ⅹ脳神経)が支配する. これら3つの脳神経(第Ⅶ・Ⅸ・Ⅹ脳神経)は脳幹に入り, **孤束**(solitary tract)となって上行し, 延髄の**孤束核**(solitary

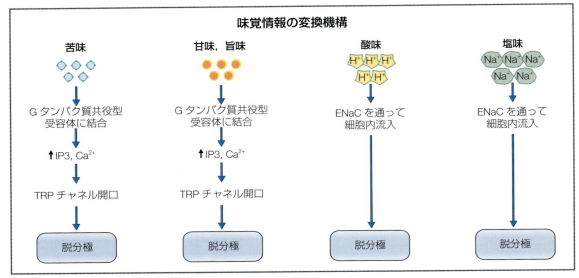

図3.32 味覚受容器細胞による味刺激変換機構.
ENaC：上皮性Na⁺チャネル，IP₃：イノシトール1,4,5-トリスリン酸，TRP：一過性受容器電位.

nucleus)の二次ニューロンに終止する．二次ニューロンは同側の視床の後内側腹側核に投射し，三次ニューロンは視床から味覚皮質へと至る．

運動系

姿勢と運動は，脊髄によって調整される不随意の反射と，高次の運動中枢による随意的な動作の両者によってもたらされるものである．

脊髄により制御される運動機能の機構

姿勢と運動は，ある骨格筋が収縮し，一方で他の筋は弛緩したままでいることで実現している．骨格筋の興奮と収縮は，それらを支配する運動ニューロンに制御されていることを思い出すこと．運動系でのこのような協調的な反応は，脊髄で統合された反射を通して行うようになっている．

運動単位

運動単位(motor unit)とは，単一(1つの)運動ニューロン(single motoneuron)とその支配する筋によって定義される．支配される筋線維の数は，運動の活動の性質により数本から数千本まである．微細な制御を必要とする眼球運動では，1つの運動ニューロンは数本の筋線維しか支配していない．粗大な運動に関係する姿勢筋では，運動ニューロンは数千本の筋線維を支配している．**運動ニューロンプール**(motoneuron pool)とは，同一筋内の筋線維を支配している脊髄前角・運動ニューロン群のことである．

筋の収縮力は，運動単位の**動員**(recruitment)によって決められる(サイズの原理(size principle))．例えば，小さな運動ニューロンは少数の筋線維を支配し，それらは活動電位を発生させる刺激の閾値が最も低いため最初に発火(興奮)する．また，小さな運動ニューロンは小さな収縮力を発生させる．一方，大きな運動ニューロンは多くの筋線維を支配している．それらの活動電位発生の閾値は高く，したがって，それらの発火は長く持続する．大きな運動ニューロンは多くの筋線維を支配しているので，最大の収縮力を発生させる．**サイズの原理**によると，多くの運動単位が動員されればされるほど，いっそう多くの運動ニューロンが関与し，より大きな張力が発生することになる．

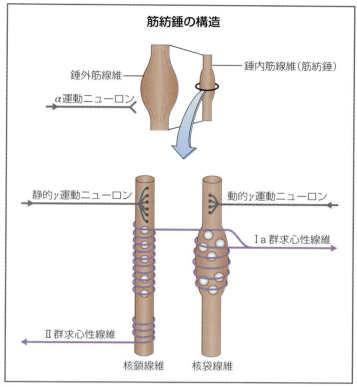

図 3.33 筋紡錘の構造.
錘内筋線維が錘外筋線維とあわせて示されている.

■ 運動ニューロンの種類

運動ニューロンには, α運動ニューロン (α motoneuron) とγ運動ニューロン (γ motoneuron) の2種類がある. α運動ニューロンは錘外骨格筋線維を支配している. α運動ニューロンの活動電位は, 支配する錘外筋線維の活動電位を発生させ, その結果, 筋は収縮する (第1章を参照). γ運動ニューロンは, 筋紡錘 (muscle spindle) の構成要素である特殊な錘内筋線維を支配している (中央部より離れた両端部分). 筋紡錘の主な機能は筋長を感知することである. そして, 筋紡錘を支配しているγ運動ニューロンの機能は, 筋紡錘の感受性を調整することである (錘外筋線維が収縮して短くなっても筋紡錘がきちんと反応できるように). α運動ニューロンとγ運動ニューロンが同時活性化 (同時に興奮) することによって, 筋紡錘は筋が収縮・短縮しても筋長の変化に対する感受性を維持するのである (後述のα-γ連関についての記述を参照).

■ 筋線維の種類

すでに述べているように, 筋線維には錘外筋線維と錘内筋線維の2つがある. **錘外筋線維 (extrafusal fiber)** は骨格筋の大多数を構成し, α運動ニューロンによって支配され, 筋収縮を引き起こす. **錘内筋線維 (intrafusal fiber)** はγ運動ニューロンに支配される特殊な線維であるが, 有意な力を発生させるには小さすぎる. 錘内筋線維は紡錘鞘によって包まれ, 錘外筋線維と並列に走行して筋紡錘を形成している.

筋紡錘

筋紡錘【訳者注:長さ6〜8mm】は錘外筋線維の中に分布し, 微細運動に使われる筋 (例えば, 眼球の筋) には特に多く存在する【訳者注:単位筋

量（重さ）に対して多いが，太い骨格筋では全体数として多い】．図3.33に示しているように，筋紡錘は紡錘形の器官で錘内筋線維（2〜12本）からなり，感覚神経線維と運動神経線維に支配されている．筋紡錘は結合組織に付着し，錘外筋線維と並列に配置されている．

■ 筋紡錘の錘内筋線維

筋紡錘にある錘内筋線維には2種類，すなわち核袋線維（nuclear bag fiber）と核鎖線維（nuclear chain fiber）がある（図3.33）．一般的には，どの筋紡錘内にも両者が存在するが，核袋線維より核鎖線維のほうが多い（1つの筋紡錘中に核袋線維が2本に対し，核鎖線維は5ないし6本存在する）．核袋線維のほうが大きく，核が中心領域（袋の部位）に集まっている．核鎖線維はより小さく，核は列をなして（鎖状に）配列されている．

■ 筋紡錘の神経支配

筋紡錘は，感覚（求心性（afferent））神経と運動（遠心性（efferent））神経に支配されている．

● 筋紡錘の**感覚神経支配（sensory innervation）**としては，単一のⅠa群求心性神経（group Ⅰa afferent nerve）が，核袋線維と核鎖線維の両者の中心領域を支配している．また，**Ⅱ群求心性神経（group Ⅱ afferent nerve）**は主に核鎖線維を支配している．Ⅰa群求心性線維は最大の直径をもつ神経に属し，したがってⅠa線維は最も速い神経伝導速度を有することを想起せよ．この求心性線維は，核袋線維と核鎖線維の中心領域の周囲にらせん状に巻きつく一次終末（primary ending）を形成している．Ⅱ群線維は直径が中等度で，伝導速度も中等度である．Ⅱ群線維は，主に核鎖線維に二次終末（secondary ending）を形成している【訳者注：ヒトのⅠa群求心性感覚神経とα運動神経では，前者のほうが直径が大きい．すなわち，Ⅰa線維のほうが伝導速度は速いのである．このことは，いかに速く筋紡錘からの情報を脊髄に入れることが重要か，よく推察される】．

● 筋紡錘の**運動神経支配（motor innervation）**は，2種類のγ運動ニューロンからなる．**動的**

γ運動ニューロン（dynamic γ motoneuron）は，"板状終末（plate ending）"で核袋線維にシナプス結合をする．**静的γ運動ニューロン（static γ motoneuron）**は，"索跡終末（trail ending）"で長く広がって核鎖線維にシナプス結合をしている．錘外筋線維を支配しているα運動ニューロンよりも，γ運動ニューロンは直径が細くて伝導速度が遅い．また，γ運動ニューロンの機能は（静的と動的のいずれも），支配している錘内筋の感受性を調整することである．

■ 筋紡錘の機能

筋紡錘は伸張受容器（stretch receptor）で，その機能は，錘外筋が収縮で短くなったり伸張で長くなったりした際に，筋長の変化を補正することにある．すなわち，筋紡錘反射は，筋が短くなったり伸ばされたりすると元の長さに戻すように働く．筋紡錘反射の機能を明確にするため，筋が伸張されたときに出現する現象を考える．

1. 筋が伸張されると，錘外筋線維は長くなる．錘外筋は錘内筋と並列になっているため，錘内筋線維もまた長くなる．

2. 錘内筋線維の長さが増加すると，それを支配している求心性感覚線維によって感知される．**Ⅰa群求心性線維（group Ⅰa afferent fiber）**（核袋線維と核鎖線維の中央領域を支配している）は長さが変化する速度を感知し，また，**Ⅱ群求心性線維（group Ⅱ afferent fiber）**（核鎖線維を支配している）は筋線維の長さを感知している．つまり，筋が伸張されると錘内筋線維の長さが増加して，Ⅰa群およびⅡ群求心性感覚線維が興奮するのである．

3. Ⅰa群求心性線維の興奮は，脊髄α運動ニューロンを興奮させる．このα運動ニューロンは同名筋（homonymous muscle）（同じ筋）の錘外筋を支配しているので，興奮すると錘外筋の収縮（すなわち短縮）を引き起こす．そのため，当初の筋が伸張された（長くなった）とき，伸張反射は筋の収縮（短縮）を引き起こすことにより拮抗的に働くことになる．γ運動ニューロンはα運動ニューロンとともに興奮することによって，

表3.5 筋反射.

反射の種類（例）	シナプスの数	反射の刺激	求心性感覚線維	反応
伸張反射（膝蓋腱反射）	1	筋の伸張（筋長を伸ばす）	Ia群	筋の収縮
Golgi腱反射（折りたたみナイフ現象）	2	筋の収縮（筋長を短くする）	Ib群	筋の弛緩
屈曲-逃避反射（熱いストーブに触れたとき）	多数	痛み，温度	II，III，IV群	同側の屈曲と対側の伸展

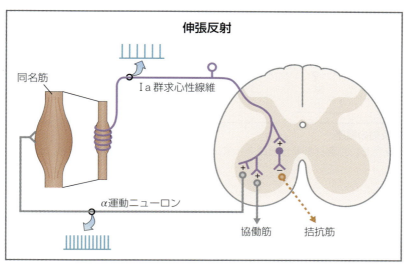

図3.34 伸張反射の機序.
実線は興奮性経路を示し，点線は抑制性経路を示す．白抜きのニューロンは興奮性，塗りつぶしニューロンは抑制性である．

筋が収縮している間でも，筋紡錘は筋長の変化に対する感受性を維持できるのである【訳者注：このしくみをα-γ連関（α-γ linkage）という．上位中枢からの指令によるα運動ニューロンの興奮により筋が収縮すると筋紡錘も収縮するため，筋紡錘からのIa群求心性線維の興奮性が減弱してしまう．このことを防ぐために，γ運動ニューロンも同時興奮させ，筋紡錘の両極（両端）にある錘内筋を収縮させることによって筋紡錘の短縮を防ぐ．これにより，筋紡錘の感受性を維持させて，筋の収縮時でも筋紡錘の感度を維持させることができるようになっている】．

脊髄反射

脊髄反射とは，ある特定の刺激に対する，定型的な（stereotypical）運動反応である．この運動反応を指示する神経回路は**反射弓（reflex arc）**とよばれる．反射弓には，感覚受容器，情報を脊髄に送る求心性感覚神経，脊髄介在ニューロン（interneuron），そして収縮や弛緩を指示する運動ニューロンが含まれている．

伸張反射（stretch reflex）は，すべての脊髄反射のうち最も単純な反射で，求心性感覚神経と遠心性運動神経の間にたった1つのシナプスしか介さない（単シナプス反射（monosynaptic reflex））．Golgi腱反射（Golgi tendon reflex）はこれより複雑なもので，2つのシナプスを介している．最も複雑な脊髄反射は屈曲-逃避反射（flexor-withdrawal reflex）であり，多シナプスを介する．これら3つの脊髄反射の特徴を表3.5にまとめている．

■ 伸張反射

伸張反射（**筋伸張反射（myotatic reflex）**）の例

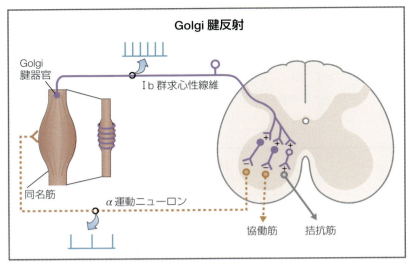

図3.35　Golgi腱反射の機序.
実線は興奮性経路を示し，点線は抑制性経路を示す．白抜きのニューロンは興奮性，塗りつぶしのニューロンは抑制性である．

として膝蓋腱反射（knee-jerk reflex）を図示する（図3.34）．伸張反射の各ステップを以下に説明する．この反射では，求心性感覚神経（Ⅰa群求心性線維）と遠心性運動神経（α運動ニューロン）との間に1つだけシナプスを介している．

1. 筋が伸張されると筋紡錘のⅠa群求心性線維が興奮して，その発火頻度は増大する．これらのⅠa群求心性線維は，脊髄に入りシナプスを介して直接α運動ニューロンを興奮させる．このα運動ニューロンプール（α motoneuron pool）は同名筋を支配している．
2. これらのα運動ニューロンが興奮すると，はじめに伸張された筋（同名筋）の収縮が生じる．筋が収縮すると，筋の長さは短縮するので，筋紡錘の伸張は減少する．筋紡錘が元の長さに戻ると，Ⅰa群求心性線維の発火頻度は元のレベルに戻る．
3. 同時に，情報は脊髄から協働筋（synergistic muscle）の収縮と拮抗筋（antagonistic muscle）の弛緩を引き起こすように伝達される．

伸張反射は**膝蓋腱反射**が1つの例であり，膝蓋腱を叩くことにより大腿四頭筋が伸張され，その反射が生じる．大腿四頭筋とその筋紡錘が伸張されると，Ⅰa群求心性線維が興奮する．Ⅰa群求心性神経は，脊髄でシナプスを介してα運動ニューロンを興奮させる．α運動ニューロンは大腿四頭筋（はじめに伸ばされた筋）を支配しており，その筋を収縮させる．大腿四頭筋が収縮し短縮すると，下肢が伸展して特徴的な膝蓋腱反射が生じるのである．

■ Golgi腱反射

Golgi腱反射は2シナプス脊髄反射（disynaptic spinal cord reflex）であり，**逆転筋伸張反射（inverse myotatic reflex）**（伸張反射の逆ないし反対）ともよばれる．

Golgi腱器官（Golgi tendon organ）とは腱にある**伸張受容器**のことであり，筋収縮（短縮）を感知し，**Ⅰb群求心性神経**（group Ⅰb afferent nerve）を興奮させる．Golgi腱器官は錘外筋線維と直列に配置されている（伸張反射の筋紡錘が並列に並んでいるのとは対照的に）．Golgi腱反射の過程を図3.35に示し，次のように説明される．

1. 筋が収縮すると，錘外筋線維が短縮しGolgi腱器官は興奮する．次に，脊髄抑制性介在ニューロンとシナプス結合をしているⅠb群求心性線維が興奮する．この抑制性介在ニューロンは，α運動ニューロンともシナプス結合をしてい

運動系 119

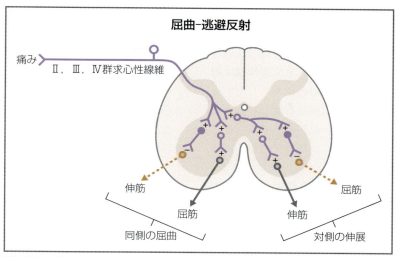

図 3.36 屈曲-逃避反射の機序.
実線は興奮性経路を示し, 点線は抑制性経路を示す. 白抜き丸のニューロンは興奮性, 塗りつぶしのニューロンは抑制性である.

　る.
2. 抑制性介在ニューロンが興奮すると (すなわち抑制するように興奮する), α 運動ニューロンの発火を抑制し, 同名筋を弛緩させる (はじめに収縮した筋を弛緩させる).
3. 同名筋が弛緩すると, その反射はまた協働筋も弛緩させ, 拮抗筋を収縮させる.

　Golgi 腱反射の強調型が**折りたたみナイフ反射 (clasp-knife reflex)** においてみられる. この反射は病的なもので, 筋緊張が増大 (例えば, 筋緊張亢進 (hypertonus) ないし痙縮 (spasticity)) しているときに出現する. 関節を受動的に検者によって屈曲されると, 拮抗する筋 (伸展される筋) は, 最初のうちはこの受動運動 (passive movement) に抵抗する. そして, 屈曲を続けるとこの拮抗筋において張力が増加し, Golgi 腱反射が活性化され【訳者注：上記 1. と 2. で記述されたように, **腱が強く引っ張られ Golgi 腱器官の I b 群線維が興奮し, 抑制性介在ニューロンを介して α 運動ニューロンが抑制されるため**】, その急にこの拮抗筋を弛緩させ関節を閉じてしまう. 速く屈曲されると, はじめのうちは抵抗が出現するが, その後急に抵抗がなくなる様子が, ポケットナイフが閉じるのと似ている. はじめのうちナイフは抵抗が強いのでゆっくり閉じるが, その後は急にパタンと閉じてしまう.

■ 屈曲-逃避反射

　屈曲-逃避反射 (屈筋-引っ込め反射)(flexor-withdrawal reflex) は多シナプス反射 (polysynaptic reflex) で, 触覚, 痛覚, 侵害刺激に反応して生じる. 体性感覚や求心性痛覚線維は, 痛みや侵害刺激を受けた身体部位を逃避 (回避) させる屈曲反射 (flexion reflex) を引き起こす (例えば, 熱いストーブに腕が触れると, すぐにその腕を引っ込める). この反射は, 同側の**屈曲 (flexion)**(刺激の側) と対側 (刺激と反対側) の**伸展 (extension)** を引き起こす (図 3.36). 屈曲-逃避反射に関係する過程は次のように説明できる.

1. 手足が痛み刺激に触れると (例えば腕が熱いストーブに触れる), 屈筋反射求心性線維 (II, III, IV 群線維) が興奮する. これらの求心性線維は, 多数の脊髄介在ニューロンとシナプス結合をしている (すなわち多シナプス反射である).
2. 痛み刺激と同側では, 反射が活性化されて**屈筋 (flexor muscle)** が収縮し, **伸筋 (extensor muscle)** は弛緩する. この経路の反射では, 同側で屈曲を引き起こすことになる (例えば, 熱

いストーブから腕を引っ込める).

3. 痛み刺激の対側では,反射が活性化されて伸筋が収縮し,屈筋は弛緩する.この経路の反射では,対側で伸展が生じる.これを**交叉伸展反射 (crossed-extension reflex)**とよぶ.したがって,もし痛み刺激が左側に生じれば,左腕と左足は屈曲させるか,あるいは引っ込める.そして,右腕と右足はバランスを維持するために伸展する.

4. 持続的なニューロン発射は**後発射 (after discharge)**とよばれ,多シナプス性の反射回路において生じる.後発射の結果,収縮した筋は反射が活性化された後,しばらくの間は収縮したままになる.

脳幹による姿勢と運動の制御

下行性運動路(すなわち大脳や脳幹からの下行路)は,錐体路と錐体外路に分けられる.**錐体路 (pyramidal tract)**は,皮質脊髄路(corticospinal tract)と皮質延髄路(corticobulbar tract)からなり,皮質脊髄路は延髄錐体(medullary pyramid)を通過・下行して【訳者注:ほとんどの線維は錐体で交叉し反対側の脊髄を下行して】,直接脊髄下位運動ニューロンに投射する.その他のすべてが**錐体外路 (extrapyramidal tract)**である.錐体外路は次の脳幹を構成する部位から起始する.

- **赤核脊髄路 (rubrospinal tract)**は赤核(red nucleus)から発し,脊髄外側の運動ニューロンに投射する.赤核を刺激すると屈筋は興奮し,伸筋は抑制される.
- **橋網様体脊髄路 (pontine reticulospinal tract)**は橋核から発し,腹内側脊髄に投射する.刺激すると伸筋優位であるが,屈筋と伸筋の両者に全般的な興奮効果をもたらす.
- **延髄網様体脊髄路 (medullary reticulospinal tract)**は延髄網様体(medullary reticular formation)から発し,脊髄運動ニューロンに投射する.刺激すると伸筋優位であるが,屈筋と伸筋の両者に全般的な抑制効果をもたらす.
- **外側前庭脊髄路 (lateral vestibulospinal tract)**は前庭神経外側核(lateral vestibular nucleus)(Deiters核)から発し,同側の脊髄運動

ニューロンに投射する.刺激すると伸筋の興奮と屈筋の抑制をもたらす.
- **視蓋脊髄路 (tectospinal tract)**は上丘(superior colliculus)(視蓋(tectum)つまり脳幹の屋根)から発し,頸部脊髄に投射する.この経路は頸部の筋緊張を制御する.

橋網様体(pontine reticular formation)と前庭神経外側核は,双方とも伸筋に強力な興奮効果を有している.そのため,橋網様体と前庭神経外側核より上部かつ中脳より下部の脳幹損傷では,劇的に伸筋の筋緊張が増大する.これを**除脳硬直(除脳固縮)(decerebrate rigidity)**とよぶ.中脳より上部の病変では除脳硬直は生じない.

小脳

小脳の原語の"cerebellum"は"小さな脳(little brain)"という意味で,運動や姿勢を制御し,ある種類の運動学習(motor learning)に役割を果たしている.小脳は,運動の頻度,範囲,力,方向の制御(まとめて**協働運動 (synergy)**として知られている)を担っている.小脳の損傷では,協調運動ができなくなる(協調運動障害(incoordination))【訳者注:協働運動とは,ある目的に対して複数の筋が同時に整合性をもって協働して運動することを指し,協調運動(coordination)とは,ある目的に対して複数の筋が時系列的に連続し,協調して運動することを指す】.

小脳は後頭葉直下の後頭蓋窩にある.求心性と遠心性神経線維を含む(上,中,下)3つの小脳脚によって,小脳は脳幹と結びついている.

小脳は主に3つに分割される.**前庭小脳 (vestibulocerebellum)**,**脊髄小脳 (spinocerebellum)**と**橋小脳 (pontocerebellum)**である.前庭小脳は前庭からの入力を受けて,平衡や眼球運動を制御している.脊髄小脳は脊髄からの入力を受けて,運動筋の協働収縮を制御する.橋小脳は橋核を介して大脳からの入力を受けて,運動のプランと開始を制御している.

■ 小脳皮質の層

小脳皮質には3つの層があり,出力細胞であるPurkinje(プルキンエ)細胞(Purkinje cell)に関連

運動系 121

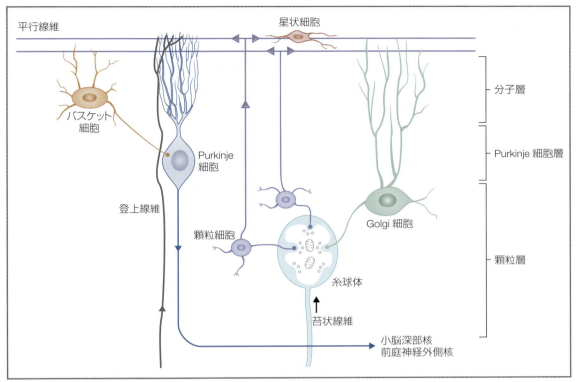

図 3.37　小脳皮質の断面構造.

づけて述べる (図 3.37). 小脳皮質の層には以下のものがある.

- **顆粒層 (granular layer)** は，最も内側にある層である．そこには**顆粒細胞 (granule cell)**, Golgi 細胞 (Golgi cell), 糸球体 (glomerulus) がある．糸球体では，脊髄小脳路と橋小脳路からの**苔状線維 (mossy fiber)** の軸索が，顆粒細胞および Golgi 細胞の樹状突起とシナプス結合をしている．
- **Purkinje 細胞層 (Purkinje cell layer)** は，中間にある層である．Purkinje 細胞を含み，その出力はすべて抑制性である．
- **分子層 (molecular layer)** は，最も外側にある層である．そこには星状細胞 (stellate cell), バスケット細胞 (籠細胞) (basket cell), Purkinje 細胞の樹状突起, Golgi 細胞の樹状突起，さらに顆粒細胞の軸索がある．顆粒細胞の軸索は**平行線維 (parallel fiber)** を形成し，それは Purkinje 細胞, バスケット細胞, 星状細胞, Golgi 細胞の樹状突起とシナプス結合をしている．

■ 小脳皮質への入力

登上線維 (climbing fiber) と苔状線維の 2 つの系統が，小脳皮質への**興奮性入力 (excitatory input)** を供給している．それぞれの系はまた直接，深部小脳核に側副枝を出し，さらに小脳皮質にも投射している．小脳皮質からの興奮性の投射は次に二次回路を賦活し，Purkinje 細胞を介して小脳核の出力を調整している．

- **登上線維**は，延髄下オリーブ核 (inferior olivary nucleus) より発して Purkinje 細胞に直接投射する．Purkinje 細胞は，それぞれ 1 本の登上線維だけから入力を受けているが，この登上線維は Purkinje 細胞の樹状突起に沿って複数のシナプス結合をしている．これらのシナプス結合は強力である．1 本の登上線維からの 1 つの活動電位は, **複雑スパイク (complex spike)** とよばれる複数の興奮性群発放電を Purkinje 細胞の樹状突起において発生させている．登上線維は Purkinje 細胞の状態を調整して，苔状線維の入

力に対する反応を調節していると考えられている．登上線維はまた，小脳の学習にも役割を果たしていると考えられている．

● **苔状線維**は小脳への入力の多くを構成している．これらの線維は，前庭小脳，脊髄小脳，橋小脳の求心性線維を含んでいる【訳者注：起始核は，橋核(pontine nucleus)，前庭神経核(vestibular nucleus)，網様体，脊髄のさまざまな神経核に散在する苔状線維神経細胞である】．苔状線維は顆粒細胞へ投射しているが，顆粒細胞は興奮性介在ニューロンで，糸球体(glomeruli)とよばれるシナプス複合体の近傍に位置している【訳者注：糸球体とは，顆粒細胞の樹状突起，Golgi細胞の軸索さらに苔状線維の終末がシナプス結合をした，細胞体を含まない複合体のことである】．次に，この顆粒細胞の軸索は分子層まで上がり，そこで分岐して平行線維を形成する．顆粒細胞からの平行線維は多くのPurkinje細胞軸索突起と結合し，Purkinje細胞の列に沿って興奮性の梁(はり)をわたしている．1本のPurkinje細胞の樹状突起ツリー(dendritic tree)は，それぞれ25万本もの平行線維からの入力を受けている．登上線維はPurkinje細胞の樹状突起に入力して複雑スパイクを引き起こすのに比べ，苔状線維は単一の活動電位，**単純スパイク(simple spike)**とよばれるものを生じさせるだけである．平行線維は，小脳の介在ニューロン(バスケット細胞,星状細胞，Golgi細胞)ともシナプス結合をしている．

■ 小脳の介在ニューロン

小脳の介在ニューロンの機能は，Purkinje細胞の出力を調整することにある．顆粒細胞以外すべての小脳介在ニューロンは抑制性である．顆粒細胞はバスケット細胞，Golgi細胞，Purkinje細胞に興奮性出力を送っている．バスケット細胞と星状細胞は，平行線維からの興奮性入力を受けてPurkinje細胞を抑制する．Golgi細胞は顆粒細胞を抑制して，顆粒細胞のPurkinje細胞に対する興奮性作用を減弱させている．

■ 小脳皮質の出力

小脳皮質の唯一の出力は，**Purkinje細胞の軸索(axon of Purkinje cell)**を介するものだけである．Purkinje細胞の出力は**すべて抑制性**で，放出される神経伝達物質はγ-アミノ酪酸(γ-aminobutyric acid：GABA)である(**第1章**を参照)．Purkinje細胞の軸索は，小脳深部核(歯状核(dentate nucleus)，球状核(globose nucleus)，栓状核(emboliform nucleus)，室頂核(fastigial nucleus))と前庭神経外側核に部位局在的(topographical)【訳者注：部位局在的とは，ある部位のニューロンの投射が他の特定部位と対をなして地図のように分布していること】に投射している．この小脳皮質の抑制性出力は，運動の頻度，範囲，力や方向(すなわち協働運動)を制御している．

■ 小脳の障害

小脳病変で，**運動失調(ataxia)**とよばれる運動の異常が生じる．小脳性運動失調(cerebellar ataxia)とは，運動の頻度，範囲，力，方向の誤りのために協調運動(coordination)ができないことを指す．運動失調はいくつかの方法で示すことができる．**運動開始の遅延(delayed onset)**ないし連続した運動の実行不良が出現し，その結果，協調的ではないようにみえる運動(協調運動障害)を引き起こす．手足は目標を通り越してしまうか(**測定過大(hypermetria)**)，あるいは目標に届く前に止まってしまう(**測定過小(hypometria)**)．失調は**反復拮抗運動不能症(dysdiadochokinesia)**として表現されることもある．それは，すばやく手のひらを交互に回内回外する運動ができなくなることを指す．**企図振戦(intention tremor)**では，随意運動の方向に対して垂直方向に振戦(ふるえ)が生じ，運動の最後になると振戦の振幅が大きくなる(小脳疾患で認められる企図振戦とParkinson病の安静時振戦(resting tremor)は異なる)．**反跳現象(rebound phenomenon)**(Stewart-Holmes(スチュアート・ホームズ)徴候ともいう)は，運動を止めることができないことである．例えば，小脳疾患の患者が前腕を検者の抵抗に逆らって屈曲しているとき，その抵抗が急になく

なっても屈曲を止めることができない.

基底核

基底核とは,終脳(telencephalon)の深部核,すなわち**尾状核,被殻(putamen),淡蒼球(globus pallidus)**,そして**扁桃体**である.また,**視床(thalamus)**の前腹側核(ventral anterior nucleus)と外腹側核(ventral lateral nucleus),間脳の視床下核(subthalamic nucleus),中脳の黒質(substantia nigra)など関連する核がある【訳者注:通常,基底核とは,尾状核,被殻,淡蒼球,視床下核,黒質を指すことが多い】.

基底核の主な機能は,視床を通る経路を介して運動皮質に影響を与えることである.基底核の役割は,なめらかな運動のプランニング(計画を立てること)を手助けすることと,その実行である.基底核はまた,情動や認知機能にも役割を果たしている【訳者注:中脳ドパミン細胞は2つの投射系を有している.(1)黒質線条体系:黒質緻密層のドパミン細胞は線条体を経て視床,運動野に投射し,運動に関与する.(2)中脳皮質辺縁系:中脳被蓋野(VTA)のドパミン細胞は線条体・前腹側部(側座核)を経て,扁桃体,前頭葉などに投射し,情動や,予想外の嬉しい出来事(報酬)に対してVTAドパミン細胞が興奮する.この経路が種々の依存症や幻覚・妄想などに関与していると考えられている】.

基底核への出入経路は**図 3.38**に示したように複雑である.大脳皮質のほとんどすべての領域は部位局在的に線条体に投射し,運動皮質から重要な入力を受けている.線条体(striatum)【訳者注:ここでの線条体とは新線条体のことで,尾状核と被殻をあわせたものを指す】は視床と連絡し合い,異なる2つの経路(間接路,直接路)を介して大脳皮質へ情報を戻している.

● 間接路

間接路(indirect pathway)では,線条体は淡蒼球外節(globus pallidus external segment)に抑制性出力を送り,その淡蒼球は視床下核に抑制性出力を送っている.視床下核は,淡蒼球内節(globus pallidus internal segment)と黒質網様部(substantia nigra pars reticulata)に興奮性出力を

送っている.淡蒼球内節と黒質網様部は,視床に抑制性出力を送っている.さらに,視床(外腹側核)は運動皮質に興奮性出力を送り返している.この経路での抑制性神経伝達物質は**GABA**で,興奮性神経伝達物質は**グルタミン酸**である.**図 3.38**の下部に模式図的に描かれているように,全体としての間接路の出力は最終的には抑制性になるのである.

● 直接路

直接路(direct pathway)では,線条体は淡蒼球内節と黒質網様部に抑制性出力を送り,淡蒼球内節と黒質網様部は,視床に抑制性出力を送る.間接路と同様に,視床(外腹側核)は運動皮質に興奮性出力を送っている.また,ここでも抑制性神経伝達物質は**GABA**で,興奮性神経伝達物質は**グルタミン酸**である.**図 3.38**の下部に模式図的に描かれているように,全体としての直接路の出力は最終的には**興奮性**になるのである.

間接路と直接路による基底核から運動皮質への出力は相反する作用で,慎重にバランスがとられている(間接路は抑制性で,直接路は興奮性として).どちらかの経路の障害によってこの均衡状態が崩れて,運動の活動性を増加ないし減少させることになる.このような不均衡が基底核の病気の特徴である.

間接路,直接路の基本的な回路に加えて,さらに線条体と黒質緻密部(substantia nigra pars compacta)との間には双方向の結合がある.線条体へ投射しているニューロンの神経伝達物質は**ドパミン(dopamine)**である.この黒質から線条体への投射では,間接路においてドパミンが(**D₂受容体(D₂ receptor)**を介して)抑制性作用となり,直接路ではドパミンは(**D₁受容体(D₁ receptor)**を介して)興奮性作用となっている(**図 3.38**の黒質緻密部と線条体の関係を参照すること)【訳者注:2つの経路以外にハイパー直接路(hyperdirect pathway)があることが知られている.大脳皮質運動野から直接視床下核に投射し(興奮性で神経伝達物質はグルタミン酸),その後は直接路,間接路と同様に淡蒼球内節と黒質網様部に投射している.大脳皮質からの興奮性出力を,直接路,間接路よりも時間的に速く淡蒼球内節,黒質網様部

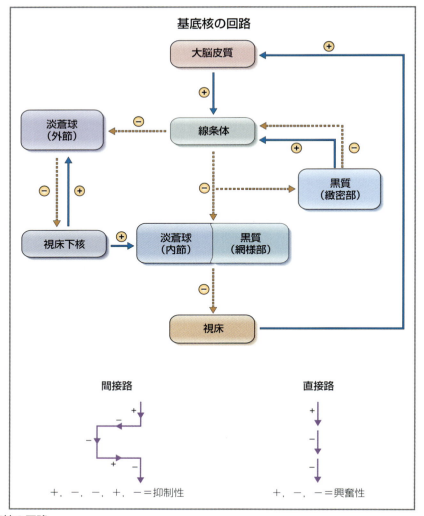

図3.38 基底核の回路．
大脳皮質，基底核と視床の関係が示されている．青い実線は興奮性経路，茶色の点線は抑制性経路を示す．間接路は最終的には抑制性であり，直接路は興奮性である．(Kandel ER, Schwartz JH, Jessell TM: Principles of Neural Science, 4th ed. New York, McGraw-Hill, 2000. より改変．)

に伝えている．基底核の病気は，ハイパー直接路，直接路，間接路の活動性の均衡が崩れることによって出現すると考えられている】．

■ 基底核の病気

基底核の病気には，Parkinson（パーキンソン）病（Parkinson disease）やHuntington（ハンチントン）病（Huntington disease）などがある．Parkinson病では，黒質緻密部の細胞が変性して，間接路を介する抑制性を減弱させ，直接路を介する興奮性を減弱させる．Parkinson病の特徴の安静時振戦，動作の緩徐さ（slowness of movement）と運動開始の遅延，引きずり足歩行（shuffling gait）あるいは小刻み歩行（short-stepped gait）は，基底核の機能障害として説明できる．Parkinson病の治療は，L-ドパ（L-dopa）投与によってドパミンを補充することや【訳者注：L-ドパはドパミンの前駆物質で，血液脳関門を通過し，神経終末内にあるアミノ酸脱炭酸酵素によってドパミンに変換，補充される（「酵素関門」参照）】，ブロモクリプチンのようなドパミン受容体作動薬を投与することが挙げられる．Huntington病は遺伝性疾

患で，線条体の抑制性GABA作動性ニューロン（GABAergic neuron）の変性が生じる．この病気の神経症状は，舞踏運動（choreic movement）（ねじれ，踊るような運動）と認知症（dementia）である．今のところ治療法はみつかっていない【訳者注：線条体GABA作動性ニューロン（中型有棘細胞）が最も変性に陥りやすく，その結果，アセチルコリン作動性ニューロンなども変性し，線条体の著明な萎縮が生じる．GABA作動性ニューロンの変性により視床下核の活動性低下が生じ，視床の脱抑制を引き起こし，運動野の興奮性入力が増大して不随意運動が生ずる．また，大脳皮質の萎縮も著明になり，認知機能障害，人格変化などが出現する】．

運動皮質

随意運動（voluntary movement）は，下行路を介して運動皮質によって指示される．随意運動の活動性を生じさせるために必要な意欲やアイデアは，最初にいくつもの大脳皮質連合野において計画され，その後，**運動のプラン（motor plan）**を作成するために補足運動野（supplementary motor cortex），運動前野（premotor cortex）に送られる．運動のプランでは，収縮させる必要のある特定の筋を同定し，どのくらいの筋収縮が必要か，そしてどのような順序かということを決める．次に，このプランは一次運動野（primary motor cortex）内の上位運動ニューロン（upper motoneuron）に送られ，さらに下行路を経て脊髄の下位運動ニューロン（lower motoneuron）に送られる．プランを立てることとプランの実行段階では，小脳，基底核の運動制御システムによる調節も受けている．

運動皮質は3つの領域，つまり，一次運動野，補足運動野と運動前野からなる．

- **運動前野と補足運動野（ブロードマン6野（area 6））**は，**運動のプランの作成（generating a plan of movement）**に重要な働きを担っている運動皮質の領域であり，次にそのプランは実行するために一次運動野へ送られる．補足運動野は複雑な運動の順序に関するプログラムづくりを行い，動作なしに運動を心の中でリハーサ

ルしている間でさえ活動している．
- **一次運動野（ブロードマン4野（area 4））**は，**運動の実行（execution of a movement）**に関する重要な働きを担っている運動皮質の領域である．運動ニューロンの活動パターンのプログラムは，一次運動野から活性化される．運動皮質の上位運動ニューロンが興奮すると，この活動は脳幹，脊髄に伝達され，そこで下位運動ニューロン（脊髄運動神経）が興奮し，適切な筋に対して協調的な収縮を作り出す（すなわち，これが随意運動である）．一次運動野は体部位局在性に構成されていて，**運動性小人間像（motor homunculus）**として描かれている（図3.12参照）．この体部位局在性は，一次運動野から生じる発作であるJackson（ジャクソン）**発作（jacksonian seizure）**をみると非常によくわかる．この痙攣発作は通常，一側の手指から始まり，手，腕に広がり，最後には全身に広がっていく（これをJackson行進（jacksonian march）という）．

神経系の高次機能

脳波

脳波（electroencephalogram：EEG）は，頭蓋に置いた電極を介して大脳皮質の電気活動を記録するものである．脳波の波は，交互に生じる興奮性と抑制性シナプス電位からなる大脳皮質の細胞外電流であり，表面電極でも十分に感知できる（脳波の波は活動電位ではない．頭蓋表面に置かれた電極では，単一の活動電位の小さな電位変化を感知するには十分な感度がないのである）．

正常脳波（図3.39）は，さまざまな振幅と周波数からなっている．**覚醒状態で開眼している健常成人**では，頭頂葉と後頭葉から記録される主な周波数はβ（ベータ）律動（beta rhythm）（13〜30 Hz）であり，非同期性（desynchronous），低電圧（低振幅）で，高い周期数の波からなる．**閉眼**すると，主な周期数はα（アルファ）律動（alpha rhythm）（8〜13 Hz）となり，開眼時に比べて高

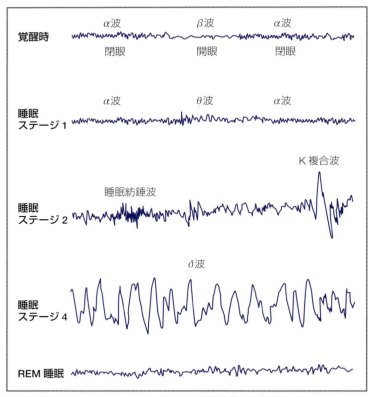

図3.39　正常覚醒脳波と睡眠ステージ1，2，4，急速眼球運動（REM）睡眠の脳波．

い電圧で低い周波数の，より同期（synchronous）した波となる【訳者注：同期とは，脳波記録上，前頭葉，頭頂葉，後頭葉など複数の記録部位で波が時間的に同時に出現していること．非同期とは，波が揃って出現していない，時間的にばらばらであるということ】．

　ヒトは眠ると，**徐波睡眠（slow-wave sleep）**の4つの睡眠ステージ（段階）を通過する．ステージ1では，閉眼の覚醒成人で認められるα波と，低周波数のθ（シータ）波（theta wave）（4～7 Hz）が散在して出現するようになる．ステージ2では，これらの低周波数の波（徐波）に**睡眠紡錘波（sleep spindle）**とよばれる高周波数のバースト（群発波（burst））が散在・出現し，さらにこの紡錘波に高振幅の徐波（瘤波（hump）ともいう）が加わり，**K複合波（K complex）**とよばれるものが散在するようになる．ステージ3では，（図には示されていないが）さらに低周期の徐波がみられ【訳者注：θ波主体にδ波（3 Hz以下）も混入する】，時に睡眠紡錘波もみられる．ステージ4では，δ（デルタ）波（delta wave）が主体に出現することによって特徴づけられる．およそ90分ごとに徐波睡眠パターンが変化して**急速眼球運動睡眠（レム睡眠）（rapid eye movement（REM）sleep）**が出現する．その脳波は非同期的で，低振幅・高周波数の波で，覚醒している人にみられるものと似ている．**REM睡眠は逆説睡眠（paradoxical sleep）**ともよばれる．脳波は覚醒状態によく似ているが，逆説的に（矛盾したようにみえるが）人は最も覚醒しづらい状態なのである．REM睡眠では筋緊張が消失し，特徴的な急速眼球運動を生じる．さらに体温調節の消失，縮瞳，勃起を生じ，また，心拍数，血圧，呼吸が変動することも特徴である．REM睡眠では夢をみていることが多い【訳者注：徐波睡眠（ノンレム睡眠（non-REM sleep））中でも夢をみていることが知られている】．徐波睡眠とREM睡眠の割合は年齢で変化する．新生児では睡眠の半分がREM睡眠で，若年成人では25％が

REM 睡眠，そして高年齢者では REM 睡眠はあまり生じなくなる．

学習と記憶

学習と記憶は神経系の高次機能である．**学習**とは，経験の結果として個々の行動を変えることができる神経機構である．**記憶**は，学習したことを蓄える機構のことである．

学習は**非連合学習（nonassociative learning）**と連合学習（associative learning）に分けられる．非連合学習において，慣れ（habituation）（順化，順応ともいう）を例にとってみると，繰り返し刺激は反応を引き起こすが，その刺激が重要でないと学習されるにつれ，反応は次第に減弱していく．例えば，ニューヨークに来たばかりの人は，はじめのうち街の騒音に目を覚ますかもしれないが，やがて騒音は意味のないものと学習されるにつれ，気にならなくなるだろう．慣れの反対が鋭敏化（**感作**）である．そこでは刺激が重要と学習されると，引き続き起こる反応の出現確率が大きくなる．**連合学習**においては，組となる刺激のタイミングに一貫した関係がある．**古典的条件づけ（classic conditioning）**では，条件刺激（conditioned stimulus）と無学習反応（無条件反応）（unlearned response）を引き起こす無条件刺激（unconditioned stimulus）の間に時間関係がある．時間関係が維持されたまま両者の刺激が繰り返されると，連合学習が成り立つ．ひとたび学習が成立すると（例えば，Pavlov（パブロフ）の犬（Pavlov's dog））刺激だけで（ベルを鳴らす），無学習反応（例えば，唾液が出る）を引き起こす．**オペラント条件づけ（operant conditioning）**では，正ないし負の**強化（reinforcement）**によって，刺激に対する反応の出現確率が変化する．

シナプス可塑性（synaptic plasticity）は，学習の根底にある基本的な機構である．すなわち，シナプスの機能と効率は変化する（"可塑性"）ものであり，それらは先行するシナプスの活動レベル，つまりシナプスを通る"情報伝達量"に依存しているのである．シナプス後神経細胞の反応性（**シナプス強度（synaptic strength）**とよぶ）は固定されたものではなく，むしろ先行する"シナプス情

報伝達量"に依存している．例えば，**増強（potentiation）**という現象は，ある神経回路が繰り返し活動することによって，この回路のシナプス後神経細胞の応答が増大していく．この増強はミリ秒程度しか続かない短いこともあるが，数日，数週間，あるいはもっと続くこともある（すなわち，これが**長期増強（long-term potentiation：LTP）**である）．逆に，反対のことも起きる（すなわち慣れや**長期抑圧（long-term depression：LTD）**である）．ここでは増加したシナプス活動が，シナプス後神経細胞の応答性を減弱させる．

短期シナプス可塑性はシナプス前神経の活動性の変化に基づいているが，これは反復刺激後に起きる神経伝達物質放出の増加や，あるいは，シナプス後受容体の応答性増加を意味する．この短期促通現象の有力な仮説として，一連の活動電位出現後にシナプス前神経終末内に Ca^{2+} が残存し（Ca^{2+} 依存性に神経伝達物質が放出されるため），より多くの神経伝達物質が放出されると考えられている．逆に，短期順化（順応）はシナプス小胞（神経伝達物質）の枯渇によって説明できるかもしれない．

海馬における**長期増強**は，長期記憶の形成の根幹をなす．海馬のシナプスは弱く，ペアとなる同時刺激によって興奮する．そのようなペアがあると，ペア刺激間の協調が関連づけられ，それらの刺激はシナプス後細胞を発火させる能力を増強させる．

このシナプス経路では，興奮性神経伝達物質の**グルタミン酸**と，その受容体である ***N*-メチル-D-アスパラギン酸（NMDA）受容体（*N*-methyl-D-aspartate（NMDA）receptor）**を利用している．シナプス前神経が興奮するとグルタミン酸が放出され，シナプス間隙を拡散してシナプス後膜の NMDA 受容体（NMDA receptor）が活性化される．NMDA 受容体は**リガンド依存性イオンチャネル（ligand-gated ion channel）**であり，チャネルが開くと Ca^{2+} がシナプス後細胞内に流入する．高頻度刺激では（シナプス前神経の興奮性が増加すると），さらに多くの Ca^{2+} がシナプス後細胞に貯留する【訳者注：シナプス後膜の脱分極が引き起こされることで NMDA 受容体を阻害して

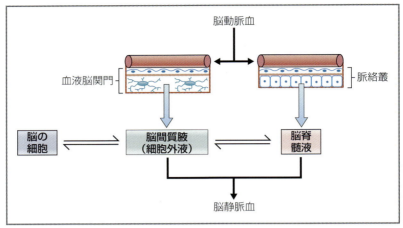

図3.40　血液脳関門，脈絡叢，脳脊髄液，脳間質液の関係．

いる Mg^{2+} が外れ，リガンドであるグルタミン酸が結合した NMDA 受容体は Ca^{2+} を透過できるようになる】．そして，高濃度の細胞内 Ca^{2+} は Ca^{2+}-カルモジュリン依存性プロテインキナーゼ（Ca^{2+}-calmodulin-dependent protein kinase：CaMK）活性を増大させ，十分にメカニズムはわかっていないが，シナプスの応答を増大させていくのである．低頻度刺激では長期抑圧という反対の筋書き（現象）になる．すなわちシナプスの Ca^{2+} がわずかしか増加しないと，最後には後シナプス機能を下向きに制御（低下させる）してしまう．

脳脊髄液

　脳脊髄液（cerebrospinal fluid：CSF）は，脈絡叢（choroid plexus）（側脳室，第三，第四脳室にある）の上皮細胞によって 500 mL/day の割合でつくられている【訳者注：脳脊髄液の総量は約 150 mL である】．脳脊髄液は脈絡叢の上皮細胞でつくられると，脳室とくも膜下腔に流れ込み，脳や脊髄を取り囲む．くも膜下腔の拡張した部位は，くも膜下槽といわれている．脳脊髄液は，一方向的に流れる容積流（バルクフロー（bulk flow））で上矢状洞のくも膜顆粒から吸収され，静脈に移動し体循環に戻る．この容積流の駆動力は，脳脊髄液の静水圧が静脈の静水圧よりわずかに高いことによ

る．定常状態では，脳脊髄液の静脈への流れる量は脳脊髄液の産生量（500 mL/day）と等しい．診断目的で，**腰椎穿刺（lumbar puncture）** を行って第 3-4 腰椎間でくも膜下腔から脳脊髄液を採取し，その圧を測ることができる【訳者注：腰椎レベルで正常圧は 70 〜 180 mm H_2O である．脳脊髄液は，毛細血管からも静水圧によって細胞間液中に浸出する．また，浸透圧によっても毛細血管に取り込まれ，静脈に灌流される】．

　脳の動脈供給，脈絡叢，血液脳関門，脳間質液との関係は**図3.40**に示されている．脳間質液に満たされ脳細胞，脳間質液，脳脊髄液の間で種々の物質が交換されていることに注意すること．

　脳毛細血管と脳脊髄液の間の関門は**脈絡叢**である．この関門は 3 層からなる：毛細血管内皮細胞（capillary endothelial cell）と基底膜，神経膠細胞膜（グリア細胞膜）（neuroglial membrane），脈絡叢の上皮細胞（epithelial cells of the choroid plexus）．脈絡叢上皮細胞は遠位尿細管の上皮細胞と似ており，溶質と液体を毛細血管から脳脊髄液中に移動させる輸送機構を有している．

　脳毛細血管と脳間質液との間の関門が**血液脳関門（blood-brain barrier）** である．解剖学的には，血液脳関門は毛細血管内皮細胞と基底膜，神経膠細胞の終足（関門の脳側にある神経膠細胞の足突起）などからなっている【訳者注：血管周皮細胞（pericyte）も毛細血管内皮細胞の一部を取り囲み，血液脳関門の構造や機能維持に役割を果たし

ている】．機能的には，血液脳関門は他の組織における類似の関門とは次の2点で異なる：(1)脳における内皮細胞(endothelial cell)間の結合は非常に密接で，タイトジャンクション(tight junction)を形成し，わずかな物質しか細胞間を通過できない．(2)内皮細胞を通過できる物質はとても少ない．脂溶性物質(lipid-soluble substance)（例えば，O_2, CO_2 など）は関門を通過できるが，水溶性物質(water-soluble substance)は通過できない．

脳脊髄液の生成

脳脊髄液は，脈絡叢の上皮細胞から約 500 mL/day の割合で分泌されている．これら細胞の輸送機構は，血液中から取り込んだ物質を脳脊髄液に分泌し（例えば，Na^+, Cl^-, HCO_3^-, 水），脳脊髄液から血液中にその他の物質を吸収する（例えば K^+ など）．タンパク質やコレステロールのようなものは分子量が大きいため，脳脊髄液には移行しない．O_2, CO_2 のような脂溶性物質は自由に細胞膜を移動し，血液と脳脊髄液間で平衡が保たれる．そのため，この輸送機構と関門の特性によって，物質によっては血液より脳脊髄液のほうで濃度が高いことや，同じこと，あるいは低いこともある．脳間質液と脳脊髄液の間は多くの物質が容易に行き来する（図 3.40 参照）．そのため，脳間質液と脳脊髄液の組成は互いに似ているが，血液の組成とは異なる．表 3.6 は脳脊髄液と血液の組成を比較したものである．

脳脊髄液の分泌は，以下のようなステップで生ずる（図 3.41）．脈絡叢上皮細胞は脳脊髄液と細胞外液（間質液）の間にあり，細胞外液は基底外側膜に接し，脳脊髄液は頂端膜に接していることに注意する．

脳脊髄液は2段階で産生される．(1)血漿の限外濾過は，有窓性脳毛細血管から脈絡叢上皮細胞の基底外側膜側の脳実質の細胞外液中へ行われる．この過程では，血管壁を通過するには大きすぎるタンパク質やコレステロールのような分子は除かれる（これを限外濾過という）．次に，(2)脈絡叢上皮細胞は水や溶質の移送過程で，細胞外液から脳脊髄液を生成・分泌する（図 3.40 の脈絡叢の部分で生じている）．脈絡叢上皮細胞の通常とは異

表 3.6　脳脊髄液の組成．

[脳脊髄液]≒[血液]	[脳脊髄液]<[血液]	[脳脊髄液]>[血液]
Na^+ Cl^- HCO_3^- 浸透圧	K^+ Ca^{2+} グルコース アミノ酸 pH コレステロール* タンパク質	Mg^{2+} クレアチニン

＊：脳脊髄液中ではごく微量．

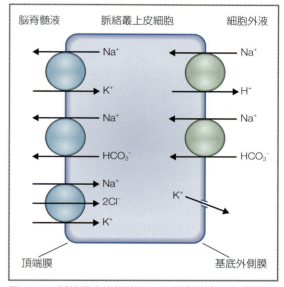

図 3.41　脈絡叢内皮細胞による脳脊髄液の生成過程．
【訳者注：図 3.40 の脈絡叢で生じている現象の一部を拡大・詳細に示したものである．】

なる特徴として，Na^+-K^+ ATPase (ATPase：アデノシン三リン酸分解酵素)が脳脊髄液に面した頂端膜上にあることに注意せよ（他の上皮細胞のように基底外側膜上ではない）【訳者注：輸送体は細胞膜を貫通するタンパク質でできており，イオンが通過する部位を有している．ATP が ATPase により ADP になるときに，大きなエネルギーが発生する．そのエネルギーを利用して，濃度勾配に逆らって Na^+, K^+ を移送している（下記本文参照）】．

NaCl, $NaHCO_3$ や水の細胞外液から脳脊髄液への正味の輸送が存在するが，これについては次のようになっている．Na^+ は，基底外側膜の

Na$^+$-H$^+$交換器(輸送体)によって細胞外液から細胞内へ電気化学的勾配に従って運ばれる(Na$^+$勾配は頂端膜上のNa$^+$-K$^+$ ATPaseによって形成・維持されている).次に,Na$^+$は細胞から脳脊髄液へ頂端膜Na$^+$-K$^+$ ATPaseによって能動輸送される.HCO$_3^-$は,血液から頂端膜と基底外側膜の上にあるNa$^+$-HCO$_3^-$共輸送体によって脳脊髄液に運ばれる.そして,水は溶質分泌によってできた差を埋めるべく,等浸透圧になるように移動する(このことは,脳脊髄液と血液が同じ浸透圧を有していることの説明となる)(表3.6参照).

K$^+$の脳脊髄液から細胞外液への正味の輸送を,以下に示す.K$^+$は,頂端膜上のNa$^+$-2Cl$^-$-K$^+$共輸送体を介して脳脊髄液から細胞外液に移送され,そして基底外側膜にあるK$^+$チャネルを介して移動する.

脳脊髄液の機能

脳脊髄液の機能は,脳の細胞のために一定の制御された環境をつくり,脳を内因性および外因性の毒素から保護し,ショックアブソーバー(衝撃吸収装置)のように機械的損傷から保護することである.脳脊髄液は,神経伝達物質が全身循環にすぐに入らないように局所的に留まらせておく機能ももっているといえるだろう.

血液脳関門

血液脳関門の機能は,血液構成成分の変動から脳細胞を守ることでもある.例えばイオン,ホルモン,栄養素,炎症関連の内因性物質などの血中濃度は食事,身体活動や病気によって変化しうる.もし脳が,このような変化に影響を受けると神経細胞機能にとっては危険であり,死に至る可能性すらある.いくつかの例外を除いては(すなわち,脳脊髄分泌にかかわる脈絡叢と,ホルモン分泌にかかわる脳内の下垂体後葉,正中隆起(視床下部)および松果体は血液脳関門のない部位である),脳のすべての領域は血液脳関門によって保護されている.

脳毛細血管の構造

脳毛細血管は内皮細胞間に間隙がない.この点で,他の臓器の毛細血管と異なる(他の臓器では,溶質は拡散によってこの間隙を通過する).脳毛細血管は,拡散に対する特有の物理的バリア(関門)である内皮細胞間の密着結合(タイトジャンクション)を有する.これによって,脳細胞と毛細血管の間における水溶性イオンと溶質の移動が妨げられている.

血液脳関門を通過する溶質と水の移送

O$_2$,CO$_2$,エタノール(アルコール)のような脂溶性物質は,(濃度勾配による)単純拡散で容易に血液脳関門を通過する.水溶性物質は,特別な輸送体がない場合,一般的に血液脳関門の通過が制限される(下記参照).血漿タンパク質に結合する物質もまた,血液脳関門の通過が制限される.脂溶性の度合いに応じて,薬物は血液脳関門をさまざまな程度で通過する.そのため,脂溶性(lipid-soluble)薬物は血液脳関門を容易に通過するが,イオン化した(水溶性(water-soluble))薬物は通過しない.しかし,炎症,放射線治療後や腫瘍では血液脳関門の透過性が上昇し,健常時には脳に入ることができない物質を進入させることがある.これらの物質として,がんの化学療法薬,抗生物質,放射性標識物がある.

Parkinson病の治療におけるL-ドパ(L-DOPA)療法で示されているように,"酵素関門"というのもまた血液脳関門の透過性に影響する.L-ドパは,アミノ酸輸送体を介して脳血管内皮細胞に入る.しかし,この内皮細胞にはL-ドパ脱炭酸酵素(L-aromatic amino acid decarboxylase)やモノアミン酸化酵素(monoamine oxidase)があるため,通過した後すばやくL-ジヒドロキシフェニル酢酸(L-3,4-dihydroxyphenylacetic acid)に代謝される.そのため,パーキンソン病におけるL-ドパ治療を効果的にするには,ドパ脱炭酸酵素阻害薬を同時に投与しなくてはならない.

興味深いことに,水そのものはアクアポリン4(AQP4)チャネル(毛細血管や神経膠細胞などに存在)があるため血液脳関門を通過できる.その

ため水は，血漿の浸透圧の変化に応じて脳細胞外液へ移動し，脳細胞を縮小させたり膨大させたりする．

血液脳関門を通過する物質の多くは脂溶性ではないため，特異的な輸送体が必要とされる．**グルコース**は脳機能のためにきわめて重要な物質であるが（ニューロンはグリコーゲンのような栄養物質を貯蔵できないので），グルコースの促進拡散輸送体，**GLUT1** (glucose transporter 1) によって血液脳関門を通って移動する．さらに，アミノ酸，神経伝達物質，有機酸の輸送体もある【訳者注：物質の膜通過（透過）には，ATP のエネルギーを利用した能動輸送（「脳脊髄液の生成」の記述参照），膜の変化を利用したエンドサイトーシスなどの膜動輸送と，ATP を介さない促進拡散と単純拡散がある．GLUT1 輸送体は脳血管上皮細胞膜にあり，濃度勾配によってグルコースを細胞外液中に移動させる】．

まとめ

- 感覚系は，環境から得た情報を，特殊化した感覚受容器と中枢神経系の一次，二次，三次，四次ニューロンを介して中枢神経系へ伝達する．感覚受容器には機械受容器，光受容器，化学受容器，温度受容器，そして侵害受容器がある．刺激（例えば，光）は感覚受容体においてエネルギー変換過程を経て電気的エネルギーに変えられ，その結果として受容体電位を生じる．

- 体性感覚系や痛覚系は接触，位置，痛みや温度に関する情報を後索系と前外側索系を介して処理する．

- 視覚系では光刺激を感知して分析する．光受容器は網膜の錐体と桿体であるが，光に反応して脱分極する．光受容体シナプスは網膜の双極細胞と水平細胞にシナプス結合をし，双極細胞と水平細胞上のグルタミン酸受容体の種類によって，興奮性ないし抑制性となる．網膜の出力細胞は神経節細胞であり，その軸索が視神経を形成する．視神経は視床の外側膝状体でシナプス結合をする．左右鼻側半分の網膜からの神経線維は視交叉を横切り，対側を上行する．側頭側（耳側）半分の網膜からの神経線維は同側を上行する．

- 聴覚系は音波の変換に関係している．その機械受容器は，内耳の Corti 器にある聴覚有毛細胞である．有毛細胞の感覚毛が曲がると振動する受容体電位を生じる．周波数は，基底膜に沿った有毛細胞の位置によって符号化されている．

- 前庭神経系は，平衡，バランスを維持するために使われる．前庭有毛細胞は，半規管膨大部と耳石器官にある機械受容器である．半規管は頭部の角加速度を感知し，耳石器官は直線加速度を感知する．

- 化学感覚には嗅覚と味覚がある．嗅上皮は，一次求心性ニューロンである嗅覚受容体細胞を含んでいる．これらの軸索は，篩板を通過し嗅球の糸球体とシナプス結合をする．味覚受容体は味蕾にあり，乳頭の中に配置されている．

- 筋紡錘は錘内筋線維からなり，錘外筋線維と並列に配置されている．筋紡錘は伸張受容器で，錘外筋線維が収縮ないし弛緩しているときの筋長の変化を感知する．

- 脊髄反射には伸張反射（単シナプス性），Golgi 腱反射（2 シナプス性）と屈曲-逃避反射（多シナプス性）がある．

- 大脳皮質と脳幹からの下行性運動路は，錐体路と錐体外路に分けられる．錐体路は延髄を通り，脊髄下位運動ニューロンとシナプス結合をする．錐体外路は赤核脊髄路，橋網様体脊髄路，延髄網様体脊髄路，外側前庭脊髄路，視蓋脊髄路からなる．

- 小脳は協働運動を制御することにより，運動を調節する．小脳皮質には顆粒層，Purkinje 細胞層，分子層がある．小脳皮質の出力は Purkinje 細胞の軸索を介するもので，すべて抑制性である．小脳の疾患では，運動失調を生じる．

- 基底核は終脳の深部核である．スムーズな運動のプランと実行に関係する．

- 運動皮質のうち前運動野と補足運動野は，運動のプランを作成する役割を担っている．一次運動野は運動のプランの実行を担っている．

- 脳脊髄液は，機械的損傷から脳を保護し，脳細

132 第3章 神経系の生理学

胞にとって適切に制御された環境を提供し，内因性，外因性毒素から脳を守っている．脳脊髄液は脳毛細血管から限外濾過によって生成され，その後，脈絡叢の内皮細胞から NaCl，$NaHCO_3$ と水が濃度勾配や浸透圧の差で分泌される．Na^+，Cl^-，HCO_3^- は脳脊髄液と血液で同濃度であり，浸透圧も同様である．K^+，グルコース，アミノ酸やタンパク質は血液より脳脊髄液のほうで濃度は低く，Mg^{2+}やクレアチニンは脳脊髄液のほうで濃度は高い．

● 血液脳関門は，血液組成物質の変動から脳を保護している．一般的には，O_2，CO_2やエタノールのような脂溶性物質は血液脳関門を通過できるが，水溶性の物質は特別な移送体があるときだけ通過できる．水そのものは AQP4 チャネルを介して通過する．

練習問題

各問に，単語，語句，数字で答えよ．選択肢が複数の場合，正解は1つとは限らず，ないこともある．正解は巻末に示す．

1 切断したら右眼が失明するのはどれか．
視交叉，左視索，右視索，右視神経，左視神経．

2 バレリーナが右へ回転し，突然停止したら，両眼はどちらのほうに動くか．

3 1つの運動単位にはいくつの運動ニューロンが含まれるか．

4 単シナプス性の反射はどれか．
膝蓋腱反射，Golgi 腱反射，伸張反射，熱いストーブから腕を引っ込めるときに関係する反射．

5 刺激が続いていても受容器電位が閾値以下になってしまうのは，相動性受容器，緊張性受容器のどちらか．

6 光受容に関して，以下を正しい順序に並べよ．
神経伝達物質放出，cGMP 減少，光，11-シスレチナールからオールトランスレチナールへの変換，トランスデューシン，過分極，Na^+チャネルの閉鎖．

7 過分極の受容器電位は膜電位を＿＿＿＿（強く，弱く）陰性にして，活動電位出現の可能性を＿＿＿＿（上昇させる，低下させる）．

8 Golgi 腱反射が作動すると，次の項目はそれぞれどうなるか．活性化（活動性の増加），抑制（活動性の減少），不変，のいずれかを選べ．
Golgi 腱器官
Ⅰa 群求心性線維
Ⅰb 群求心性線維
抑制性介在ニューロン
α運動ニューロン

9 脳脊髄液中より血液中において濃度が高いのは次のどれか．
タンパク質，浸透圧，Mg^{2+}，グルコース，Na^+，K^+．

10 もし頭部を右に回したとき，どちらの水平半規管が回旋初期に活性化されるか（右，左）．頭部を止めたとき，どちらの半規管が活性化されるか（右，左）．

11 蝸牛の基底膜の底部と比較して，基底膜の頂部では＿＿＿＿（広く，狭く），＿＿＿＿（柔らかく，硬く）なっており，＿＿＿＿（高い，低い）周波数に反応する．

第4章

心血管系の生理学

心血管系の主要な機能は，組織に血液を運び，細胞の代謝に必要な栄養を届け，細胞の老廃物を除去することである．心臓はポンプとしての機能を果たすために，収縮して血液を血管にくまなく届けるのに必要な圧をつくる．心臓から組織まで血液を運ぶ血管が**動脈**(artery)であり，動脈は高圧で，動脈内には全血液量のなかで比較的少ない割合の血液が存在する．組織から心臓に戻るのが**静脈**(vein)であり，静脈は低圧で，静脈内には圧倒的に多くの割合の血液が存在する．組織中には，**毛細血管**(capillary)とよばれる，壁の薄い血管が動脈と静脈の間に存在する．栄養，老廃物，液体の交換は，毛細血管壁を通じて行われる．

心血管系は恒常性維持にも関与する．血圧（動脈圧）を調整し，内分泌器官で分泌された調節ホルモンを標的臓器まで運搬し，体温を調節し，**出血**(hemorrhage)，運動，姿勢変化などの生理的状態の変化に対して恒常性を保つ調節機能を有する．

心血管系の回路

心臓の左側と右側

図4.1は心血管系の回路の模式図である．心臓の左側，右側および血管を相互の関連とともに示す．心臓の左側あるいは右側は，それぞれ1つの**心房**(atrium)，1つの**心室**(ventricle)という2つの腔をもつ．心房と心室の間には，**房室弁**(atrioventricular (AV) valve)とよばれる一方向弁がある．房室弁は，血液が心房から心室の一方向にのみ流れるようにつくられている．

左心と右心は異なる機能をもつ．左心，動脈，毛細血管，静脈は，まとめて**体循環**(systemic circulation)とよばれる．左室は肺以外の全身臓器に血液を拍出する．右心，肺動脈，肺毛細血管，肺静脈は，まとめて**肺循環**(pulmonary circulation)とよばれる．右室は肺に血液を送る．血液が左心から体循環を経て右心に，右心から肺循環を経て左心に流れるように，左心と右心は直列に接続して機能する．

単位時間あたりにそれぞれの心室から拍出される血液量が**心拍出量**(cardiac output)である．右心と左心は直列なので，定常状態（安定したとき）では左室拍出量と右室拍出量は同じである．単位時間に静脈から心房に還流する血液量を**静脈還流量**(venous return)という．繰り返しになるが，左心と右心は直列で働くため，定常状態では，左心への静脈還流量と右心への静脈還流量は等しい．さらに，定常状態では心拍出量と静脈還流量は等しい．

血管

血管にはさまざまな機能がある．血管は受動的な導管からなる閉鎖システムであり，組織への血液や組織からの血液を運搬し，栄養と老廃物を交換する．一方で，血管は組織への血流制御に能動的に関与する．血管の抵抗，特に**細動脈**(arteriole)の抵抗が変化するとき，その組織への血流量が変化する．

回路

心血管系を一周する間の各ステップを**図4.1**に示す．図中の○で囲んだ番号は，ここで述べる各ステップの番号である．

①**酸素化された血液**(oxygenated blood)が左室に充満する．血液は肺で酸素化され，肺静脈か

134　第4章　心血管系の生理学

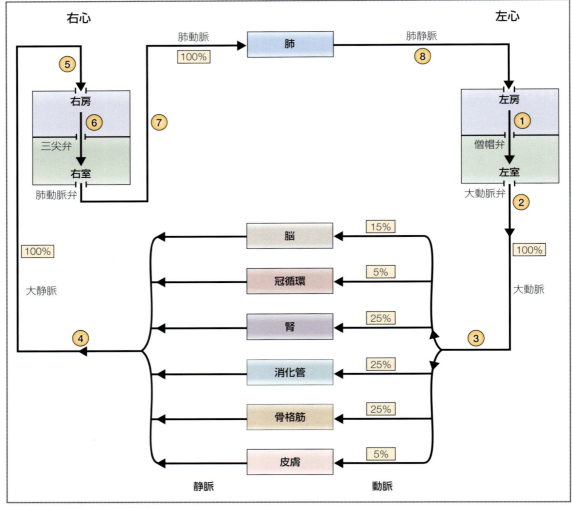

図 4.1　心血管系の循環模式図.
矢印は血流方向を示す．割合は，心拍出量に占めるパーセント(%)で表す．◯で囲んだ番号の説明は本文参照．

ら左房へ還流する．その血液は，**僧帽弁（mitral valve）**（左心の房室弁）を通って左房から左室へ流入する．
②**血液は，左室から大動脈（aorta）へ駆出される．**
　血液は，左室と大動脈の間にある半月弁である大動脈弁を通り，左室から駆出される．左室が収縮し，左室圧が上昇すると大動脈弁が開放し，血液が大動脈に強く駆出される（先に述べたように，単位時間に左室から大動脈に駆出される血液量が**心拍出量**である）．血液は，左室収縮で生じた圧に駆動されて動脈系を流れる．
③**心拍出量は，さまざまな組織に配分される．**す

べての左室の心拍出量は，並列で接続されている動脈系を通って組織に配分される．したがって，心拍出量の約15%は脳動脈から脳に，5%は冠動脈から心臓に，25%は腎動脈から腎臓に，その他の臓器にも同時に血液が運搬される．組織循環が**並列配置（parallel arrangement）**なので，すべての組織の血流量の総和は心拍出量と必ず等しい．
　しかし，心拍出量がどのような割合(%)でさまざまな組織循環へ分布するかは一定ではない．例えば，激しい運動を行っているときには，骨格筋や心筋へ拍出される割合が安静時と比し

て増加する．このように臓器系へ運ばれる血液量を変化させる機序は，大きく分けて3つある：(1)心拍出量は一定であっても，血管抵抗が各場所で選択的に変化することにより，組織の間で再配分される．このとき，ある臓器への血流を犠牲にして，他の臓器への血流を増加させることもある．(2)心拍出量は増減するが，臓器間の血流分配比率は一定に保たれる．(3)前述の(1)と(2)の2つがあわさり，心拍出量も臓器間の血流分配比率も変化する．例えば，激しい運動への反応では3つ目の機序が働く．つまり，骨格筋や心筋への血流が代謝の増加に見合って増加するのは，心拍出量の増加と，骨格筋や心筋への血流分配割合の増加がともに起こるからである．

④組織からの血流は，静脈に集められる．臓器を離れる血液が静脈血であり，CO_2のような代謝による老廃物を含む．混合静脈血を集めた静脈は合流を重ねて径が大きくなり，最終的には最大の静脈である大静脈(vena cava)になる．大静脈は血液を右心に運ぶ．

⑤右房への血液還流．大静脈圧は右房圧より高いので，右房は血液で満たされる．これを静脈還流という．定常状態では，右房への静脈還流量は左室からの心拍出量と等しい．

⑥混合静脈血は右室を充満する．混合静脈血は，右房から右心の房室弁である三尖弁(tricuspid valve)を通り，右室に流入する．

⑦血液は右室から肺動脈に駆出される．右室が収縮すると，血液は右心の半月弁である肺動脈弁を通り，肺へ血液を運ぶ血管である肺動脈へ駆出される．留意すべきこととして，右室拍出量は左室拍出量と等しい．肺の毛細血管床で，O_2は肺胞ガスから血液に取り入れられ，CO_2は血液から除かれて肺胞ガスに加えられる．したがって，肺から戻る血液(肺静脈血)は，肺に流入する血液(肺動脈血)と比べて，より多くのO_2と少ないCO_2を含有する．

⑧肺からの血流は，肺静脈から心臓に還流する．酸素化された血液は，肺静脈から左房に還流して新たな心周期が始まる．

血行力学

血行力学(hemodynamics)という言葉で表されるのは，心血管内の血流を統制する原理かつしくみである．ここでの物理の基本原理は，液体の動き一般にあてはまるものと同様である．流量，圧，抵抗，キャパシタンス(容量)という概念は，心臓に流入して流出する血流や血管内の血流にもあてはまる．

血液量の分布

70 kgの男性の総血液量は約5 Lである．このうち正常では，拡張末期において，85%が体循環に，10%が肺循環に，5%が心腔内にある．体循環にある血液量としては，多くは(3/4は)静脈に，残り1/4は動脈と毛細血管にある．したがって，体静脈は血液量の重要な貯蔵場所である．

血管の性質

血管壁には次のような成分がある．各成分が相対的にどの程度存在するかは，動脈，細動脈，毛細血管，静脈の間で異なっているため，それぞれで機能的特性が異なっている．

- 内皮細胞は，すべての血管を貫く1つの層を構成している．内皮細胞は，動脈において，そしてより少ないながらも静脈において，接合複合体によって結合されている．毛細血管では，これらの接合複合体の「漏れやすさ」は，臓器によって異なる．脳毛細血管には血液脳関門を構成する狭い("タイトな")結合部があり，小腸と糸球体の毛細血管には，大量の液体と溶質が通過できるように内皮層に穴が開いている"開窓"毛細血管があり，肝の毛細血管には内皮細胞間に大きな隙間がある．

- 弾性線維は，エラスチンの芯をミクロフィブリルによって覆われており，動脈，細動脈，静脈の弾力性を担うが，毛細血管には存在しない．

- コラーゲン線維は，弾性線維よりもはるかに硬く，動脈，細動脈，静脈に存在し，毛細血管には存在しない．コラーゲン線維は，弾性線維とともに，血管壁の受動的張力を担っている．

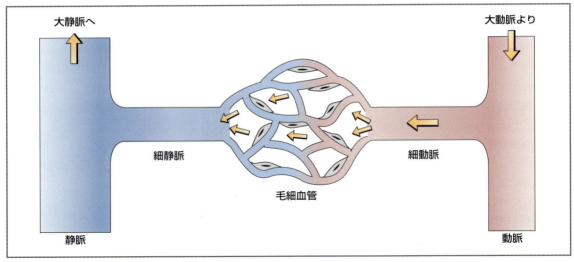

図 4.2　心血管系における血管の配列.

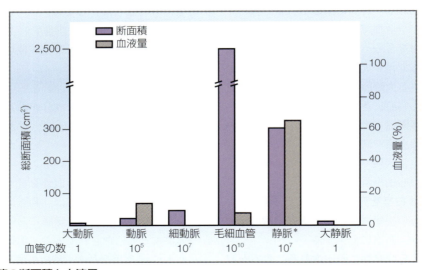

図 4.3　体血管の断面積と血液量.
各種類の血管の数, 断面積, 含まれる血液量の割合(%)が示されている(肺血管はこの図には含まれていない).
＊：静脈と細静脈を含む.

- **血管平滑筋細胞**は，毛細血管を除くすべての血管に存在する．血管平滑筋の収縮は，血管の活動張力を担っている．

血管の種類と特徴

血管は導管であり，その中を血液が心臓から組織へ，そして組織から心臓へと運ばれる．さらに，毛細血管といわれる血管は，壁が非常に薄く，壁を通じた物質の交換ができる．血管の大きさや，前述の通り壁の組織学的特徴はさまざまである．これらの多様性は，抵抗とキャパシタンスの特性に大きく影響する．

図4.2は，血管床の図である．血管床の血流は，動脈から細動脈，毛細血管，細静脈を経て静脈に流れる．続きの図4.3は，それぞれの血管系に含まれる血管の総本数，総断面積，血液量の割合を示す．

● 動脈

大動脈(aorta)は体循環系の最大の動脈(artery)である．中小の動脈が大動脈から分岐する．動脈の機能は，酸化(酸素化)された血液を組織に届けることである．動脈は**壁が厚く**，**弾性組織**(elastic tissue)，血管平滑筋，結合組織がとてもよく発達している．動脈は，壁が厚いことが重要な特徴である．動脈は心臓から直接血液を受け，血管系のなかで最大の圧をもつ．動脈にある血液量を，高圧下にある血液量という意味で"stressed volume"とよぶ．

● 細動脈

細動脈(arteriole)は，動脈の最小の枝である．細動脈の血管壁には血管**平滑筋**(smooth muscle)がとてもよく発達しており，細動脈は血流に対する**最大の抵抗**を有する．

細動脈壁の平滑筋は，緊張が持続している(つまり，つねに収縮している)．細動脈は，交感神経線維によって密に神経支配されている．α_1**アドレナリン受容体**(α_1-adrenergic receptor)は，例えば，皮膚や内臓などの血管床の細動脈にみられる．α_1アドレナリン受容体は，活性化されると血管平滑筋を収縮させる．収縮により細動脈径は小さくなり，血流に対する抵抗が増加する．あまり広くみられないが，β_2**アドレナリン受容体**(β_2-adrenergic receptor)は，骨格筋の細動脈に存在する．これが活性化されると，血管平滑筋の拡張つまり弛緩を引き起こし，細動脈径は拡大して血流に対する抵抗は減少する．

したがって，細動脈は血管系で最も抵抗が高いことに加え，交感神経活動の変動，血中カテコールアミンや他の血管作動物質によって血管抵抗が変化する場所でもある．

● 毛細血管

毛細血管(capillary)は一層の**内皮細胞**(endothelial cell)からなる薄い壁をもつ構造で，外周は基底膜で覆われている．毛細血管は，血液と組織の間で栄養，ガス，水，溶質の交換が起こる場であり，肺では血液と肺胞ガスの間で交換が起こる場である．O_2やCO_2といった**脂溶性物質**(lipid-soluble substance)は，内皮細胞の細胞膜に溶け，拡散して毛細血管壁を通過する．反対に，イオンのような**水溶性物質**(water-soluble substance)は，内皮細胞間の水で満たされた裂隙(空間)を通って，あるいは開窓のある毛細血管のように毛細血管壁にある大きな孔を通って毛細血管壁を通過する．

すべての毛細血管がつねに血液で満たされているわけではない．むしろ，組織の代謝の必要性に応じて，毛細血管床は選択的に灌流される．この選択的な灌流は，細動脈や前毛細血管の括約筋の拡張・収縮の程度によって決まる(平滑筋の筋束は，毛細血管の前にある)．そして，その拡張・収縮の程度は，血管平滑筋への交感神経による神経支配と，組織の局所で産生される血管作動性代謝産物によって調節される．

● 細静脈と静脈

細静脈(venule)は，毛細血管と同様に壁の薄い構造である．静脈壁は通常の内皮細胞の層と，多くない弾性組織，血管平滑筋，結合組織からなる．静脈壁は動脈と比して弾性組織がはるかに少なく，**静脈**(vein)は大きなキャパシタンス，つまり血液保持能力を有する．実際，静脈は心血管系のなかで最も多くの血液を保持する．静脈にある血液量は，低圧にある血液量という意味で"unstressed volume"といわれる．静脈の平滑筋は，細動脈壁のように，交感神経線維の神経支配を受ける．交感神経活動の増加は，α_1**アドレナリン受容体**を介して静脈収縮を起こし，キャパシタンスを低下させ，unstressed volumeを減少させる．

血流速度

血流速度は，単位時間に血液が置き換わる速さである．心血管系の血管は，径や断面積がさまざまである．径や断面積の相違は，血流速度に大きな影響を与える．血流速度，血流量と断面積(血管の半径あるいは直径で規定される)の関係は以下の式で表される．

$$v = \frac{Q}{A}$$

ここで

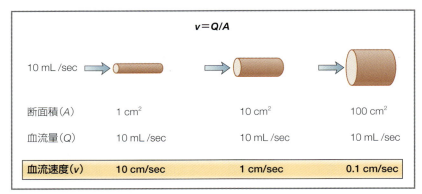

図 4.4 血管径が血流速度に及ぼす影響.

$v =$ 血流速度（cm/sec）
$Q =$ 血流量（mL/sec）
$A =$ 断面積（cm^2）

血流速度（velocity of blood flow）（v）は，直線速度で，単位時間あたりに血液が移動する速さである．したがって，速さは時間あたりの距離，例えば，cm/sec で表される．

血流量（flow）（Q）は，単位時間あたりの容積の流量である．時間あたりの容積の単位，例えば mL/sec で表される．

断面積（A）は，例えば大動脈といった 1 本の血管の断面積や，全毛細血管といった血管群の総断面積である．断面積 A は $A = \pi r^2$ で計算され，ここで r は 1 本の血管（例えば，大動脈）の半径，あるいは，ある群の血管（例えば，全毛細血管）の全体としての半径である．

図 4.4 は，血管のなかで血管径がいかに血流速度を変化させるかを示している．この図では 3 つの血管について，血管径，断面積が左から小さい順に示されており，同じ 10 mL/sec という血流量が流れている．血流量が同じであっても速さと断面積は反比例するため，血管径が増加すると血管内の流速は遅くなる．

この考え方は，心血管系にもあてはまる．一番小さな血管が大動脈，中等度の大きさの血管がすべての動脈，最大の血管が全毛細血管を表していると考えてみると，各レベルの血管における血流量の総量は心拍出量と等しい．血流速度と断面積は反比例するため，血流速度は大動脈で最大，毛細血管で最小となるはずである．栄養，溶質，水の交換という毛細血管機能の観点からは，血流速度がゆっくりであることは有利であり，毛細血管壁での交換の時間を十分に確保できる．

例題

ヒトは，5.5 L/min の心拍出量をもつ．大動脈径は 20 mm，身体の毛細血管の総断面積は 2,500 cm^2 と推測される．毛細血管を流れる血液の速さに対して，大動脈を流れる血液の速さは何倍か．

解答

大動脈と毛細血管の血流速度を比較するには，それぞれに対して，2 つの値が必要である．全血流量（Q）と総断面積（cm^2）である．それぞれのレベルの血管で，全血流量は一定で，心拍出量と等しい．毛細血管の総断面積は問いに与えられており，大動脈の断面積は半径 10 mm から計算できる．面積 $= \pi r^2 = 3.14 \times (10\,\text{mm})^2 = 3.14 \times (1\,\text{cm})^2 = 3.14\,\text{cm}^2$ である．したがって，

$$v_{毛細血管} = \frac{Q}{A}$$
$$= \frac{5.5\,\text{L/min}}{2,500\,\text{cm}^2}$$
$$= \frac{5,500\,\text{mL/min}}{2,500\,\text{cm}^2}$$
$$= \frac{5,500\,\text{cm}^3/\text{min}}{2,500\,\text{cm}^2}$$
$$= 2.2\,\text{cm/min}$$

$$V_{大動脈} = \frac{Q}{A}$$

$$= \frac{5,500 \text{ cm}^3/\text{min}}{3.14 \text{ cm}^2}$$

$$= 1,752 \text{ cm/min}$$

それゆえ，大動脈の血流速度は，毛細血管の800倍である（大動脈 1,752 cm/min に対し，毛細血管 2.2 cm/min である）．こうした計算により，血流の速さに関する前の議論がよくわかるであろう．血流速度は，総断面積が最大の毛細血管で最も遅く，総断面積が最小の大動脈で最も速い．

血流，圧，抵抗の関係

血管，あるいは直列する血管を流れる血流量は，2つの要因で決定される．1つはその血管の両端，すなわち入り口と出口の間の**圧較差（pressure difference）**であり，もう1つは血管の血液の流れに対する**抵抗（resistance）**である．圧較差は血液の流れの駆動力であり，抵抗は流れの妨げである．

流量，圧，抵抗の関係は，電気回路における電流 (I)，電圧 (ΔV) と抵抗 (R) の関係，すなわち**Ohm（オーム）の法則（Ohm's law）**（$\Delta V = I \times R$ または $I = \Delta V/R$）と類似している．血流量は電流，圧較差つまり血流の駆動力は電圧に，流体の抵抗は電気抵抗に類似している．血流量の等式は，以下のように表される．

$$Q = \frac{\Delta P}{R}$$

ここで

$$Q = 血流量（mL/min）$$
$$\Delta P = 圧較差（mmHg）$$
$$R = 抵抗（mmHg \cdot min/mL）$$

血流量(Q)の程度は，圧差あるいは**圧較差(ΔP)**の程度に正比例する．血流方向は圧較差の方向によって決まり，必ず圧が高いところから低いところへ流れる．例えば，心室の駆出で，血液は左室から大動脈へ流れ，反対方向には流れない．左室圧が大動脈圧より高いからである．別の例では，大静脈圧は右房圧よりもわずかに高いため，血液

は大静脈から右房へ流れる．

さらに，血流量は，**抵抗(R)**に反比例する．（例えば，細動脈の収縮により）血管抵抗が増加すると血流量は低下し，（例えば，細動脈が拡張して）血管抵抗が減少すると血流量は増加する．心血管系の血流量調節の主要なメカニズムは，血管，特に細動脈の抵抗を変化させることである．

血流，圧，抵抗の関係式は，抵抗を求めるために変形できる．もし血流量と圧較差がわかっているのであれば，抵抗は $R = \Delta P/Q$ と求めることができる．この関係は，体血管系全体の抵抗，すなわち全末梢抵抗を求める際や，単一臓器，単一血管の抵抗を求める際にも使用できる．

● 全末梢抵抗

体血管系全体の抵抗を，**全末梢（血管）抵抗（total peripheral resistance：TPR）**あるいは**体血管抵抗（systemic vascular resistance：SVR）**という．TPR は，心拍出量である血流量(Q)と，大動脈と大静脈の圧較差ΔPを用いて，流量，圧，抵抗の関係から求められる．

● 単一臓器の血管抵抗

流量，圧，抵抗の関係は，より小さな箇所にも適用でき，**単一臓器の抵抗（resistance in a single organ）**を算出できる．次の例題の通り，血流に腎血流量(Q)を，ΔPに腎動脈と腎静脈の圧較差を用いることにより，腎血管抵抗を決定できる．

例題

腎血流量は，ある女性の左腎動脈に血流量計を置いて計測される．同時に，圧プローブを左腎動脈と左腎静脈に置いて圧を計測する．血流量計で，腎血流量は 500 mL/min である．圧プローブで，腎動脈圧は 100 mmHg，腎静脈圧は 10 mmHg である．この女性の左腎の血管抵抗はいくらか．

解答

流量計で計測された血流量が Q である．腎動静脈の圧較差がΔPである．腎血管床の血流に対する抵抗は，血流の式を再配列して以下のように表される．

$$Q = \Delta P / R$$

変形して R について解くと,

$$R = \Delta P / Q$$

$$= (腎動脈圧 - 腎静脈圧) / 腎血流量$$

$$R = (100\,\text{mmHg} - 10\,\text{mmHg}) / 500\,\text{mL/min}$$

$$= 90\,\text{mmHg} / 500\,\text{mL/min}$$

$$= 0.18\,\text{mmHg} \cdot \text{min/mL}$$

血流に対する抵抗

血管や血液そのものは,血流に対する抵抗になる.抵抗と血管径(あるいは半径),**血液粘度(blood viscosity)** の関係は,**Poiseuille(ポアズイユ)の式(Poiseuille equation)** で記述される.さまざまな血管の全抵抗は,一方で,血管が直列に並んでいるか(1つの血管に続いて,次の血管が続く),並列に並んでいるか(全血流が,並行して存在する血管に同時分配されるのか)にも依存する.

■ Poiseuille の式

血流に対する抵抗を決める要素は,次の **Poiseuille の式** で表される.

$$R = \frac{8\eta l}{\pi r^4}$$

ここで

$$R = 抵抗$$
$$\pi = 血液粘度$$
$$l = 血管の長さ$$
$$r^4 = 血管の半径の4乗$$

Poiseuille の式で表される最も重要な概念を以下に述べる.まず,血流に対する抵抗は,**血液粘度(η)** に正比例する.例えば,血液ヘマトクリットの増加などにより血液粘度が増加すると,血流に対する抵抗は増加する.2つ目として,血流に対する抵抗は,血管の**長さ(l)** に正比例する.3つ目として,最も重要な点であるが,血流に対する抵抗は,**血管の半径の4乗(r^4)** に反比例する.これは非常にパワフルな関係である.血管径が小さくなると,抵抗は直線的でなく,4乗で増加していく.例えば,血管径が半分になると,抵抗は2

倍ではなく16倍になる【訳者注:4乗は英語でfourth power,非常に powerful な関係である】.

例題

ある男性が,左内頸動脈の部分閉塞により脳梗塞に罹患している.MRI 検査による内頸動脈の評価では,半径が75%減少している.閉塞前の左内頸動脈の血流量は 400 mL/min と仮定すると,閉塞後の同部位の血流量はいくらか.

解答

この例題の変数は,左内頸動脈の直径(あるいは半径)である.血流は動脈の抵抗に反比例し($Q = \Delta P / R$),抵抗は半径の4乗に反比例する(Poiseuille の式).内頸動脈は閉塞して,半径が75%減少している.別の表現をすると,半径が元のサイズの1/4に減少している.

最初の問いは,**75%閉塞で抵抗はどのくらい増加するか**ということである.答えは Poiseuille の式にある.閉塞後,元の径の1/4なので,抵抗は $1/(1/4)^4$ 倍,すなわち256倍になる.

2つ目の問いは,**抵抗が256倍に増加すると,血流はどうなるか**ということである.答えは,血流,圧,抵抗の関係($Q = \Delta P / R$)にある.抵抗が256倍になったので,血流は元の値の1/256倍,あるいは0.0039倍,あるいは0.39%になる.血流は,400 mL/min の0.39%,あるいは 1.56 mL/min である.これは明らかに脳への血流の劇的な低下であり,抵抗と血管径の間の4乗の関係に基づいている.

■ 直列抵抗と並列抵抗

心血管系の抵抗は,電気回路のように直列または並列に配置できる(図 4.5).配置が直列であるか並列であるかによって全体の抵抗が異なる.

- **直列抵抗(series resistance)** は,例えば,ある臓器のなかでの血管の配列である.各臓器は,大きな血管から血液を供給され,大きな静脈に還流する.臓器のなかで,血流は大きな動脈,小さな動脈,細動脈,毛細血管,細静脈を経て,静脈に至る.**直列に配列されたシステム全体の抵抗**は,次の等式と図 4.5 に示すように,

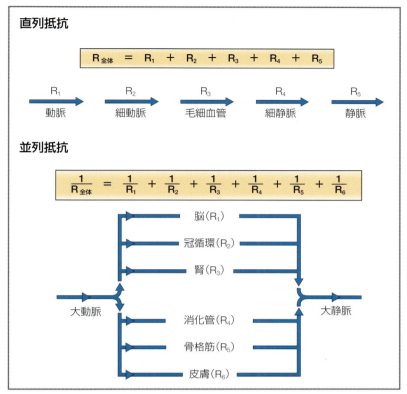

図 4.5 血管の直列と並列の配置.
矢印は血流方向を示す．R：血管抵抗（下付き文字は各血管抵抗を示す）．

各部分の抵抗の和になる．直列のさまざまな抵抗のなかで，細動脈の抵抗は圧倒的に大きい．したがって，血管床の全抵抗は，およそ細動脈の抵抗で決まる．直列抵抗は以下のように表される．

$$R_{全体} = R_{動脈} + R_{細動脈} + R_{毛細血管} + R_{細静脈} + R_{静脈}$$

抵抗が直列に配置されるとき，各レベルの血管の流量は同じである．例えば，大動脈の血流量は，全身の動脈の血流量やすべての毛細血管の血流量と等しい．別の例を挙げると，腎動脈血流は，腎の全毛細血管血流や腎静脈血流と等しい（わずかな量が尿に排泄されるが）．直列では各レベルの血流の和は等しいが，圧は各コンポーネントを血流が進むごとに単調に減少する（$Q = \Delta P/R$ または $\Delta P = Q \times R$ にある通り）．細動脈の抵抗が最大なので，**最大の圧降下は細動脈で生じる**．

- **並列抵抗**（parallel resistance）（図 4.1，4.5 参照）の例として，大動脈から分岐するさまざまな動脈の血流が挙げられる．心拍出量は大動脈を通って流れ，次にさまざまな臓器へ同時に数％ずつ分配される．（腎，脳，冠循環のように）各臓器には，並列に同時に血液が流れる．臓器から流出した静脈血は，大静脈に集められて心臓に戻る．次の等式と図 4.5 に示すように，**並列に並んだ全抵抗**は，いずれの個別の抵抗より小さい．1，2，3 と続く下付き文字は，脳，肝，腎，胃腸，骨格筋や皮膚といった各臓器の抵抗を指す．並列抵抗は以下のように表される．

$$\frac{1}{R_{全体}} = \frac{1}{R_1} + \frac{1}{R_2} + \frac{1}{R_3} + \frac{1}{R_4} + \frac{1}{R_5} + \frac{1}{R_6}$$

血流が並列抵抗に分配されるとき，それぞれの臓器の血流は全血流の一部である．この配列の効果は，大きな動脈では**圧降下はなく**，それぞれの大きな動脈の平均血圧は等しく，およそ大動脈の

平均圧と同じである．

並列循環では，回路に別の抵抗を加えると全抵抗は低下するのであり，増加するのではない．数学的には，このことは次のように示される：抵抗値が10の抵抗が4つ並列している．等式により，全抵抗は2.5になる（1/R全体＝1/10＋1/10＋1/10＋1/10＝4/10）．もし抵抗値10の抵抗を5つ目として加えると，全抵抗は2になる（1/R全体＝1/10＋1/10＋1/10＋1/10＋1/10＝5/10）．

一方，もし並列配置されたなかの1つの抵抗値が上昇した場合，全抵抗は増加する．これは，抵抗値が10の抵抗が5つの並列から4つの並列に戻すと，全抵抗が2.5である状況に戻るとわかる．もし4つの血管の1つが完全閉塞したとすると，その血管自体の抵抗値は無限大になる．並列回路の全抵抗は3.333へ増加する（1/R全体＝1/10＋1/10＋1/10＋1/∞）．

層流とReynolds数

規則的に流れる血流は，**層流(laminar flow)** あるいは流線形である．層流では，図4.6のように血管内でなめらかな放物線的な速度分布となり，血流速度は血管中央で最大，血管壁近傍で最小となる．放物線的な輪郭になるのは，以下の理由による．血管壁に接した層の血液は血管壁に粘着し基本的に動かない．中央に向かって次の層は動かない層の隣をすり抜け，いくぶん速く動く．それに続く各層は，近接した層への粘着性を減少させながら，中央に向かうにつれてより速くなる．したがって，血管壁での血流の速さはゼロであり，流れの中心の速さが最大である．層流の血流は，こうしてきれいな放物線の輪郭を描く．

血管内に(弁や血栓の部位などで)不規則性が生じると，層流の血流は撹拌され，血流は**乱流(turbulent flow)** になる．図4.6のような乱流では，血液の流れは放物線の輪郭にはならず，進行方向と他の方向の流れが混在する．運動エネルギーが，血液を進行方向と他の方向に加速するのに浪費されるため，乱流を駆動するには層流より多くのエネルギー(圧)が必要である．層流は静かであるのに対し，乱流は聴取可能である．例えば，血圧の聴診法で用いられる**Korotkoff(コロトコ**

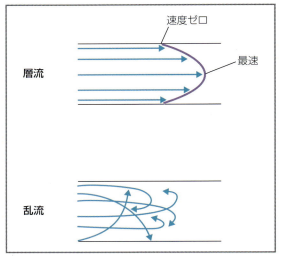

図4.6 層流と乱流の比較．
矢印の長さは，血流のおよその速さを示す．層流は，壁側が最も遅く，流れの中央が最も速い放物線状の輪郭を示す．乱流は，進行方向と他の方向の流れが混在している．

フ)音(Korotkoff sound) は，乱流によって生じる．血管狭窄や心臓弁膜症は乱流を形成し，**雑音(murmur)** と称される聴取可能な振動を伴うことが多い．

Reynolds(レイノルズ)数(Reynolds number) は次元のない値で，血流が層流であるか乱流であるかの予測に用いられる．血管径，平均血流速度，血液粘度など，たくさんの因子をもとにしてReynolds数が算出される．

$$N_R = \frac{\rho d v}{\eta}$$

ここで

N_R = Reynolds数
ρ = 比重
d = 血管径
v = 血流速度
η = 血液粘度

もしReynolds数が2,000未満なら，血流は層流と予想される．もし，Reynolds数が2,000より大きければ，血流は乱流と見込まれる．Reynolds数が3,000を超えれば，まず乱流と予想され

る.

　心血管系で Reynolds 数に最も影響を与える因子は，**血液粘度**や**血流速度**の変化である．式をみると，血液粘度の減少（例えば，ヘマトクリット減少による）は，Reynolds 数を増加させる．同様に，血流の速さを増加させる血管狭小化は Reynolds 数を増加させる．

　Reynolds 数に基づく血管狭小化（直径，半径の減少）の影響は予想が一見難しく，式によると（径が分子にある）血管径の減少は Reynolds 数を減少させるようにみえる．しかし，血流速度もまた，$v = Q/A$ または $v = Q/\pi r^2$ の式により直径（半径）に依存する．Reynolds 数の式のやはり分子にある速さが，径の減少につれて 2 乗で大きくなる．したがって，Reynolds 数における血管径そのものの影響よりも，血管径による速度依存性の影響のほうが強力であり，径の減少につれて Reynolds 数は大きくなる．

　いくつかの臨床の状況では，Reynolds 数を用いると乱流予測に有用である．

- **貧血（anemia）**は，ヘマトクリット（血液中の赤血球全容積）の減少と関連し，乱流による機能性雑音を生じる．貧血では血液粘度が減少し，乱流の予測因子である Reynolds 数が増加する．貧血の人で Reynolds 数が増加する 2 つ目の要因は高心拍出量であり，血流速度（$v = Q/A$）が増加する．
- **心臓弁膜症（cardiac valvular disease）**では弁が狭窄し，血流速度が増大して前述のように Reynolds 数が増加する．Reynolds 数の増加は乱流を予測させ，これが可聴域の振動，すなわち**心雑音（murmur）**を発生させる（正常な弁を通る血流は無音）．雑音には等級があり，グレード 1 の雑音は聴診器でほとんど聞こえない音で，グレード 6 の雑音は聴診器がなくても聞こえる大きな音である．
- **動脈硬化（atherosclerosis）**は動脈を狭小化させ，血流速度と Reynolds 数を増加させる．動脈硬化が進行すると，すべての主要な動脈で雑音が聞こえるようになり，頸動脈と大腿動脈で最も容易に聴取される．動脈性の雑音を **bruit** という．

- **血栓（thrombus）**は，血管内腔にある血液の塊である．血栓により血管内径は狭小化し，血流速度が増加し，Reynolds 数が増加して乱流をつくる．

剪断

　剪断（shear）は，（図 4.6 にあるように）血管内でさまざまな速さで血液が移動することの結果として生じる．剪断は，近接した層の血液が異なる速さで移動するときに生じる．一方，近接する層の血液が同じ速さで移動するならば，剪断は生じない．以下の理由により，**剪断が最大**になるのは血管壁のところである．血管壁にちょうど接した層では血液は動かない（つまり，流速がゼロである）．それに近接した層では血液が動いていて，流速はゼロではない．血液の速さの相対的な違いが最大であるのは，血管壁の部位の動きのない層と，その隣の層の間である．**剪断が最小**であるのは，血流の速さが最大で，近接する層の血液が基本的に同じ速さで動いている血管の中央である．剪断によって赤血球の集簇を防ぎ，血液粘度を減少させる．したがって，血管壁では剪断の速さが通常最大で，赤血球の集簇と血液粘度が最小である．

血管のコンプライアンス

　血管の**コンプライアンス（compliance）**あるいは**キャパシタンス（capacitance）**は，ある圧のもとで血管が保持できる血液量を指す．コンプライアンスは**伸展性（distensibility）**と関連し，次の式で与えられる．

$$C = \frac{V}{P}$$

ここで

$C =$ コンプライアンスまたは
　　キャパシタンス（mL/mmHg）
$V =$ 血液量（mL）
$P =$ 圧（mmHg）

コンプライアンスの式から，血管のコンプライアンスが大きいと，与えられた圧に対してより多

くの血液量を血管が保持できることがわかる．別の表現としては，コンプライアンスは，ある圧変化に対してどれだけ含まれる血液量が変化するか（ΔV/ΔP），となる．

図4.7に，コンプライアンスの原理と，静脈および動脈の相対的なコンプライアンスを示す．いずれの血管も，容積は圧の関数としてプロットされている．それぞれの曲線の**傾き**が**コンプライアンス**である．静脈のコンプライアンスは大きく，静脈は低圧で多量の血液を保持できる．動脈のコンプライアンスは静脈よりはるかに小さい．動脈は静脈よりはるかに少ない血液量しか保持できず，保持するのも高い圧である．

静脈と動脈のコンプライアンスの相違は，unstressed volume と stressed volume の概念の基礎となる．静脈は非常に広がりやすく，unstressed volume（低圧下での多量の血液）を含む．動脈ははるかにコンプライアンスが低く，stressed volume（高圧下での少ない量の血液）を保持する．心血管系内の血液の総量は，unstressed volume と stressed volume（さらに心内の血液量）の合計である．

静脈コンプライアンス(compliance of the veins)**の変化**は，静脈と動脈の間の血液の再分配を引き起こす（つまり unstressed volume と stressed volume の間を血液がシフトする）．（例えば，静脈収縮により）静脈のコンプライアンスが減少すると，静脈が保持できる血液量が減少し，その結果，静脈から動脈へ血液がシフトする．つまり，unstressed volume が減少し，stressed volume が増加する．静脈のコンプライアンスが増加すると，静脈が保持できる血液量が増加し，動脈から静脈への血液のシフトが起こる．つまり，unstressed volume が増加し stressed volume が減少する．このような静脈と動脈の間の血液の再分配は，この章で後に述べる動脈圧の変化につながる．

図4.7は，**動脈コンプライアンス**の**加齢**変化も示している．動脈壁の特性は加齢とともに変化し，壁は硬く，伸展しにくく，膨らみにくくなる（加齢に伴い，動脈壁のコラーゲン線維の架橋が進み，動脈壁の他の構成要素との結合が硬くな

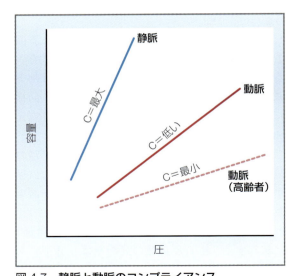

図4.7　静脈と動脈のコンプライアンス．
容積を圧の関数としてプロットしている．曲線の傾きがコンプライアンス(C)である．

る）．同じ動脈圧で保持できる血液量は少なくなる．加齢に関連したコンプライアンスの低下は，高齢者の動脈が若年者の動脈と同じ量の血液を保持するためには，"高齢者の動脈"は"若年者の動脈"よりも高圧でなくてはならないと考えることもできる．実際，コンプライアンスが低下しているために，高齢者の動脈圧は高い．

心血管系の圧

血圧は，心血管系内で同一ではない．もし同一であれば血流は生じない．血流が生じるには駆動力（つまり圧較差）が必要である．心と血管の圧較差は，血流の駆動力である．表4.1は，体循環および肺循環の圧のまとめである．

■ 血管系における圧の概略

図4.8は，体血管系における圧の概略である．最初は**拍動**(pulsation)を無視してなめらかな曲線をみてみる．このなめらかな曲線は平均血圧を示し，大動脈と大きな動脈で最大で，血液が動脈から細動脈，毛細血管，静脈，そして心臓に戻るまで単調に減少する．血液が血管系を流れるにつれ，摩擦抵抗に逆らってエネルギーが消費されるので，こうした圧降下が生じる．

表 4.1　心血管系の内圧.

場所	平均圧(mmHg)
体循環	
大動脈	100
太い動脈	100(収縮期 120, 拡張期 80)
細動脈	50
毛細血管	20
大静脈	4
右房	0～2
肺循環	
肺動脈	15(収縮期 25, 拡張期 8)
肺毛細血管	10
肺静脈	8
左房*	2～5

＊：左心系の圧は直接の計測が難しい．しかし，左房圧は肺毛細血管楔入圧で計測できる．この方法では，カテーテルを肺動脈に挿入し，細い枝に進めて楔入させ，その枝の全血流を遮断する．ひとたび血流が止まると，カテーテルは左房圧をほぼ直接的に検出する．

大動脈 (aorta) の平均血圧は，平均 100 mmHg (表 4.1, 図 4.8) と高い．この高い**平均動脈圧** (mean arterial pressure) には 2 つの要因がある．大きな容量(心拍出量)が左室から大動脈へ拍出されることと，動脈壁のコンプライアンスが低いことである(血管のコンプライアンスが低いと，一定容積の増加で大きな圧上昇になる)．大動脈から分枝する**太い動脈**では，動脈壁の弾性収縮力は高く，圧はなお高い．したがって，血液が大動脈から分枝動脈に流入して行きわたるまで，エネルギーの損失はほとんどない．

細動脈に入ると動脈圧は降下し始め，細動脈で最も大きな圧降下が生じる．**細動脈**の終点では，平均血圧は約 30 mmHg である．この劇的な圧降下は，細動脈が血流に対して高い抵抗を有しているためである．心血管系のすべてのレベルを流れる血流量の総和は一定なので，抵抗が増加するにつれ，下流の圧は必然的に低下する ($Q = \Delta P/R$, または $\Delta P = Q \times R$).

毛細血管では，2 つの理由により圧はさらに低下する．血流に対する摩擦抵抗と，毛細血管からの液体の**濾過** (filtration) である(微小循環についての説明を参照)．血液が**細静脈**や**静脈**に至ると，圧はさらに低下する(静脈のキャパシタンスは高いので，静脈は低圧で多量の血液を保持できる)．大静脈圧はわずか 4 mmHg で，右房圧はさらに低下して 0 ～ 2 mmHg である．

■ 体循環の動脈圧

図 4.8 を詳細にみると，動脈の平均血圧は高く一定だが，動脈圧には変動，あるいは拍動がある．これらの**拍動**は，心臓の 1 拍ごとの活動を反映している．収縮期の駆出，拡張期の休息，駆出，休息，その繰り返しである．動脈の拍動サイクルは心周期と一致する．

図 4.9 に，大きな動脈内の 2 つの拍動サイクルを拡大して示す．

- **拡張期圧** (diastolic pressure) は，心周期のなかで計測される最小の動脈圧であり，左室から血液が拍出されていない心室弛緩の間の(心室が収縮していないときの)動脈圧である．

- **収縮期圧** (systolic pressure) は，心周期のなかで計測される最大の動脈圧である．血液が収縮期に左室から拍出された後に観察される動脈圧である．**重複切痕** (dicrotic notch) (あるいは**切痕** (incisura)) といわれる動脈圧曲線の"小休止"は，大動脈弁が閉じるときに生じる．大動脈弁が閉鎖すると，大動脈から大動脈弁方向へ一時的な逆流が生じて，大動脈圧は収縮期圧の最大値から短い時間で低下する．

- **脈圧** (pulse pressure) は，収縮期圧と拡張期圧の差である．他の要素がすべて同じなら，脈圧の大きさは，1 心拍で左室が駆出する血液量，すなわち **1 回拍出量** (stroke volume) を反映する．

脈圧は，圧，容積，コンプライアンスの関係ゆえに，1 回拍出量の指標として使用される．血管のコンプライアンスは，ある血圧のときに血管が保持できる血液量 ($C = V/P$) である．動脈のコンプライアンスは一定であると仮定すると，動脈圧は動脈が保持している血液量によって決まる．例えば，ある時点の大動脈の血液量

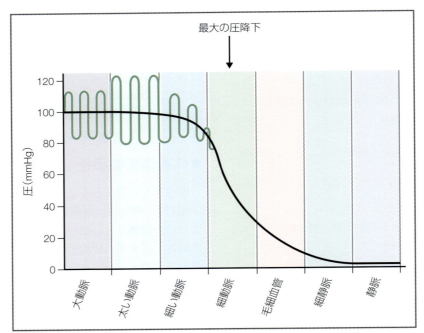

図4.8 血管構造と圧変化の推移.
なめらかな曲線は平均圧を示す．拍動が存在するところでは，平均圧に重ね合わせている．

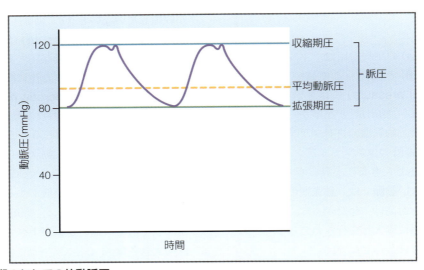

図4.9 心周期のなかでの体動脈圧.
収縮期圧は収縮期のなかで最大の圧である．拡張期圧は拡張期に計測される最小の圧である．脈圧は両者の差である．平均動脈圧に対する説明は本文参照．

は，血液の流入量と流出量のバランスで決まる．左室が収縮すると，左室は大動脈に勢いよく1回拍出量を駆出し，圧は急速に上昇して最大レベル，すなわち収縮期圧になる．血液は次いで，大動脈から分枝血管へと流れ始める．その際には，大動脈にある容量も減少しているので圧も低下する．大動脈圧は最小レベル，すなわち拡張期圧に到達し，その際，心室は弛緩し血液は

動脈システムから心臓へ還流する【訳者注：1心拍の間に駆出された血液が，その心拍の間に心臓に戻るのではない】．

　加齢に伴い，動脈壁のコンプライアンスが低下すると，脈圧が上昇する．同じ1回拍出量を"老いた"動脈に注入すると，"若い"動脈に注入した場合よりも大きな圧力上昇が生じる．

● **平均動脈圧**(mean arterial pressure)は，心周期全体の平均の血圧で，以下のように算出される．

$$平均動脈圧 = 拡張期圧 + \frac{1}{3}脈圧$$

ここで，平均動脈圧は，拡張期圧と収縮期圧の単なる平均ではない．各心周期のなかで，収縮期より拡張期に費やされる時間の割合が大きいためである．したがって，平均動脈圧の計算には，収縮期圧よりも拡張期圧により重きが置かれる．

　興味深いことに，図4.8にあるように，**太い動脈の拍動**は大動脈の拍動より大きい．別の表現をすれば，大動脈よりも太い動脈の収縮期圧が高く，脈圧が大きい．なぜ脈圧が下流の動脈で増加するのか，すぐにはわからないかもしれない．この説明の1つとして，左室が血液を駆出し，圧波が血流速度よりも速く伝播し（血液の慣性のため），下流の圧を増強することが挙げられる．さらに，動脈の分枝点で圧波は後方に反射し，これらの部位の血圧を増強する方向に働く（大動脈から太い動脈に血液が流れるのに，下流の動脈で収縮期圧が高く，脈圧が大きいのはおかしく思えるかもしれない．血流は，圧の高いところから低いところへ流れるのであって，その反対ではないはずであると．その現象は，動脈血流の駆動力は平均動脈圧であり，平均動脈圧は収縮期圧よりも拡張期圧の影響がより大きい（1心周期のなかで拡張期の時間がより長いため）ことから説明される．留意すべきは，図4.8で太い動脈は大動脈よりも収縮期圧は高いが拡張期圧は低く，したがって平均動脈圧は下流で低いということである）．

　収縮期圧と脈圧は，（大動脈と比べて）太い動脈でいったん増強されるが，そこから先では脈圧の振幅が減衰する．細い動脈では，脈圧はまだ明らかに存在するが減少する．細動脈では，脈圧はほぼ認められず，毛細血管，細静脈，静脈では完全に消失している．脈圧の減衰と消失は，次の2つの理由による：(1)血管抵抗，特に細動脈の血管抵抗が高いので，脈圧の伝播が困難であること．(2)血管のコンプライアンス，特に静脈のコンプライアンスは脈圧を減衰する．血管のコンプライアンスが大きくなると，圧を上昇させることなく容積を増やせるからである．

　いくつかの病的な状況で動脈圧曲線の形は変化するが，その変化は予想可能である（図4.10）．先述したように，脈圧は，1回拍出量が左室から大動脈に拍出された際の動脈圧の変化である．したがって，1回拍出量もしくは動脈のコンプライアンスが変化すれば，脈圧は変化する．

● **動脈硬化**

　動脈硬化(arteriosclerosis)（図4.10）では，動脈壁にプラークが蓄積して動脈径が減少し，動脈壁が硬化し，コンプライアンスが低下する．動脈のコンプライアンスが低下するので，正常に比して，左室からの1回拍出量の駆出が非常に大きな大動脈圧変化を生じさせる（$C = \Delta V/\Delta P$ または $\Delta P = \Delta V/C$）．したがって動脈硬化では，収縮期圧，脈圧，平均血圧がすべて増加する．

● **大動脈弁狭窄**(aortic stenosis)

　大動脈弁が狭窄（図4.10）していると，血液が左室から大動脈へ駆出される際に通過する弁の開口部の大きさが減少する．したがって1回拍出量が減少し，1回の拍出で，より少ない血液が大動脈に流入する．収縮期圧，脈圧，平均動脈圧はすべて低下する．

● **大動脈弁逆流**

　大動脈弁の働きが悪いと（先天異常などで），左室から大動脈への流れが，正常の1方向ではなくなる．実際，大動脈に駆出された血液が左室に戻ってしまう．そうした逆流（**大動脈弁逆流**(aortic regurgitation)）は，心室が弛緩している（低圧である）ときに，大動脈弁が正常とは異なって左室への逆流を止められないために生じる．

■ 体循環の静脈圧

　血液が細静脈や静脈に到達するときには，圧は

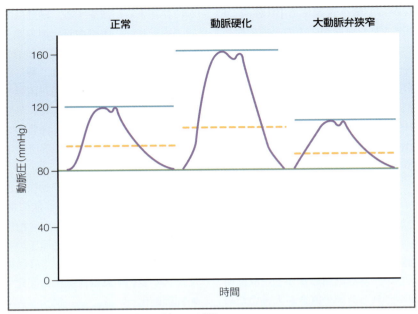

図4.10　動脈硬化や大動脈弁狭窄の動脈圧に対する影響.

10 mmHg未満になる．圧は大静脈や右房ではさらに低下する．これまでの説明で理解されている通り，圧が単調減少するのは，体循環の各レベルの血管抵抗が圧を低下させるからである．表4.1と図4.8に体循環の静脈圧の平均圧を示す．

■ 肺循環における圧

表4.1に，さらに肺循環と体循環の圧を対比して示す．表にあるように，体血管床と比較して，肺血管床は全体としてはるかに**低圧**である．しかし，肺循環の圧のパターンは体循環と似ている．血液は右室から肺動脈に駆出され，両者で圧は最大である．以降，血液が肺動脈から，細動脈，毛細血管，細静脈，静脈を経て左房に戻るまで圧が降下する．

肺側でこのように圧が低いことが意味する重要な点は，**肺血管抵抗は体血管抵抗よりもはるかに低い**ということである．この結論は，体循環，肺循環を通じ血流量が等しい（左室と右室の拍出量は等しい）ということから導かれる．同じ血流量に対して，肺側の圧は体側の圧よりはるかに低いので，肺血管抵抗は体血管抵抗より低くなければならない（$Q = \Delta P/R$）．肺循環については第5章で詳細に論じる．

心臓電気生理

心臓電気生理とは，心臓の電気的興奮にかかわる次のプロセスをすべて含む：(1)心臓の活動電位．(2)特殊伝導系に沿っての活動電位の伝導．(3)興奮性と不応期．(4)自律神経による心拍数，伝導速度，興奮性の調節．(5)心電図（ECG）である．

突き詰めると，心臓の働きは，血液を血管床へ送り出すことである．ポンプとして機能するために，心室は電気的に興奮して収縮しなければならない．心筋における電気的興奮とは活動電位であり，通常は洞房結節で始まる．洞房結節で始まった活動電位は，特定の順序で心臓全体に伝わる．引き続き収縮も特定の順序で生じる．順序は非常に重要で，有効な心拍出のために，心房は心室より先んじて興奮，収縮をしなければならないし，心室も心尖から心基部への順で収縮しなければならない．

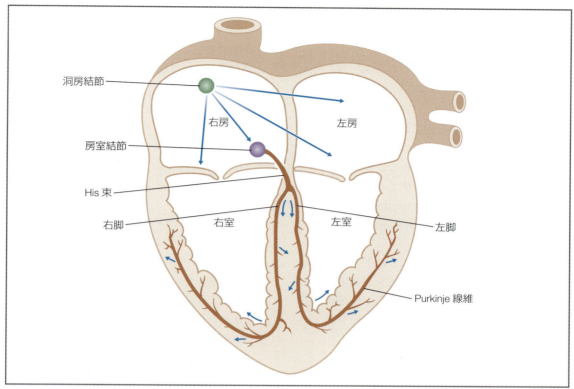

図 4.11 心筋の興奮伝播の模式図.
心筋の活動電位は洞房結節で始まり，矢印で示されるように心筋全体に広がる.

心臓の活動電位

■ 心臓の中での興奮の起点と伝播

心臓には，収縮する細胞と電気を伝える細胞の2種類の心筋細胞がある．**収縮細胞（contractile cell）**は，心房組織と心室組織の大部分を占め，心臓としての仕事をする細胞である．収縮細胞の活動電位は，収縮と圧を発生させる．**伝導細胞（conducting cell）**は，洞房結節，心房結節間伝導路，房室結節，**His（ヒス）束（bundle of His）**，**Purkinje（プルキンエ）系（Purkinje system）**からなる．伝導細胞は特殊な筋肉細胞で，力の発生への寄与はほとんどないかわりに，活動電位を心筋全体へ速やかに伝播する．この特殊な伝導組織には，自発的に活動電位を生成できるという特徴もある．しかし，洞房結節を除いて，普段はこの能力は抑制されている．

図 4.11 は，洞房結節，心房，心室，および特殊伝導組織の関係を示す図である．活動電位は次の順番で心筋を伝わる．

1. **洞房結節（sinoatrial（SA）node）**．正常では，心臓の活動電位は，ペースメーカとして働く洞房結節という特殊な組織で始まる．活動電位が洞房結節で始まった後，特定の順番とタイミングで心臓の残りの部分に活動電位が伝播する．
2. **心房結節間伝導路（atrial internodal tract）と心房**．活動電位は洞房結節から心房結節間伝導路を通って，右房と左房へ伝わる．同時に，活動電位は房室結節へ伝わる．
3. **房室結節（AV node）**．房室結節の伝導速度は，他の心臓組織と比較してかなり遅い．房室結節の**遅い伝導**により，心室が興奮して収縮する前に，心室に血液を充満する十分な時間を確保できる．房室結節の伝導速度の増加は，心室充満，1回拍出量，および心拍出量の低下につながる．

4. **His 束, Purkinje 系, 心室.** 活動電位は房室結節から, 心室の特殊伝導系に入る. 活動電位は最初に His 束に伝わり, 次いで Purkinje 系の左脚, 右脚, さらに小さな束に伝わる. His-Purkinje 系を介した伝導は非常に速く, 活動電位が急速に心室へ伝わる. 一方で, 活動電位は 1 つの心室細胞から隣の心室細胞へ, 細胞間の抵抗の低い伝導経路を介して広がる. 心室における速い活動電位の伝達は重要で, 有効な心室の収縮と血液の拍出を可能にする.

　正常洞調律(normal sinus rhythm)という言葉には特別な意味がある. 心臓の電気的興奮のパターンとタイミングが正常であるという意味である. 正常洞調律というためには, 以下の 3 つの基準を満たす必要がある:(1)活動電位が洞房結節で始まる. (2)洞房結節の信号が 60 ～ 100/min で規則的に生じる. (3)心筋の興奮が正しい順番で, 正しいタイミングと時間差で生じる.

■ 心臓の活動電位と関連した概念

　心臓の活動電位に適用される概念は, 神経, 骨格筋, 平滑筋の活動電位と同じである. 次の項は, 第 1 章で詳述されている, そのような原則の要旨である.

1. 心臓の**細胞膜電位**(membrane potential)は, 透過性のあるすべてのイオンの濃度勾配と, そのおのおののイオンの相対的コンダクタンス(あるいは相対的透過性)によって決まる.

2. 細胞膜があるイオンに対して高いコンダクタンス, すなわちイオンの透過性を有しているならば, そのイオンは電気化学的勾配に従って流れ, 膜電位を(Nernst(ネルンスト)の式で計算される)**平衡電位**(equilibrium potential)に近づけようとする. 細胞膜のコンダクタンスつまり透過性が低い, もしくは透過しないイオンは, 膜電位にはほぼ貢献しない.

3. 慣例により, 膜電位はミリボルト(mV)で表され, 細胞内電位は細胞外液に対しての相対値で表される. 例えば, 膜電位 −85 mV というのは, 85 mV だけ細胞内が陰性(低い)ということである.

4. 心臓の細胞の**静止膜電位**(resting membrane

potential)は, 主に K^+ で決まる. 静止時には K^+ コンダクタンスは高く, 静止膜電位は K^+ の平衡電位に近い. Na^+ コンダクタンスは静止時では低く, Na^+ は静止膜電位にほとんど寄与しない.

5. **Na^+-K^+ ATPase**(Na^+-K^+ ATP アーゼ)の役割は, 主に細胞膜における Na^+ と K^+ の濃度勾配の維持である. ただし, その起電性によって膜電位にも直接的な寄与が少しある.

6. **膜電位の変化**は, イオンの細胞への流入や流出によって生じる. イオンの流れが起こるには, 細胞膜はそのイオンを透過させられなければならない. **脱分極**(depolarization)は, 膜電位の陰性が少なくなることを意味する. 脱分極は, (正負の電荷を全体としてみて, 正味で)正の電荷が細胞内に入る(**内向き電流**(inward current)といわれる)ときに生じる. **過分極**(hyperpolarization)は膜電位がさらに陰性になることを意味し, (正負の電荷を全体としてみて, 正味で)正の電荷が細胞外に出る(**外向き電流**(outward current)といわれる)ときに生じる.

7. 2 つの基本的な機序で, 膜電位が変化する. 1 つは, **透過性のあるイオンの電気化学的勾配**(electrochemical gradient)が変化し, そのイオンの平衡電位が変化する機序である. それにより透過性のあるイオンは細胞内に流入し, あるいは細胞外へ流出することで, 電気化学的平衡を再度確立しようとして, その電流が膜電位を変化させる. 例えば, 細胞外 K^+ 濃度の減少が心筋細胞の静止膜電位に与える影響を考えてみる. Nernst の式で計算すると, K^+ の平衡電位はより陰性になる. ここで, K^+ はより大きくなった電気化学的勾配に従って細胞外へ流出し, 静止膜電位を新たな, より陰性の K^+ の平衡電位に向かわせる.

　もう 1 つは, **イオンのコンダクタンス(伝導性)**(conductance)**の変化**の機序である. 例えば, 静止時の心室細胞の Na^+ に対する透過性はきわめて低く, Na^+ は静止膜電位に最小限の貢献しかしていない. しかし, 心室の活動電位の立ち上がり相の間, Na^+ コンダクタンスは劇的に増加し, Na^+ は電気化学的勾配に従って細

心臓電気生理　151

表 4.2　心組織の活動電位の比較.

心組織	活動電位持続時間(msec)	立ち上がり相	プラトー相	第4相脱分極
洞房結節	150	内向き Ca^{2+} 電流 Ca^{2+} チャネル	なし	内向き Na^+ 電流(I_f) 正常ペースメーカ
心房	150	内向き Na^+ 電流	内向き Ca^{2+} 電流（緩徐内向き電流） L型 Ca^{2+} チャネル	なし
心室	250	内向き Na^+ 電流	内向き Ca^{2+} 電流（緩徐内向き電流） L型 Ca^{2+} チャネル	なし
Purkinje 線維	300	内向き Na^+ 電流	内向き Ca^{2+} 電流（緩徐内向き電流） L型 Ca^{2+} チャネル	潜在ペースメーカ

胞内に流入し，膜電位は短時間の間，Na^+ 平衡電位に向かう（すなわち，脱分極する）.

8. **閾電位 (threshold potential)** とは，正味として内向き電流が生じる（すなわち，内向き電流が外向き電流より大きくなる）膜電位をいう. 閾電位で脱分極は自律的に続くようになり，活動電位の立ち上がり相を引き起こす.

■ 心室，心房，Purkinje 系の活動電位

心室，心房，Purkinje 系での活動電位におけるイオンの動態は同一である. これらの組織の活動電位は次の特徴を共有する（**表 4.2**）.

● **長い持続**. これらの組織は，いずれも活動電位の持続時間は長い. 活動電位の持続時間は異なり，心房で 150 msec，心室で 250 msec，Purkinje 線維で 300 msec である. この長い持続時間は，神経や骨格筋の短い活動電位の持続時間（1 〜 2 msec）と対比的である. 活動電位の持続時間が不応期の持続時間も決めることを思い出すこと. 活動電位が長くなるほど，細胞は次の活動電位を発火しにくくなる. このようにして，心房，心室，Purkinje 細胞が，他の興奮する組織と比較して長い**不応期 (refractory period)** を獲得している.

● **安定した静止膜電位**. 心房，心室，Purkinje 系の細胞が安定した，一定の静止膜電位を呈する（房室結節と Purkinje 線維は不安定な静止膜電位になりえて，潜在ペースメーカの項で触れるように，特殊な状況下では心臓のペースメーカ

になりうる）.

● **プラトー (plateau)**. 心房，心室，Purkinje 系の活動電位は，プラトーが特徴である. プラトーは脱分極が持続している時相で，活動電位が長く持続し，結果として不応期が長くなる.

図 4.12A，B は，心室と心房の筋線維の活動電位を図示する. ここには示していないが，Purkinje 線維の活動電位は心室線維と似ているが，持続はやや長い. **活動電位の時相**をこれから記述していく. 番号は，**図 4.12A，B** に示される時相の番号に対応している. 心室の活動電位は**図 4.13** に再度示されており，各時相をつくるイオン電流を示す. **表 4.2** にも情報の一部をまとめた.

1. **第 0 相，急速脱分極（立ち上がり相）(upstroke)**. 心房，心室，Purkinje 線維で，活動電位は急速脱分極とよばれる，速い脱分極の時相で始まる. 神経や骨格筋と同様，急速脱分極は，脱分極により Na^+ チャネルの活性化ゲートが開いて Na^+ コンダクタンスの一過性の増加（g_{Na}）が起こることにより，引き起こされる. g_{Na} が増加すると，**内向き Na^+ 電流 (inward Na^+ current)**（Na^+ の細胞内への流入（influx of Na^+ into the cell）），つまり I_{Na} が生じて，膜電位を Na^+ の平衡電位である約 +65 mV に向かわせる. 膜電位は実際のところ Na^+ 平衡電位には届かない. その理由は，神経と同様に Na^+ チャネルの不活性化ゲートが，脱分極に反応して閉鎖してしまうからである（活性化ゲートが開くより，ゆっくりとであるが）. このように，

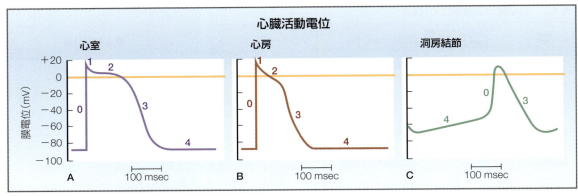

図4.12 心室，心房，洞房結節の活動電位．
グラフ内の数字は活動電位の時相を表す．

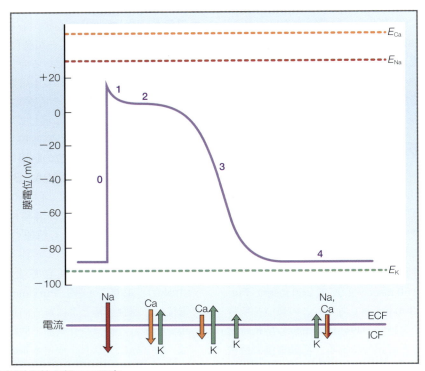

図4.13 心室活動電位を起こす電流．
矢印の長さはイオン電流の相対的な大きさを示す．E_{Ca}：Ca平衡電位，E_{Na}：Na平衡電位，E_K：K平衡電位，ECF：細胞外液，ICF：細胞内液．

Na⁺チャネルは速やかに開放して，ゆっくりと閉じる．急速脱分極のピークで，膜電位はおよそ+20 mVの電位に脱分極する．

急速脱分極の上昇速度(rate of rise of the upstroke) は dV/dT とよばれる．dV/dT は，時間の関数としての膜電位の変化率であり，その単位は毎秒のボルト(V/sec)である．dV/dT は，**静止膜電位** の値によって変化する．この依存性は，"responsiveness relationship (反応性の関係)" とよばれる．dV/dT (急速脱分極の上昇速度)は，静止膜電位が最も陰性であるとき，つまり過分極している(例えば，−90 mV)ときに最

大である．そして，dV/dT は（急速脱分極の上昇速度が最小である）静止膜電位の陰性が弱いとき，つまり脱分極しているとき（例えば，$-60\,\mathrm{mV}$）に最小である．これは，膜電位とNa$^+$チャネルの不活性化ゲートの状況の関係による（第1章）．静止膜電位が相対的に過分極しているとき（すなわち，$-90\,\mathrm{mV}$），電位依存性不活性化ゲートは開いているので，たくさんのNa$^+$チャネルが急速脱分極に利用できる．静止膜電位が相対的に脱分極しているとき（例えば，$-60\,\mathrm{mV}$），Na$^+$チャネルの不活性化ゲートは閉鎖傾向で，急速脱分極に利用できるNa$^+$チャネルはより少ない．一方で，dV/dT は**内向き電流の大きさ**と相関する（すなわち，心室，心房，Purkinje 線維での，内向き Na$^+$ 電流の大きさ）．

2. **第1相，初期再分極(initial repolarization)．**心室，心房，Purkinje 線維の第1相は再分極の短い時相で，急速脱分極の直後に続いて生じる．再分極が起こるのは，**正味（差し引き）で外向き電流**が流れるときだと思い出すこと．第1相の間に正味で外向きの電流が生じることは，次の2つから説明できる．まず，Na$^+$チャネルの不活性化ゲートが脱分極に反応して閉じる．これらのゲートが閉じると g_{Na} は減少し，（急速脱分極を生じさせた）内向き Na$^+$ 電流が止まる．2つ目は，K$^+$に対する大きな駆動力により生じる外向き K$^+$ 電流がある．急速脱分極のピークでは，化学的にも電気的にも駆動力は K$^+$ の細胞外への移動をもたらす（細胞内 K$^+$ 濃度は細胞外よりも高く，細胞内は電気的に正である）．K$^+$コンダクタンス（g_{K}）は高いので，K$^+$はこの急な電気化学的勾配に従って細胞外へ流出する．

3. **第2相，プラトー．**特に心室と Purkinje 線維で，プラトーの間，比較的**安定な，脱分極した膜電位(depolarized membrane potential)**が長く続く時間（$150 \sim 200\,\mathrm{msec}$）がある（心房線維では，心室よりプラトーが短い）．膜電位の安定には，内向き電流と外向き電流が等しく，膜を介した正味の電流がない状態でなければならないことを思い出そう．

　プラトーの間，どうやってそのような内向き電流と外向き電流のバランスがとれるのだろうか．Ca^{2+} コンダクタンス（g_{Ca}）の増加があり，**内向き Ca^{2+}電流(inward Ca^{2+} current)**を生じる．内向き Ca^{2+}電流は，このチャネルの（急速脱分極における速い Na$^+$ チャネルと比較して）より遅い動態を表し，**緩徐内向き電流(slow inward current)**ともいわれる．プラトーの間に開く Ca^{2+} チャネル(Ca^{2+} channel)はL型チャネル(L-type channel)で，**Ca^{2+}チャネル拮抗薬(Ca^{2+} channel blocker)**のニフェジピン，ジルチアゼム，およびベラパミルで抑制される．内向き Ca^{2+}電流とバランスをとるのは，（第1相で説明した）K$^+$に対する電気化学的駆動力によって生じる**外向き K$^+$電流**である．このようにプラトーの時相では，内向き Ca^{2+}電流が外向き K$^+$電流によってバランスされ，差し引きでの電流はゼロになり，膜電位は安定した脱分極の値を維持する（図4.13，第2相で内向き Ca^{2+}電流は，外向き K$^+$電流と同じ強さで図示されている）．

　内向き Ca^{2+}電流の重要性は，膜電位への効果に留まらない．活動電位におけるプラトーの間の Ca^{2+}流入は，細胞内貯蔵庫からより多くの Ca^{2+}放出を引き起こし，興奮収縮連関に作用する．このいわゆる **Ca^{2+}誘発性 Ca^{2+}放出(Ca^{2+}-induced Ca^{2+} release)**のプロセスは，心筋収縮の項で述べる．

4. **第3相，再分極．**再分極は第2相の終わりからゆるやかに始まり，その後，静止膜電位に向かって急速に再分極するのが第3相である．再分極は，外向き電流が内向き電流を上回っているときに生じることを思い出すこと．第3相の間，再分極は（プラトーの間は増加していた）g_{Ca}の減少と，（静止時よりさらに高いレベルへの）g_{K}の増加により起こる．g_{Ca}の減少は内向き Ca^{2+}電流の減少につながり，g_{K}の増加は，（第1相で述べた）急峻な電気化学的勾配に従って外向き K$^+$電流（I_{K}）の増加につながる．第3相の終わりで，再分極により膜電位は K$^+$ の平衡電位に近づき，K$^+$に対する駆動力が減少するため，外向き K$^+$電流は減少する．

5. **第4相，静止膜電位，あるいは電気的拡張期**

(electrical diastole). 膜電位は第3相の間に十分に再分極し，約−85 mVの静止時のレベルに戻る．第4相では，膜電位は再び安定し，内向き電流と外向き電流は等しい．静止膜電位は，静止時の高いK^+コンダクタンスを反映してK^+の平衡電位に近づくが，到達することはない．第4相を形成する，K^+チャネルとそれを通るK^+電流は，第3相において再分極を起こすものとは異なる．第4相のK^+コンダクタンスはg_{K1}とよばれ，K^+電流は同様にI_{K1}とよばれる．

第4相の膜電位の安定は，内向き電流と外向き電流が等しいことを意味する．K^+の高いコンダクタンスによって，すでに述べたように外向きK^+電流（I_{K1}）が生じる．外向きK^+電流と釣り合う内向き電流は，静止時のNa^+とCa^{2+}に対するコンダクタンスは低いものの，（図4.13のように）Na^+とCa^{2+}によってつくられる．ここで以下のような疑問が湧くかもしれない．g_{Na}とg_{Ca}がとても低く，g_{K1}がとても高いなら，内向きのNa^+電流とCa^{2+}電流の合計が，どのようにして外向きK^+電流と等しくなるのだろうか．その答えは，各イオンについて，電流＝コンダクタンス×駆動力の関係が成り立つからである．g_{K1}は高いが，静止膜電位はK^+の平衡電位に近いので，K^+の駆動力は小さい．したがって，外向きK^+電流は比較的小さい．一方で，g_{Na}とg_{Ca}はともに低いが，静止膜電位がNa^+とCa^{2+}の平衡電位からかけ離れているため，Na^+とCa^{2+}の駆動力は高い．こうして，内向きのNa^+電流とCa^{2+}電流の合計は，外向きK^+電流と等しくなる．

■ 洞房結節の活動電位

通常では洞房結節は，心臓のペースメーカである．活動電位の構成やイオン機序は，いくつかの重要な点で，心房，心室，Purkinje線維とは異なる（図4.12C参照）．洞房結節の活動電位は，心房，心室，Purkinje線維と異なる以下の特徴を有する：(1)洞房結節には**自動能（automaticity）**がある．つまり，洞房結節は神経の入力がなくても自発的に活動電位を生成できる．(2)洞房結節は**不**安定な静止膜電位をもつ．この特徴は，心房，心室，Purkinje線維と対照的である．(3)洞房結節の活動電位には**持続するプラトーがない．**

洞房結節の活動電位の時相を説明する．図4.12Cに示した時相の番号に対応している．

1. **第0相，急速脱分極．** 第0相は（他の心臓の細胞のように）活動電位の急速脱分極である．この急速脱分極は，他の心臓組織ほど急速でないことは重要である．同様に，洞房結節の急速脱分極における電解質の動態も異なる．他の心筋細胞では，急速脱分極はg_{Na}の増加と内向きNa^+電流の増加の結果である．洞房結節の細胞では，急速脱分極は，主にL型Ca^{2+}チャネルによる，g_{Ca}**の増加と内向きCa^{2+}電流**の結果である．洞房結節にはT型Ca^{2+}チャネルもあり，急速脱分極の内向きCa^{2+}電流の一部をもたらす．

2. **第1相と第2相はない．**

3. **第3相，再分極．** 他の心筋組織のように，洞房結節の再分極はg_Kの増加による．K^+に対する電気化学的な駆動力は大きいので（化学的にも電気的にも，K^+を細胞外に向かわせる），膜電位を再分極させる，外向きK^+電流が生じる．

4. **第4相，自発的脱分極（spontaneous depolarization）またはペースメーカ電位（pacemaker potential）．** 第4相は，洞房結節の活動電位で最も長い時相である．この時相は，**洞房結節細胞の自動能**のもととなっている（神経からの指令なしに，自発的に活動電位を生成できる能力）．第4相の間，（**最大拡張期電位（maximum diastolic potential）**とよばれる）膜電位の最も陰性の値は−65 mVであるが，膜電位はこの値に留まっていない．実際には，Na^+チャネルの開口によりI_fとよばれる**内向きNa^+電流**が生じて，緩徐な脱分極が起こる．この"f"は"funny（奇異，風変わりな）"の頭文字で，このNa^+電流が，心室細胞の急速脱分極を形成する速いNa^+電流とは異なることを示している．I_fは先行する活動電位の再分極によって活性化されるので，洞房結節の各活動電位に次の活動電位が確実に続くようになる．ひとたびI_fによる緩徐脱分極によって膜電位が閾値に到達する

と，Ca^{2+}チャネルが開いて急速脱分極が生じる．

　第4相の脱分極の速さは，心拍数の1つの規定因子である．第4相の脱分極の速さが増加すると，閾電位に速やかに到達し，洞房結節は時間あたりに多くの活動電位を発火するので，心拍数は増加する．反対に，第4相の脱分極の速さが減少すると，閾電位への到達に時間がかかり，洞房結節の時間あたりの活動電位の発火がより少なくなるので，心拍数が減少する．自律神経の心拍数に対する影響は，こうした第4相の脱分極の速さを変化させることに基づいており，この章の後半で詳述する．

■ 潜在ペースメーカ

　心筋細胞のなかで，洞房結節の細胞だけが自動能をもっているわけではない．**潜在ペースメーカ (latent pacemaker)** とよばれる他の細胞も，自発的に第4相の脱分極を生成する能力がある．潜在ペースメーカとして**房室結節，His 束，Purkinje 線維**の細胞などがある．これらの細胞は自動能を有するが，平時は発現していない．

　第4相の脱分極の最も速いペースメーカが心拍数を決めることになる．通常，洞房結節が最速なので，心拍数を決定している（**表4.3**）．全心筋細胞のなかで，洞房結節細胞が最短の活動電位時間（すなわち最短の不応期）を有していることも思い出すこと．つまり，洞房結節細胞は，他の細胞が準備できる前に，より早く回復して次の活動電位発火の準備が整う．

　洞房結節が心拍数を規定するとき，潜在ペースメーカは抑制されており，この現象は**オーバードライブ抑制 (overdrive suppression)** とよばれ，次のように説明できる．洞房結節細胞は，ペースメーカとなりうる細胞のなかで最速の発火頻度をもち，その刺激は洞房結節から他の心筋組織に，**図4.11** に図示した順序で伝わる．これらの組織には潜在ペースメーカも含まれるが（房室結節，His 束，Purkinje 線維），発火頻度が洞房結節から駆動されている限り，自ら潜在ペースメーカとして脱分極を起こす自動能は抑制されている．

　潜在ペースメーカが心拍数を司ることができるのは，洞房結節が抑制されているか，潜在ペース

表4.3　洞房結節の発火頻度と心臓の潜在ペースメーカ．

場所	内因性発火頻度(回/min)
洞房結節	70～80
房室結節	40～60
His 束	40
Purkinje 線維	15～20

メーカの内在する発火頻度が洞房結節より速くなったときに限られる．潜在ペースメーカの内因レートは洞房結節より遅いので，潜在ペースメーカによる調律は通常，（洞調律より）心拍数が遅い（表4.3）．

　以下の3つの状況で，心臓の調律は潜在ペースメーカに司られ，**異所性ペースメーカ (ectopic pacemaker)** あるいは**異所性中枢（起源）(ectopic focus)** といわれる：(1)洞房結節の発火頻度が減少する（例えば迷走神経刺激），あるいは完全に停止する（例えば，洞房結節が破壊，除去，薬物により抑制されることにより）のであれば，他の潜在ペースメーカの部位の1つが心臓のペースメーカの役割を担う．(2)潜在ペースメーカの1つの発火頻度が洞房結節より速くなるのであれば，そこがペースメーカの役割を担う．(3)洞房結節から心臓のその他の部位への活動電位の伝導が，刺激伝導路の病変によりブロックされているのであれば，洞房結節に加えて潜在ペースメーカが現れうる．

伝導速度

■ 心臓活動電位の伝導

　心臓での**伝導速度 (conduction velocity)** は神経や骨格筋線維と同様の意味をもつ．伝導速度は，活動電位が組織内で広がる速さであり，伝導速度の単位は(m/sec)である．伝導速度はすべての心筋組織で同一ではない．伝導速度は**図4.14**に示すように，房室結節で一番遅く（0.01～0.05 m/sec），His-Purkinje 系が最速（2～4 m/sec）である．

　伝導速度は，活動電位が心筋のさまざまな場所

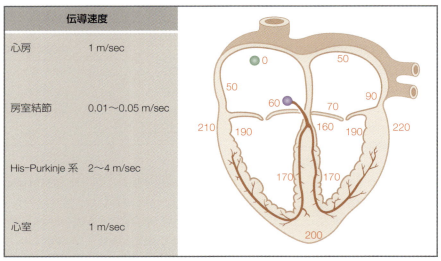

図 4.14 心筋の興奮のタイミング.
心筋の上に重ねて表示した数は，洞房結節の興奮開始からの合計時間であり，ミリ秒（msec）で表示している．

に伝わるのにどれだけ時間がかかるかを決める．これらの時間は，ミリ秒（msec）で図 4.14 に記載している．活動電位は洞房結節で始まり，そこを時刻ゼロとする．活動電位が，心房，房室結節，His-Purkinje 系を通り，心室の最も遠いところまで伝わるのに全体として 220 msec かかる．**房室伝導遅延（AV delay）**とよばれるが，房室結節の伝導に，心筋全体に伝わるための全伝導時間の約半分を要する．房室伝導遅延の要因は，全心筋線維のなかで房室結節の伝導速度が最も遅く（0.01～0.05 m/sec），伝導時間が最長となる（100 msec）ためである．

心臓組織のなかでの伝導速度の相違には，生理機能としての意味がある．例えば，房室結節の遅い伝導によって，心室の興奮開始が早すぎないことが保証される（つまり，心室が収縮する前に，心室が心房からの血液で充満する時間を確保できる）．一方，Purkinje 線維の速い伝導速度のため，有効な血液拍出を可能にすべく，心室が円滑に順序立てて速やかに興奮することができる．

■ 心臓活動電位の伝播のメカニズム

神経や骨格筋線維と同様に，心臓の活動電位の伝導の生理学的な基本は，**局所電流（local current）**の伝播である（第 1 章）．ある部位の活動電位が隣の部位に局所電流をつくる．隣の部位は，この局所電流の結果として閾値に脱分極し，自身の活動電位を発火する．この局所電流は，活動電位の急速脱分極における内向き電流の結果である．心房，心室，Purkinje 線維では，急速脱分極の内向き電流は Na^+ によること，洞房結節では Ca^{2+} によることを思い出すこと．

伝導速度は，活動電位の急速脱分極における**内向き電流の大きさ**に依存する．内向き電流が大きくなるほど，局所電流がより速く隣に伝わり，閾値に脱分極させる．伝導速度は dV/dT，すなわち活動電位の急速脱分極の上昇速度とも相関する．その理由は，dV/dT は先に述べたように，内向き電流の大きさとも相関するからである．

活動電位の伝播は，局所電流を形成する急速脱分極の内向き電流に依存するだけでなく，心筋線維の**ケーブル特性（cable property）**にも依存する．このケーブル特性は，細胞膜抵抗（R_m）と内部抵抗（R_i）で決まることを思い出すこと．例えば，心筋線維では，R_i は非常に低く，その理由の一部には，**ギャップ結合（gap junction）**とよばれる抵抗の低い細胞間結合があるからである．このようにして，心筋組織は，速い伝導に非常に好都合である．

紛らわしいかもしれないが，伝導速度は活動電

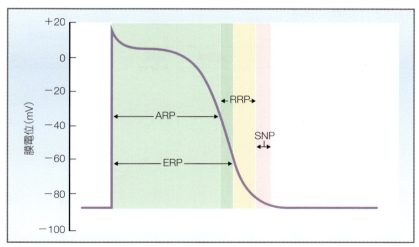

図4.15　心室活動電位の不応期.
有効不応期（ERP）は，絶対不応期（ARP）と相対不応期（RRP）の前半を含む．相対不応期（RRP）は，絶対不応期（ARP）の終わりに始まり，有効不応期（ERP）の終わりの部分を含む．過常期（SNP）は，相対不応期（RRP）の終わりに始まる．

位の持続時間には依存しない．ここで，活動電位の持続時間とは，単にある場所での脱分極から完全再分極までの時間（例えば，心室細胞の活動電位持続時間は250 msec）であることを思い出すこと．活動電位の持続時間は，活動電位が隣の場所に伝播するのにかかる時間とは，まったく無関係である．

興奮性と不応期

　興奮性（excitability）は，脱分極させる内向き電流に反応して活動電位を生成する心筋細胞の能力である．厳密には，興奮性は心筋細胞を閾電位に到達させるのに必要な内向き電流の大きさである．心筋細胞の興奮性は活動電位の過程で変化し，その興奮性の変化が不応期として現れる．

　心筋細胞の**不応期**は，生理学的には神経細胞と基本的に同様である．第1章で説明した通り，膜電位が閾値まで脱分極するとNa^+チャネルの活性化ゲートが開き，Na^+の細胞内への急速な流入が可能になり，Na^+の平衡電位に向かってさらなる脱分極が起こる．この速い脱分極は，活動電位の立ち上がり相である．しかし，Na^+チャネルの不活性化ゲートは（活性化ゲートが開くより，ゆっくりとだが）脱分極によって閉鎖する．それゆえ，活動電位の間で膜電位が脱分極されると，Na^+

チャネルの一部は不活性化ゲートの閉鎖により使用できない状態となる．Na^+チャネルが閉鎖して使用できないとき，チャネルを通る脱分極性の内向き電流は流れないので，これ以上は立ち上がり相，つまり活動電位が発生することができず，そのような細胞を"不応期にある"という．ひとたび再分極が起こると，Na^+チャネルの不活性化ゲートが開き，今度はNa^+チャネルは閉鎖しているが使える状態になり，細胞は再度興奮性を有するようになり，次の活動電位を発火できる状態になる．

　図4.15は見慣れた心室細胞の活動電位の図に，不応期を重ねて示している．活動電位の期間による興奮性の相違を反映して，これから説明する不応期の名前がつけられている．

● 絶対不応期

　心室の細胞は，活動電位の最中のほとんどの時間で，次の活動電位を発火することはまったくできない．どれだけ大きな刺激が加えられても，細胞は**絶対不応期**（absolute refractory period：ARP）の期間は，次の活動電位を生成できない．なぜなら，Na^+チャネルのほとんどは閉鎖し，内向き電流を通すことができないからである．ARPは急速脱分極，プラトー全体，そして再分極の一部を含む．この期間は，細胞が約-50 mVに再分極したときに終了する．

表 4.4 心臓と血管への自律神経の作用.

	交感神経			副交感神経		
	作用	受容体	機序	作用	受容体	機序
心拍数	↑	β_1	↑ I_f ↑ I_{Ca}	↓	M_2	↓ I_f ↑ $I_{K\text{-}ACh}$ ↓ I_{Ca}
伝導速度	↑	β_1	↑ I_{Ca}	↓	M_2	↓ I_{Ca} ↑ $I_{K\text{-}ACh}$
心筋収縮性	↑	β_1	↑ I_{Ca} ホスホランバン のリン酸化	↓（心房の み）	M_2	↓ I_{Ca} ↑ $I_{K\text{-}ACh}$
血管平滑筋 （皮膚，腎，骨格筋，内臓）	収縮 （ノルアドレナリン）	α_1	—	拡張	M_3	NO
血管平滑筋 （骨格筋）	拡張 （アドレナリン）	β_2	—	拡張	M_3	NO

I_{Ca}：内向き Ca^{2+} 電流，I_f：内向き Na^+ 電流，$I_{K\text{-}ACh}$：外向き K^+ 電流，M：ムスカリン，NO：一酸化窒素.

● 有効不応期

有効不応期（effective refractory period：ERP）は ARP を含み，ARP よりも少しだけ長い．ERP 終了時，Na^+ チャネルは回復し始める（すなわち内向き電流を流せるようになる）．ARP と ERP の区別は，"絶対"とはどのような大きな刺激でも次の活動電位を生じさせられないことを示し，"有効"とは伝導される活動電位は生成されないことを意味する（つまり，次の場所に伝わるのに十分な内向き電流はない）．

● 相対不応期

相対不応期（relative refractory period：RRP）は ARP の終わりに始まり，細胞膜がほぼ完全に再分極されるまで持続する．相対不応期には，さらに多くの Na^+ チャネルが回復して閉鎖しているが使える状態になり，通常より大きな刺激があれば次の活動電位を生成できる．次の活動電位が相対不応期の間に生成されると，その活動電位は異常な形態になり，プラトー相は短くなる．

● 過常期

過常期（supranormal period：SNP）は，相対不応期の後に続く．過常期は膜電位が − 70 mV になると始まり，完全に − 85 mV に再分極するまで持続する．その名が示す通り，この期間は静止時よりも細胞が興奮しやすくなっている．言い換えると，細胞を閾電位に脱分極させるのに必要な内向き電流がより少ない．このような興奮性の増加は，Na^+ チャネルが回復し（つまり，不活性化ゲートが再度開き），膜電位が安静時よりも閾電位に近いため，細胞膜が静止膜電位にあるときよりも活動電位を発火しやすいと生理学的に説明される．

心臓・血管への自律神経の作用

表 4.4 に，心臓と血管に対する自律神経の作用をまとめる．理解しやすいように，心拍数，伝導速度，心筋収縮性，血管平滑筋に対する自律神経の作用をまとめている．心臓電気生理（例えば，心拍数や伝導速度）への作用はここで説明し，他の影響については後に述べる．

■ 心拍数への自律神経の作用

心拍数への自律神経の作用を，変時作用（chronotropic effect）という．心拍数に対する交感神経，副交感神経の作用を表 4.4 にまとめ，図 4.16 に示す．簡潔にいえば，交感神経刺激は心拍数を増加させ，副交感神経刺激は心拍数を低下させる．

図 4.16A は，洞房結節の正常な発火パターンを示す．第 4 相の脱分極が Na^+ チャネルの開放に続く．緩徐な脱分極，I_f とよばれる内向き Na^+ 電

心臓電気生理 159

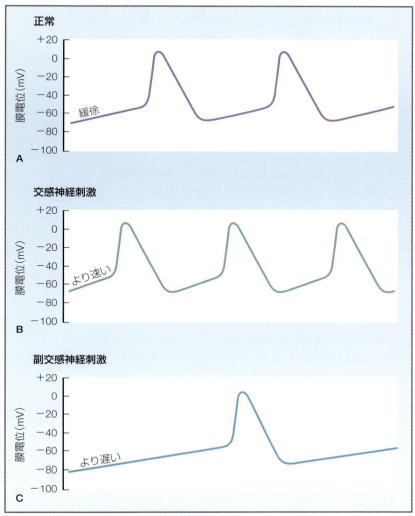

図4.16　洞房結節の活動電位に対する交感神経と副交感神経の作用.
A：洞房結節の正常発火パターンを示す．B：交感神経刺激は第4相の脱分極の速度を増加し，活動電位の発火頻度を増加する．C：副交感神経刺激は第4相の脱分極の速度を減少させ，最大拡張期電位を過分極し，活動電位の発火頻度を減少する．

流によってつくられることを思い出すこと．ひとたび膜電位が閾電位まで脱分極すると，活動電位が始まる．

- **陽性変時作用（positive chronotropic effect）**
とは，心拍数の増加である．最も重要な例は，図4.16Bに示す，交感神経刺激による陽性変時作用である．交感神経線維から放出されたノルアドレナリンは，洞房結節のβ_1受容体を活性化させる．このβ_1受容体（β_1 receptor）は，G_sタンパク質（第2章）を介してアデニル酸シ

クラーゼと連関する．洞房結節のβ_1受容体の活性化はI_fを増加させ，第4相の脱分極を加速させる．さらにI_{Ca}が増加し，つまり，より多くのCa^{2+}チャネルが開き，より少ない脱分極で閾電位に到達できる（閾電位は低下する）．第4相の脱分極が加速して閾電位が低下するため，洞房結節が，より頻繁に閾電位まで脱分極し，単位時間あたりの活動電位の発火が増加する（心拍数が増加する）．

- **陰性変時作用（negative chronotropic effect）**

Box 4.1　洞性徐脈

▶ **症例**

　高血圧の72歳の女性. アドレナリンβ受容体遮断薬であるプロプラノロールで治療されている. 女性は, 数回のふらつきと失神を経験している. 心電図は洞性徐脈であり, 規則的なP波に続き, 正常QRSがある. しかし, P波の拍数が減少していて45拍/minであった. 内科医はプロプラノロールを漸減中止し, 女性の内服薬を別の種類の降圧薬とした. プロプラノロール中止後に再検した心電図のP波の拍数は80拍/minで正常洞調律であった.

▶ **解説**

　心拍数はP波の頻度で規定される. プロプラノロールで治療中, 女性の心拍数はたったの45拍/

minであった. 心電図でP波が存在し, 心臓は正常ペースメーカである洞房結節で歩調どりされていることを示す. しかし, 洞房結節の脱分極は, アドレナリンβ受容体遮断薬であるプロプラノロールで治療されているために, 正常より非常に遅い. βアドレナリン受容体作動薬が, I_fの増加により洞房結節の脱分極第4相を加速させることから, βアドレナリン受容体拮抗薬は脱分極第4相を減少させ, 洞房結節が活動電位の発火頻度を減少させる.

▶ **治療**

　女性の洞性徐脈はプロプラノロール治療の副作用である. プロプラノロールをやめて, 心拍数は元に戻った.

は, 心拍数の減少である. 最も重要な例は, **図4.16C** に示す, **副交感神経系（parasympathetic nervous system）の刺激**である. 副交感神経線維から放出されたアセチルコリン（ACh）は, 洞房結節の **M₂ ムスカリン受容体（M₂ muscarinic receptor）** を刺激する. 洞房結節のムスカリン受容体の活性化により心拍数が減少するのは, 次の2つの機序による. 1つ目は, ムスカリン受容体は, **G₁ タンパク質（G₁ protein）** の一種である **G_K** と結合し, このGiタンパク質はアデニル酸シクラーゼを抑制し, **I_fを減少** させる. I_fの減少は第4相の脱分極を減速させる. 2つ目として, **G_K** は, **K⁺–ACh** とよばれるK⁺チャネルのコンダクタンスを直接増加し, **I_{K-ACh}** とよばれる（I_{K1}と同様の）外向きK⁺電流を増加させる. 外向きK⁺電流の増加は最大拡張期電位を過分極させ, 洞房結節細胞の膜電位を閾電位から遠ざける. さらに, I_{Ca}の減少があり, 開いているCa²⁺チャネルがより少ないため, 閾電位に至るのにより多くの脱分極が必要となる（つまり閾電位が上昇する）. これらをまとめると, 副交感神経系は洞房結節に対する次の3つの効果により心拍数を減少させる：(1)第4相の脱分極の速度低下. (2)最大拡張期電位の過分極によって閾電位へ到達するのに, より多くの内向き電流が必要となる. (3)閾

電位の上昇. 結果として, 洞房結節が閾電位まで脱分極する頻度は少なくなり, 時間あたりの活動電位の発火が減少する（つまり心拍数が減少する）(Box 4.1).

■ 房室結節の伝導速度に及ぼす自律神経の作用

　房室結節の伝導速度に及ぼす自律神経の作用は, **変伝導作用（dromotropic effect）** とよばれる. 伝導速度の増加は陽性変伝導作用とよばれ, 伝導速度の低下は陰性変伝導作用とよばれる. 自律神経系が伝導速度に及ぼす生理作用で最も重要なのは, 房室結節に対する作用で, 心房から心室に伝わる活動電位の速度を変化させる. これらの自律神経の作用機序を考えるとき, 伝導速度が, 活動電位の急速脱分極における内向き電流の大きさや急速脱分極の上昇速度である dV/dT と相関することを思い出すこと.

　交感神経系（sympathetic nervous system） の刺激は, 房室結節の **伝導速度を増加** させ（陽性変伝導作用）, 心房から心室へ活動電位が伝わる速度を増加させる. 交感神経の作用機序は, 洞房結節同様, 房室結節の活動電位の急速脱分極を引き起こす I_{Ca} の増加である. したがって I_{Ca} の増加は, 内向き電流の増加や伝導速度の増加を意味する. 支持的な役割として, I_{Ca}増加はERPを短く

して房室結節細胞の不活性化からの回復を早くし，発火頻度が増加しても活動電位を伝導できる．

副交感神経系の刺激は，房室結節の**伝導速度を減少**させ（陰性変伝導作用），活動電位が心房から心室へ伝導される速度を低下させる．副交感神経の作用機序は，I_{Ca}の減少（内向き電流の減少）と$I_{K\text{-}ACh}$の増加（外向きK^+電流であり，差し引きで内向き電流をさらに減少させる）である．さらに，房室結節細胞のERPが延長する．房室結節の伝導速度がかなり低下すると（例えば，副交感神経活動の増加や，房室結節の損傷により），活動電位の一部が心房から心室へ伝わらない，すなわち**心ブロック**（heart block）になることがある．心ブロックの程度はさまざまで，軽症では心房から心室への活動電位の伝導が単に遅くなるだけだが，より重症では活動電位が心室にまったく伝わらないこともある．

心電図

心電図（electrocardiogram：ECG，EKG）は，心臓の電気的活動を反映するような，体表のごく小さな電位差を測定するものである．簡単にいうと，これらの電位差，つまり電圧は，心臓各部位の脱分極および再分極のタイミングと順番によって生じるもので，体表から測定できる．心筋全体がいちどきに脱分極するのではなく，心房は心室より先で，心室は特定の順番で，心室が脱分極しているときに心房は再分極し，心室は特定の順番で再分極する，ということを思い出すこと．心筋の脱分極と再分極の広がりの順番とタイミングの結果として，心臓の異なる部位の間で電位差が形成され，その電位差を体表に置いた電極で検出できる．

正常心電図波形を**図4.17**に示す．心電図の用語体系を以下に述べる．さまざまな波は，心筋の異なる部位の脱分極や再分極を表し，アルファベットの名前がつけられている．波の間の間隔や部分にも名前がつく．間隔と部分の相違は，間隔は波を含むが，部分は波を含まない．以下の波，間隔，部分が心電図上に観察される．

1. **P波**（P wave）．P波は心房の脱分極を示す．P波の幅（持続時間）は，心房全体に脱分極が伝導

する時間と相関する．例えば，心房内の伝導速度が減少すると，P波は幅広になる．心房の再分極は通常の心電図には現れない．心房の再分極はQRS複合に埋もれてしまうからである．

2. **PR間隔**（PR interval）．PR間隔は心房脱分極の始まりから，心室脱分極の始まりまでの時間である．したがって，PR間隔はP波と，PR部分という**房室伝導**（AV node conduction）に対応する心電図の等電位（平らな）部分を含む．PR間隔はPR部分を含むので，房室結節の伝導時間とも相関する．

通常，PR間隔は160 msecである．それは，心房の脱分極開始から心室の脱分極開始までの時間である（**図4.14**参照）．（交感神経刺激などにより）房室結節の伝導速度が増加するとPR間隔は減少し，反対に（副交感神経刺激などにより）房室結節の伝導速度が減少するとPR間隔は延長する．

3. **QRS複合**（QRS complex）．QRS複合は，Q波，R波，S波の3つの波からなる．これらの波はあわせて心室の脱分極を表す．ここで，QRS複合全体の幅は，P波の幅と同程度であることに留意すること．この事実は，心室が心房よりかなり大きいので驚くべきことかもしれない．His–Purkinje系の伝導速度が心房と比して非常に速いので，心室は心房と同程度に速やかに脱分極する．

4. **T波**（T wave）．T波は心室の再分極を表す．

5. **QT間隔**（QT interval）．QT間隔はQRS複合，ST部分，T波を含む．QT間隔は心室脱分極開始から心室再分極終了までを表す．ST部分はQT間隔のなかの等電位の部分で，心室活動電位のプラトーと関連する．

心拍数（heart rate）は1分間あたりのQRSの数で計測される．**心周期長**（cycle length）は，R-R間隔（R-R interval）〔R波と次のR波の間の時間〕である．心拍数は次のように心周期長と関連する．

$$心拍数 = \frac{1}{心周期長}$$

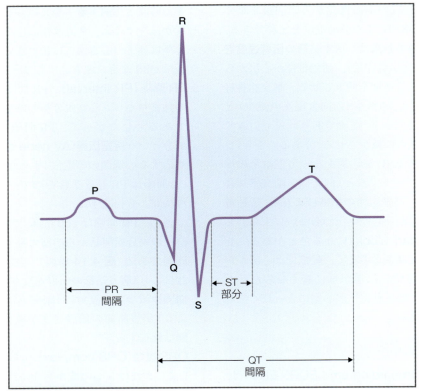

図 4.17　第Ⅱ誘導で計測される心電図.

例題

R-R 間隔が 800 msec（0.8 sec）のとき，心拍数はいくつか．また，心拍数が 90 拍/min のとき，心周期長はいくつか．

解答

R-R 間隔は，心周期長である．心周期長が 0.8 sec なら，心拍数＝1/心周期長であり 1.25 拍/sec であるため，75 拍/min（1 拍/0.8 sec）である．もし心拍数が 90 拍/min なら，心周期長＝1/心拍数となるため，0.667 sec すなわち 667 msec である．心周期長が長くなれば心拍数は減少し，心周期長が短くなれば心拍数は増加する．

心拍数（と心周期長）の変化は活動電位の持続時間を変化させ，その結果，不応期の持続時間や興奮性を変化させる．例えば，心拍数が増加する（心周期長が減少する）と，活動電位持続時間が減少する．時間あたりにより多くの活動電位が発生しう

るだけでなく，活動電位の持続時間が短くなり，不応期が短くなる．心拍数と不応期の関連により，心拍数増加が**不整脈（arrhythmia）**（異常な心臓のリズム）の要因になることもある．心拍数が増加して不応期が短くなると，心筋細胞は，より早く，より頻回に興奮可能となる．

心筋収縮

心筋細胞の構造

心筋と骨格筋には，形態と機能にいくらかの相違はあるが，基本的な収縮機構は 2 つの細胞で同様である．

骨格筋と同様に，心筋細胞は**筋節（sarcomere）**からなる．Z 線から Z 線までの筋節は，太いフィラメントと細いフィラメントからなる．**太いフィラメント（thick filament）**はミオシン（myosin）

からなり，その球状の頭部はアクチンへの結合部位と ATPase 活性をもつ．**細いフィラメント(thin filament)**は3つのタンパク質，すなわちアクチン，トロポミオシン，トロポニンからなる．**アクチン(actin)**は球状のタンパク質で，ミオシンへの結合部位を有し，重合すると2本の線維が撚り合わさったらせんとなる．**トロポミオシン(tropomyosin)**は，アクチン線維がねじれて撚り合わさった溝に沿って結合し，ミオシン結合部位を阻害する働きがある．**トロポニン(troponin)**は，3つのサブユニットからなる球状タンパク質で，トロポニンCというサブユニットは Ca^{2+} と結合する．Ca^{2+} がトロポニンCと結合すると，立体構造が変化して，アクチン-ミオシンの相互作用へのトロポミオシンによる阻害が除かれる．

骨格筋同様であるが収縮が起こるのは，**滑り説(sliding filament model)**によれば，ミオシンとアクチンの間に**クロスブリッジ(cross-bridge)**の形成が起こり，その後，外れるときに，太いフィラメントと細いフィラメントが互いの脇をすり抜けるように動く．このクロスブリッジサイクルの結果，心筋線維は張力を発生する．

横行小管(T管)(transverse(T)tubule)はZ線のところで心筋細胞に入り，細胞膜と連続性があり，細胞内部に活動電位を伝えるように機能する．T管は，興奮収縮連関のための Ca^{2+} の貯蔵と放出の場所である**筋小胞体(sarcoplasmic reticulum:SR)**と対をなす．

興奮収縮連関

骨格筋や平滑筋と同様に，心筋細胞の興奮収縮連関は活動電位を張力の発生に変換する．次のステップが心筋細胞の興奮収縮連関に含まれる．これらのステップは，図4.18に示した○で囲んだ番号と関連する．

① 心臓の**活動電位**は心筋の細胞膜で始まり，脱分極はT管を通って細胞の内部に広がる．既述の通り，心筋の活動電位の特色はプラトー(第2相)であり，これは g_{Ca} と**内向き Ca^{2+} 電流**の増加の結果として生じる．ここで，Ca^{2+} は，L型 Ca^{2+} チャネル(**ジヒドロピリジン受容体(dihydropyridine receptor)**)を介して細胞外か

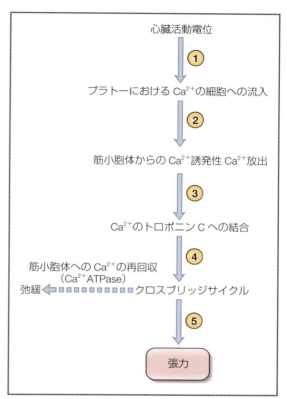

図4.18 心筋細胞における興奮収縮連関．
○で囲んだ番号の説明は本文参照．

ら細胞内へ流れる．

② Ca^{2+} の心筋細胞への流入により，細胞内 Ca^{2+} 濃度が増加する．この細胞内 Ca^{2+} 濃度の増加は，それだけで収縮を始めるのには不十分だが，それが刺激となり Ca^{2+} 放出チャネル(**リアノジン受容体(ryanodine receptor)**)を介して，筋小胞体の貯蔵から多くの Ca^{2+} が放出される．この過程は **Ca^{2+} 誘発性 Ca^{2+} 放出**とよばれ，活動電位のプラトーの間に流入した Ca^{2+} は，**トリガー Ca^{2+}** とよばれる．このステップで筋小胞体からどの程度の Ca^{2+} が放出されるかは，2つの要因によって決まる．それは，貯蔵されている Ca^{2+} の量と，活動電位のプラトーの間の内向き Ca^{2+} 電流の大きさである．

③④ 筋小胞体からの Ca^{2+} 放出は，細胞内 Ca^{2+} 濃度をさらに大きく増加させる．すると Ca^{2+} は**トロポニンC**に結合し，トロポミオシンが移動されて，アクチンとミオシンの相互作用が可

164 第4章 心血管系の生理学

能となる．アクチンとミオシンが結合すると**ク
ロスブリッジ**を形成し，そしてクロスブリッジ
が外れ，細いフィラメントと太いフィラメント
が互いの脇をすり抜けるように動き，張力が生
じる．クロスブリッジサイクルは，アデノシン
三リン酸（ATP）によりエネルギーが供給され，
Ca^{2+} 濃度がトロポニン C の Ca^{2+} 結合部位を占
めるのに十分であるほど高い限り，持続する．

⑤ 心筋細胞でつくられる張力の強さが，細胞内
Ca^{2+} 濃度に比例することは，非常に重要であ
る．この比例関係から，活動電位のプラトー間
の内向き Ca^{2+} 電流を変化させたり，筋小胞体
の Ca^{2+} 貯蔵を変化させたりするような，ホル
モン，神経伝達物質，薬物は，心筋細胞がつく
る張力を変化させるであろうと推論することが
できる．

弛緩（relaxation）は，Ca^{2+} ATPase（SERCA）
の作用により Ca^{2+} が筋小胞体に再回収されたと
きに生じる．さらに，活動電位のプラトーの間に
細胞内に入った Ca^{2+} は，筋細胞膜にある Ca^{2+}
ATPase と Ca^{2+}-Na^+ 交換輸送により細胞外へ排出
される．これらの筋細胞膜の輸送体は，電気化学
的勾配に逆らって Ca^{2+} を細胞外に汲み出すが，
Ca^{2+} ATPase は ATP のエネルギーを直接利用し，
Ca^{2+}-Na^+ 交換輸送体（Ca^{2+}-Na^+ exchanger）は内
向き Na^+ 勾配のエネルギーを用いる．この輸送過
程の結果として，細胞内 Ca^{2+} 濃度は静止時の濃
度まで低下し，Ca^{2+} はトロポニン C から解離し，
アクチン-ミオシンの相互作用が阻害されること
により弛緩が生じる．

収縮性

収縮性（contractility）あるいは**変力作用**（inot-
ropism）は心筋自身の能力で，心筋細胞が与えら
れた長さに対して発生する張力で表される．収縮
性を増加させる物質は**陽性変力作用**（positive
inotropic effect）があるという．陽性変力作用の
ある物質は，張力発生速度と最大張力の両方を増
加させる．収縮性を減少させる物質には**陰性変力
作用**（negative inotropic effect）があるという．
陰性変力作用のある物質は，張力発生速度と最大
張力の両方を減少させる．

■ 収縮性変化のメカニズム

収縮性は**細胞内 Ca^{2+} 濃度**と直接に相関し，そ
れは興奮収縮連関の間に筋小胞体の貯蔵から放出
された Ca^{2+} の量によって決まる．筋小胞体から
放出される Ca^{2+} の量は，2つの要因に依存する．
心筋細胞の活動電位のプラトーの間の**内向き
Ca^{2+} 電流の大きさ**（トリガー Ca^{2+} の大きさ）と，
放出できる**筋小胞体に蓄えられた Ca^{2+} の量**であ
る．そのため，内向き Ca^{2+} 電流が大きく細胞内
貯蔵量が大きければ，細胞内 Ca^{2+} 濃度はより上
昇して，収縮性はより大きくなる．

■ 収縮性に対する自律神経系の作用

収縮性に対する自律神経系の作用を**表 4.4** にま
とめる．これらの作用のなかで最も重要なのは，
交感神経系の陽性変力作用である．

● 交感神経系

交感神経系の刺激と循環血液中のカテコールア
ミンには，心筋に対する**陽性変力作用**（収縮性の
増加）がある．この陽性変力作用には3つの重要
な特徴があり，最大張力の増加，張力発生速度の
増加，および弛緩の加速である．弛緩の加速は，
収縮（単収縮）が短時間になり，充満のためにより
多くの時間が使えることを意味する．この効果
は，交感神経の心拍数に対する作用と同様に β_1
受容体の活性化によって伝達され，G_s タンパク
質を介してアデニル酸シクラーゼと連関する．ア
デニル酸シクラーゼの活性化は，環状 AMP
（cAMP）の産生，プロテインキナーゼ A の活性化，
収縮性増加の生理作用を有するタンパク質のリン
酸化につながる．

2つの異なるタンパク質がリン酸化されて，収
縮性を向上させる．これらのリン酸化されたタン
パク質が協調して，細胞内 Ca^{2+} 濃度を上昇させ
る：(1)活動電位のプラトーの間に内向き Ca^{2+} 電
流を運ぶ筋細胞膜の **Ca^{2+} チャネル**がリン酸化さ
れる．その結果，プラトーの間の内向き Ca^{2+} 電
流が増加し，トリガー Ca^{2+} が増加し，筋小胞体
からの Ca^{2+} の放出量が増加する．(2)筋小胞体の
Ca^{2+} ATPase の制御タンパク質である**ホスホラン
バン**（phospholamban）がリン酸化される．脱リ

ン酸化型ホスホランバンは Ca^{2+} ATPase を抑制する．ホスホランバンが交感神経刺激によりリン酸化されると，この抑制がなくなり，Ca^{2+} ATPase が刺激され，筋小胞体による Ca^{2+} の取り込みと貯蔵が増加する．筋小胞体による Ca^{2+} の取り込み増加は 2 つの作用を有し，弛緩速度の増加（すなわち収縮が短くなる）と，次の心拍に用いられる Ca^{2+} 貯蔵量の増加である．

● 副交感神経系

副交感神経系（parasympathetic nervous system）の刺激や ACh は，心房への陰性変力作用を有する．この作用は，ムスカリン受容体（muscarinic receptor）の活性化により，G_K とよばれる G_i タンパク質を介してアデニル酸シクラーゼと連関する．この場合の G タンパク質は抑制性であり，収縮性が低下する（カテコールアミンの β_1 受容体活性化による効果と反対である）．2 つの要因が，副交感神経刺激により心房収縮性を低下させるのに重要である：(1) ACh は活動電位のプラトーの間の I_{Ca} と内向き Ca^{2+} 電流を低下させる．(2) ACh は I_{K-ACh} を増加し，活動電位の持続時間を短くし，間接的に内向き Ca^{2+} 電流を減少させる（プラトー相を短くすることによる）．これら 2 つの作用の影響で，活動電位の間に細胞内に流入する Ca^{2+} 量は減少し，トリガー Ca^{2+} が減少し，筋小胞体からの Ca^{2+} 放出量も減少する．

■ 心拍数の収縮性への影響

意外かもしれないが，心拍数の変化は収縮性を変化させる．心拍数が増加すると，収縮性は増加し，心拍数が減少すると，収縮性も減少する．その機序は，収縮性は興奮収縮連関の間の細胞内 Ca^{2+} 濃度と直接に相関することから理解できる．

例えば，心拍数増加が収縮性増加をもたらすことは，以下のように説明される：(1) 心拍数が増加すると，単位時間あたりの活動電位の数が増加し，活動電位のプラトーの間に細胞内に入るトリガー Ca^{2+} の総量が増加する．さらに，心拍数増加が交感神経刺激やカテコールアミンによってもたらされる場合，それぞれの活動電位における内向き Ca^{2+} 電流の大きさも増加する．(2) 活動電位の間

に，細胞内への大きな Ca^{2+} 流入があり，筋小胞体は次の放出に向けてより多くの Ca^{2+} を集積する（すなわち Ca^{2+} 貯蔵の増加）．繰り返しになるが，交感神経刺激により心拍数が増加すると，筋小胞体の Ca^{2+} ATPase による Ca^{2+} 取り込みを増加させるホスホランバンはリン酸化され，取り込みプロセスをさらに増加する．陽性階段効果と期外収縮後増強（postextrasystolic potentiation）という，収縮性に対する心拍数の影響の 2 つの具体例を，図 4.19 に示す．

● 陽性階段効果

陽性階段効果（positive staircase effect）は，Bowditch（ボウディッチ）階段現象（Bowditch staircase），あるいは階段効果ともよばれる（図 4.19A）．例えば，心拍数が 2 倍になると，各心拍でつくられる張力は最大値に向けて段階的に増加する．この張力の増加が起こるのは，単位時間あたりの活動電位がより多くなり，プラトー相で細胞内に流入する Ca^{2+} の総量がより多くなり，筋小胞体に Ca^{2+} がより多く集積する（すなわち，Ca^{2+} 貯蔵の増加）からである．重要なことは，心拍増加後の最初の 1 拍目では追加の Ca^{2+} がまだ貯蔵されていないので，張力の増加はみられないことである．次の心拍で，筋小胞体における Ca^{2+} 貯蔵増加の影響がはっきりする．張力は階段のように段階的に増加する．各心拍で，筋小胞体により多くの Ca^{2+} が貯蔵され，やがて最大レベルに到達する．

● 期外収縮後増強

期外収縮（extrasystole）が起こると（潜在ペースメーカによりつくられた異常な余分な心拍），その次の心拍でつくられる張力は正常よりも大きくなる（図 4.19B）．期外収縮そのものでつくられる張力は正常よりも小さいが，すぐその次の心拍での張力は増加する．期外収縮の間に，細胞に予定外の，あるいは追加の Ca^{2+} が入り，筋小胞体に集積されるからである（すなわち Ca^{2+} 貯蔵の増加）．

■ 強心配糖体の収縮性への影響

強心配糖体（cardiac glycoside）は，陽性変力作用を有する薬物の 1 つである．これらの薬物は

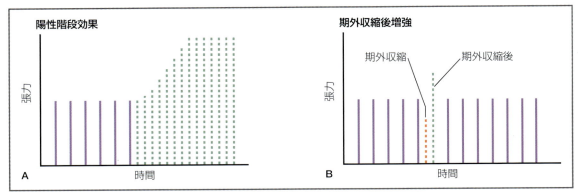

図4.19　心拍数が収縮性に与える効果の例.
A：陽性階段効果の収縮性増加.　**B**：期外収縮後の収縮増強.　張力は，収縮性の測定法として用いられる.　棒の密度は心拍数を表し，高さは各心拍での張力を示す.

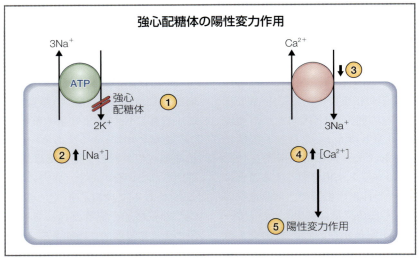

図4.20　強心配糖体の陽性変力作用のメカニズム.
○で囲んだ番号の説明は本文参照.　ATP：アデノシン三リン酸.

キツネノテブクロ（ジギタリス（*Digitalis purpurea*））から抽出される．その原型は**ジゴキシン（digoxin）**で，この群の他の薬物としては，ジギトキシンやウアバインなどがある．

　強心配糖体のよく知られた作用は，Na^+-K^+ ATPaseの阻害である．心筋におけるNa^+-K^+ ATPaseの阻害は，図4.20にて説明するように，強心配糖体の陽性変力作用の根本である．図中の○で囲んだ番号は次のステップ番号に対応している．

①Na^+-K^+ ATPaseは心筋細胞の細胞膜にある．強心配糖体は，細胞外のK^+結合部位においてNa^+-K^+ ATPaseを阻害する．

②Na^+-K^+ ATPaseが阻害されると，細胞外へ排出されるNa^+が減少し，**細胞内Na^+濃度**が増加する．

③細胞内Na^+濃度の増加は，心筋細胞膜のNa^+勾配を変化させ，**Ca^{2+}-Na^+交換輸送体**の機能を変化させる．この交換輸送体は，Na^+を電気化学的勾配に従って細胞内に流入させるのと引き換えに，Ca^{2+}を電気化学的勾配に逆らって細胞外に排出する（Ca^{2+}-Na^+交換輸送体は，活動電位のプラトーの間に細胞内に流入したCa^{2+}を細胞外に排出するメカニズムの1つであること

を思い出すこと）．Ca²⁺を上り坂に向かって押し出すエネルギーは，正常ではNa⁺-K⁺ATPaseによって維持される下り坂のNa⁺勾配から得られる．細胞内Na⁺濃度が増加すると，内向き方向のNa⁺勾配は減少する．その結果，Ca²⁺-Na⁺交換輸送は，エネルギー供給元であるNa⁺勾配に依存するために，減少する．

④Ca²⁺-Na⁺交換輸送体により細胞から排出されるCa²⁺が減少すると，**細胞内Ca²⁺濃度**が増加する．

⑤張力は細胞内Ca²⁺濃度に直接に比例するため，強心配糖体は細胞内Ca²⁺濃度の増加によって張力を増す（**陽性変力作用**）．

強心配糖体が治療で使用されるのは，主に心室筋の収縮能低下によって特徴づけられる，**うっ血性心不全（congestive heart failure）** である（つまり陰性変力された状態）．左心不全であれば，左室が収縮する際に通常の張力を発生できず，大動脈に通常の1回拍出量を拍出できない．右心不全であれば，右室が通常の張力を発生できず，通常の1回拍出量を肺動脈に駆出できない．いずれの状況も深刻で，生命を脅かす可能性がある．心室細胞の細胞内Ca²⁺濃度を増加させることにより，強心配糖体は陽性変力作用を発揮し，心筋収縮性低下と拮抗する．

心筋の長さ張力関係

ちょうど骨格筋と同じように，心筋細胞が発生する最大張力は安静時の長さに依存する．長さ張力関係の生理学的な基盤は，太いフィラメントと細いフィラメントの重なり具合によって，アクチン-ミオシンが相互作用してクロスブリッジを形成できる箇所がどれだけあるかによることを思い出すこと（次いで，細胞内Ca²⁺濃度が，クロスブリッジできる箇所のうち，どれだけの割合で実際にクロスブリッジが形成されてサイクルが回るかを決める）．心筋細胞で，最大張力が生じるのは細胞長が約2.2 μmのときで，これをL_{max}という．この長さでは，太いフィラメントと細いフィラメントの重なりが最大となる．細胞長がこれより短くても長くても，発生張力は最大よりも小さくなる．太いフィラメントと細いフィラメントの重な

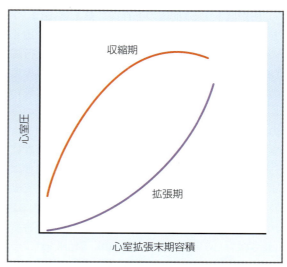

図4.21　収縮期と拡張期の左室圧容積曲線．
収縮期の曲線は，拡張末期容積（あるいは心筋線維長）の関数としての能動的な圧を示す．拡張期の曲線は，拡張末期容積の関数としての受動的な圧を示す．

りに加え，発生張力を変化させる心筋細胞の長さ依存性には，2つの付加的な機序がある．心筋長が増加するとトロポニンCのCa²⁺感受性が高まることと，筋小胞体からのCa²⁺放出が増加することである．

単一の心筋細胞に対する長さ張力関係は，**心室の長さ張力関係（length-tension relationship）** に拡張しうる．例えば，左室を考えてみる．収縮直前の単一左室心筋線維の長さは，左室拡張末期容積に対応する．単一の左室心筋線維の張力は，左室全体が発生する張力あるいは圧に対応する．これらの置き換えをすると，心室拡張末期容積（ventricular end-diastolic volume）の関数として心室収縮期圧曲線を描くことができる（**図4.21**）．

上の曲線は，収縮期に発生する心室圧と拡張末期容積（あるいは拡張末期線維長）の関係である．この圧の発生は，エネルギーを必要とする機構である．曲線の上行脚で，線維長が増加するに従って圧が増加し，太いフィラメントと細いフィラメントの重なりの程度が増し，クロスブリッジ形成のサイクルが増加し，より大きな張力が発生する．曲線は重なりが最大になったところで，ついに平らになる．もし拡張末期容積がさらに増加し，線維がさらに長く引き伸ばされると，重なりが減少

し，圧が低下する（曲線の下行脚）（第1章，図1.27参照）．骨格筋が長さ張力関係全体に沿って働くのとは対照的に，心筋は正常では曲線の上行脚（ascending limb）のみに沿って働く．この相違の理由として，心筋は骨格筋よりもはるかに硬いことが挙げられる．そのため，心筋は安静時の張力が高く，長さのわずかな増加が安静時張力を大きく増加させる．心筋は長さ張力関係の上行脚に"固定"され，心筋線維を，L_{max} を超えて引き伸ばすことは困難である．例えば，心筋線維の"実動時の長さ"（拡張末期の長さ）は1.9 μm であり，2.2 μm の L_{max} より小さい．この心室の収縮期圧容積（長さ張力）関係は，心臓の Frank-Starling（フランク・スターリング）関係（Frank-Starling relationship）の基礎である．

下の曲線は，心室が収縮していない，拡張期の心室圧容積関係である．拡張末期容積が増加すると，心室圧は受動的な機序で増加する．心室圧の増加は，長く引き伸ばされるに従って心筋線維の張力が増加することを反映する．

"前負荷"や"後負荷"といった用語は，骨格筋同様，心筋にも適用できる．

- 左室に対する**前負荷（preload）**は，**左室拡張末期容積**（left ventricular end-diastolic volume）あるいは拡張末期線維長であり，前負荷は心筋が収縮する前の安静時の長さである．前負荷と発生張力あるいは圧の関係は図4.21の上（収縮期）の曲線に示され，太いフィラメントと細いフィラメントの重なりの程度に基づく．
- 左室に対する**後負荷（afterload）**は，**大動脈圧**（aortic pressure）である．心筋の短縮速度は後負荷がゼロのときに最大となり，後負荷増大により減少する（発生する心室圧と大動脈圧あるいは後負荷の関係は，心室圧容積ループの項で詳細に述べる）．

1回拍出量，駆出率，および心拍出量

心室機能は，次の3つの指標で記述される：(1)**1回拍出量（stroke volume）**は，各心拍で心室が拍出する血液量である．(2)**駆出率（ejection fraction）**は，1回拍出量の拡張末期容積に対する割合で，心室の効率の指標である．(3)**心拍出量（cardiac output）**は，単位時間あたりの心室が拍出する血液量である．

■ 1回拍出量

1回の心室収縮により拍出される血液の量が，1回拍出量である．1回拍出量は，駆出前（拡張末期）の心室内の血液量から，駆出後（収縮末期）に残った血液量を減じたものである．典型的には1回拍出量は約 70 mL である．したがって，

1回拍出量＝拡張末期容積−収縮末期容積

ここで

1回拍出量＝1心拍で駆出される血液量（mL）
拡張末期容積＝駆出前の心室容積（mL）
収縮末期容積＝駆出後の心室容積（mL）

■ 駆出率

心室が血液を駆出する有効性は，駆出率で記述される．駆出率は，拡張末期容積のなかに占める，1回拍出量の割合である．正常では，駆出率は約 0.55，あるいは 55％ である．駆出率は**収縮性**の指標であり，駆出率の増加は収縮性の増加を，駆出率の減少は収縮性の減少を示唆する．したがって，

$$駆出率 = \frac{1回拍出量}{拡張末期容積}$$

■ 心拍出量

単位時間あたりの総血液駆出量が心拍出量である．つまり，心拍出量は1回拍出量と1分あたりの心室拍数（心拍数）に規定される．心拍出量は，70 kg の男性で約 5,000 mL/min である（元となる1回拍出量が 70 mL/拍および心拍数 72 拍/min）．したがって，

心拍出量＝1回拍出量×心拍数

ここで

心拍出量＝1分で駆出される血液量（mL/min）

心筋収縮　169

1回拍出量＝1心拍で駆出される血液量(mL)
心拍数＝1分間の拍数(拍/min)

例題

　ある男性は，140 mLの心室拡張末期容積，70 mLの収縮末期容積，心拍数が75拍/minである．この男性の1回拍出量，心拍出量，駆出率はいくらか．

解答

　この計算は，基本であり重要である．1回拍出量は，単一心拍で心室から駆出される血液量で，収縮前後の容積の差である．心拍出量は1回拍出量に心拍数を乗じたものである．駆出率は心室の血液駆出の効率を表し，1回拍出量を拡張末期容積で除したものである．

1回拍出量＝拡張末期容積－収縮末期容積
　　　　＝140 mL－70 mL
　　　　＝70 mL
心拍出量＝1回拍出量×心拍数
　　　　＝70 mL×75拍/min
　　　　＝5,250 mL/min
駆出率＝1回拍出量/拡張末期容積
　　　＝70 mL/140 mL＝0.50

Frank-Starling 関係

　心室の収縮に対する長さ張力関係は既述した．この関係は1回拍出量，駆出率，心拍出量という指標を用いて理解することができる．

　ドイツの生理学者 Otto Frank（オットー・フランク）は，カエルの心室で，収縮期に発生する圧と収縮直前の心室容積の関係をはじめて記述した．Frank の観察に基づいて，英国の生理学者 Ernest Starling（アーネスト・スターリング）は，単離したイヌの心室で，収縮期に心室が拍出する血液量は拡張末期容積で決まることを示した．この関係の原理が，心筋線維の長さ張力関係であることを思い出すこと．

　Frank-Starling の心臓の法則，あるいは **Frank-Starling 関係**は，これらの歴史的な実験

に基づいている．これは，心室が駆出する血液量は拡張末期に心室にある容量に依存するという関係である．拡張末期に心室にある容積は，心臓に還流する容量，あるいは静脈還流量に依存する．それゆえ1回拍出量や心拍出量は直接に拡張末期容積と相関し，その拡張末期容積は静脈還流量と相関する．Frank-Starling 関係は通常の心室機能を調節し，収縮期に心臓が駆出する容量は静脈還流量に等しいことを確実にする．定常状態では**心拍出量は静脈還流量に等しい**というこれまでの議論を思い出すこと．この等しいことの基礎となり，確かにするのが Frank-Starling の心臓の法則である．

　Frank-Starling 関係を**図 4.22**に示す．心拍出量と1回拍出量は，心室拡張末期容積や右房圧の関数としてプロットされる（右房圧は拡張末期容積の代用になりうる，両方のパラメーターとも静脈還流量と関連するからである）．1回拍出量や心拍出量と心室拡張末期容積には曲線の関係がある．静脈還流量が増加すると拡張末期容積も増加し，心室の長さ張力関係ゆえに1回拍出量も増加する．生理的範囲では，1回拍出量と拡張末期容積の関係はおよそ直線である．拡張末期容積が大きくなったときだけ，関係の曲線は曲がり始め，そのレベルの大きさになると心室は限界に近づき，静脈還流量に簡単についていくことはできなくなっている．

　図 4.22には，Frank-Starling 関係に基づく収縮性変化の効果も示している．収縮性を増加する薬物は**陽性変力作用**がある（緑色の点線）．陽性変力作用のある薬物（例えば，ジゴキシン）は，ある拡張末期容積に対して1回拍出量や心拍出量を増加させる．その結果，拡張末期容積のなかで大きな割合が1拍あたりに駆出されるので，駆出率が増加する．

　収縮性を減少させる薬物は，**陰性変力作用**がある（オレンジ色の点線）．陰性変力作用のある薬物は，ある拡張末期容積に対して1回拍出量や心拍出量を減少させる．その結果，拡張末期容積に対して少ない割合が1拍あたりに駆出され，駆出率が減少する．

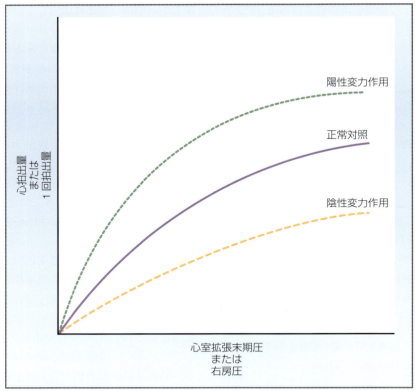

図 4.22　心臓の Frank-Starling 関係.
陽性および陰性変力作用が，正常 Frank-Starling 関係に対して示されている.

心室圧容積ループ

■ 正常の心室圧容積ループ

　左室機能は，図 4.21 に示した 2 つの圧容積関係を組み合わせ，心室周期全体（拡張期と収縮期）にわたって表すことができる．これらの 2 つの圧容積曲線をつなぐことにより，いわゆる**心室圧容積ループ**（ventricular pressure-volume loop）を描くことができる（図 4.23）．図 4.21 にある収縮期圧容積関係は，与えられた心室容積に対する最大生成圧を示すことを思い出すこと．理解を容易にするために，収縮期圧容積関係の部分を，心室圧容積ループの上に点線で重ねている．点線は収縮期（すなわち，心室が収縮しているとき）に，ある心室容積に対して最大どのくらいの圧が生成できるかを示す．圧容積ループの点 3 が，点線で示す収縮期圧容積曲線に接していることがわか

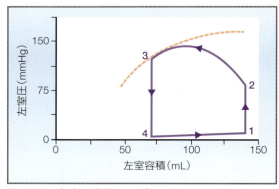

図 4.23　左室圧容積ループ.
左室の 1 心周期全体を示す（詳しい説明は本文と▶Video 4.23 参照）．点線は図 4.21 の収縮末期圧容積曲線の一部を示した．

る．点 4 から点 1 のループの部分が，図 4.21 の拡張期圧容積曲線の部分に対応しているかは明らかでない．

　心室の圧容積ループは，以下のように心室の収

縮，駆出，弛緩，再充満からなる心周期全体を記述する．

- **等容性収縮（isovolumetric contraction）（点1→点2）**．拡張末期である点1で始まる．左室は左房からの血液で満たされ，その容積は左室拡張末期容積の140 mLである．心室筋が弛緩しているため，その圧はきわめて低い．この点1のところで，心室は活性化されて収縮を開始し，心室圧は劇的に上昇する．すべての弁が閉じているため，左室からの駆出はなく，心室容積は一定で，心室圧が非常に高い点2まで上昇する．この時相を**等容性収縮**とよぶ．
- **心室の駆出（ventricular ejection）（点2→点3）**．点2で，左室圧は大動脈圧を超え，大動脈弁が開放する（なぜ点2の圧が収縮期圧容積曲線に届かないのだろうと思うかもしれないが，理由は単純で，その必要がないからである．点2の圧は大動脈圧で決まる．ひとたび心室圧が大動脈圧に到達すれば，大動脈弁は開き，収縮の残りは開いた大動脈弁からの駆出に使われる）．大動脈弁が開放すると，血液は左室・大動脈圧較差によって，急速に駆出される．この時相で左室はなお収縮を続けているので，左室圧は高いままである．心室容積は劇的に減少し，血液は大動脈に駆出される．点3で心室に残っている容積が収縮末期容積で，70 mLである．圧容積ループの横幅が，駆出された血液量，すなわち**1回拍出量**である．この心室サイクルの1回拍出量は70 mLである（140 mL－70 mL）．
- **等容性弛緩（isovolumetric relaxation）（点3→点4）**．点3で収縮期は終わり，心室は弛緩する．心室圧は大動脈圧より低下し，大動脈弁は閉鎖する．この時相で心室圧は急速に低下し，すべての弁が閉じているので心室容積は一定であり（等容性），この例では収縮末期容積は70 mLである．
- **心室充満（ventricular filling）（点4→点1）**．心室圧は，点4では左房圧よりも低くなり，房室弁である僧帽弁が開放する．左室は左房からの血液で受動的に満たされ，さらに次の心周期の心房収縮の結果として能動的に満たされる

【訳者注：通常，左室からみて，早期充満が能動的，左房収縮による後期充満を受動的と考える】．左室容積は140 mLの拡張末期容積に戻る．最後の時相で心室筋は弛緩しており，柔らかい心室が血液で満たされるに従い，圧がわずかに増加する．

■ 心室圧容積ループの変化

心室圧容積ループは，前負荷の変化（すなわち静脈還流量あるいは拡張末期容積の変化），後負荷の変化（すなわち大動脈圧の変化），あるいは収縮性の変化の影響を視覚化できる（図4.24）．実線は単一の正常のサイクルを描いており，図4.23に示した圧容積ループと同一である．点線は単一の心室サイクルへのさまざまな変化の影響を示す（ただし，引き続き生じる**代償性反応（compensatory response）**はまったく考慮していない）．

- **図4.24A**は**前負荷増加**の心室サイクルへの効果を示す．前負荷は拡張末期容積であることを思い出すこと．この例では，静脈還流量が増加し，拡張末期容積（点1）が大きくなっているので，前負荷は増加である．後負荷と収縮性は一定である．心室は，収縮，駆出，弛緩，充満というサイクルを続行し，前負荷増加の効果が次のように現れる．心室圧容積ループの横幅で計算される1回拍出量は増加する．この**1回拍出量の増加**は，より大きな拡張末期容積（拡張末期線維長）になれば収縮期に駆出される血液量が増加するというFrank-Starling関係に基づく．
- **図4.24B**は，心室サイクルに及ぼす**後負荷増加**あるいは大動脈圧増加の影響を示す．この例では，左室は正常以上の圧に抗して血液を駆出しなければならない．血液を駆出するためには，点2に示す等容性収縮期に，または点2と点3の間の駆出期に，心室圧が正常以上に上昇しなければならない．後負荷上昇により，収縮期に心室から駆出される血液量は減少する．**1回拍出量は減少**し，より多くの血液が収縮末期に残り，**収縮末期容積が増加**する．後負荷増加の影響は以下のように想像することができる．より多くの収縮が高い後負荷に見合うだけの等

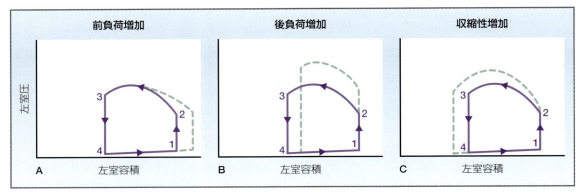

図4.24 左室圧容積ループの変化.
A:前負荷の増加. B:後負荷の増加. C:収縮性の増加. 正常心室の1心周期が実線で,変化した後を点線で示す(▶Video 4.24ABC 参照).

容性収縮に"費やされる"なら,残りの少ない収縮が"残り物"として,1回拍出量に使用可能である.

- 図4.24Cは,心室サイクルに及ぼす**収縮性増加**の効果を示す.収縮性が増加すると,心室は収縮期により大きな張力と圧を生成でき,正常以上に多くの血液量を駆出できる.駆出率が増加するにつれて,**1回拍出量が増加**する.収縮末期に心室に残る血液量は減少し,**収縮末期容積は減少**する(点3,点4).

Frank-Starling 関係に基づく代償

Frank-Starling 関係は,1回拍出量がどのように心室筋線維の長さに依存するかを表す(前述).要約すると,心室の長さ張力曲線の上行脚では,心室線維が長いほど太い線維と細い線維の重なりが大きくなり,クロスブリッジサイクルでの発生張力も大きくなる.したがって,心室筋線維の長さが増加することによって拡張末期容積が増加すると,1回拍出量が増加する.反対に,心室筋線維の長さが減少して拡張末期容積が減少すると,1回拍出量は減少する.

Frank-Starling 関係に従って心室収縮力の変化後の**代償機構**が働く.例えば,**収縮力の低下後**,以下のような代償ステップが起こる(追跡しやすいように,心拍に番号をつけてある).
1. 1拍目は正常で,1回拍出量も正常である.

2. 2拍目a. 急激な収縮性低下で,1回拍出量が低下する.
3. 2拍目b. 2拍目aでより少ない血液のみが心室から拍出された結果,心内と中心静脈に残ってしまう血液量が増加する.
4. 2拍目c. 中心静脈の血液量が増加する結果,右房圧(前負荷)が増加する.
5. 3拍目. Frank-Starling 機序による代償が起こり,前負荷の増加により正常の状態に近づけるように1回拍出量が増加する.すなわち,Frank-Starling 機序による代償で(正常の状態に向けて)1回拍出量は"ある程度"修正される.
6. 仮定の数字を用いて説明すると,1拍目(正常)の1回拍出量が80 mLであったとする.2拍目では突然の収縮性低下により,1回拍出量は60 mLに減少する.3拍目では Frank-Starling の代償が起こり,70 mLに増加する.つまり,(代償された)3拍目では1回拍出量が2拍目より増加するものの,完全に正常な1拍目よりは少ない.つまり Frank-Starling 機序では,収縮性の急減に伴う1回拍出量の低下を代償はするが,完全ではなく部分的な代償である.

心臓の仕事

仕事は,力と距離の積と定義される.心筋機能の用語で"仕事"とは,**1回仕事量(stroke work)**,あるいは各心拍で心臓が行う仕事を指す.左室では,1回仕事量は1回拍出量に平均大動脈圧を乗

じたもので近似され，大動脈圧は力，1回拍出量は距離に対応する．左室の仕事は，**図 4.23** に図示したループのような圧容積ループで囲まれた面積と考えてもよい．

1分あたりの仕事，あるいは仕事率は，分時仕事量と定義される．心筋機能の用語では，**心臓分時仕事量（cardiac minute work）**は，心拍出量に大動脈圧を乗じたものである．それゆえ，心臓分時仕事量は2つの要素があると考えられる．**容積仕事（volume work）**（すなわち心拍出量）と，**圧仕事（pressure work）**（すなわち大動脈圧）である．

容積仕事という要素は"外的"仕事と，圧仕事は"内的"仕事（あるいは熱）とよばれることがある．このように（1回拍出量の増加または心拍数の増加による）心拍出量の増加，あるいは大動脈圧の増加は，心臓のエネルギー消費を増加させる．

■ 心筋酸素消費量

心筋酸素消費量は，心臓分時仕事量と直接に相関する．心臓分時仕事量の2つの要素のなかで，酸素消費量の観点からは，圧仕事は容積仕事よりはるかに消費が大きい．言い換えると，圧仕事は全心臓エネルギー消費のうち大きな割合を占め，容積仕事は少ない割合を占める．これらの観察は，なぜ全体の心筋酸素消費量が心拍出量との相関が乏しいかを説明する．酸素消費量の大部分は圧仕事（内的仕事あるいは熱）に使われるのであり，心拍出量に使われるのではない．

さらに，心臓の全仕事のうち圧仕事に使われる割合が正常より多い状況では，酸素消費量の観点でのコストが増す．例えば，**大動脈縮窄症**では，（たとえ心拍出量が減少していたとしても）心筋酸素消費量は大きく増加する．その理由は，左室は狭い大動脈弁から血液を駆出するのに異常に高い圧を生成しなければならないからである．

一方で，心拍出量が非常に多くなる**激しい運動**では，容積仕事が心臓全仕事のなかで正常以上の割合（50％まで）を占める．心筋酸素消費量は運動中に増加するが，圧仕事による増加ほどには心筋酸素消費量は増加しない．

圧仕事は，より多くの酸素を消費するため，左室は右室よりも頑張って働かねばならない．左心も右心も心拍出量は同じであるが，平均大動脈圧（100 mmHg）は平均肺動脈圧（15 mmHg）よりもはるかに高い．したがって，容積仕事は左室も右室も同じであるが，左室の圧仕事は右室よりもはるかに大きい．実際，左室壁は，より多くの圧仕事をするための代償的機構として右室壁よりも厚い．

体高血圧（systemic hypertension）（体循環における動脈圧の上昇）では，左室は正常と比して，さらに多くの圧仕事をしなければならない．大動脈圧が高くなるので，後負荷増大に対する代償として左室壁は肥大する．

体高血圧に際し，正常であった左室壁が大きく壁厚を増し，左室壁が代償的肥大をきたすことは，より多くの圧仕事をするための適応メカニズムである．これらの適応メカニズムは **Laplace（ラプラス）の法則（law of Laplace）**で説明される．球体（すなわち心臓のおよその形態）に対する Laplace の法則によれば，圧は張力，壁厚に比例し，半径に反比例するので，

$$P = \frac{2HT}{r}$$

と表される．ここで

$$P = 圧$$
$$H = 壁厚$$
$$T = 張力$$
$$r = 半径$$

つまり，**Laplace の法則**によると，球体（例えば，左室）の壁厚が増加するほど，生成される圧が大きくなる．このことの例証として，血液を駆出するのに大きな圧を生成しなければならない左室では，右室よりも壁が厚い．

心室が増大した大動脈圧（例えば高血圧）に向かって血液を送り出さなければならないなら，心室壁厚は代償性に増大すると結論しうる．体循環の高血圧があれば左室は肥大し，肺高血圧では右室が肥大する．残念なことに，このような心室肥大は，一方で心室不全につながり，ときとして有害で致死的でさえある．

心拍出量測定—Fick の原理

心拍出量は，単位時間あたりに左室が駆出する血液量と定義した．心拍出量は1回拍出量と心拍数の積で計算される．心拍出量は**Fick（フィック）の原理（Fick principle）**で測定される．Fickの原理は，定常状態では左室と右室の拍出量が同じであると仮定している．

Fickの原理は，質量保存の法則を体内の酸素利用にあてはめている．定常状態において，身体で使われる酸素の消費量は，肺から還流する肺静脈に含まれる酸素の量と，肺に流入する肺動脈に含まれる酸素の含有量の差である．これらのパラメーターは計測できる．全酸素消費量は直接に計測できる．肺静脈に含まれる酸素量は，肺血流量に肺静脈血の酸素含有量を乗じたものである．同様に，肺動脈から肺に流入する酸素の量は，肺血流量に肺動脈血の酸素含有量を乗じたものである．肺血流量は右心拍出量であり，左心拍出量と等しいことを思い出すこと．これらの等式を数学的に示すと，

$$酸素消費量 = 心拍出量 \times [O_2]_{肺静脈} - 心拍出量 \times [O_2]_{肺動脈}$$

あるいは式を変形して心拍出量について解くと，

$$心拍出量 = \frac{酸素消費量}{[O_2]_{肺静脈} - [O_2]_{肺動脈}}$$

ここで

$$心拍出量 = 心拍出量（mL/min）$$
$$酸素消費量 = 全身の酸素消費量（mL\ O_2/min）$$
$$[O_2]_{肺静脈} = 肺静脈の酸素含有量（mL\ O_2/mL\ 血液）$$
$$[O_2]_{肺動脈} = 肺動脈の酸素含有量（mL\ O_2/mL\ 血液）$$

典型例として，全身の全酸素消費量は，70 kgの男性で250 mL/minである．肺静脈の酸素含有量は，末梢の動脈血で計測できる（肺で血液に取り込まれた酸素は，まだ組織で使われていないため）．肺動脈血の酸素含有量は，混合静脈血の酸素含有量と等しく，肺動脈自体か，右室での血液採取により得られる．

例題

ある男性の安静時の酸素消費量が250 mL O_2/min，大腿動脈血の酸素含有量が0.20 mL O_2/mL血液，肺動脈血の酸素含有量が0.15 mL O_2/mL血液であるとき，この男性の心拍出量はいくらか．

解答

Fickの原理を用いて心拍出量を計算するために，体全体の酸素消費量，肺静脈酸素含有量（この例では大腿動脈の酸素含有量），および肺動脈の酸素含有量の値が必要である．

$$心拍出量 = \frac{酸素消費量}{[O_2]_{肺静脈} - [O_2]_{肺動脈}}$$

$$心拍出量 = \frac{250\ mL\ O_2/min}{0.20\ mL\ O_2/mL\ 血液 - 0.15\ mL\ O_2/mL\ 血液}$$
$$= 5,000\ mL/min$$

Fickの原理は，心拍出量（必然的に全身の血流量）の測定に適用できるだけでなく，各臓器の血流量測定にも適用できる．例えば，腎血流量は，腎の酸素消費量を，腎動脈と腎静脈の酸素含有量の差で除すことによって求められる．

心周期

図4.25は，1つの心周期の間に起こる機械的・電気的イベントを示している．心周期は7つの時相に分けられ（**図4.25A～G**），この図では縦の線で仕切られている．心電図は心周期の電気的イベントを示す．左室の圧と容積，大動脈圧と左房圧，静脈波，心音がすべて同じ図にプロットされている．僧帽弁と大動脈弁の開放および閉鎖が矢印で示されている．

図4.25は，1つの時相を縦に同時にみると，心周期サイクルにあるすべての心血管パラメーターが関連していることが非常によくわかる．心

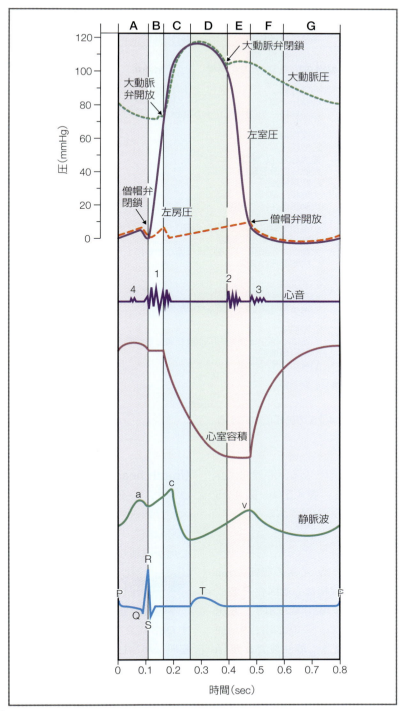

図 4.25 心周期.
1心周期に生じる機械的イベントと電気的イベント．**A**：心房収縮期，**B**：等容性心室収縮期，**C**：急速心室駆出期，**D**：緩徐心室駆出期，**E**：等容性心室弛緩期，**F**：急速心室充満期，**G**：緩徐心室充満期（静止期）．

176　第4章　心血管系の生理学

表4.5　心周期に起こるイベント.

心周期のなかの時相*	主なイベント	心電図	弁	心音
心房収縮期（A）	心房収縮 心室充満の終わりの時相	P波 PR間隔	—	Ⅳ音
等容性心室収縮期（B）	心室収縮 心室圧上昇 心室容積一定（すべての弁が閉鎖）	QRS複合	僧帽弁閉鎖	Ⅰ音
急速心室駆出期（C）	心室収縮 心室圧上昇 最大心室圧に到達 動脈に血液を駆出 心室容積減少 大動脈圧増加 大動脈最大圧に到達	ST部分	大動脈弁開放	—
緩徐心室駆出期（D）	心室が動脈に血液を駆出（低速） 心室容積が最小に到達 大動脈から動脈へ血液が流れるとともに 　大動脈圧が減少	T波	—	—
等容性心室弛緩期（E）	心室弛緩 心室圧減少 心室容積一定（すべての弁が閉鎖）	—	大動脈弁閉鎖	Ⅱ音
急速心室充満期（F）	心室弛緩 心室は心房から受動的に血液を満たされる 心室容積増加 心室圧は低く一定	—	僧帽弁開放	Ⅲ音
緩徐心室充満期あるいは静止期（G）	心室弛緩	—	—	—

＊：心周期を表す文字は，図4.25の時相に対応する.

電図が時相やイベントの目印となる．心周期は心房の脱分極と収縮で始まる．**表4.5**は，**図4.25**とあわせて心周期を学ぶのに有用である．

心房収縮期（A）

　心房収縮期（atrial systole）は，心房の収縮（atrial contraction）である．心房収縮は心電図の P 波に続いて起こり，P 波は心房の脱分極を示す．**左房の収縮**は左房圧を上昇させる．この心房圧の増加が逆行性に静脈に伝わるとき，静脈波で **a 波（a wave）** が記録される．この時相で左室は弛緩しており，僧帽弁（左心の房室弁）は開放しているので，心房が収縮する前からでさえ，心室は心房からの血液で充満される．心房収縮により，血液は開放した僧帽弁を通って左房から左室へ能動的に駆出され，心室容積がさらに増加する．左室圧で対応する"一時的な圧の急上昇"は，心房収縮により心室に加えられた流入を反映する．心音の**Ⅳ音**

（fourth heart sound：S₄）は正常成人では聴取されず，心室コンプライアンスの減少した心室肥大では聴取されうる．もし聴取されるならⅣ音は心房収縮と一致する．Ⅳ音は，硬い心室に抗して心房が収縮し，充満させようとして生じる．

等容性心室収縮期（B）

　等容性心室収縮期は，心室の電気的活性化を表す QRS 複合で始まる．左室が収縮するとき，左室圧は増加し始める．左室圧が左房圧を超えるとすぐ，**僧帽弁は閉鎖する**（右心では三尖弁が閉鎖する）．房室弁の閉鎖は **Ⅰ音（first heart sound：S₁）** を生成する．三尖弁が閉鎖するわずか前に僧帽弁が閉鎖するので，Ⅰ音は分裂することがある．この時相で，心室圧は劇的に増加するが，すべての弁が閉じているので心室容積は一定である（大動脈弁は前のサイクルから閉鎖したままである）．

急速心室駆出期（C）

心室は収縮を続け，心室圧は最大になる．心室圧が大動脈圧より大きくなったとき，**大動脈弁は開放する**．そして，左室圧と大動脈圧の圧較差によって，血液は急速に左室から大動脈弁を通って大動脈に駆出される．1回拍出量のほとんどはこの時相で駆出され，心室容積が劇的に減少する．同時に，大動脈に勢いよく加えられた大量の血液により，大動脈圧は増加する．この時相では，心房の充満が始まり，血液が肺循環から左心に戻るので左房圧はゆっくりと増加する．もちろん，この血液は次のサイクルで左心から駆出される．この時相の終了は，心電図のST部分の終了（あるいはT波の開始），および心室収縮の終了と一致する．

緩徐心室駆出期（D）

緩徐心室駆出期の間，心室は再分極を開始し，心電図のT波の開始で示される．心室はもはや収縮をしていないので，心室圧は低下する．大動脈弁はなお開放しており，減少した速度ではあるが左室から大動脈への血液の駆出は続き，心室容積はゆっくりと減少を続ける．左室から大動脈へ血液が流れ続けるとはいえ，血液はより速い速度で大動脈から分枝へ流出するため，大動脈圧は低下する．血液が肺から左心へ戻るにつれて，左房圧は増加する．

等容性心室弛緩期（E）

等容性心室弛緩期は，心室が完全に再分極した後，心電図上ではT波の終了あたりで始まる．左室が弛緩し，左室圧は劇的に低下する．左室圧が大動脈圧より低下したとき，**大動脈弁は閉鎖する**．大動脈弁は，肺動脈弁よりも少し前に閉鎖し，心音のⅡ音（second heart sound：S_2）をつくる．吸気は肺動脈弁の閉鎖を遅らせ，**Ⅱ音の分裂**の原因となる．つまり，吸気の間，肺動脈弁が大動脈弁よりも明らかに後に閉鎖する．Ⅱ音の分裂が吸気で生じるのは，吸気で胸腔内圧が低下し，右心への静脈還流量が増加するためである．結果としての右室拡張末期圧の増加は，Frank-Star-

ling機序により右室1回拍出量を増加させ，右室の駆出時間を延長させる．右室駆出時間の延長により，肺動脈弁の閉鎖は大動脈弁よりも遅れる．大動脈弁が閉鎖するタイミングで，大動脈圧は**重複切痕（重拍切痕）（dicrotic notch）**あるいは**切痕（incisura）**とよばれる"一時的な急上昇"を示す．すべての弁が再度閉鎖しているので，血液は左室から駆出されず，左室は心房からの血液の流入も受けていない．したがって，この時相では，心室容積は一定である（等容性）．

急速心室充満期（F）

心室圧が左房圧よりわずかに下回るとき，**僧帽弁は開放する**．ひとたび僧帽弁が開放すると，心室は左房からの血液で満たされ始め，心室容積は急速に増加する．しかし，心室は弛緩して膨らみやすいため，心室圧は低いままである（心室が非常に膨らみやすいとは，ほとんど圧を上昇させずに容積を増加させられる状態をいう）．心房から心室への急速な血液流入は，心音のⅢ音（third heart sound：S_3）をつくる．Ⅲ音は小児では正常でも，健常成人では聴取されない．中年から老年の成人では，Ⅲ音の存在は，うっ血性心不全や進行した僧帽弁または三尖弁閉鎖不全などのような容量過多を示唆する．この時相では（そして心周期の残りの時相では），大動脈分枝，静脈，そして再度心臓へ，という血液の流出に伴い，大動脈圧は低下する．

緩徐心室充満期（静止期）（G）

緩徐心室充満期あるいは**静止期（diastasis）**は，心周期のなかで最長の時相で，（前の時相よりも遅い充満速度の）心室充満の終わりの部分を含む．心房収縮は拡張期の終了を示し，そのときの心室容積は拡張末期容積になる．

静止期は心周期のなかで最長の時相のため，**心拍数変化は静止期**に利用可能な時間を変化させる．例えば，心拍数増加は次のP波（次の心周期）の前の時間を短縮させ，心室充満の最後の部分を減少，あるいは省略させる．心拍数増加により静止期が短縮されると，心室充満はほどほどになり，拡張末期容積は減少し，結果として1回拍出量は

減少する(Frank-Starling 関係を思い出すこと).

心拍出量と静脈還流量の関係

心拍出量を決める最も重要な要素の1つが左室拡張末期容積であることは，これまでの議論から明らかである．一方で，左室拡張末期容積は，右房圧を規定する静脈還流量にも依存する．したがって，心拍出量と拡張末期容積に関係があるだけでなく，心拍出量と右房圧にも関係がある．

心拍出量と静脈還流量はそれぞれ，右房圧の関数として別々に観察される．これらの独立した関係を，図4.26に示す1つのグラフに統合して視覚化でき，心拍出量と静脈還流量の正常関係を示している．この統合したグラフは，さまざまな心血管パラメーターが変化したとき，心拍出量，静脈還流量，右房圧がどのように変化するかを予測するのに使われる．

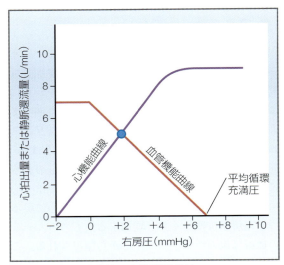

図 4.26　心機能曲線と血管機能曲線．
心機能曲線は，右房圧の関数としての心拍出量を表す．血管機能曲線は，右房圧の関数としての静脈還流量を表す．2つの曲線の交点(青い丸)は，心拍出量と静脈還流量が等しい定常状態の作動点である．

心機能曲線

図4.26に示される**心機能曲線(cardiac function curve)**あるいは**心拍出量曲線(cardiac output curve)**は，左室の Frank-Starling 関係に基づいている．心機能曲線は，左室の拍出量と，右房圧の関係をプロットしたものである．再度，右房圧は静脈還流，拡張末期容積，拡張末期線維長と関連することを思い出すこと．静脈還流が増加するにつれ，拡張末期の容積や線維長が増加する．拡張末期線維長が増加すると，1回拍出量や心拍出量が増加する．したがって定常状態では，心拍出量として左室が駆出する血液量は，静脈還流量として心臓が受ける血液量と等しい．

拡張末期容積の増加(すなわち右房圧の増加)は，Frank-Starling 機序によって心拍出量を増加させる．しかし，このマッチングは，あるポイントまででのみ生じる．右房圧が約 4 mmHg の値に到達すると，心拍出量はもはや静脈還流量に追いつくことはできず，心機能曲線は平らになる．この心拍出量の最大レベルは約 9 L/min である．

血管機能曲線

図4.26に示される**血管機能曲線(vascular function curve)**，あるいは**静脈還流曲線(venous return curve)**は，静脈還流と右房圧の関係を明らかにする．静脈還流量は体循環から右心へ戻ってくる血流量である．静脈還流量と右房圧の逆相関は，次のように説明される．すべての血液の流れのように，圧較差に従って静脈血は心臓に還流する．右房圧が低いほど，身体の動脈と右房の圧較差は大きく，静脈還流量が増大する．したがって，右房圧が増大すると，その圧較差は減少するため，静脈還流量も減少する．

血管機能曲線の平らな部分は，右房圧が負の値であるときに生じる．そのような負の値のとき，静脈は虚脱するため，血液が心臓に還流するのを妨げる．(右房圧が負になるにつれて)圧較差は増大するが，静脈が虚脱して血流への抵抗になるため静脈還流量は一定になる．

■ 平均循環充満圧

静脈還流がゼロになるときの右房圧を，平均循環充満圧という．平均循環充満圧は，血管機能曲

線が横軸と交わる点である（すなわち，静脈還流量がゼロで，右房圧が最大のところ）．**平均循環充満圧**（mean systemic filling pressure，あるいは mean circulatory filling pressure）は，心臓が停止したと仮定したときの心血管内圧である．心臓が止まっている状況では心血管内のすべての圧は等しく，定義より，それが平均循環充満圧である．心血管系内ですべての圧が等しいとき，血流は生じず，それゆえ静脈還流もゼロになる（血液を駆動する力である圧較差がないためである）．

2つの要因が平均循環充満圧の値に影響する：(1)**血液量**（blood volume），(2)unstressed volume と stressed volume の間の**血液の分布**（distribution of blood）である．次に，平均循環充満圧の値が血管機能曲線の横軸との交点を決める．

図4.27は，unstressed volume と stressed volume の概念と，平均循環充満圧との関連を示す．**unstressed volume**（静脈が保持できる血液量と考えられる）は，圧を生じない血管床にある血液の量である．**stressed volume**（動脈内にある血液量と考えられる）は，血管壁の弾性線維を伸展させることにより圧を生じさせる血液量である．

- **血液量の変化**が平均循環充満圧に及ぼす影響を考える．血液量が0～4Lまでの範囲にあるとき，すべての血液は unstressed volume（静脈内）にあり，圧が生じず平均循環充満圧はゼロである．血液量が4Lより大きいとき，血液の一部分が stressed volume（動脈内）に移り，圧をつくる．例えば，全血液量が5Lなら，4Lは unstressed volume で圧をつくらず，1Lが stressed volume で，約7mmHg の圧をつくる（グラフで5Lの血液量に対応する圧が7mmHg と読みとれる）．

ここで，血液量の変化がいかに平均循環充満圧を変化させるかが明快になるであろう（図4.26参照）．**血液量が増加すると**，unstressed volume にある血液量は影響を受けず（すでに満ちているため），stressed volume が増加する．stressed volume が増加するとき，平均循環充満圧が増加し，血管機能曲線，およびその横軸との交点は右方にシフトする．**血液量が減少す**

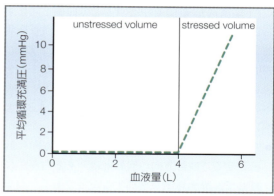

図4.27　stressed volume の変化が平均循環充満圧に及ぼす影響．
全血液量は，静脈内にある unstressed volume と動脈内にある stressed volume の合計である．stressed volume の増加は，平均循環充満圧を増加させる．

ると，stressed volume が減少し，平均循環充満圧が減少し，血管機能曲線とその横軸との交点は左にシフトする．

- unstressed volume と stressed volume の間の**血液の再分布**も平均循環充満圧を変化させる．例えば，**静脈コンプライアンスが低下**すると（静脈収縮），静脈が保持できる容量は低下し，血液は unstressed volume から stressed volume にシフトする．全血液量は不変でも，この血液のシフトは平均循環充満圧を増加させ，血管機能曲線を右にシフトする．反対に，もし**静脈コンプライアンスが増加**すると（静脈拡張），静脈が保持できる血液は増加する．それゆえ unstressed volume は増加し，stressed volume と平均循環充満圧は減少し，血管機能曲線は左にシフトする．

これらをまとめると，血液量増加と静脈コンプライアンス低下は平均循環充満圧を増加させ，血管機能曲線を右にシフトさせる．血液量減少と静脈コンプライアンス増加は平均循環充満圧を減少させ，血管機能曲線を左にシフトする．

■ 血管機能曲線の傾き

もし，平均循環充満圧が一定に固定されるのならば，血管機能曲線の傾きは，曲線と横軸との交

点(平均循環充満圧)を中心点として曲線を回転することにより変化させることができる。血管機能曲線の傾きは**全末梢抵抗(TPR)** で規定される。TPR は，主に細動脈の抵抗で規定されることを思い出すこと。TPR の静脈還流や血管機能曲線への影響は，次のように説明される（**図 4.30 参照**）。

- TPR の減少は，血管機能曲線を時計方向に回転させる。時計方向の回転とは，ある右房圧に対して，静脈還流が増加することである。つまり，細動脈の抵抗が減少すると（TPR が減少すると），血液が循環の動脈側から静脈側へ，そして心臓へ流れやすくなる。

- TPR の増加は，血管機能曲線を反時計方向に回転させる。反時計方向の回転とは，ある右房圧のときに，静脈還流量が減少することである。つまり，細動脈の抵抗が増加すると（TPR が増加すると），血液が循環の動脈側から静脈側へ，そして心臓へ流れにくくなる。

心機能曲線と血管機能曲線をあわせて

　心拍出量と静脈還流量の相互関連は，心機能曲線と血管機能曲線をあわせることで可視化できる（**図 4.26 参照**）。2 つの曲線の交点は，**定常状態(steady state)** での循環システムの唯一の作動点，あるいは平衡点である。定義により，心拍出量と静脈還流量は，定常状態では交点のところで等しい。それではなぜ，それ以降，心機能曲線と血管機能曲線は互いに異なる方向に向かうのだろうか。心機能曲線と血管機能曲線は，どうして右房圧との関係が反対なのだろうか。

　その答えは，2 つの曲線の決定様式にある。心機能曲線は，次のように決定される。右房圧や拡張末期容積が増加すると，心室筋線維長が長くなり，1 回拍出量と心拍出量が増加する。右房圧が高くなると，心拍出量が増加するというのは心臓の Frank-Starling 関係である。

　血管機能曲線は，次のように決定される。右房圧が低下すると，心臓に戻る血液を駆動する圧較差が増加するため，静脈還流量が増加する。

　ここで疑問が生じる。われわれは心機能曲線と

血管機能曲線では右房圧との関係が反対であることを確立した。これらの関係は，もし心拍出量と静脈還流がつねに等しいなら，どのように成り立つだろうか。心拍出量と静脈還流量が右房圧の関数として同時にプロットされるとき，ある右房圧の一点で交叉する（**図 4.26 参照**）。この 1 つの右房圧のところで，心拍出量は静脈還流量と等しくなり，定義によりシステムの定常状態の作動点になる。この右房圧が，心拍出量と静脈還流の関係を満たす唯一の作動点である。

　これらの曲線をあわせると，さまざまな心血管パラメーターが変化する際に生じる**心拍出量の変化の予測**に大変有用である。心拍出量は，心機能曲線，血管機能曲線，あるいは両曲線の変化によって変化しうる。このアプローチは，そのような変化の後，循環システムが**新たな定常状態**に移行することが基本的な前提である。新たな定常状態では，心機能曲線と血管機能曲線の交点である作動点が変化する。この新たな作動点は，新たな定常状態での，新たな心拍出量と静脈還流量を教えてくれる。

　心拍出量の変化は，以下に記す機序によって生じる：(1)心機能曲線に影響する陽性あるいは陰性変力作用，(2)平均循環充満圧を変えて血管機能曲線を変化させる血液量や静脈コンプライアンスの変化，(3)心機能曲線と血管機能曲線の両者を変化させる TPR の変化である。

■ 変力作用

　強心薬は，心機能曲線を変化させる（**図 4.28**）。陽性変力作用のある薬物は，任意の拡張末期容積（あるいは右房圧）における収縮性を増加させ，陰性変力作用を有する薬物は収縮性を減少させることを思い出すこと。

- **強心薬(positive inotropic agent)**（例えば，ウアバイン，ジギタリス，ジゴキシン）の心機能曲線に対する効果を**図 4.28A** に示す。強心薬は，どの右房圧であっても，収縮性，1 回拍出量，心拍出量を増加させる。したがって心機能曲線は上にシフトし，しかし血管機能曲線は変化させない。2 つの曲線の交点（状態安定時の作動点）は左上にシフトする。その新しい定

心拍出量と静脈還流量の関係　181

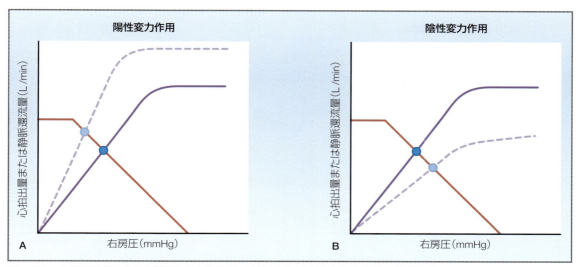

図 4.28　心機能曲線に及ぼす陽性変力作用薬の効果（A）と陰性変力作用薬の効果（B）．
実線が平常時の関係を示し，点線は変化を示す．点線との交点の丸は，新しい定常状態の作動点を示す．

常状態での作動点では，**心拍出量は増加**し，**右房圧は減少**する．右房圧の減少は，収縮性増加と1回拍出量増加の結果，各心拍でより多くの血液が心臓から駆出されるということを反映している．

- 図 4.28B は，陰性変力作用を有する薬物の効果を示す．その効果は強心薬と正反対である．どの右房圧であっても，収縮性や心拍出量が減少する．心機能曲線は下にシフトするが，血管機能曲線は変化させない．新しい定常状態では，**心拍出量は減少**し，**右房圧は増加**する．収縮性が低下して1回拍出量が減少し，各心拍で心臓から駆出される血液量が減少するため，右房圧が増加する．

■ 血液量変化の影響

血液量変化は**平均循環充満圧**を変化させ，**血管機能曲線を変化させる**（図 4.29）．

- 輸血などによる**血液量の増加**の影響を図 4.29A に示す．血液量の増加は，stressed volume にある容量を増加し，それゆえ平均循環充満圧を増加する．平均循環充満圧は，血管機能曲線上で静脈還流量がゼロになる点である．血液量の増加はこの切片を右にシフトさせ，それゆえに曲線を平行に右にシフトさせる（この

シフトが平行なのは，血管機能曲線の傾きを決める TPR が血液量の増加では変化しないためである）．新たな定常状態では，心機能曲線と血管機能曲線は，**心拍出量も右房圧も増加**する新たな交点で交わる．

- 出血などによる**血液量減少**の影響を図 4.29B に示す．血液量減少は，stressed volume と平均循環充満圧を低下させ，血管機能曲線を平行に左にシフトさせる．新たな定常状態では，**心拍出量も右房圧も減少**する．

- 静脈コンプライアンスの変化により，血液量変化によるのと同様の変化を生じる．**静脈コンプライアンス減少**は，血液を unstressed volume から stressed volume にシフトさせ，血液量増加による反応と同様の変化を起こし，血管機能曲線を右にシフトする．同様に，**静脈コンプライアンス増加**は，血液を stressed volume から unstressed volume にシフトさせ，血液量減少による反応と同様の変化を起こし，血管機能曲線を左にシフトする．

■ 全末梢抵抗（TPR）の変化の影響

TPR の変化は，細動脈の収縮程度の変化を反映する．そうした変化は，血液が循環の動脈側に（すなわち stressed volume として）保持される量

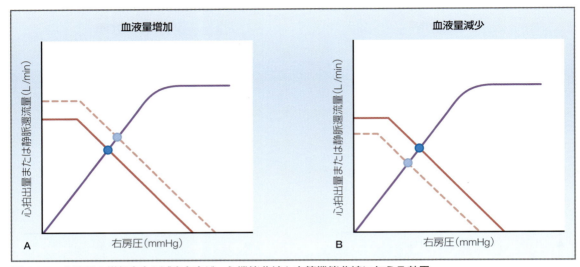

図 4.29 血液量の増加（A）と減少（B）が，心機能曲線と血管機能曲線に与える効果．
実線が平常時の関係を示し，点線は変化を示す．点線との交点の丸は，新しい定常状態の作動点を示す．

を変化させる．したがって，TPR の変化は動脈圧や心臓への静脈還流量を変化させる．例えば，TPR の増加は，動脈からの血流を制限して動脈圧を増加させるとともに，静脈還流量を減少させる．

　心機能曲線，血管機能曲線への TPR 変化の影響は，収縮性や血液量変化による影響よりも複雑である．TPR の変化は両方の曲線を変化させる．後負荷（動脈圧）変化により心機能曲線は変化し，静脈還流の変化のため血管機能曲線も変化する（図 4.30）．

- **TPR の増加**（すなわち，細動脈の収縮）の影響を図 4.30A に示す：(1) TPR 増加は，血液を動脈側に"保持する"ことによって動脈圧を増加させる．この動脈圧増加は心臓の後負荷を増加させる．後負荷増加の結果として，心機能曲線は下にシフトする．(2) TPR 増加は，血管機能曲線を反時計方向に回転させる．この回転は，ある右房圧において，より少ない血液が心臓に戻る，すなわち静脈還流量が減少することを意味する．(3) これら 2 つの変化をあわせたものを図 4.30A に示す．心拍出量と静脈還流量が減少する新たな定常状態で，2 つの曲線は交わる．

　この図で，新たな交点の右房圧は変わらないことを示している．実際，TPR 増加が右房圧

に最終的にどのような影響を与えるかは容易に予測できず，その理由は，TPR が心機能曲線や血管機能曲線に異なる方向に効果を及ぼすからである．TPR が増加すると心拍出量は減少し，右房圧は増加する（心臓から駆出できる血液が減るため）．そして，TPR の増加は静脈還流を減少させ，右房圧は減少する（心臓に戻る血液が減るため）．心機能曲線と血管機能曲線に及ぼす効果の相対的な強さのバランスによって，右房圧は微増，微減，変化なしのいずれもありうる．図は，妥協点として変わらない場合を示している．

- **TPR の減少**（すなわち細動脈の拡張）の影響を図 4.30B に示す：(1) TPR の減少は，動脈圧，後負荷を減少させ，心機能曲線を上にシフトさせる．(2) TPR の減少は，血管機能曲線を時計方向に回転させ，ある右房圧において，より多くの血液が心臓に戻る，すなわち静脈還流が増加する．心拍出量と静脈還流量がともに増加する新たな定常状態で，2 つの曲線は交わる．

　この図で，新たな交点の右房圧は変わらないように示している．しかし，TPR 減少が右房圧に与える影響は容易には予測できず，その理由は，TPR の変化は心機能曲線や血管機能曲線に異なる影響を及ぼすからである．TPR 減

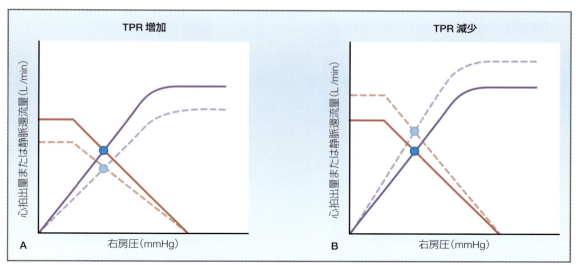

図 4.30　全末梢抵抗 (TPR) の増加 (A) と減少 (B) が，心機能曲線と血管機能曲線に与える効果．
実線は平常時の関係を示し，点線は変化を示す．点線との交点の丸は，新しい作動点を示す．

少は心拍出量を増加させ，右房圧を減少させる（より多くの血液が心臓から駆出されるため）．一方で，TPR の減少は静脈還流を増加させ，右房圧を増加させる（心臓に戻る血液が増加するため）．これらの効果の相対的な強さのバランスによって，右房圧は微増，微減，変化なしのいずれもありうる．図では妥協点として，右房圧不変を示している．

血圧調整

心血管系全体の機能は，血液を組織に送り，酸素や栄養を提供し，老廃物を取り除くことである．組織への血流は，循環の動脈側と静脈側の圧較差で駆動される．**平均動脈圧 (mean arterial pressure) (Pa)** は血流の駆動力であり，約 **100 mmHg** の高い一定レベルに維持されなければならない．大動脈に続いて並列に動脈は配置されるので，各臓器への大きな動脈の圧力は平均動脈圧と等しい（各臓器への血流は，局所の調節メカニズムで細動脈の抵抗値が変化されることにより，独立して調節される）．

平均動脈圧を一定の値に維持するメカニズムをこの章で説明する．この調節の基本は，平均動脈圧を用いた等式で理解できる．

平均動脈圧 Pa (mmHg) ＝ 心拍出量 (mL/min) × 全末梢抵抗 TPR (mmHg・min/mL)

平均動脈圧に対する等式は，この章ですでに用いた，圧，流量，抵抗の間の式を単に変形させたものである．この式をみると，平均動脈圧は心拍出量，TPR，あるいは心拍出量と TPR 両者を変化させることにより変化しうる．

この等式は一見単純であるが，心拍出量と TPR が独立した変数ではないため，そうともいえない．つまり，TPR が変化すると心拍出量が変わり，心拍出量が変化すると間接的に TPR が変わるからである．それゆえ，TPR が 2 倍になれば平均動脈圧も 2 倍になるとはいえない（実際，TPR が 2 倍になると，心拍出量は約半分になるため，平均動脈圧の上昇はわずかであろう）．同様に，心拍出量が半分になれば平均動脈圧が半分になるとはいえない（心拍出量が半分になると，TPR が代償的に増加し，平均動脈圧は減少するが半分にはならない）．

ここでは，動脈圧を一定範囲に保つメカニズムについて説明する．これらのメカニズムは，平均動脈圧を密に監視して，約 100 mmHg の**セットポイント (set point)（設定値）** と比較する．もし平均動脈圧がセットポイントを超えて上昇した

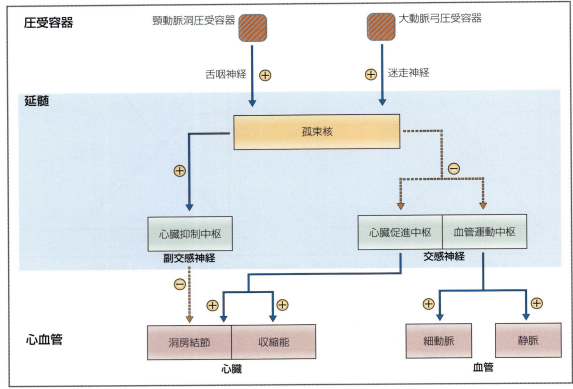

図 4.31 動脈圧上昇に対する圧受容器反射による反応.
⊕は活動の増強を,⊖は減弱を示す.点線は抑制性経路を示す.

り,下回って低下すれば,心血管系は心拍出量,TPR,あるいは両者を調整し,平均動脈圧をセットポイント値に戻そうと試みる.

平均動脈圧は2つの主要なシステムにより調整される.1つ目は神経調節によるもので,**圧受容器反射**(baroreceptor reflex)として知られている.圧受容器反射は,数秒の単位で平均動脈圧をセットポイントに回復しようとする.2つ目はホルモンを介するもので,**レニン-アンジオテンシン-アルドステロン系**(renin-angiotensin-aldosterone system)などが挙げられ,血液量の調整を主に行って平均動脈圧をよりゆっくりと調整する.

圧受容器反射

圧受容器のメカニズムは迅速な神経調節反射であり,心臓や血管への交感神経,副交感神経の出力を変化させて動脈圧を一定に保とうとする(図4.31).圧センサーである**圧受容器**(baroreceptor)は,頸動脈洞と大動脈弓の壁にあり,血圧情報を脳幹にある心血管・血管運動神経中枢に伝達する.血管運動神経中枢は,今度は交感神経系の出力を変化させて,平均動脈圧に望ましい変化をもたらすよう調整する.したがって,この反射は,血圧センサー,情報を脳幹に伝える求心性神経,情報を処理して適切な応答を協調させる脳幹中枢,心血管の変化を指示する遠心性神経からなる.

■ 圧受容器

圧受容器は,総頸動脈が内頸動脈と外頸動脈に分岐するところにある**頸動脈洞**(carotid sinus)と,**大動脈弓**(aortic arch)に存在する.頸動脈洞の圧受容器は,動脈圧の上昇あるいは低下の両者に反応する.大動脈弓の圧受容器は,(動脈圧の低下と比べて)動脈圧の上昇に反応し,頸動脈洞の圧受容器がすでに飽和しているレベルの動脈

圧上昇に反応し続ける.

　圧受容器は，圧や伸展を感知する**機械受容器**（mechanoreceptor）である．動脈圧の変化により機械受容器の伸展が増減し，その膜電位が変化する．そうした膜電位の変化は受容器電位とよばれ，圧受容器から脳幹に向かう求心性神経の活動電位の発火しやすさを増減する（受容器電位が脱分極すると活動電位の発火頻度が増加し，受容器電位が過分極すると活動電位の発火頻度が減少する）.

　動脈圧の増加は圧受容器を伸展させ，求心性神経の発火頻度を増加させる．動脈圧の減少は圧受容器の伸展を減少させ，求心性神経の発火頻度を減少させる.

　圧受容器は圧の絶対値（静的要素）を感知するだけでなく，圧変化や圧変化の速度（動的要素）もより敏感に感知する．圧受容器の最大の刺激は，動脈圧の急速な変化である.

　圧受容器の感受性は疾患によって変化しうる．例えば，**慢性高血圧**（chronic hypertension）（血圧の上昇）では，圧受容器は上昇した血圧を異常とは"感知しない"．そうした症例では，圧受容器反射によって高血圧は正されることなく，反対に維持されてしまう．この不都合が生じるメカニズムは，圧受容器の動脈圧上昇に対する感受性の低下，あるいは脳幹中枢のセットポイント血圧値の上昇である.

　頸動脈洞の圧受容器からの情報は，頸動脈洞神経を通って脳幹に伝わる．**頸動脈洞神経**（carotid sinus nerve）は**舌咽神経**（glossopharyngeal nerve）（第Ⅸ脳神経）に合流する．大動脈弓の圧受容器からの情報は，**迷走神経**（vagus nerve）（第Ⅹ脳神経）を介して脳幹に伝わる.

■ 脳幹の心血管中枢

　脳幹の心血管中枢は，**延髄**（medulla）の網様体と，**橋**（pons）の下1/3にある．これらの中枢は協調して働き，血圧情報を圧受容器から受け，血圧を必要に応じて正すべく，交感神経・副交感神経出力の変化を指揮する.

　前述したように，血圧は頸動脈洞と大動脈弓にある圧受容器によって感知されている．血圧に関する求心性の情報は，次に舌咽神経と迷走神経を介して延髄に送られる．この情報は**孤束核**（nucleus tractus solitarius）に統合され，いくつかの心血管中枢の活動を変化させる指示を出す．これらの心血管中枢は持続性に活動しており，孤束核は中枢を通じて指示のみを行い，交感神経系と副交感神経系の出力を増減させる.

　副交感神経の出力は，洞房結節に対する迷走神経の作用であり，心拍数を減少させる．**交感神経**の出力は4つの要素からなる：(1)洞房結節に作用して心拍数を増加させる．(2)心筋に作用して収縮性と1回拍出量を増加させる．(3)細動脈を収縮させてTPRを増加させる．(4)静脈を収縮させてunstressed volumeを減少させる.

　脳幹の心血管中枢は以下の通りである.

- **血管運動中枢**（vasomotor center）は，延髄上部と橋下部にある．血管運動中枢からの遠心性神経は，交感神経系の一部をなし，脊髄と交感神経節でシナプスを介して標的臓器に到達し，細動脈と細静脈を収縮させる.

- **心臓促進中枢**（cardiac accelerator center）．心臓促進中枢からの遠心性神経は，やはり交感神経系の一部であり，脊髄と交感神経節でシナプスを介して，最後は心臓に到達する．心臓では，この働きにより（心拍数増加に向けて）洞房結節の発火頻度が増し，房室結節の伝導速度が増し，収縮性が増加する.

- **心臓抑制中枢**（cardiac inhibitory center）．心臓抑制中枢からの遠心性神経は，副交感神経系の一部である．迷走神経から洞房結節にシナプス結合をして，心拍数を減少させる.

■ 圧受容器反射の統合機能

　圧受容器反射の機能は，次のように突然の**動脈圧上昇に対する反応**の分析により理解される（図4.31）.

1. **平均動脈圧の上昇**が，頸動脈洞と大動脈弓にある圧受容器に感知される．圧の上昇は，**頸動脈洞神経（舌咽神経）**と迷走神経の求心性線維の発火頻度を増加させる.
2. 舌咽神経と迷走神経の線維は延髄**孤束核**にシナプス結合をし，血圧情報を伝達する．この例で

は，圧受容器で感知される平均動脈圧は，延髄のセットポイント圧よりも高い．

3. 孤束核は，延髄の心血管中枢を用いて，平均動脈圧を正常レベルに低下させるよう，一連の協調した反応を統制する．これらの反応は，心臓への副交感神経出力の増加や，心血管への交感神経出力の減少を含む．

4. （迷走神経を介した）洞房結節への副交感神経活動の増加は，**心拍数を減少**させる．洞房結節への交感神経活動の低下は，副交感神経活動の増加を補い，やはり心拍数を減少させる．交感神経活動の低下は，**心収縮性も低下**させる．心拍数減少，心収縮性低下は，相まって**心拍出量を低下**させ，平均動脈圧を正常化するように低下させる（平均動脈圧＝心拍出量×TPR）．

   交感神経活動の低下は，一方で血管緊張に影響を与える．1つ目は，細動脈の収縮の減弱，あるいは細動脈拡張が生じ，**TPR が減少**して平均動脈圧を低下させる（繰り返すが，平均動脈圧＝心拍出量×TPR である）．2つ目は，静脈収縮が減弱して静脈コンプライアンスが増大し，**unstressed volume が増加**する．unstressed volume が増加すると，stressed volume は減少し，さらに平均動脈圧の低下に貢献する．

5. ひとたび，これらの協調された反射により平均動脈圧がセットポイントの圧（例えば，100 mmHg）まで低下すると，圧受容器や脳幹心血管中枢の活動性は通常レベルに戻る．

■ 出血に対する圧受容器反射の応答

　圧受容器反射の機構の2つ目の例として，血液量減少，あるいは出血への反応が挙げられる．**出血（hemorrhage）**があると，血液量が減少し，stressed volume も減少するので，平均動脈圧も低下する（**図4.27** 参照）．平均動脈圧の急性の低下に対して，圧受容器反射は亢進し，血圧を回復して正常域にすべく調整が行われる（**図4.32**）．

　平均動脈圧の低下に対する圧受容器反射は，既述した平均動脈圧上昇に対する反応の正反対である．平均動脈圧の低下は，圧受容器の伸展を減少させ，頸動脈洞神経の発火頻度を減少させる．平均動脈圧低下という情報は，延髄孤束核で受信され，心臓副交感神経活動の低下，心血管への交感神経活動の増加が協調して生じる．心拍数と収縮性は増加し，相まって**心拍出量が増加**する．細動脈の収縮が亢進し，**TPR は増加**し，静脈収縮が増強して **unstressed volume が減少**する．静脈収縮は，静脈還流量を増加して，心拍出量増加に寄与する（Frank-Starling 機序）．

■ 圧受容器反射の検査：Valsalva 法

　圧受容器反射に問題がないかは，**Valsalva（バルサルバ）法（Valsalva maneuver）**によって評価することができる．その手技は，咳嗽，排便，重いものを持ち上げるときのように声門を閉じて呼気をする．被検者が閉じた声門に対して息を吐くと胸腔内圧が上昇し，心臓への静脈還流が低下する．静脈還流の減少は，（Frank-Starling 機序により）心拍出量を減少させ，結果として動脈圧が低下する．圧受容器反射が損なわれていなければ，動脈圧の減少が圧受容器に感知されて，孤束核が心血管系への交感神経出力の増加と副交感神経出力の減少を指令する．検査中，心拍数の上昇がみられる．

　被検者が Valsalva 法を終えると，静脈還流量，心拍出量，動脈圧がリバウンドで増加する．動脈圧上昇は圧受容器で感知され，心拍数の低下が指令される．

レニン-アンジオテンシン-アルドステロン系

　レニン-アンジオテンシン-アルドステロン系は，主に血液量を調節することにより，平均動脈圧を調節する．この系は，神経調節性ではなくホルモンによるため，圧受容器反射と比較するとはるかに遅い．

　レニン-アンジオテンシン-アルドステロン系は，平均動脈圧の低下に反応して活性化される．この系が活性化されると，動脈圧を正常に戻そうとする一連の反応が生じる．**図4.33** に示すこの機序は，以下のステップからなる．

1. 平均動脈圧の低下は腎灌流圧を減少させ，腎の輸入細動脈にある機械受容器で感知される．平

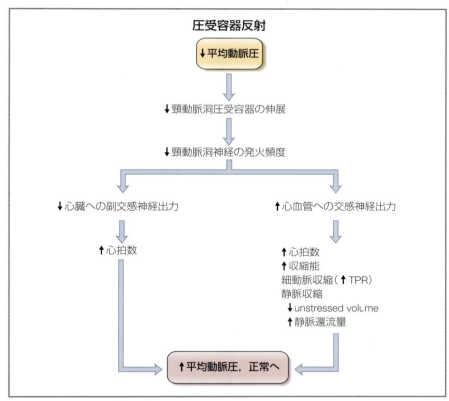

図 4.32　急性出血に対する圧受容器反射による反応.
反射は平均動脈圧の低下を契機に始まる．代償性反応が平均動脈圧を増加させて正常にしようとする．TPR：全末梢抵抗．（▶Video 4.32 参照）

均動脈圧低下により，傍糸球体細胞で**プロレニン(prorenin)はレニン(renin)へ変換される**（その機序は完全にはわかっていない）．傍糸球体細胞によるレニン分泌は，腎交感神経刺激やイソプロテレノールのようなβ_1作動薬によっても増加し，プロプラノロールのようなβ_1拮抗薬によって減少する．

2. レニンは酵素である．血漿中でレニンは（レニンの基質である）**アンジオテンシノーゲン(angiotensinogen)** を，10個のアミノ酸からなるペプチドである**アンジオテンシンⅠ (angiotensin Ⅰ)** へ変換する．アンジオテンシンⅠは生理活性がほとんどなく，**アンジオテンシンⅡ(angiotensin Ⅱ)** の前駆体としての意味がある．

3. 肺と腎臓で，アンジオテンシンⅠは，**アンジオテンシン変換酵素 1 (angiotensin-converting enzyme 1：ACE 1)** によってアンジオテンシンⅡへ変換される．カプトプリル(captopril)のような**アンジオテンシン変換酵素阻害薬(angiotensin-converting enzyme inhibitor：ACEi)** は，アンジオテンシンⅡの産生抑制によってアンジオテンシンⅡの生理活性を阻害する．

4. **アンジオテンシンⅡ**は，8つのアミノ酸からなるペプチドで，副腎皮質，血管平滑筋，腎，脳でGタンパク質共役型受容体であるアンジオテンシンⅡ1型受容体(AT_1 受容体(AT_1 receptor))を活性化し，次に述べる生理活性を起こす．ロサルタンなどの AT_1 受容体の阻害薬は，標的臓器でアンジオテンシンⅡの働きを阻害する．

● アンジオテンシンⅡは**副腎皮質(adrenal cortex)** の球状帯の細胞に働き，アルドステ

188 第4章 心血管系の生理学

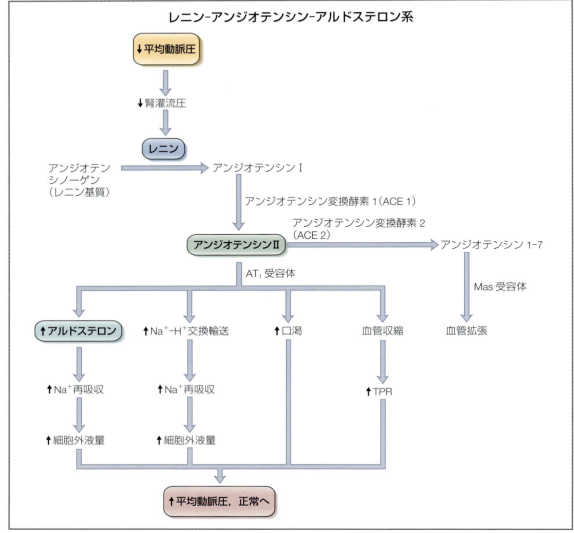

図 4.33 レニン-アンジオテンシン-アルドステロン系.
この系の平均動脈圧の低下に対する応答. TPR：全末梢抵抗.（▶Video 4.33 参照）

ロンの生成と分泌を刺激する．**アルドステロン**（aldosterone）は腎の遠位尿細管と集合管の主細胞に働き，**Na$^+$再吸収を増加**させ，細胞外液量と血液量を増加させる．アルドステロンの作用は，腎での遺伝子転写と新たなタンパク質生成を必要とする．これらのプロセスは数時間から数日を必要とし，レニン-アンジオテンシン-アルドステロン系がゆっくりとした反応であるのはそのためである．

● アンジオテンシンⅡは，アルドステロンを介する働きとは別に，**腎**に対しても直接働く．

アンジオテンシンⅡは腎近位尿細管にあるNa$^+$-H$^+$交換輸送を刺激し，Na$^+$とHCO$_3^-$の再吸収を増加させる．

● アンジオテンシンⅡは視床下部に働き，**口渇**（thirst）と水分摂取を増加させる．アンジオテンシンⅡは，さらに**抗利尿ホルモン**（antidiuretic hormone：ADH）の分泌を刺激し，集合管における水再吸収を増加させる．体内全水分量が増加することにより，（アルドステロンとNa$^+$-H$^+$交換輸送による）Na$^+$再吸収の増加を補完し，細胞外液量，血液量，

Box 4.2　腎血管性高血圧

▶ 症例

65歳の女性が，気分不良で尿量減少を主訴に主治医を受診した．女性の拡張期血圧は115 mmHgと上昇し，腹部に血管雑音を聴取した．女性はただちに入院し，高血圧の精査を受けた．

検査所見では，女性の血圧は危険域に上昇したままであり，糸球体濾過量（GFR）は30 mL/minと著しく減少していた．腎血管病変が疑われ，腎血管造影では右腎動脈の90％狭窄が示された．血漿レニン活性は上昇し，レニン値は左腎静脈より右腎静脈ではるかに高値であった．

血管形成術による右腎動脈拡大の試みは奏効せず，女性はACE阻害薬であるカプトプリルで治療された．

▶ 解説

女性は右腎動脈に狭窄があり，右腎血流が低下している．腹部血管雑音は，腎動脈の狭窄部位の血液が乱流になっている（すなわち，Reynolds数が増加している）ために聴取される．腎血流減少の結果，女性のGFRと尿量が減少している．

女性の高血圧は，腎血流低下による二次的なものである．右腎の腎灌流圧は著しく減少している．動脈圧が低く，アルドステロンが必要と右腎は"考える"．そのため，右腎からのレニン分泌は増加し，左腎静脈よりも右腎静脈でレニン値が高くなる．循環する血液のレニン活性は上昇し，アンジオテンシンⅡとアルドステロンが多く産生される．アンジオテンシンⅡは細動脈を収縮させ，全末梢抵抗（TPR）と平均動脈圧を上昇させる．アルドステロンは腎のNa^+再吸収を増加させ，体全体のNa^+量，細胞外液，血液量を増加させる．血液量の増加は拡張期血圧を上昇させる．

▶ 治療

狭窄のある腎動脈の拡張がうまくいかなかったので，女性は高血圧を起こす回路を止めるべく，ACE阻害薬（アンジオテンシンⅠからアンジオテンシンⅡへの変換を止める）で治療された．右腎はレニンを多量に分泌し，血漿レニン活性は高いままであっても，ACEが阻害されていればアンジオテンシンⅡは生成されないであろう．同様に，アルドステロン分泌やNa^+再吸収も減少するであろう．

血圧が増加する．

- アンジオテンシンⅡは**細動脈**にも直接働く．アンジオテンシンⅡはGタンパク質共役型AT_1受容体に結合し，イノシトール 1,4,5-トリスリン酸（IP_3）/Ca^{2+}セカンドメッセンジャー系を刺激して血管収縮を起こす．結果として，**TPRは増加**して平均動脈圧を上昇させる．

- （図4.33には示されていない）アンジオテンシンⅡのその他の作用は，炎症促進，酸化ストレス促進，増殖促進，線維化促進である．

これらをまとめると，平均動脈圧の低下は，レニン-アンジオテンシン-アルドステロン系を活性化し，平均動脈圧を上昇させて正常化に向かわせる一連の反応を引き起こす．これらの反応のなかで最も重要なのは，アルドステロンの作用で，腎でNa^+再吸収が増加することである．Na^+再吸収が増加すると体全体のNa^+量が増加し，細胞外液量，血液量が増加する．血液量が増加すると静脈還流量が増加し，Frank-Starling機序を介して心拍出量が増加する．心拍出量の増加は，平均動脈圧を上昇させる．アンジオテンシンⅡには直接の作用もあり，細動脈を収縮させてTPRを増加させ，平均動脈圧の上昇に貢献する（Box 4.2）．

図4.33に示すさらなるものは，**アンジオテンシン変換酵素2（ACE 2）**を介してアンジオテンシンⅡから**Ang 1-7**に分解する経路である．Ang 1-7の作用はアンジオテンシンⅡの作用と反対である．Ang 1-7は別の受容体である**Mas受容体（Mas receptor）**を介して血管拡張をもたらすため，アンジオテンシンⅡに拮抗する．その他，Ang 1-7は，抗炎症，抗酸化ストレス，抗増殖，抗線維化に働き，アンジオテンシンⅡと作用は反対である．ACE 2は，コロナウイルス感染症2019（**COVID-19**）の原因となる重症急性呼吸器症候群コロナウイルス2（**SARS-CoV-2**）の受容体であり，侵入経路であると考えられている．

他の調節メカニズム

圧受容器反射やレニン-アンジオテンシン-アル

ドステロン系に加え，平均動脈圧の調整に寄与する他のメカニズムが存在する．これらには，頸動脈小体と大動脈小体のO_2に対する化学受容器，脳のCO_2に対する化学受容器，ADHや心房性ナトリウム利尿ペプチド（atrial natriuretic peptide：ANP）などがある．

■ 頸動脈小体と大動脈小体にある末梢化学受容器

末梢のO_2に対する化学受容器は，総頸動脈の分岐部付近にある**頸動脈小体（carotid body）**や，大動脈弓に沿って存在する**大動脈小体（aortic body）**にある．頸動脈小体と大動脈小体は血流が豊富で，それらの化学受容器は主に酸素分圧（Po_2）の減少を感知する．化学受容器は，二酸化炭素分圧（Pco_2）の増加やpHの減少も感知し，Po_2が同時に減少しているときは特に敏感に感知する．つまり，末梢の化学受容器の動脈血Po_2減少に対する反応は，Pco_2の増加やpHの減少時よりも大きい．

動脈血Po_2が減少すると，頸動脈小体と大動脈小体からの求心性神経の発火頻度が増加して，交感神経系の血管運動中枢を活性化する．結果として，骨格筋，腎，内臓血管床の**細動脈が収縮**する．さらに，心臓に対する副交感神経出力が増加し，一過性の**心拍数の減少**が引き起こされる．しかし，心拍数の減少は一過性で，これらの末梢化学受容器は主に呼吸の調節にかかわる（第5章）．動脈血Po_2の減少は換気を亢進させ，換気の亢進は独立して心臓への副交感神経出力を減少させ，心拍数を増加させる（肺の換気反射）．

■ 中枢の化学受容器

脳は血流低下に耐えられないので，化学受容器が延髄にも存在することは驚くべきことではない．これらの化学受容器は，CO_2とpHに非常に感受性が高く，O_2には感受性が低い．Pco_2やpHの変化は延髄の化学受容器を刺激し，延髄の心血管中枢からの出力変化を指示する．

脳の化学受容器を含む反射の働きを以下にまとめる．（例えば，脳血流の減少により）**脳虚血（brain ischemia）**になると，脳のPco_2はすぐに増加し，pHが低下する．延髄の化学受容器は，これらの変化を検出して**交感神経出力の増加**を指令し，広範な血管床で細動脈を強く収縮させてTPRを増加させる．血流は，それにより再度脳へ振り分けられ，脳灌流を保つ．生命危機のレベルであっても，この血管収縮の結果，平均動脈圧は劇的に上昇する．

Cushing（クッシング）反射（Cushing reaction）は，脳の化学受容器が脳血流を維持する役割を例証する．頭蓋内圧が（例えば，腫瘍や頭部外傷で）上昇すると，脳動脈が圧迫され，脳の灌流が低下する．すると，脳組織で生成されたCO_2は血流によって有効に除去されなくなるため，Pco_2はすぐに増加してpHは低下する．延髄の化学受容器はPco_2とpHのこれらの変化に応答し，血管に対する交感神経出力の増加を指令する．これらの変化は全体としてTPRを増加させ，劇的に平均動脈圧を上昇させる．

■ 抗利尿ホルモン

下垂体後葉から分泌されるホルモンであるADHは，体液の浸透圧を調節し，動脈圧制御にかかわっている．

ADHの受容体には2種類がある．血管平滑筋にある**V_1受容体（V_1 receptor）**と，腎集合管の主細胞にある**V_2受容体（V_2 receptor）**である．V_1受容体が活性化されると，細動脈は収縮し，TPRは増加する．V_2受容体は，集合管における水再吸収にかかわり，体液の浸透圧を維持する．

下垂体後葉からのADH分泌は，2種類の刺激で増加する．血清浸透圧の増加と，血液量・血圧の低下である．血液量の調節メカニズムをここで説明し，浸透圧調節については**第6章**で述べる．

■ 心肺（低圧）圧受容器

動脈圧を調節する高圧受容器に加え，低圧の圧受容器が静脈，心房，肺動脈にある．これらのいわゆる**心肺圧受容器**は，**血液量の変化**，あるいは血管系の"満ち具合"を感知する．心肺圧受容器は，ほとんどの血液量が保持される静脈側に存在する．

例えば，**血液量が増加**すると，結果としての静

脈圧や心房圧の増加が心肺圧受容器によって検出される．心肺圧受容器の機能として，主に Na^+ と水の排泄を増加させて血液量を正常に戻すように統合調節を行う．血液量増大に対する反応は，以下のようなプロセスを含む．

● ANP の分泌増加

ANP は，心房圧上昇に応答して心房で生成される．ANP には複数の働きがあり，なかでも最も重要なのは，血管平滑筋にある ANP 受容体（NPR₁）に結合して**血管を弛緩，拡張**させ，TPR を低下させることである．腎では，この血管拡張により Na^+ と水の排出が増加し，それゆえに体全体の Na^+ 量，細胞外液量，血液量が減少する．

● ADH の分泌低下

心房の圧受容器は，ADH 分泌神経の細胞体がある視床下部に情報を伝える．心房圧上昇に反応して，ADH 分泌は抑制され，結果として集合管における水の再吸収が減少し，水排泄が増加する．

● 腎血管拡張

腎細動脈における交感神経による血管収縮は抑制でき，その場合，腎血管は拡張し，Na^+ と水の排泄が増加して ANP の腎への作用を補足する．

● 心拍数増加

心房の低圧受容器からの情報は，迷走神経を通って（圧受容器反射における，高圧の動脈圧受容器からの情報と同様に）孤束核へ伝えられる．延髄にある心血管中枢では，低圧受容器と高圧受容器で反応に相違がある．動脈の高圧受容器における圧上昇は心拍数を低下させる（動脈圧を低下させて正常化させようとする）のに対し，静脈にある低圧受容器における圧上昇は心拍数を増加させる（Bainbridge（ベインブリッジ）反射（Bainbridge reflex））．心房の低圧受容器が"血液量が多すぎる"と感知すると，心拍数を増加させ，心拍出量を増加させる指令を出す．心拍出量の増加は腎の灌流を増加させ，Na^+ と水排泄を増加する．

微小循環

微小循環（microcirculation）とは，最も細い血管である**毛細血管**と，その近傍の**リンパ管**（lymphatic vessel）の機能を指す用語である．毛細血管に血液を送って回収するという血液循環がとても重要である理由は，毛細血管は血管系と間質区分との液体の交換の場であり，さらに組織の栄養と老廃物の交換の場でもあるからである．

毛細血管床の解剖については先に説明したが，手短に復習すると，血液は**細動脈**（arteriole）から運ばれて**毛細血管床**（capillary bed）に入る．毛細血管は合流して**細静脈**（venule）となり，組織から流出する血液を静脈に還流する．また，毛細血管は，栄養，老廃物，液体の交換の場である．毛細血管壁は薄く，一層の血管内皮細胞からなり，その細胞間隙は間質液で満たされている．

細動脈の収縮や弛緩の程度が（全末梢抵抗（TPR）を決めるだけでなく）毛細血管への血流量にも著しく影響する．毛細血管はメタ細動脈から分岐し，分岐部で毛細血管に入る前に，平滑筋のバンドである前毛細血管括約筋がある．前毛細血管括約筋は，開閉により血流の毛細血管床への流れを調節するスイッチのように働く【訳者注：メタ細動脈と前毛細血管括約筋は，微小循環調節モデルとして古くから多くの教科書に書かれているが，腸間膜に特異的であり，多くの毛細血管にはあてはまらない】．

微小循環の調節

細動脈の血管平滑筋の収縮の程度によって，毛細血管に流入する血流量が調節されている．細動脈が収縮（血管収縮）すると毛細血管への流入は減少し，細動脈が拡張（血管拡張）すると毛細血管への流入は増加する．細動脈の血管緊張の調節機構は，**表4.6**にまとめたように，神経性（交感神経と副交感神経），内分泌，傍分泌によるものがある．

毛細血管壁を横切る物質交換

血管壁を横切る溶質とガスの交換は**単純拡散**（simple diffusion）により行われる．一部の溶質は内皮細胞を通り抜けて拡散するが，その他の溶質は細胞間を拡散する．溶質やガスが脂溶性か否かによって，拡散の経路が決まるのが一般的である．

O_2 や CO_2 といったガスは**脂溶性**が高く，内皮

表 4.6 細動脈の血管平滑筋を調節する物質

伝達物質	受容体	セカンドメッセンジャー
血管収縮		
交感神経節後線維 ノルアドレナリン （皮膚，内臓，腎）	α_1	IP_3/Ca^{2+}
アンジオテンシンⅡ	AT_1	IP_3/Ca^{2+}
バソプレシン	V_1	IP_3/Ca^{2+}
エンドセリン		IP_3/Ca^{2+}
アデノシン	A_3	IP_3/Ca^{2+}
ATP	プリン	IP_3/Ca^{2+}
血管拡張		
交感神経系 副腎髄質 アドレナリン（骨格筋）	β_2	cAMP
副交感神経節後線維 アセチルコリン（勃起）	M_3	NO
交感神経節後線維 アセチルコリン（汗腺）	M_3	NO
ヒスタミン	H_2	cAMP
血管作動性腸管ペプチド		cAMP
心房性ナトリウム利尿ペプチド	NPR_1	cGMP
一酸化窒素（NO）（内皮細胞）		cGMP
ブラジキニン		NO

細胞を通り抜けて拡散し，容易に毛細血管壁を越えることができる．拡散は，その気体の分圧勾配（濃度勾配でもある）に従って駆動される．ここで，拡散の速さ（流束）は，駆動力（O_2 と CO_2 の場合は膜を隔てた分圧の較差）と拡散可能な表面積に依存することを思い出すこと．そして，開存している毛細血管の本数が多いほど，拡散が可能な表面積は大きくなる．

　水溶性の物質である，イオン，グルコース，アミノ酸，そして水自体は脂溶性が低いので，内皮細胞の細胞膜の脂質二重層を越えることはできない．水溶性物質の拡散経路は，間質液で満たされ水分が多い内皮細胞間隙に限られる．したがって，拡散が可能な表面積は脂溶性ガスと比べるとはるかに小さい．

　タンパク質は，大きすぎるため内皮細胞間隙を通り抜けて毛細血管を出ることはできず，血管区分内に留まる．脳など一部の組織では，細胞間隙はとりわけ密着しており，タンパク質（を含むほとんどの水溶性物質）は毛細血管を出られない．腎臓と小腸の毛細血管壁は**有窓（fenestrated）**，すなわち孔が空いており，限られた量のタンパク質が通過できる．また一部の毛細血管では，**飲小胞（pinocytotic vesicle）**によってタンパク質が毛細血管壁の内皮細胞を横切ることもある．

毛細血管を横切る液体交換

　浸透による液体の移動については**第1章**で説明した．簡潔には，膜（ここでは毛細血管壁）に水のみを透過させる孔があり，膜を隔てた浸透圧較差があれば，液体は浸透する．

　ここで，**反射係数（reflection coefficient）**が1

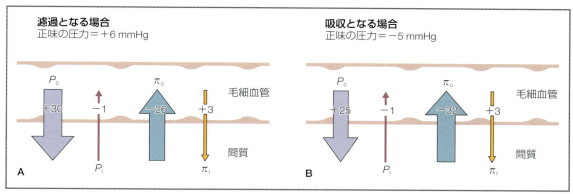

図 4.34　毛細血管壁にかかる Starling 力の例.
A：正味の圧力が濾過に働く場合．**B**：正味の圧力が吸収に働く場合．毛細血管から出る方向の矢印は濾過に働く Starling 力で，（＋）の符号がつく．毛細血管に入る方向の矢印は吸収に働く Starling 力で，（－）の符号がつく．数値はおのおのの圧力の大きさを示す．π_c：毛細血管中の血漿の膠質浸透圧，π_i：間質液の膠質浸透圧，P_c：毛細血管静水圧，P_i：間質静水圧．

の溶媒が，**有効浸透圧（effective osmotic pressure）** に最も寄与することを思い出すこと．反射係数が1だと，溶質は膜を横切ることはできないので，その物質量通りの完全な浸透圧を作り出す．毛細血管内の血液では，タンパク質のみが毛細血管壁での反射係数が1の溶質であり，有効浸透圧に寄与する唯一の溶質である．タンパク質によって作り出された有効浸透圧を，**膠質浸透圧（colloid osmotic pressure, oncotic pressure）** という．

■ Starlingの式

毛細血管壁を横切る液体の移動は，Starling 力により駆動され，次の **Starlingの式（Starling equation）** によって表される．

$$J_v = K_f [(P_c - P_i) - (\pi_c - \pi_i)]$$

ここで

J_v ＝ 液体の流量（mL/min）
K_f ＝ 濾過係数（mL/min/mmHg）
P_c ＝ 毛細血管の静水圧（mmHg）
P_i ＝ 間質の静水圧（mmHg）
π_c ＝ 毛細血管内の血漿の膠質浸透圧（mmHg）
π_i ＝ 間質液の膠質浸透圧（mmHg）

Starling の式は，毛細血管壁を横切る液体の流量（J_v）が，毛細血管壁に対する正味の圧較差，つまり血管内外の静水圧と膠質浸透圧の合計により決まることを表している．**液体移動の方向** は，血管内に向かうことも血管外に出ることもある．正味の液体の移動が，毛細血管を出て間質に向かうときを **濾過（filtration）** といい，間質から毛細血管に向かうときを **吸収（absorption）** という．移動する液体の量は，毛細血管壁の濾過係数 K_f（filtration coefficient）（水の透過性）で決まる．濾過係数はある圧較差のもと，どれだけの水が移動するかを決めている．

図 4.34 は **Starling 力（Starling force）** の図解である．Starling 力の4つの圧力を矢印で示し，向きはその圧力が毛細血管から濾過される方向に働くか，毛細血管へ吸収させる方向に働くかを表している．矢印の大きさは，その圧力の相対的な大きさを表す．圧力の数値の単位は mmHg で，（＋）は濾過側に，（－）は吸収側に働くことを示す．

正味の圧力 は4つの圧力の和であり，それが正味の駆動力である．図 4.34A の例では，4つの圧力の合計は＋6 mmHg で，毛細血管からの濾過となる．図 4.34B の例では，4つの圧力の合計は－5 mmHg なので，毛細血管への吸収となる．

Starling の式の，各パラメーターが毛細血管壁を横切る液体の移動にどのような影響を与えるかを理解すれば，パラメーターの変化による効果を

194　第4章　心血管系の生理学

予測できる．Starlingの式の各パラメーターを以下に説明する.

- **濾過係数 K_f とは**，毛細血管壁の水の透過性である．K_f の値は組織によって違い，毛細血管壁の解剖学的な特性によって決まる（例えば，内皮細胞間隙の大きさや，毛細血管壁が有窓か，など）．ある一定の圧較差のもとで毛細血管を横切って移動する液体の流量が最大になるのは，K_f が最も大きい毛細血管（腎糸球体など）であり，最小になるのは K_f が最も小さい毛細血管（脳など）である．K_f は動脈抵抗，低酸素血症,代謝産物の蓄積などには影響を受けない．しかし，毛細血管が損傷されると（毒物や熱傷など），K_f は増加して毛細血管の水の透過性が増加し，さらに毛細血管からのタンパク質の漏出も起こる.

- **毛細血管の静水圧 P_c（capillary hydrostatic pressure）は**，毛細血管からの濾過に働く力である．P_c の値は，動脈圧と静脈圧の両方によって決められ（毛細血管は両者に挟まれているので），動脈圧の値により近いが，動脈圧の変化よりも静脈圧の変化に影響を受けやすい．腎糸球体の毛細血管を除いて，P_c の値は毛細血管に沿って進むにつれて下がるが，それは液体の濾過が進むからである．したがって，P_c の値は細動脈末端側の毛細血管で最も高く，静脈側の毛細血管で最も低い.

- **間質の静水圧 P_i（interstitial hydrostatic pressure）は**，濾過に抗する力である．通常は，P_i はほとんどゼロもしくはわずかにマイナスである.

- **血漿の膠質浸透圧 π_c（capillary oncotic pressure）は**，濾過に抗する力である．前述の通り，π_c は血漿タンパク質があることに由来する毛細血管中の血漿の有効浸透圧であるが，van't Hoff（ファントホッフ）の法則（van't Hoff law）（第1章）から，その値は血漿中のタンパク質濃度によって決まる．したがって，血漿中のタンパク質濃度が上昇すれば π_c は増加するので濾過量は減少し，血漿中のタンパク質濃度が低下すれば π_c は減少するので濾過量は増加する.

- **間質液の膠質浸透圧 π_i（interstitial oncotic pressure）は**，濾過に働く力である．π_i は間質液のタンパク質濃度で決まる．通常，毛細血管からのタンパク質の漏出はほとんどないため，間質液中にタンパク質はほとんどなく，π_i は非常に低い.

例題

骨格筋の毛細血管で測定されたStarling力は次の通りである.

P_c：30 mmHg
P_i：1 mmHg
π_c：26 mmHg
π_i：3 mmHg

K_f を 0.5 mL/min/mmHg とすると，毛細血管を横切って移動する液体の量と，その方向はどうなるか.

解答

この問題の解き方は2通りある．1つは，Starlingの式に圧力と K_f の値を直接代入することである．もう1つは，図4.34に示したような図解方式で，正味の圧力と方向を決めてから正味の圧力に K_f を乗じて流量を求める方法である．図解方式は，式を憶える必要もなく，それぞれの圧力の働きを理解しなければならないので，よい方法といえる.

本問の数値は図4.34Aと同一なので，図解ではその値を使って解くこと．圧力が濾過に働く場合は，矢印は毛細血管から外に向かい，数値はプラスの符号となる．圧力が吸収に働く場合は，矢印は毛細血管の中に向かい，数値はマイナスの符号となる．2つの圧力，P_c と π_i は，濾過に働くのでプラスの符号となり，残りの2つの圧力，π_c と P_i は，吸収に働くのでマイナスの符号になる．4つの圧力を算術的に合計すると，正味の圧力は+6 mmHg となる（つまり，+30−1−26+3 mmHg）．プラスの符号となるので，正味の圧力は濾過に働く．液体の流量は K_f に正味の圧力を乗じて求める.

液体の流量＝K_f×正味の圧力
　　　　　＝0.5 mL/min/mmHg×6 mmHg

=3 mL/min

■ Starling力の変化

Starling力の変化は，毛細血管を横切って流れる液体の方向と量を変える．例えば，毛細血管からの濾過を増やすような変化をいくつか考えてみる．原則として，濾過に働く力のいずれかが増加すれば，もしくは吸収に働く力のいずれかが減少すれば，濾過が増える．つまり，動脈圧や静脈圧が増加することによって（静脈圧の増加のほうがより寄与する）P_cが増加すれば，濾過は増える．また，血漿タンパク質濃度が減少することによってπ_cが減少すると，濾過は増える．

リンパ循環

リンパ系（lymphatic system）は，組織内の間質液とタンパク質を血漿区分に戻す働きがある．毛細リンパ管（lymphatic capillary）は，毛細血管に近い間質にある．毛細リンパ管には**一方向性のフラップ弁**（flap valve）があり，間質液が管内に入ったら出ることはできない．毛細リンパ管は合流して集合リンパ管，さらに太いリンパ管となり，最終的には最大のリンパ管である**胸管**（thoracic duct）となり，静脈角で静脈に流入する．集合リンパ管から先のリンパ管の壁には平滑筋が存在し，内因性の収縮能がある．リンパ管平滑筋の収縮とリンパ管周囲の骨格筋活動によるリンパ管の圧排によって，リンパ流が胸管へ還流するよう促進される．

間質液量が増加した状態を**浮腫**（edema）（むくみ，腫脹）という．定義通り，浮腫は（毛細血管からの濾過による）間質液の量が，リンパ管によってリンパ液を血管系へ還流する能力を超えた場合に発生する．つまり，浮腫は濾過が増えたときと，リンパの排液が障害されたときに生じる（**表4.7**）．

濾過量を増やすさまざまな機序はすでに説明した（P_cの増加，π_cの減少，毛細血管壁の障害によるK_fの増加）．リンパ管による排液の障害は，リンパ節の外科的切除や放射線照射（悪性腫瘍のときなど），フィラリア症（リンパ節の寄生虫感染

表4.7　浮腫の機序と原因.

機序	原因の例
↑ P_c（毛細血管静水圧）	細動脈拡張
	静脈収縮
	静脈圧上昇
	細胞外液量増加
	心不全
↓ π_c（毛細血管中の血漿膠質浸透圧）	血漿タンパク質濃度低下
	重症肝不全（タンパク質合成の障害）
	タンパク質栄養不全症
	ネフローゼ症候群（尿中へタンパク質喪失）
↑ K_f（濾過係数）	熱傷
	炎症（ヒスタミン放出，サイトカイン）
リンパ管の排出障害	起立（骨格筋の活動によるリンパ管圧排の欠如）
	リンパ節切除やリンパ節への放射線照射
	リンパ節の寄生虫感染（フィラリア症）

症），筋活動の欠如（兵士が"気をつけ"の姿勢で立ち続けるとき）などで生じる．

特殊循環

臓器の血流量はさまざまで，臓器ごとの需要や必要性によって決まる（**図4.1参照**）．例えば，肺血流量は心拍出量と等しいが，それは，すべての血液は肺を必ず通過することで，血中にO_2を取り込み，CO_2を血中から除去できるようになっているからである．すべての心拍出量を受け取る臓器は，他にはない．腎臓，消化管，骨格筋はどれも血流量が多く，それぞれ心拍出量の約25%を受け取っており，その他の臓器の割合は小さい．臓器によって血流量が違うのは，血管抵抗がそれぞれ違うからである．

さらに，ある特定の臓器の血流量は，その代謝需要に応じて増減させることができる．例えば，運動をしている筋は安静時よりもO_2の需要が高いので，その需要にあわせるため，一時的に安静

196 第4章 心血管系の生理学

時より血流を増やす必要がある.

　各臓器への血流量の調節は，その細動脈抵抗を変えることによって行われる．臓器の血流調節のしくみは，大きく分けると，**内因性調節(intrinsic control)** である局所性調節と，**外因性調節(extrinsic control)** である神経性調節とホルモン性調節に分けられる．血流量の**局所性調節(local control)** は，組織の代謝需要にあわせるのに使われる主なしくみである．局所性調節は，局所の代謝産物による細動脈抵抗への直接的作用によってなされる．血流量の**神経性調節(neural control)** または**ホルモン性調節(hormonal control)** には，血管平滑筋への交感神経系による作用や，ヒスタミン，ブラジキニン，プロスタグランジンなどの血管作動性物質による作用が含まれる．

局所血流量の調節のしくみ

■ 血流量の局所性調節

　血流量の局所性調節(内因性)には，自己調節,活動性充血，反応性充血がある．それぞれについて，まず概略を述べ，次にしくみを詳細に解説する.

- **自己調節(autoregulation)** とは，動脈圧に変化があっても臓器への血流量を一定に保つことである．血流量の自己調節能のある臓器として，腎，脳，心臓，骨格筋がある．例えば，冠動脈圧が突然低下しても，冠血流量を一定に保とうとする．この自己調節能は，血圧低下に直面すると，冠細動脈がただちに代償性に拡張することによって冠血管の抵抗を減少させて，一定の血流量を保つというしくみとなっている.

- **活動性充血(active hyperemia)** は，臓器の血流量が代謝活動の亢進に見合って増加することをいう．前述の通り，骨格筋の代謝活動が激しい運動によって増加すると，増えた代謝需要に見合うだけ，筋への血流量が増加する.

- **反応性充血(reactive hyperemia)** は，先行する血流量減少に反応して血流量が増加することをいう．反応性充血として，動脈閉塞の後に臓器への血流量が増加するのが一例である．動脈閉塞の間には酸素負債(oxygen debt)が蓄積す

る．閉塞前と比べて，閉塞解除後には血流量が増加するが，閉塞時間が長いほど酸素負債も多くなり，血流量増加も多くなる．血流量増加は酸素負債が解消されるまで続く.

　自己調節，活動性充血，反応性充血という現象を説明するのに2つの機序，筋原説と代謝説が提唱されている.

● 筋原説

　筋原説(myogenic hypothesis) は，自己調節を説明するのに用いられ，活動性充血や反応性充血の説明には用いられない．筋原説によると，血管平滑筋は伸展されると収縮する．したがって，もし動脈圧が突然上昇すると，細動脈は伸展されて，それに反応して動脈壁の血管平滑筋は収縮する．細動脈の平滑筋が収縮して血管が収縮し(つまり，血管抵抗が増え)，血圧増加に直面しても，一定の血流量を保つ($Q = \Delta P/R$ を思い出すこと)．逆に，動脈圧が突然低下すると，細動脈の伸展が少なくなるので，弛緩して細動脈抵抗は低下する．このように，動脈圧の上昇や低下に直面しても細動脈の抵抗を変えることによって，一定の血流量を保つことができる.

　もしくは，筋原性機序を細動脈の壁張力の観点から考えることもできる．細動脈のような血管は，通常みられる**壁張力(wall tension)** に耐えられるようにつくられている．突然の血圧上昇では，それに拮抗しなければ，細動脈の壁張力も増加するが，それは細動脈にとって好ましくない．したがって，伸展に反応して，細動脈の血管平滑筋は収縮し，細動脈の半径を小さくして壁張力を正常に戻す．この関係性は，$T = P \times r$ という**Laplaceの法則**によって説明される．もし，圧力(P)が増加しても半径(r)が減少すれば，壁張力(T)は一定となりうる(もちろん，半径の減少によって，先に説明した通り，細動脈抵抗も増加する．増加する血圧に直面して，抵抗を増やすことにより血流を一定に保つ，すなわち自己調節である).

● 代謝説

　代謝説(metabolic hypothesis) は，血流量の局所性調節の各現象を説明するのに用いられる．この仮説の基本前提は，組織への酸素供給量は，細動脈の血管抵抗を調節することにより酸素消費

特殊循環　197

表 4.8　特殊循環の調節.

種類	局所性代謝による調節	血管作動性代謝産物	交感神経調節	機械的作用
冠循環	最も重要	低酸素血症 アデノシン	重要性は最も低い	収縮期の機械的圧迫
脳	最も重要	CO_2 H^+	重要性は最も低い	頭蓋内圧亢進により脳血流量減少
骨格筋	運動時は最も重要	乳酸 CO_2 K^+ アデノシン	安静時は最も重要 （α_1受容体は血管収縮，β_2受容体は血管拡張）	筋活動による血管の圧迫
皮膚	重要性は最も低い	—	温度調節には最も重要 （α_1受容体は血管収縮）	—
肺	最も重要	低酸素血症が血管収縮	重要性は最も低い	呼吸運動による胸腔内圧変化と大静脈還流・肺循環の変化
腎	最も重要（筋原性，尿細管糸球体フィードバック）	—	重要性は最も低い	—

量にあわせることができ，その結果，血流量も変わるということである．代謝活動の結果，組織はさまざまな**血管拡張性代謝産物（vasodilator metabolite）**を産生する（CO_2，H^+，K^+，**乳酸（lactate），アデノシン（adenosine）**など）．代謝活動が活発なほど，血管拡張性代謝産物の産生も多い．これら産物が細動脈の血管拡張を引き起こし，血管抵抗を減少させて，酸素需要の増加に見合うように血流を増加させる．臓器によって，血管拡張にかかわる主な血管拡張性代謝産物は異なる．例えば，冠循環は，Po_2 とアデノシンに最も感受性があるが，脳循環では Pco_2 である（**表4.8**）．

　代謝説による**活動性充血**の説明を次の２例で示す：(1)まず，激しい運動を考えてみる．激しい運動の最中は，骨格筋の代謝活動が増えて，乳酸などの血管拡張性代謝産物の産生が増える．これらの代謝産物によって局所の骨格筋の細動脈が拡張し，運動している筋の増加した代謝需要に見合う局所血流と酸素供給の増加をもたらす．(2)次に，臓器への血圧が自発的に上がった状況を考えてみる．まず，上昇した血圧によって血流量は増加し，より多くの酸素を代謝活動に供給して，血管拡張性代謝産物を洗い流す．その結果，局所の血管拡張性代謝産物の濃度が減少して，細動脈の血管収縮を引き起こし，血管抵抗を増加させる．このよ

うにして血流量を代償性に減少させて，元のレベルに戻す．

■ 血流量の神経性調節とホルモン性調節

　局所血流量の**神経性調節**（外因性）で最も大切な例は，一部の組織にみられる血管平滑筋への**交感神経支配（sympathetic innervation）**である．交感神経支配の密度は組織によって大きく異なる．例えば，**皮膚や骨格筋**の血管には交感神経線維が高密度にあるが，冠血管，肺血管，脳血管にはほとんどない．交感神経支配の有無も大切だが，交感神経支配がある場合には，交感神経支配が血管収縮を起こすのか血管拡張を起こすのかも大切である（**表2.3**参照）．皮膚では，交感神経支配は α_1 受容体を介して血管収縮を引き起こす．骨格筋では，交感神経が活性化されると，血管収縮（交感神経線維，α_1 受容体）も血管拡張（副腎髄質からのアドレナリン（adrenaline），β_2 受容体（β_2 receptor））も起こりうる．

　他の血管作動性物質には，ヒスタミン，ブラジキニン，セロトニン，プロスタグランジンがある．**ヒスタミン**は外傷（trauma）に反応して放出され，強力な血管作用がある．細動脈の拡張と同時に細静脈の収縮を引き起こすので，その正味の作用は

大きな P_c の増加となり，毛細血管からの濾過を増加させて局所の浮腫を起こす．**ブラジキニン**も，ヒスタミンと同様に細動脈の拡張と細静脈の収縮を引き起こし，毛細血管からの濾過を増加させて局所の浮腫を起こす．**セロトニン**は血管の損傷に反応して放出され，（血流量と失血を減らそうと）局所の血管収縮を引き起こす．セロトニンは，片頭痛で起こる血管攣縮にかかわると考えられている．**プロスタグランジン**の血管平滑筋への作用はさまざまである．プロスタサイクリン（prostacyclin）とプロスタグランジン E 類は，多くの血管床で血管拡張作用がある．トロンボキサン A_2（thromboxane A_2）とプロスタグランジン F 類は，血管収縮作用がある．**アンジオテンシンⅡ**（AT_1 受容体を介して）と**バソプレシン**（vasopressin）（V_1 受容体を介して）は，強力な血管収縮性物質であり，全末梢抵抗（TPR）を増加させる．**心房性ナトリウム利尿ペプチド（ANP）**は，心房圧の上昇に反応して心房から分泌される血管拡張性ホルモンである．

冠循環

冠循環（coronary circulation）の血流量は，ほとんど局所代謝産物によって調節されており，交感神経支配には小さな役割しかない．最も大切な局所代謝要因は**低酸素**と**アデノシン**である．例えば，心筋収縮性が増加すると，心筋による酸素消費量が増加して，酸素需要が増加し，局所的な低酸素症となる．この低酸素症が冠細動脈の血管拡張を引き起こし，心筋の需要に見合うよう，代償性に冠血流量と酸素供給を増加させる（つまり活動性充血である）．

冠循環の独特な特徴として，心周期の収縮期において血管が**機械的に圧排**されることによる影響がある．この圧排により，短い間の血管閉塞と血流量低下が起こる．血管閉塞期間（つまり収縮期）が終わると，反応性充血が起こり，血流量と酸素供給は増加し，圧排の間に課せられた酸素負債を解消する．

脳循環

脳循環（cerebral circulation）は，ほぼすべてが**局所代謝産物**によって調節され，自己調節能，活動性充血，反応性充血を示す．脳循環では，最も重要な局所性の血管拡張性物質は CO_2（もしくは H^+）である．局所の P_{CO_2} が増加すると（H^+ 濃度は増加して pH は低下し），脳細動脈の拡張が引き起こされ，過剰な CO_2 を除去できるように脳血流量は増加する．

興味深いことに，血流中の血管拡張性物質の多くは，大きな分子なので血液脳関門を越えることができず，**脳循環には影響を与えない**．

肺循環

肺循環（pulmonary circulation）の調節は，**第 5 章**で十分に説明する．簡潔にいえば，肺循環は**酸素**により調節される．肺細動脈抵抗に対する酸素の効果は，他の血管床での効果とはまったく逆である．肺循環では，**低酸素は血管収縮を引き起こす**．この低酸素の効果についても**第 5 章**で説明する．肺の低酸素部位では局所性の血管収縮が起こり，換気の悪い部位には血液が流れないように短絡（シャント）することで血流が無駄になることを防ぎ，ガス交換のできる換気の良好な部位に血流を向けるという効果がある．

腎循環

腎循環（renal circulation）の調節は，**第 6 章**で詳細に説明する．簡潔にいえば，腎血流は厳密に**自己調節**されており，腎灌流圧が変化しても一定の血流量が維持される．腎の自己調節能は交感神経支配からは独立しており，腎が除神経されていても（移植腎など）保たれる．自己調節能は，腎細動脈の筋原性機序と尿細管糸球体フィードバックの組み合わせの結果だと考えられている（**第 6 章**）．

骨格筋循環（skeletal muscle circulation）

骨格筋の血流は，**局所代謝産物**と**血管平滑筋への交感神経支配**の両方によって調節される．骨格筋の量は他臓器と比べて非常に大きいため，骨格筋細動脈の血管収縮の程度が，TPR の主な決定因子である．

- 安静時には，骨格筋の血流は主に**交感神経支配**により調節される．骨格筋の細動脈の血管平滑筋は，交感神経線維による密な神経支配を受け，血管収縮性（α_1受容体）である．その他，骨格筋の細動脈の血管平滑筋にはアドレナリンによって活性化されるβ_2受容体もあり，血管拡張を起こし，血管抵抗を下げて血流量を増やす．通常は，アドレナリン作動性交感神経から放出されたノルアドレナリンが主にα_1受容体を刺激するので，血管収縮が優位となる．一方，「闘争か逃走か」反応のときや運動中に副腎髄質から放出されるアドレナリンは，β_2受容体を刺激して血管拡張を起こす．
- 運動中には，骨格筋の血流は主に**局所代謝産物**によって調節され，自己調節能，活動性充血，反応性充血とすべての局所性調節の現象がみられる．運動中の骨格筋の酸素需要は活動強度によって異なり，それに応じて，需要にあう十分な酸素を供給できるように血流量も増減する．骨格筋の局所性の血管拡張性代謝産物は**乳酸**，**アデノシン**，**K^+**である．

　運動中には骨格筋内の血管が機械的に圧迫され，短期間の血管閉塞をきたす．閉塞期間が終わると，反応性充血が起こり，血流が増加して酸素供給が増え，酸素負債を解消する．

皮膚循環（skin circulation）

　皮膚の細動脈は交感神経線維による密な神経支配を受け，血流が調節されている．交感神経支配の主な機能は，皮膚血流を変化させて**体温調節**（regulation of body temperature）を行うことである．例えば，運動中に体温が上昇するにつれて，皮膚の血流を調節する交感神経中枢は抑制される．この選択的抑制によって皮膚細動脈の拡張が起こり，身体中核からの温かい血液が皮膚表面へと流れるようになり，熱が放散されるようになる．局所性の血管拡張性代謝産物は，皮膚血流にはほとんど効果がない．

　ヒスタミンのような血管作動性物質の効果は先に説明した．皮膚では，ヒスタミンの血管への効果を目で見ることができる．皮膚への**外傷**によって**ヒスタミン**が放出され，皮膚の**三重反応**（triple response）として，発赤，紅潮，膨疹が起こる．膨疹（wheal）は局所性浮腫で，ヒスタミンの作用による細動脈の拡張と静脈の収縮によって起こり，この両方の効果によって，毛細血管圧P_cが上昇して毛細血管の濾過が増加し，局所性浮腫が生じる．

体温調節

　ヒトは37℃を**セットポイント**（set point）（設定値）として正常の体温（body temperature）を維持している．環境温度の変化は大きいため，身体には，視床下部を中枢とする，熱産生と熱放散で体温を一定に保つしくみがある．環境温度が低下すると，身体は熱産生をして熱を保つようにする．環境温度が上昇すると，身体は熱産生を減らして熱放散する．

熱を産生するしくみ

　環境温度が体温よりも低いと，**熱産生を増やし，熱放散を減らす**しくみが活性化される．このしくみには，甲状腺ホルモン産生の刺激，交感神経系の活性化，ふるえがある．皮膚の冷気への露出を減らす行動性要素（腕を組む，身を丸める，服を着る）も一助となる．

■ 甲状腺ホルモン

　甲状腺ホルモンには**熱産生**（thermogenic）の作用がある．主な作用は，Na^+-K^+ ATPaseの刺激，酸素消費量の増加，代謝率の増加，熱産生の増加である．それゆえ，寒冷に曝されると甲状腺ホルモンが活性化されるのは理にかなっている．活性化のしくみは完全にはわかっていないが，標的組織におけるサイロキシン（thyroxine：T_4）から活性型のトリヨードサイロニン（triiodothyronine：T_3）への変換の促進などがある．

　甲状腺ホルモンは熱産生性なので，その過剰や不足は体温調節の障害を招く．**甲状腺機能亢進症**（hyperthyroidism）（Basedow（バセドウ）病（Basedow's disease）や甲状腺腫瘍など）では，代謝率，酸素消費量，熱産生は増加する．甲状腺

機能低下症（hypothyroidism）（慢性甲状腺炎，甲状腺切除術後，ヨード欠乏症など）では，代謝率，酸素消費量，熱産生は減少し，寒冷に対してとても過敏になる（このトピックの詳細な説明は**第9章**を参照）．

■ 交感神経系

　寒冷な環境温度は交感神経系を活性化する．その結果の1つとして，**褐色脂肪組織（brown fat）**のβ3受容体が刺激されて，代謝率と熱産生を増加させる．交感神経系によるこの作用は，甲状腺ホルモンの作用と協同的である．甲状腺ホルモンが最大の熱産生能を発揮するには，交感神経系も寒冷によって刺激されている必要がある．

　交感神経系活性化の結果の2つ目は，皮膚の血管平滑筋のα1受容体の刺激による血管収縮である．血管収縮は皮膚表面の血流量を減少させ，その結果，**熱放散は減る**．

■ ふるえ

　ふるえ（shivering）は，骨格筋の律動的な収縮であり，身体で熱産生を増やす最も強力なしくみである．寒冷な環境温度は，**視床下部（hypothalamus）**の中枢を活性化し，それにより骨格筋を支配する**α運動ニューロン（α motoneuron）**と**γ運動ニューロン（γ motoneuron）**を活性化する．骨格筋が律動的に収縮して熱を産生し，体温を上げる．

熱放散のしくみ

　環境温度が上がると，放射と伝導による身体からの**熱放散（heat loss）**を促進させるしくみが活性化される．熱は正常な代謝の副産物なので，体温を単にセットポイントに保つためにも，身体から熱放散をしなければならない．環境温度が上がれば，普段以上の熱放散をしなければならない．

　熱放散のしくみは視床下部前部（anterior hypothalamus）で調節される．体温上昇は，皮膚血管の交感神経活動を減少させる．交感神経緊張の低下は，皮膚細動脈の血流増加と皮膚表面近くの**静脈叢への動静脈シャント**（短絡）を促進する．すると，身体中核からの温かい血液が体表部へと

短絡されて，熱は放射と伝導により失われる．皮膚の赤みと温かさは体表へ血流が短絡された証拠である．また，体温調節性の**汗腺（sweat gland）**を支配する，交感神経コリン作動性線維の活動増加により，発汗も増加する．熱放散を促す行動的要因として，皮膚の大気への露出増加（服を脱ぐ，扇ぐなど）がある．

体温調節

　体温調節中枢は**視床下部前部（anterior hypothalamus）**にある．中枢は，皮膚の温度受容器から環境温度の情報と，視床下部前部そのものにある核心温（深部体温）（core temperature）の温度受容器の情報を受ける．視床下部前部は，熱産生や熱放散のしくみなどから適切なものを組み合わせて対応する．

　もし，**核心温がセットポイント温度より低ければ**，熱産生や熱保持のしくみが働くようになる．前述の通り，代謝の増加（甲状腺ホルモンと交感神経系），ふるえ，皮膚血管の収縮（交感神経緊張の亢進）などが起こる．

　もし，**核心温がセットポイント温度より高ければ**，熱放散のしくみが働くようになる．皮膚血管の拡張（交感神経緊張の低下）や，汗腺を支配する交感神経コリン作動性線維の活動亢進などが起こる．

発熱

　発熱（fever）とは，体温の異常な上昇である．**発熱物質（pyrogen）**が視床下部のセットポイント温度を上昇させることにより発熱が生じる．セットポイントの変化の結果，視床下部の中枢からみると，正常核心温は新しいセットポイントと比較して低すぎるようにみえる．そこで視床下部前部は，熱産生のしくみ（ふるえなど）を動員して，体温を新しいセットポイントまで上げようとする．

　細胞レベルでは，発熱物質の作用機序は，貪食細胞（マクロファージなど）による**インターロイキン1（interleukin-1：IL-1）**の産生亢進である．IL-1は視床下部前部に働き，局所のプロスタグランジンの産生を増加させ，体温のセットポイ

トを上げる.

発熱はアスピリン（aspirin）によって解熱できる. アスピリンは, プロスタグランジン合成に必要な酵素であるシクロオキシゲナーゼ（cyclooxygenase）を阻害する. アスピリン（およびその他のシクロオキシゲナーゼ阻害薬）は, プロスタグランジンの合成を阻害することで, 発熱物質がセットポイント温度を上昇させるのに使う経路を遮断する. 発熱をアスピリンで治療すると, 視床下部前部の体温センサーが, 今度はセットポイント温度と比較して体温は“高すぎる”とみるため, 血管拡張や発汗などによる熱放散のしくみを動員する.

温度調節の障害

熱疲労（heat exhaustion）は, 上昇した環境温度への身体の反応の結果として生じる. 通常, 温度上昇への反応は, 熱放散をするための血管拡張と発汗である. しかし, 発汗が過多になると細胞外液が減少し, 循環血液量も減少して動脈圧も低下し, 失神（fainting）に至る.

熱射病（熱中症）（heat stroke）とは, 体温の著しい上昇により組織障害をきたす程度にまで至ることをいう. 環境温度の上昇に対する正常の反応が障害されると（例えば, もし発汗がなければ）, 適切な熱放散ができないため, 核心温は危険な高さまで上がる.

悪性高熱症（malignant hyperthermia）は, 骨格筋における代謝率, 酸素消費量, 熱産生が顕著に増加する状態であり, 熱放散のしくみが熱産生に追いつかないため, 未治療だと体温は危険なまでに高温となり, 時に致死的である. 悪性高熱症は, ある種の吸入麻酔薬に感受性のある人に, その麻酔薬が投与された場合に起こりうる.

心血管系の統合機能

心血管系は, つねに統合的な運用がなされている. したがって, 心機能のある変化（心収縮性の変化など）のみに注目し, その変化がもたらす効果, すなわち, 動脈圧, 血行力学, 交感神経系と副交感神経系の反射, レニン-アンジオテンシン-アルドステロン系, 毛細血管からの濾過とリンパ流, それぞれの臓器系への血流分布, などに対する効果を無視して議論することはできない.

心血管系の統合機能を理解するには, 運動, 出血, 姿勢変化に対する反応を説明するのが最もよいであろう.

運動時の反応

運動時の心血管系の反応には, 中枢神経系（central nervous system：CNS）によるものと, 局所性のものがある. 中枢神経系の反応には, 大脳運動皮質から出力されるセントラルコマンド（central command）という指令があり, それが自律神経系を調節している. 局所性調節には運動中の骨格筋に対する, 代謝産物の血管拡張効果による血流と酸素供給の増加などがある. 動脈血PO_2, PCO_2, pH は中等度の運動ではあまり変化しないため, 運動時の局所性調節への寄与はほとんどない.

■ セントラルコマンド

セントラルコマンドとは, 大脳運動皮質によって指令される一連の反応であり, 運動への予測によって開始される. 運動が予測, または開始されたときに, 筋の機械受容器と場合によっては筋の化学受容器からの求心性信号により, 反射が誘発される. この反射の求心枝（つまり筋から CNS への情報伝達）の詳細については不明だが, 遠心枝による反射が心臓と血管への交感神経出力を増やし, 心臓への副交感神経出力を減らすことは明らかとなっている.

セントラルコマンドの結果の1つに心拍出量の増加がある. この増加は, 心臓へ同時に働く2つの作用の結果である：(1)交感神経活動の亢進（β_1受容体）と副交感神経活動の減弱による心拍数の増加. (2)交感神経活動の亢進（β_1受容体）による心収縮性の増加と, その結果としての1回拍出量の増加.

心拍数の増加と1回拍出量の増加の両者によって, 心拍出量は増加する. 心拍出量の増加は, 運動への心血管系の反応として必須である. それに

よって，より多くの酸素と栄養を運動中の筋へ確実に届けることができる（もし，心拍出量が増えないなら，骨格筋への血流を増やす唯一の方法は，他臓器への血流から再配分するしかないであろう）．

ここで，心拍出量の増加は同時に静脈還流が増加しないと起こりえない（Frank-Starling 関係）ことを思い出すこと．運動中，同時に**静脈還流が増加**するのは静脈側の次の２つの作用による．(1)静脈を囲む骨格筋の収縮による静脈の機械的な圧排．(2)交感神経系の活性化による静脈収縮．これら両者の静脈への作用により，unstressed volume を減少させ心臓への還流を促進する．繰り返すが，これら静脈還流の増加によって，心拍出量の増加が可能となる．

セントラルコマンドによる，交感神経系出力の増加に伴うもう１つの結果は，**選択的な細動脈収縮**である．

(1)皮膚，内臓，腎，安静時の筋の循環ではα_1受容体を介した血管収縮が起こり，血管抵抗が増加してこれら臓器への血流が減少する．(2)運動中の筋では，局所代謝産物の血管拡張作用が交感神経による血管収縮作用よりも強いため，細動脈の拡張が起こる．(3)血管収縮が起こらない部位は，冠循環（増加した心筋酸素需要に見合う血流増加が起こる）と脳循環である．(4)皮膚循環では二相性の反応が起こる．最初は（交感神経出力の増加による）血管収縮が起こるが，その後体温が上昇すると，交感神経性の皮膚血管収縮が選択的に抑制され（「体温調節」の項を参照），血管拡張と皮膚からの熱放散が起こる．

要約すると，運動中の骨格筋と心臓に血流を再配分できるように，一部の血管床では血管収縮が起こり，脳のような必須臓器の血流は一定に保たれる．

■ 筋における局所性反応

運動中の骨格筋の血流の**局所性調節**は，**活動性充血**によって行われる．骨格筋の代謝率が上がるにつれて，乳酸，K^+，アデノシンなどの**血管拡張性代謝産物**の産生も増加する．これら代謝産物が運動中の筋の細動脈に直接作用して，局所の血

表 4.9 運動時の心血管系の反応.

要素	運動時の反応
心拍数	↑↑
１回拍出量	↑
脈圧	↑（１回拍出量の増加による）
心拍出量	↑↑
静脈還流量	↑
平均動脈圧	↑（わずかに）
全末梢抵抗（TPR）	↓↓（骨格筋の血管拡張による）
動静脈酸素分圧較差	↑↑（組織の酸素消費量増加による）

管拡張を引き起こす．細動脈の血管拡張は，筋の代謝需要増加に見合う血流増加をもたらす．この運動中の筋の血管拡張は，全身の **TPR** も減少させる（もし，運動中の筋に局所代謝産物による血管拡張作用がなければ，TPR は増加するであろう．なぜなら，セントラルコマンドは，血管への交感神経出力を増加させて血管収縮を引き起こすからである）．

■ 運動時の反応の全容

運動時の心血管系の反応の２つの要素，セントラルコマンドと局所代謝の作用をあわせて考える（**表 4.9，図 4.35**）．セントラルコマンドは交感神経出力を増加させ，副交感神経出力を減少させる．これにより，**心拍出量の増加**と**一部の血管床の血管収縮**（運動中の骨格筋，心臓，脳を除く）が起こる．心拍出量の増加には２つの要因，心拍数の増加と心収縮性の増加がある．心収縮性の増加は，１回拍出量の増加をもたらし，それは脈圧の増加として表される（増加した拍出量が低コンプライアンスの動脈に注入されるので）．心拍出量の増加は，静脈還流量の増加によって可能となる（Frank-Starling 関係）．静脈還流量の増加は，交感神経による静脈の収縮（unstressed volume の減少）と運動中の骨格筋による静脈への圧迫作用による．

通常よりも増加した心拍出量によって，運動の局所代謝産物の効果で血管が拡張した骨格筋に，

心血管系の統合機能 203

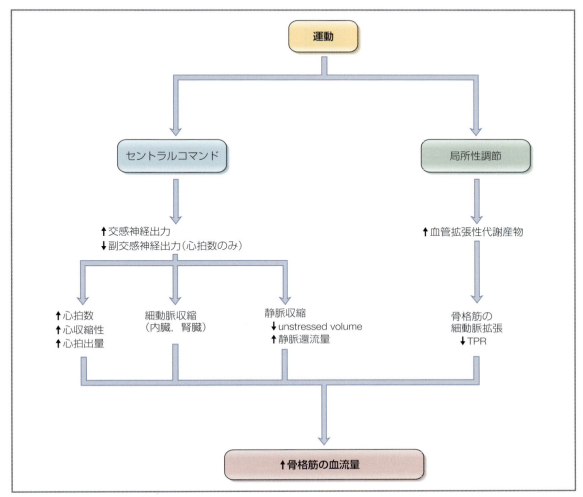

図4.35 運動時の心血管系の反応.
TPR：全末梢抵抗.

増加した血流が灌流する．全体として，TPRは，一部の臓器の血管床は収縮するにもかかわらず，骨格筋の血管拡張のために減少する．1回拍出量が増加するので収縮期血圧と脈圧は上昇する．しかし，拡張期血圧は不変，もしくはTPRの減少により二次的に低下することもある．

出血時の反応

多量の血液が失われると動脈圧が急速に低下し，それに続いて，動脈圧を回復して生命を維持しようとする一連の代償性反応が心血管系に起こる（図4.36，Box 4.3）．

■ 動脈圧の低下—初期のイベント

出血（hemorrhage）時の初期のイベントは，失血と血液量の減少である．図4.29Bに示すように，どのようにして血液量の減少から**動脈圧の低下**へとつながるかを思い出すこと．血液量が減少すると，平均循環充満圧が低下し，血管機能曲線が左にシフトする．新たな定常状態では，心機能曲線と血管機能曲線が，心拍出量も右房圧も減少する新たな平衡点で交わる．

これらのイベントは図をみなくても理解できる．出血が起こると，全血液量が減少する．血液量の減少は心臓への静脈還流を減少させるので，

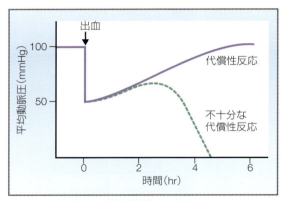

図 4.36 　出血時の平均動脈圧の変化.
失血に対する代償性反応により，平均動脈圧は数時間以内に正常化する．しかし，代償性反応が不十分だと不可逆性ショックとなり死に至る．

右房圧は低下する．静脈還流の減少は心拍出量の減少につながる（Frank-Starling 機序）．心拍出量の減少によって，心拍出量と TPR の積である平均動脈圧（P_a）も低下する（P_a ＝ 心拍出量 × TPR）．したがって，心拍出量と平均動脈圧はほとんど瞬時に低下するが，その時点ではまだ TPR に変化はない（TPR は遅れて代償性反応として変化する）．

出血後，数時間以内に動脈圧は正常（出血前）の値へと徐々に戻ってくる．この動脈圧の上昇は，心血管系の**代償性反応**の結果である（図 4.36，4.37，表 4.10）．

代償性反応が不十分であった患者では，平均動脈圧は一過性上昇に続いて不可逆性に低下し，そ

Box 4.3 　血液量減少性ショック

▶ 症例

2 人の 10 代の少年，アダムとベンが自動車事故に巻き込まれ，大量出血を起こし，最寄りの外傷センターに搬入された．アダムの平均動脈圧は 55 mmHg，脈圧は 20 mmHg，心拍数は 120 拍/min である．不安がっているが意識は清明，尿量は少なめで，皮膚に冷感があり蒼白である．ベンの平均動脈圧は 40 mmHg，脈圧は測定できず，心拍数は 160 拍/min である．昏睡状態で尿量もなく，皮膚は冷たくチアノーゼを呈している．

アダムは止血処置を施され，乳酸リンゲル液の輸液と輸血を受けた．陽性変力作用のある薬品も準備されたが，全身状態は回復傾向であり，使用されなかった．搬入 5 時間後にはアダムの平均動脈圧は正常に戻り，それとともに，心拍数も正常範囲内である 75 拍/min まで低下した．皮膚も次第に温かくなり，正常なピンク色に戻った．

ベンもアダムと同様の治療を受けたが，医療チームの努力の甲斐なく死亡した．

▶ 解説

2 人の少年の経過は，重症出血に対する 2 通りの異なった反応を例示している．アダムは失血のため平均動脈圧が低下した（血液量減少→平均循環充満圧低下→静脈還流量減少→心拍出量減少→平均動脈圧低下）．平均動脈圧低下により圧受容器反射が引き起こされ，心臓と血管への交感神経出力が増加した．その反射の結果，彼の心拍数は増加し，それで心拍出量を増やそうとしている．いくつかの臓器の血管床で血管収縮があり（心臓と脳を除く），TPR は増加した．皮膚の血管収縮により，皮膚は冷たく蒼白となった．緩衝食塩水溶液と輸血などの支持的治療によって，彼は完全に回復するに至った．陽性変力作用のある薬品を心拍出量増加のために使う可能性もあったが，彼自身の反射などの代償性反応によって心収縮性は十分に増加したので，投薬は不要であった．

2 人目の患者であるベンでは，代償性機構がうまく働かなかった．アダムと比べてベンの平均動脈圧は低く，1 回拍出量はずっと低かった（脈圧が検出できなかった）ので，血管収縮はより顕著となった（皮膚は冷たかった）．腎臓が尿を生成していなかったことは，さらに悪化していく病状の証となっている可能性がある．圧受容器反射が強く活性化されていることは，心拍数が高く末梢の血管収縮が非常に強いことから明らかである．血管収縮は，脳，心臓，腎臓などの生命維持に不可欠な臓器の血流を維持するために，皮膚などの生命維持には必須ではない臓器の血流を減らすものである．不幸なことに，ベンの場合は血管収縮が生命維持に必須な臓器にまで及び，虚血性の損傷が生じたため，致死的となった．なかでも心筋虚血と腎虚血が，とりわけ壊滅的であった．酸素なしには心筋はポンプ機能を十分に果たすことはできず，血流なしには腎臓は尿を生成できなかった．

▶ 治療

治療の甲斐なく，ベンは死亡した．アダムには止血処置と乳酸リンゲル液の輸液と輸血が行われ，治療によく反応した．

心血管系の統合機能 205

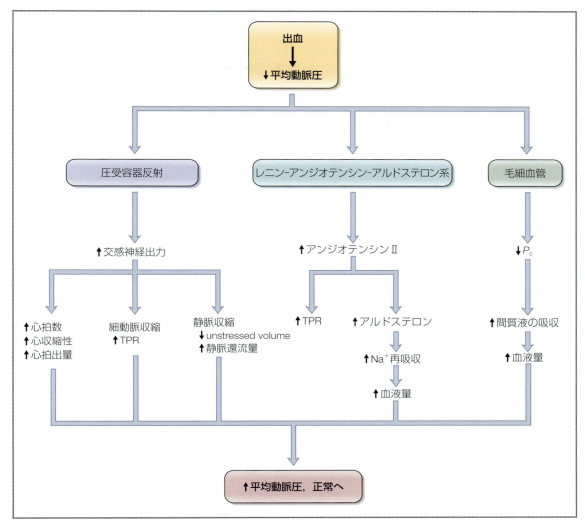

図4.37　出血時の心血管系の反応.
P_c：毛細血管静水圧，TPR：全末梢抵抗.

の結果死に至る（つまり，不可逆性ショック）．この不可逆性の過程には，必須血管床での重度の血管収縮や心不全など多くの要因がある．

■ 圧受容器反射による反応

　平均動脈圧の低下に対する代償性反応のなかには，**圧受容器反射**（baroreceptor reflex）がある．頸動脈洞の圧受容器は平均動脈圧の低下を感知して，**頸動脈洞神経**を介して延髄に情報を伝える．延髄は平均動脈圧を正常へと戻そうとして，心臓と血管への交感神経出力を増加させ，心臓への副交感神経出力を減少させる，という調節を行う．

これらの自律神経反射による4つの結果は以下の通りである：(1)**心拍数の増加**．(2)**心収縮性の増加**．(3)**TPRの増加**（多くの血管床での細動脈収縮によるが，冠血管床と脳血管床は保たれる）．(4)**静脈の収縮**の結果，unstressed volumeは減少して静脈還流が増加し，stressed volumeを増やす．

　これら4つの心血管系の反応は，いずれも平均動脈圧を上昇させる方向に働くことに留意すること．静脈の収縮（静脈のコンプライアンスとキャパシタンスが減少する）は，より多くの血液が心臓に還流して心拍出量を増やし，血液を循環系の

206 第4章 心血管系の生理学

表4.10 出血時の心血管系の反応.

要素	出血時の代償性反応*
頸動脈洞神経の発火頻度	↓
心拍数	↑
心収縮性	↑
心拍出量	↑
unstressed volume	↓（静脈還流量を増加）
全末梢抵抗（TPR）	↑
レニン	↑
アンジオテンシンⅡ	↑
アルドステロン	↑
血中アドレナリン	↑（副腎髄質から分泌）
抗利尿ホルモン（ADH）	↑（血液量減少により刺激される）

＊：代償性反応は，出血前ではなく出血直後の値との比較である．例えば，代償性の心拍出量増加とは，心拍出量が健常人よりも高いという意味ではなく，出血直後よりも増加するという意味である．

なかで静脈側から動脈側へと移す働きがある．心拍数の増加と心収縮能の増加によって心拍出量も増加するが，それも静脈還流の増加があってこそ可能となる．最後に，細動脈の収縮と TPR の増加も，血液をより動脈側に保持する（stressed volume の増加と平均動脈圧 P_a の上昇）結果となる．

■ レニン-アンジオテンシン-アルドステロン系の反応

平均動脈圧の低下に対する別の代償性反応に，**レニン-アンジオテンシン-アルドステロン系**がある．平均動脈圧が低下すると，腎灌流圧が低下し，それが腎傍糸球体細胞（renal juxtaglomerular cell）からの**レニン**の分泌を刺激する．レニンはアンジオテンシンⅠの産生を増やし，それがアンジオテンシンⅡに変換される．**アンジオテンシンⅡ**には主に2つの作用がある：(1)細動脈の血管収縮を引き起こし，交感神経出力による TPR の増加をさらに強める．(2)**アルドステロン**の分泌を刺激し，アルドステロンが腎臓に循環して Na^+ の再吸収を増やす．アルドステロンは全体内 Na^+ 量を増やすことにより細胞外液量を増やし，それによって血

液量を増やして，静脈から動脈への移動により増加した stressed volume を，さらに増加させる．

■ 毛細血管での反応

出血への代償性反応には，毛細血管壁にかかる Starling 力の変化も含まれる．今まで説明してきた代償性反応は，以下の説明の通り，液体が毛細血管に**吸収**されやすくなる方向に働く．血管への交感神経出力の増加とアンジオテンシンⅡの増加は，どちらも細動脈の収縮を引き起こす．その結果，**毛細血管静水圧（P_c）は低下**し，それにより毛細血管からの濾過は起こりづらくなり，吸収が起こりやすくなる．

■ 抗利尿ホルモンの反応

抗利尿ホルモン（ADH）は，心房の容量受容器（volume receptor）が血液量の低下を感知したことに反応して，分泌される．ADH には2つの作用がある：(1)腎臓の集合管による水の再吸収を増やし（V_2 受容体），血液量の回復を促進する．(2)細動脈の血管収縮を起こし（V_1 受容体），交感神経活動とアンジオテンシンⅡによる効果をさらに増強する．

■ 出血時のその他の反応

患者が出血後に低酸素血症（動脈 P_{O_2} の低下）となれば，**頸動脈小体（carotid body）**と**大動脈小体（aortic body）の化学受容器（chemoreceptor）**が P_{O_2} の低下を感知して，血管に対する交感神経出力を増強する．その結果，血管収縮が起こり，TPR が増加し，そして平均動脈圧が上昇する．このしくみは，圧受容器反射（これは P_{O_2} の低下ではなく平均動脈圧 P_a の低下を感知する）を増強する．

もし，出血後に**脳虚血（cerebral ischemia）**が起こると，局所の P_{CO_2} の上昇と pH 低下が起こる．すると，延髄の血管運動中枢の化学受容器が活性化されるので血管への交感神経出力が増強され，末梢血管の血管収縮，TPR の増加，そして平均動脈圧 P_a の上昇となる．

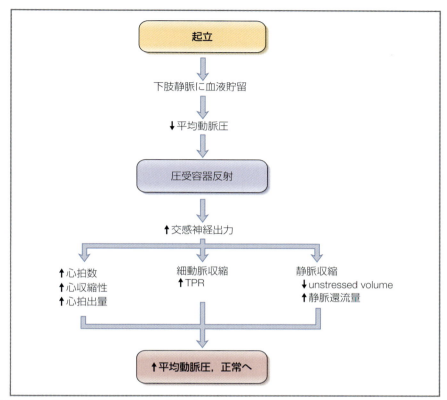

図 4.38　臥位から立位への姿勢変換時の心血管系の反応.
TPR：全末梢抵抗.

姿勢変化に対する反応

　姿勢(もしくは重力)の変化に対する心血管系の反応を，臥位から立位への姿勢変化を例にとって説明する．立ち上がるのがすばやすぎると，短い間，**起立性低血圧**(orthostatic hypotension)(つまり，起立による動脈圧の低下)となって立ちくらみがして，失神することもありうる．正常では，圧受容器反射を介した循環系のすばやい代償性反応が起こり，この起立開始時の短時間の平均動脈圧低下を補正する(図 4.38，表 4.11)．

■ 四肢への血液の貯留
　―初期のイベント

　臥位から立位に姿勢を変えると，血液は**下肢の静脈に貯留**する．静脈のキャパシタンスは大きいので，大量の血液を蓄積できる．静脈に血管が蓄積されると，心臓への静脈還流が減り，心拍出量

表 4.11　起立時の心血管系の反応.

要素	起立直後の反応	代償性反応
平均動脈圧	↓	↑(正常に向かう)
心拍数	—	↑
1回拍出量	↓(静脈還流量減少のため)	↑(正常に向かう)
心拍出量	↓(1回拍出量減少のため)	↑(正常に向かう)
全末梢抵抗(TPR)	—	↑
中心静脈圧	↓(下肢静脈への貯留のため)	↑(正常に向かう)

も減少するので(Frank-Starling 機序)，**平均動脈圧は低下**する．

　下肢の静脈貯留は下肢の毛細血管静水圧を上昇させるので，毛細血管から間質へと液体の**濾過**が

208　第4章　心血管系の生理学

Box 4.4　起立性低血圧

▶ 症例

32歳の女性は"腹風邪"から回復しつつあった. ここ36時間は何も飲食できなかったが, 一晩よく寝たら少し体調がよくなったので, 仕事に戻ることにした. しかし, 目覚まし時計のアラームが鳴っても寝過ごしてしまい, 目が覚めてベッドから飛び起きたところ, 立ちくらみがして, このまま気を失うのではと不安になった. また, 心臓の鼓動も速まっているのがわかった. 念のためベッドに横たわり, そしてもう1日仕事を休んで回復を待つことにした.

▶ 解説

この女性は, 動脈圧が起立時に低下する起立性低血圧の典型的な徴候を呈している. 仰臥位から立位に姿勢を変えると, 血液は両下肢の静脈に貯留する. この貯留が静脈還流量を減少させ, そして, Frank-Starling機序に示される通り, 心拍出量が減少する. 心拍出量の減少は平均動脈圧(P_a)の低下を起こす. この女性では, 消化管からの液体喪失による二次性の細胞外液減少(外液量欠乏)があったことから, 静脈還流量, 心拍出量, 平均動脈圧の減少はさらに増悪した. 女性が立ちくらみを感じたのは, 平均動脈圧の低下によって脳血流量が減少したからである.

心臓の鼓動の速まりを感じたのは, 圧受容器反射の一環である. 頸動脈洞と大動脈弓に位置する圧受容器が平均動脈圧の低下を検出する. 圧受容器反射は一連の代償性反応を調節し, それには心臓と血管への交感神経出力の増加が含まれる. 交感神経出力増加による4つの結果は, 心拍数の上昇(洞房結節のβ_1アドレナリン受容体を介した作用), 心収縮性の増加(心室筋細胞のβ_1アドレナリン受容体を介した作用), 細動脈収縮によるTPRの増加(細動脈のα_1アドレナリン受容体を介した作用), 静脈収縮による静脈還流量の増加(静脈のα_1アドレナリン受容体を介した作用)である.

▶ 治療

この女性には, 細胞外液量を回復するために外液補充が必要である. 細胞外液量が正常化したら, 起立時にも平均動脈圧の過大な低下を経験することはないであろう.

増加して, 血管内の血漿量が減少する. 例えば, 長時間立っていると("気をつけ"の姿勢で立っている兵士など), 毛細血管からの濾過量はリンパ系による循環系への還流量を超えて, 下肢の**浮腫**が生じる. 毛細血管からの濾過の増加によって, さらに静脈還流量が減少して, 平均動脈圧は低下する. 平均動脈圧の低下が顕著な場合, 脳灌流圧が低下して失神が起こる.

■ 圧受容器反射による反応

平均動脈圧低下に対する心血管系の主要な代償性反応として, **圧受容器反射**が挙げられる. 血液が下肢の静脈に貯留して心臓に還流しなくなると, 心拍出量も平均動脈圧も低下する. 頸動脈洞の圧受容器が平均動脈圧の低下を感知して, この情報を延髄の血管運動中枢に送る. 血管運動中枢は, 心臓と血管への**交感神経出力の増加**と, 心臓への**副交感神経出力の減少**を指示して, 平均動脈圧を正常に戻そうとする. これらの自律神経系の変化は, もう熟知しているであろう. 心拍数の増加, 心収縮性の増加, 細動脈の収縮(TPRの増加), 静脈の収縮(unstressed volumeの減少と静脈還流の増加). これらの変化がすべてあわさって心拍出量が増加し, TPRの増加と相まって, 平均動脈圧を正常に戻そうとする(Box 4.4).

Box 4.5では, 心不全を取り上げ, さらに心血管系の統合機能について解説する.

急性ストレス時の反応

急性の情動性ストレス時の反応は,「闘争か逃走か(fight or flight)」に類似する反応となることもあれば, 血管迷走神経性失神(vasovagal syncope)を呈することもある. どちらの反応も, 心血管系生理学の複数の要素が統合されたものである.

■ 「闘争か逃走か」反応

人は差し迫った脅威に気づくと, 中枢神経系による「闘争か逃走か」反応が動員される(図4.39). この反応を起こすために大脳皮質は, まず視床下

Box 4.5　心不全

▶ 症例

　60歳の女性が,極度の疲労感と脱力感,息切れ(呼吸困難感),くるぶしのむくみを訴えて入院した.服のウエストがきつくなり,この1ヵ月で体重が3kg増えた.呼吸困難感は,特に横になっているときに強く(起座呼吸),最近は,枕をいくつか重ねて頭を上げても安眠できなくなってきた.既往として,胸痛と労作時の息切れがあった.

　身体診察にて,チアノーゼ(皮膚の蒼白),頻呼吸,頻脈,頸静脈の怒張,腹水,くるぶしの浮腫,皮膚の冷感と湿潤という理学所見を認めた.収縮期血圧は100mmHgで,脈圧が減弱していた.左室の駆出率は0.30であった.ジゴキシンと利尿薬が投与され,塩分制限食を指示された.

▶ 解説

　この女性は,典型的な心不全の徴候を呈している.狭心症(胸痛)の既往は,冠動脈の閉塞による心臓の血流不全を示唆する.不十分な冠動脈血流量によって,心筋細胞の活動に十分な酸素を供給できず,心室収縮時に十分な駆出圧を生み出すことができなくなる.心室に陰性変力性の変化が起こり,心収縮性が低下して,拡張末期容量に対する1回拍出量が減少する(Frank-Starling関係での下方シフト)(図4.21参照).1回拍出量の減少は,脈圧および血圧の低下と,駆出率0.30の低値(正常値は0.55)として反映されている.駆出率が低いと,拡張末期容量から収縮期に駆出される割合が正常よりも少なくなる.明示されていないが,心拍出量も減少している.チアノーゼと易疲労性は,組織への不十分な血液供給と不十分な血液の酸素化の徴候である.

　この女性は,肺(息切れがあるので)と末梢組織に浮腫(間質液の貯留)がある.浮腫の液体は,毛細血管からの濾過がリンパ系の排出容量を超えたときに貯留する.彼女の場合,静脈圧の上昇(頸静脈の怒張に注目)があるので,毛細血管からの濾過が増加した.静脈圧が上がった理由は,心室が収縮期に十分な血液の拍出をできないので,血液が血液循環の静脈側に"退避"させられたからである.彼女には浮腫が肺にも(左心不全)末梢にも(右心不全)あることから,左室も右室も心不全であるとわかる.

　平均動脈圧の低下に反応して,圧受容器反射が活性化された(平均動脈圧が低下したのは,心室の拍出が不十分なため,血液が動脈側から静脈側にシフトしたからである).心拍数の増加と皮膚の冷感および湿潤は,圧受容器反射の活性化による.平均動脈圧が低下したので圧受容器が活性化され,心臓と血管への交感神経出力が増加して(心拍数の増加と皮膚の血管収縮が起こる),心臓への副交感神経出力が減少する(これも心拍数を増加する).交感神経活動によって皮膚以外にも多くの血管床が収縮するので,TPRを測定したら増加しているであろう.

　レニン-アンジオテンシン-アルドステロン系も平均動脈圧低値により活性化され,アンジオテンシンⅡの濃度上昇により,末梢の血管収縮が強まる.アルドステロン濃度の上昇により,Na^+再吸収,全身Na^+量,細胞外液量が増加し,浮腫形成の悪循環が続く.

▶ 治療

　治療は2つの方針からなる:(1)ジゴキシンのような陽性変力作用薬を投与することにより,心室筋細胞の収縮性を増加させる.(2)利尿薬の投与と食塩摂取制限により,全身Na^+含有量を減らして,浮腫形成の悪循環を軽減する.

部に指示を出して,最終的に脳幹に到達する.具体的には,延髄の心血管中枢が活性化され,交感神経出力が増加され,副腎髄質と交感神経節後ニューロンの活動を増加させる.副腎髄質の主な分泌物質であるアドレナリンは,β_1受容体を活性化して心拍数と心収縮性を増加させ,β_2受容体を活性化して骨格筋の細動脈を拡張させる.交感神経節後ニューロンから放出される神経伝達物質であるノルアドレナリンは,β_1受容体を活性化して心拍数と心収縮性を増加させ,α_1受容体を活性化して内臓と腎の細動脈を収縮させる.全体として,一連の協調した心血管系の反応によって「闘争か逃走か」の対応力が最適化されている.(心拍数と心収縮性の増加によって)心拍出量が増加し,血流は内臓と腎の血管床から骨格筋へと再分配される.

　ここで次のような疑問が湧くかもしれない.「闘争か逃走か」の最中にP_aは増加するのか減少するのか.心拍出量の増加がP_aを増加する方向に働くことは明らかである.しかし,もう1つの

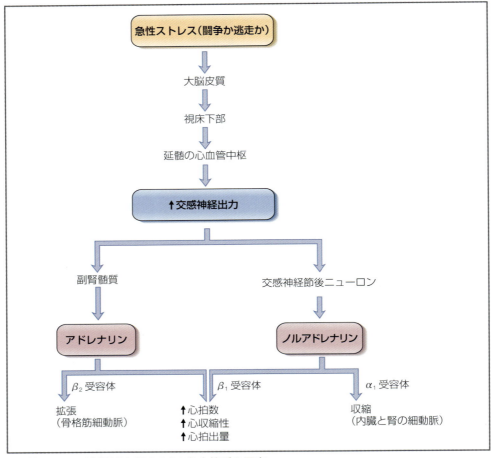

図 4.39 急性ストレス時（闘争か逃走か）の心血管系の反応．

P_aの決定因子である TPR は増加するか，減少するか，もしくは変化しないかもしれず，それは，骨格筋の血管拡張と，内臓および腎の血管床の血管収縮との相対的なバランスに依存する（P_a＝心拍出量×TPR）．もし血管拡張より血管収縮が強ければ，TPR と P_a は増加するであろう．血管収縮より血管拡張が強ければ，TPR は減少するので，P_a がどうなるかは予測し難い．

■ 血管迷走神経性失神

約 25％の人が，血をみたり，注射を受けたり，極度の情動性ストレスによって，失神を起こしたことがある．良性の失神である血管迷走神経性失神は，暑いなかの長時間起立時，排便時，または脱水などの血液量低下時に最も生じやすい．血管迷走神経性失神は，P_a が低下して脳血流量が減少する副交感神経反応である（図 4.40）．

血管迷走神経性失神は，Bezold-Jarisch（ベツォルドーヤーリッシュ）反射（Bezold-Jarish reflex）が惹起されることにより生じる．延髄の中枢が活性化されると，心臓への副交感神経出力の著明な増加と，心臓と血管への交感神経出力の減少が起こる．その結果，心拍数と心拍出量が減少する．さらに，交感神経活動の低下により TPR が低下する．全体として，心拍出量の減少と TPR の減少によって P_a が突然低下するので，脳血流量が減少して失神が生じる．

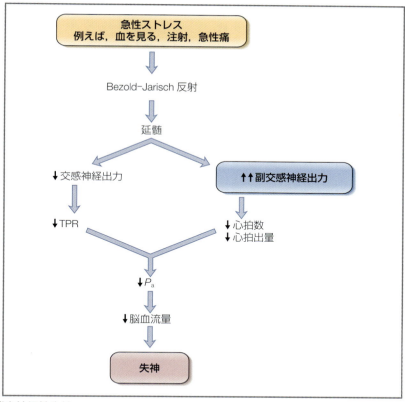

図 4.40　血管迷走神経性失神.
血管迷走神経性失神によって気を失ったときの心血管系の反応. P_a：平均動脈圧, TPR：全末梢抵抗.

まとめ

- 心血管系は心臓と血管から構成される. 心臓は収縮して血液を体循環系と肺循環系に送り出す. 血管は血液を組織に送る導管の役割を果たす. 薄い壁をもつ毛細血管は, 栄養と老廃物の交換の場としての役割がある.
- 血行力学は血流に適応される原理である. 血流速度, 流量・圧・抵抗の関係, 血管のコンプライアンスなどに関する.
- 血流速度は流量に比例し, 断面積に反比例する. 血流速度は, 総断面積が最大となる毛細血管で一番遅い.
- 血流量は圧較差に比例し, 血管抵抗に反比例する.
- 血流への抵抗は, 血液粘度や血管の長さに比例し, 血管の半径の 4 乗に反比例する. 細動脈が血管系のなかで最も抵抗が高い. 抵抗は直列にも並列にも配列される.
- コンプライアンスは容積と圧力の関係である. 血管のコンプライアンスが高いほど, ある一定の圧力のもとでの容積は大きくなる. 静脈のコンプライアンスは高く, 低い圧力で多量の血液 (unstressed volume) を保持する. 動脈のコンプライアンスは低く, 高い圧力で少量の血液 (stressed volume) を保持する.
- 心臓の活動電位は洞房結節から始まり, この脱分極は自発的に起こる. 活動電位は, 特殊化された刺激伝導系を介して特定の順序で心筋全体に伝播していく. 心伝導は速いが, 房室結節を通るときは例外的に遅く, 伝導が遅いことによって, 心室が収縮する前に血液で満たされるのに十分な時間が確保される.
- 心房と心室の心筋細胞では, 活動電位の立ち上がり相は内向き Na^+ 電流による. 続いて, 活動

電位にプラトーがあり，それは内向き Ca^{2+} 電流による．プラトーがあるので，活動電位の持続時間と不応期が長くなる．

- 洞房結節では，活動電位の立ち上がり相は内向き Ca^{2+} 電流による．洞房結節の第4相では，緩徐な自発的脱分極を示し，閾電位に達して活動電位を発する．緩徐脱分極は内向き Na^+ 電流（I_f）による．

- 心筋細胞の興奮収縮連関は骨格筋と類似している．しかし，心筋細胞では活動電位のプラトーの間に細胞内に流入する Ca^{2+} がトリガーとなって，筋小胞体からさらなる Ca^{2+} 放出が行われる．Ca^{2+} はトロポニン C に結合して，アクチン-ミオシンの相互作用とクロスブリッジ形成ができるようになる．

- 収縮性とは，心筋細胞がある一定の細胞の長さのもとで張力を発生できる能力を指す．細胞内 Ca^{2+} 濃度が収縮性の強さを決める．陽性変力作用のある物質は，細胞内 Ca^{2+} 濃度と収縮性を増やす．

- 心筋細胞と心筋は，長さ張力関係を示し，それは収縮要素（太いフィラメントと細いフィラメント）の重なりの程度に基づく．Frank–Starling の心臓の法則は，拡張末期容量と心拍出量の関係という長さ張力関係を説明するものである．拡張末期容量は静脈還流量を反映する．したがって，心拍出量は静脈還流量によって決まり，定常状態では，心拍出量と静脈還流量は等しい．

- 平均動脈圧（P_a）は，心拍出量と全末梢抵抗（TPR）の積である．平均動脈圧は，注意深く監視されて正常値の 100 mmHg に維持されている．圧受容器反射はすばやい神経機構であり，平均動脈圧の変化を検出して，交感神経と副交感神経の心臓と血管への出力を調整することにより，平均動脈圧を正常に戻そうとする．レニン-アンジオテンシン-アルドステロン系は緩徐なホルモン機構で，平均動脈圧の変化を検出して，アルドステロンの作用で血液量を変化させることによって，平均動脈圧を正常に戻す．

- 毛細血管壁を横切る液体の交換は，Starling 力のバランスによって決まる．正味の Starling 力の方向によって，毛細血管からの濾過か，毛細血管への吸収かが決まる．毛細血管からの液体の濾過量が，リンパ管から心血管系への還流能力を超えると，浮腫が生じる．

- 各臓器系への血流が心拍出量に占める割合は，状況により変化する．血流量は動脈抵抗によって決まり，動脈抵抗は血管拡張性代謝産物や交感神経支配によって変えられる．

練習問題

各問に，単語，語句，数字で答えよ．選択肢が複数の場合，正解は 1 つとは限らず，ないこともある．正解は巻末に示す．

1 血流抵抗の単位は何か．

2 心拍数が 75 拍/min だとすると，R-R 間隔は何 msec か．

3 次のイベントを正しい順序に並べよ．
Ca^{2+} がトロポニン C に結合，張力，筋小胞体からの Ca^{2+} 放出，心室の活動電位，筋小胞体による Ca^{2+} 貯蔵．

4 心拍数が 85 拍/min，拡張末期容量が 150 mL，1 回拍出量が 75 mL のとき，駆出率はいくらか．

5 次の心周期で心室容量が小さいのはどちらか．
心房収縮期，等容性心室弛緩期．

6 心機能曲線と血管機能曲線によれば，血液量が増加すると，右房圧は_____し，心拍出量は_____する．

7 心拍出量が 5.2 L/min，心拍数が 76 拍/min，拡張末期容量が 145 mL のとき，収縮末期容量はいくらか．

8 毛細血管において，P_c は 35 mmHg，π_c は 25 mmHg，P_i は 2 mmHg，π_i は 1 mmHg とすると，正味では吸収となるか濾過となるか．そして駆動力の大きさはいくらか．

9 臥位から急に立位になると減少するのはどれか．
静脈還流量，心拍出量，平均動脈圧（P_a）．

10 左室が収縮する直前に含まれる血液量を何とよぶか．

11 収縮性を増加させるのはどれか．
心拍数の減少，ホスホランバンのリン酸化の増加，活動電位の持続時間の延長．

12 心室筋細胞の活動電位の第0相から第4相までの間で，内向き電流が外向き電流より大きいのはどの時相か．

13 心室筋細胞の活動電位の絶対不応期に最も関係するのはどれか．

自動能，興奮性，伝導速度，最大拡張期電位．

14 第4相の脱分極速度の増加と，閾電位の過分極が同時に起こった場合，心拍数は，増加，減少，不変のいずれか．

15 出血後に起こる反応のなかで，増加するものはどれか．

unstressed volume，心拍数，皮膚血管床の血管抵抗，頸動脈洞神経の発火頻度，アンジオテンシンⅡ濃度．

16 筋原性機序による血流量の自己調節能において，Laplaceの法則によると，圧力の増加によって，血管の半径は，増加，減少，不変のいずれになるか．

17 心拍出量が最も多く分配されるのは，次のうちどれか．

腎臓，肺，冠血管，激しい運動中の骨格筋，激しい運動中の皮膚．

18 左室の1回拍出量を増加させるのは，次のうちどれか．

心収縮性の増加，拡張末期容量の減少，大動脈圧の上昇．

19 大動脈弁が開くのは，次の心周期のうちどれか．

心房収縮期，急速心室駆出期，静止期．

20 心機能曲線と血管機能曲線によれば，TPRの増加により，静脈還流量は＿＿＿し，心拍出量は＿＿＿する．

21 次の状況のうち，心筋酸素消費量率が高いのはどれか．

心拍数増加による二次性の心拍出量の増加，大動脈圧上昇による二次性の心拍出量減少．

22 抵抗値が10の抵抗が3つ並列に接続されている．抵抗値が10の4つ目の抵抗を並列に追加したとき，全抵抗値の変化はどれだけか．

23 血管Aの断面積は1 cm^2，血管Bの断面積は10 cm^{2}である．2つの血管の血流量が等しい場合，血流速度が速いのはどちらか．

24 次の項目はどこに出てくるのか（解剖学的部位，グラフ，グラフの一部，等式，概念など）．心血管系の用語を答えよ．

重複切痕，β_1受容体，L_{max}，半径の4乗，ホスホランバン，陰性変伝導作用，脈圧，正常自動能，駆出率．

25 僧帽弁が閉じているのは，次の心周期のうちどれか．

心房収縮期，急速心室駆出期，等容性心室弛緩期，静止期．

26 運動中に減少するのは，次のうちどれか．

心拍数，静脈還流量，1回拍出量，内臓の細動脈の半径，TPR.

27 心室圧容積ループによれば，後負荷の増加によって増加するのは，次のうちどれか．

拡張末期容量，拡張末期圧，収縮末期容量，1回拍出量．

28 I_{Ca}の増加により起こるものは，次のうちどれか．

交感神経作用による心拍数の増加，副交感神経作用による心拍数の減少，交感神経作用による心収縮性の増加，副交感神経作用による洞房結節の伝導速度の低下．

29 収縮性の突然の減少により，1回拍出量が70 mLから60 mLに減少した．収縮性低下に対するFrank-Starling機序による代償性反応によって，1回拍出量はいくらになるか．

75 mL，70 mL，65 mL，60 mL，55 mL.

30 医学部3年生が初めて手術室に入り，術野の近くで立っていたら，めまい感がしてきた．そして，気づいたら床に横たわっていた．失神の原因となったイベントはどれか．

洞房結節への交感神経活動の増加，内臓血管α_1受容体への交感神経活動の増加，洞房結節への副交感神経活動の減少，心拍出量の減少．

第5章

呼吸の生理学

呼吸器系の働きは，外界の環境と体内の細胞との間における酸素と二酸化炭素のガス交換である．新鮮な空気は**呼吸周期**（breathing cycle）の**吸息相**（inspiratory phase）で肺内に取り込まれる．肺内に入ったガスと肺毛細血管血との間で酸素と二酸化炭素の交換が行われた後，肺内のガスは**呼息相**（expiratory phase）で呼出される．

呼吸器系の構造

気道

呼吸器系は**気道**（airway）と**肺**（lung）に大別される．気道は肺にガスを出し入れする**導管領域**（conducting zone）（**導管気道**（conducting airway））であり，肺は肺胞で構成され，実際にガス交換を行う**呼吸領域**（respiratory zone）である．これらの2つの領域は，機能も表層を覆う細胞の種類などの構造も，それぞれ異なっている（図5.1）．

■ 導管領域

導管領域は，鼻腔から鼻咽頭，喉頭，気管，気管支，細気管支，そして終末細気管支へと続く一連の領域である．この領域はガス交換の場である呼吸領域へのガスの通路であるとともに，吸気ガス中の粒子を取り除くフィルターの働きや吸気ガスに加温，加湿を行う働きをもつ．

気道は順次，二又に分岐を続けるが，分岐の回数によって名称がつけられている．主気道の気管は，まだ分岐していない第0世代の分岐である．気道は，右と左の主気管支に分岐（第1世代分岐）をした後，2本の細い気管支に分岐し，さらにその分岐が続いていく．最終的には第23世代の分岐が起こり，その間，気道は徐々に細くなっていく．

軟骨（cartilage）は，第0世代から第10世代までの気道壁に存在し，構造的に気道の開口状態を保つよう機能している．第11世代以降では軟骨はなくなるが，これらの気道では適切な壁内外圧差（後述）が存在するため，開口状態を保つことができる．

気道の内面は粘液分泌細胞と線毛細胞で覆われており，吸入ガスに含まれる粒子が取り除かれる．大きな粒子は通常，鼻腔で取り除かれるが，細い気道にまで入った小さな粒子は粘液に吸着されて線毛運動によって上方へ排出される．

導管気道の壁には**平滑筋**（smooth muscle）が存在している．**交感神経**（sympathetic）と**副交感神経**（parasympathetic）がこの平滑筋を支配しており，気道の直径に対して正反対の働きをもっている．すなわち，(1)アドレナリン作動性交感神経は気管支平滑筋のβ_2**受容体**（β_2 receptor）を活性化することにより平滑筋の**弛緩**（relaxation），すなわち気道の**拡張**（dilation）を引き起こす．さらに重要なことは，これらのβ_2受容体は，副腎髄質から分泌された血中アドレナリン，あるいはイソプロテレノールなどのβ_2アドレナリン受容体作動薬によっても活性化されることである．(2)コリン作動性副交感神経は，**ムスカリン受容体**（muscarinic receptor）を活性化することにより平滑筋の**収縮**（constriction），すなわち気道の収縮を引き起こす．

導管気道の直径変化は，**気道抵抗**（airway resistance）と気流量の変化を引き起こす．したがって，気道直径に対する**自律神経系**（autonomic nervous system）の影響は必ず，気道抵

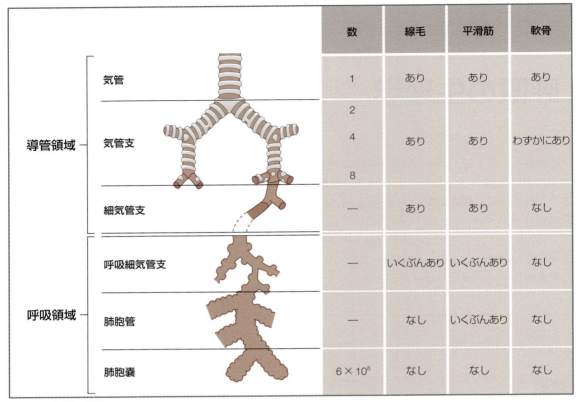

図 5.1　気道の構造.
それぞれの構造の数は両側の肺での総計で示す.

抗と気流量の変化になって現れる．β_2 アドレナリン受容体作動薬（アドレナリン，イソプロテレノール，アルブテロールなど）の効果はよく知られており，気道を拡張させる目的で**気管支喘息**（asthma）の治療に使われている．

■ 呼吸領域

呼吸領域は**ガス交換**（gas exchange）を行う肺胞で構成される部位，すなわち呼吸細気管支，**肺胞管**（alveolar duct）および**肺胞嚢**（alveolar sac）である．**呼吸細気管支**（respiratory bronchiole）は気道からガス交換領域への移行部である．この部位には，導管気道と同じように線毛上皮と平滑筋があるが，管壁のところどころに肺胞があるためガス交換も行っている．**肺胞管**は肺胞上皮で覆いつくされた管であり，線毛も平滑筋もなくなっている．肺胞管の末端部は肺胞上皮で完全に覆われた**肺胞嚢**になっている．

肺胞（alveolus）は，呼吸細気管支や肺胞管，肺胞嚢の壁が袋状に膨らんだものである．一側の肺には約 3 億個の肺胞が存在する．それぞれの肺胞の直径は約 200 μm である．肺胞気と肺毛細血管血との間の酸素 O_2 と二酸化炭素 CO_2 のガス交換は，肺胞壁を介して迅速に効率的に起こる．これは，ガスが通過する肺胞壁が，非常に薄く大きな**拡散面積**をもっているからである．

肺胞壁は弾性線維で縁どられ，それに沿ってⅠ型とⅡ型の肺胞上皮細胞（肺胞細胞）とよばれる上皮細胞が並んでいる．**Ⅱ型肺胞上皮細胞**（type Ⅱ pneumocyte）は**肺界面活性物質**（pulmonary surfactant）を合成する（界面活性物質（サーファクタント）は肺の表面張力を低下させるために必要である）．また，Ⅱ型肺胞上皮細胞はⅠ型とⅡ型の肺胞上皮細胞を再生させる能力を持つ．

肺胞には，**肺胞マクロファージ**（alveolar macrophage）とよばれる貪食細胞が存在する．

肺胞内には粉塵などの異物を取り除く線毛細胞がないので，肺胞マクロファージがその働きを担っている．異物の食作用を行ったマクロファージは細気管支に移動し，線毛運動によって上気道，さらに喉頭に運ばれた後，嚥下されるか痰として排出される．

肺血流

肺血流（pulmonary blood flow）は，右心から拍出されたものである．右室から拍出された血液は，肺動脈を介して肺に供給される（第4章，図4.1参照）．肺動脈は細い動脈に枝分かれしながら，細気管支に沿って呼吸領域に達する．最も細くなった動脈は細動脈となり，さらに，肺胞を密に取り囲む肺毛細血管に枝分かれする．

重力の影響（gravitational effect）により，肺血流量は肺内で等しく分布しているわけではない．ヒトが立っている場合には，血流量は肺尖部（上部）で最も少なく，肺底部（下部）で最も多くなっている．仰臥位（仰向けに寝ている状態）では，このような重力の影響はなくなる．血流量の部位による違いの生理学的重要性については後に述べる．

他の器官と同じように，肺血流量の調節（regulation of pulmonary blood flow）は，肺の細動脈の血流抵抗の変化によって行われる．肺細動脈の血流抵抗変化は局所因子，主にO_2によって調節されている．

気管支循環（bronchial circulation）が導管気道（ガス交換に関与しない部位）へ血液を供給するが，肺全体の血流量に対しては非常に少ない量である．

肺気量分画と肺容量

肺気量分画

肺の静的容量はスパイロメータ（肺活量計）（spirometer）（表5.1）によって測定される．一般に被検者は，座位の状態でベルが上下するスパイロメータを介して呼吸を行う【訳者注：現在はガス流速が測定できる筒を口にくわえて呼吸を行い，コンピュータによって流量の積分値，すなわち容量を記録している】．変化した容量は，目盛りのついた記録紙上に描かれる（図5.2）．

最初に，被検者に対し安静状態の呼吸を行わせる．普通，安静呼吸は吸息と呼息からなり，その量を1回換気量（tidal volume：VT）という．正常な1回換気量は約500 mLであり，肺胞と気道を占めるガス量の合計である【訳者注：安静状態で吸息が終わったところを安静吸息（気）位，呼息が終わったところを安静呼息（気）位という．同様に最大吸息では最大吸息位，最大呼息では最大呼息位という】．

次に，被検者に最大の吸息を行わせた後，最大の呼息を行わせる．この方法によって，さらに他の肺気量分画（lung volume）を明らかにすることができる．1回換気量からさらに最大限まで吸った量を予備吸気量（inspiratory reserve volume：IRV）といい，約3,000 mLである．また，1回換気量からさらに最大限まで吐いた量を予備呼気量（expiratory reserve volume：ERV）といい，約1,200 mLである．

最大限の強制呼出の後に肺に残っている量を残気量（residual volume：RV）といい，約1,200 mLであるが，これはスパイロメータでは測定できない．

肺容量

上記の肺気量分画に加え，2つ以上の分画を合計した肺容量【訳者注：英語ではlung capacityとして単独の肺気量分画（lung volume）と区別している】がある．最大吸気量（inspiratory capacity：IC）は1回換気量と予備吸気量の和であり，約3,500 mL（500 mL＋3,000 mL）である．機能的残気量（functional residual capacity：FRC）は予備呼気量（ERV）と残気量（RV）の和であり，約2,400 mL（1,200 mL＋1,200 mL）である．FRCは，正常な1回換気量を呼息した後に肺に残っている気量であり，肺の平衡状態での容量と考えられる．肺活量（vital capacity：VC）は最大吸気量と予備呼気量の和であり，約4,700 mL（3,500 mL＋1,200 mL）である．肺活量は最大吸息の後，最大

218　第5章　呼吸の生理学

表 5.1　呼吸生理学で用いられる略記とその正常値.

略記	意味	正常値
P	ガスの圧あるいは分圧	
$\dot{Q}$	単位時間あたりの血流量	
V	ガス容量	
$\dot{V}$	単位時間あたりのガス流量	
F	分画(濃度)	
A	肺胞気	
a	動脈血	
V	静脈血	
E	呼気	
I	吸気	
L	肺	
TM	経壁性	

動脈血

略記	意味	正常値
Pa_{O_2}	動脈血酸素分圧	100 mmHg
Pa_{CO_2}	動脈血二酸化炭素分圧	40 mmHg

混合静脈血

略記	意味	正常値
$P\bar{v}_{O_2}$	混合静脈血酸素分圧	40 mmHg
$P\bar{v}_{CO_2}$	混合静脈血二酸化炭素分圧	46 mmHg

吸気

略記	意味	正常値
PI_{O_2}	吸気酸素分圧(乾燥状態)	160 mmHg(海水面)
PI_{CO_2}	吸気二酸化炭素分圧(乾燥状態)	0 mmHg

肺胞気

略記	意味	正常値
PA_{O_2}	肺胞気酸素分圧	100 mmHg
PA_{CO_2}	肺胞気二酸化炭素分圧	40 mmHg

呼吸気量と頻度

略記	意味	正常値
TLC	全肺気量	6.0 L
FRC	機能的残気量	2.4 L
VC	肺活量	4.7 L
V_T	1回換気量	0.5 L
$\dot{V}_A$	分時肺胞換気量	—
—	呼吸数	15 回/min
V_D	生理学的死腔量	0.15 L
FVC	努力性肺活量	4.7 L
FEV_1	努力性呼出の1秒量	—

定数

略記	意味	正常値
P_B	大気圧	760 mmHg(海水面)
P_{H_2O}	飽和水蒸気圧	47 mmHg(37℃)
STPD	標準温度(0℃),標準気圧(1気圧),乾燥状態	273 K,760 mmHg
BTPS	体温,測定時の気圧,飽和水蒸気状態	310 K,760 mmHg,47 mmHg
—	血中酸素溶解度	0.003 mL O_2/100 mL 血液/mmHg
—	血中二酸化炭素溶解度	0.07 mL CO_2/100 mL 血液/mmHg

その他

略記	意味	正常値
—	血液中ヘモグロビン濃度	15 g/dL
—	ヘモグロビンの酸素結合能	1.34 mL O_2/g ヘモグロビン
$\dot{V}_{O_2}$	分時酸素消費量	250 mL/min
$\dot{V}_{CO_2}$	分時二酸化炭素産生量	200 mL/min
R	呼吸商(分時二酸化炭素産生量／分時酸素消費量)	0.8

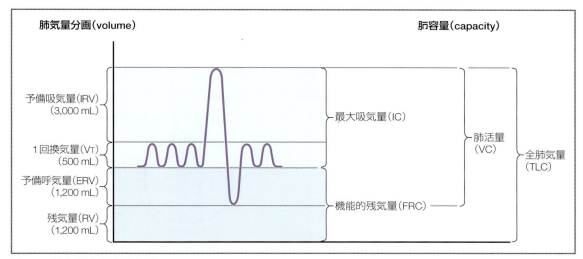

図5.2　肺気量分画と肺容量.
肺気量分画と肺容量の測定は，スパイロメータによって行われる．残気量はスパイロメータでは測定できない．

限に呼息された量でもある．肺活量は男性のほうが大きく，体の大きさおよび運動能力が高いと大きくなり，加齢で小さくなる．最後に，その言葉の示すように，**全肺気量**（total lung capacity：TLC）はすべての肺気量分画を含んでいる．その量は肺活量と残気量を加えたものであり，5,900 mL（4,700 mL＋1,200 mL）になる．

残気量はスパイロメータでは測定できないので，残気量を含む肺容量（すなわち，FRC と全肺気量）もまたスパイロメータによって測定できない．肺容量のなかで FRC（正常な呼息時に肺内に残っている量）は測定できないが大変重要な意味をもつ．なぜならば，安静時あるいは平衡状態の肺の容量であるからである．

FRC は，ヘリウム希釈法か全身プレチスモグラフ法によって測定できる．

- **ヘリウム希釈法**（helium dilution method）においては，被検者はスパイロメータに既知量のヘリウムを加えたガスを呼吸する．ヘリウムは血液に不溶性のガスなので，2〜3回の呼吸の後，スパイロメータ内と肺内の濃度は等しくなり，そのときのスパイロメータ内の濃度を測定する．スパイロメータに加えられたヘリウム量と肺内の濃度から肺容量が計算できる．もし，この測定が正常な呼息位で行われた場合，計算された容量は FRC を示す．

- **全身プレチスモグラフ法**（body plethysmograph）は，Boyle（ボイル）の法則（Boyle's law）を適用したものである．一定の温度においてガスの圧力と体積の積は一定である（$P×V=$ 一定）．すなわち，体積が増えれば圧力は低下することになり，逆に体積が減れば圧力は増加することになる．FRC を測定するために，被検者はプレチスモグラフとよばれる大きな気密室内に座る．正常呼息位で被検者の気道とつながっているマウスピースを閉鎖する．その状態で被検者は呼吸を試みる．被検者が吸息を試みた場合，被検者の肺容量は増加し肺内圧は低下する．同時に室内の容量は減少し，圧力は増加する．室内の圧力の増加が測定できるので，そこから吸息前の肺容量，すなわち FRC が計算される．

死腔

死腔（dead space）は，ガス交換を行わない肺と気道の容量である．死腔は，導管気道の解剖学的死腔と，機能的あるいは生理学的死腔に分けられる．

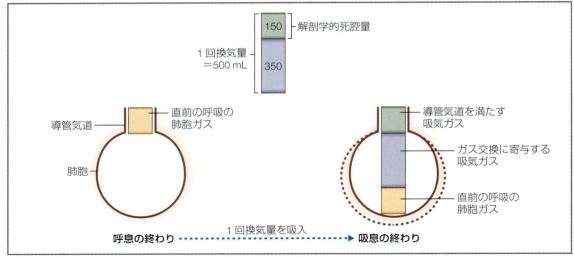

図 5.3　解剖学的死腔．
1 回換気量（VT）の 1/3 が解剖学的死腔を満たす．

■ 解剖学的死腔

　解剖学的死腔（anatomic dead space）は鼻腔（あるいは口腔），気管，気管支，細気管支からなる**導管気道の容量**である．そこには呼吸細気管支と肺胞は含まれない．導管気道の容量は約 150 mL である．したがって，例えば 500 mL の 1 回換気量を吸った場合，全容量がガス交換を行う肺胞に到達するわけではない．すなわち，150 mL は導管気道（ガス交換を行わない解剖学的死腔）を満たし，350 mL が肺胞を満たす．図 5.3 は，呼息の最後の時期に導管気道が肺胞気によって満たされていることを示している．つまり，導管気道は肺胞内で肺毛細血管血とガス交換をすでに行った後のガスで満たされているわけである．次の 1 回呼吸量の吸息により，最初に気道にある肺胞ガスが肺胞内に入るが，（前回の呼吸でガス交換済みのガスなので）さらなるガス交換に寄与するものではない．続いて肺胞に入るガスは，吸息された 1 回呼吸量の新鮮な空気（350 mL）であり，これがガス交換を行う．1 回換気量の残りの量（150 mL）は，肺胞まで達しないで導管気道内に留まる．このガスは，ガス交換を行わずに次の呼息の最初に呼出される（最初に呼出されたガスはガス交換を行っていない死腔から出てきた

ものなので，肺胞気の採取は終末呼気を採取する必要がある）．

■ 生理学的死腔

　生理学的死腔（physiological dead space）の概念は，解剖学的死腔よりも抽象的である．生理学的死腔は，ガス交換に寄与しない肺容量の総量であると定義され，導管気道の解剖学的死腔と肺胞内の機能的死腔を足したものである．

　機能的死腔（functional dead space）は，換気されているがガス交換に寄与していない肺胞と考えることができる．ガス交換に寄与していない肺胞になる最も重要な理由は，換気と血流の不適合あるいは**換気血流比不均等（$\dot{V}/\dot{Q}$ 不均等）**（ventilation/perfusion defect）とよばれるものであり，換気されているが肺毛細血管に血液が流れていない肺胞になることである．

　健常人においては，生理学的死腔量と解剖学的死腔量はほぼ等しくなっている．言い換えると，**肺胞換気**（alveolar ventilation）量と血液灌流量（血流量）がよく適合しており，機能的死腔量は少なくなっている．しかしながら，ある病的状態になると生理学的死腔量が解剖学的死腔量よりも大きくなるが，これは $\dot{V}/\dot{Q}$ 不均等を意味する．1 回換気量に対する生理学的死腔量の割合は，どの程

度の換気が"(導管気道または血流のない肺胞内の)無駄な換気"であったかを示すものである.

生理学的死腔量は，混合呼気のCO_2分圧（PE_{CO_2}）の測定と次の3つの仮定をもとに求められる：(1)呼気中に含まれるすべてのCO_2は，ガス交換を行っている機能的な（換気と血流がある）肺胞から出てきたものである．(2)吸気中にCO_2は含まれていない．(3)生理学的死腔（機能していない肺胞と気道）はガス交換を行わないのでCO_2を出さない．もし，生理学的死腔量がゼロであれば，PE_{CO_2}は肺胞気PCO_2（PA_{CO_2}）と等しくなるはずである．しかしながら，生理学的死腔が存在するとPE_{CO_2}は死腔によって希釈され，希釈量に応じてPA_{CO_2}より低下していく．したがって，PE_{CO_2}とPA_{CO_2}の値を比較することで希釈量（すなわち，生理学的死腔量）が計算できる．生理学的死腔量の測定での大きな問題は，肺胞気を直接採取できないことである．しかしながら，一般に肺胞気は肺毛細血管血（**体循環動脈血**(systemic arterial blood)になる血液）と平衡に達しているので，この問題点を解決することができる．つまり，体循環動脈血PCO_2（Pa_{CO_2}）と肺胞気PCO_2（PA_{CO_2}）は等しくなる．この仮定から，生理学的死腔量は次の式によって計算できる.

$$VD = VT \times \frac{Pa_{CO_2} - PE_{CO_2}}{Pa_{CO_2}}$$

ここで

VD＝生理学的死腔量(mL)
VT＝1回換気量(mL)
Pa_{CO_2}＝動脈血二酸化炭素分圧(mmHg)
PE_{CO_2}＝混合呼気二酸化炭素分圧(mmHg)

この式を言葉で説明すると，生理学的死腔量は1回換気量（1回の呼吸での吸入量）に，ある分数を乗じたものである．この分数は死腔気（CO_2を含まないガス）による肺胞気PCO_2の希釈を示す.

この式のさらなる理解と応用のため，次の2つの極端な例を考えてみよう．第1の例では，生理学的死腔量がゼロの場合，第2の例では，生理学的死腔量と1回換気量がまったく等しい場合である．生理学的死腔量がゼロの第1の例においては

"無駄"な換気がないので，呼気のPCO_2（PE_{CO_2}）は肺胞気PCO_2（PA_{CO_2}）および動脈血PCO_2と等しくなるはずである．すなわち，式中の分数の分子がゼロになるので，計算されるVDはゼロである．生理学的死腔量と1回換気量がまったく等しい第2の例においては，ガス交換が行われていない．その結果PE_{CO_2}がゼロになり，分数が1そしてVDはVTと等しくなる.

換気量（換気率）

換気量（率）(ventilation rate)は，単位時間あたりに肺に入って出るガス量のことである．換気量(率)は，肺に入出するガスの総量である分時換気量，あるいは生理学的の死腔を補正した肺胞換気量で表される．肺胞換気量を計算するためには，前述したように最初に体循環動脈血を採取して生理学的死腔量を求める必要がある.

分時換気量は次の式で求められる：

$$分時換気量 = VT \times 呼吸数/min$$

分時肺胞換気量(minute alveolar ventilation)は，生理学的死腔量で補正した1分間あたりの換気量であり，次の式で求められる.

$$\dot{V}A = (VT - VD) \times 呼吸数/min$$

ここで

$\dot{V}A$＝分時肺胞換気量(mL/min)
VT＝1回換気量(mL)
VD＝生理学的死腔量(mL)

例題

550 mLの1回換気量をもつ男性の呼吸数が14回/minであった．動脈血PCO_2が40 mmHg，そして呼気PCO_2は30 mmHgであった．彼の分時換気量はいくらになるか．分時肺胞換気量はいくらになるか．1回換気量のうち機能的な肺胞換気の割合は何%になるか．1回換気量のうち死腔の割合は何%になるか.

解答

分時換気量は1回換気量と分時呼吸数の積であ

るため，

$$\text{分時換気量} = 550\,\text{mL} \times \text{呼吸数 14 回/min}$$
$$= 7,700\,\text{mL/min}$$

肺胞換気量は計算で求められる生理学的死腔量から補正される分時の換気量である．この問題は，換気されているが CO_2 のガス交換を行わない生理学的死腔量を計算する一般的な方法によって解決できる．

$$V_D = V_T \times (P_{a_{CO_2}} - P_{E_{CO_2}})/P_{a_{CO_2}}$$
$$= 550\,\text{mL} \times (40\,\text{mmHg} - 30\,\text{mmHg})/40\,\text{mmHg}$$
$$= 550\,\text{mL} \times 0.25$$
$$= 138\,\text{mL}$$

したがって，分時肺胞換気量（$\dot{V}_A$）は

$$\dot{V}_A = (V_T - V_D) \times \text{呼吸数/min}$$
$$= (550\,\text{mL} - 138\,\text{mL}) \times 14\,\text{回/min}$$
$$= 412\,\text{mL} \times 14\,\text{回/min}$$
$$= 5,768\,\text{mL/min}$$

1回換気量が550 mL，生理学的死腔量が138 mLであれば，1回の呼吸で機能的肺胞に達する新鮮な空気は1回換気量の75%，すなわち412 mLになる．したがって，死腔量は1回換気量の25%になる．

肺胞換気式

肺胞換気式（alveolar ventilation equation）は，肺胞換気量と肺胞気 P_{CO_2}（$P_{A_{CO_2}}$）の関係が反比例であるという呼吸生理学上の基本的な関係を表すものである．肺胞換気式は次のように表される．

$$\dot{V}_A = \frac{\dot{V}_{CO_2} \times K}{P_{A_{CO_2}}}$$

あるいは，これを変形すると，

$$P_{A_{CO_2}} = \frac{\dot{V}_{CO_2} \times K}{\dot{V}_A}$$

ここで

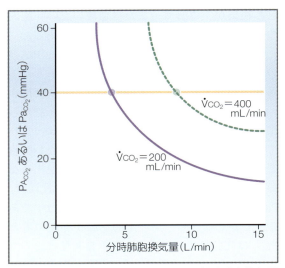

図 5.4 肺胞気または動脈血 P_{CO_2} と分時肺胞換気量の関係．
この関係は，肺胞換気式によって求められる．分時二酸化炭素産生量が 200 mL/min から 400 mL/min に倍増した場合，$P_{A_{CO_2}}$ および $P_{a_{CO_2}}$ を 40 mmHg に維持するには，肺胞換気も2倍にする必要がある．

$\dot{V}_A$ = 分時肺胞換気量（mL/min）
$\dot{V}_{CO_2}$ = 分時二酸化炭素産生量（mL/min）
$P_{A_{CO_2}}$ = 肺胞気二酸化炭素分圧（mmHg）
K = 定数（863 mmHg）

$\dot{V}_A$ と $\dot{V}_{CO_2}$ が同じ単位（mL/min）のとき，**定数 K は BTPS の状態で 863 mmHg となる．BTPS**（<u>b</u>ody <u>t</u>emperature, ambient <u>p</u>ressure, and gas <u>s</u>aturated with water vapor）とは，体温（310 K），大気圧（760 mmHg），そして水蒸気で飽和されたガスの状態を意味する．

変形した式を使い，また次の2つの変数を与えることによって肺胞気 $P_{A_{CO_2}}$ が推測できる：(1)組織の**好気性代謝**（aerobic metabolism）で生ずる分時**二酸化炭素産生量**（CO_2 production rate）．(2)呼気中にこの CO_2 を排出する**分時肺胞換気量**．

肺胞換気式から理解できる重要なポイントは，**二酸化炭素産生量が一定ならば $P_{A_{CO_2}}$ は分時肺胞換気量によって決まる**ということである．二酸化炭素産生量が一定のとき，$P_{A_{CO_2}}$ と $\dot{V}_A$ との関係は双曲線になる（**図 5.4**）．肺胞換気量の増加は $P_{A_{CO_2}}$ の低下を引き起こし，逆に，肺胞換気量の減少は $P_{A_{CO_2}}$ の上昇を引き起こす．

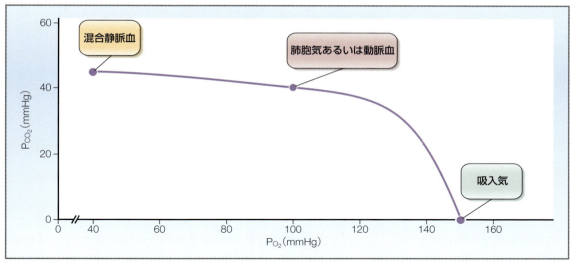

図 5.5 　P_{CO_2}-P_{O_2} ダイアグラム.
この関係は，肺胞気式によって求められる．吸入気と混合静脈血との間の P_{O_2} の変化は，P_{CO_2} の変化よりも，はるかに大きい．

　式からすぐにわかることではないが，さらなる重要なポイントは，肺毛細血管血と肺胞気の間においてCO₂はつねに平衡しているので動脈血 P_{CO_2}（Pa_{CO_2}）と肺胞気 P_{CO_2}（$P_{A_{CO_2}}$）はつねに等しくなっていることである．すなわち，前述したように Pa_{CO_2} を測定し，その値を $P_{A_{CO_2}}$ の代わりに使うことができる．

　では，なぜ動脈血（そして肺胞）P_{CO_2} は分時肺胞換気量に対して反比例関係で変化するのだろうか．反比例関係を理解するためには，まず肺胞換気が肺毛細血管からCO₂を引き出すことを理解する必要がある．それぞれの呼吸で，CO₂を含まない空気が肺内に運ばれ，それは肺毛細血管血から肺胞気へのCO₂拡散の駆動力となる．肺毛細血管血から引き出されたCO₂は，その後，呼出される．分時肺胞換気量が高いほど，より多くのCO₂が血液から引き出されるため，Pa_{CO_2} および $P_{A_{CO_2}}$ はより低下する（肺胞 P_{CO_2} はつねに動脈血 P_{CO_2} と平衡しているため）．分時肺胞換気量が低いほど，血液から引き出されるCO₂が少なくなり，Pa_{CO_2} および $P_{A_{CO_2}}$ が高くなる．

　肺胞換気式を考えるうえでもう1つのポイントは，$P_{A_{CO_2}}$ と $\dot{V}_A$ の関係が二酸化炭素産生量の変化によってどのように変化するかを理解することである．例えば，二酸化炭素産生量あるいは $\dot{V}_{CO_2}$ が2倍に増加する（例えば，**激しい運動（strenuous exercise）**中）と，$P_{A_{CO_2}}$ と $\dot{V}_A$ との双曲線関係は右方へシフトする（図 5.4）．これらの条件下で，$P_{A_{CO_2}}$ をその正常値（すなわち，40 mmHg）に維持する唯一の方法は，分時肺胞換気量を2倍にすることである．グラフから，二酸化炭素産生量が200 mL/min から 400 mL/min に増加したとき，同時に $\dot{V}_A$ が 5 L/min から 10 L/min に増加すれば，$P_{A_{CO_2}}$ が 40 mmHg に維持されることが読み取れる．

肺胞気式

　肺胞換気式は，肺胞気および動脈血 P_{CO_2} の値が分時肺胞換気量によって決まることを示している．第2の式として**肺胞気式（alveolar gas equation）**とよばれるものがあるが，これは肺胞気 P_{CO_2} の値から肺胞気 P_{O_2} を予測するために使用されるものであり，図 5.5 の O₂-CO₂ ダイアグラムによって示される．肺胞気式は，以下のように表される．

$$P_{A_{O_2}} = P_{I_{O_2}} - \frac{P_{A_{CO_2}}}{R} + 補正因子$$

ここで

PA_{O_2}＝肺胞気酸素分圧（mmHg）
PI_{O_2}＝吸気酸素分圧（mmHg）
PA_{CO_2}＝肺胞気二酸化炭素分圧（mmHg）
R＝呼吸交換率あるいは呼吸商
（二酸化炭素産生量／酸素消費量）

　補正因子は小さいので，通常は無視できる．定常状態では呼吸交換率 R は呼吸商と等しい．最初の肺胞換気式によれば，分時肺胞換気量が半分になると，PA_{CO_2} は 2 倍になることが示されている（肺胞から除去される CO_2 が少なくなるため）．分時肺胞換気量を半分にすると，同時に PA_{O_2} の減少も引き起こす（肺胞換気量の減少は，肺胞内に入る O_2 がより少なくなることを意味する）．肺胞気式によって，ある PA_{CO_2} の変化量に対し，PA_{O_2} の変化量を予測することができる．呼吸交換率の正常値は 0.8 であるため，分時肺胞換気量が半分になると，PA_{O_2} の低下分は PA_{CO_2} の上昇分よりわずかに大きくなる．要約すると，$\dot{V}A$ が半分になった場合，PA_{CO_2} は 2 倍になり，PA_{O_2} は半分より少し大きな値になる．

　肺胞気式をさらに検討すると，何らかの理由で呼吸交換率が変化したとき，PA_{CO_2} と PA_{O_2} との関係も変化することが明らかになってくる．上述したように，呼吸交換率の正常値は 0.8 である．しかしながら，CO_2 産生量が O_2 消費量に対して減少する場合（例えば，呼吸交換率および呼吸商が 0.8 ではなく 0.6 の場合），PA_{O_2} の変化は PA_{CO_2} の変化より小さくなる．

例題

　ある男性の CO_2 産生量は，O_2 消費量の 80% であった．この男性の動脈血 P_{CO_2} が 40 mmHg で，加湿された気管中のガスの P_{O_2} が 150 mmHg の場合，PA_{O_2} はいくらになるか．

解答

　この問題を解くための基本的な仮定は，CO_2 が動脈血と肺胞気との間で平衡していることである．したがって，（肺胞気式に必要な）PA_{CO_2} の値は（問題に出されている）Pa_{CO_2} に等しい．肺胞気式を使

用して，呼吸商と吸気ガスの P_{O_2} がわかれば，PA_{CO_2} から PA_{O_2} を計算することができる．CO_2 産生量は O_2 消費量の 80% であると述べられている．呼吸商は正常値の 0.8 なので，PA_{O_2} は次のように計算される．

$$PA_{O_2} = PI_{O_2} - PA_{CO_2}/R$$
$$= 150\,mmHg - 40\,mmHg/0.8$$
$$= 150\,mmHg - 50\,mmHg$$
$$= 100\,mmHg$$

　この PA_{O_2} の計算値は，図 5.5 に示す O_2-CO_2 ダイアグラムで確認することができる．グラフは，呼吸商が 0.8 であるときに肺胞気式によって計算されたダイアグラムであり，肺胞気または動脈血 P_{CO_2} が 40 mmHg の場合に，P_{O_2} は 100 mmHg になっている．

努力性呼気量

　肺活量は最大吸息の後に呼出される肺容量である．**努力性肺活量**（forced vital capacity：FVC）は，図 5.6 に示すように，最大吸息の後に強制的に呼出されるガスの総量である．最初の 1 秒間で強制的に呼出することができるガス量を **1 秒量**（forced expiratory volume in first second：FEV_1）という．同様に，2 秒間で呼出されるガス量を **2 秒量** FEV_2，3 秒間で呼出されるガス量を **3 秒量** FEV_3 という．通常，肺活量のすべてが 3 秒以内に強制的に呼出されるので，"FEV_4" は必要ない【訳者注：後述の閉塞性肺疾患の評価に FEV_6 は使われることがある】．

　FVC および FEV_1 は肺疾患の有効な指標である．特に，肺活量に対して最初の 1 秒間に呼出されるガス量の割合 FEV_1/FVC を **1 秒率**（forced expiratory volume % in first second：FEV_1%）といい，疾患を診断するために使用することができる．例えば，健常人では FEV_1/FVC はおよそ 0.8 であり，これは最初の 1 秒で努力性肺活量の 80% が強制呼出されることを意味する（図5.6A）．**気管支喘息**や**慢性閉塞性肺疾患**（chronic obstructive pulmonary disease：COPD）などの閉塞性肺疾患の患者では，FVC と FEV_1 の両方が低下するが，FEV_1 の減少は FVC の減少よりも大

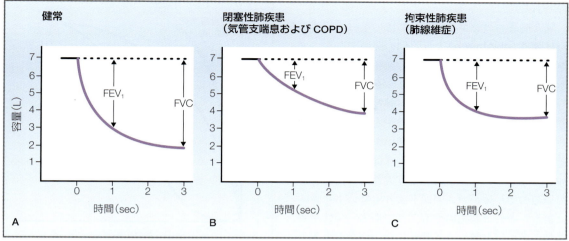

図 5.6 健常人と肺疾患患者の FVC と FEV$_1$.
被検者は最大限に吸息した後に，強制呼出を行う．A〜Cのグラフは，強制呼出の段階を示している．強制的に呼出された総容量は，努力性肺活量（FVC）とよばれる．最初の1秒間の呼出量を1秒量 FEV$_1$ とよぶ．COPD：慢性閉塞性肺疾患．

きい．したがって，FEV$_1$/FVC は減少し，これは呼気に対する気流抵抗の上昇を伴う気道閉塞の典型となる（図 5.6B）．**肺線維症（fibrosis）** などの**拘束性肺疾患（restrictive lung disease）**を有する患者においても，FVC および FEV$_1$ の両方が減少するが，FEV$_1$ の減少は FVC の減少よりも小さい．したがって，肺線維症において，FEV$_1$/FVCは実際には増加する（図 5.6C）．

呼吸の機械的なしくみ

呼吸運動を引き起こす筋群

■ 吸息筋

横隔膜（diaphragm）は最も重要な**吸息筋（muscle of inspiration）**である．横隔膜が収縮すると，腹部内臓は下方に押され，肋骨は上方および外側に持ち上げられる．これらの変化によって胸腔内容量が増加し，胸腔内圧が低下して肺への空気の流入が始まる．運動中に呼吸数と1回換気量が増加すると，**外肋間筋（external intercostal muscle）**および**補助呼吸筋（accessory mus-**cle）が，より活発な吸息のために動員される．

■ 呼息筋

正常な呼息は受動的な運動である．肺と大気との間の圧勾配が逆転することによりガスが肺から追い出され，圧勾配がなくなるまで流出が続く．しかし，運動中または気道抵抗が増大する疾患（例えば，**気管支喘息**）においては，**呼息筋（muscle of expiration）**が呼息運動に動員される．呼息筋は，腹腔を圧迫して横隔膜を押し上げる**腹筋群（abdominal muscle）**，および肋骨を下方および内側に引っ張る**内肋間筋（internal intercostal muscle）**である．

コンプライアンス

コンプライアンス（compliance）の概念は，呼吸器系においても心血管系と同様な意味をもつ．コンプライアンスは，**拡張能（伸展性）（distensibility）**を表す指標である．呼吸器系では，肺と胸郭のコンプライアンスが主に検討される．すでに述べているように，コンプライアンスは，圧力変化の結果として容量がどのように変化するかの尺度である．したがって，肺コンプライアンスは，ある圧力変化に対する肺気量の変化を説明するも

のである．

　肺と胸郭のコンプライアンスは，その収縮性または**弾性**（elastance）と反比例の関係である．コンプライアンスと弾性との間の逆相関は，薄いゴムバンドと厚いゴムバンドの2つを考えると理解しやすい．薄いゴムバンドは，弾性組織の量がより少なく，伸びやすく，柔軟性がある．厚いゴムバンドは，弾性"組織"の量が多いため，伸びにくく，柔軟性がない．さらに，引き伸ばした後に離すと，厚いゴムバンドは，より大きな弾性を有しているので，薄いゴムバンドよりも勢いよく瞬時に戻る．それは肺組織でも同様である．弾性組織の量が多いほど勢いよく瞬時に戻る傾向が大きくなり，弾性収縮力は大きくなるため，コンプライアンスは低下する．

　肺コンプライアンスを測定するには，肺の圧力と容量を同時に測定する必要がある．しかし，"圧力"という言葉は曖昧であり，肺胞内の圧力，肺胞外の圧力，または肺胞壁を介する**壁内外圧差**（transmural pressure）を意味する．壁内外圧差は構造全体の圧力であり，例えば，肺内外圧差は肺胞内圧と**胸膜腔内圧**（intrapleural pressure）との差になる（胸膜腔は肺と胸郭との間にある胸膜に囲まれた閉鎖空間である）【訳者注：胸膜腔内圧を胸腔内圧ということも多いが，胸腔と胸膜腔は解剖学的に異なる空間を指すため，ここでは区別して訳出した】．さらに肺の圧力は，大気圧を"ゼロ"（基準点）として，そこからの差として表される．すなわち，大気圧に等しい圧力はゼロであり，大気圧より高い圧力は陽圧，大気圧よりも低い圧力は陰圧になる．

■ 肺コンプライアンス

　摘出した肺における圧力と容量の関係を**図 5.7**に示す．この測定のために，肺を摘出し，密閉容器に入れて，気管には管をつなぎ，外に出しておく．容器内における肺の外側の空間は胸膜腔とみなすことができる．胸膜腔内圧の変化を模倣するために，真空ポンプによって肺の外側の空間の圧力を変化させる．圧力が変化すると肺の容量が変化するが，その容量変化を気管につないだスパイロメータで測定する．肺は外側の圧力が陰圧にな

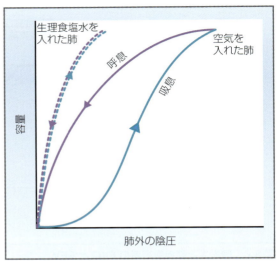

図 5.7　肺のコンプライアンス．
肺の容量と肺の圧との関係は，摘出した肺を膨張あるいは収縮させることによって得られる．各曲線の傾きがコンプライアンスである．空気が入った肺では，吸気（膨張）と呼気（収縮）は異なる曲線上を移動する．このことはヒステリシス（履歴現象）として知られている．

ると膨らみ，次いで，陰圧を弱めることによって収縮する．肺の膨張とそれに続く収縮を，圧を変え次々に測定して，**圧-容量曲線**（pressure-volume loop）が描かれる．圧-容量曲線のそれぞれの部分の勾配が，摘出肺の**コンプライアンス**を表すことになる．

　空気を入れた肺の実験においては，気道および肺胞は大気に開放されているため，肺胞内圧は大気圧に等しい．肺の外側の陰圧を真空ポンプによってさらに強めると肺が膨張し，その容量が増加する．したがって，肺を拡張させるこの外部の陰圧が**膨張圧**（expanding pressure）となっている．肺は，圧-容量曲線の**吸息曲線**に沿って空気で満たされる．最大膨張圧において，肺胞が限界まで空気で満たされると，肺はより硬くなるため，曲線は平らになる．肺を最大限に拡張させた後，肺の外側の陰圧を徐々に弱めると，圧-容量曲線の**呼息曲線**に沿って肺容量が減少する．

　空気を入れた肺の圧-容量曲線の特徴は，吸息および呼息の曲線の傾きが異なることであり，**ヒステリシス（履歴現象）**（hysteresis）とよばれる．圧-容量曲線の勾配はコンプライアンスを示すた

め，吸息時と呼息時の肺コンプライアンスが異なっていることを意味している．一定の圧力変化に対して，肺の容量の変化は吸息時よりも呼息時のほうが大きくなっている（すなわち，吸息中よりも呼息中のほうでコンプライアンスが高い）．圧-容量曲線の吸息曲線では最大膨張圧でのコンプライアンス低下が起こり，測定が複雑になるので，通常，**肺コンプライアンスは圧-容量曲線の呼息曲線で測定**される．

なぜ肺コンプライアンス曲線の吸息曲線と呼息曲線に差が出るのだろうか．コンプライアンスは弾性組織の量に依存する肺の内因性特性であるため，2つの曲線が同じになるはずである．異なる曲線（すなわち，ヒステリシス）についての説明は，空気で満たされた肺の液体-気体界面における**表面張力（surface tension）**にある．肺に内在する液体分子間の分子間引力は，液体分子と空気分子との間の力よりもはるかに強い．空気を入れた肺において，吸息相と呼息相で異なる曲線となるのは，次のように説明できる．

- **吸息曲線**では，液体分子が最も接近し，分子間力が最も強い低肺容量から始まる．肺を膨らませるためには，まずこれらの分子間力を打ち破る必要がある．後で述べるが，**界面活性物質（サーファクタント）（surfactant）**が，ヒステリシスの原因となっている．簡単に説明すると，界面活性物質はⅡ型肺胞上皮細胞（type Ⅱ alveolar cell）によって産生されるリン脂質であり，表面張力を低下させ，肺コンプライアンスを高めるための界面活性剤として働いている．肺が拡張するとき（吸息曲線）に，Ⅱ型肺胞上皮細胞によって新たに生成された界面活性物質は，肺胞表面を覆う液体層に入り，これらの分子間力を打ち破って表面張力を低下させる．吸息曲線の最初の部分では，最も肺の容量が小さく，肺の表面積は，界面活性物質が液体層に添加されるよりも速く増加している．したがって，界面活性物質の密度は低く，表面張力は高く，コンプライアンスは低く，曲線は平坦である．拡張が進むにつれて界面活性物質の密度が増加し，表面張力が低下し，コンプライアンスが増大し，曲線の傾きが増大する．

- **呼息曲線**においては，液体分子間の分子間力が小さい高肺容量から始まり，肺を収縮させるために分子間力を壊す必要はない．肺の収縮時（呼息曲線）においては，肺表面積は界面活性物質が液相から除去されるよりも速く減少するため，界面活性物質分子の密度が急速に増加し，表面張力が減少し，コンプライアンスが増加する．したがって，呼息曲線の最初の部分は平坦である．呼息が進むにつれて界面活性物質は液相から除去されるため，界面活性物質密度は比較的一定になり，肺のコンプライアンスも一定になる．

これらをまとめると，空気を入れた肺において観察されたコンプライアンス曲線は，部分的には肺の内因性コンプライアンスによって，そして一部は液体-空気界面における表面張力によって決定される．生理食塩水で満たされた肺で同様な実験を行うことにより，表面張力の役割が明らかとなる．液体-空気界面がなくなり，表面張力がなくなるために，吸息曲線と呼息曲線は同じになる．

■ 胸郭コンプライアンス

図5.8に肺と胸郭との関係の模式図を示す．導管気道は単一の管によって表され，ガス交換領域は単一の肺胞によって表される．肺と胸郭との間の胸膜腔は，実際のサイズよりもはるかに大きく描いている．肺と同様に，胸郭にもコンプライアンスがある．**胸郭コンプライアンス（chest wall compliance）**は，胸膜腔内に空気を注入するこ

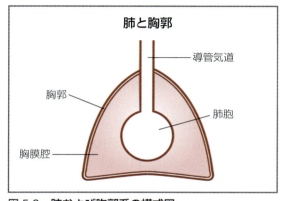

図5.8 **肺および胸郭系の模式図．**
肺と胸郭との間にある胸膜腔の広さは誇張してある．

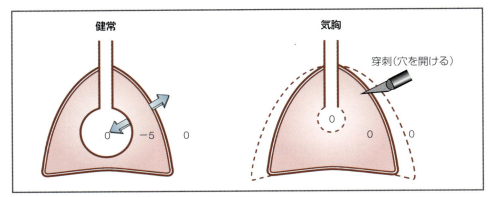

図 5.9　健常人および気胸患者の胸膜腔内圧.
図中の数字は圧力（cmH₂O）を示す．圧力は大気圧を基準としており，したがって，圧力ゼロとは大気圧と等しいことを意味する．矢印は，拡張あるいは虚脱しようとする弾性力を示す．健常では，安静時の胸膜腔内圧は−5 cmH₂O であり，これは，肺を虚脱させようとする力と胸郭を拡張しようとする力の大きさが等しく向きが反対のため生じている．気胸では，胸膜腔内圧は大気圧に等しくなり，肺は虚脱し，胸郭は拡張する．

と，すなわち気胸を作成することによって測定することができる．

　気胸によって生ずる結果を理解するためには，まず，胸膜腔内が（大気圧より低い）陰圧であることを認識する必要がある．この**陰圧になっている胸膜腔内圧**は，胸腔内空間を引っ張る2つの反対方向への弾性によって生じている．肺の弾性は肺を収縮させる方向に，胸郭の弾性は胸郭を拡張させる方向に働く（図 5.9）．これらの2つの対向する力が胸膜腔を引っ張ることで，吸引圧すなわち陰圧となる．次に，胸膜腔内圧が陰圧になることで，肺の収縮力と胸郭の拡張力という自然な動きに対抗することができる（すなわち，肺が虚脱するのを防ぎ，胸郭が拡張するのを防いでいる）．

　鋭利なもので胸膜腔を穿刺すると，空気が胸膜腔内に流れ込み（**気胸（pneumothorax）**），胸膜腔内圧はただちに大気圧になる．つまり，胸膜腔内圧は通常の陰圧からゼロになる．気胸は2つの重篤な結果をもたらす（図 5.9）．1つ目は，肺拡張を維持する陰圧の胸膜腔内圧がなければ，肺は虚脱することになる．2つ目は，胸郭が拡張しないようにする陰圧の胸膜腔内圧がなければ，胸郭は拡張することになる（胸郭が拡張する理由がイメージできない場合は，胸郭を指の間に挟んで圧縮してあるバネと考える．もちろん，実際の胸郭は指による外からの圧迫でなく胸膜腔の陰圧によって引く力による圧縮を行っている．指を離す

とバネが伸びるように，胸膜腔内の陰圧を排除すると胸郭が拡張することになる）．

■ 肺，胸郭，および肺と胸郭の複合体としての圧-容量曲線

　図 5.10 に示すように，肺のみ（すなわち，容器内の摘出された肺），胸郭のみ，および肺と胸郭を合わせた複合体について，圧-容量曲線を得ることができる．胸郭単独の曲線は，肺と胸郭の複合体の曲線から肺曲線を差し引くことによって得られる．肺のみの曲線は，図 5.7 に示しているものと同様であり，簡略化のためにヒステリシスは取り除かれている．肺と胸郭の複合体の曲線は，次に述べるような手順で被検者にスパイロメータ内のガスを呼吸させることによって得られる．まず被検者は，一定の容量のガスを吸入するか，または呼出する．そのときにスパイロメータのバルブを閉じ，被検者が呼吸筋を弛緩させると，気道内圧が測定される（弛緩圧力とよばれる）．このような測定を，肺と胸郭の複合体に対して一連の静的容量で繰り返し，それぞれの気道内圧の値を測定する．容量が FRC であるとき気道内圧はゼロであり，すなわち，大気圧に等しい．FRC より少ない容量では，気道圧は陰圧（容量が少なくなると，圧力もより低くなる）である．FRC より大きい容量では，気道内圧は陽圧である（容量が大きくなると，圧力もより高くなる）．

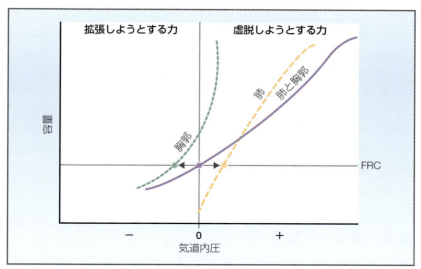

図 5.10　肺，胸郭，肺と胸郭の複合体におけるコンプライアンス．
胸郭の拡張しようとする力と，肺が虚脱しようとする力がちょうど等しくなる平衡点が，機能的残気量（FRC）の位置である（▶Video 5.10 も参照）．

図 5.10 の各曲線の傾きはコンプライアンスを示す．胸郭単独のコンプライアンスは，肺単独のコンプライアンスにほぼ等しい．しかし，肺と胸郭の複合体のコンプライアンスは，肺単独および胸郭単独のコンプライアンスよりも小さい（すなわち，肺と胸郭の複合体の曲線は"より平坦"である）．風船（胸郭）の中のもう 1 つの風船（肺）を入れたモデルでみてみる．それぞれの風船は同じコンプライアンスをもっているが，風船の中に風船が入っている複合体においては，コンプライアンスが小さくなり拡張しにくくなる．

図 5.10 の曲線を解釈するうえで最も簡単な方法は，肺と胸郭の複合体が静止，つまり平衡状態の容量である FRC から理解することである．FRC は，ヒトが正常な 1 回換気量を呼息した後に肺に残っている容量である．FRC のときのグラフを理解すると，容量を FRC よりも小さくした場合と FRC よりも大きくした場合のグラフが比較できるようになる．

● 容量が FRC のとき

容量が FRC である場合，肺と胸郭の複合体は平衡状態にある．気道内圧は大気圧に等しいので，圧力はゼロである（容量が FRC の場合，肺と胸郭の複合体の曲線は，気道内圧がゼロのときであり縦軸との交点にある）．FRC のときには，肺の弾性は虚脱しようと働き，胸郭の弾性は拡張しようと働く．もし，これらの弾性力が反対方向でなければ，肺も胸郭もまさしくその方向に動くはずである．しかしながら，平衡位置である FRC のときには，グラフ中の同じ大きさの矢印によって示されるように，肺の虚脱圧と胸郭の拡張圧とはちょうど等しくなっている．したがって，肺と胸郭の複合体では虚脱も拡張も起こらない．

● 容量が FRC より小さいとき

複合体の容量が FRC よりも小さいとき（すなわち，被検者がスパイロメータで強制呼出を行った場合），肺の容量はより小さくなり，その虚脱（弾性）力はより小さくなる．しかし，胸郭の拡張力がさらに大きくなるので，肺と胸郭の複合体は拡張しようとする（グラフの FRC 未満の容量では，肺の虚脱圧は胸郭の拡張力よりも小さいので，複合体の気道内圧は負になる．したがって，圧勾配によって空気が肺内に流入し，複合体としては拡張する方向に動く）．

● 容量が FRC より大きいとき

複合体の容量が FRC より大きいとき（すなわち，被検者がスパイロメータで吸息を行ったとき），肺の容量はより大きくなり，その虚脱（弾性）

力はより大きくなる．しかし，胸郭の拡張力はさらに小さくなるので，肺と胸郭の複合体は虚脱しようとする（グラフのFRCよりも大きい容量では，肺の虚脱力は胸郭の拡張力よりも大きいので，複合体における気道内圧は正となる．したがって，圧勾配によって空気が肺内から流出し，複合体としては虚脱する方向に動く）．複合体の容量がさらに大きいとき，胸郭曲線は縦軸と交叉する点を超えているので，肺も胸郭も虚脱する方向に力が働くようになるため，複合体においては大きな収縮力となる．

■ 疾患時の肺コンプライアンス

疾患のために肺のコンプライアンスが変化すると，圧-容量曲線の傾きが変化し，その結果，**図5.11**に示すように，肺と胸郭の複合体の圧-容量曲線も変化する．参考までに，**図5.11**の上のグラフは**図5.10**と同じものを示した．わかりやすくするため，下のグラフでは複合システムの各構成要素を別々の曲線（すなわち，胸郭のみ，肺のみ，および肺と胸郭をあわせたもの）で示している．胸郭だけは，そのコンプライアンスが次に述べる疾患では変化しないため，1つのコンプライアンス曲線となる（**図5.11A**）．**図5.11**の下の3つのグラフ中の実線は，正常な圧-容量曲線を示している．点線は疾患によって変化した曲線を示す．

● 肺気腫（肺コンプライアンスの増加）

肺気腫（emphysema）は，慢性閉塞性肺疾患（COPD）に分類される疾患であり，肺の弾性線維の喪失を伴う．その結果，（弾性とコンプライアンスの逆の関係から）肺のコンプライアンスが増大する．コンプライアンスの増加は，肺の圧-容量曲線の勾配の増加（急峻化）を引き起こす（**図5.11B**）．結果として，どの容量においても肺の虚脱しようとする力（弾性収縮力）は減少する．FRCが疾患前の元の値では，肺の虚脱しようとする力は胸郭の膨張しようとする力よりも小さくなるので，これらの相反する力はもはやバランスがとれなくなる．相反する力のバランスをとるためには，虚脱しようとする力を増大させるために肺の容量を大きくしなければならない．このように，肺と胸郭の複合体が，2つの相反する力のバ

ランスをとるためには，新たに**大きなFRC**に移行することになる（**図5.11C**）．すなわち，気道内圧がゼロとなる新しい交点は肺容量の高い位置になる．肺気腫を有する患者は，より大きな肺容量（より大きなFRCの位置）で呼吸し，**樽状胸郭**（barrel-shaped chest）になる．

● 肺線維症（肺コンプライアンスの低下）

肺線維症は，いわゆる拘束性肺疾患とよばれるが，肺組織の硬化および肺コンプライアンスの低下を伴う．肺コンプライアンスの低下は，肺の圧-容量曲線の傾きの減少を引き起こす（**図5.11B**）．疾患前の正常な元のFRCのレベルでは，肺の虚脱しようとする力が胸郭の拡張しようとする力よりも大きくなるため，相反する力はもはやバランスがとれなくなる．バランスをとるために，肺と胸郭系は新たに**低いFRC**に移行する（**図5.11C**）．すなわち，気道内圧がゼロになる新しい交点は肺容量の低い位置になる．

■ 肺胞の表面張力

小さなサイズの肺胞には，その形状を維持するための特別な問題が存在する．この問題は次のように説明することができる．肺胞には液体の膜がある．液体の隣接する分子間引力は，液体分子と肺胞中の気体分子との間の引力よりも強く，**表面張力**を生み出す．液体の分子が引力によって引きつけられると，表面積は可能な限り小さくなり，（ストローの端に石鹸水をつけて息を吹くとできるシャボン玉のように）小さな球を形成する．表面張力は，球を虚脱させる圧力を生み出す．このような球に発生する圧力は，Laplace（ラプラス）の法則（law of Laplace）によって与えられる．

$$P = \frac{2T}{r}$$

ここで

P＝肺胞が虚脱しようとする圧力（ダイン/cm²）
  あるいは
  肺胞の大きさを保つための圧力（ダイン/cm²）
T＝表面張力（ダイン/cm）
r＝肺胞の半径（cm）

呼吸の機械的なしくみ　231

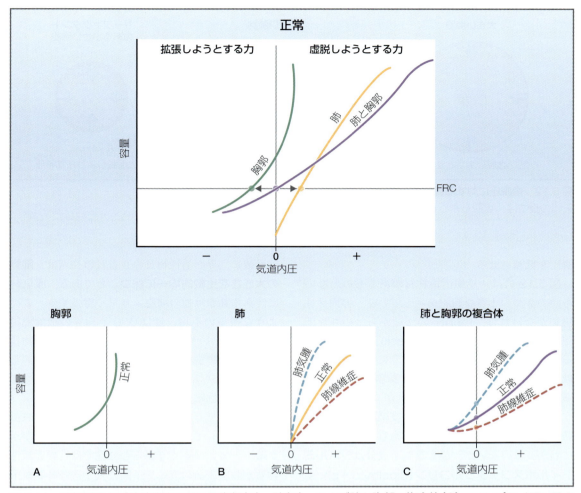

図 5.11　肺気腫および肺線維症における胸郭(A)，肺(B)，および肺と胸郭の複合体(C)のコンプライアンスの変化．
平衡点すなわち機能的残気量(FRC)は肺気腫で増加し，肺線維症で減少する．

　Laplace の法則は，肺胞を虚脱させようとする圧力が，肺胞内の液体分子が引き起こす表面張力に正比例し，肺胞の半径に反比例することを表している（図 5.12）．半径と反比例の関係のために，**大きな肺胞**（大きい半径を有するもの）は，虚脱させようとする圧力が低く，したがって，形状を維持するのに要する反対方向への圧力は低い．一方，**小さな肺胞**（小さい半径を有するもの）は，虚脱させようとする圧力が高く，それを維持するには，より大きな圧力が反対方向に必要である．したがって，小さな肺胞は虚脱しやすいため，理想的ではない．しかし，ガス交換の観点からは，肺胞の大きさは容量に対する総表面積を増加させるために，できるだけ小さくする必要がある．この根本的な矛盾は，界面活性物質によって解決される．

■ **界面活性物質**

　虚脱させようとする圧力に対する半径の影響を考えると，ここで生じる疑問は，小さな肺胞は高い虚脱圧をもつのに，どのようにして形状を維持するのか，である．この疑問に対する答えは，**界面活性物質（サーファクタント）**という肺胞の表面を覆うリン脂質の混合物が，表面張力を減少させることにある．界面活性物質は，表面張力を低下させることにより，どの半径の肺胞に対しても虚

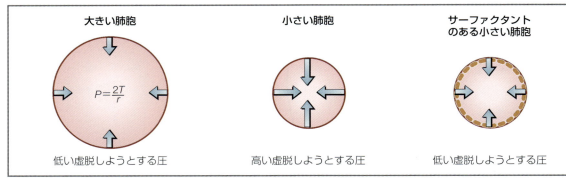

図5.12　虚脱圧に対する肺胞の大きさ，および界面活性物質の影響.
矢印の長さは，虚脱しようとする圧の相対的な大きさを示す.

脱圧を低減させる.

図5.12には，界面活性物質があるものとないものの2つの小さな肺胞を示している．界面活性物質がなければ，Laplaceの法則から，小さな肺胞は虚脱する(**無気肺(atelectasis)**)と考えられる．界面活性物質が存在する場合には，虚脱圧が低減しているため，同じ小さな肺胞は(空気で膨らんだまま)形状を維持することができる．

界面活性物質は，**II型肺胞上皮細胞**によって脂肪酸から合成される．界面活性物質の組成は正確にわかっていないが，最も重要な成分は**ジパルミトイルホスファチジルコリン(dipalmitoyl phosphatidylcholine：DPPC)**である．DPPCが表面張力を低下させる機構は，リン脂質分子の**両親媒性**の性質(すなわち，一方の末端が疎水性で他方の末端が親水性)に基づく．DPPC分子は肺胞表面に並んでおり，疎水性部分が互いに引き寄せられ，親水性部分が弾き合う．DPPC分子は，(高い表面張力に関与していた)肺胞を覆っている液体分子間に入り込み，液体分子間の吸引力を分断させる．このように，界面活性物質が存在すると，**表面張力および虚脱圧が減少**し，小さな肺胞の形状と含気が維持される．

界面活性物質は，肺機能に対して2番目の利点をもたらす．つまり，肺の**コンプライアンスを増加**させ，吸息時の肺を拡張するための仕事量を減少させる(図5.11から，肺のコンプライアンスを高めることは，任意の容量における虚脱圧を減少させ肺がより拡張しやすくなる)．

最後に，界面活性物質の3番目の利点は，**肺胞の大きさを比較的均一に保つ**ことである．吸気時に，ある肺胞は他の肺胞より早く膨張する．このような換気の不均一性は(V/Q不均等の議論で説明したように)ガス交換を損なう．界面活性物質は，肺胞の膨張速度がより均一になるように調整するのに役立つ．例えば，急速に膨張する肺胞では，界面活性物質が肺胞表面の液体分子間に入り込むよりも早く肺胞サイズが大きくなるため表面張力が増大して，それ以上の膨張にブレーキがかかる．一方，ゆっくり膨らむ肺胞では，界面活性物質が肺胞表面の液体分子間に入り込む時間が十分にあり，膨張にブレーキをかける必要がない．その結果，多数の肺胞の膨張速度が均一になり，ガス交換においては理想的な状態になる．

新生児呼吸窮迫症候群(neonatal respiratory distress syndrome)では，界面活性物質が不足している．発達中の胎児では，界面活性物質の合成は妊娠24週目から始まり，35週目までにはほぼ十分に存在する．未熟状態で生まれるほど，界面活性物質が存在する可能性は低くなる．妊娠24週前に生まれた乳児は界面活性物質を一切もたず，24〜35週に生まれた乳児は界面活性物質の量が十分であるかは不確かである．界面活性物質がなければ，小さな肺胞は表面張力を高め，圧力が高くなり，虚脱する(**無気肺**)．虚脱した肺胞は換気されていないため，ガス交換を行うことができない(これをシャントとよび，後述する)．その結果，**低酸素血症(hypoxemia)**が発症する．

界面活性物質がなければ，肺の**コンプライアンス**は**低下**し，吸息時において肺を拡張させるための仕事量は増加する．

気流，圧力および抵抗の関係

肺における気流，圧力，および抵抗の関係は，心血管系における関係と類似している．空気の流れは血流に，ガス圧力は流体圧力に，気道の抵抗は血管の抵抗に相当する．したがって，次の関係はわかりやすいはずである．

$$Q = \frac{\Delta P}{R}$$

ここで

Q = 気流（L/min）
ΔP = 圧較差（mmHg または cmH_2O）
R = 気道抵抗（cmH_2O/L/second）

言い換えると，気流（Q）は，口または鼻と肺胞との間の圧較差（ΔP）に正比例し，気道抵抗（airway resistance）（R）に反比例する．ここでは，圧力差が気流の駆動力であることを理解することが重要である．圧力差がなければ，ガスの流れは発生しない．呼吸周期の異なる段階での圧力，例えば呼吸が止まっているとき（呼吸の間）と吸息時の圧力を比較することで，圧較差と気流の関係が理解できる．呼吸が止まっているとき，肺胞内圧は大気圧に等しい．したがって，圧勾配，駆動力，および気流はない．一方，吸息のときには，横隔膜が収縮して肺容量を増加させるので，これが肺胞内圧を低下させ，肺への気流を駆動する圧力差をつくる．

■ 気道抵抗

呼吸器系では，心血管系と同様に，気流は抵抗に反比例する（$Q = \Delta P/R$）．抵抗は Poiseuille（ポアズイユ）の法則（Poiseuille law）によって決まる．したがって

$$R = \frac{8\eta l}{\pi r^4}$$

ここで

R = 抵抗
η = 吸入気の粘度
l = 気道の長さ
r = 気道の半径

ここで，気道の抵抗（R）は半径（r）の4乗に反比例するという関係に注意する必要がある．例えば，気道の半径が1/2に減少すると，抵抗は単純に2倍に増加するのではなく，2の4乗つまり16倍に増加する．抵抗が16倍になると，空気の流れは1/16に減少することになり，劇的な影響がある．

中程度の太さの気管支が気道抵抗の最も高い部位である．抵抗と半径との間には4乗の反比例関係があるので，最も小さい気道が，最も高い気流抵抗をもつようにみえるかもしれない．しかしながら，気道は並列に配列されているために，最も細い気道は最大の総抵抗を有さない．血管が並列して配列されている場合，総抵抗は個々の抵抗よりも小さく，血管を並列に追加すると総抵抗が減少するのと同様である（**第4章**）．血管系の並列抵抗と同じ原理が気道にもあてはまる．

■ 気道抵抗の変化

気道抵抗と気道径（半径）との関係は，4乗に反比例するという強い関係がある．したがって，当然ながら，**気道径の変化**が，抵抗および気流を大きく変化させるための主要な機構である．導管気道の壁の平滑筋は，自律神経線維によって支配されている．自律神経の興奮により，気道の収縮または拡張が生ずる．肺容量および吸入気の粘度の変化もまた，気流抵抗を変化させる．

● 自律神経系

気管支平滑筋は，コリン作動性副交感神経線維（parasympathetic cholinergic nerve fiber）およびアドレナリン作動性交感神経線維（sympathetic adrenergic nerve fiber）によって支配されている．これらの線維の興奮は，気管支平滑筋の収縮または弛緩を引き起こし，気道の直径は以下のように減少，または増加する：(1)**副交感神経刺激**は気管支平滑筋の**収縮**を生じ，気道直径を減少させ，これらの効果は，**ムスカリン性アセチルコリン受容体作動薬**（muscarinic agonist）（例えば，ムスカ

リンおよびカルバコール）によっても引き起こされ，**ムスカリン性アセチルコリン受容体拮抗薬（muscarinic antagonist）**（例えば，アトロピン）によって阻害される．気管支平滑筋の収縮はまた，気管支喘息および刺激物質に対する反応として起こる．(2)**交感神経刺激**は，β_2アドレナリン**受容体**の刺激を介して気管支平滑筋の**弛緩**を引き起こす．気管支平滑筋の弛緩は，気道径の増加および気流抵抗の減少をもたらす．したがって，アドレナリン，イソプロテレノール，およびアルブテロールなどのβ_2アドレナリン受容体作動薬は，気管支平滑筋の弛緩を引き起こすので，これは**気管支喘息の治療**の作用機序となっている．

- **ヒスタミン**（histamine）と数種のロイコトリエン（leukotriene）は強力な気管支収縮物質であり，気道抵抗を増大させる．
- **肺気量**

  肺気量の変化は気道抵抗を変化させる．肺気量の減少は（気道を虚脱させる点まで）気道抵抗を増加させ，肺気量の増加は気道抵抗を減少させる．肺気量の影響が現れる1つの機構は，**肺胞同士の相互依存性**，すなわち，肺胞は，中心方向への牽引力，あるいは隣の肺胞との機械的結合によってその形が維持されている．肺胞がより膨張すると（肺気量がより高くなると），それらは隣接する肺胞および近くの細気管支を引き寄せ，細気管支を開いて抵抗を減少させる．気管支喘息の患者では，より高い肺気量で呼吸することで，疾患による高い気道抵抗を部分的に相殺している（すなわち，肺気量による影響は，代償機構として気道抵抗を減少させるのに役立っている）．

- **吸入気の粘度**

  吸入気の粘度（viscosity of inspired air）（η）が抵抗に及ぼす影響は，Poiseuilleの法則から明らかである．日常的ではないが，ガスの粘度の増加は（例えば，深海ダイビング中に生ずる）気道抵抗の増加をもたらし，粘度の低下（例えば，ヘリウムのような低密度ガスの呼吸時）は気道抵抗の減少を生じる．

- **代償性気管支収縮**

  換気した肺胞の肺毛細血管に血液が流れていない場合，気道抵抗を伴う適応機構が動員される．

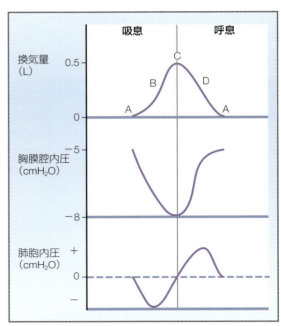

図5.13　正常な呼吸周期における肺の容量と圧力．
胸膜腔内圧および肺胞内圧は，大気圧を基準とした値である．図中の文字**A**〜**D**は，図5.14の呼吸周期の各相に対応する．

血流のない肺胞は**死腔**であり，肺血流がなければ換気が"無駄"になり，ガス交換ができないことを想起してほしい．その結果，それらの肺胞のPA_{O_2}およびPA_{CO_2}は，吸気中の値に近づく（すなわち，PA_{O_2}が上昇し，PA_{CO_2}が低下する）．PCO_2の局所的な低下（およびそれに伴うpHの上昇）は，近傍の気道の気管支収縮を引き起こし，気流を死腔（ガス交換ができない）領域から，血液が十分に灌流しているガス交換ができる領域へと方向転換させる．

呼吸周期

正常な**呼吸周期**を図5.13と図5.14に示す．考えやすいように，呼吸周期を，**休止相(rest)**（呼吸と呼吸の間），**吸息相**および**呼息相**という3相に分ける．図5.13では，呼吸周期における3つのパラメーター，すなわち肺の内外へ移動する空気の量，胸膜腔内圧，および肺胞内圧の変化を図示している．

図5.14は，肺（1つの肺胞で表している），胸郭，肺と胸郭との間の胸膜腔内の空間の見慣れた模式

呼吸の機械的なしくみ　235

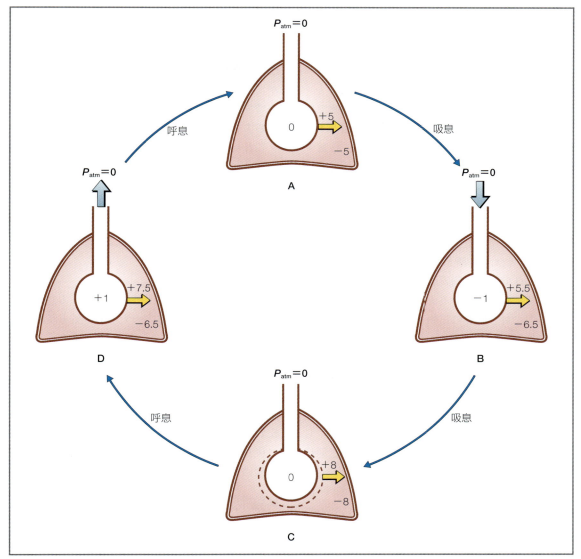

図5.14　正常な呼吸周期中の圧変化.
数字は，大気圧（P_{atm}）を基準とした圧を cmH_2O の単位で示した．黄色の矢印の上の数字は，壁内外圧差の大きさを示す．太い青色の矢印は，肺の内外への空気の流れを示している．**A**：休止相，**B**：吸息相の中間点，**C**：吸息相の終わり，**D**：呼息相の中間点．

図である．呼吸周期の各相での圧力は，水圧の cmH_2O の単位で表している．大気圧はゼロで，肺胞内圧と胸膜腔内圧の値は，それぞれの部位に示した．黄色の矢印は，肺を横切る**壁内外圧差**の方向および大きさを示す．慣例により，壁内外圧差は肺胞内圧から胸膜腔内圧を差し引いたものとして計算される．壁内外圧差が正，すなわち陽圧であれば，それは肺の拡張圧であり，黄色の矢印は外向きを指す．例えば，肺胞内圧がゼロであり，胸膜腔内圧が $-5\,cmH_2O$ であるときには，肺には $+5\,cmH_2O$（$0-[-5\,cmH_2O]=+5\,cmH_2O$）の拡張圧がある．壁内外圧差が負，すなわち陰圧の場合，それは肺を圧迫する圧であり，黄色の矢印は内向きになる（この図には示されていない）．肺および胸膜腔内圧が変化しても，正常な呼吸周期のすべての相において，肺を横切る壁内外圧差はつ

ねに肺を拡張するように働いていることに注意する必要がある．太い青色の矢印は，肺の内外への空気の流れの方向を示している．

■ 休止相

休止相は，呼吸周期と呼吸周期の間の期間であり，横隔膜はその平衡位置にある（図5.13，5.14A）．安静時には，空気が肺の内外に移動することはない．このとき**肺胞内圧は大気圧に等しい**ため，肺内圧はつねに大気圧との差として表されるので，肺胞内圧はゼロとなる．空気の流れがないのは，大気（口または鼻）と肺胞との間に圧力差がないからである．

休止相では，**胸膜腔内圧は陰圧**であり，約$-5\,cmH_2O$である．胸膜腔内圧が陰圧である理由は，すでに説明しているように，肺の虚脱しようとする力に対し胸郭の拡張しようとする力が反対方向に加わることにより，胸膜腔内には負の圧力が生じる．密閉された容器内に入れた摘出肺の実験から，容器内の陰圧（すなわち，負の胸膜腔内圧）が肺を膨張または拡張させていることを思い出してほしい．休止相での肺を横切る壁内外圧差は，$+5\,cmH_2O$（肺胞内圧から胸膜腔内圧を差し引いたもの）であり，肺胞が膨らんでいる状態にあることを意味する．

休止相において肺に存在するガス容量は，平衡状態の容量，あるいは正常な呼息後に肺に残っているガス容量と定義されるFRCである．

■ 吸息相

吸息相では，**横隔膜が収縮**し，胸郭の容量が増加する．肺気量が増加するにつれて，肺内の圧力は減少しなければならない（Boyleの法則では，$P \times V$は一定の温度の下で一定である）．吸息相の中間点で（図5.13，5.14B），肺胞内圧は大気圧以下（$-1\,cmH_2O$）になる．大気と肺胞との間の圧勾配は，肺への空気の流れを駆動する．吸息の終わりまで空気は肺に流入し，肺胞内圧が再び大気圧と等しくなる（図5.14C）．大気と肺胞との間の圧力勾配がなくなると，肺への空気の流入が止まる．1回の呼吸で吸入される空気の容量，**1回換気量（VT）**は約0.5 Lである．したがって，正常

な吸息の終わりに肺に存在する容量は，FRC＋1回換気量（FRC＋VT）である．

吸息相の間，次の2つの効果により，**胸膜腔内圧は休止相よりもさらに陰圧**になる：(1)肺の容量が増加すると，肺の**弾性収縮力（elastic recoil）**が増加し，胸膜腔をより強く引っ張り，(2)気道内圧および肺胞内圧が陰圧になる．

これらの2つの効果が一緒になることで胸膜腔内圧がより陰圧になり，吸息の終わりには約$-8\,cmH_2O$となる．吸息中における胸膜腔内圧の変化を記録することで，肺の**動的コンプライアンス（dynamic compliance）**を推定することができる．

■ 呼息相

正常では，**呼息相は受動的に行われる過程**である．肺の弾性力が肺胞内の大量の空気を圧迫するため，**肺胞内圧は陽圧に（大気圧よりも高く）**なる．肺胞内圧が大気圧よりも高くなると（図5.13，5.14D），肺からガスが外へ流れ，肺の容量がFRCに戻る．このときに呼出された量が，1回換気量である．呼息相の終了時には（図5.13，5.14A），すべての容量と圧力の値が休止相の値に戻り，呼吸器系は次の呼吸周期を開始する準備状態になる．

■ 強制呼出

強制呼出（forced expiration）は，意図的に強く呼息を行うことである．このため呼息筋群が動員され，肺および気道内圧は通常の受動的な呼息でみられる値よりも，さらに陽圧になる．図5.15には，健常人とCOPD（肺気腫）患者における強制呼出時に発生する圧力の比較を示す．

健常人では，強制呼出は肺および気道内圧を非常に高くする．気道および肺胞内圧は，受動的な呼息で生じる圧力よりもはるかに高い値に上昇する．この例においては，通常の受動的な呼息では，肺胞内圧は$+1\,cmH_2O$であり（図5.14D参照），強制呼出では，気道内圧が$+25\,cmH_2O$になり，肺胞圧が$+35\,cmH_2O$になる（図5.15）．

強制呼出時には，呼息筋の収縮も胸膜腔内圧を上昇させ，例えば$+20\,cmH_2O$の陽圧に上昇させ

ガス交換 237

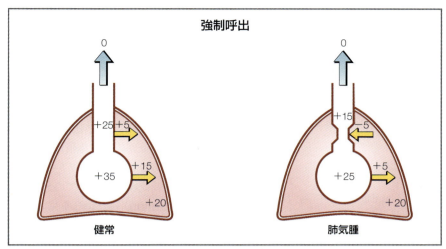

図 5.15 健常人および肺気腫患者における強制呼出時の肺胞および導管気道に働く圧力.
数字は，大気圧を基準とした圧を cmH₂O の単位で示した．黄色の矢印の上の数字は，壁内外圧差の大きさを示す．黄色の矢印の方向は，壁内外圧差が拡張しているか（外向きの矢印），虚脱しているか（内向きの矢印）を示す．青い矢印は，肺への空気の出入りの方向を示している．

る．ここで大切な疑問として，肺や気道は胸膜腔内圧が陽圧になると虚脱してしまうのだろうか．その答えは，壁内外圧差が陽圧である限りは，気道および肺は膨張したままである．正常の強制呼出時には，気道を横切る壁内外圧差は，気道内圧から胸膜腔内圧を引いたもの，つまり +5 cmH₂O（+25−[+20] = +5 cmH₂O）になる．肺における壁内外圧差は，肺胞内圧から胸膜腔内圧を引いたもの，つまり +15 cmH₂O（+35−[+20] = +15 cmH₂O）．したがって，気道および肺胞の壁内外圧差は陽圧であるため，気道および肺胞ともに虚脱しないことになる．また，肺胞内圧（+35 cmH₂O）と大気圧（0）との間の圧勾配が正常よりもはるかに大きいので，呼出は迅速かつ強力に起こる．

しかし，**肺気腫**患者では，強制呼出をすると，気道が虚脱する可能性がある．肺気腫では，弾性線維の損失のために肺コンプライアンスが増加している．強制呼出時に，胸膜腔内圧は健常人と同じ値，+20 cmH₂O に上昇する．しかしながら，弾性収縮力が減少しているので，肺胞内圧および気道内圧は健常人よりも低い．肺の壁内外圧差は +5 cmH₂O という陽圧が保たれた拡張圧となり，肺胞は虚脱しない．しかし，大きな気道では，

壁内外圧差の勾配が逆転し，−5 cmH₂O という陰圧になるので虚脱（閉塞）する．当然ながら，大きな気道が閉塞すると気流抵抗が増加し，呼息がより困難になる．肺気腫の患者では，**口をすぼめてゆっくりと息を吐く**のを訓練することで口に高い抵抗を生じさせ，気道圧を上昇させ，大きな気道の壁内外圧差の逆転を防ぎ，閉塞を防ぐ．

ガス交換

呼吸器系における**ガス交換（gas exchange）**とは，肺および末梢組織における，O₂ および CO₂ の拡散によるガス交換を意味する．O₂ は，肺胞気から肺毛細血管の血液に移動し，組織に運搬され，最終的には全身の毛細血管から細胞に拡散する．CO₂ は，組織から静脈血，肺毛細血管血に運搬され，肺胞気に移動し呼出される．

気体の法則

ガス交換のメカニズムは，溶液中でのガスの挙動を含む気体の基本的性質に基づいている．この項では，それらの原理について述べる．

■気体の一般法則

気体の一般法則（general gas law）（一般に化学課程で学ぶ）は，気体の圧力と体積の積が，気体のモル数にガス定数と温度を乗じたものに等しい．したがって

$$PV = nRT$$

ここで

P ＝圧（mmHg）
V ＝容量（L）
n ＝気体のモル数（mol）
R ＝気体定数
T ＝絶対温度（K）

呼吸生理学に気体の一般法則を適用する際の唯一の"トリック"は，気相では BTPS が使用されるが，液相では STPD が使用されていることである．BTPS とは，体温（37℃ または 310 K），そのときの大気圧，および水蒸気で飽和した気体の状態を意味する．血液中に溶解する気体については，標準温度（0℃ または 273 K），1 気圧（760 mmHg）および乾燥状態を意味する STPD (standard temperature, standard pressure, and dry gas) が使用される．BTPS での気体容量に $273/310 \times (P_B - 47)/760$ を乗じて STPD での容量に換算できる（ここで P_B はそのときの大気圧，47 mmHg は体温 37℃ での飽和水蒸気圧）．

■Boyle の法則

Boyle の法則は，気体の一般法則の特殊な例である．この法則は，温度が一定の場合，気体の圧力と容量の積は一定になることを示している．したがって

$$P_1 V_1 = P_2 V_2$$

Boyle の法則を呼吸生理学へ応用することについては前述している．吸息中に横隔膜が収縮して肺容量が増加するとき，発生する気体の圧力と体積の関係に適応される．すなわち，圧力と容量の積を一定に保つためには，肺容量が増加するにつれて肺内気体の圧力は低下しなければならない

（この肺内気体の圧力の減少が，肺への空気の流れの駆動力となる）．

■Dalton の分圧の法則

Dalton（ダルトン）の分圧の法則（Dalton's law of partial pressure）は，呼吸生理学において頻繁に適用される．この法則は，ある気体 X のガス分圧は混合ガスの総体積に占める割合に比例する圧力であることを示している．したがって，分圧は全圧に**乾燥ガス**としての**分画濃度**（fractional concentration）（組成率）を乗じたものである．

$$P_X = P_B \times F$$

飽和水蒸気状態のガスの関係式は，気圧を飽和水蒸気圧で補正することによって求められる．したがって

$$P_X = (P_B - P_{H_2O}) \times F$$

ここで

P_X ＝ある気体 X のガス分圧（mmHg）
P_B ＝大気圧（mmHg）
P_{H_2O} ＝37℃ での飽和水蒸気圧（47 mmHg）
F ＝ガス分画濃度（単位なし）

Dalton の分圧の法則から，混合気体中のすべてのガス分圧の合計が混合気体の全圧に等しいことになる．したがって，**大気圧**（P_B）は，O_2，CO_2，N_2，および H_2O の分圧の合計になる．760 mmHg の気圧での乾燥気体中のガスの割合（括弧内はガス分画濃度）は，O_2：21%（0.21），N_2：79%（0.79），CO_2：0%（0）である．空気は気道内で加湿されるため，**飽和水蒸気圧**は必ず存在し，37℃ で 47 mmHg である．

例題

乾燥した吸入気中の酸素分圧（P_{O_2}）を計算し，その値を 37℃ で加湿された気管中空気の P_{O_2} と比較せよ．吸気中の O_2 の分画濃度は 0.21 である．

解答

乾燥した吸入気の P_{O_2} は，混合気体の圧力（すなわち，大気圧）に O_2 の分画濃度（0.21）を乗じる

ことによって計算される．したがって，乾燥した吸気では，

$$PI_{O_2} = 760 \text{ mmHg} \times 0.21$$
$$= 160 \text{ mmHg}$$

加湿された気管中の空気のP_{O_2}は，乾燥した吸入気のP_{O_2}よりも低い．なぜなら，全圧力は飽和水蒸気圧（すなわち37℃で47 mmHg）で補正されなければならないからである．したがって，加湿された気管内の空気では，

$$PI_{O_2} = (760 \text{ mmHg} - 47 \text{ mmHg}) \times 0.21$$
$$= 713 \text{ mmHg} \times 0.21$$
$$= 150 \text{ mmHg}$$

■ ヘンリーの溶解ガス濃度の法則

Henry（ヘンリー）の法則（Henry's law）は，溶液中に**溶解したガス**（例えば，血液中）に関する法則である．O_2とCO_2の両方が，肺の中に出入りする過程で血液（溶液）に溶ける．液相中のガス濃度を計算するには，まず気相中の分圧を液相中の分圧に変換する必要がある．次に，液相中の分圧を液相中の濃度に変換する．

平衡状態においては，**液相のガス分圧が気相の分圧に等しい**ということは，必ずしも自明ではないが重要なポイントである．したがって，肺胞の空気が100 mmHgのP_{O_2}を有する場合，肺胞の空気と平衡する毛細血管の血液も100 mmHgのP_{O_2}を有することになる．Henryの法則は，液相中のガス分圧を液相中のガス濃度（例えば，血液中）に変換するために使用される．溶液中のガスの濃度は，体積百分率（%），または血液100 mLあたりの気体の体積（mL 気体/100 mL 血液）として表される．

したがって，血液中では

$$C_X = P_X \times 溶解度（\text{solubility}）$$

ここで

$C_X = $溶解ガスの濃度（mL 気体/100 mL 血液）
$P_X = $ガス分圧（mmHg）
溶解度$=$血液への気体の溶解度

（mL 気体/100 mL 血液/mmHg）

ここでの溶液中の（Henryの法則で計算された）ガスの濃度は，溶液中に自由分子と存在している溶解ガスにのみ適用され，結合された形で存在するガス（例えば，ヘモグロビンまたは血漿タンパク質と結合しているガス）は含まれていないということを理解することが重要である．

例題

動脈血のP_{O_2}が100 mmHgのとき，血液中に溶解しているO_2濃度はいくらか．ただし，O_2の溶解度は0.003 mL O_2/100 mL 血液/mmHgとする．

解答

動脈血中の溶解O_2濃度を計算するには，単にP_{O_2}に溶解度を乗じればよい．

$$[O_2] = P_{O_2} \times 溶解度$$
$$= 100 \text{ mmHg} \times 0.003 \text{ mL } O_2$$
$$/ 100 \text{ mL 血液/mmHg}$$
$$= 0.3 \text{ mL} / 100 \text{ mL 血液}$$

気体の拡散—Fick（フィック）の法則（Fick's Law）

細胞膜または毛細血管壁を横切るガスの移動は，**単純拡散（simple diffusion）**によって起こる．拡散については**第1章**で述べている．あるガスにおいて，拡散による移動量（$\dot{V}_X$）は，駆動力，拡散係数，および拡散面積に正比例し，拡散の関門（障壁）となる膜の厚さに反比例する．

したがって

$$\dot{V}_X = \frac{DA\Delta P}{\Delta X}$$

ここで

$\dot{V}_X = $単位時間に移動するガスの容量
$D = $気体の拡散係数
$A = $表面積
$\Delta P = $ガスの分圧較差
$\Delta X = $拡散膜の厚さ

ガスの拡散には考慮すべき2つの特別な点がある：(1)ガス拡散の駆動力は，膜を横切るガスの濃度差ではなく，**ガスの分圧較差(partial pressure difference of the gas)** (ΔP) である．したがって，肺胞気の P_{O_2} が 100 mmHg であり，肺毛細血管に流入する混合静脈血の P_{O_2} が 40 mmHg である場合，肺胞-肺毛細血管の障壁を横切る O_2 の分圧較差，すなわち駆動力は 60 mmHg (100 mmHg − 40 mmHg) になる．(2)気体の**拡散係数(diffusion coefficient)** (D) は，分子量(第1章)に依存する通常の拡散係数とガスの溶解度との組み合わせで決まる．CO_2 と O_2 の拡散速度が大きく違っているように，気体の拡散係数は，その拡散速度に大きな影響を与える．CO_2 の拡散係数は O_2 の拡散係数より約20倍高く，その結果，同じ分圧較差のとき CO_2 は O_2 より約20倍速く拡散する．

前述の拡散式中の項目のいくつかは，**肺拡散能(lung diffusing capacity：DL)** とよばれる単一の項目にまとめることができる．DL は，ガスの拡散係数，膜の表面積(A)，および膜の厚さ(ΔX)をまとめたものである．DL はまた，ガスが肺毛細血管血中のタンパク質と結合(例えば，赤血球中のヘモグロビンと O_2 の結合)するのに必要な時間もその要因に含まれる．DL は**一酸化炭素(carbon monoxide：CO)** で測定することができる．なぜならば，肺胞-肺毛細血管障壁を横切る CO 移動は，もっぱら拡散過程だけによって決まるからである．DL_{CO} は，被検者に低濃度 CO の混合気体を1回吸入させる1回呼吸法によって測定される．混合気体からの CO の消失率は DL に比例する．さまざまな疾患において DL が変化する方向は予測可能である．例えば，**肺気腫**では，肺胞の破壊によりガス交換のための表面積の減少をもたらすため，DL が減少する．**肺線維症**あるいは**肺水腫(pulmonary edema)** では，拡散の距離(膜の厚さまたは間質の量)が増加するため DL が減少する．**貧血(anemia)** では，赤血球中の**ヘモグロビン(hemoglobin)** の量が減少するため DL が減少する(DL には O_2 交換におけるタンパク質との結合要因が含まれることを前述した)．運動中においては，血液で灌流される毛細血管がより多

くなり，ガス交換の表面積が増加するため，DL が増加する．

溶液中での気体の存在様式

肺胞気中では，気体の存在様式は1つであり，分圧として表される．しかし，血液などの溶液では，気体はそれ以外の存在様式で運ばれる．溶液中では，気体は溶解した形，タンパク質と結合した形，化学的な変化を受けた形で存在可能である．**溶液中のガス濃度は，溶解ガス(dissolved gas)，結合ガス(bound gas)および化学的変化ガスの総和である**ことを理解することが重要である．

● 溶解ガス

溶液中のすべてのガスは，ある程度，溶解した形で運ばれる．**Henry の法則**は，ガス分圧と溶液中の濃度との関係を示している．一定の分圧に対して，ガスの溶解度が高いほど，溶液中のガス濃度が高くなる．溶液中では，**溶解ガス分子のみが分圧に寄与する**．言い換えると，結合したガスおよび化学的に変化したガスは，分圧には寄与しない．

吸気された空気に含まれるガスのうち，窒素(N_2)のみが溶解した形で運ばれ，結合したり化学的に変化したりすることはない．この単純な特性のために，N_2 は呼吸生理学における特定の測定に使用される．

● 結合ガス

O_2，CO_2，および CO は血液中のタンパク質と結合する．O_2 と CO は赤血球内のヘモグロビンに結合し，この結合形で運ばれる．CO_2 は，赤血球中のヘモグロビンおよび血漿タンパク質と結合する．

● 化学的変化ガス

化学的な変化を受けるガスの最も代表的な例は CO_2 であり，赤血球中の**炭酸脱水酵素(carbonic anhydrase)** の作用によって**重炭酸イオン(bicarbonate)** (HCO_3^-，炭酸水素イオン(hydrogencarbonate)ともいう)へ変換される．実際にほとんどの CO_2 は，溶解 CO_2 や結合 CO_2 ではなく，HCO_3^- として血液中に存在し運搬される．

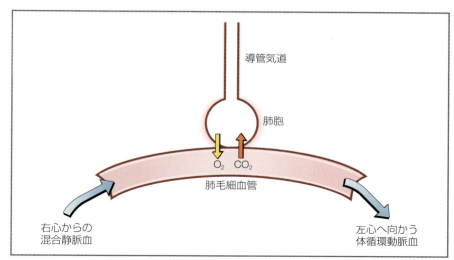

図 5.16　肺胞とそれに近接した肺毛細血管の模式図.
混合静脈血が肺毛細血管に入ると，ガスは肺胞-毛細血管障壁を介して移動する．つまり O_2 は肺毛細血管血に付加され，CO_2 は肺毛細血管血から取り除かれる．そして，体循環動脈血となった血液は肺毛細血管を離れる．

まとめ―肺でのガスの輸送

　肺胞および，それに近接した肺毛細血管を図 5.16 に示す．この模式図は，肺毛細血管が右心からの(混合静脈血に相当する)血液で灌流されることを示している．次いで，肺胞気と肺毛細血管との間でガス交換が起こる．O_2 は，肺胞気から肺毛細血管血へと拡散し，CO_2 は，肺毛細血管血から肺胞気へと拡散する．肺毛細血管を出た血液は左心に到達し，体循環動脈血となる．

　図 5.17 では，乾燥吸入気，加湿された気管内の空気，肺胞気，肺毛細血管に入る混合静脈血，および肺毛細血管を出る体循環動脈血といったさまざまな部位における P_{O_2} および P_{CO_2} の値を，さらに詳しく示している．

- 乾燥吸入気(dry inspired air)の P_{O_2} は約 160 mmHg であり，これは大気圧に O_2 の濃度，21％を乗じて計算される(760 mmHg × 0.21 = 160 mmHg)．実地上，乾燥した吸入空気中に CO_2 は存在せず，P_{CO_2} はゼロである．
- 加湿された気管内の空気(humidified tracheal air)は，水蒸気で完全に飽和している状態とみなされる．37℃では，P_{H_2O} は 47 mmHg である．したがって，乾燥した吸気に比べて，O_2 は水蒸気によって"希釈"されるため，P_{O_2} は低下する．前述したように，加湿された空気中の分圧は，大気圧を飽和水蒸気圧で補正し，次いでガスの分画濃度を乗じることによって求まる．したがって，加湿された気管内の P_{O_2} は 150 mmHg ([760 mmHg − 47 mmHg] × 0.21 = 150 mmHg) である．吸入された空気中には CO_2 がないので，加湿された気管内の P_{CO_2} もゼロである．加湿された空気は肺胞に入り，そこでガス交換が行われる．
- 肺胞気(alveolar air)では，吸入気と比較して P_{O_2} と P_{CO_2} の値が大幅に変化する(分圧記号の後に肺胞を表す 2 次記号"A"を用いると肺胞気分圧を示す)(表 5.1)．$P_{A_{O_2}}$ は 100 mmHg であり吸入気よりも低く，$P_{A_{CO_2}}$ は 40 mmHg であり吸入気よりも高くなる．これらの変化は，O_2 が肺胞気から出て肺毛細血管の血液に入り，CO_2 が肺毛細血管から出て肺胞気に入るために生ずる．通常，肺胞気と肺毛細血管血との間で O_2 および CO_2 の移動量は，身体の需要に一致する．したがって，1 日あたりの肺胞からの O_2 移動量は体内での O_2 消費量に等しく，肺胞への CO_2 移動量は CO_2 産生量に等しくなっている．
- 肺毛細血管に入ってくる血液は，**混合静脈血(mixed venous blood)**である．この血液は末

梢組織から，静脈を介して右心に戻ってくる．その後，右室から肺動脈に拍出され肺毛細血管に到達する．この混合静脈血の組成は，組織の代謝活動を反映している．つまり，組織がO_2を取り込んで消費したためにPO_2は40 mmHgと比較的低く，組織がCO_2を産生しそれが静脈血に加えられたので，PCO_2は46 mmHgと比較的高くなっている．

- 肺毛細血管を出る血液は動脈血化（酸素化）され，**体循環動脈血**になる（分圧記号の後に体循環動脈血を表す2次記号"a"を付すと動脈血のガス分圧を示す）（**表5.1**）．動脈血ガス分圧の変化は，肺胞と肺毛細血管との間のO_2およびCO_2のガス交換によってもたらされる．肺胞-毛細血管障壁を横切るガスの拡散は急速であるため，肺毛細血管から出る血液のPO_2およびPCO_2は通常，肺胞気の分圧と一致する（すなわち，完全に平衡している）．したがって，Pa_{O_2}は100 mmHg，Pa_{CO_2}は40 mmHg，PA_{O_2}は100 mmHg，PA_{CO_2}は40 mmHgである．この動脈血化された血液は今度は左心に戻され，左室から大動脈に拍出され，再び循環する．

　肺胞気と体循環動脈血との間には，わずかな相違がある．それは，体循環動脈血のPO_2が肺胞気よりもわずかに低くなっていることである．この不一致は，わずかながら肺胞をバイパスして動脈血化しない肺血流が存在すること，すなわち**生理学的シャント**（physiologic shunt）があるためである．

　生理学的シャントには，気管支血流と，肺で酸素化されることなく直接左室に流れ込む冠静脈の一部の2系統がある．シャントは，いくつかの病的状態では増加する（$\dot{V}/\dot{Q}$不均等という）．シャント量が増加すると，肺胞気と肺毛細血管血との間でガス平衡に達することができず，肺毛細血管の血液は完全には動脈血化されない．本章で後述する**肺胞気-動脈血分圧較差（A-a difference）**は，肺胞気（A）と体循環動脈血（a）との間のPO_2の差のことであるが，シャントが小さい（すなわち，生理学的な）場合，A-a分圧較差は小さいか，無視できる．シャントが通常より大きい場合，O_2は平衡に達せず，

その程度に従ってA-a分圧較差は拡大する．

　図5.17に示した模式図は，肺で生ずるPO_2およびPCO_2の変化を強調している．図には示されていないが，体循環動脈血と混合静脈血との分圧較差から，**全身組織（systemic tissue）**で起こっているガス交換過程も推測できる．体循環動脈血は組織に運ばれ，ここでO_2は体循環毛細血管から組織に拡散し消費され，一方でCO_2は組織で産生され毛細血管中に拡散する．この組織内のガス交換によって体循環動脈血は混合静脈血となり，組織毛細血管から静脈を経て右心に還流し，肺に到達する．

拡散制限性および灌流制限性ガス交換

　肺胞-肺毛細血管障壁を横切るガス交換は，**拡散制限性（diffusion limited）**または**灌流制限性（perfusion limited）**のいずれかに分けられる．

- **拡散制限性**ガス交換とは，肺胞-毛細血管障壁を通過するガスの総量が**拡散過程**によって制限されることを意味する．この場合，ガスの分圧勾配が維持されている限り，拡散は肺の毛細血管の全長にわたって起こる．

- **灌流制限性**ガス交換は，肺胞-毛細血管障壁を通過するガスの総量が，肺毛細血管を通る**血流量**（すなわち，灌流量）によって制限されることを意味する．灌流制限性ガス交換では**分圧勾配は維持されない**ので，この場合に通過するガスの量を増加させる唯一の方法は，血流量を増加させることである．

　拡散制限性および灌流制限性によって移動するガスの例を用いて，これらの過程を説明する（**図5.18**）．図中，濃い赤色の線は，毛細血管の入口から出口までの長さに応じた肺毛細血管血中のガス分圧（Pa）を示す．各グラフの上部を横切る緑色の点線は，肺胞気中のガス分圧（PA）を示し，これは一定である．ピンク色の斜線領域は，毛細血管入口から出口までの長さ（走行距離）に沿った肺胞気と肺毛細血管血との間の**分圧勾配（partial pressure gradient）**を示している．分圧勾配はガス拡散の駆動力であるため，斜線の面積が大きいほど勾配が大きくなり，正味のガス移動量が大

ガス交換 243

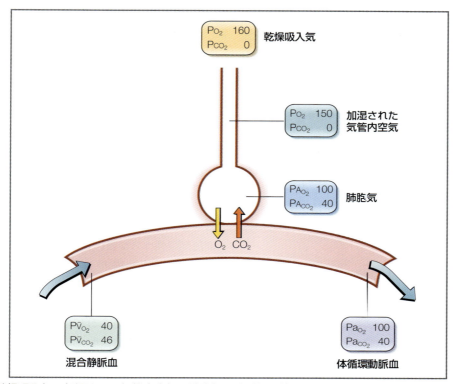

図 5.17 乾燥吸入気，加湿された気管内空気，肺胞気，肺毛細血管血の P_{O_2} と P_{CO_2} の値．
数値は分圧で mmHg の単位で示している．実際には，Pa_{O_2} は生理学的シャントのために 100 mmHg よりわずかに低い．

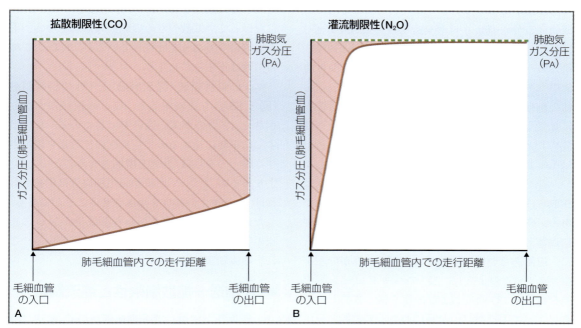

図 5.18 肺胞と肺毛細血管との間における拡散制限性（A）および灌流制限性（B）のガス交換．
毛細血管の入口から出口までの肺毛細血管血のガス分圧の変化を，赤の線で示す．図の上部にある緑色の点線は，肺胞気のガス分圧（P_A）を示す．ピンクの斜線部分は，ガス拡散の駆動力である肺胞気と肺毛細血管血の分圧較差を示している（▶ Video 5.18 も参照）．

きくなる.

ここで，拡散制限性ガスの CO（図5.18A）と，灌流制限性ガスの**亜酸化窒素**（nitrous oxide：N_2O）（図5.18B）の2例を示す．CO あるいは N_2O は肺胞気から肺毛細血管に拡散し，その結果，血液ガス分圧 Pa は毛細血管の入口から出口の長さに沿って増加し，PA の値に近づくか，または PA に達する．Pa の値が PA の値に達すると完全な平衡となる．いったん平衡に達すると，もはや拡散の駆動力（すなわち，分圧勾配）がなくなり，血流量が増加しない限りガス交換は止まる（すなわち，より多くの血液が肺毛細血管に入らない限りガス交換は止まる）．

■ 拡散制限性ガス交換

拡散制限性ガス交換を，肺胞–肺毛細血管障壁を通る CO の輸送によって説明する（図5.18A）．**激しい運動時**および**肺気腫**や**肺線維症**などの病的状態における O_2 の輸送も拡散制限性となる．

点線で示す肺胞気中の一酸化炭素分圧（PA_{CO}）は，毛細血管の入口から出口の全長にわたって一定である．肺毛細血管の入口では，肺胞気からのガス移動が始まっていないため，毛細血管内の一酸化炭素分圧（Pa_{CO}）はゼロであり，血液中に CO は存在しない．したがって，毛細血管の入口では，最大の一酸化炭素分圧勾配があり，肺胞気から血液中への CO の拡散のための最大駆動力がある．肺毛細血管の長さに沿って，CO が肺毛細血管内に拡散し，Pa_{CO} が上昇し始める．その結果，拡散のための分圧勾配が減少する．しかし，Pa_{CO} は毛細血管の長さに沿ってわずかにしか上昇しない．なぜなら，毛細血管の血液において，CO は赤血球内部のヘモグロビンと強く結合するからである．CO がヘモグロビンに結合すると，溶液中に遊離しないので分圧は生じない（前述したように，遊離あるいは溶解しているガスのみが分圧を生ずる）．このように，CO のヘモグロビンへの結合は溶解 CO 濃度および分圧を低く維持し，それによって毛細血管の全長にわたって拡散の分圧勾配を維持する．

これらをまとめると，肺毛細血管への CO の正味の拡散量は分圧勾配に依存あるいはそれによって制限されるが，CO が毛細血管血中のヘモグロビンと結合するので分圧勾配は維持される．したがって，毛細血管の出口においても **CO は平衡状態に達していない**．つまり，毛細血管がさらに長かったとすると，拡散は平衡に達するまでずっと続く．

■ 灌流制限性ガス交換

灌流制限性ガス交換を，N_2O（図5.18B）を例として示しているが，（正常条件下では）O_2 および CO_2 も灌流制限性である．N_2O は，血液中では何にもまったく結合せず完全に溶解しているので，灌流制限性ガス交換の典型的な例として用いられる．CO の例と同様に PA_{N_2O} は一定であり，Pa_{N_2O} は肺毛細血管の入口でゼロであると仮定される．したがって，最初は肺胞気と毛細血管血との間に N_2O の大きな分圧勾配があり，N_2O は肺毛細血管に急速に拡散する．すべての N_2O は血液中に溶解した形で存在するので，そのすべてが分圧を生む．したがって，毛細血管の血液中の N_2O の分圧は急速に上昇し，毛細血管の最初の 1/5 の長さで肺胞気と完全に平衡に達する．いったん平衡に達すると，もはや分圧勾配はなくなり，したがって，拡散のための駆動力はなくなる．毛細血管の全長の 4/5 は残っているが，N_2O の正味の拡散は止まってしまう．

N_2O の斜線領域（図5.18B）と CO の斜線領域（図5.18A）を比較すると，N_2O の領域がかなり小さく，2つのガスの違いを示している．N_2O はすぐに平衡に達するので，N_2O の拡散量を増加させる唯一の方法は，血流を増加させることである．より多くの"新しい"血液が肺毛細血管に供給されれば，より多くの N_2O を溶解させることができる．したがって，血流量すなわち灌流量が N_2O の正味の移動量を決定，もしくは"制限"している．これを灌流制限性という．

■ O_2 輸送—拡散制限性と灌流制限性

正常条件下では，肺毛細血管への O_2 輸送は灌流制限性であるが，他の条件（例えば，肺線維症または激しい運動）では拡散制限性となる．図5.19に両方の状況を示す．

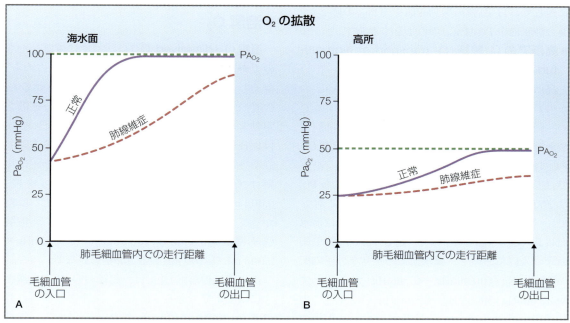

図 5.19 健常人と肺線維症患者における肺毛細血管内での走行距離と O_2 の拡散.
A：海面レベル，**B**：高所.

- **灌流制限性 O_2 輸送（perfusion-limited O_2 transport）**

  安静時の健常人の肺では，肺胞から肺毛細血管への O_2 の移動は灌流制限性である（N_2O の灌流制限性ほど極端ではない）（**図 5.19A**）．P_{AO_2} は 100 mmHg で一定である．毛細血管の入口部では，Pa_{O_2} は 40 mmHg であり，混合静脈血の組成を反映している．肺胞気と毛細血管血との間に O_2 の大きな分圧勾配があり，肺から毛細血管への O_2 の拡散が促進される．O_2 が肺毛細血管の血液に加えられると，Pa_{O_2} は上昇する．O_2 がヘモグロビンに結合するので，最初のうちは遊離 O_2 濃度および分圧が低く維持されるため，拡散のための分圧勾配が維持される．毛細血管の全長の約 1/3 の距離で O_2 は平衡に達し，Pa_{O_2} は P_{AO_2} に等しくなるため，血流が増加しない限り，これ以上は正味の O_2 の拡散量は増加しない．したがって，正常な条件下では O_2 輸送は灌流制限性になる．灌流制限性 O_2 輸送を別の言い方で説明すると，肺血流が正味の O_2 移動量を決定するということである．したがって，（例えば，運動中の）肺血流量の増加は輸送される O_2 の総量を増加させ，肺血流量の減少は輸送される O_2 の総量を減少させる．

- **拡散制限性 O_2 輸送（diffusion-limited O_2 transport）**

  ある種の病的な状況（例えば，**肺線維症**）および**激しい運動中**においては，O_2 移動は拡散制限性になる．例えば，肺線維症では肺胞壁が厚くなり，ガスの拡散距離が長くなり，肺拡散能（D_L）が減少する（**図 5.19A**）．この拡散距離の増加によって O_2 の拡散速度が遅くなり，肺胞気と肺毛細血管血との間の O_2 の平衡への到達が妨げられる．この場合，O_2 の分圧勾配は毛細血管の全長にわたって維持され，拡散制限性（CO の例のように極端ではないが）に変わる（**図 5.18A** 参照）．分圧勾配が毛細血管の全長にわたって維持されるので，健常人よりも肺線維症患者のほうで，輸送される O_2 総量がより多いようにみえるかもしれない．毛細血管の全長において（D_L が肺線維症では顕著に減少するため）O_2 の分圧勾配が維持されることは事実であるが，O_2 の移動量はやはり大きく減少している．肺毛細血管の出口においても，肺胞気と肺毛細血管血（$Pa_{O_2} < P_{AO_2}$）との間で平衡

に達しておらず，体循環動脈血中のPa_{O_2}の低下と，混合静脈血中P_{O_2}（$P\bar{v}_{O_2}$）の低下をもたらす．

● 高所でのO_2輸送（O_2 transport at high altitude）

高所では，O_2平衡に至る過程が変わるいくつかの特徴がある．高所では大気圧が低下するため，同じ分画濃度でも，吸入気酸素分圧も肺胞気酸素分圧も低下する．**図 5.19B**に示した例では，PA_{O_2}は海水面での100 mmHgと比較して，高所では50 mmHgに低下している．混合静脈血P_{O_2}は25 mmHgである（40 mmHgの正常値に対して）．したがって，高所ではO_2の分圧勾配は海水面に比べて大幅に低下する（**図 5.19A**）．肺毛細血管の入口において，海水面での正常な分圧勾配の60 mmHg（100 mmHg−40 mmHg）から，わずか25 mmHg（50 mmHg−25 mmHg）になる．この分圧勾配の減少は，O_2の拡散が減少し，毛細血管に沿って徐々に平衡に近づき，完全な平衡に達するのは毛細血管の後半部分になることを意味している（海水面では毛細血管の入口から1/3の部位であるのに対して，高所では2/3の部位になる）．PA_{O_2}は50 mmHgであるため，最終的に平衡に達したPa_{O_2}の値も50 mmHgでしかない（平衡値が50 mmHgを超えることは理論上不可能である）．高所でのO_2のより緩慢な平衡化は，**肺線維症**患者においてさらに顕著となる．肺毛細血管血は毛細血管の出口の部位においても平衡に達しないので，Pa_{O_2}の値は30 mmHgと低く，組織へのO_2供給も著しく損なわれる．

血液による O_2 の輸送

血液中の O_2 の存在様式

血液中のO_2は，溶解したものとヘモグロビンと結合したものの2つの形態で運ばれる．溶解O_2だけでは，組織代謝の需要を満たすには不十分である．したがって，ヘモグロビンと結合したO_2という第2の形態が必要とされる．

■ 溶解 O_2

溶解O_2（dissolved O_2）は溶液中に遊離したものであり，血液の総O_2含有量の約2%を占める．前述したように，溶解O_2は分圧を発生させるO_2の唯一の形態であり，これがそのままO_2拡散を駆動する（対照的に，ヘモグロビンと結合したO_2は血液中の分圧に寄与しない）．Henryの法則で説明されるように，溶解O_2濃度は酸素分圧に比例する．比例定数は単に血液のO_2溶解度，0.003 mL O_2/100 mL 血液 /mmHgである．したがって，Pa_{O_2}が正常な100 mmHgのときに，溶解O_2の濃度は0.3 mL O_2/100 mL 血液（100 mmHg×0.003 mL O_2/100 mL 血液 /mmHg）になる．

この濃度の溶解O_2では，組織のO_2要求を満たすには不十分である．例えば，ヒトの安静時におけるO_2消費量は約250 mL O_2/minである．組織へのO_2供給が厳密に溶解量だけで行われた場合，O_2は1分間に15 mL組織に供給される（O_2供給量＝心拍出量×溶解O_2濃度，または5 L/min×0.3 mL の O_2/100 mL＝15 mL O_2/min）．明らかに，この量だけでは250 mL O_2/minの需要を満たせない．大量のO_2を血液中で輸送するための追加機構が必要であり，その機構がヘモグロビンに結合したO_2である．

■ ヘモグロビンとの結合 O_2

血液の**総O_2含有量の残りの98%**は，赤血球中のヘモグロビンと可逆的に結合したものである．**ヘモグロビン**（hemoglobin）は，**4つのサブユニット**からなる球状のタンパク質である．各サブユニットは，鉄が結合したポルフィリンであるヘム基と，αまたはβとよばれるポリペプチド鎖のうちの1つから構成される．**成人型ヘモグロビン**（adult hemoglobin）（ヘモグロビン A（hemoglobin A））は$\alpha_2\beta_2$とよばれる．2つのサブユニットがα鎖を有し，2つのサブユニットがβ鎖を有する．各サブユニットは，1分子のO_2と結合するので，ヘモグロビン1分子あたり合計4分子のO_2を結合することができる．O_2に結合したヘム基の割合はO_2飽和度とよばれ，したがって，飽和度100%は，4つのヘム基のすべてがO_2に結

合していることを意味する. ヘモグロビンが酸化（酸素化）されると, それは酸化ヘモグロビン（oxyhemoglobin）とよばれる. 還元（脱酸素化）されているときは, 還元ヘモグロビン（deoxyhemoglobin）とよばれる. サブユニットが O_2 に結合するためには, ヘム部分の鉄は第一鉄状態（すなわち Fe^{2+}）でなければならない.

ヘモグロビン分子には次のように, いくつかの変種が存在する.

● メトヘモグロビン

ヘム部分の鉄が, 正常な第一鉄状態（Fe^{2+}）ではなく第二鉄状態（Fe^{3+}）にあるものをメトヘモグロビン（methemoglobin）とよぶ. メトヘモグロビンは O_2 と結合しない. メトヘモグロビン血症は, 亜硝酸塩およびスルホンアミドによる Fe^{2+} から Fe^{3+} への酸化など, いくつかの原因がある. メトヘモグロビン還元酵素（methemoglobin reductase）は, 鉄を還元状態に保つ赤血球の酵素だが, この酵素が欠損する先天性疾患もある.

● 胎児型ヘモグロビン

胎児型ヘモグロビン（fetal hemoglobin）（ヘモグロビン F（hemoglobin F：HbF））では, 2本の β 鎖が γ 鎖に置換され, $\alpha_2\gamma_2$ となっている. この変異の生理学的意義は, HbF がヘモグロビン A よりも O_2 に対する親和性が高く, 母から胎児への O_2 移動が促進されることである. HbF は, 胎児に存在する正常な異型であり, 生後1年以内に徐々にヘモグロビン A に置き換えられる.

● ヘモグロビン S

ヘモグロビン S（hemoglobin S）は, 鎌状赤血球症（sickle cell disease）を引き起こす異常なヘモグロビン変異体である. ヘモグロビン S では α サブユニットは正常であるが, β サブユニットに異常がみられ, $\alpha^A_2\beta^S_2$ とよばれる. ヘモグロビン S の還元型は, 赤血球内に鎌状の棒を形成し, 赤血球の形を歪ませる（すなわち鎌状になる）. この赤血球の変形は, 細い血管の閉塞を引き起こし, 鎌状赤血球症の発作時の多くの症状（例えば, 痛み）を引き起こす. ヘモグロビン S の O_2 親和性は, ヘモグロビン A の O_2 親和性よりも低い【訳者注：鎌状赤血球貧血ともいい, 日本ではみられないが, マラリアが比較的多く発症するアフリカでみられる遺伝性疾患である. マラリア原虫が患者の赤血球中で増殖すると鎌状赤血球となりやすく, 鎌状赤血球は優先的に脾臓で破壊されるため, 原虫も除去される. このように, 鎌状赤血球貧血はマラリアに対する抵抗性をもたせるための自然選択の結果とも考えられる】.

O_2 結合能と O_2 含有量

血液によって輸送される O_2 の大部分はヘモグロビンと可逆的に結合するので, 血液の O_2 含有量は, 主にヘモグロビン濃度およびそのヘモグロビンの O_2 結合能によって決定される.

O_2 結合能（O_2-binding capacity）は, ヘモグロビンが100%飽和している（すなわち, ヘモグロビンの各分子上の4つすべてのヘム基が O_2 と結合している）ときに, 単位容量あたりの血液に対しヘモグロビンと結合することができる O_2 最大容量（maximum amount of O_2）である. O_2 結合能は, 血液を高 P_{O_2} の空気に曝露し（ヘモグロビンが100%飽和するようにして）, 少量の溶解 O_2 量を補正することによって測定される（溶解 O_2 の補正には, 血液中の O_2 溶解度 0.003 mL O_2/100 mL 血液 /mmHg を用いる）. O_2 結合能を計算するために必要なその他の情報は, 1 g のヘモグロビン A が 1.34 mL の O_2 と結合すること, 血液中のヘモグロビン A の正常な濃度が15 g/100 mL 血液であることである. したがって, 血液の O_2 結合能は, 20.1 mL O_2/100 mL 血液（15 g/100 mL 血液×1.34 mL O_2/g ヘモグロビン＝20.1 mL O_2/100 mL 血液）となる.

O_2 含有量（O_2 content）は, 単位血液量あたりに含まれる実際の O_2 量である. O_2 含有量は, ヘモグロビンの O_2 結合能, ヘモグロビンの飽和度および任意の溶解 O_2 量から計算することができる（O_2 結合能は, すべてのヘモグロビン分子のすべてのヘム基が O_2 と結合して100%飽和された状態で測定される）.

O_2 含有量 ＝（O_2 結合能×飽和度）＋溶解 O_2 量

ここで

O_2 含有量 ＝ 血液中の O_2 量（mL O_2/100 mL 血液）

O_2 結合能＝飽和度 100％のときに測定された
　　　　　ヘモグロビンと結合した O_2 量
　　　　　（mL O_2/100 mL 血液）
飽和度＝O_2 と結合したヘムの割合（％）
溶解 O_2 量＝血液中で結合していない O_2 量
　　　　　（mL O_2/100 mL 血液）

例題

　ある貧血患者において，ヘモグロビン濃度が 10 g/100 mL 血液と著しく低下している．この患者の肺は正常であり，PA_{O_2} と Pa_{O_2} の値がそれぞれ 100 mmHg で正常であると仮定すると，血液の O_2 含有量はいくらか．また，その値は通常の値と比較してどのようになっているか．健常人においては，ヘモグロビン濃度が 15 g/100 mL，O_2 結合能が 20.1 mL O_2/100 mL 血液，ヘモグロビンの飽和度が Pa_{O_2} 100 mmHg で 98％である．

解答

1. まず，ヘモグロビン濃度 10 g/100 mL 血液の場合の O_2 結合能（ヘモグロビンに結合することができる O_2 最大容量）を計算する．正常なヘモグロビン濃度が 15 g/100 mL の場合，O_2 結合能は 20.1 mL O_2/100 mL 血液である．したがって，10 g/100 mL のヘモグロビン濃度では，O_2 結合能は正常の 10/15 である．したがって

　O_2 結合能＝20.1 mL O_2/100 mL 血液×10/15
　　　　　　＝13.4 mL O_2/100 mL 血液

2. 次に，O_2 結合能に飽和度を乗じることにより，ヘモグロビンと結合した実際の O_2 量を計算する．したがって

　ヘモグロビンと結合した O_2 量
　　　　＝13.4 mL O_2/100 mL 血液×98％
　　　　＝13.1 mL O_2/100 mL 血液

3. 最後に，Pa_{O_2} が 100 mmHg の溶解 O_2 量を計算し，その量をヘモグロビンと結合した O_2 量に加えることによって総 O_2 含有量が求められる．血液中の O_2 の溶解度は，0.003 mL O_2/100 mL 血液 /mmHg である．したがって

　溶解 O_2 量＝100 mmHg×0.003 mL O_2
　　　　　　/100 mL 血液 /mmHg
　　　　　＝0.3 mL O_2/100 mL 血液
　総 O_2 含有量＝ヘモグロビンと結合した O_2 量
　　　　　　　　＋溶解 O_2 量
　　　　　　　＝13.1 mL O_2/100 mL 血液
　　　　　　　　＋0.3 mL O_2/100 mL 血液
　　　　　　　＝13.4 mL O_2/100 mL 血液

　健常人における O_2 含有量は，ヘモグロビン濃度 15 g/100 mL および飽和度 98％で計算すると，結合している O_2 量は 20.1 mL O_2/100 mL×98％＝19.7 mL O_2/100 mL であり，溶解 O_2 量は 0.3 mL O_2/100 mL であるため，合計の O_2 含有量は 20 mL O_2/100 mL 血液となる．したがって，この患者の血液中の O_2 含有量は 13.4 mL O_2/100 mL 血液と著しく低値であることがわかる．

組織への O_2 の供給

　組織に供給される O_2 の量は，血流量および血液の O_2 含有量によって決まる．身体全体に関して，血流量は心拍出量とみなすことができる．すでに述べたように，O_2 含有量は，溶解 O_2 量（2％）とヘモグロビン結合 O_2 量（98％）の合計である．したがって，O_2 供給量は次のように求められる．

　O_2 供給量＝心拍出量×血液の O_2 含有量
　　　　　　＝心拍出量×（溶解 O_2 量＋ヘモグロビン結合 O_2 量）

ヘモグロビンの O_2 解離曲線

　すでに述べたように，O_2 はヘモグロビンと可逆的かつ迅速に結合し，ヘモグロビン分子の4つのサブユニットのそれぞれのヘムに結合する．したがって，各ヘモグロビン分子は，**4 分子の O_2** と結合する．この割合で結合した場合は，**飽和度は 100％** となる．4 分子未満の O_2 がヘムに結合する場合，飽和度は 100％未満である．例えば，平均して各ヘモグロビン分子が3つの O_2 分子と結合している場合，飽和度は **75％** となる．平均して各ヘモグロビンが2つの O_2 分子と結合している場合，飽和度は **50％** となり，1 分子の O_2 の

血液による O_2 の輸送　249

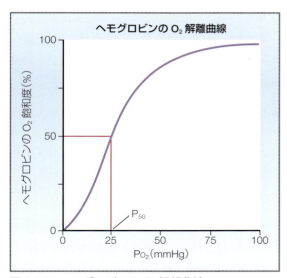

図 5.20　ヘモグロビンの O_2 解離曲線.
P_{50} は，ヘモグロビンの飽和度が 50% のときの酸素分圧である．

表 5.2　P_{O_2} 値とヘモグロビンの飽和度の対応.

P_{O_2}(mmHg)	飽和度(%)
10	25
20	35
25	**50**
30	60
40	75
50	85
60	90
80	96
100	98

ヘモグロビンの飽和度が 50% のときの P_{O_2} の値を P_{50} という．

みが結合している場合，飽和度は **25%** となる．

　ヘモグロビンの飽和度を血液 P_{O_2} の関数として表したものが，**ヘモグロビンの O_2 解離曲線（O_2-hemoglobin dissociation curve）**（図 5.20）である．この曲線の最も顕著な特徴は，S 字状の形状である．言い換えると，P_{O_2} が上昇してもヘムの飽和度は直線的に上昇しない．むしろ，P_{O_2} がゼロから約 40 mmHg に上昇するときには飽和度は急激に上昇するが，次いで 50 mmHg と 100 mmHg との間で平坦になる．表 5.2 に，P_{O_2} のさまざまな値に対応する飽和度の値を示す．

■ S 字状の形状

　曲線の最も急峻な部分の形状は，O_2 分子が結合するにつれて，O_2 に対するヘムの**親和性が変化**することを意味する．つまり，ヘムへの 1 番目の O_2 分子の結合は，2 番目の O_2 分子に対する親和性を上昇させ，2 番目の分子の結合は，3 番目の O_2 分子に対する親和性を上昇させる．最後の 4 番目の O_2 分子の親和性は最高であり，P_{O_2} が約 60〜100 mmHg の値で生ずる（飽和度がほぼ 100% であり，ヘモグロビン 1 分子あたりに O_2 が 4 分子結合した状態に相当する）．この現象は**正の協同性（positive cooperativity）**とよばれる【訳者注：協同性は，O_2 が結合すると構造が変化

して親和性が変わることで説明される．これはアロステリック効果とよばれる】．

■ P_{50}

　ヘモグロビンの O_2 解離曲線の重要な指標となる点は P_{50} である．P_{50} は，**ヘモグロビンが 50% 飽和しているときの P_{O_2}**（すなわち，4 つのヘムのうちの 2 つが O_2 と結合しているときの P_{O_2}）と定義される．P_{50} の値の変化は，O_2 に対するヘモグロビンの親和性変化の指標として用いられる．P_{50} の上昇は親和性の低下を，P_{50} の低下は親和性の上昇を意味する．

■ O_2 の付与と取り出し

　ヘモグロビンの O_2 解離曲線の S 字状の形状は，O_2 が肺胞気から肺毛細血管血に付与（積み込み）され，体循環毛細血管から組織へと取り出し（荷おろし）されるかを説明するのに役立つ（図 5.21）．P_{O_2} の最高値（すなわち，体循環動脈血）では，O_2 に対するヘモグロビンの親和性が最も高く，P_{O_2} のより低い値（すなわち，混合静脈血中）では，O_2 に対する親和性はより低い．

　肺胞気，肺毛細血管血，および**体循環動脈血**の P_{O_2} は，すべて **100 mmHg** である．グラフ上では，P_{O_2} が 100 mmHg のときには，飽和度はほぼ

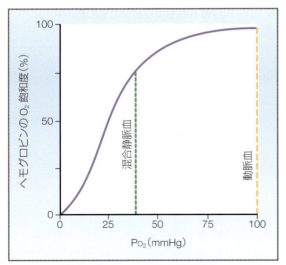

図 5.21　体循環動脈血および混合静脈血の P_{O_2} とヘモグロビン飽和度.

100%になっており，すべてのヘムが O_2 と結合し，正の協同性のために O_2 に対する親和性が最も高くなっている．他方，**混合静脈血**においては P_{O_2} は **40 mmHg** に低下している（なぜなら，O_2 は体循環毛細血管から組織に拡散してしまうからである）．グラフでは，P_{O_2} が 40 mmHg のときには飽和度は約 75%になり，O_2 に対するヘモグロビンの親和性は低くなっている．したがって，曲線のS字状の形状は，O_2 に対するヘモグロビンの親和性の変化を反映し，親和性におけるこれらの変化は，肺における O_2 の付与（P_{O_2} および親和性が最も高い）と組織における O_2 の取り出し（P_{O_2} および親和性は低い）を促進する．

- **肺**では，Pa_{O_2} は 100 mmHg である．ヘモグロビンは**ほぼ 100%飽和**している（すべてのヘムは O_2 に結合している）．正の協同性のために，親和性は最も高く，O_2 は最も密接に結びついている（曲線の平坦な部分）．高い親和性は，できるだけ多くの O_2 を肺の動脈血に付与することを可能にしている．また，O_2 は P_{O_2} が 100 mmHg 付近でヘモグロビンと非常に強く結合しているため，分圧を生成するために溶解している O_2 が比較的少ない．肺毛細血管血の P_{O_2} が肺胞気の P_{O_2} よりも低く保たれることにより，毛細血管への O_2 の拡散が続く．曲線の平

坦な部分は 100 mmHg から 60 mmHg に及んでおり，これは肺胞気 P_{O_2} の低下が 60 mmHg になっても（例えば，大気圧の低下によって引き起こされる）ヘモグロビンによって運ばれる O_2 の量が著しく低下しないことを意味している．
- **組織内**では，$P\bar{v}_{O_2}$ は約 40 mmHg であり，肺よりもはるかに低い．40 mmHg の P_{O_2} ではヘモグロビンは **75%**しか飽和せず，O_2 に対する**親和性は低下**している．O_2 は曲線のこの部分ではしっかりと結合していないので，組織内への O_2 の取り出しが容易になる．

O_2 の組織への拡散のための分圧勾配は，2つの方法で維持される．第1に，組織は O_2 を消費するので，P_{O_2} が低く維持される．第2に，O_2 に対する親和性がより低いことは，O_2 がヘモグロビンからより容易に取り出されることを示している．結合していない O_2 は血液中に遊離し，分圧を生成し，血液の P_{O_2} は比較的高く保たれる．組織の P_{O_2} は比較的低く維持されるので，血液から組織への O_2 拡散を促進する分圧勾配が維持される．

パルスオキシメトリー

パルスオキシメトリー（pulse oximetry）とは，二波長分光光度法を用いて（例えば，指の）動脈血の飽和度を測定することである．酸化ヘモグロビンと還元ヘモグロビンは異なる吸光度特性を有するため，パルスオキシメータは2つの異なる波長の吸光度から飽和度を計算するものである．パルスオキシメトリーは，動脈血の飽和度を測定するものであるが，動脈血が"拍動する"のに対し，静脈血および毛細血管血は拍動しないことから，静脈血および毛細血管血からのバックグラウンドの吸光度を差し引くことで動脈血の値が求められる．パルスオキシメトリーは Pa_{O_2} を直接測定するものではない．しかしながら，飽和度を知ることで，ヘモグロビンの O_2 解離曲線から Pa_{O_2} の値を推定することができる．

ヘモグロビンの O_2 解離曲線の変化

ヘモグロビンの O_2 解離曲線は，**図 5.22** に示

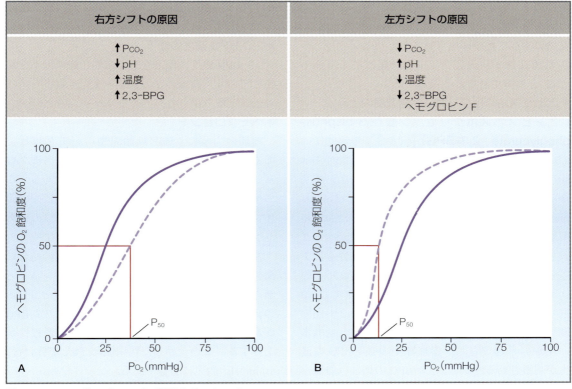

図 5.22　ヘモグロビンの O_2 解離曲線のシフト.
A：右方へのシフトは，P_{50} の上昇および親和性の低下を意味する．B：左方へのシフトは，P_{50} の低下および親和性の増加を意味する．2,3-BPG：2,3-ビスホスホグリセリン酸．

すように，右方あるいは左方にシフトする．そのようなシフトは，O_2 に対するヘモグロビンの**親和性の変化**を反映し，P_{50} の変化を生じる．シフトが O_2 結合能の変化を伴わないで起こった場合，曲線の形状は変化しないまま右または左に動く．あるいは，ヘモグロビンの O_2 結合能の変化を伴った場合では，曲線の形状が変化して右または左へシフトする．

■ 右方シフト

ヘモグロビンの O_2 解離曲線の右方へのシフトは，O_2 に対するヘモグロビンの**親和性が低下**した場合に生じる（図 5.22A）．親和性の低下は P_{50} **の上昇**に反映され，P_{O_2} が正常値よりも高い値で飽和度 50％になることを意味する．親和性が低下すると，組織への O_2 の取り出しが促進される．親和性の低下およびヘモグロビンの O_2 解離曲線の右方シフトを引き起こす要因は，生理学的に理解できるものである．いずれの場合も，組織における O_2 の取り出しが促進されることは生体にとって好都合となる．

● P_{CO_2} の上昇および pH の低下

組織の代謝が亢進すると，CO_2 の産生が増加する．組織 P_{CO_2} の上昇は，H^+ 濃度の上昇および pH の低下を引き起こす．その結果，O_2 に対するヘモグロビンの親和性が低下し，ヘモグロビンの O_2 解離曲線が右方にシフトし，P_{50} が上昇する．これらはすべて，組織中においてヘモグロビンからの O_2 の取り出しを促進する．この機構は，O_2 供給が（例えば，骨格筋の運動において）O_2 需要を十分に満たすことを助ける．ヘモグロビンの O_2 解離曲線に対する P_{CO_2} および pH の影響を **Bohr（ボーア）効果**（Bohr effect）という．

● 温度の上昇

温度の上昇も，ヘモグロビンの O_2 解離曲線の右方シフトおよび P_{50} の上昇を引き起こし，組織

中での O_2 の取り出しを促進する. 骨格筋の運動の例を考えると, この効果もまた合目的的である. 筋肉によって熱が産生されると, ヘモグロビンの O_2 解離曲線が右方にシフトし, 組織により多くの O_2 を供給することとなる.

● 2,3-ビスホスホグリセリン酸濃度の上昇

2,3-ビスホスホグリセリン酸 (2,3-bisphosphoglycerate:2,3-BPG)【訳者注:慣例的には 2,3-ジホスホグリセリン酸 (2,3-diphosphoglycerate:2,3-DPG) も用いられるが, 2つのリン酸基がそれぞれ別の炭素に結合しているので bisphospho- が正しい化学名である】は, 赤血球における解糖過程の副産物である. 2,3-BPG は還元ヘモグロビンの β 鎖に結合し, O_2 に対する親和性を低下させる. この親和性の低下は, ヘモグロビンの O_2 解離曲線を右方にシフトさせ, 組織中で O_2 の取り出しを促進する. 低酸素条件下では 2,3-BPG 産生が増加する. 例えば, 高所で暮らすと低酸素血症が引き起こされ, 赤血球中の 2,3-BPG の産生が刺激される. 次に, 2,3-BPG の増加は組織への O_2 供給を促進させ, 高所順応 (adaptation to high altitude) のメカニズムとなる.

■ 左方シフト

ヘモグロビンの O_2 解離曲線の左方シフトは, O_2 に対するヘモグロビンの親和性が上昇した場合に生じる (図 5.22B). 親和性の上昇は P_{50} の低下に反映し, P_{O_2} の正常値よりも低い値で飽和度 50% になることを意味する. 親和性が上昇する (すなわち, O_2 の結合がより強くなる) と, 組織中での O_2 取り出しがより困難になる.

● P_{CO_2} の低下および pH の上昇

P_{CO_2} の低下および pH の上昇の影響もまた Bohr 効果である. 組織の代謝が低下すると, CO_2 の産生が減少し, H^+ 濃度が低下し, pH が上昇し, ヘモグロビンの O_2 解離曲線の左方シフトが生じる. したがって, O_2 の需要が減少すると, O_2 はヘモグロビンに強く結合し, O_2 は組織で取り出されにくくなる.

● 温度の低下

温度の低下は, 温度の上昇とは逆の影響をもたらす. 曲線は左方にシフトする. 組織の代謝が低下すると, 熱産生がより少なくなり, O_2 は組織で取り出されにくくなる.

● 2,3-BPG 濃度の低下

2,3-BPG 濃度の低下もまた組織代謝の低下を反映しており, 曲線の左方シフトを引き起こし, O_2 は組織で取り出されにくくなる.

● ヘモグロビン F

前述のように, HbF は胎児型のヘモグロビンである. HbF は, 成人型ヘモグロビン (ヘモグロビン A) の β 鎖が γ 鎖で置換されたものである. この変化によって, O_2 に対するヘモグロビンの親和性の上昇, ヘモグロビンの O_2 解離曲線の左方シフト, および P_{50} の低下がもたらされる.

左方シフトのメカニズムは, 2,3-BPG の結合に関係している. 2,3-BPG は, ヘモグロビン A の β 鎖と強い親和性で結合するのと比べると, HbF の γ 鎖には強く結合しない. このように 2,3-BPG があまり結合しない場合, O_2 に対する親和性が上昇する. この上昇した親和性は, Pa_{O_2} が低い (約 40 mmHg) 胎児に有益である.

■ 一酸化炭素 (CO)

これまで説明したヘモグロビンの O_2 解離曲線に対するすべての影響は, 右方または左方へのシフトを伴う. CO の影響は, これとは異なっている. これは, ヘモグロビンに結合する O_2 を減少させ, またヘモグロビンの O_2 解離曲線の左方シフトを引き起こす (図 5.23).

CO は, O_2 の 250 倍の親和性でヘモグロビンに結合し, 一酸化炭素ヘモグロビン (carboxyhemoglobin) を形成する. 言い換えると, CO の分圧が酸素分圧のわずか 1/250 であっても, ヘモグロビンに結合する CO と O_2 の量は同じになる. O_2 は CO に結合したヘムに結合することができないので, CO の存在はヘモグロビン上で結合可能な O_2 結合部位の数を減少させる. 図 5.23 に示す例では, O_2 に結合するヘモグロビンは 50% に減少しているが, これは結合部位の半分が CO と結合し, 残り半分が O_2 と結合可能であることを意味する. これによる O_2 輸送への影響は明らかである. この効果だけで, 血液中の O_2 含有量および組織への O_2 供給量は 50% 減少する.

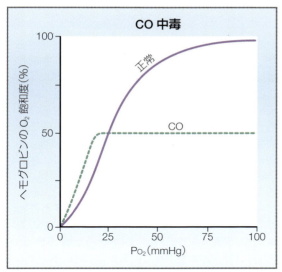

図 5.23 ヘモグロビンの O_2 解離曲線に対する CO の影響.
CO はヘモグロビンの O_2 結合部位に結合して O_2 結合部位の数を減少させ，さらにヘモグロビンの O_2 解離曲線を左方にシフトさせる．

CO はまた，ヘモグロビンの O_2 解離曲線の左方シフトを引き起こす．すなわち，CO に結合していないヘムの **O_2 親和性は上昇**する．したがって，P_{50} が低下し，O_2 が組織内に取り出されにくくなる．

ヘモグロビンへの O_2 結合に対する CO のこの 2 つの効果が一緒になるので，組織への O_2 供給は致命的なものとなる．つまり，ヘモグロビンの O_2 結合能が低下するだけでなく，残りのヘム部位は O_2 により強く結合することになる (Box 5.1)．

エリスロポエチン

エリスロポエチン (erythropoietin：EPO) は，腎臓 (一部は肝臓) において合成される糖タンパク質成長因子であり，前赤芽球から赤血球への分化を促進することによって赤血球形成の主要な刺激物質として働く．

EPO は低酸素症 (hypoxia) に応答して，腎臓で次のように合成される (図 5.24)．
①ヘモグロビン濃度の低下または Pa_{O_2} の低下のために，腎臓への O_2 供給が低下すると (低酸素症)，低酸素誘導因子 1 の α サブユニット (**低酸素誘導因子 1α** (hypoxia-inducible factor 1α)) の産生が増加する．
②低酸素誘導因子 1α は，腎皮質および髄質の線維芽細胞に作用して，EPO のメッセンジャーリボ核酸 (mRNA) の合成を引き起こす．
③ mRNA は EPO 合成を増加させる．
④次いで，EPO は前赤芽球の分化を引き起こすように作用する．
⑤前赤芽球が成熟赤血球 (赤血球) になるためには，さらなる発達段階を経るが，これらの成熟段階において EPO は必要でない．

興味深いことに，腎臓は EPO 合成にとって理想的な部位である．なぜなら，腎臓は血流量の減少によって生ずる O_2 供給量減少と，動脈血の O_2 含有量の減少 (例えば，ヘモグロビン濃度の低下または Pa_{O_2} の低下) によって生ずる O_2 供給量低下とを区別することができるからである．この識別能力は，腎臓血流量の減少が糸球体濾過量の減少を引き起こし，Na^+ の濾過および再吸収の減少をもたらすという事実に依存している．腎臓における O_2 消費は Na^+ 再吸収と強く関連しているため，腎臓血流量の減少は O_2 供給量の減少と O_2 消費量 (Na^+ 再吸収) の減少の両方をもたらす．したがって，この状況では腎臓の O_2 供給量と O_2 消費量は一致しているので，腎臓はより多くの赤血球が必要であるという警告は発しない．動脈血の O_2 含有量が減少した場合には，腎臓はより多くの赤血球が必要であるという警告を発する．

貧血は，**慢性腎不全** (chronic renal failure) でみられる共通の症状であるが，これは機能している腎臓実質が減少するため，EPO の合成が低下し，赤血球の産生が減少し，それに伴ってヘモグロビン濃度が低下するからである．慢性腎不全の貧血は，遺伝子組換えヒト EPO で治療することができる．

血液による CO_2 の輸送

血液中における CO_2 の存在様式

CO_2 は，溶解 CO_2，**カルバミノヘモグロビン**

254 第 5 章 呼吸の生理学

Box 5.1　一酸化炭素中毒

▶ **症例**

　ある 2 月の寒い朝，55 歳の男性が車庫で車を暖めようとした．車が暖まるまで，彼は車庫に隣接する工房で待っていた．約 30 分後，彼が作業台に向かい錯乱した状態であえいでいる（頻呼吸）ところを妻が発見した．彼は近くの救急病院で 100% O_2 の投与を受けた．動脈血ガス分析の結果は以下の通りであった．

　　Pa_{O_2}：660 mmHg
　　Pa_{CO_2}：36 mmHg
　　pH：7.43
　　ヘモグロビンの O_2 飽和度：60%

▶ **解説**

　男性は車の排気ガスを吸入し，急性一酸化炭素（CO）中毒になった．動脈血ガス分析の結果は，ヘモグロビンに CO が結合しているためと説明できる．

　CO は，ヘモグロビンに O_2 結合の 250 倍の親和性で強力に結合する．したがって，通常では O_2 と結合するヘムに，今は CO が結合している．ヘモグロビンの O_2 飽和度は 60% と測定されたため，結合部位の 40% は CO と結合していることになる．O_2 結合ヘモグロビンは組織への O_2 運搬の主要な形態であるため，CO 中毒の最初の有害な影響は，血液の O_2 運搬能力の低下である．CO 中毒の第 2 の有害な影響は，ヘモグロビンの O_2 解離曲線の左方へのシフトであり，これは P_{50} を低下させ，ただでさえ少ない O_2 結合ヘモグロビンの O_2 親和性を増加させることになる．結果として，組織に O_2 を放出することはさらに困難となる．CO 中毒のこれらの 2 つの効果によって，脳などの重要な組織に十分な O_2 を供給できなくなり，死に至ることがある．

▶ **治療**

　この患者の治療は，できるだけ多くの CO をヘモグロビンから速やかに取り除くために 100% O_2 を吸入させることである【訳者注：高気圧酸素療法を行うと，CO 除去はより促進されるので，本例では高次施設への転送を検討する】．

　ここで，660 mmHg という Pa_{O_2} の著しく高い値に注目すべきである．この値は信頼できるのだろうか．$\dot{V}/\dot{Q}$ 不均等がないと仮定すると，肺毛細血管血と肺胞気は平衡状態にあるので，Pa_{O_2} は PA_{O_2} と等しくなるはずである．したがって，なぜ PA_{O_2} が 660 mmHg になるのかを考えるとよいだろう．PA_{O_2} の期待値は，吸気の P_{O_2}，PA_{CO_2}，および呼吸商がわかれば，肺胞気式から計算することができる．PI_{O_2} は，気圧（飽和水蒸気で補正）と吸入気の O_2 濃度 100%（$FI_{O_2}=1.0$）から計算できる．PA_{CO_2} は測定された Pa_{CO_2} に等しい．呼吸商は 0.8 と仮定される．したがって

$$PI_{O_2}=(PB-PH_2O)\times F_{O_2}$$
$$=(760\,mmHg-47\,mmHg)\times 1.0$$
$$=713\,mmHg$$

$$PA_{O_2}=PI_{O_2}-\frac{PA_{CO_2}}{R}$$
$$=713\,mmHg-\frac{36\,mmHg}{0.8}$$
$$=668\,mmHg$$

　さらに，体循環動脈血が肺胞気と同じ P_{O_2} を有し，$\dot{V}/\dot{Q}$ 比が正常であると仮定すると，660 mmHg の Pa_{O_2} の測定値は，肺胞気式で計算された 668 mmHg の PA_{O_2} 値と一致する．この非常に高い Pa_{O_2} は，血液への O_2 の溶解度（0.003 mL O_2/100 mL 血液 /mmHg）が非常に低いため，組織への O_2 供給を改善するのにほとんど効果がない．すなわち，660 mmHg の Pa_{O_2} において溶解した O_2 含有量は，わずか 1.98 mL O_2/100 mL 血液である．

（carbaminohemoglobin）（ヘモグロビンに結合した CO_2），そして HCO_3^- の 3 つの形態で血液によって運ばれる．HCO_3^- は CO_2 が化学的に変化したものであり，これらの 3 形態のなかで量的に最も多い．

■ 溶解 CO_2

　O_2 と同様に，血液中で CO_2 の一部は溶解した形になっている．溶液中の CO_2 濃度は Henry の法則によって求められ，血液中の CO_2 濃度は，分圧に CO_2 の溶解度を乗じたもので計算される．CO_2 の溶解度は，0.07 mL CO_2/100 mL 血液 /mmHg で

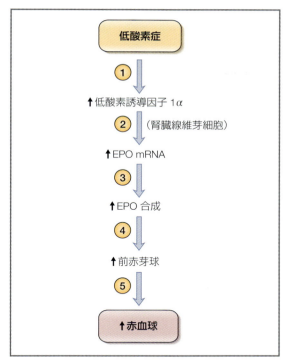

図 5.24 低酸素症によるエリスロポエチン(EPO)合成の誘導.
○で囲んだ番号は，本文中に付したステップ番号に対応している．mRNA：メッセンジャーRNA．

ある．Henryの法則によって計算される動脈血中の溶解CO_2濃度は，2.8 mL CO_2/100 mL 血液（40 mmHg×0.07 mL CO_2/100 mL 血液/mmHg）であり，**血中CO_2総量の約5%**である（前に述べたように，O_2の溶解度はCO_2と比較して低いため，溶解O_2量は血液の全O_2含有量のわずか2%である）．

■ カルバミノヘモグロビン

CO_2は，タンパク質（例えば，ヘモグロビンおよびアルブミンなどの血漿タンパク質）のアミノ基の末端に結合する．CO_2がヘモグロビンに結合すると，**カルバミノヘモグロビン**とよばれ，**総CO_2の約3%**を占める．

CO_2は，O_2がヘモグロビンに結合する部位とは異なる部位でヘモグロビンに結合する．前述したように，ヘモグロビンへのCO_2結合はO_2に対する親和性を低下させ，ヘモグロビンのO_2解離曲線の右方シフトを引き起こす（Bohr効果）．続

いて，O_2と結合しているヘモグロビンは，CO_2に対する親和性を変化させる．例えばO_2が結合していないときには，ヘモグロビンのCO_2に対する親和性が上昇する（**Haldane（ホールデン）効果(Haldane effect)**）．ヘモグロビンとの結合においてO_2とCO_2の相互作用は理にかなっている．つまり，組織においてCO_2が産生されてヘモグロビンに結合するので，O_2に対するヘモグロビンの親和性が低下し，O_2が組織中に容易に放出される．次に，ヘモグロビンからのO_2の放出は，組織内で産生されたCO_2に対する親和性を上昇させる．

■ HCO_3^-

血液によって運ばれるCO_2のほとんどは化学的に変化した形のHCO_3^-であり，**全CO_2の90%以上**を占める．CO_2からHCO_3^-を生成する反応は，弱酸の炭酸（H_2CO_3）を形成するためのCO_2とH_2Oの水和反応を含む．この反応は，ほとんどの細胞に存在する**炭酸脱水酵素**によって触媒される．次いで，H_2CO_3は解離してH^+とHCO_3^-になる．両反応は可逆的であり，炭酸脱水酵素はCO_2の水和およびH_2CO_3の脱水の両方を触媒する．したがって，

$$CO_2 + H_2O \underset{\text{炭酸脱水酵素}}{\rightleftarrows} H_2CO_3 \rightleftarrows H^+ + HCO_3^-$$

組織では，好気性代謝から発生したCO_2が体循環毛細血管血に加えられ，上記の反応によってHCO_3^-に変換され，肺に運ばれる．肺では，HCO_3^-はCO_2に再変換され，呼出される．**図5.25**に，体循環毛細血管で起こる段階を示す．図中の○で囲まれた番号は以下のステップに対応している．

①組織内では，好気性代謝において**CO_2が産生**される．次いで，CO_2は細胞膜および毛細血管壁を横切って赤血球中に拡散する．これらのおのおのの膜を通るCO_2の輸送は，CO_2の分圧勾配によって駆動される単純拡散である．

②**炭酸脱水酵素**は，赤血球中に高濃度で存在し，CO_2の水和反応を触媒してH_2CO_3を生成する．赤血球では，CO_2が組織から供給されているた

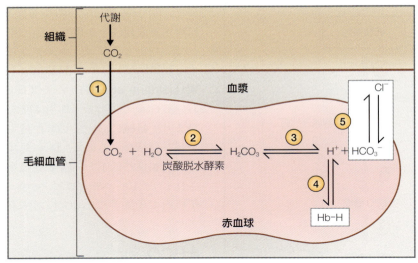

図 5.25 血液による CO_2 の輸送.
CO_2 と H_2O は，赤血球中で H^+ と HCO_3^- に変換される．H^+ は，赤血球中でヘモグロビン($Hb-H$)によって緩衝される．HCO_3^- は Cl^- との交換輸送で，血漿中に移動する．○で囲んだ番号は，本文中に付したステップ番号に対応している.

め，反応は**質量作用の法則**(law of mass action)に従って右へ進む．

③赤血球内では，H_2CO_3 は H^+ と HCO_3^- に解離する．H^+ は赤血球に残り，還元ヘモグロビンで**緩衝**(buffer)され，HCO_3^- は Cl^- との交換で血漿中に輸送される．

④これらの反応から生成された H^+ が溶液中に自由分子として残っていれば，赤血球および静脈血を酸性化することになる．したがって，H^+ は赤血球(および血液)の pH が生理的範囲内に留まるように**緩衝**されなければならない．H^+ は**還元ヘモグロビン**によって赤血球中で緩衝され，この形態で静脈血中を運ばれる．興味深いことに，還元ヘモグロビンは，酸化ヘモグロビンよりも H^+ に対するよりよい緩衝物質である．血液が組織毛細血管の静脈側の端に達するときまでには，ヘモグロビンは都合よく還元型(すなわち，O_2 を組織に放出した)となっている．

還元ヘモグロビンによる H^+ の緩衝と Bohr 効果との間には，有益な相互作用がある．Bohr 効果は，H^+ 濃度の増加によってヘモグロビンの O_2 解離曲線が右方へシフトし，ヘモグロビンが O_2 をより容易に組織内に放出する機構である．したがって，組織 CO_2 から生成された H^+ は，ヘモグロビンが O_2 をより容易に組織に放出させる原因となる．次に，ヘモグロビンの還元により，ヘモグロビンは H^+ にとってより効果的な緩衝物質となる．

⑤これらの反応で生成された HCO_3^- は，赤血球膜を横切って(電荷バランスを維持するために) Cl^- と交換され，血漿中 HCO_3^- として静脈血によって肺に運ばれる．**Cl^--HCO_3^- 交換輸送**(Cl^--HCO_3^- exchange)(Cl^- 移動あるいは Cl^- シフト)は，血液の電気泳動上の特徴から**バンド 3 タンパク質**(band three protein)とよばれる陰イオン交換輸送体によって行われる．

これまでに述べたすべての反応は，肺では反対方向に進む(図 5.25 には示されていない)．H^+ は還元ヘモグロビン上のその緩衝部位から放出され，HCO_3^- は Cl^- との交換で赤血球内に入り，HCO_3^- と H^+ が結合し，H_2CO_3 を形成し，さらに H_2CO_3 は CO_2 および H_2O に解離する．再び生成された CO_2 は肺から呼出される．

換気血流関係

肺血流量

■ 肺血流量，肺循環血圧，肺血管抵抗の関係

肺血流量は，右心の心拍出量であり，左心の心拍出量にほぼ等しい．わずかな違いは，少量の冠静脈血が Thebesius（テベジウス）静脈（最小心臓静脈）を介して（肺動脈を介して肺に行かず），直接左室に流れることである．

肺血流量は肺動脈と左房との間の圧較差に正比例し，肺血管の抵抗に反比例する（$Q = \Delta P/R$）．しかしながら，体循環系と比較した場合，血流量は同じであるが，肺循環系の特徴は，非常に低い血圧と低い抵抗をもつことである．肺循環血流量と体循環血流量が等しくなる理由は，体循環系の血圧と抵抗に比例して肺循環系の血圧と抵抗がそれぞれ低くなっているからである（第4章，表4.1参照）．

■ 肺血流量の調節

他の血管床と同様に，肺血流は，主に細動脈の抵抗を変えることによって調節される．このような抵抗の変化は，細動脈平滑筋の緊張の変化によって行われる．肺循環において，これらの変化は局所的な血管作用物質，特に O_2 によって仲介される．

● 低酸素性血管収縮

肺血流を調節する主な要因は，肺胞気中の酸素分圧（PA_{O_2}）である．PA_{O_2} の減少は，肺血管収縮（すなわち，**低酸素性血管収縮（hypoxic vasoconstriction）**）を生じさせる．他の血管床に対しては P_{O_2} の低下は正反対の効果，すなわち血管拡張（組織への O_2 供給を増加させる）を引き起こすので，最初は，肺での血管収縮効果は直観に反しているようにみえるかもしれない．しかし，肺では低酸素性血管収縮は，血流が"無駄になってしまうような"換気の悪い領域への肺血流を減少させる，という適応メカニズムになっている．こうして肺

の血流は，換気の悪い肺領域から十分に換気された肺領域に振り向けられ，ガス交換がよりよくできるようになる．

ある種の肺疾患では，低酸素性血管収縮は保護的役割を果たす．なぜなら，肺血管の全体的な抵抗を変化させることなく，十分に酸素化された肺胞に血液を再配分することができるからである．しかし，肺疾患が広範である（例えば，大葉性肺炎）場合，代償機構は破綻する．つまり，十分に換気された肺胞の領域が不足すれば，低酸素血症は起こる．

低酸素性血管収縮のメカニズムには，肺動脈の血管平滑筋に対する肺胞気 P_{O_2} の直接作用が関与する．この作用は，肺微小循環と肺胞が近接していることを思い出すと理解できる．細動脈およびそれらの毛細血管床は，肺胞を密に囲んでいる．O_2 は高度に脂溶性であり，したがって細胞膜を透過する．PA_{O_2} が正常（100 mmHg）であるとき，O_2 は，肺胞から近くの細動脈平滑筋細胞に拡散し同細胞を弛緩させることで，細動脈を拡張させる．PA_{O_2} が 100 〜 70 mmHg の間で低下しても，血管緊張はわずかしか影響されない．しかし，PA_{O_2} が 70 mmHg よりも低くなると，血管平滑筋細胞はこの低酸素を感知し，血管が収縮し，その領域の肺血流を減少させる．肺低酸素が近傍の血管平滑筋の収縮を引き起こすメカニズムについては，正確には解明されていない．低酸素は血管平滑筋細胞の脱分極を引き起こすと考えられている．脱分極により，電位依存性 Ca^{2+} チャネルが開き，Ca^{2+} の細胞への流入および筋収縮が起こる．

また，低酸素性血管収縮には，肺血管系の内皮細胞における**一酸化窒素（nitric oxide：NO）**合成が関係しているとの証拠もある．NO は，一酸化窒素合成酵素の作用によって L-アルギニンから合成された内皮細胞由来弛緩因子であることを想起してほしい．NO は**グアニル酸シクラーゼ（guanylyl cyclase）**を活性化し，**環状グアノシン一リン酸（cyclic guanosine monophosphate：cGMP）**を産生して血管平滑筋を弛緩させる．一酸化窒素合成酵素の阻害は低酸素性血管収縮を増強し，NO の吸入は低酸素性血管収縮を

減少させるか，または消失させる．

前述のように，低酸素性血管収縮は局所的に生じて，血流を換気のよい肺領域に振り向けることができる．それはまた，全肺で広範に起こることもあり，この場合，血管収縮は肺血管抵抗の増加をもたらす．例えば，**高所**または低 O_2 ガスを吸入しているヒトでは，PA_{O_2} は 1 つの領域だけでなく肺全体で低下する．低 PA_{O_2} は，肺細動脈全体の血管収縮および肺血管抵抗の増加を引き起こす．抵抗の増加に対応して，肺動脈圧が上昇する．慢性低酸素症では，肺動脈圧の上昇によって増加した後負荷に打ち勝とうとして右室の肥大が起こる．

胎児の循環（fetal circulation）は，肺全体における低酸素性血管収縮のもう 1 つの例である．胎児は呼吸しないので，PA_{O_2} は母親よりも胎児のほうがずっと低く，胎児の肺に血管収縮を引き起こす．この血管収縮は肺血管抵抗を増加させ，その結果，肺血流量は心拍出量の約 15% まで減少する．出生時，新生児の最初の呼吸は PA_{O_2} を 100 mmHg に上昇させるため低酸素性血管収縮が減弱し，肺血管抵抗が低下し，肺血流量が増加して最終的には左心の心拍出量と等しくなる（成人の場合と同様に）．

● その他の血管作用物質

O_2 に加えて，いくつかの物質が肺血管抵抗を変化させる．アラキドン酸代謝産物（シクロオキシゲナーゼ系）の**トロンボキサン A_2**（thromboxane A_2）は，あるタイプの肺損傷に反応してマクロファージ，白血球および内皮細胞で産生される．トロンボキサン A_2 は，細動脈および静脈の両方に対する強力な局所性血管収縮物質である．**プロスタサイクリン**（prostacyclin）（プロスタグランジン I_2（prostaglandin I_2））も，シクロオキシゲナーゼ系のアラキドン酸代謝産物であり，強力な局所性血管拡張物質である．これは肺内皮細胞によって産生される．アラキドン酸代謝の他の産物（リポキシゲナーゼ系）である**ロイコトリエン**（leukotriene）は，気道の収縮を引き起こす．

● 肺気量

肺血管には，肺胞に囲まれている肺胞血管（すなわち，毛細血管）と，肺胞外の血管（例えば，動

脈および静脈）がある．肺気量の増加の影響は，この 2 種類の血管で異なっている．肺胞血管は押しつぶされるため抵抗は増加するが，肺胞外の血管は外に引っ張られるため開放し，抵抗が減少する．総肺血管抵抗は肺胞血管と肺胞外血管の抵抗の合計であるため，肺気量の増加の影響はどちらの効果が大きいかで決まる．低肺気量では，肺胞外血管への影響が支配的である．肺気量が増加するにつれて，胸膜腔内圧がより負になるため肺胞外血管は引っ張られ，抵抗は減少する．大きな肺気量では，肺胞血管への影響が支配的である．肺気量が増加するにつれて，肺胞血管は膨張した肺胞によって押しつぶされ，その抵抗は急激に増加する．

■ 肺血流の分布

肺内の血流分布（distribution of pulmonary blood flow）は不均等であり，その分布は**重力**の影響で説明される．ヒトが仰臥位の場合，肺全体が同じ重力を受けるため，血流分布はほぼ均一である．しかし，立位のヒトでは，重力の影響は一様でなく，血流量は肺尖部（領域 1）で最も少なく，肺底部で最も多い（領域 3）．これは重力の影響により，肺動脈の静水圧が肺尖部よりも肺底部のほうで高くなっているからである．

図 5.26 に，立位のヒトでの肺の 3 つの領域における血流パターンを示す．各領域の血流を駆動するための圧力もまた図に示している．次に述べることに関して，肺血管系の圧力が体循環血管系の圧力よりもずっと低いことを念頭に置く必要がある．

● 領域 1

重力の影響の結果として，肺尖部における動脈圧（Pa）は，大気圧とほぼ等しい肺胞内圧（PA）より低くなることもある．動脈圧（Pa）が肺胞内圧（PA）よりも低い場合，肺毛細血管は，外側のより高い肺胞内圧によって圧迫される．この圧迫は毛細血管を閉鎖させ，局所血流を低下させる．領域 1 では，通常の動脈圧がこの閉鎖をちょうど防ぐ程度であり，低流量ではあるが血液灌流は維持される．

しかしながら，動脈圧が低下した場合（例えば，

換気血流関係 259

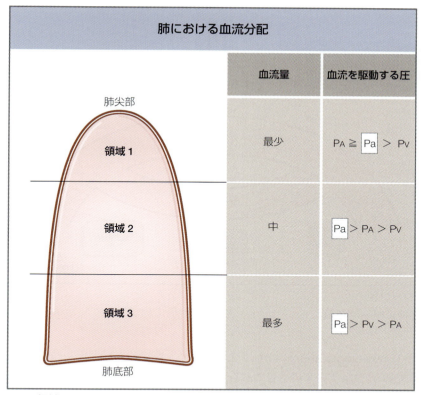

図5.26 肺の3つの領域における血流(灌流)の差異.
PA：肺胞内圧，Pa：動脈圧，Pv：静脈圧.

出血(hemorrhage))または肺胞内圧が増加した場合(例えば**陽圧呼吸時(positive pressure breathing)**)，肺胞内圧(P_A)は動脈圧(P_a)より高くなり，血管は圧迫されて閉鎖される．これらの状況下では，領域1は換気されるが灌流されない．血液灌流がなければガス交換は起こらず，領域1は生理学的死腔となる．

● 領域2

静水圧への重力の影響のため，領域2の動脈圧(P_a)は領域1よりも高く，肺胞内圧(P_A)より高い．しかし，肺胞内圧は肺静脈圧(P_v)よりはまだ高い．領域2において毛細血管の圧迫は問題とならないが，動脈圧と静脈圧の差(体循環血管床におけるように)ではなく，動脈圧と肺胞内圧の差によって血流が駆動される．

● 領域3

領域3では，パターンはよりわかりやすい．重力の影響は動脈圧および静脈圧を増加させ，両方とも肺胞内圧よりも高い．領域3の血流は，他の血管床と同様に動脈圧と静脈圧との差によって駆動される．領域3では，最も多くの毛細血管が開いており，血流量は最も多い．

■ シャント

シャント(短絡)(shunt) とは，心拍出量または血流の一部が別経路あるいは迂回路を通ることを指す．例えば，正常でも，肺血流のごく一部は，肺胞をバイパス(迂回)する(例えば，気管支血流)．これを生理学的シャントという．心臓の中隔欠損を介して右心系と左心系の間で血流のシャントがあると，いくつかの病的状況が起こりうる．これらの欠損では，左-右シャント(左心系から右心系に流れる)であることが多い．

● 生理学的シャント

心拍出量の約2％は，通常，肺胞をバイパスする．これは生理学的な右-左シャントである．生

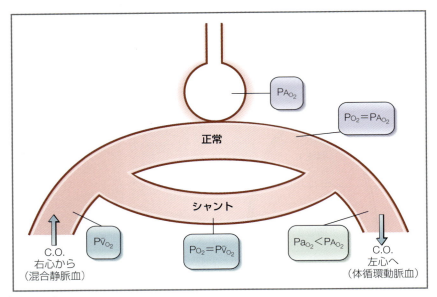

図5.27 右-左シャント.
C.O.：心拍出量（cardiac output）.

理学的シャント（physiologic shunt）の1つは，気管支への血流であり，気管支の栄養血管である．もう1つのシャントは，冠血流の一部で肺を灌流せずにThebesius静脈を通して左室に直接流入するものである．わずかな生理学的シャントがつねに存在するため，Pa_{O_2}はPA_{O_2}よりもわずかに低くなっている．

● 右-左シャント

右室と左室との間の中隔に欠損がある場合，右心から左心へのシャントが起こりうる．この場合，心拍出量の50%もの血流が動脈血化を起こす肺に駆出されずに，右室から左室へ直接流れる．右-左シャントでは，心拍出量のかなりの割合が酸素化を行う肺に供給されないので，**低酸素血症が必ず起こる**．心拍出量のなかで酸素化を行う肺に供給された血液は，酸素分圧の低いシャント血液によって"希釈"される（図5.27）【訳者注：体循環よりも肺循環の血管抵抗のほうが低いので，心室中隔欠損のみでは心室収縮期に左から右へのシャントになり，肺血流量が増加することが多い．その場合は，ここに説明されるような低酸素血症は起こらない．右-左シャントを起こす先天性心疾患の例として，心室中隔欠損に加えて肺動脈狭窄もあるFallot（ファロー）四徴症が挙げられる】．

右-左シャントによって引き起こされる低酸素血症の決定的な特徴は，シャント血が肺に運ばれて酸素化されることがないので，高濃度酸素（例えば，100% O_2）を呼吸させても改善させられないことである．このシャント血は，正常に酸素化された血液を希釈し続け，PA_{O_2}がどれほど高くても，この希釈効果を相殺することはできない（さらに，100% O_2を呼吸しても，この領域ではヘモグロビン飽和度がほぼ100%であるため，主に溶解O_2が肺毛細血管の血液に加えられるのみで総O_2含有量にはほとんど影響しない）．しかし，右-左シャントをもつ患者では100% O_2呼吸は診断上有効な手法である．なぜならば，シャントの大きさを，酸素化された血液の希釈程度から推定できるからである．

右-左シャントでは，シャント血の高いCO_2含有量のためにPa_{CO_2}が上昇するようにみえるかもしれないが，通常は大きな上昇は起こらない．中枢性化学受容器はPa_{CO_2}の変化に感度が高いので，Pa_{CO_2}は最小限しか変化しない．つまり，Pa_{CO_2}のわずかな増加によっても換気量は増加し，過剰なCO_2は呼出される．O_2の化学受容器はCO_2の化学受容器ほど感度が高くなく，Pa_{O_2}が60 mmHg未満に低下するまで興奮しない．

右-左シャントを通る血流量は，シャント比の式（shunt fraction equation）によって計算できる．シャント血流量を肺血流量あるいは心拍出量の割合として表すもので，次のようになる．

$$\frac{Q_S}{Q_T} = \frac{\begin{array}{c}O_2\,\text{含有量（"正常"血液）}\\ -O_2\,\text{含有量（動脈血）}\end{array}}{\begin{array}{c}O_2\,\text{含有量（"正常"血液）}\\ -O_2\,\text{含有量（混合静脈血）}\end{array}}$$

ここで

Q_S＝右-左シャントを通る血流量（L/min）
Q_T＝心拍出量（L/min）
O_2 含有量（"正常"血液）＝シャントしていない
血液の O_2 含有量
O_2 含有量（動脈血）＝体循環動脈血の
O_2 含有量
O_2 含有量（混合静脈血）＝混合静脈血の O_2 含有量

● 左-右シャント

左-右シャントはより一般的であり，**低酸素血症を引き起こさない**．左-右シャントの原因には，**動脈管開存症**（patent ductus arteriosus）および**外傷性損傷**（traumatic injury）がある．血液が左心系から右心系にシャントされると，肺血流量（右心拍出量）は体循環血流量（左心拍出量）よりも多くなる．事実，肺から戻ったばかりの O_2 を含む血液は，体循環組織に供給されることなく再び右心に直接加えられる．右心は通常，混合静脈血を受けるので，右心の血液中の P_{O_2} は上昇する【訳者注：左-右シャントでは肺循環が増えることによって，左房の容量負荷や肺高血圧などのさまざまな問題を起こしうる】．

換気血流比

換気血流比（ventilation/perfusion ratio：$\dot{V}/\dot{Q}$）は，肺血流量（$\dot{Q}$）に対する肺胞換気量（$\dot{V}_A$）の比である．理想的なガス交換のために換気量と血流量を一致させることは非常に重要である．換気されているが血流のない肺胞，または血流はあるが換気されていない肺胞は，ガス交換に対しては無効である．

■ $\dot{V}/\dot{Q}$ 適合

ガス交換の理想的な配置は，換気された肺胞と灌流された肺毛細血管が近接しているときである．"近接している"とは，O_2 と CO_2 の拡散が容易に起こるほど解剖学的に近いということである．この理想的な配置は $\dot{V}/\dot{Q}$ 適合とよばれ，すでに紹介した2つの代償的な生理的メカニズム，すなわち代償性気管支収縮と代償性低酸素性血管収縮によって維持されている．

換気した肺胞の小さな領域が，例えば，小さな肺塞栓のため灌流されないと，その領域は死腔となり，PA_{CO_2} が局所的に低下する（死腔では肺胞空気の組成が吸気時の組成に近づくことを想起してほしい）．P_{CO_2} の局所的な低下は，近傍の気道の**代償的な気管支収縮**を引き起こし，換気は十分に灌流されている毛細血管をもつ領域に方向転換するようになる．その結果，小さな死腔が存在している領域においても，$\dot{V}/\dot{Q}$ 適合を保つことができる．

逆に，肺胞の小さな領域が，例えば，気道の虚脱や閉塞によって換気されない場合，その領域は右-左シャントとなり，PA_{O_2} が局所的に低下する（すなわち，局所性肺胞低酸素症）．この局所性肺胞低酸素症により，近傍の細動脈が**代償的に低酸素性血管収縮**を起こすため，血流は十分に換気されている肺胞領域へと方向転換するようになる．このように，小さな右-左シャントが存在している領域においても，$\dot{V}/\dot{Q}$ 適合を保つことができる．

■ $\dot{V}/\dot{Q}$ の正常値

$\dot{V}/\dot{Q}$ の正常値は 0.8 である．この値は，肺胞換気量（L/min）が肺血流量（L/min）の 80% であることを意味する．ここでの"正常"という用語は，呼吸回数，1回換気量，および心拍出量がすべて正常であれば，$\dot{V}/\dot{Q}$ は 0.8 になることを意味する．次に，$\dot{V}/\dot{Q}$ が正常であれば，Pa_{O_2} は 100 mmHg の正常値になり，Pa_{CO_2} は 40 mmHg の正常値になる．肺胞換気の変化，または肺血流の変化，またはその両方により $\dot{V}/\dot{Q}$ が変化する場合，ガス交換は理想的でなくなり，Pa_{O_2} および Pa_{CO_2} の値が変化する．

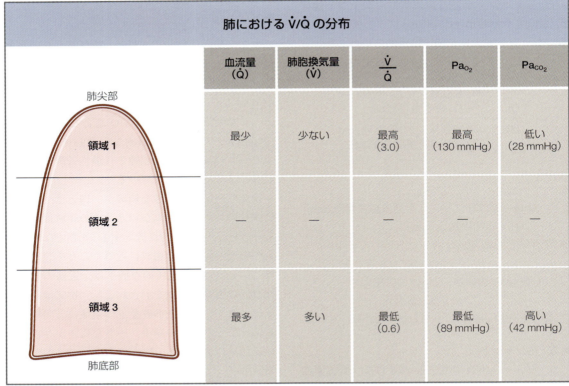

図 5.28 肺の 3 つの領域における $\dot{V}/\dot{Q}$ の差．
$\dot{V}/\dot{Q}$ の部位差が Pa_{O_2} と Pa_{CO_2} に与える影響を示している（▶Video 5.28 も参照）．

■ 肺内における $\dot{V}/\dot{Q}$ の分布

　$\dot{V}/\dot{Q}$ の 0.8 という値は肺全体の平均値である．実際，肺の 3 つの領域で血流が不均一になっているように，$\dot{V}/\dot{Q}$ も不均一である．図 5.28 に示すように，これらの $\dot{V}/\dot{Q}$ の変動は，これらの領域を出ていく血液中の Pa_{O_2} および Pa_{CO_2} の変化を引き起こす．すでに説明したように，肺血流または灌流における局所的変動は，重力の影響を受ける．領域 1 は最も低く，領域 3 は最も高い灌流状態にある．肺胞換気も，肺の領域間で同じ方向で変化している．立位の肺では，重力により換気は領域 1 でより低く，領域 3 ではより高くなっている．重力が作り出す部位別の換気の差を視覚化するには，肺を垂直に吊り下げられたアコーディオンと考えるとよい．呼吸の間（すなわち，FRC のレベル）では，アコーディオン（肺）のじゃばらを下から押した状態になるため底部のじゃばらが縮み，空気を押し出すが，上方（尖部）のじゃばらは縮まず FRC で満たされる．次の呼吸で吸息が起こると，肺尖部はすでに満杯なので換気量の大部分は肺の底部に入ることになる．立位での肺の換気量および血流量の部位別の差は同じ方向であるが，換気量の差は，血流量の差ほど大きくはない．したがって $\dot{V}/\dot{Q}$ は，領域 1 で最高に，領域 3 で最低になり，肺全体の平均値は 0.8 である．

　$\dot{V}/\dot{Q}$ の部位別の差異は，Pa_{O_2} および Pa_{CO_2} の部位別差異を生じる．図 5.29 に，肺胞気式（図 5.5 参照）から得られた O_2-CO_2 ダイアグラムを示す．Pa_{O_2} の部位差は，Pa_{CO_2} の部位差よりもはるかに大きいことに注意する必要がある．$\dot{V}/\dot{Q}$ が最高値を示す領域 1 では，Pa_{O_2} は最も高く，Pa_{CO_2} は最も低い．$\dot{V}/\dot{Q}$ が最低値を示す領域 3 では，Pa_{O_2} は最も低く，Pa_{CO_2} は最も高い．これらの部位差は健康な肺においても存在し，肺から出て肺静脈を流れる血液（すべての領域からの血液の合計を表す）

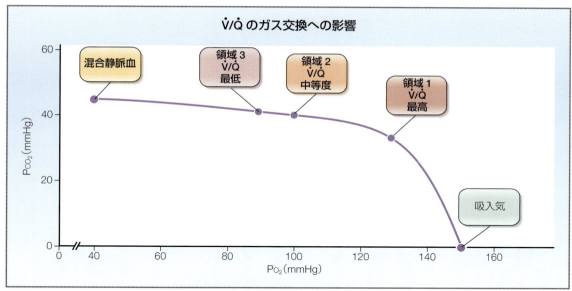

図 5.29　P_{CO_2}-P_{O_2} ダイアグラムに対する $\dot{V}/\dot{Q}$ の部位別の影響.
P_{O_2} の部位差は P_{CO_2} の部位差よりも, はるかに大きい.

の Pa_{O_2} は, 平均 100 mmHg, Pa_{CO_2} は平均 40 mmHg である.

$\dot{V}/\dot{Q}$ 不均等

先に述べたように, 正常では換気と血流のバランスがとれている. 換気された肺胞は, 血流のある毛細血管と近接しており, この配置によって理想的なガス交換が行われる. $\dot{V}/\dot{Q}$ には部位的な差異があるが, 肺の平均値は約 0.8 である.

換気と血流の不一致は, $\dot{V}/\dot{Q}$ 不適合($\dot{V}/\dot{Q}$ mismatch) あるいは $\dot{V}/\dot{Q}$ 不均等($\dot{V}/\dot{Q}$ defect) とよばれ, これはガス交換の異常となる. $\dot{V}/\dot{Q}$ 不均等は, 換気はあるが血流のない肺領域(死腔), 血流はあるが換気されていない肺領域(シャント), および両者の間のすべての中間型によって引き起こされる可能性がある(図 5.30, 5.31). いくつかの肺疾患では, 起こりうるすべての範囲の $\dot{V}/\dot{Q}$ 不均等が存在する.

● 死腔($\dot{V}/\dot{Q}=\infty$)

死腔は, 換気はあるが血流のない肺領域である. この換気は無駄であり, "死んでいる". 肺胞気から O_2 を受け取る血流および肺胞気に CO_2 を加える血流がないため, 死腔ではガス交換が起こらない. 死腔は, 肺の一部(または肺全体)への血流が遮断される肺塞栓症(pulmonary embolism) によって生ずる. 死腔領域では, ガス交換が起こらないため, 肺胞気は, 加湿された吸気と同じ組成になる. PA_{O_2} は 150 mmHg, PA_{CO_2} は 0 mmHg となる.

● 高い $\dot{V}/\dot{Q}$

高い $\dot{V}/\dot{Q}$ の領域は, 通常は血流が減少したためであるが, 血流量に対して換気量が多くなる. 血流のない死腔とは違って, 高 $\dot{V}/\dot{Q}$ 領域には血流がいくらかある. 換気量は血流量と比較して多いので, これらの領域からの肺毛細血管血は高い P_{O_2} および低い P_{CO_2} を有する.

● 低い $\dot{V}/\dot{Q}$

$\dot{V}/\dot{Q}$ の低い領域は, 通常は換気が減少したためであるが, 血液量に対して換気量が少ない. 換気のないシャントとは違って, 低い $\dot{V}/\dot{Q}$ 領域には換気がいくらかある. 換気量は血流量と比較して少ないので, これらの領域からの肺毛細血管血は低い P_{O_2} および高い P_{CO_2} を有する.

● 右-左シャント($\dot{V}/\dot{Q}=0$)

右-左シャントは, 換気されていない肺領域の灌流のことである. シャント領域では, O_2 を血液に供与したり, 血液から CO_2 を運び去る換気がないため, ガス交換は起こりえない. シャント

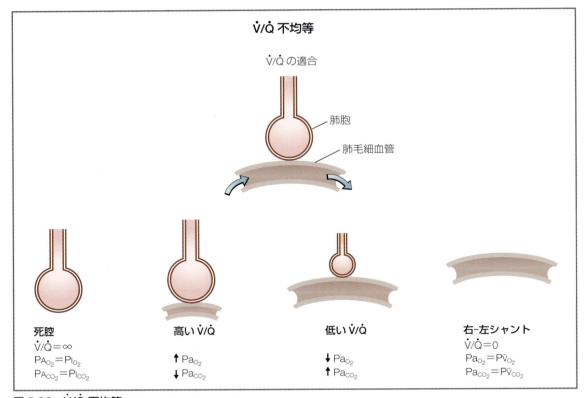

図 5.30　$\dot{V}/\dot{Q}$ 不均等.
$\dot{V}/\dot{Q}$ 不均等には，死腔，高 $\dot{V}/\dot{Q}$，低 $\dot{V}/\dot{Q}$，シャントがある．

は，**気道閉塞**および**右心から左心への心臓内シャント**によって起こる．シャントではガス交換が起こりえないので，これらの領域からの肺毛細血管血は，混合静脈血と同じガス組成を有する．すなわち Pa_{O_2} は 40 mmHg，Pa_{CO_2} は 46 mmHg である．

- **混合性 $\dot{V}/\dot{Q}$ 不均等（$\dot{V}/\dot{Q}$ が∞からゼロまでの範囲）**

$\dot{V}/\dot{Q}$ 不均等のある肺疾患では，常に不均等が混在している．例えば，ある領域が（血流の遮断により）死腔になり，さらに他の領域が低 $\dot{V}/\dot{Q}$ および/または右-左シャントとなった場合，死腔から迂回した血流はどこかに行かなければならない．$\dot{V}/\dot{Q}$ 異常の全範囲が同時に現れることがある．すなわち，同時に，死腔（$\dot{V}/\dot{Q}=\infty$），低 $\dot{V}/\dot{Q}$，高 $\dot{V}/\dot{Q}$，右-左シャント（$\dot{V}/\dot{Q}=0$）の領域が存在することがある（この状況では，換気が大部分の死腔と高 $\dot{V}/\dot{Q}$ の領域で行われ，血液は大部分の低 $\dot{V}/\dot{Q}$ と右-左シャントの領域を流れていると考えられ

る）．このような混合性 $\dot{V}/\dot{Q}$ 不均等では，正常な $\dot{V}/\dot{Q}$ 適合をもつ肺領域は存在しないかもしれない．ガス交換は最悪の状況になる．$\dot{V}/\dot{Q}$ 不均等は，つねに**低酸素血症**（Pa_{O_2} 低下）と**高炭酸ガス症**（Pa_{CO_2} 上昇）を引き起こす．なぜならば，$\dot{V}/\dot{Q}$ 不均等においては，低 $\dot{V}/\dot{Q}$ 領域と右-左シャントに流れ込む血液は混合静脈血であるからである．それらの領域を通過した血液の P_{O_2} は低く，P_{CO_2} は高い．

呼吸の調節

単位時間あたりに呼吸されるガス量は，呼吸回数および1回換気量の両方を調節することによって厳密に制御される．運動などの広範囲に変化する条件の下でさえも，Pa_{O_2} および Pa_{CO_2} を正常範囲内に維持するように，呼吸は調節されている．

呼吸の調節　265

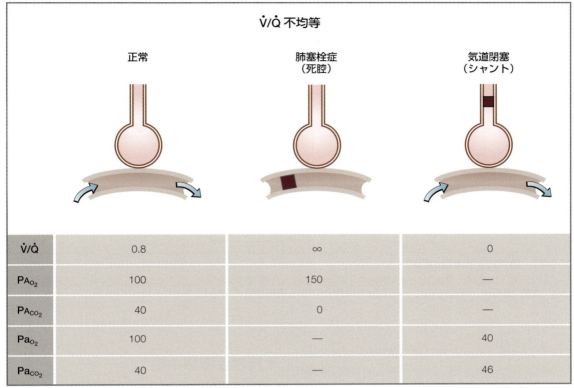

図5.31　肺のガス交換に対する$\dot{V}/\dot{Q}$不均等の影響.
肺塞栓症（死腔）では，肺胞気の組成が吸気の値に近づく．気道閉塞（右‒左シャント）では，体循環動脈血の組成が混合静脈血の組成に近づく．PA_{O_2}，PA_{CO_2}，Pa_{O_2}，Pa_{CO_2}の単位はmmHg.

　呼吸は，脳幹にある**呼吸中枢**（respiratory center）によって調節される．この調節システムは4つの構成要素からなる：(1) O_2, CO_2, H^+に対する化学受容器．(2)肺および関節における機械受容器．(3)脳幹（延髄および橋）にある呼吸の調節中枢．(4)脳幹の中枢によって指示を受ける呼吸筋（図5.32）．また，**息こらえ**（breath-holding）や随意的**過換気**（hyperventilation）などの随意的調節は大脳皮質からの命令によって起こり，脳幹からの命令より一時的に優先される．

脳幹による呼吸調節

　呼吸は，脳幹の延髄と橋によって調節される不随意運動である．正常な不随意の呼吸は，脳幹の3つのニューロン群または**脳幹の3つの中枢**，すなわち**延髄呼吸中枢**（medullary respiratory center），**持続性吸息中枢**（apneustic center）および**呼吸調節中枢**（pneumotaxic center）によって調節される．

■ 延髄呼吸中枢

　延髄呼吸中枢は，網様体に位置し，その解剖学的位置から**吸息中枢**（inspiratory center）（背側呼吸ニューロン群：DRG）と**呼息中枢**（expiratory center）（腹側呼吸ニューロン群）の2つのニューロン群で構成されている．

● 吸息中枢

　吸息中枢は，**背側呼吸ニューロン群**（dorsal respiratory group：DRG）に位置し，吸息の頻度を設定することによって呼吸の**基本的リズム**を制御する．このニューロン群は，舌咽神経（第Ⅸ脳神経）および迷走神経（第Ⅹ脳神経）を介して末梢の化学受容器からの感覚入力を，また迷走神経を介して肺の機械受容器からの感覚入力を受ける．吸息中枢は，**横隔神経**（phrenic nerve）を介して横隔膜に運動出力を送る．横隔神経の活動パ

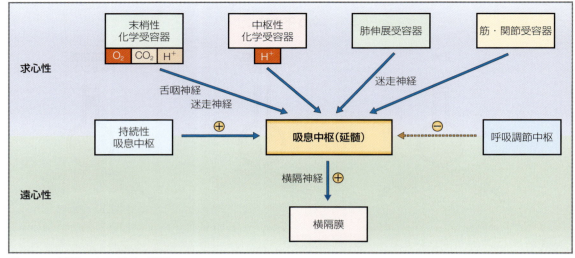

図 5.32　脳幹による呼吸の調節.
求心性（感覚）情報は，中枢性と末梢性の化学受容器および機械受容器を介して延髄の吸息中枢に送られる．遠心性（運動）情報は，吸息中枢から横隔膜を神経支配する横隔神経に送られる．

ターンは，静止期，それに続く数秒間の活動電位が発生するバースト期，次いで静止期に戻る周期である．横隔膜の活動も，これと同じ周期になる．つまり静止期，活動電位発生期（横隔膜の収縮期），および静止期である．吸息は，呼吸調節中枢を介した吸息中枢の抑制によって短縮することができる（後の説明を参照）【訳者注：最近の研究結果では，延髄背側でなく腹側の呼吸ニューロン群が呼吸リズムをつくる吸息中枢と考えられている．腹側の吸息中枢は，呼息中枢よりもやや尾側のpre-Bötzinger（プレベツィンガー）コンプレックスとよばれる部位に存在している．背側呼吸ニューロン群が感覚入力を受けていることは確かであり，ここから腹側の吸息中枢へ情報が伝えられている】．

● 呼息中枢

呼息中枢（図 5.32 には示されていない）は，腹側呼吸ニューロン群に位置し，主に呼息を担当する．正常な呼息は受動的な過程であるため，これらのニューロン群は安静呼吸では活動していない．しかし，運動中などで呼息が活発になると，この呼息中枢が活動する．

■ 持続性吸息中枢

持続性吸息とは，長い吸息性のあえぎに続いて短い呼息が現れる異常呼吸パターンである．実験的に橋の尾側部にある持続性吸息中枢を刺激すると，この呼吸パターンが現れる．これらのニューロン群の刺激は，明らかに延髄の吸息中枢を興奮させ，横隔神経の活動電位が持続し，それによって横隔膜の収縮も持続する．

■ 呼吸調節中枢

呼吸調節中枢は吸息の切り替えを行うため，横隔神経の活動電位のバーストを規定する．実際に，橋の吻側部に位置する呼吸調節中枢は 1 回換気量の大きさを規定し，これは二次的に呼吸数を調節することになる．この中枢がなくても，正常な呼吸リズムは維持される．

大脳皮質

大脳皮質（cerebral cortex）からの指令は，一時的に脳幹の呼吸中枢活動を調節することができる．例えば，ヒトは意識的に呼吸頻度および呼吸量を増加させることによる過換気を行うことができる．過換気の結果，Pa_{CO_2} が低下，動脈血 pH

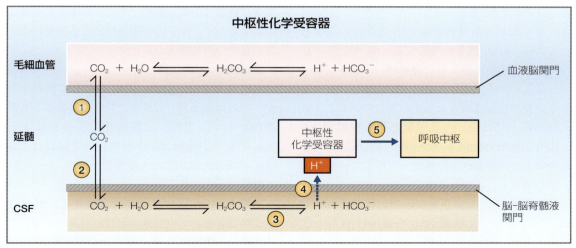

図 5.33 pH に対する中枢性化学受容器の応答.
○で囲まれた数字は,本文中に付したステップ番号に対応している. CSF：脳脊髄液.

が上昇する.しかし, Pa_{CO_2} の低下は意識消失を引き起こし,その結果,正常な呼吸パターンに戻るので,過換気は自己制限的である.より困難であるが,ヒトは意識的な**低換気(hypoventilation)**(すなわち息こらえ)を行うことができる.低換気は,換気のための強力な刺激となる Pa_{O_2} 低下と Pa_{CO_2} の上昇を引き起こす.息こらえの前に過換気をすると,息こらえ時間を延ばすことができる.

化学受容器

脳幹は,感覚(求心性)情報を処理し,横隔膜に運動(遠心性)情報を送ることによって,呼吸を調節する.脳幹に到達する感覚情報のうち,最も重要なものは, Pa_{O_2}, Pa_{CO_2}, および**動脈血 pH**に関する情報である.

■ 中枢性化学受容器

脳幹に存在する**中枢性化学受容器(central chemoreceptor)**は,呼吸の分単位の調節にとって最も重要なものである.これらの化学受容器は,延髄腹側面の舌咽神経(第IX脳神経)および迷走神経(第X脳神経)の神経根近辺に位置し,延髄の DRG からはわずかに離れたところに位置する.そして,中枢性化学受容器は,吸息中枢と直接情報交換を行う.

脳幹の化学受容器は,**脳脊髄液(cerebrospinal fluid：CSF)のpHの変化**を絶妙に感受している. CSF の pH が低下すると呼吸数が増加し(過換気), CSF の pH が上昇すると呼吸数が減少する(低換気). pH の低下を感受する(H^+で刺激される)化学受容器はセロトニンを神経伝達物質とし, pH の上昇を感知する(H^+で抑制される)化学受容器はγ-アミノ酪酸(GABA)を神経伝達物質としている.

延髄化学受容器は,直接的には CSF の pH の変化を感受し,間接的に動脈血 P_{CO_2} の変化を感受する(図 5.33).図中の○で囲んだ番号は,以下のステップに対応する.

① なじみ深い反応であるが,血液中では CO_2 は可逆的に H_2O と結合して, H^+ と HCO_3^- に解離する.血液脳関門は H^+ および HCO_3^- に対して比較的不透過性であるため,これらのイオンは血管内から脳内に入ることはない.しかし, CO_2 は血液脳関門に対しては透過性があり,脳の細胞外液に入ることができる.

② CO_2 は脳-脳脊髄液関門に対しても透過性があるため, CSF に入る.

③ CSF 中で, CO_2 は H^+ および HCO_3^- に変換される.したがって,動脈 P_{CO_2} の増加は CSF の P_{CO_2} の増加をもたらし, CSF の H^+ 濃度の増加

（pHの低下）をもたらす.

④, ⑤中枢性化学受容器はCSFに非常に近接しており, pHの低下を検出する. pHが低下すると, 吸息中枢に換気量を増加（過換気）させる信号が送られる. これらの化学受容器は, セロトニンを神経伝達物質として利用していることを思い出してほしい. **乳児突然死症候群（sudden infant death syndrome：SIDS）** では, セロトニン作動性神経細胞が欠損している.

要約すると, 中枢性化学受容器の目的は, 可能な限り動脈のP_{CO_2}を正常範囲内に保つことである. したがって, 動脈P_{CO_2}の増加は脳およびCSFのP_{CO_2}の増加をもたらし, CSFのpHを低下させる. CSFのpHの低下は, H^+感受性をもつ中枢性化学受容器によって検出され, 吸息中枢に換気量を増加させるように働く. 換気量が増加すると, より多くのCO_2が呼出されるため, 動脈血P_{CO_2}は正常値に向かって低下する.

■ 末梢性化学受容器

総頸動脈が内頸動脈と外頸動脈に分岐する部位にある**頸動脈小体（carotid body）**, および大動脈弓の血管壁の上下にある**大動脈小体（aortic body）** は, O_2, CO_2, H^+に対する末梢性の化学受容器である（図5.32参照）. 動脈血のP_{O_2}, P_{CO_2}, pHに関する情報は, 舌咽神経および迷走神経を介して延髄の吸息中枢に伝えられ, 換気量が適切に調整される.

以下の動脈血組成の変化は, **末梢性化学受容器（peripheral chemoreceptor）** によって検出され, **換気量の増加** が生じる.

● 動脈血P_{O_2}の低下

末梢性化学受容器の最も重要な役割は, 動脈血P_{O_2}の変化を検出することである. しかしながら, 意外にも末梢性化学受容器は, P_{O_2}の変化に対して比較的感受性が低い. すなわち, P_{O_2}が60 mmHg以下に低下しないと, 劇的に応答しない. したがって, 動脈のP_{O_2}が100 mmHgと60 mmHgの間にある場合, 換気量は実際に変化しない. しかしながら, **動脈血P_{O_2}が60 mmHg以下になると, 換気量は急激に直線的に増加する.** この範囲のP_{O_2}では, 化学受容器はO_2に対して

非常に敏感である. 実際, それらは非常に迅速に応答するので, 単一の呼吸周期内でも感覚神経の活動電位の発射頻度が変化する.

● 動脈血P_{CO_2}の上昇

末梢性化学受容器は, P_{CO_2}の上昇も検出するが, その効果はP_{O_2}の減少に対する応答よりも重要性が低い. また, 末梢性化学受容器によるP_{CO_2}の変化の検出は, 中枢性化学受容器によるP_{CO_2}の変化の検出よりも重要性が低い.

● 動脈血pHの低下

動脈血pHの低下は, H^+に応答する末梢性化学受容器を介して換気量の増加を引き起こす. この応答は, 動脈血P_{CO_2}の変化とは無関係であり, 頸動脈小体の化学受容器によってのみ引き起こされる（大動脈小体によるものではない）. したがって, 動脈血pHが低下する代謝性アシドーシスでは, 末梢性化学受容器が直接刺激されて換気量を上昇させる（代謝性アシドーシスに対する呼吸性代償. 第7章）.

他の受容器

化学受容器に加えて, **肺伸展受容器（lung stretch receptor）**, **関節・筋受容器（joint and muscle receptor）**, **イリタント（刺激）受容器（irritant receptor）** および **傍肺毛細血管（J）受容器（J receptor）** など, いくつかのタイプの受容器が呼吸の調節に関与する.

● 肺伸展受容器

機械受容器が気道の平滑筋に存在する. 肺および気道の伸展によって機械受容器が刺激されると, 呼吸頻度の反射的な低下を引き起こす. これを **Hering-Breuer（ヘリング・ブロイエル）反射（Hering-Breuer reflex）** という. この反射では, 呼息時間が延長することで呼吸頻度が低下する.

● 関節および筋の受容器

関節および筋肉に位置する機械受容器は, 四肢の動きを検出し, 吸息中枢に換気量を増加させるように指令を送る. 関節と筋肉からの情報は, 運動開始時の（予測的な）換気応答において重要である.

● イリタント受容器

有害な化学物質および粒子に対して反応するイ

リタント受容器は，気道を覆う上皮細胞の間に局在している．これらの受容器からの情報は，迷走神経（第X脳神経）を介して延髄に伝えられ，気管支平滑筋の反射的な収縮と換気量の上昇を引き起こす．

● J受容器

傍肺毛細血管（J）受容器は，肺胞壁，毛細血管の近傍に局在している．肺毛細血管の充血ならびに間質液量を増加させると，これらの受容器が活性化され，呼吸頻度が上昇する．例えば，**左心不全**（left-sided heart failure）では血液は肺循環中にうっ滞するので，J受容器は呼吸困難感を伴う速く浅い呼吸パターンへの変化を引き起こす．

異常な呼吸パターン

正常呼吸（eupnea）とよばれる呼吸のパターンは，一定の1回換気量と正常な呼吸数からなる．**頻呼吸**（tachypnea）とは，呼吸数が増加したものである．**過換気**（hyperventilation）とは，1回換気量または呼吸数の増加により肺胞換気量が増加したものである．**低換気**（hypoventilation）とは，1回換気量または呼吸数の減少により肺胞換気量が減少したものである．

呼吸パターンの異常には，次のような特徴がある．**無呼吸**（apnea）は呼吸の停止である．**クスマウル呼吸**（Kussmaul's respiration）は，代謝性アシドーシス（例：糖尿病性ケトアシドーシス）に対する呼吸性の代償である深くて速い呼吸である．**チェーン・ストークス呼吸**（Cheynes-Stokes respiration）は，1回換気量が徐々に増加し，その後1回換気量が徐々に減少して無呼吸となる周期を繰り返すものであり，脳腫瘍，脳卒中，うっ血性心不全，高所などでみられる．**失調性呼吸**（ataxic respiration）は，不規則な吸気と長い無呼吸が続くもので，不規則な吸気が集団で起こる場合は，**群発性呼吸**（cluster respiration）とよばれる．

統合機能

心血管系と同じように，呼吸器系の統合機能は，例を通して最もよく理解できる．運動に対する応答と高所順応の2つの例は，本章で出てきた多くの原理によって説明できる．また，Box 5.2に3つ目の例として**慢性閉塞性肺疾患**（COPD）を考察している．

運動に対する応答

運動に対する呼吸器系の応答は顕著である．身体のO_2に対する需要の増加に従って，換気量が増加し，より多くのO_2が供給される．つまり酸素消費量，二酸化炭素産生量，および換気量の間に見事な調和が保たれる．

例えば，トレーニングを積んだ運動選手が運動すると，酸素消費量は安静時の250 mL/min から4,000 mL/min に増加し，換気量は安静時の7.5 L/min から120 L/min に増加することがある．O_2消費量と換気量は，安静時の15倍以上にも増加する．興味深い疑問は，"**換気量をO_2需要に見合うように増加させる因子は何か**"である．現時点では，この質問に対して完全に満足させる答えはない．運動時の呼吸器系の応答を**表5.3**および**図5.34**にまとめた．

■ 動脈血P_{O_2}とP_{CO_2}

注目すべきは，動脈血P_{O_2}およびP_{CO_2}の平均値は運動中に変化しないということである．これは，換気量とガス交換の効率の向上が，動脈血P_{O_2}の減少および動脈血P_{CO_2}の増加のどちらも引き起こしていないことを意味している．しかし，運動中には筋が乳酸を産生するため，**激しい運動**中には動脈血pHが低下することがある．末梢性および中枢性化学受容器が，それぞれPa_{O_2}およびPa_{CO_2}の変化に反応することを考えると，これらのパラメーターが一定のまま，どのようなしくみによって増加した需要を満たすため換気量を正確に変更することができるのかは謎である．1つの仮説として，動脈血P_{O_2}およびP_{CO_2}の平均値は変化しないが，それらの値の振動が呼吸周期で生じることで説明されている．動脈血中の平均値が一定のままでも，この振動変化が化学受容器を介して換気量の即時的な調節を引き起こす可能性が考えられている．

270　第5章　呼吸の生理学

Box 5.2　臨床生理学：慢性閉塞性肺疾患（chronic obstructive pulmonary disease：COPD）

▶ 症例

65歳の男性は，1日に2箱のたばこを40年以上にわたって喫煙している．以前より，朝の痰，咳，進行性の労作時の息切れ（呼吸困難）があった．過去10年間，毎年秋と冬には呼吸困難や喘鳴を伴う気管支炎の発作があり，年々悪化してきた．入院時，息切れとチアノーゼを呈していた．胸部は樽状であった．呼吸数は25回/min，1回換気量は400 mLであった．肺活量は，同年齢同体型の男性の正常値の80%であり，FEV_1は正常値の60%であった．動脈血液ガス分析の結果は以下の通りであった（括弧内は正常値）．

pH：7.47（正常：7.4）
Pa_{O_2}：60 mmHg（正常：100 mmHg）
Pa_{CO_2}：30 mmHg（正常：40 mmHg）
ヘモグロビンのO_2飽和度：90%
ヘモグロビン濃度：14 g/dL（正常：15 g/dL）

▶ 解説

男性の喫煙歴および気管支炎の病歴は，重度の肺疾患を示唆している．動脈血液ガス分析値のうち，最も顕著に異常なものはPa_{O_2} 60 mmHgである．ヘモグロビン濃度（14 g/dL）は正常であり，ヘモグロビンのO_2飽和度90%は，Pa_{O_2}が60 mmHgの場合に期待される範囲にある（図5.20参照）．

Pa_{O_2}が60 mmHgという低値は，肺におけるガス交換の障害として説明できるものである．この障害は，測定されたPa_{O_2}（60 mmHg）と肺胞気式で計算されたPA_{O_2}を比較するとわかりやすい．2つが等しい場合，ガス交換は正常であり，障害はない．Pa_{O_2}がPA_{O_2}より小さい（すなわち，A-a較差がある）場合，肺毛細血管血に付与されるO_2量が不十分であるため，$\dot{V}/\dot{Q}$不均等が存在する．

肺胞気式はPI_{O_2}，PA_{CO_2}，および呼吸商がわかっている場合，PA_{O_2}を推定するために用いられる．PI_{O_2}は，気圧（飽和水蒸気圧で補正）と吸入気のO_2濃度（21%）から計算される．PA_{CO_2}は測定されたPa_{CO_2}に等しく，呼吸商は0.8と仮定される．した

がって

$$PI_{O_2} = (PB - PH_2O) \times FI_{O_2}$$
$$= (760\,mmHg - 47\,mmHg) \times 0.21$$
$$= 150\,mmHg$$

$$PA_{O_2} = PI_{O_2} - \frac{PA_{CO_2}}{R}$$
$$= 150\,mmHg - \frac{30\,mmHg}{0.8}$$
$$= 113\,mmHg$$

測定されたPa_{O_2}（60 mmHg）は計算されたPA_{O_2}（113 mmHg）よりはるかに少ないので，換気と灌流の不一致が存在する．いくらかの血液は換気されていない肺胞を灌流し，それによって酸素化血液が希釈され，動脈血P_{O_2}が低下している．

この患者のPa_{CO_2}は，過換気のため身体が産生しているCO_2よりも多くのCO_2を呼出しているので，通常よりも低くなっている．また，過換気は低酸素血症のためである．Pa_{O_2}は十分に低いので末梢性化学受容器を刺激し，延髄の吸息中枢を駆動して換気量を上昇させている．動脈血pHは，過換気が軽度の呼吸性アルカローシスを引き起こしたことを示している．

この患者のFEV_1は肺活量よりもかなり減少している．つまりFEV_1/FVCが低下しており，気道抵抗が上昇する閉塞性肺疾患の所見と合致する．**樽状胸郭**は，気道抵抗の上昇に対する代償機構である．つまり大きな肺容量は，正の牽引力を気道に与え，気道抵抗を減少させる．大きな肺容量で呼吸することによって，疾患で増加した気道抵抗を部分的に相殺しているのである．

▶ 治療

この患者は，すぐに喫煙をやめるように指導された．感染症の疑いがあるため，抗生物質と，気道を拡張するためのアルブテロール（**β_2アドレナリン受容体作動薬**）吸入薬が投与された．

■ 静脈血 P_{CO_2}

運動時の骨格筋は通常よりも多くのCO_2を静脈血に加えるため，混合静脈血P_{CO_2}は運動中に増加するはずである．しかしながら，動脈血P_{CO_2}の平均値は上昇しないので，この過剰な

CO_2を体内から排除するために，換気量は十分に増加しなければならない（すなわち，"余分な"CO_2は肺から呼出され体循環動脈血に到達しない）．

■ 筋と関節の受容器

筋肉および関節の受容器は，延髄の吸息中枢に

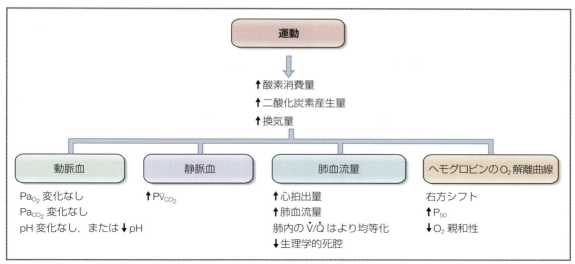

図 5.34 運動に対する呼吸器系の反応.

表 5.3 運動に対する呼吸応答のまとめ.

パラメーター	呼吸応答
酸素消費量	↑
二酸化炭素産生量	↑
換気量	↑
動脈血 P_{O_2} と P_{CO_2}	変化なし
動脈血 pH	中等度運動時には変化なし ↓激しい運動時
静脈血 P_{CO_2}	↑
肺血流量および心拍出量	↑
換気血流比 ($\dot{V}/\dot{Q}$)	全肺を通じてさらに均等に分布
生理学的死腔	↓
ヘモグロビンの O_2 解離曲線	右方シフト, ↑ P_{50}, 親和性の低下

情報を送ることで，運動に対する呼吸の統合反応に参加する．これらの受容器は運動の開始時に活性化され，吸息中枢に換気量を上昇させるよう指令を送る．

■ 心拍出量と肺血流量

第4章で説明したように，組織での O_2 需要を満たすために運動中に心拍出量が増加する．肺血流量は右心の心拍出量であるため，**肺血流量が増加**する．肺血流抵抗の減少があり，肺毛細血管床の灌流もより多くなると，これはガス交換も改善させる．その結果，肺血流は肺全体により均一に分布し，$\dot{V}/\dot{Q}$ 比はより均等になり，**生理学的死腔が減少**する．

■ ヘモグロビンの O_2 解離曲線

運動中，ヘモグロビンの O_2 解離曲線は**右方にシフト**する（図 5.22 参照）．この移動には，組織 P_{CO_2} の上昇，組織 pH の低下，および温度上昇を含む複数の理由がある．右方へのシフトは，もちろん運動に好都合である．なぜなら，P_{50} の増加およびヘモグロビンの **O_2 親和性の低下**と関連しており，運動する骨格筋において O_2 を取り出すことが容易となるからである．

高所順応

高所への移動は，**低酸素血症**を引き起こす原因の1つである．高所での呼吸応答は，吸気および肺胞気の P_{O_2} の減少に対する順応過程である．

高所での P_{O_2} の減少は次のように説明される．海水面では大気圧は 760 mmHg であるが，海抜 5,500 m（約 18,000 feet）のところでは，気圧はその値の半分，つまり 380 mmHg になる．海抜 5,500 m における加湿された吸気の P_{O_2} を計算するには，乾燥空気の大気圧を 47 mmHg の飽和水蒸気圧で補正し，次に O_2 の濃度 21% を乗じる．したがって，海抜 5,500 m での P_{O_2} は，70 mmHg

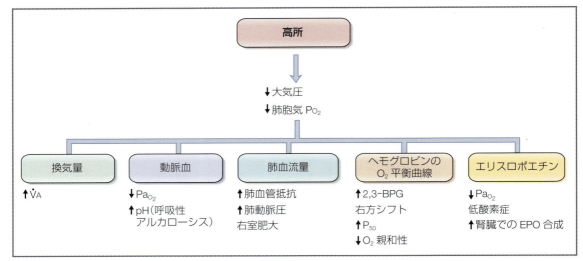

図 5.35 高所における呼吸器系の反応.
2,3-BPG：2,3-ビスホスホグリセリン酸，EPO：エリスロポエチン.

（[380 mmHg − 47 mmHg] × 0.21 = 70 mmHg）となる．エベレスト山頂では，同様の計算で吸気の P_{O_2} はわずか 47 mmHg となる．

吸気と肺胞気の両方の P_{O_2} が大幅に減少するにもかかわらず，次の順応反応が起こると高所居住が可能となる（図 5.35，表 5.4，Box 5.3 参照）．

■ 過換気

高所における最も重要な反応は，換気量の増加，つまり**過換気**である．例えば，肺胞気 P_{O_2} が 70 mmHg である場合，ほぼ完全に平衡化された動脈血 P_{O_2} も 70 mmHg であり，末梢性化学受容器は刺激されない．しかしながら，肺胞気 P_{O_2} が 60 mmHg である場合，動脈血 P_{O_2} は 60 mmHg，つまり**低酸素血症**になるので，頸動脈小体および大動脈小体の**末梢性化学受容器**は強く刺激される．次いで，化学受容器は延髄の吸息中枢に情報を送り，換気量を増加させる．

過換気の結果，"必要以上に" CO_2 が肺から呼出されるため動脈の P_{CO_2} は減少し，**呼吸性アルカローシス (respiratory alkalosis)** を生じる．しかしながら，P_{CO_2} の低下およびその結果として生じる pH の上昇は，中枢性ならびに末梢性化学受容器を抑制するので，換気量の増加は一部相殺されて不十分となる．これらの CO_2 および pH の相

表 5.4 呼吸の高所順応のまとめ.

パラメーター	高所における反応
肺胞気 P_{O_2}	↓大気圧低下による
動脈血酸素分圧	↓低酸素血症
換気量	↑低酸素血症による過換気
動脈血 pH	↑過換気による呼吸性アルカローシス
ヘモグロビン濃度	↑赤血球数の増加
2,3-BPG 濃度	↑
ヘモグロビンの O_2 解離曲線	右方シフト，P_{50} の上昇，O_2 親和性の低下
肺血管抵抗	↑低酸素性血管収縮による
肺動脈圧	↑肺血管抵抗上昇による二次的応答

2,3-BPG：2,3-ビスホスホグリセリン酸．

殺効果は初期に起こるが，数日以内に HCO_3^- の排泄が増加し，CSF 中の HCO_3^- が減少し，CSF の pH が正常値に向かって低下する．したがって，数日以内に相殺効果が減少し，過換気量が十分となる．

高所滞在の結果として生じる呼吸性アルカローシスは，**炭酸脱水酵素阻害薬 (carbonic anhydrase inhibitor)**（例えば，アセタゾラミド）で治

統合機能 273

Box 5.3　臨床生理学：高所順応

▶ **症例**

　28歳の男性は，ノースカロライナ州ダーラムの海水面の住居から，標高が海抜8,000 feet（約2,400 m）のところにあるコロラド州アスペンのスキーリゾートに転勤となった．健康状態はよく，転勤前の身体検査も問題なくパスしている．アスペンに到着した初日には，特に労作時に疲労感と吐き気，そして時に"もうろう感"があった．その後，時間とともに徐々に気分はよくなっていった．

▶ **解説**

　アスペンのスキー場の気圧は564 mmHgで，ダーラムの気圧よりもはるかに低い．ダーラムの海水面での加湿吸気のPO_2は150 mmHgであるが，アスペンの加湿吸気のPO_2は109 mmHgとなる（[564 mmHg−47 mmHg]×0.21）．アスペンに移動すると，彼は突然PO_2の低い空気を吸入することになる．したがって，彼の肺胞気および動脈血のPO_2は通常よりも低くなる．アスペンで

の初日には，高山病の症状は低いPa_{O_2}およびその結果として生じる組織の低酸素に起因する可能性がある．なぜ時間とともに気分が回復したのだろうか．これはアスペンに居住することで，低PO_2に適応が起こることを示している．適応メカニズムの1つは，2,3-BPGの合成の増加である．これはヘモグロビンのβ鎖に結合し，O_2に対するヘモグロビンの親和性を低下させる（P_{50}を上昇させる）．親和性が低下することで，O_2がより容易に組織に放出され，O_2供給を増加させ，低酸素症を軽減する．もう1つの適応メカニズムは，EPOの合成の増加であり，これは赤血球産生を増加させ，結果的に血液ヘモグロビン濃度およびO_2含有量を増加させる．これも低酸素症を軽減する．

▶ **治療**

　この健常な若者の適応メカニズムは十分にあるため，治療を必要としない．

療することができる．これらの薬物はHCO_3^-排泄を増加させ，軽度の代償性の代謝性アシドーシスを生じさせる．

■ 多血症

　高所滞在は赤血球数の増加（**多血症（polycythemia）**）をもたらし，結果としてヘモグロビン濃度を上昇させる．ヘモグロビン濃度が増加するとO_2運搬能は増加するので，動脈血PO_2の減少にもかかわらず，血液の総O_2含有量が増加する．多血症は組織へのO_2輸送の点で有利であるが，血液粘性に関しては不利である．赤血球数が増えると血液粘性が上昇し，血流抵抗が増加する（第4章，Poiseuilleの式を参照）．

　多血症を引き起こす刺激は低酸素症であり，これは腎臓における**エリスロポエチン（EPO）**の合成を増加させる．EPOは，骨髄に作用し，赤血球産生を刺激する．

■ 2,3-BPGとヘモグロビンのO_2解離曲線

　高所順応の身体反応として興味深い特徴の1つは，赤血球による**2,3-BPGの合成の促進**である．

上昇した2,3-BPGの濃度は，ヘモグロビンのO_2解離曲線を**右方にシフト**させる．この右方シフトは，P_{50}の上昇，すなわち親和性の低下およびO_2の取り出し増加を伴うので，組織において有利である．しかし，肺毛細血管血におけるO_2の取り込みが低下するため，右方シフトは肺では不利となる．

■ 肺の血管収縮

　高所では，肺胞気のPO_2が低いので，これは肺血管系に直接的な血管収縮効果（すなわち，**低酸素性血管収縮**）を及ぼす．肺血管抵抗が増加するにつれて，一定の血流を維持するためには肺動脈圧も増加させる必要がある．右室は，このより高い肺動脈圧，つまり増加した後負荷に対抗して血液を拍出するため，右室肥大となる．

■ 急性高山病

　高所滞在の初期には，頭痛，疲労，めまい，吐き気，動悸，不眠症などの複合した症状が起こる．これが**急性高山病（acute altitude sickness）**である．症状は初期の低酸素症および呼吸性アルカローシスに起因するため，高所順応が成立したと

274　第5章　呼吸の生理学

表5.5　低酸素血症の原因.

原因	Pa_{O_2}	肺胞気-動脈血酸素分圧勾配	酸素吸入の有効性
高所(↓大気圧，↓吸入気酸素分圧)	低下	正常	有効
低換気(↓肺胞気酸素分圧)	低下	正常	有効
拡散障害(肺線維症など)	低下	増加	有効
$\dot{V}/\dot{Q}$不均等	低下	増加	有効
右-左シャント	低下	増加	限定的

きには弱まる.

低酸素血症と低酸素症

　低酸素血症は，動脈血P_{O_2}の減少と定義される.低酸素症は，組織へのO_2供給の減少または組織によるO_2利用の低下として定義される.低酸素血症は組織の低酸素症の原因の1つであるが，唯一の原因ではない.

低酸素血症

　動脈血P_{O_2}の減少である低酸素血症には複数の原因があり，それらを表5.5にまとめる.
　低酸素血症のさまざまな原因を比較するための1つの有用なツールは，A-a勾配(A-a gradient)またはA-a較差(A-a DO_2，肺胞気-動脈血酸素分圧較差(alveolar arterial oxygen gradient))である.A-a勾配は，肺胞気P_{O_2}(PA_{O_2})と体循環動脈血P_{O_2}(Pa_{O_2})の差である.本章の前半で説明したように，"A"は肺胞気P_{O_2}を表し，"a"は体循環動脈血P_{O_2}を表す.

$$A\text{-}a \text{ 勾配} = PA_{O_2} - Pa_{O_2}$$

　PA_{O_2}は，肺胞気式から計算され，以下のように置換される.

$$A\text{-}a \text{ 勾配} = \left(PI_{O_2} - \frac{PA_{CO_2}}{R}\right) - Pa_{O_2}$$

　簡単に説明すると，A-a勾配は，肺胞気と肺毛細血管血(体循環動脈血となる)との間にO_2の平衡が存在するかどうかを示す.通常，O_2は肺胞-肺毛細血管障壁を横切って平衡するので，A-a勾配はゼロに近い.すべてではないが一部の低酸素血症では，A-a勾配が増加または拡大するものがあり，O_2の平衡障害(拡散障害)を意味する.

- **高所**では大気圧(PB)が低下し，吸入気(PI_{O_2})および肺胞気(PA_{O_2})のP_{O_2}が減少するため，低酸素血症が起こる.肺胞-肺毛細血管障壁を横切るO_2の平衡は正常であり，体循環動脈血は肺胞気と同じ値の低P_{O_2}を示す.PA_{O_2}とPa_{O_2}はほぼ等しいので，A-a勾配は正常である.高所においては，酸素吸入により，吸気および肺胞気のP_{O_2}そして動脈P_{O_2}は上昇する.

- **低換気**は，新鮮ではない吸気がもう一度肺胞に入り，肺胞気P_{O_2}を減少させるので低酸素血症を引き起こす.O_2平衡は正常であり，体循環動脈血は肺胞気と同じ値の低P_{O_2}を示す.PA_{O_2}とPa_{O_2}はほぼ等しく，A-a勾配は正常である.低換気においては，酸素吸入により肺胞気P_{O_2}が上がるので，動脈P_{O_2}も上昇する.

- **拡散障害**(例えば，肺線維症，肺水腫)は，拡散距離が増えたり拡散の表面積が減少することによって，低酸素血症を生じさせる.O_2平衡が障害されるため，Pa_{O_2}がPA_{O_2}以下であり，A-a勾配が増加または拡大する.拡散障害では，酸素吸入は肺胞気P_{O_2}を上昇させ，O_2拡散の駆動力を増加させるので，動脈血P_{O_2}が上昇する.

- **$\dot{V}/\dot{Q}$不均等**はつねに低酸素血症を引き起こし，A-a勾配を増加させる.$\dot{V}/\dot{Q}$不均等は通常，死腔，高$\dot{V}/\dot{Q}$，低$\dot{V}/\dot{Q}$，シャントなどの病態によって出現することを想起する必要がある.高い$\dot{V}/\dot{Q}$領域は高いP_{O_2}を有し，低い$\dot{V}/\dot{Q}$領域は低いP_{O_2}を有することも想起してほしい.ここ

で，正常では高い $\dot{V}/\dot{Q}$ 領域が低い $\dot{V}/\dot{Q}$ 領域を代償して肺を出る血液の P_{O_2} は平均化されるはずだが，$\dot{V}/\dot{Q}$ 不均等では，なぜ高い $\dot{V}/\dot{Q}$ 領域が低い $\dot{V}/\dot{Q}$ 領域を代償して肺を出る血液の P_{O_2} を正常化しないのかと疑問に思うかもしれない．その答えは，高い $\dot{V}/\dot{Q}$ 領域は高い P_{O_2} の血液を有するが，それらの領域への血流は総血流に対してきわめて少ないからである．低 $\dot{V}/\dot{Q}$ 領域においては低い P_{O_2} を有する血が非常に多く流れるため，最終的に肺を出る血液の P_{O_2} に最も大きな影響を及ぼす．$\dot{V}/\dot{Q}$ 不均等での酸素吸入は，血流量が最大である低 $\dot{V}/\dot{Q}$ 領域の P_{O_2} を上昇させるので有効である．

- **右-左シャント**（右-左心臓内シャント，肺内シャント）はつねに低酸素血症を引き起こし，A-a 勾配を増加させる．シャント血液は，換気のある肺胞を完全に迂回するので，酸素化されない（**図 5.27** 参照）．シャント血液は，正常に酸素化された血液（非シャント血液）と混合して希釈するので，肺を出る血液の P_{O_2} は正常よりも低下する．しかし，酸素吸入を行っても体循環動脈血の P_{O_2} の上昇は限定的である．なぜなら，酸素吸入しても正常な非シャント血液の P_{O_2} だけが上昇し，シャント血液の P_{O_2} は上昇せず引き続き希釈効果を有するからである．したがって，体循環動脈血 P_{O_2} を上昇させるための酸素吸入の効果はシャントの大きさに依存する．つまり，シャントが大きいほど酸素吸入は有効でなくなる．

右-左シャントに対して酸素吸入を行ったときのもう 1 つの特徴は，増加した A-a 勾配は決して修正されないことである．実際には，酸素吸入が行われた場合，$P_{A_{O_2}}$ が $P_{a_{O_2}}$ の増加よりも速く増加するため，A-a 勾配は増加または拡大する．

A-a 勾配の増大によって引き起こされる低酸素血症の代表例は SARS-CoV-2 感染である（COVID-19）．ウイルスが肺胞を攻撃すると，**肺胞出血が起こり，サーファクタントの産生が減少する**．その結果，肺胞換気の低下した領域（低 $\dot{V}/\dot{Q}$）と肺胞換気のない領域（右-左シャント）が増加し，どちらも P_{O_2} を低下させる．この状況では，肺血流のほとんどが $\dot{V}/\dot{Q}$ の低い領域と右-左シャ

ントに向かうため，肺から出た全身動脈血は低い $P_{a_{O_2}}$（すなわち，**A-a 勾配の増加による低酸素血症**）となる．

低酸素症

低酸素症は，組織への O_2 供給の減少である．O_2 供給量は，心拍出量と血中 O_2 含有量との積であるため，低酸素症は心拍出量（血流量）の減少または血中 O_2 含有量の減少によって引き起こされる．血液中の O_2 含有量は，主に酸化ヘモグロビンの量によって決定されることに留意する必要がある．低酸素症の原因を**表 5.6** にまとめた．

心拍出量の減少および局所血流量の減少は，低酸素症の明らかな原因である．**低酸素血症**（いずれの原因によるものでも）（**表 5.5** 参照）は，低酸素症の主要な原因である．低酸素血症が低酸素症を引き起こす理由は，$P_{a_{O_2}}$ の低下がヘモグロビンの O_2 飽和度を低下させることである（**図 5.20** 参照）．酸化ヘモグロビンは，血液中の O_2 の主要な形態である．したがって，酸化ヘモグロビン量の減少は，総 O_2 含有量の減少を意味する．**貧血**，すなわちヘモグロビン濃度の低下も，血液中の酸化ヘモグロビン量を減少させる．**一酸化炭素中毒（CO 中毒）**（carbon monoxide poisoning）は，CO がヘモグロビンの O_2 結合部位に結合して占拠するため，血中 O_2 含有量が減少する低酸素症を引き起こす．**一酸化炭素中毒（CO 中毒）**では，組織の O_2 利用が妨げられる．つまり，血流量の減少や血中 O_2 含有量の減少を伴わない低酸素症

表 5.6　低酸素症の原因．

原因	機序	$P_{a_{O_2}}$
心拍出量の低下	↓血流量	—
低酸素血症	↓$P_{a_{O_2}}$ ↓ヘモグロビンの O_2 飽和度 ↓血液中の O_2 含有量	↓
貧血	↓ヘモグロビン濃度 ↓血液中の O_2 含有量	—
CO 中毒	↓血液中の O_2 含有量 ヘモグロビンの O_2 解離曲線の左方シフト	—
シアン化物中毒	↓組織の酸素利用	—

276　第5章　呼吸の生理学

の原因の1つなのである.

まとめ

- 肺気量分画（lung volume）と肺容量（lung capacity）は，スパイロメータで測定できる（しかし残気量やそれを含む肺容量は測れない）.

- 死腔は，ガス交換に関与しない気道および肺の容量である.　解剖学的死腔は，導管気道の容量である.　生理学的死腔には，解剖学的死腔と，ガス交換に関与しない呼吸領域の死腔が含まれる.

- 肺胞換気式は，PA_{CO_2}と肺胞換気量との間に反比例関係があることを示している.　肺胞気式は，この関係を拡張してPA_{O_2}を予測する.

- 安静呼吸では，呼吸筋（横隔膜）は吸息のためだけに使われ，呼息は受動的に行われる.

- 肺および胸郭のコンプライアンスは，圧-容量曲線の傾きとして測定される.　弾性力によって胸郭は拡張しようとし,肺は収縮しようとする.　FRCでは，これらの2つの力はバランスがとれており，胸膜腔内は陰圧である.　肺のコンプライアンスは肺気腫および加齢に伴って増加する.　肺線維症および肺界面活性物質が不足している場合には，コンプライアンスは低下する.

- 界面活性物質は，Ⅱ型肺胞上皮細胞によって産生されるリン脂質の混合物であり，表面張力を低下させる.　その結果，小さな肺胞が膨らんだままの状態で存在できる.　新生児呼吸窮迫症候群は，界面活性物質の欠乏によって発症する.

- 肺の内外への空気の流れは，大気と肺胞との間の圧勾配によって引き起こされ，気道の抵抗に反比例する.　β_2アドレナリン受容体の刺激は気道を拡張させ，ムスカリン受容体の刺激は気道を収縮させる.

- 肺胞-肺毛細血管障壁を横切るO_2およびCO_2の拡散は，Fickの法則によって規定され，ガスの分圧較差によって駆動される.　混合静脈血は肺毛細血管に入り，O_2が付与され，CO_2が除去されて"動脈血化"される.　肺毛細血管を出る血液は，体循環動脈血となる.

- 拡散制限性ガス交換は，COの例ならびに肺線維症または激しい運動におけるO_2の例によって説明される.　灌流制限性ガス交換は，N_2O，CO_2および正常時のO_2の例によって説明される.

- O_2は，血液中で溶解した形と，ヘモグロビンと結合した形で輸送される.　ヘモグロビンの1分子は，4分子のO_2と結合する.　ヘモグロビンのO_2解離曲線のS字状の形状は，ヘモグロビンにO_2が1分子結合するにつれてO_2親和性が上昇することを反映している.　ヘモグロビンのO_2解離曲線の右方シフトにより，親和性が低下，P_{50}が上昇，および組織中でのO_2の取り出しが増加する.　左方シフトにより，親和性が上昇，P_{50}が低下，および組織中でのO_2の取り出しが減少する.　COはヘモグロビンのO_2結合能を低下させ，左方シフトを引き起こす.

- CO_2は，血液中で溶解した形，カルバミノヘモグロビン，およびHCO_3^-の3つの形で輸送される.　HCO_3^-は，赤血球内で炭酸脱水酵素の触媒によってCO_2とH_2Oから生成される.　HCO_3^-は血漿中に移動し肺に輸送され，そこで反応が逆に起こってCO_2が再び生成され，肺から呼出される.

- 肺血流量は右心からの心拍出量であり，左心の心拍出量に等しい.　肺血流量は主にPA_{O_2}によって調節され，肺胞低酸素は血管収縮を引き起こす.

- 肺血流量は,立位のヒトの肺では不均一である.　血流量は肺尖部で最も少なく，肺底部で最も多い.　換気も同様な分布を示すが，換気量の部位差は血流ほど大きくはない.　したがって，$\dot{V}/\dot{Q}$は，肺尖部で最も高く，肺底部で最も低くなり，全体の平均値は0.8である.　$\dot{V}/\dot{Q}$が最高の部位では，Pa_{O_2}は最高に，Pa_{CO_2}は最低になる.

- $\dot{V}/\dot{Q}$不均等はガス交換を損なう.　換気量が血流量に対して減少する場合，Pa_{O_2}およびPa_{CO_2}は混合静脈血の値に近づく.　血流量が換気量と比較して減少する場合，PA_{O_2}およびPA_{CO_2}は吸入気の値に近づく.

- 呼吸は延髄の呼吸中枢によって調節される.　延髄の呼吸中枢は，脳幹の中枢性化学受容器，頸

動脈小体と大動脈小体の末梢性化学受容器，および肺と関節の機械受容器から感覚情報を受け取る．中枢性化学受容器は，主に CSF の pH の変化を感受し，pH の低下は過換気を引き起こす．末梢性化学受容器は主に O_2 の変化を感受し，低酸素血症では過換気を引き起こす．

- 運動中には，身体の O_2 需要を満たすように換気量および心拍出量が増加し，その結果 Pa_{O_2} および Pa_{CO_2} の平均値は変化しない．ヘモグロビンの O_2 解離曲線は，組織 P_{CO_2} の上昇，温度の上昇，および組織 pH の低下により右方にシフトする．

- 高所における低酸素血症は吸入気 P_{O_2} の低下に起因する．低酸素血症に対する順応には，過換気，呼吸性アルカローシス，肺血管収縮，多血症，2,3-BPG 産生増加，およびヘモグロビンの O_2 解離曲線の右方シフトなどがある．

- 低酸素血症は Pa_{O_2} の低下であり，高所への移動，低換気，拡散障害，$\dot{V}/\dot{Q}$ 不均等，および右-左シャントによって引き起こされる．低酸素症は組織への O_2 供給の減少であり，心拍出量の低下または血液の O_2 含有量の減少によって引き起こされる．

練習問題

各問に，単語，語句，数字で答えよ．選択肢が複数の場合，正解は 1 つとは限らず，ないこともある．正解は巻末に示す．

1 1 回換気量が 500 mL，予備吸気量が 3 L，肺活量が 5 L のとき，予備呼気量はいくらか．

2 FEV_1 の単位は何か．

3 室内気は，水蒸気で飽和された O_2 と N_2 との混合気体である．気圧が 740 mmHg，O_2 濃度が 21% の場合，N_2 の分圧はいくらか．

4 海水面において，0.1% の CO を含む混合気を呼吸した．1 回呼吸法によって測定された CO の摂取量は 28 mL/min であった．CO の肺拡散能（DL_{CO}）はいくらか．

5 ヘモグロビン P_{50} が増加するのは，次のうちのどれか．

H^+ 濃度の上昇，pH の上昇，P_{CO_2} の上昇，2,3-ビスホスホグリセリン酸（2,3-BPG）濃度の上昇．

6 ヘモグロビンの O_2 結合能を低下させるのは，次のうちのどれか．

ヘモグロビン濃度が低下，Pa_{O_2} が 60 mmHg に低下，動脈血 P_{O_2} が 120 mmHg に上昇，ヘモグロビンの O_2 解離曲線が左方にシフト．

7 肺のある部位の換気血流比（$\dot{V}/\dot{Q}$）が減少したとき，その部位の血液の P_{O_2} および P_{CO_2} はどのように変化するか．

8 灌流制限性 O_2 交換において，肺毛細血管の出口の P_{O_2} は，Pa_{O_2} と $P\bar{v}_{O_2}$ のどちらに近いか．

9 肺尖部よりも肺底部で高いものは，次のうちどれか．

血流量，$\dot{V}/\dot{Q}$，換気量，P_{O_2}，P_{CO_2}．

10 A-a 勾配の増加を伴う低酸素血症の原因は，次のうちのどれか．

高所，低換気，10% 酸素吸入，$\dot{V}/\dot{Q}$ 不均等，肺線維症，右心から左心へのシャント．

11 機能的残気量（FRC）の位置から最大の肺容量まで吸入したときの量は何というか．

12 拘束性肺疾患および閉塞性肺疾患の両方で減少するものは，次のうちのどれか．

肺活量，FEV_1，FEV_1/FVC．

13 1 回換気量＝450 mL，呼吸数＝14 回/min，Pa_{CO_2}＝45 mmHg，Pa_{O_2}＝55 mmHg，PA_{O_2}＝100 mmHg，PE_{CO_2}＝25 mmHg，心拍出量＝5 L/min のとき，分時肺胞換気量はいくらか．

14 肺気腫患者において，肺の収縮力と胸郭の拡張力とのバランスをとるために，FRC は増加するか，減少するか，あるいは変化しないか．

15 次の圧力の組み合わせで構造を虚脱させるのはどれか．

肺胞圧＝+5 cmH_2O および胸膜腔内圧
$\quad$ ＝−5 cmH_2O，
気道圧＝0 および胸膜腔内圧＝−5 cmH_2O，
気道圧＝+15 cmH_2O および胸膜腔内圧
$\quad$ ＝+20 cmH_2O．

16 酸素吸入によって低酸素症が最もよく補正されるのは，次のうちのどれか．

貧血，心拍出量の減少，高所，右-左シャント．

17 高所への移動時に起こる現象に関して，次のものを正しい順序に並べよ．

過換気，PA_{O_2} の低下，Pa_{CO_2} の低下，Pa_{O_2} の低下，PI_{O_2} の低下，pH の上昇．

18 次の項目について，呼吸器系の正しい位置をそれぞれ示せ（解剖学的部位，グラフまたはグ

ラフの一部，式，あるいは概念で示すこと）．

FEV_1

$\dot{V}/\dot{Q} = 0$

肺胞内圧（PA）＞動脈圧（Pa）

右室の後負荷

γ鎖

P_{50}

圧-容量曲線の傾き

正常で PB より低い圧

DL

$PO_2 < 60$ mmHg による換気の亢進

19 灌流制限性ガス交換において，肺毛細血管の出口の PO_2 は，次のうちのどれか．

混合静脈 PO_2 に等しい，肺胞気 PO_2 より高い，肺胞気 PO_2 より低い，体循環動脈血 PO_2 と等しい．

20 拘束性肺疾患の患者において，肺の収縮力と胸郭の拡張力とのバランスをとるために，FRCは増加するか，減少するか，あるいは変化しないか．

21 $\dot{V}/\dot{Q}$ 不均等をもつ患者においては，つねに低酸素血症がある．次の説明のうち正しいものはどれか．

換気の大部分は $\dot{V}/\dot{Q}$ の低い領域で起こる，血液の大部分は $\dot{V}/\dot{Q}$ の高い領域に流れる，血流の大部分は $\dot{V}/\dot{Q}$ の低い領域と右-左シャントへ送られる．

22 肺のある部位に小さな肺塞栓症があり，その部位は死腔になっている．その肺の領域で代償性気管支収縮を引き起こすのはどれか．

PA_{O_2} の上昇，PA_{O_2} の低下，PA_{CO_2} の上昇，PA_{CO_2} の低下．

第6章

腎臓の生理学

腎臓はさまざまな機能をあわせもっている．体液中の過剰な物質や有害な物質を尿に排出する排泄器官として機能し，調節器官としては，水と溶質の排泄量を変えることにより，体液の量や組成を定常に維持する．また，腎臓は内分泌器官としての機能も有し，4つのホルモン（レニン，エリスロポエチン，1,25-ジヒドロキシコレカルシフェロール，プロスタグランジン）を合成・分泌している．

腎臓の構造と血液供給

腎臓の概観

腎臓はソラマメ形の臓器で，対をなして後腹膜腔にある．矢状断面では，腎臓は主に3つの領域が認められる（図6.1）：(1)**皮質**(cortex)は被膜に接する外側の領域である．(2)**髄質**(medulla)は中央部の領域であり，外層と内層に分けられ，さらに外層は外帯と内帯に分けられる．(3)**乳頭**(papilla)は髄質内層の深部の先端部であり，大腎杯，小腎杯とよばれる空洞を経て，尿管へつながっている．尿は尿管から膀胱へ輸送され，一時的に溜められた後に排泄される．

ネフロンの構造

腎臓の機能単位はネフロンである．1つの腎臓は約100万個のネフロンで構成されている（図6.2）．ネフロンは糸球体と尿細管からなっている．糸球体とは，輸入細動脈から始まる**糸球体毛細血管網**(glomerular capillary network)である．糸球体毛細血管はBowman（ボウマン）**囊**(Bowman's capsule)（または Bowman 腔(Bowman's space)）に囲まれ，それがネフロンの最初の部分となる．血液は糸球体毛細血管から

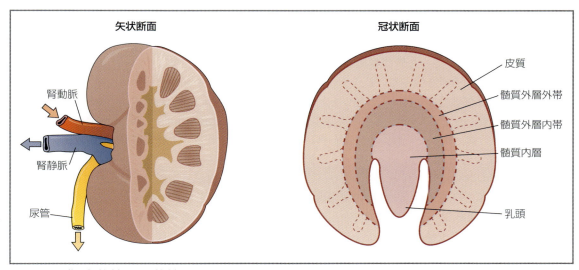

図6.1　腎臓の矢状断面と冠状断面．

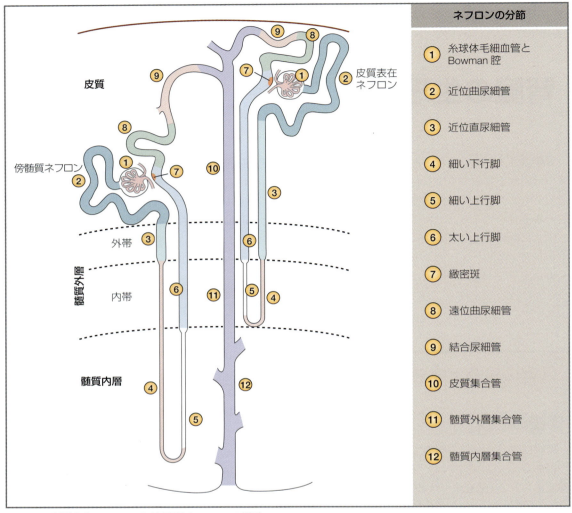

図 6.2 皮質表在ネフロンと傍髄質ネフロンの構造.

Bowman 腔へ限外濾過され，これが原尿となる．ネフロンは上皮細胞が並んだ管状構造をしており，再吸収と分泌の機能を担っている．

ネフロンまたは尿細管は，Bowman 腔から始まり，近位曲尿細管，近位直尿細管，Henle(ヘンレ)ループ(細い下行脚，細い上行脚，太い上行脚)，遠位尿細管，集合管(collecting duct)という分節からなる．ネフロンのそれぞれの分節は異なった機能をもち，分節を構成する上皮細胞の微細構造も異なっている(図6.3)．例えば，近位曲尿細管細胞の内腔面には，刷子縁(brush border)という微絨毛が密集している．刷子縁により細胞膜の表面積は大きくなり，近位曲尿細管の再吸収の効率

が増加する．他の分節の微細構造と機能の関係について，この章全体にわたって説明する．

ネフロンは糸球体の位置により，**皮質表在ネフロン(superficial cortical nephron)**，**傍髄質ネフロン(juxtamedullary nephron)**の2つのタイプに区別される．皮質表層部に糸球体があるネフロンが皮質表在ネフロンであり，その Henle ループは短く，髄質外層部で折り返している．皮質髄質境界部のすぐ上に糸球体が位置しているのが傍髄質ネフロンであり，その糸球体は皮質表在ネフロンより大きく，糸球体濾過量(glomerular filtration rate：GFR)も大きい．傍髄質ネフロンは長いループを有し，髄質内層，時には乳頭の頂部ま

腎臓の構造と血液供給 281

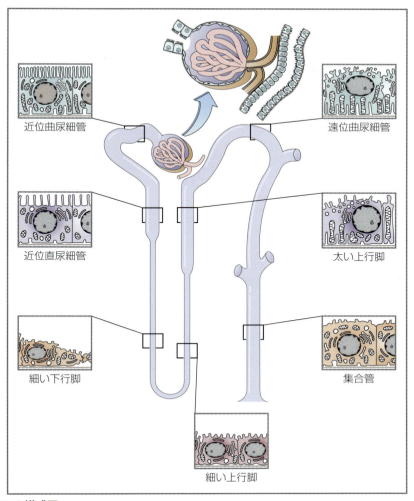

図 6.3 ネフロンの模式図.
ネフロンの主要な分節を構成する細胞の特徴を示す.

で深く伸び，尿の濃縮に必須の役割を担っている．

腎臓の血管

血液は腎動脈から腎臓内に入り，葉間動脈，弓状動脈，皮質放射動脈へと分かれていく．最も細い動脈は**輸入細動脈**（afferent artery）であり，輸入細動脈は第1の毛細血管網である**糸球体毛細血管**（glomerular capillary）に血液を送り，限外濾過を行う．その後，糸球体毛細血管は再び合流し，別の細動脈，**輸出細動脈**（efferent artery）を構築する．血液は輸出細動脈を経て糸球体から離れ，第2の毛細血管網である**尿細管周囲毛細血管**（peritubular capillary）へ流れ込む．尿細管周囲毛細血管はネフロンを囲い，溶質や水が再吸収され，また溶質が分泌されることもある．尿細管周囲毛細血管からの血液は小静脈を経て，腎静脈へ流れ込む．

皮質表在ネフロンと傍髄質ネフロンの血管の構造は異なっている．**皮質表在ネフロン**では，輸出細動脈から分岐した尿細管周囲毛細血管は，皮質内の上皮細胞に栄養分を届ける．また，再吸収と分泌のためにも用いられる．一方，**傍髄質ネフロン**では，毛細血管は髄質部において長い**直血管**（vasa recta）を構成し，Henleループに沿うようにヘアピン構造をとる．直血管は，濃縮尿形成のための対向流交換系として働いている．

体液

水は内部環境の溶媒であり，体重の大部分を占めている．本項では，体内のさまざまな分画における水の分布，体液区分ごとの量をはかる方法，主なカチオン（陽イオン），アニオン（陰イオン）の濃度の違い，生理学的異常が起こった場合の体液区分間の水の移動について述べる．

体内の水の分布

■ 体内全水分量

水は**体重の 50 〜 70%**を占めており，平均すると 60%ほどである（図 6.4）．**体内全水分量(total body water)**の割合は，性別や脂肪の量によっても違いが出てくる．体の水分量は，脂肪分と反比例する．女性は体脂肪率が高いため，男性よりも水分量が少ない．実際，痩せた男性は体重に対する水分量が高く（約 70%），太った女性は水分量が低い（約 50%）．

水分量と体重の関係は，臨床的に重要である．なぜなら，体重の変化は体液量の変化を推測するのに用いられるからである．例えば，何か他の要因がない場合，急激な 3 kg の体重の減少は，体内全水分量 3 kg（約 3 L）の減少を意味する．

体内の水の分布を図 6.4 に示す．体内全水分量は，大きく分けて**細胞内液(intracellular fluid：ICF)**と**細胞外液(extracellular fluid：ECF)**の 2 つに区分される．体内全水分量の約 2/3 は細胞内液に，約 1/3 は細胞外液に存在する．体重に対する割合で表すと，体重の 40%が細胞内液(60%の 2/3)，体重の 20%が細胞外液(60%の 1/3)に相当する（**60-40-20 ルール**は知っていると便利である：体重の 60%は水分，そのうち 40%が細胞内液，20%が細胞外液）．細胞外液は，さらに 2 つの区分（間質液と血漿）に分けられる．細胞外液のおよそ 3/4 は間質液であり，残り 1/4 が血漿である．第 3 の体液区分は，**経細胞液(transcellular fluid)**（図 6.4 には示していない）であり，量的に少なく，脳脊髄液，胸水，腹腔液，消化液などがこれに該当する．

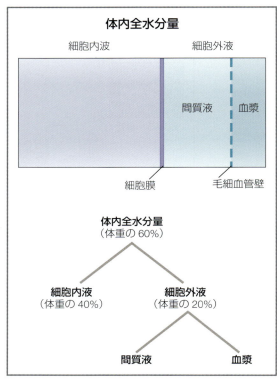

図 6.4 体液区分.
体内全水分量は細胞外液と細胞内液に分けられる．主な区分の，体重に対する水分の割合を示す．

■ 細胞内液

細胞内液は細胞内に存在する水分のことであり，すべての溶質は溶解している．細胞内液量は**体内全水分量の 2/3**，体重の 40%に相当する．細胞内液の組成は**第 1 章**にて述べている．簡単にいうと，主な陽イオンは K^+，Mg^{2+}，主な陰イオンは**タンパク質(protein)**とアデノシン三リン酸(adenosine triphosphate：ATP)，アデノシン二リン酸(adenosine diphosphate：ADP)，アデノシン一リン酸(adenosine monophosphate：AMP)などの**有機リン酸(organic phosphate)**である．

■ 細胞外液

細胞外液は，細胞の外側にある液体のことである．細胞外液量は**体内全水分量の 1/3**，体重の 20%に相当する．そして，細胞外液はさらに 2 つの区分（血漿と間質液）に分けられる．血漿は，

体液　283

表6.1　体液区分のまとめ.

体液区分	体重に対する割合	体内全水分量に対する割合	マーカー
体内全水分量	60%*	1.0	重水, トリチウム水, アンチピリン
細胞外液	20%	1/3	硫酸塩, マンニトール, イヌリン
細胞内液	40%	2/3	体内全水分量−細胞外液量
血漿	4%	1/12(細胞外液の1/4)	放射性ヨウ素標識ヒト血清アルブミン (RISA), エバンスブルー
間質液	16%	1/4(細胞外液の3/4)	細胞外液量−血漿量

＊：体内全水分量の正常範囲は，体重の50～70％である.

血管内に存在し全身を循環している液体であり，間質液は，細胞が浸かっている液体のことである．細胞外液の成分は，細胞内液とは大幅に異なる．細胞外液の主な陽イオンはNa^+，主な陰イオンはCl^-とHCO_3^-である.

血漿 (plasma) は血液の液体成分である．血球はその液体中に浮いている．量的には，血漿は血液量の55％を占め，血球 (赤血球, 白血球, 血小板など) は血液量の残り45％を占めている．血液に占める赤血球の割合はヘマトクリット (hematocrit) とよばれ，平均は0.45 (45％)，女性 (0.42) より男性 (0.48) のほうが高い数値を示す．血漿タンパク質 (plasma protein) は血漿の約7％であり，血漿の93％は血漿水分 (plasma water) であることから，血漿タンパク質の割合は通常は無視される.

間質液 (interstitial fluid) は，血漿が限外濾過 (ultrafiltration) されたもので，血漿タンパク質および血球を除いた血漿とほぼ同じ組成である．なぜかというと，間質液は毛細血管壁からの濾過により形成されるため，少量のタンパク質は含むが血球は含まないためである (第4章)．毛細血管壁に沿って並んでいる内皮細胞の間の孔は，水や小さな溶質は自由に通過させるが，大きなタンパク質分子や細胞などは通過させない．間質液と血漿では，陽イオンと陰イオンにわずかな濃度差が認められるが，これは陰性荷電をもつ血漿タンパク質のGibbs-Donnan (ギブス・ドナン) 効果 (Gibbs-Donnan effect) により説明できる (第1章)．Gibbs-Donnan効果により，血漿中の陽イオン濃度 (例えば，Na^+) は間質液よりもわずかに高

く，陰イオン濃度 (例えば，Cl^-) はわずかに低いことが推察される.

体液区分量の測定

ヒトの体液区分量は希釈法 (dilution method) によって測定される．この方法では，指標となる物質が，物理的な特性に従って体液区分中に分布していることが原則となる．例えば，マンニトール (mannitol) のような分子量の大きな糖は，細胞膜を通過できないため，細胞外液中には存在するが細胞内液中には存在しない．ゆえに，マンニトールの濃度を測定すると，細胞外液量が推測される．それに対して，アイソトープ水 (isotopic water) (例えば，重水) は，体液中で水と同じ分布をしていることから，体内全水分量の測定に用いられる.

以下は，希釈法による体液区分量測定の手順である.

1. マーカー物質の選定．物理的な特性により，マーカー物質を選定する (表6.1)．体内全水分量のマーカーとしては，水の中のどこにでもある物質が適している．具体的には，アイソトープ水 (例えば，重水 (D_2O) やトリチウム水 (THO)) や，水分子と同じように拡散する可溶性脂質 (例えば，アンチピリン) が該当する．細胞外液量 (ECF volume) のマーカーとしては，細胞膜を通過せず細胞外液にだけ存在する物質が適している．具体的には，分子量の大きいマンニトールやイヌリン (inulin) などの糖類，分子量の大きい硫酸塩などのイオンが該当する．血漿量 (plasma volume) のマーカーとしては，

分子が大きいため血管壁を通過できず，血漿中にだけ存在し，間質液には存在しない物質が適している．放射性アルブミンやエバンスブルー（アルブミンと結合する色素）が該当する．

　細胞内液量と間質液量は，これらの区分に特有の物質が存在しないため，直接は測定できない．そのため，**細胞内液量（ICF volume）**は，体内全水分量から細胞外液量を差し引いたもの，**間質液量（interstitial fluid volume）**は，細胞外液量から血漿量を差し引いたものとする．

2. **既知量のマーカー物質を投与する．**マーカー物質の量は，ミリグラム（mg），ミリモル（mmol），放射能の単位（ミリキュリー（mCi）など）で計量し，血中に投与する．

3. **均等に分布した血漿濃度を測定する．**マーカーは体液中に均等に拡散するが，その間に一部は尿中に排泄される．尿中排泄分を補正し，血漿濃度を測定する．

4. **体液区分量を算出する．**体内に存在するマーカー量（例えば，最初に投与した量と尿中排泄量との差）がわかっていれば，その**濃度**は測定できる．マーカー物質が拡散している区分の液量は，次のように算出できる．

$$体液量 = \frac{マーカー量}{マーカー濃度}$$

ここで

$$体液量 = 総体液量（L）$$
$$または$$
$$体液分画量（L）$$
$$マーカー量 = 投与したマーカー量$$
$$- 尿排泄量（mg）$$
$$マーカー濃度 = マーカーの血漿濃度（mg/L）$$

例題

　体重65kgの男性が，体液区分量を測定する研究に参加した．体液区分量を測定するために男性は，D_2O 100mCi，マンニトール500mgを投与された．平衡状態になるまでの2時間で尿中に排泄された量は，D_2O 10%，マンニトール10%であった．投与から2時間後の血漿D_2O濃度は0.213mCi/100mL，血漿マンニトール濃度は3.2mg/100mLであった．**体内全水分量，細胞外液量，細胞内液量はどれくらいか．また，体内全水分量は体重に対して正常か．**

解答

　体内全水分量は拡散したD_2O量，細胞外液量はマンニトール量から算出できる．細胞内液量は直接測定できないが，総体内全水分量から細胞外液量を引くことにより算出できる．

体内全水分量

$$= \frac{投与されたD_2O量 - 排泄されたD_2O量}{血漿D_2O濃度}$$
$$= \frac{100\,mCi - （100\,mCiの10\%）}{0.213\,mCi/100\,mL}$$
$$= \frac{90\,mCi}{0.213\,mCi/100\,mL}$$
$$= \frac{90\,mCi}{0.213\,mCi/L}$$
$$= 42.3\,L$$

$$細胞外液量 = \frac{投与された マンニトール量 - 排泄された マンニトール量}{血漿マンニトール濃度}$$
$$= \frac{500\,mg - （500\,mgの10\%）}{3.2\,mg/100\,mL}$$
$$= \frac{450\,mg}{3.2\,mg/100\,mL}$$
$$= \frac{450\,mg}{32\,mg/L}$$
$$= 14.1\,L$$

$$細胞内液量 = 体内全水分量 - 細胞外液量$$
$$= 42.3\,L - 14.1\,L$$
$$= 28.2\,L$$

　男性の体内全水分量は42.3L，体重の65.1%であった（42.3Lは42.3kgとする．よって42.3kg/65kg=65.1%）．この比率は体重の50〜70%の範囲内にあり，男性の体内全水分量は正常である．

体液区分間の水の移動

　体内全水分量の正常な分布については，この章

の最初と**第1章**で述べた．しかし，溶質や水分平衡の変化によって，体液区分間の水の移動を引き起こすような障害は多数ある．下痢や深刻な脱水，副腎不全，等張性食塩水（生理食塩水）の投与，高食塩（NaCl）摂取，抗利尿ホルモン不適合分泌症候群（syndrome of inappropriate antidiuretic hormone：SIADH）などがこれに相当する．本項では，体液バランスの異常を理解するための体系的な取り組み方を学ぶ．

体液の区分間における水分の移動を理解するためには，以下の原則を学ぶ必要がある．

1. 体液区分内の水分量（volume）は，そこに含まれている溶質の量に依存する．例えば，細胞外液量は全溶質含有量で測定される．細胞外液の主な陽イオンはNa^+であり，それに対応する陰イオンはCl^-とHCO_3^-であるため，細胞外液量は NaCl と $NaHCO_3$ の含有量によって決まることになる．

2. **浸透圧**は浸透圧活性のある分子の濃度であり，**容積モル浸透圧濃度（osmolarity）**は，1Lあたりのミリオスモル量（mOsm/L）で表す．実際は，1Lの水は1kgの水に等しいので，容積モル浸透圧濃度は重量モル浸透圧濃度（mOsm/kg H_2O）と同じである．体液の容積モル浸透圧濃度の正常値は**290 mOsm/L**であり，通常は簡略化して300 mOsm/L とする．

血漿浸透圧は，細胞外液量，血漿の主要な溶質である血漿Na^+，血漿グルコース，血中尿素窒素（BUN）の濃度により推定される．

$$血漿浸透圧 = 2 \times Na^+ + \frac{グルコース}{18} + \frac{BUN}{2.8}$$

ここで

血漿浸透圧＝血漿浸透圧（総浸透圧濃度）
（mOsm/L）
Na^+＝血漿Na^+濃度（mEq/L）
グルコース＝血漿グルコース濃度（mg/dL）
BUN＝血中尿素窒素濃度（mg/dL）

Na^+と陰イオンはつねに等量存在しているので，Na^+濃度は2倍する（血漿中では，陰イオンはCl^-とHCO_3^-である）．グルコース濃度の

単位 mg/dL は，18で除することにより mOsm/L に変換する．尿素窒素濃度の単位 mg/dL は，2.8で除することにより mOsm/L に変換する．

3. 定常状態では，**細胞内液と細胞外液の浸透圧は等しい**．言い換えれば，体液の浸透圧はどこも同じである．この状態を保つために，**水**は細胞膜を自由に**行き来する**．細胞外液の浸透圧が変化した場合には，水は細胞膜を通過して細胞内へ移動し，細胞内外の浸透圧を等しくしようとする．水が移動し浸透圧が一定になると，新しい定常状態になり，細胞内外の浸透圧は再び等しくなる．

4. NaCl や $NaHCO_3$ などの溶質と**マンニトール**などの糖類は，容易に細胞膜を通過できないため細胞外液の分画にだけ存在する．例えば，ヒトが大量の食塩（NaCl）を摂取した場合，NaCl は細胞外液だけに加えられるため，細胞外液の総溶質量は増加する．

体液の6つの平衡異常を，**表6.2**と**図6.5**に示す．体液平衡の異常は，体液量が増加または減少するかどうか，体液浸透圧が増加または減少するかどうかによって，分類・命名されている．

体液量減少（volume contraction）は，細胞外液量の減少を意味する（volume depletion も同義）．**体液量増加（volume expansion）**は，細胞外液量の増加を意味する（volume overload も同義）．等浸透圧，高浸透圧，低浸透圧は細胞外液の浸透圧のことをいう．ゆえに**等浸透圧性（isosmotic）**の体液異常は細胞外液の浸透圧に変化がないことを意味し，**高浸透圧性（hyperosmotic）**または**低浸透圧性（hyposmotic）**の体液異常は，それぞれ細胞外液の浸透圧が上昇または低下していることを意味する．

これらの体液異常は，3段階に分けて理解するとよい．はじめに，細胞外液に生じている変化を特定する（細胞外液に溶質が加えられたのか，水が失われたのか，など）．次に，その変化が細胞外液浸透圧を増加させているか，減少させているか，もしくは変化させていないかを特定する．最後に，もし細胞外液浸透圧が変化しているなら，細胞外液と細胞内液の浸透圧を平衡させるために，水が細胞内外のどちらの方向へ移動している

表 6.2 体液の平衡異常．

タイプ	例	細胞外液量	細胞内液量	浸透圧	ヘマトクリット	血漿（タンパク質）
等浸透圧性細胞外液量減少	下痢，熱傷	↓	−	−	↑	↑
高浸透圧性細胞外液量減少	発汗，発熱，尿崩症	↓	↓	↑	−	↑
低浸透圧性細胞外液量減少	副腎機能不全	↓	↑	↓	↑	↑
等浸透圧性細胞外液量増加	生理食塩水負荷	↑	−	−	↓	↓
高浸透圧性細胞外液量増加	食塩過剰摂取	↑	↓	↑	↓	↓
低浸透圧性細胞外液量増加	SIADH	↑	↑	↓	−	↓

−：変化なし，SIADH：抗利尿ホルモン不適合分泌症候群．

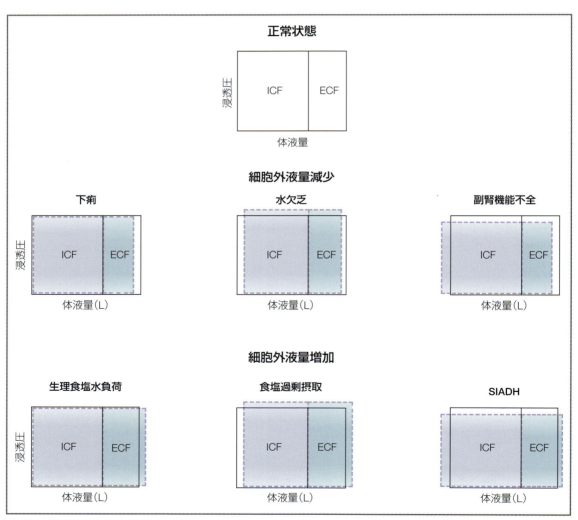

図 6.5 体液区分間における水の移動．
正常な ECF と ICF の量と浸透圧は，線で示す．種々の異常による体液量と浸透圧の変化は，点線で示す．
ECF：細胞外液，ICF：細胞内液，SIADH：抗利尿ホルモン不適合分泌症候群．

のか特定する．もし細胞外液浸透圧が変化していなければ，水は移動していない．細胞外液浸透圧が変化していれば，水は移動している．

■ 等浸透圧性の細胞外液量減少—下痢

下痢は，膨大な量の体液を消化管から喪失させる．失った体液の浸透圧は細胞外液とほぼ等浸透圧であり，下痢における体液異常は，細胞外液からの**等浸透圧液の喪失**により起きる．結果として，細胞外液量は減少するが，失った体液が等浸透圧であるため細胞外液の浸透圧は変化しない．細胞外の浸透圧が変化しないため，水が細胞内から膜を通過して出てくることはなく，細胞内液量は変化しない．新たな定常状態では細胞外液量は減少しているが，細胞内外の浸透圧は正常時と変わらない．細胞外液量の減少は血漿量（細胞外液の一部）の減少を意味し，血圧の低下を招く．

下痢によるその他の変化としては，ヘマトクリットの上昇，血漿タンパク質濃度の増加がある．これは等浸透圧性の細胞外液減少によって説明できる．赤血球とタンパク質は，細胞外液である血液分画中に留まり，水分喪失に伴い濃縮される．

■ 高浸透圧性の細胞外液量減少 —水欠乏

ヒトが砂漠で飲料水なしで道に迷った場合，発汗により水とNaClを喪失する．汗は，体液と比べて多くの水を含む低浸透圧の液体である．つまり発汗するということは，**低浸透圧の液体が細胞外液から失われる**ことを意味し，細胞外液の量は減少し，その浸透圧は上昇する．細胞外液の浸透圧は細胞内よりも一時的に上昇し，この浸透圧差解消のために細胞内から細胞外へ水が移動する．水は，細胞外液と細胞内液の浸透圧が均一になるまで移動し，結果的に細胞内液量は減少する．新しい定常状態では，細胞内液量，細胞外液量ともに減少し，浸透圧はそれぞれ上昇し等しくなる．

低浸透圧液の喪失時には，血漿タンパク質濃度は増加するが，ヘマトクリットは変化しない．血漿タンパク質濃度の増加は，水が細胞外液から失われ血漿タンパク質が濃縮されることで説明できる．しかしその一方で，ヘマトクリットが変化し

ない理由は理解しにくい．細胞外液だけから水が失われたときは，"赤血球の濃度"が上昇し，ヘマトクリットも上昇する．しかし，このような体液平衡の異常時にも，水は細胞内から細胞外へと移動する．赤血球は**細胞**であるため，水は赤血球細胞の外側へと移動し，容積を減少させる．つまり，赤血球濃度は増加し，赤血球の容積は減少する．この2つの効果が互いに相殺するので，ヘマトクリットは変化しないと考えられる．

最終的に細胞外液量はどうなるのだろうか．発汗により失われるため減少するのか，水が細胞内から細胞外へ移動するため増加するのか，どちらも起こるため変わらないのか．図6.5は，水分欠乏時の細胞外液量を正常状態よりも少なく表しているが，なぜそのように表されるのだろうか．汗により細胞外液の水分を失うが，細胞内から水が移動してくる状態が，新たな定常状態の細胞外液量の決定を複雑にしている．以下の例題は，どのようにして新たな細胞外液量が決まるのかという疑問の答えを示している．

例題

ある女性が，9月の暑い日にマラソンを走った．その際，汗で失った分の水分補給をまったく行わなかった．彼女は汗で3 Lを失い，その汗の浸透圧は150 mOsm/Lであったとする．マラソンの前には，彼女の体内全水分量は36 L，細胞外液量は12 L，細胞内液量は24 L，体液浸透圧は300 mOsm/Lであった．溶質（NaClなど）はすべて細胞外液から失われ，新たな定常状態に達したとする．**マラソン後の細胞外液量と浸透圧は，どのようになっているか．**

解答

マラソン前の値を**古い値**，マラソン後の値を**新たな値**とよぶことにする．この問題を解くため，はじめに体内全水分量の新たな浸透圧を求める（浸透圧は，新たな定常状態で全身均一である）．そして，得られた新たな浸透圧を使用して，新たな細胞外液量を算出する．

新たな浸透圧を求めるには，水分が汗となって失われた後の全身の浸透圧モル数を算出する（新た

な浸透圧モル数＝古い浸透圧モル数－汗で失われた浸透圧モル数）．新たな浸透圧は，新たな体内全水分量あたりの新たな浸透圧モル数で求められる（新たな体内全水分量は，36 L から汗で失った3 L を引くことを忘れないこと）．

古い浸透圧分子モル数 ＝浸透圧×体内全水分量
$$=300 \text{ mOsm/L} \times 36 \text{ L}$$
$$=10,800 \text{ mOsm}$$

汗によって失った浸透圧モル数
$$=150 \text{ mOsm/L} \times 3 \text{ L}$$
$$=450 \text{ mOsm}$$

新たな浸透圧モル数
$$=10,800 \text{ mOsm} - 450 \text{ mOsm}$$
$$=10,350 \text{ mOsm}$$

$$\text{新たな浸透圧} = \frac{\text{新たな浸透圧モル数}}{\text{新たな体内全水分量}}$$
$$= \frac{10,350 \text{ mOsm}}{36 \text{ L} - 3 \text{ L}}$$
$$= 313.6 \text{ mOsm/L}$$

新たな細胞外液量を計算するために，汗に含まれる溶質（NaCl）のすべてが細胞外液由来であると仮定し，細胞外液の浸透圧モル数を計算する．新たな細胞外液量は，新たな浸透圧モル数を新たな浸透圧（上記で算出）で除することにより得られる．

古い細胞外液の浸透圧モル数
$$=300 \text{ mOsm/L} \times 12 \text{ L}$$
$$=3,600 \text{ mOsm}$$

新たな細胞外液の浸透圧モル数
$$=\text{古い細胞外液の浸透圧モル数}$$
$$-\text{汗で失った浸透圧モル数}$$
$$=3,600 \text{ mOsm} - 450 \text{ mOsm}$$
$$=3,150 \text{ mOsm}$$

$$\text{新たな細胞外液量} = \frac{\text{新たな細胞外液の浸透圧モル数}}{\text{新たな浸透圧}}$$
$$= \frac{3,150 \text{ mOsm}}{313.6 \text{ mOsm/L}}$$
$$= 10.0 \text{ L}$$

この例題をまとめると，マラソン後，体から低浸透圧性の体液を失ったため（溶質よりも多くの水分

を汗で失った），細胞外液浸透圧は 313.6 mOsm/L に上昇し，細胞外液量は 12 L から 10 L へ減少した．したがって，汗により失った細胞外液の一部は，細胞内液から補充されていたことになる．細胞内液からの水の移動がなければ，新たな細胞外液量はずっと少なくなっていたであろう．

■ 低浸透圧性の細胞外液量減少 —副腎機能不全症

副腎機能不全症患者では，遠位尿細管（distal tubule）および集合管に作用して Na^+ の再吸収を促進するアルドステロン（aldosterone）など，いくつかのホルモンが欠乏している（**第4章**）．アルドステロン欠乏症（aldosterone deficiency）の患者は，過剰な NaCl を尿中に排泄する．NaCl は細胞外液の主要な溶質成分であるため，細胞外液の浸透圧は低下する．一時的に，細胞外液の浸透圧は細胞内液の浸透圧よりも低くなるが，細胞内外の浸透圧が均一になるまで，細胞外から細胞内へ水が移動する．新たな定常状態では，細胞内外の浸透圧は正常時よりも低い濃度で等しくなり，細胞外液量は減少，細胞内液量は増加する．

低浸透圧性に細胞外液量が減少すると，血漿タンパク質濃度とヘマトクリットはともに上昇する．ヘマトクリットも上昇するのは，赤血球細胞内へ水が移動し，細胞容積が増加するためである．

■ 等浸透圧性の細胞外液量増加 —生理食塩水の輸液

ヒトが生理食塩水の輸液を受けると，下痢により等浸透圧性液を喪失した場合とは反対の臨床所見を示す．**等張な NaCl 溶液はすべて細胞外液に追加され**，細胞外液の量は増加するが浸透圧は変化しない．細胞内外の浸透圧差が生じないため，水は移動しない．細胞外液量だけが増加し，血漿タンパク質濃度とヘマトクリットは希釈されて減少する．

■ 高浸透圧性の細胞外液量増加 —食塩摂取

例えば，**水を飲まずにポテトチップスを1袋食べる**と，NaCl が細胞外液に加えられることに

腎クリアランス　289

表6.3　腎生理学で一般的に使用される略語.

部位	略語	意味	単位または正常値
腎全体	C	クリアランス	mL/min
	[U]	尿中濃度	mg/mL
	[P]	血漿濃度	mg/mL
	$\dot{V}$	尿量	mL/min
	GFR	糸球体濾過量	120 mL/min
	RPF	腎血漿流量	650 mL/min
	RBF	腎血流量	1,200 mL/min
単一ネフロン	[TF]	尿細管腔液濃度	mg/mL
	$[TF/P]_x$	物質 x の血漿濃度に対する管腔液濃度の比	なし
	$[TF/P]_{イヌリン}$	イヌリンの血漿濃度に対する管腔液濃度の比	なし
	$[TF/P]_x/[TF/P]_{イヌリン}$	物質 x が濾過後に管腔液中に残っている割合，または排泄率	なし

なり，細胞外液の浸透圧は増加する．一時的に細胞外液の浸透圧は細胞内液よりも高くなり，細胞内から細胞外へ水が移動する．新たな定常状態では，細胞内液量は減少，細胞外液量は増加し，細胞外液，細胞内液ともに浸透圧は正常時よりも高い状態で等しくなる．

高浸透圧性に細胞外液量が増加すると，血漿タンパク質濃度とヘマトクリットはともに低下する．ヘマトクリットが低下するのは，赤血球細胞内の水が外へ移動するためである．

■ 低浸透圧性の細胞外液量増加 —抗利尿ホルモン不適合分泌症候群

抗利尿ホルモン不適合分泌症候群（SIADH）の患者では，集合管で水の再吸収を促進する作用をもつ抗利尿ホルモン（antidiuretic hormone：ADH）が，不適切に高いレベルで分泌されている．ADHレベルが異常に高いときには大量の水が再吸収され，過剰な水が全身に保持されて，各体液区分へ分配される．細胞外液と細胞内液に分配される水の量は，それらの元の容積に比例する．例えば，余分な水3Lが集合管から再吸収されると，1Lは細胞外液，2Lは細胞内液に加えられる（体内全水分量の1/3が細胞外液，2/3が細胞内液であるため）．正常時と比較すると，細胞外液量と細胞内液量はともに増加し，浸透圧はともに減少する．

低浸透圧性に細胞外液が増加すると，血漿タンパク質濃度は希釈により低下する．しかし，細胞外液量の増加による赤血球濃度の減少と，赤血球細胞内への水の移動による容積の増加という2つの効果により，ヘマトクリットは変化しない．

腎クリアランス

クリアランスは，一般的な概念として"ある物質が単位時間あたりに除去されるために必要な血漿量"として表される．したがって，全身クリアランスはすべての器官からある物質が除去されるために必要な血漿量，肝クリアランスは肝臓から除去されるために必要な血漿量，腎クリアランスは腎臓から除去されるために必要な血漿量を意味する．腎クリアランスの概念は，この章を通して腎生理学の基礎知識として用いられることをここで述べておく．一般的な略語を表6.3，計算式を表6.4に示す．

腎クリアランス（renal clearance）は，"ある物質が単位時間に腎から完全に除去されるとき，その除去された分の物質が含まれていた血漿量"と定義される．腎クリアランスが高ければ高いほど，血漿からより完全に近くその物質が除去され

290　第6章　腎臓の生理学

表6.4　腎生理学で一般的に使用される計算式.

名称	式	単位	備考
クリアランス	$C_x = \dfrac{[U]_x \times \dot{V}}{[P]_x}$	mL/min	xは物質
クリアランス比	クリアランス比 $= \dfrac{C_x}{C_{イヌリン}}$	なし	物質xの排泄率
腎血漿流量	$RPF = \dfrac{[U]_{PAH} \times \dot{V}}{[RA]_{PAH} - [RV]_{PAH}}$	mL/min	
有効腎血漿流量	有効 $RPF = \dfrac{[U]_{PAH} \times \dot{V}}{[P]_{PAH}}$	mL/min	全腎血漿流量のおよそ90%，PAHクリアランスに等しい
腎血流量	$RBF = \dfrac{RPF}{1 - Hct}$	mL/min	1−Hct は血液中の血漿の割合
糸球体濾過量	$GFR = \dfrac{[U]_{イヌリン} \times \dot{V}}{[P]_{イヌリン}}$	mL/min	イヌリンクリアランスに等しい
濾過比	$FF = \dfrac{GFR}{RPF}$	なし	
濾過量	濾過量 $= GFR \times [P]_x$	mg/min	
排泄量	排泄量 $= \dot{V} \times [U]_x$	mg/min	
再吸収量または分泌量	再吸収量または分泌量 = 濾過量−排泄量	mg/min	正の値なら正味の再吸収量 負の値なら正味の分泌量
自由水クリアランス	$C_{H_2O} = \dot{V} - C_{osm}$	mL/min	正の値なら自由水は排泄されている 負の値なら自由水は再吸収されている

Hct：ヘマトクリット，PAH：パラアミノ馬尿酸，RA：腎動脈，RV：腎静脈，FF：濾過比.

ているということになる．最も高い腎クリアランスをもつ物質は，血液が腎臓を一度通過するだけで完全に除去される物質であり，最も低い腎クリアランスをもつ物質は，腎臓ではまったく除去されない物質である．

　腎クリアランスの計算式は，以下の通りである．

$$C = \frac{[U]_x \times \dot{V}}{[P]_x}$$

ここで

C＝クリアランス（mL/min）
$[U]_x$＝物質xの尿中濃度（mg/mL）
$\dot{V}$＝単位時間あたりの尿量（mL/min）
$[P]_x$＝物質xの血漿濃度（mg/mL）

　このように，腎クリアランスは血漿濃度と尿中排泄量（$[U]_x \times \dot{V}$）の比で求められる．ある物質の血漿濃度が一定なら，その物質の腎クリアランスは尿中排泄量の増加とともに増加する．もう一度繰り返そう．クリアランスの単位は，単位時間（mL/min，L/hr，L/day）あたりの容積であり，単位時間あたりに尿中へ除去された物質が溶けていた血漿量を意味する．

各種物質のクリアランス

　腎クリアランスは，どんな物質に対しても用いられる．物質の特性に従い，腎クリアランス値は0〜600 mL/min を超えるものまでさまざまである．例えば，**アルブミン（albumin）**は通常，糸球体で濾過されないため，クリアランス値はほぼゼロである．**グルコース（glucose）**（ブドウ糖）は，糸球体で濾過されるが尿細管ですべて再吸収され血液中に戻るため，クリアランス値はゼロである．Na^+，尿素，リン酸，Cl^-のような物質は，濾過

された後に尿細管で一部再吸収されるため，クリアランス値はゼロよりも高い値になる．果糖重合体である**イヌリン(inulin)**は，特殊な物質である．イヌリンは糸球体を自由に通過し，尿細管で再吸収されず分泌もされない．したがって，そのクリアランスは糸球体濾過量と等しい．有機酸(organic acid)である**パラアミノ馬尿酸(para-aminohippuric acid：PAH)**や有機塩基(organic base)であるモルヒネは，糸球体で濾過されるだけでなく尿細管から分泌もされるため，クリアランス値はすべての物質のなかで最も高い．

クリアランス比

イヌリンは，そのクリアランスが糸球体濾過量と等しい唯一の物質である．イヌリンは糸球体濾過膜を自由に通過するが，尿細管で再吸収も分泌もされない．したがって，糸球体濾過されたイヌリンの量は，イヌリンが排泄された量と等しい．そのためイヌリンは**糸球体濾過マーカー(glomerular marker)**とよばれる．

どのような物質(x)でも，そのクリアランスはイヌリンクリアランスと比較でき，**クリアランス比(clearance ratio)**として表される．

$$\text{クリアランス比} = \frac{\text{物質}\,x\,\text{のクリアランス}(C_x)}{\text{イヌリンクリアランス}(C_{イヌリン})}$$

クリアランス比の値がもつ意味を，次に示す．

- $C_x/C_{イヌリン}=1.0$. 物質xのクリアランスはイヌリンクリアランスと等しい．この物質も糸球体濾過マーカーとなりうる(濾過後，再吸収も分泌もされない物質である)．
- $C_x/C_{イヌリン}<1.0$. 物質xのクリアランスは，イヌリンクリアランスより小さい．この物質は濾過されない，または濾過された後に再吸収されるかのいずれかである．例えば，アルブミンはほとんど濾過されないため，アルブミンクリアランスはイヌリンクリアランスより小さい．Na^+，Cl^-，HCO_3^-，リン酸，尿素，グルコース，アミノ酸などは濾過後に再吸収されるため，これらのクリアランスはイヌリンより小さい．
- $C_x/C_{イヌリン}>1.0$. 物質xのクリアランスは，

イヌリンクリアランスより大きい．この物質は濾過された後に尿細管から分泌もされている．イヌリンクリアランスよりも大きいクリアランスをもつ物質として，有機酸，有機塩基，ある状況下におけるK^+などが挙げられる．

例題

イヌリン投与中の男性から，24時間で1.44 Lの尿を採取した．この男性の尿中イヌリン濃度は150 mg/mL，Na^+濃度は200 mEq/Lであった．また，血漿イヌリン濃度は1 mg/mL，Na^+濃度は140 mEq/Lであった．Na^+クリアランス比を求め，その値がもつ意味について述べよ．

解答

Na^+のクリアランス比は，イヌリンクリアランスとNa^+クリアランスの比である．クリアランス値は$C=[U]\times\dot{V}/[P]$で求められる．Na^+とイヌリンの尿中濃度[U]および血漿濃度[P]の値は例題中にすでに示されているので，単位時間あたりの尿量($\dot{V}$)の値を先に計算する．

$$\dot{V}=\text{尿量／採取時間}$$
$$=1.44\,\text{L}\,/24\,\text{hr}$$
$$=1{,}440\,\text{mL}\,/1{,}440\,\text{min}$$
$$=1.0\,\text{mL}\,/\text{min}$$

$$C_{Na^+}=\frac{[U]_{Na^+}\times\dot{V}}{[P]_{Na^+}}$$
$$=\frac{200\,\text{mEq/L}\times1\,\text{mL/min}}{140\,\text{mEq/L}}$$
$$=1.43\,\text{mL}\,/\text{min}$$

$$C_{イヌリン}=\frac{[U]_{イヌリン}\times\dot{V}}{[P]_{イヌリン}}$$
$$=\frac{150\,\text{mg/mL}\times1\,\text{mL/min}}{1\,\text{mg/L}}$$
$$=150\,\text{mL}\,/\text{min}$$

$$\frac{C_{Na^+}}{C_{イヌリン}}=\frac{1.43\,\text{mL}\,/\text{min}}{150\,\text{mL}\,/\text{min}}$$
$$=0.01\,(1\%)$$

Na^+のクリアランス比は0.01(1%)である．Na^+は糸球体で自由に濾過され，尿細管で再吸収されるため，そのクリアランスはイヌリンクリアランスより小さくなる．クリアランス比が0.01

292　第6章　腎臓の生理学

であることは，濾過されたNa^+の1%のみが排泄
されることを意味する．言い換えれば，濾過され
たNa^+の99%は再吸収されたことになる．

腎血流量

　腎臓は，すべての器官のなかで最も多くの血液
が流入する器官であり，心拍出量の約25%が絶
えず流れ込む．したがって，ある人の心拍出量が
5 L/minであれば，**腎血流量**(renal blood flow：
RBF)は1.25 L/min，つまり1日に1,800 Lも流
れ込んでいることになる．腎臓が体液の量と組成
の調節における中心的な役割を担っていると考え
ると，このような大量の血流量があることは驚く
べきことではない．

腎血流量の調節

　他の器官と同じように，腎血流量(Q)は腎動脈
と腎静脈の**圧較差**(pressure gradient)(ΔP)に
比例し，腎血管の**抵抗**(resistance)(R)に反比例
している(第4章の$Q = \Delta P/R$の式と，血管抵抗
は主に細動脈によってもたらされていることを思
い出すこと)．しかし，腎臓が他の器官と違うの
は，輸入細動脈と輸出細動脈の2組の細動脈が存
在することである．腎臓の血流量を調節する主な
しくみは，細動脈の抵抗の変化である．腎血流量
の調節は，2組の細動脈の抵抗のうち，どちらか
一方または両方を変えることによって行われてい
る(表6.5)．

● **交感神経系**(sympathetic nervous system)
および血中カテコールアミン(circulating cat-
echolamine)

　輸入細動脈および輸出細動脈はともに腎交感神
経線維に支配されており，α_1**受容体**(α_1 recep-
tor)を介して**血管収縮**(vasoconstriction)を起こ
す．しかし，α_1受容体は輸入細動脈のほうに多
いので，腎交感神経活動が亢進すると，腎血流量
と糸球体濾過量の両方を減少させることになる．
腎血管抵抗に対する交感神経の作用は，出血時の
反応を考えるとよくわかる．失血とその結果生じ
る血圧の低下は，圧受容器を介して心臓と血管へ

表6.5　腎血管収縮因子と血管拡張因子.

血管収縮因子	血管拡張因子
交感神経系(カテコールア ミン) アンジオテンシンII エンドセリン	プロスタグランジンE_2 プロスタグランジンI_2 一酸化窒素 ブラジキニン ドパミン 心房性ナトリウム利尿ペ プチド

の交感神経の出力を増大させる(第4章)．腎臓
のα_1受容体が交感神経により活性化すると，輸
入細動脈は収縮し腎血流量と糸球体濾過量は減少
する．つまり，心血管系は腎臓への血流を少なく
し，動脈圧を上げようとするのである．

● **アンジオテンシンII**

　アンジオテンシンII(angiotensin II)は，輸入
および輸出細動脈の両方の血管を収縮させる．ア
ンジオテンシンIIが腎血流量に及ぼす効果は明白
であり，輸入および輸出細動脈を収縮させること
により血管抵抗が増加し，腎血流量が減少する．
しかし，輸入細動脈よりも**輸出細動脈**のほうがア
ンジオテンシンIIに対する感受性が高く，この感
受性の違いが糸球体濾過量に影響を及ぼす(尿細
管糸球体フィードバックの項を参照)．アンジオ
テンシンIIは，低濃度では輸出細動脈のみを収縮
させるので，**糸球体濾過量を増加させる**が，高濃
度では輸入細動脈もあわせて収縮させるため，**糸
球体濾過量を減少させる**．**出血**(hemorrhage)時
には，失血により血圧が低下するが，これがレニ
ン-アンジオテンシン-アルドステロン系を活性化
させる．高濃度のアンジオテンシンIIは，交感神
経の活性亢進と相まって，輸入，輸出細動脈の双
方を収縮させ，腎血流量と糸球体濾過量を減少さ
せる．

● **心房性ナトリウム利尿ペプチド**

　心房性ナトリウム利尿ペプチド(atrial natri-
uretic peptide：ANP)や，**脳性ナトリウム利尿
ペプチド**(brain natriuretic peptide：BNP)のよ
うな物質は，輸入細動脈を拡張し，輸出細動脈を
収縮させる．輸入細動脈に対するANPの拡張作
用は，輸出細動脈に対する収縮作用よりも大きい
ので，全体としてみると腎血管抵抗は低下し，腎

血流量は増加する．輸入細動脈の拡張と輸出細動脈の収縮，両方が作用し，糸球体濾過量を増加させる（Starling 力の変化の項を参照）．

● プロスタグランジン

ある種の**プロスタグランジン（prostaglandin）**（例えば，プロスタグランジン E_2 やプロスタグランジン I_2）は，腎臓で局所的に産生され，輸入細動脈および輸出細動脈を**拡張（vasodilation）**させる．出血時には，交感神経活動の亢進，アンジオテンシン II 濃度の上昇と同様に，腎臓でのプロスタグランジン産生も促進される．アンジオテンシン II とプロスタグランジンの作用は拮抗しているが，プロスタグランジンの血管拡張効果により，明らかに腎血流量は確保される．つまり，プロスタグランジンは，交感神経系およびアンジオテンシン II による血管収縮作用を軽減している．もしこの作用がなければ，血管収縮は腎血流量を減少させ，腎不全を引き起こす．**非ステロイド性抗炎症薬（nonsteroidal anti-inflammatory drugs：NSAIDs）**は，プロスタグランジンの合成を阻害し，出血後の腎機能に対する保護作用を妨げ，腎血流量の減少を引き起こすこともある．

● ドパミン

ノルアドレナリンの前駆物質である**ドパミン（dopamine）**は，いくつかの血管床の細動脈に対して選択的に作用する．低濃度では，ドパミンは脳，心臓，内臓，腎の細動脈を拡張し，骨格筋と皮膚の細動脈を収縮させる．したがって，少量のドパミンは，**出血**時の治療の際，腎を含むいくつかの重要な器官の血流を保護する（血管拡張）目的で投与される．

● 一酸化窒素

一酸化窒素（nitric oxide）は，腎臓の内皮細胞で L-アルギニンから合成される．局所的に産生された一酸化窒素は，腎細動脈を拡張し，交感神経系による血管収縮作用から保護している．

腎血流量の自己調節

腎血流量は，広範囲の平均動脈圧（P_a）に対して自己調節（autoregulation）されている（図6.6）．腎動脈圧は 80〜200 mmHg の範囲で変動しうるが，この範囲で腎血流量は一定に保たれる．腎動脈圧

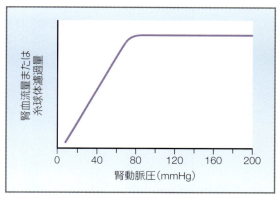

図 6.6　腎血流量および糸球体濾過量の自己調節．

が 80 mmHg よりも低下する場合にのみ腎血流量は減少する．動脈圧が変化した場合にも血流量を一定に保つ唯一の方法は，細動脈の抵抗を変化させることである．こうして，腎動脈圧が上昇または低下した場合，腎血管抵抗もそれに比例して増減するのである（$Q = \Delta P/R$ を思い出すこと）．

腎臓の自己調節に関しては，腎血管抵抗は輸出細動脈よりも輸入細動脈で主に制御されると信じられている．**自己調節のメカニズム**については不明な点も残されている．明らかにいえることは，除神経しても（例えば，腎臓移植）腎臓の自己調節は損なわれないことから，自律神経系はかかわっていないことである．腎血流量の自己調節にかかわるのは，筋原性機序と尿細管糸球体フィードバック機構（tubuloglomerular feedback）である．

● 筋原説

筋原説（myogenic hypothesis）では，動脈圧の上昇により血管が伸展すると，血管壁の平滑筋の反射性収縮が生じ，血流に対する抵抗が増すと説明される（**第4章**）．血管の伸展によって誘発された収縮のメカニズムには，平滑筋細胞膜の**伸展活性型 Ca^{2+} チャネル（stretch-activated calcium channel）**が関与している．このチャネルが開口すると，多量の Ca^{2+} が血管平滑筋細胞内に流入し，血管壁の緊張が増す．筋原説では，腎血流量の自己調節を以下のように説明している．腎動脈圧が上昇し輸入細動脈が伸展すると，血管平滑筋細胞の収縮が生じ，輸入細動脈の血管抵抗が増す．血管抵抗の上昇は動脈圧の上昇と均衡する

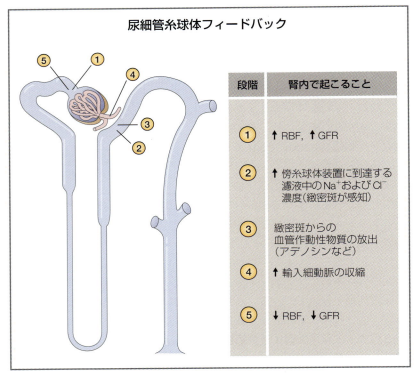

図 6.7 尿細管糸球体フィードバックのしくみ．
GFR：糸球体濾過量，RBF：腎血流量．

ため，腎血流量が一定に保たれる．

● 尿細管糸球体フィードバック

尿細管糸球体フィードバックもまた，腎血流量を一定に保つための自己調節機能である（図6.7）．腎動脈圧が上昇すると，腎血流量と糸球体濾過量が増加する．糸球体濾過量の増加は，水と溶質の輸送を増加させ，**緻密斑**（macula densa）が輸送液中の何らかの成分の増加を感知する．**傍糸球体装置**（juxtaglomerular apparatus）の一部である緻密斑は，輸入細動脈を収縮させる血管作動性物質をパラクリン（paracrine，傍分泌）のメカニズムを介して分泌し，輸送量の増加に反応する．輸入細動脈が局所的に収縮することにより，腎血流量と糸球体濾過量は減少し，元の状態に戻る．これが自己調節機能である．尿細管糸球体フィードバックは以下のようなステップで起こる．

1. 糸球体濾過量の増加は，緻密斑に到達する管腔液と溶質を増加させる．過剰なNa^+とCl^-は，Na^+-$2Cl^-$-K^+共輸送体によって緻密斑の細胞内に輸送される．

2. 細胞内Cl^-濃度が上昇すると，緻密斑の基底側膜が脱分極する（脱分極によりCa^{2+}チャネルが開口し，細胞内Ca^{2+}濃度が上昇する）．

3. **細胞内Ca^{2+}濃度の上昇**は，緻密斑から**アデノシン**を放出させる．

4. アデノシンはパラクリンのメカニズムによって局所的に作用し，**近接した輸入細動脈を収縮させる**．この血管収縮によって，腎血流量は減少し，糸球体濾過量は正常に戻る．

体液量の増加，心房性ナトリウム利尿ペプチド，高タンパク食など，いくつかの要因は尿細管糸球体フィードバックの感受性を変化させる．臨床的に重要なのは，糸球体濾過量を増加させる**高タンパク食**の影響である．高タンパク食は，緻密斑よりも前方の尿細管でNa^+やCl^-の再吸収を亢進させ，緻密斑へ輸送されるNa^+，Cl^-を減少させる．その結果，尿細管糸球体フィードバックにより糸

球体濾過量が増加してしまうのである.

腎血漿流量および腎血流量の測定

腎血漿流量(renal plasma flow：RPF)は，パラアミノ馬尿酸(PAH)のクリアランスにより測定できる．腎血流量(RBF)は，腎血漿流量とヘマトクリットから算出できる．

■ 真の腎血漿流量の測定 ―Fickの原理

Fick(フィック)の原理(Fick principle)とは，ある物質が器官内で合成も分解もされないとすれば，器官に入った物質量と器官から出て行った物質量は等しい，というものである．Fickの原理を腎臓にあてはめると，腎動脈から腎臓に入った物質量は，腎静脈から腎臓を出た物質量と尿中に排泄された物質量を合計したものに等しい，ということになる(図6.8)．

PAHは，Fickの原理を用いた腎血漿流量の算出に使用される物質であり，腎血漿流量は以下のように求められる．

腎臓に入ったPAH量＝腎臓から出たPAH量
腎臓に入ったPAH量＝$[RA]_{PAH} \times RPF$
腎臓から出たPAH量＝$[RV]_{PAH} \times RPF + [U]_{PAH} \times \dot{V}$

代入して，

$$[RA]_{PAH} \times RPF = [RV]_{PAH} \times RPF + [U]_{PAH} \times \dot{V}$$

腎血漿流量は，

$$RPF = \frac{[U]_{PAH} \times \dot{V}}{[RA]_{PAH} - [RV]_{PAH}}$$

ここで

RPF＝腎血漿流量
$[U]_{PAH}$＝尿中PAH濃度
$\dot{V}$＝単位時間あたりの尿量
$[RA]_{PAH}$＝腎動脈中のPAH濃度
$[RV]_{PAH}$＝腎静脈中のPAH濃度

PAHが腎血漿流量の算出に使用されるのは，以下のような特徴があるからである：(1)尿細管で合成も分解もされない．(2)腎血漿流量を変化させ

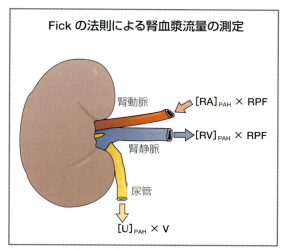

図6.8　Fickの法則による腎血漿流量の測定．
PAH：パラアミノ馬尿酸，[RA]：腎動脈血濃度，[RV]：腎静脈血濃度，RPF：腎血漿流量，[U]：尿中濃度，V：尿量．

ない．(3)糸球体濾過と尿細管からの分泌により腎動脈血からほとんど除去される．その結果，腎動脈から腎臓に入ったPAHはほとんどすべて尿中に排泄され，腎静脈に残る量はほんのわずかである．PAHの腎静脈中の濃度はほぼゼロであるため，前述の方程式の分母($[RA]_{PAH} - [RV]_{PAH}$)の値は大きく，したがって正確に算出できる．この点を詳しく説明するために，腎動脈血からまったく除去されないグルコースと比較する．腎静脈と腎動脈の血中グルコース濃度は等しいことから，方程式の分母はゼロになるが，分母がゼロであることは数学的に認められない．グルコースが腎血漿流量の算出に用いることができないことは明白である．(4)腎臓以外の器官はいずれもPAHを除去しないので，腎動脈のPAH濃度はどこの末梢静脈血のPAH濃度とも等しい．腎動脈血の採取は容易ではないが，末梢静脈血は簡単に採取できる．

■ 有効腎血漿流量の測定 ―PAHクリアランス

前項で，PAHの尿中濃度，腎動脈と腎静脈の血中濃度を用いた正確な腎血漿流量の算出法について説明した．ヒトでは，腎動脈からの血液採取は可能ではあるが，非常に難しい．しかし，PAH

296　第6章　腎臓の生理学

の特性に基づいて方法を単純化すれば，真の腎血漿流量の10%以内に近似可能であるため，有効な腎血漿流量の算出法として代用することができる．

　第1の単純化として，$[RV]_{PAH}$ はゼロと仮定する．腎動脈から腎臓に入った PAH のほとんどは，濾過および分泌により尿中に排泄されるため，妥当な数値である．第2の単純化は，**腎動脈血のPAH 濃度はどこの末梢静脈血の PAH 濃度とも等しい**（腎臓以外の器官はいずれも PAH を除去しないため）とすることで，血液の採取が容易になる．これらの単純化により，腎血漿流量は以下のように求められる．

$$有効 RPF = \frac{[U]_{PAH} \times \dot{V}}{[P]_{PAH}} = C_{PAH}$$

ここで

$$有効 RPF = 有効腎血漿流量(mL/min)$$
$$[U]_{PAH} = 尿中 PAH 濃度(mg/mL)$$
$$\dot{V} = 1 分あたりの尿量(mL/min)$$
$$[P]_{PAH} = 血漿 PAH 濃度(mg/mL)$$
$$C_{PAH} = PAH クリアランス(mL/min)$$

　結果として，単純化された計算式では，**有効腎血漿流量は PAH クリアランスと等しい**．そして，有効腎血漿流量は真の腎血漿流量の値より約10%過少評価される．なぜなら，$[RV]_{PAH}$ は**ゼロに近い**がゼロではないためである．総腎血漿流量の約10%は，腎臓のなかの濾過や分泌が行われていない部位（例えば，腎臓脂肪組織や腎被膜など）に供給されており，その部位を流れる血漿からは PAH は除去されず腎静脈へ流れていくからである．

■ 腎血流量の測定

　腎血流量は，腎血漿流量とヘマトクリット（Hct）から算出される．腎血流量は次のように求められる．

$$RBF = \frac{RPF}{1 - Hct}$$

ここで

$$RBF = 腎血流量(mL/min)$$
$$RPF = 腎血漿流量(mL/min)$$
$$Hct = ヘマトクリット$$

　腎血流量は，腎血漿流量を1からヘマトクリットを差し引いた値で除したものである．ヘマトクリットは血液中にある赤血球の割合を示す値であり，**1−ヘマトクリット**は血液中の血漿が占める割合を表している．

例題

　尿量1 mL/min の男性の血漿 PAH 濃度が1 mg%，尿中 PAH 濃度600 mg%，ヘマトクリットは0.45であった．腎血流量を求めよ．

解答

　腎動脈と腎静脈の PAH の血中濃度の値は与えられていないので，真の腎血漿流量（および真の血流量）は算出できない．しかし，PAH クリアランスから**有効腎血漿流量**が算出できる．さらに，ヘマトクリットを用いて有効腎血流量が算出できる（mg%は mg/100 mL を意味する）．

$$
\begin{aligned}
有効 RPF &= C_{PAH} \\
&= \frac{[U]_{PAH} \times \dot{V}}{[P]_{PAH}} \\
&= \frac{600 \text{ mg}/100 \text{ mL} \times 1 \text{ mL}/\text{min}}{1 \text{ mg}/100 \text{ mL}} \\
&= 600 \text{ mL/min}
\end{aligned}
$$

$$
\begin{aligned}
有効 RBF &= \frac{有効 RPF}{1 - ヘマトクリット} \\
&= \frac{600 \text{ mL}/\text{min}}{1 - 0.45} \\
&= \frac{600 \text{ mL}/\text{min}}{0.55} \\
&= 1{,}091 \text{ mL}/\text{min}
\end{aligned}
$$

糸球体濾過

　糸球体濾過は，尿生成への第一歩である．腎血流が糸球体毛細血管に入ると，その血液の一部がネフロンの最初の部分である Bowman 腔へ濾過される．濾過された液体は間質液と組成が類似し

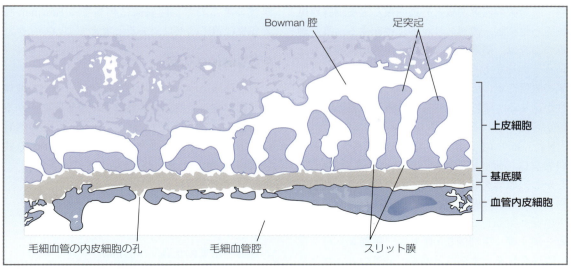

図 6.9　糸球体毛細血管壁の構造．

ており，**限外濾過液（ultrafiltrate）** とよばれる．限外濾過液は，血液中の低分子の溶質や水分を含むが，高分子のタンパク質分子や血球は含まない．糸球体濾過に必要な力は，体循環系の毛細血管系で作動する力と同様に Starling（スターリング）力である（第 4 章）．しかし，糸球体毛細血管膜のバリア特性と表面積は体循環系の毛細血管とは異なっており，糸球体濾過量は体循環系の毛細血管の濾過量よりもはるかに多い．

糸球体濾過障壁の特徴

毛細血管壁の物理的特性は，糸球体濾過量や糸球体濾過液の成分を決定する．具体的には，Bowman 腔に何がどのくらい濾過されるか，ということである．

■ 糸球体毛細血管の層

図 6.9 に，約 3 万倍に拡大した糸球体毛細血管壁の主要構造を示す．糸球体毛細血管壁は，毛細血管腔から Bowman 腔へ向かって，以下で述べる 3 つの層から構成されている．

内皮細胞

血管内皮細胞層には，直径 70 〜 100 nm ほどの孔がある．この孔は比較的大きいため，液体，溶解した溶質，血漿タンパク質は，すべてこの層を通過し濾過される．しかし，血球はこの孔よりも大きいため通過できない．

基底膜

基底膜は，3 層構造をなしている．**内透明板（lamina rara interna）** は内皮細胞側，**緻密板（lamina densa）** は中間，**外透明板（lamina rara externa）** は上皮細胞側に位置している．このように多層からなる基底膜は，血漿タンパク質を通過させず，糸球体毛細血管壁の最も強力な障壁となっている．

上皮細胞

上皮細胞層は，**足細胞（podocyte）** という特殊な細胞からなり，**足突起（foot process）** が基底膜に伸びている．足突起をつなぐようにスリット膜がかかり，そこには 25 〜 60 nm の**濾過スリット（filtration slit）** が開いている．濾過スリットはサイズが小さいため，上皮層（基底膜も含む）もまた重要な濾過障壁となっている．

■ 糸球体濾過障壁の陰性荷電

糸球体濾過障壁には，さまざまな細孔と間隙により通過する分子を選別するサイズ選択的障壁とともに，**陰性荷電をもつ糖タンパク質**による荷電選択性障壁がある．この糖タンパク質は，内皮細

298　第6章　腎臓の生理学

胞，基底膜の内透明板と外透明板，上皮細胞の足細胞と足突起，濾過スリットに存在する．陰性荷電の存在は，静電気的な要素が濾過に影響するということを示している．陽性荷電をもつ溶質は，膜の陰性荷電に引き付けられるため，さらに透過性が高まる．陰性荷電をもつ溶質は，膜の陰性荷電から退けられるため，さらに透過性は低くなる．

Na$^+$，K$^+$，Cl$^-$，HCO$_3^-$のような分子量の小さい物質は，荷電にかかわらず自由に濾過される．しかし，血漿タンパク質のような分子量の大きい物質は，物質の直径が血管内皮の孔や濾過スリットの径と類似しているため，荷電は濾過に影響する．例えば，生理的なpHでは，血漿タンパク質は陰性荷電を有することから，分子の大きさと糸球体濾過膜の陰性荷電によって濾過が制限される．ある種の糸球体疾患では，濾過障壁の陰性荷電が減少するので，血漿タンパク質の濾過量が増加し**タンパク尿(proteinuria)**が生じる．

分子量の大きい物質が濾過の際に受ける荷電の影響については，ラットを用いて，異なるサイズ（分子の半径）および異なる荷電をもつデキストラン分子の濾液量を測定することで検証されている．ある特定の分子径同士の中性デキストラン，陰性荷電のデキストラン，陽性荷電のデキストランを比較すると，いずれの大きさでも陽性荷電を有するデキストランは大半が濾過されたが，陰性荷電を有するデキストランはほとんど濾過されず，無荷電のデキストランはその中間であった．陽性荷電の分子は細孔の陰性荷電に引き付けられたが，陰性荷電の分子ははじかれ，中性分子に対する影響はなかった．

糸球体毛細血管における Starling力

全身の毛細血管と同様に，液体が糸球体毛細血管壁を通過して移動するための駆動力は，Starling力(Starling圧)である．理論上は，2つの静水圧（毛細血管血と間質液）と2つの膠質浸透圧（毛細血管血と間質液），あわせて4つのStarling力がある．これらの圧力を糸球体毛細血管にあてはめるときに，1つのマイナーな改変が可能である．糸球体毛細血管におけるタンパク質の濾過は

無視できるので，間質液に相当するBowman腔の膠質浸透圧はゼロであると考えてよい．

■ Starlingの式

糸球体濾過は，糸球体毛細血管壁を隔てた液体の移動である．液体の移動は毛細血管壁にかかるStarling力により駆動される．Bowman腔の膠質浸透圧はゼロであると仮定し，**Starlingの式(Starling equation)**は以下のように表される．

$$GFR = K_f[(P_{GC} - P_{BS}) - \pi_{GC}]$$

ここで

GFR ＝ 糸球体濾過量(mL/min)
　K$_f$ ＝ 通水コンダクタンス(mL/min/mmHg)
　　　　または
　　　　濾過係数(mL/min/mmHg)
P$_{GC}$ ＝ 糸球体毛細血管の静水圧(mmHg)
P$_{BS}$ ＝ Bowman腔の静水圧(mmHg)
π_{GC} ＝ 糸球体毛細血管血の膠質浸透圧(mmHg)

Starlingの式における各パラメーターを，糸球体毛細血管壁にあてはめて以下に説明する．

● **濾過係数 K$_f$(filtration coefficient)** は，水の透過性または糸球体毛細血管壁の通水コンダクタンスである．単位表面積あたりの水の透過性と総表面積が，K$_f$を変化させる因子である．糸球体毛細血管のK$_f$は，濾過にかかわる総表面積が大きく，血管壁の水の透過性も高いことから，全身の毛細血管（骨格筋毛細血管など）の100倍以上ある．糸球体毛細血管のK$_f$がきわめて大きいことは，他の毛細血管と比べ，より多くの液体が濾過されることを意味している（糸球体濾過量は1日あたり180Lにもなる）．

● **糸球体毛細血管圧 P$_{GC}$(hydrostatic pressure in glomerular capillary)** は血漿を濾過する力であり，全身の毛細血管に比べて糸球体毛細血管圧は45mmHgと比較的高い．全身の毛細血管圧は毛細血管起始部からの距離が遠くなるほど低下するが，糸球体毛細血管の場合は全長にわたって一定に維持されている．

● **Bowman腔圧 P$_{BS}$(hydrostatic pressure in Bowman's space)** は濾過と相反する力であ

り，ネフロンの内腔にある液体による圧力（10 mmHg）である．

- **血漿膠質浸透圧 π_{GC} （oncotic pressure in glomerular capillary）** もまた濾過と相反する力であり，糸球体毛細血管血のタンパク質濃度により増減する．π_{GC} は糸球体毛細血管全長にわたって**一定ではなく**，糸球体毛細血管から血漿が濾過されるにつれ次第に上昇する．π_{GC} は，正味の限外濾過圧がゼロになり糸球体濾過が停止する（濾過平衡）時点まで増加する．

要するに，糸球体濾過量は濾過係数 K_f と**正味の限外濾過圧（net ultrafiltration pressure）**をかけあわせたものである．正味の限外濾過圧は濾過の駆動力となるが，3つの Starling 力の和として理解される（ここでは Bowman 腔膠質浸透圧は除く）．糸球体毛細血管では限外濾過圧は**つねに濾過を行う方向**を示し，体液移動の方向はつねに毛細血管外に向かう．限外濾過圧が大きいほど，糸球体濾過量は多くなる．

図 6.10 に 3 つの Starling 力の方向を矢印で示す．矢印の**方向**は，圧力が毛細血管外へ向かい濾過となるか，毛細血管内へ向かい吸収となるかを表している．矢印の**太さ**は，圧力の大きさを表している．圧力の値（mmHg）が**プラス**であれば**濾過**，**マイナス**であれば**吸収**となる．駆動力となる正味の限外濾過圧は，3つの圧力の代数和として求められる．

図 6.10A に，**糸球体毛細血管起始部**での Starling 力を示す．糸球体毛細血管起始部では，血液が輸入細動脈から流入した直後なので，まだ濾過は起こらない．3つの Starling 力の合計，すなわち正味の限外濾過圧は ＋16 mmHg と計算されるので，強力な濾過に向かう力となる．

図 6.10B に，**糸球体毛細血管終末部**での Starling 力を示す．この部位で血液の濾過は終わり，血液は糸球体毛細血管を出て輸出細動脈に入る．Starling 力の合計はゼロである．正味の限外濾過量はゼロであり濾過は起こらないことから，このポイントを**濾過平衡（filtration equilibrium）**とよぶ．濾過平衡は通常，糸球体毛細血管の終末部で起こる．

ここで重要なことは，**なぜ濾過平衡を引き起**

すのか．言い換えれば，どの Starling 力が変化して正味の限外濾過をゼロとするのかということである．この疑問を解くため，糸球体毛細血管起始部と終末部における Starling 力を比較してみる．変化する圧力は，糸球体毛細血管の血漿膠質浸透圧 π_{GC} のみである．水分が糸球体毛細血管外へ濾過されるに従ってタンパク質は血管内に残され，タンパク質濃度および血漿膠質浸透圧 π_{GC} は次第に増加する．血漿膠質浸透圧は糸球体毛細血管終末部まで増加し続け，この部位で正味の限外濾過圧はゼロになる（ここで重要な点は，糸球体毛細血管を通り過ぎた血液は尿細管周囲毛細血管血になるということである．それゆえ，尿細管周囲毛細血管血の膠質浸透圧 π_c は高くなり，ネフロンの近位尿細管（proximal tubule）で再吸収を起こす駆動力となる）．糸球体毛細血管の場合，全身の毛細血管とは異なり，内圧が毛細血管全長にわたって徐々に低下することはない．糸球体毛細血管が全身の毛細血管と異なっているのは，輸入細動脈と輸出細動脈という 2 つの細動脈が存在することである．輸出細動脈の収縮により糸球体毛細血管圧 P_{GC} は低下しないようになっており，そうでなければ糸球体毛細血管全長にわたって濾過が障害されてしまうだろう．

■ Starling 力の変化

糸球体濾過量は，正味の限外濾過圧，すなわち糸球体毛細血管壁を通過するための Starling 力の和に依存する．ゆえに，糸球体濾過量は Starling 力のいずれか 1 つが変化すれば増減するのは明白である（**表 6.6**）．

- **糸球体毛細血管圧 P_{GC}** の値は，輸入細動脈および輸出細動脈の血管抵抗の変化によって増減する．どちらの細動脈が影響を受けるかにより，糸球体濾過量はそれぞれ相反する変化を引き起こす．この現象の基本となるメカニズムを図 6.11 に示す．

図 6.11A に，**輸入細動脈の収縮**による血管抵抗の増加のメカニズムを示す．この場合，どちらの細動脈が収縮しても腎血漿流量は減少する．糸球体毛細血管内の血流量の減少，糸球体毛細血管圧低下による正味の限外濾過圧の低下

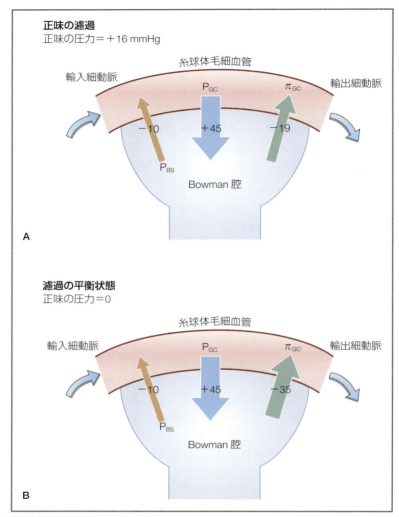

図 6.10 糸球体毛細血管における Starling 力.
A：正味の濾過，**B**：濾過平衡状態．矢印は Starling 力の方向を示す．数字は圧力の大きさ（mmHg），（＋）は濾過方向への圧力，（－）は濾過方向とは逆向きの圧力を表す．P_{BS}：Bowman 腔圧，P_{GC}：糸球体毛細血管圧，π_{GC}：糸球体毛細血管血漿膠質浸透圧．

表 6.6 Starling 力の変化に伴う腎血漿流量，糸球体濾過，濾過比の変化.

影響する因子	腎血漿流量	糸球体濾過量	濾過比 (GFR/RPF)
輸入細動脈の収縮	↓	↓	－
輸出細動脈の収縮	↓	↑	↑
血漿タンパク質濃度増加	－	↓	↓
血漿タンパク質濃度減少	－	↑	↑
尿管の収縮	－	↓	↓

GFR：糸球体濾過量，RPF：腎血漿流量，－：変化なし．

により，糸球体濾過量もまた減少する．このような状況が起こるのは，**交感神経系**が活性化する場合や**高濃度のアンジオテンシン II** が作用する場合である．

図 6.11B に，**輸出細動脈の収縮**による血管抵抗の増加のメカニズムを示す．輸出細動脈が収縮すると，輸入細動脈の収縮と同様に腎血漿流量は減少するが，糸球体濾過量は反対に増加する．糸球体濾過量が増加するのは，糸球体毛細血管圧の上昇により正味の限外濾過圧が上昇するためである．この状況が起こるのは，**低濃**

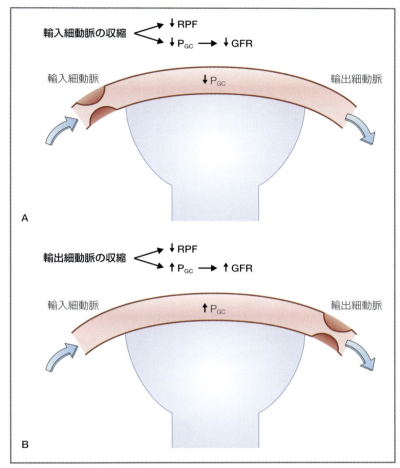

図6.11　輸入・輸出細動脈収縮に伴う腎血漿流量と糸球体濾過量の変化.
RPF：腎血漿流量，P_{GC}：糸球体毛細血管圧，GFR：糸球体濾過量.

度のアンジオテンシンIIが作用した場合である.

　腎血漿流量および糸球体濾過量に対して，**アンジオテンシンII**は重要な役割を有する．アンジオテンシンIIは輸入細動脈および輸出細動脈をともに収縮させるが，両者のうち輸出細動脈が優先的に収縮する．すなわち，低濃度のアンジオテンシンIIでは，輸出細動脈は強く収縮するが，輸入細動脈はわずかしか収縮しないので，腎血漿流量は減少するにもかかわらず糸球体濾過量は増加する．高濃度のアンジオテンシンIIでは（例えば，出血時），輸出細動脈は強力に収縮し，輸入細動脈は中程度に収縮するため，腎血漿流量は減少し，糸球体濾過量もわずかに減

少する．このように，アンジオテンシンIIは両方の細動脈に対し血管収縮を起こすが，輸出細動脈に優先的に作用するため，高濃度でも低濃度でも糸球体濾過量は"保護"または"維持"される．**アンジオテンシン変換酵素阻害薬（angiotensin-converting enzyme inhibitor：ACEi）**はアンジオテンシンIIの産生を抑制するため，糸球体濾過量の保護効果は相殺されるか排除される．

● **血漿膠質浸透圧 π_{GC}** の値は，血漿タンパク質濃度の増減によって変化する．例えば，血漿タンパク質濃度の増加は π_{GC} **を上昇**させ，正味の限外濾過圧は低下し糸球体濾過量は減少する．一方，血漿タンパク質濃度の減少（例えば，多量

302　第6章　腎臓の生理学

のタンパク質が尿中に失われるネフローゼ症候群など)はπ_{GC}を**低下**させ，正味の限外濾過圧と糸球体濾過量は増加する．

- Bowman腔圧P_{BS}の値は，尿の流れを阻害(閉塞)することによって変化する(尿管結石や尿管の収縮など)．例えば，**尿管が収縮**して尿が膀胱へ流れ出ることができなくなると，尿は腎臓へ逆流する．ネフロンにおける静水圧は上昇し，Bowman腔まで及ぶ．Bowman腔圧P_{BS}の上昇により正味の限外濾過圧は低下し，結果として糸球体濾過量は減少する．

糸球体濾過量の測定

糸球体濾過量は，糸球体濾過マーカーのクリアランスにより測定される．**糸球体濾過マーカー**は以下の3つの特徴を有する：(1)分子量や電荷にかかわらず，糸球体毛細血管を自由に通過する．(2)尿細管で再吸収も分泌もされない．(3)投与しても糸球体濾過量は増加しない．すなわち，理想的な糸球体濾過マーカーの特徴は，腎血漿流量を測定するのに使用されるマーカー物質(PAHなど)の特徴とは異なる．

■ イヌリンクリアランス

理想的な糸球体濾過マーカーである**イヌリン**は，分子量約5,000の果糖重合体である．イヌリンは血漿タンパク質と結合せず，荷電はなく，糸球体濾過障壁を**自由に通過**できる大きさである．イヌリンはいったん濾過されると尿細管では**再吸収も分泌もされない**．したがって，糸球体濾過障壁を通過したイヌリン量は，尿中に排出されたイヌリン量と等しい．

イヌリンクリアランスは以下の式で示されるように，糸球体濾過量と等しい．

$$\text{GFR} = \frac{[\text{U}]_{イヌリン} \times \dot{\text{V}}}{[\text{P}]_{イヌリン}} = \text{C}_{イヌリン}$$

ここで

GFR＝糸球体濾過量(mL/min)
$[\text{U}]_{イヌリン}$＝尿中イヌリン濃度(mg/mL)
$[\text{P}]_{イヌリン}$＝血漿イヌリン濃度(mg/mL)

$\dot{\text{V}}$＝尿量(mL/min)
$\text{C}_{イヌリン}$＝イヌリンクリアランス(mL/min)

糸球体濾過量の測定にイヌリンを用いる際には，以下の点に注意しなければならない：(1)イヌリンは内因性物質ではないため，静脈に投与しなければならない．(2)$[\text{U}]_{イヌリン} \times \dot{\text{V}}$は，イヌリンの排泄量と等しい．(3)血漿イヌリン濃度の増減は，糸球体濾過量に影響しない．例えば，血漿イヌリン濃度が増加するとイヌリンの濾過量およびイヌリン排泄量($[\text{U}]_{イヌリン} \times \dot{\text{V}}$)も増加する，という論理にあてはめると，血漿イヌリン濃度が増加(イヌリン投与量を増加)しても糸球体濾過量は減少しない．計算式の分子および分母ともに比例して増加するため，糸球体濾過量の計算値には影響しない．(4)糸球体濾過量(もしくはイヌリンクリアランス)は，尿量の増減により変化しない．尿量($\dot{\text{V}}$)が増加すると，尿は希釈され，尿中イヌリン濃度$[\text{U}]_{イヌリン}$は尿量に反比例して減少する．したがって，分子($[\text{U}]_{イヌリン} \times \dot{\text{V}}$)および糸球体濾過量の計算値は，例題に示すように尿量の変化には影響されない．

例題

ある女性が臨床研究センターにおける腎臓の研究に参加し，糸球体濾過量を測定するためにイヌリンの投与を受けた．測定中に女性に多量の水を飲ませることで，故意に尿量を増加させた．また，イヌリンは，血漿イヌリン濃度がつねに1 mg/mLに保たれるように投与された．この女性の飲水前後の尿量および尿中イヌリン濃度は以下の通りである．

飲水前	飲水後
$[\text{U}]_{イヌリン}$＝100 mg/mL	$[\text{U}]_{イヌリン}$＝20 mg/mL
$\dot{\text{V}}$＝1 mL/min	$\dot{\text{V}}$＝5 mL/min

飲水による尿量の増加は，この女性の糸球体濾過量にどのように影響したか答えよ．

解答

飲水前後のイヌリンクリアランスから糸球体濾過量を求める．

飲水前の糸球体濾過量

$$= \frac{[U]_{イヌリン} \times \dot{V}}{[P]_{イヌリン}}$$

$$= \frac{100\,mg/mL \times 1\,mL/min}{1\,mg/mL}$$

$$= 100\,mL/min$$

飲水後の糸球体濾過量

$$= \frac{[U]_{イヌリン} \times \dot{V}}{[P]_{イヌリン}}$$

$$= \frac{20\,mg/mL \times 5\,mL/min}{1\,mg/mL}$$

$$= 100\,mL/min$$

尿量が飲水前後で著しく異なっているにもかかわらず，糸球体濾過量は一定であった．これは，尿量が 1 mL/min から 5 mL/min に上昇したのに比例して，尿中イヌリン濃度が 100 mg/mL から 20 mg/mL へと（希釈によって）低下したためである．

■ 他の糸球体濾過マーカー

イヌリンは唯一の理想的な糸球体濾過マーカーであり，その他のマーカーで基準を完全に満たしているものはない．イヌリン以外では，**クレアチニン（creatinine）**が基準に最も近いマーカーであり，糸球体濾過障壁を自由に通過し，尿細管でわずかに分泌される物質である．したがって，クレアチニンクリアランスは糸球体濾過量よりわずかに多いが，クレアチニンを用いる利便性はこのわずかな誤差を十分に補う．なぜなら，クレアチニンは内因性物質（イヌリンは外因性）であるため，糸球体濾過量を測定する際に体内に投与する必要がないからである．

尿素およびクレアチニンは糸球体濾過障壁を通過するので，**血中尿素窒素（blood urea nitrogen：BUN）**と**血清クレアチニン濃度（serum creatinine concentration）**の値も糸球体濾過量の評価に用いることができる．これらの物質は通常は濾過され，尿中に排泄される．しかし，糸球体濾過量が減少すると（腎不全などで）十分に濾過されなくなるため，BUN と血清クレアチニン値は増加する．

細胞外液量減少（**血液量減少症（hypovolemia）**）により腎灌流量が減少すると，それに伴って糸球体濾過量も減少する．糸球体濾過量が減少すると，BUN 値と血清クレアチニン値の両方が増加する．クレアチニンは再吸収されないが，尿素は再吸収されるため，BUN 値は血清クレアチニン値よりも大きく増加する（**腎前性高窒素血症（prerenal azotemia）**）．また，濾過量が減少すると，近位尿細管における尿素を含むすべての溶質の再吸収は増加するため，BUN 値のさらなる増加の原因となる．ゆえに，**BUN／血清クレアチニン比**の 20 以上の**増加**は，循環血液量減少の1つの指標となる（腎前性高窒素血症）．対照的に，腎障害に起因する腎不全（慢性腎不全など）では BUN 値および血清クレアチニン値の両者が増加するが，BUN／血清クレアチニンの比率は増加しない．

濾過比

濾過比は，糸球体濾過量と腎血漿流量の比である．濾過比は以下の式で求められる．

$$濾過比 = \frac{糸球体濾過量}{腎血漿流量}$$

言い換えれば，濾過比は"腎血漿流量のうち糸球体毛細血管から濾過された血漿の割合"である．濾過比の正常値は **0.2（20%）**であり，腎血漿流量の 20% が濾過され，80% が濾過されないことを示している．腎血漿流量の 80% は濾過されずに輸出細動脈を経て糸球体毛細血管から出て行き，尿細管周囲毛細血管へ流れていく．

例として，濾過比の変化が尿細管周囲毛細血管の血中タンパク質濃度と膠質浸透圧 π_c に及ぼす影響について考えてみよう．もし，濾過比が増加すれば（**表6.6**），より多くの水分が糸球体毛細血管から濾過され，毛細血管内のタンパク質の濃度は大きく増加するだろう．つまり，濾過比の増加は，尿細管周囲毛細血管のタンパク質濃度および膠質浸透圧を増加させるのである（近位尿細管での再吸収との関連性については後の項で述べる）．

再吸収と分泌

　糸球体濾過は，血漿の限外濾過の結果 180 L/day もの濾液を作り出す．もし，限外濾過液がそのまま尿として排出されるとすると，水 180 L，Na^+ 25,200 mEq，Cl^- 19,800 mEq，HCO_3^- 4,320 mEq，グルコース 14,400 mg が毎日尿中に排泄されてしまう．この量は，全細胞外液に含まれているそれぞれの物質量の 10 倍を超える．幸いこれらの物質は，尿細管上皮細胞の再吸収機構により，尿細管内から循環血液中および細胞外液中へ戻される．加えて，上皮細胞には分泌機構も存在し，尿細管周囲毛細血管血から特定の物質が尿細管内に移動し，尿中に排泄される．

再吸収と分泌の測定

　濾過（filtration），再吸収（reabsorption），分泌（secretion）のプロセスを図 6.12 に示す．輸入細動脈から輸出細動脈までの糸球体毛細血管と，ネフロンの始まり（Bowman 腔と近位尿細管起始部）が上皮細胞とともに図示されている．尿細管のそばには，輸出細動脈からつながる尿細管周囲毛細血管が走行し，ネフロンに血液を供給している．

- **濾過**．糸球体毛細血管から Bowman 腔へ移動した液体は，間質液の成分と似ている．一定時間あたりに Bowman 腔へ濾過された物質の量を**濾過量（filtered load）**，Bowman 腔内や尿細管内にある液体を尿細管腔液または濾液とよぶ．
- **再吸収**．水や多くの溶質成分（Na^+，Cl^-，HCO_3^-，グルコース，アミノ酸，尿素，Ca^{2+}，Mg^{2+}，リン酸，乳酸，クエン酸，尿酸など）は，濾液から尿細管周囲毛細血管へ再吸収される．再吸収の過程には，尿細管上皮細胞の膜輸送体を介するものもある．もし再吸収が行われなければ，細胞外液に含まれる多くの物質があっという間に尿中へ失われることになる．
- **分泌**．有機酸，有機塩基，K^+，尿酸などの物質は，尿細管周囲毛細血管から尿細管腔内へ分泌される．ゆえに，分泌は濾過とともに尿中へ物質を排泄するしくみの 1 つといえる．再吸収

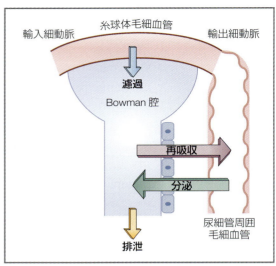

図6.12　ネフロンにおける濾過，再吸収，分泌の過程．3 過程の合算により正味の排泄量が決まる．

と同様に，分泌にも尿細管上皮細胞の膜輸送体を介するものがある．

- **排泄（excretion）**．排泄量（または排泄率）とは，ある物質が一定時間あたりに排泄される量のことをいう．排泄は，濾過，再吸収，分泌の過程を経た結果である．ある物質の濾過量と排泄量を比較すれば，尿細管で再吸収されたのか，分泌されたのかがわかる．

　以下の式は，物質 x の濾過量，排泄量，再吸収または分泌量の算出に用いられる．

濾過量＝糸球体濾過量×物質 x の血漿濃度×
　　　　血漿中で遊離している割合（％）
排泄量＝尿量×物質 x の尿中濃度
再吸収量または分泌量＝濾過量－排泄量

　すなわち，濾過量と排泄量の差が，正味の再吸収量または正味の分泌量を表している．もし濾過量が排泄量よりも大きければ，それらの物質は**正味の再吸収（net reabsorption）**がなされている．もし濾過量が排泄量よりも小さければ，その物質は**正味の分泌（net secretion）**がなされている．この計算式の例は図 6.13 に示す．A は再吸収，B は分泌の例である（血漿タンパク質に結合している物質の濾過量は，結合していない割合を用いて補正しなければならない）．

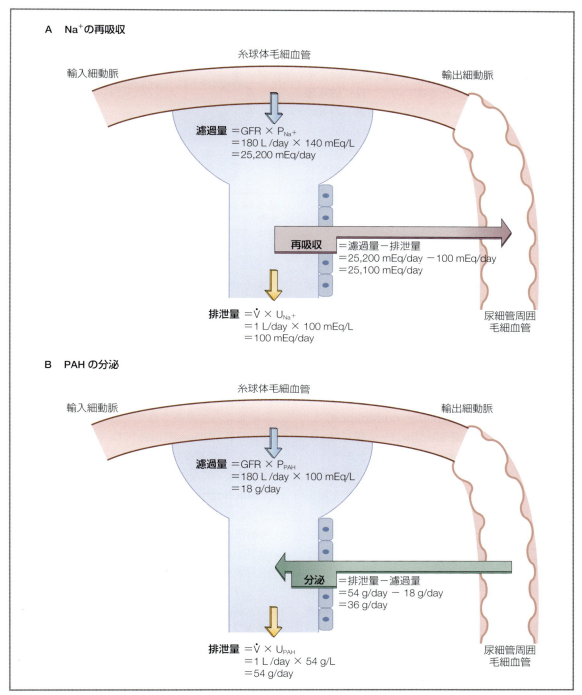

図 6.13 再吸収と分泌の例.
A：Na$^+$ の再吸収. Na$^+$ は糸球体濾過後, 尿細管で再吸収される. Na$^+$ 排泄量は, 濾過量と再吸収量の差である. B：パラアミノ馬尿酸 (PAH) の分泌. PAH は糸球体濾過と尿細管からの分泌によって排泄される. PAH の排泄量は, 濾過量と分泌量の和である. GFR：糸球体濾過量, P$_{Na^+}$：血漿 Na$^+$ 濃度, P$_{PAH}$：血漿 PAH 濃度, U$_{Na^+}$：尿中 Na$^+$ 濃度, U$_{PAH}$：尿中 PAH 濃度.

図6.13AはNa$^+$が濾過された後，再吸収されることを示している．ここで，Na$^+$の濾過量は25,200 mEq/day（糸球体濾過量×血漿Na$^+$濃度），排泄量は100 mEq/day（尿量×尿中Na$^+$濃度）である．濾過量が排泄量よりも多いので，**Na$^+$は再吸収されている**ことになる．腎臓は，濾過したNa$^+$の濾過量の99.6%（25,100 mEq/25,200 mEq）を再吸収している．

　図6.13BではPAHが濾過された後，分泌もされることを示している．この例では，PAHの濾過量は18 g/day（糸球体濾過量×血漿PAH濃度），排泄量は54 g/day（尿量×尿中PAH濃度）である．濾過量は排泄量よりも少ないので，**PAHは分泌されている**ことがわかり，分泌量は36 g/day（排泄量−濾過量）である．この場合，PAHの分泌量は濾過量の2倍である．

グルコース—再吸収の例

　グルコースは糸球体毛細血管から濾過され，近位曲尿細管の上皮細胞から再吸収される．グルコースの再吸収は，管腔膜を通過させる**Na$^+$-グルコース共輸送（Na$^+$-glucose cotransport）**と，側底膜を通過させる**促進型グルコース輸送（facilitated glucose transport）**，という2ステップのプロセスを経て行われる．グルコース輸送体の数は限られているので，最大輸送量（T_m）を超えるとその輸送は飽和する．

■グルコース再吸収の細胞内メカニズム

　図6.14に，近位尿細管起始部のグルコース再吸収の細胞内メカニズムを示す．上皮細胞の管腔膜は管腔液に面していて，膜上にはNa$^+$-グルコース共輸送体がある．基底側膜は尿細管周囲毛細血管内の血液に面しており，Na$^+$-K$^+$ ATPase（Na$^+$-K$^+$ ATPアーゼ）とグルコース輸送体がある．以下，管腔液から尿細管周囲毛細血管内へグルコースを再吸収するためのステップである．
1. グルコースは，管腔膜の**Na$^+$-グルコース共輸送体（Na$^+$-glucose cotransporter：SGLT2）**を介して管腔液から細胞内へ移動する．Na$^+$ 1個とグルコース1個が共輸送タンパク質に結合

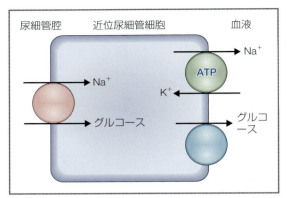

図6.14　近位尿細管起始部のグルコース再吸収のしくみ．
ATP：アデノシン三リン酸．

すると，輸送タンパク質の立体構造が変化し，Na$^+$とグルコースが細胞内に取り込まれる．このとき，グルコースは電気化学的勾配に逆らって輸送される．グルコースのこの上り坂輸送のためのエネルギーは，Na$^+$の下り坂輸送に依存する．
2. Na$^+$濃度勾配は，基底側膜にあるNa$^+$-K$^+$ ATPaseによって維持されている．ATPは直接的にNa$^+$-K$^+$ ATPaseを活性化し，それに伴って間接的にNa$^+$濃度勾配が維持されることになるため，Na$^+$-グルコース共輸送は**二次性能動輸送（secondary active transport）**とよばれる．
3. グルコースは，**促進拡散（facilitated diffusion）**により上皮細胞内から尿細管周囲毛細血管内へ輸送される．ここではグルコースは電気化学的勾配に従って移動するので，エネルギーを必要としない．促進型グルコース輸送体には，高親和性のGLUT1，低親和性のGLUT2がある．

■腎におけるグルコース輸送と血糖値

　グルコース滴定曲線（glucose titration curve）は，血漿グルコース濃度とグルコース輸送量の関係を示している（図6.15）．グルコースの濾過量，再吸収量，排泄量が同一グラフ上にプロットされている．グルコース滴定曲線は，実験的にグルコースを血中に注入してその血漿中濃度を上昇させ，再吸収量，排泄量を測定することにより得ら

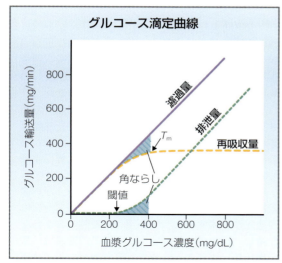

図 6.15　グルコース滴定曲線.
グルコース濾過量，再吸収量，排泄量と血漿グルコース濃度の関係を示す．斜線部は角ならしを示す．T_m：尿細管の最大輸送量．

れたものである．滴定曲線は，それぞれの関係を別々に考え，次いで3つの関係をあわせて考えることができるため，グルコース輸送を最も理解しやすい図である．

● 濾過量

　グルコースは糸球体濾過障壁を自由に通過するので，濾過量は糸球体濾過量と血漿グルコース濃度の積により求められる（濾過量＝糸球体濾過量×物質xの血漿濃度）．したがって，血漿グルコース濃度が増加すると濾過量も直線的に増加する．

● 再吸収

　血漿グルコース濃度が200 mg/dL 以下であれば，Na^+-グルコース共輸送体は十分に存在するので，濾過されたすべてのグルコースを再吸収することができる．また，濾過量と再吸収量が等しいため，再吸収曲線は濾過曲線と一致する．しかし，輸送体の数には限りがある．血漿グルコース濃度が200 mg/dL 以上になると再吸収できないグルコースが生じ，再吸収曲線の傾きが変わる．血漿グルコース濃度が350 mg/dL 以上になると，輸送体は完全に**飽和**（saturation）し，再吸収は最大値 T_m で頭打ちになる．

● 排泄量

　排泄量曲線を理解するためには，濾過量および再吸収量の曲線と比較するとよい．血漿グルコース濃度が200 mg/dL 以下であれば，濾過されたすべてのグルコースは再吸収され，尿中へは排泄されない．血漿グルコース濃度が200 mg/dL 以上になると，輸送体は飽和点に近づき濾過されたグルコースの大半は再吸収されるが，一部のグルコースは再吸収されず排泄される．グルコースが尿中に排泄され始める血漿グルコース濃度の値を**閾値**（threshold）とよび，T_m に達する前の血漿グルコース濃度で生じる．血漿グルコース濃度が350 mg/dL 以上になると T_m に達しており，輸送体は完全に飽和状態にある．排泄曲線は血漿グルコース濃度に対して直線的に増加し，濾過量曲線とは平行に増加する．

　グルコース再吸収量は尿細管最大輸送量 T_m へ向かって，急ではなく徐々に近づく（図 6.15）．これを**角ならし**（splay）とよぶ．角ならしは，再吸収量が飽和に達しつつあるが，完全には達していない滴定曲線の部分で生じる．ここで，グルコースは再吸収量が T_m 値に達する前に尿中に排出されている．

　角ならしが生じる原因として2つの説明がなされている．1つ目は，Na^+-グルコース共輸送体の**低い親和性**のためである．例えば，T_m 値の近くでグルコースが輸送体から離れてしまった場合，再度結合するための結合部位がほとんど残っていないため尿中に排泄されてしまう．2つ目は，ネフロンの**不均一性**（heterogeneity）のためである．各ネフロンの T_m 値は均一ではなく，腎臓における尿細管最大輸送量 T_m は，個々のネフロンの T_m 値を平均したものを反映している．低い血漿濃度で T_m に達するネフロンは，尿細管最大輸送量 T_m（平均値）に達する前にグルコースを尿中に排出しているのである．

■ 糖尿

　正常な血漿グルコース濃度（70〜100 mg/dL）では，濾過されたグルコースはすべて再吸収され，尿中へは排泄されない．しかし，以下のような条件で**糖尿**（glucosuria）（尿中へのグルコースの排

Box 6.1 糖尿

▶ 症例

ある女性が，過度の口渇感と頻尿のため受診した．それまでの1週間，日中は1時間おき，夜は4，5時間おきに排尿したという．医師が試験紙を用いて尿検査を行ったところ，糖が検出された．女性は一晩絶食し，翌朝グルコース（ブドウ糖）負荷試験を行うように指示された．グルコース溶液摂取後の血糖値は200 mg/dLから800 mg/dLへと増加した．尿量とグルコース濃度をはかるために，尿は一定時間間隔で採取された．女性の糸球体濾過量（GFR）はクレアチニンクリアランス法により120 mL/minと算出され，グルコースの再吸収量（グルコース濾過量−グルコース排泄量）は375 mg/minであった．医師は，この女性の糖尿は1型糖尿病によるものであると診断した（腎臓におけるグルコース輸送機構の障害ではない）．

▶ 解説

この女性の糖尿病は，(1)腎臓におけるグルコース輸送機能の障害，または，(2)近位尿細管の再吸収能力を上回るほどのグルコース濾過量の増加の2

通りの原因が考えられる．どちらの原因が正しいかを判断するため，血糖値を上昇させ再吸収量を測定することにより，グルコース最大輸送量（T_m）を算出した．糖尿が腎臓の障害により引き起こされたものであれば，T_m値が正常値よりも低くなるはずであったが，T_m値は375 mg/minと正常値であった．医師は，女性の糖尿の原因は，膵臓からのインスリン分泌不足による血糖値の上昇によるものであると結論づけた．

過度の排尿は，尿細管腔内でグルコースが再吸収されなかったことにより生じる．グルコースは浸透圧性利尿薬のように作用し，管腔内の水分を保持し，尿生成を促進する．過度の口渇感は，尿量増加のためである．また，高血糖が血漿浸透圧を上昇させ，視床下部の口渇中枢を刺激したことも理由の1つである．

▶ 治療

定期的なインスリン注射を行うことにより，血糖値を下げる．

泄または流出）が生じることもある．糖尿の原因は，グルコース滴定曲線を再度振り返ってみると理解できる：(1)コントロール不良の**糖尿病（diabetes mellitus）**では，インスリン不足によって血漿グルコース濃度が異常に高い値に上昇する．このような場合，グルコースの濾過量は再吸収能力を超えてしまうため（血漿グルコース濃度は尿細管最大輸送量 T_m よりも高い），グルコースは尿中に排泄される．(2)**妊娠（pregnancy）**中は糸球体濾過量が増加する．糸球体濾過量の増加に伴いグルコース濾過量も増加し，再吸収能力を上回ると尿中に排泄される．(3)先天的な **Na^+-グルコース共輸送体異常**には，尿細管最大輸送量 T_m の減少をもたらすものがある．血漿グルコース濃度が正常値より低くても，尿中へ排泄されることがある（Box 6.1）．

■ 尿素—受動的再吸収の例

尿素は，ネフロンのほとんどの部位で再吸収される（図6.16）．グルコースは輸送体を介したメカニズムにより再吸収が行われるのに対し，尿素

は拡散（単純拡散と促進拡散）で再吸収または分泌される．再吸収量は，管腔液中と血液中の尿素の濃度差，および上皮細胞の尿素の透過性によって決まる．尿素の濃度差が大きく透過性が高ければ尿素の再吸収量は大きいが，濃度差が小さいかまたは透過性が低ければ尿素の再吸収量は小さい．

尿素は糸球体濾過障壁を自由に通過するため，濾過直後の濃度は血中濃度と同じである（ネフロン起始部で，尿素再吸収のための濃度差や駆動力はない）．しかし，水がネフロン内で再吸収されるにつれ，管腔液の尿素濃度は増加し，受動的な尿素再吸収の駆動力が生じる．そのため，尿素の再吸収は水の再吸収と同じパターンとなる．水の再吸収量が増加すればするほど，尿素の再吸収量も増加し，分泌量は減少する．

尿素は，**近位尿細管**で単純拡散により50%が再吸収される．水が近位尿細管で再吸収されると，尿素濃度が血中より管腔内でわずかに高くなる．この濃度勾配により尿素は受動的に再吸収される．近位尿細管では濾過された尿素のうち50%が再吸収され，残り50%が管腔内に残って

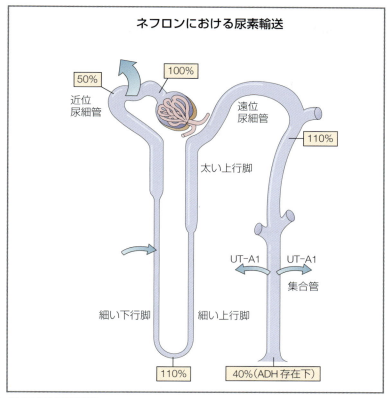

図 6.16　ネフロンにおける尿素輸送.
矢印は尿素の再吸収または分泌部位，数字はネフロン内各部位の濾過量に対する尿素の残存率を示す．ADH：抗利尿ホルモン，UT-A1：尿素輸送体．

いる．次の Henle ループの細い下行脚（thin descending limb of Henle's loop）では，尿素は分泌される．詳しくは後述するが，髄質内層の間質液では尿素濃度が高く保たれている．そのため，Henle ループの細い下行脚が髄質内層を通過する際，尿素は濃度の高い間質液から管腔内へ拡散する．近位尿細管で再吸収された以上の尿素が分泌されるため，ここでの管腔内尿素量は濾過直後の 110% にもなる．Henle ループの太い上行脚（thick ascending limb of Henle's loop），遠位尿細管，皮質集合管（cortical collecting duct），髄質外層集合管（outer medullary collecting duct）では，尿素は非透過であるため，尿素の移動はない．しかし，抗利尿ホルモンの存在下で，水は遠位尿細管の後半部から皮質，髄質外層集合管で再吸収されるが，尿素は"取り残され"，管腔内の濃度はさらに高くなる．髄質内層集合管（inner medullary collecting duct）には，抗利尿ホルモンにより活性化される促進拡散型の尿素輸送体（urea transporter 2：UT2, UT-A1）がある．抗利尿ホルモン存在下で，尿素は濃度勾配に従って管腔内から間質液へ UT-A1 によって再吸収される．最終的に，濾過された尿素のおよそ 70% が UT-A1 によって再吸収され，残りの 40% は尿中へ排泄される．髄質内層で再吸収された尿素は，後述する尿素リサイクル（urea recycling）とよばれる過程で，髄質最深部（乳頭）の浸透圧勾配を保っている．

■ パラアミノ馬尿酸―分泌の例

　パラアミノ馬尿酸（PAH）は，腎血漿流量測定に用いられる物質として知られている．PAH は糸球体から濾過され，さらに尿細管周囲毛細血管から管腔液中へ分泌もされる有機酸である．PAH

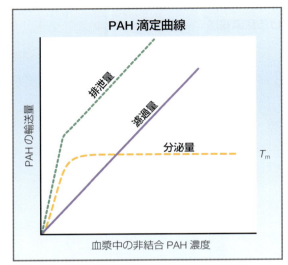

図 6.17　パラアミノ馬尿酸(PAH)の滴定曲線.
PAH の濾過量,分泌量,排泄量と血漿 PAH 濃度の関係を示す.T_m：尿細管最大輸送量.

の濾過,分泌,排泄も,グルコースのように同時にプロットすることができる(図 6.17)(PAH に関しては,再吸収量の代わりに分泌量をプロットする).

● 濾過量

血液中の PAH の 10％は血漿タンパク質と結合しており,血漿タンパク質と結合していない PAH だけが糸球体の濾過障壁を通過する.PAH の濾過量は,結合していない PAH 濃度の増加とともに直線的に増加する(濾過量＝糸球体濾過量×物質 x の血漿濃度).

● 分泌

PAH(および,その他の有機酸)の輸送体は,近位尿細管細胞の基底側膜に存在する.この輸送体は PAH を血液から尿細管腔内へ,細胞内を通過させて輸送するが,その輸送能力は限られている.低濃度の PAH では,多くの輸送体が利用可能な状態であり,分泌量は血漿濃度の増加とともに直線的に増加する.輸送体が飽和するまで PAH 濃度が増加した時点が,**尿細管最大輸送量**(T_m)である.この濃度以上に PAH 濃度が増加しても,分泌量のさらなる増加はない.PAH 輸送体は**ペニシリン(penicillin)** などの薬物の分泌にも関与し,**プロベネシド(probenecid)** によって抑制さ

れる.

ちなみに,PAH のような有機酸の分泌があるように,近位尿細管内では並行して**有機塩基**(キニン,モルヒネなど)の分泌も存在する.これら有機酸および有機塩基の分泌メカニズムについては,非イオンの拡散の項において述べる.

● 排泄

PAH のように分泌される物質の排泄量は,濾過量と分泌量の和で算出される.低濃度の PAH(T_m 値よりも低い)では,濾過量と分泌量の両方が増加するため,排泄量の曲線は血漿 PAH 濃度の増加に伴い急勾配に増加する.T_m 値よりも高い PAH 濃度では,分泌量はすでに飽和状態にあり濾過された分のみ増加するため,排泄量の曲線の勾配は緩くなる(濾過量の曲線と平行になる).

尿酸─再吸収と分泌の例

尿酸(プリン代謝の副産物)は,ネフロンで糸球体濾過された後,再吸収,分泌される(図 6.18).尿酸輸送は 2 つの点で通常とは異なっている.1 つ目は,再吸収と分泌の両方が行われるということである(両方向性輸送).2 つ目は,再吸収と分泌の両方が近位尿細管で(近接した部位で)行われるということである.この尿酸輸送の過程は,以下のように生じる.

1. 尿酸は糸球体毛細血管から自由に濾過される.このとき,Bowman 腔にある尿酸を 100％とする.
2. **近位曲尿細管**で,濾過された尿酸の 99％が管腔膜上の URAT1 から**再吸収**される.URAT1 は尿酸とモノカルボン酸【訳者注：このときのモノカルボン酸は主に乳酸】を交換輸送し(尿酸は管腔から細胞内へ,モノカルボン酸は細胞内から管腔へ),尿酸は基底側膜の促進拡散輸送体を介して血液中へ再吸収される.結果として,この再吸収の後,近位尿細管の管腔内には 1％の尿酸が残る.
3. 次に,**近位曲尿細管**の基底側膜にある**有機アニオン交換輸送体(organic anion exchanger)** によって,尿酸はジカルボン酸と交換で細胞内に取り込まれ,その後,管腔へ分泌される.この分泌の過程で,濾過された尿酸の約半分が管

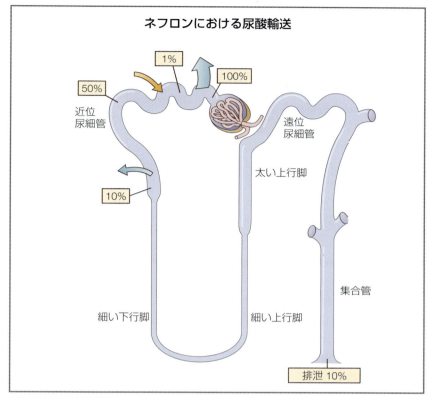

図 6.18　ネフロンにおける尿酸輸送．
矢印は尿酸の再吸収または分泌部位，数字はネフロン内各部位における濾過量に対する尿酸の残存率を示す．

腔に戻る．そのため，この分泌過程の後，近位尿細管の管腔内には濾過された尿酸の50%が存在することになる．

4. 最後に，**近位直尿細管**で尿酸は再び URAT1 から**再吸収**される．

この3つのステップ—再吸収，分泌，分泌後再吸収—の結果，近位直尿細管の管腔には，はじめに濾過された尿酸の10%が残る．このように，再吸収は分泌より大きいので，尿酸は**正味の再吸収**があることになる．最終的に，尿酸は近位尿細管の下流では輸送されないため，残った10%の尿酸はそのまま尿中へ排泄される．

プロベネシド（probenecid）は，尿酸の再吸収と分泌，両方を抑制する薬である．2つの働きを抑制するため，この薬の最終的な効果が尿酸排泄を増加させるのか，減少させるのか，疑問に思うかもしれない．その答えは，尿酸の再吸収は分泌よりも大きい，ということにヒントがある．プロベネシドは，正味の尿酸再吸収を減少させ，尿酸排泄を増加させる．こうした理由から，プロベネシドは**尿酸排泄促進薬（uricosuric）**として高尿酸血症（例えば痛風）の治療に用いられている．

一方で，**サリチル酸（salicylic acid）**は尿酸排泄に対して二面性の作用を持つ．低用量では，サリチル酸は尿酸**分泌**を阻害して尿酸排泄を減少させ，血中濃度を上昇させる．高用量では，尿酸の**再吸収**を抑制して尿酸排泄を増加させ，血中尿酸濃度を減少させる．

弱酸および弱塩基 —非イオンの拡散

近位尿細管で分泌される物質の多くは，弱酸（PAH，サリチル酸など）または弱塩基（キニン，モルヒネなど）である．これらの物質は荷電または非荷電のどちらかの形で存在し，相対的な量はpHに依存する（**第7章**）．**弱酸（weak acid）**は，

酸の形 HA または共役塩基 A⁻ の形で存在する．低い pH では非荷電の HA が優勢であり，高い pH では荷電をもった A⁻ が優勢である．**弱塩基 (weak base)** としては，塩基の形は B，共役酸は BH⁺ である．低い pH では荷電をもった BH⁺ が優勢であり，高い pH では非荷電の B が優勢である．弱酸と弱塩基の腎排泄において重要な点は，(1)荷電および非荷電の物質の相対的な量は尿 pH に依存し，(2)非荷電（すなわち，"非イオン"）物質のみが細胞を通って拡散できるということである．

腎臓からの弱酸と塩基の排泄における**非イオンの拡散 (non-ionic diffusion)** について説明するために，**弱酸**であるサリチル酸（HA）とその共役塩基であるサリチル酸イオン（A⁻）の排泄について考えてみよう（以降，2つの形態をともに"サリチル酸"とする）．PAH と同様に，サリチル酸は糸球体から濾過され，近位尿細管中に分泌される．この2つのプロセス（濾過と分泌）の結果，サリチル酸の尿中濃度は血中濃度よりはるかに高くなり，細胞を隔てて濃度勾配が成立する．尿中では，サリチル酸は HA と A⁻ の両方の形で存在し，非荷電の HA は濃度勾配に従って細胞内を横切って尿中から血液へ拡散できるが，荷電している A⁻ は拡散できない．**酸性尿 (acidic urine pH)** では，非荷電の HA が優位であり，尿中から血液中へ多くの"逆行性拡散"が行われ，サリチル酸の排泄（およびクリアランス）は減少する．**アルカリ尿 (alkaline urine)** では，荷電型の A⁻ が優位であり，尿中から血液中への"逆行性拡散"が減少し，サリチル酸の排泄（およびクリアランス）は増加する．この関係は**図 6.19** に示すように，弱酸のクリアランスはアルカリ尿で非常に高く，酸性尿で非常に低い．非イオンの拡散の原理は，過剰なアスピリン（サリチル酸）を処理するための基盤となっており，アルカリ尿では多くのサリチル酸が A⁻ として存在するため，血液中へ逆行する拡散は起こらず尿中へ排出されることになる．

非イオンの拡散が弱塩基排泄へ及ぼす影響は，弱酸とは対照的になる（図 6.19）．**弱塩基**が濾過および分泌されると，尿中濃度は血中濃度よりも高くなる．尿中では，弱塩基は BH⁺ および B の

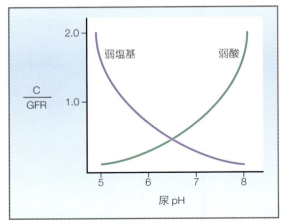

図 6.19　非イオンの拡散．
弱酸と弱塩基のクリアランスと尿 pH の関係を示す．C：弱酸または弱塩基のクリアランス，GFR：糸球体濾過量．

形として存在する．非荷電の B は，濃度勾配に従って尿中から血液中へ細胞内を経て拡散することができるが，荷電している BH⁺ は拡散できない．**アルカリ尿**では B が優勢であるため，尿中から血液中へ多くの"逆行性拡散"が行われることになり，弱塩基の排泄（およびクリアランス）は減少する．**酸性尿**では BH⁺ が優位であり，尿から血液中への"逆行性拡散"が減少し，弱塩基の排泄（およびクリアランス）は増加する．

単一ネフロンに関する用語

本章の残りで，Na⁺，Cl⁻，HCO₃⁻，K⁺，H₂O などの特定の物質の腎臓における処理について述べる．腎機能全体を理解することで，部分的な機能の理解が可能になる．例えば，Na⁺ は糸球体で濾過された後，尿細管でほぼ完全に再吸収され，排泄されるのはごくわずかである．では，再吸収はどのように行われているのだろうか．Na⁺ の再吸収はネフロン全体で行われるのか，または，ある分節のみで行われるのか．また，それにはどのような細胞輸送のメカニズムが関与しているのか．

このような高度な疑問を解明するために，**単一ネフロン機能 (single nephron function)** を調べ

る方法が開発された．微小穿刺法とは，個々のネフロンから管腔内液を直接採取し，分析する方法である．単離ネフロン灌流法は，腎臓からネフロンを分節ごとに単離し，生体外で人工的な溶液で灌流する方法である．膜単離法は，腎上皮細胞の管腔膜または基底側膜から分子を単離し，生化学的特徴および輸送特性を調べる方法である．

単一ネフロンの機能に関する用語は，腎全体の機能に関する用語と類似している．例えば，腎全体の用語で"U"は尿を表し，単一ネフロンの用語で"TF"は尿細管腔液を表す．"GFR"は腎全体の糸球体濾過量を，そして"SNGFR"は単一ネフロンの糸球体濾過量を表す．用語・略語とその意味の概要は**表6.3**を参照のこと．

[TF/P]$_x$ 比

[TF/P]$_x$比は，物質 x の尿細管腔液中の濃度と体循環系の血漿中の濃度の比である．微小穿刺法を用いることにより，Bowman 腔からネフロンに沿って，さまざまな部位で[TF/P]$_x$比を測定することができる．**血漿濃度は一定であると仮定すると**，[TF/P]$_x$の変化は，尿細管腔液中の物質 x の濃度変化を反映する．

[TF/P]$_x$比がどのように使われるのかを理解するために，簡単な例で考えてみる．[TF/P]$_{Na^+}$比を Bowman 腔で測定したところ 1.0 であったと仮定する．1.0 という値は，尿細管腔液中の Na$^+$濃度が血漿中の Na$^+$濃度と等しいことを意味する．この値は，糸球体濾過に関する知識に基づくと理にかなっている．Na$^+$は糸球体から Bowman 腔内へ自由に濾過され，濾過された Na$^+$濃度は血漿濃度と同じである（わずかな Gibbs-Donnan の修正は伴う）．ここではまだ，再吸収，分泌のいずれも行われていない．一般的な概念では，**自由に濾過された物質の Bowman 腔内の[TF/P]$_x$は1.0 である**（再吸収または分泌により変化していないため）．

以下の説明は，種々の物質 x について[TF/P]$_x$が 1.0 の場合，1.0 より小さい場合，1.0 より大きい場合について示したものである．ここでも物質 x の血漿濃度は一定であると仮定する．

- [TF/P]$_x$＝1.0

[TF/P]$_x$比が 1.0 である場合，2 つの理由が考えられる．**第 1 に考えられる**ことは，前述した通り，Bowman 腔でにまだ再吸収も分泌も行われないため自由に濾過された溶質の[TF/P]$_x$比は 1.0 になる，ということである．**第 2 に考えられる**ことは，より複雑になるが，例えば，近位尿細管終末部で採取された尿細管腔液の[TF/P]$_x$が 1.0 であったとする．**それは溶質 x が近位尿細管で再吸収も分泌も行われないことを意味するのだろうか**．必ずしもそうではない．溶質 x は再吸収されたが，水の再吸収も正確に同じ割合で起こった可能性がある．もし，溶質 x と水が比例して再吸収された場合，管腔液中の溶質の濃度は変化しない．事実，これは近位尿細管内の Na$^+$で起こっていることである．Na$^+$は再吸収されるが，Na$^+$と水の再吸収は比例しているので，[TF/P]$_{Na^+}$は近位尿細管全体にわたって 1.0 のままなのである．

- [TF/P]$_x$＜1.0

[TF/P]$_x$が 1.0 よりも小さいということは，1 つの理由しかない．溶質の再吸収量が水の再吸収量より大きくなり，管腔液中の溶質濃度が血漿中の溶質濃度よりも低下した場合だけである．

- [TF/P]$_x$＞1.0

[TF/P]$_x$が 1.0 よりも大きいということは，2 つの理由が考えられる．**第 1 に考えられる**ことは，溶質は再吸収されるが，その再吸収量が水の再吸収量よりも少ない場合である．溶質の再吸収が水の再吸収よりも遅れると，管腔液中の溶質濃度が上昇する．**第 2 に考えられる**ことは，管腔液中に溶質の分泌があり，その溶質の濃度が血漿の溶質濃度より高くなる場合である．

[TF/P]$_{イヌリン}$

前項では，[TF/P]$_x$の値を理解するためには，水の再吸収に関する知識も必要であるということを強調している．ここで，もう一度考えてみよう．x は濾過されるが再吸収も分泌もされないために，[TF/P]$_x$は 1.0 と等しいのだろうか．もしくは，x と水の再吸収が比例しているために[TF/P]$_x$は 1.0 と等しいのだろうか．x と水の再吸収量を同時に測定できれば，どちらの可能性があて

314　第6章　腎臓の生理学

はまるのか判別できるようになる.

　イヌリンは，糸球体濾過量を測定するのに用いられる物質であるが，単一ネフロンにおける**水の再吸収量測定**にも用いることができる．イヌリンはいったん糸球体から濾過されると，再吸収も分泌もされない．したがって，管腔液中のイヌリン濃度は，それ自身の再吸収および分泌によって影響を受けず，存在する水分量のみに影響を受ける．例えば，Bowman腔においてイヌリンは自由に濾過されるため，管腔液中のイヌリン濃度は血漿イヌリン濃度と等しい．水がネフロンに沿って再吸収されると，管腔液中のイヌリン濃度は着実に上昇し，血漿濃度よりも高くなる．

　水の再吸収量は，[TF/P]イヌリン値から算出できる．例えば，管腔液中の[TF/P]イヌリン値が2.0であったとする．**[TF/P]イヌリン＝2.0**は，管腔液中のイヌリン濃度が血漿イヌリン濃度の2倍であることを意味する．管腔液中のイヌリン濃度が2倍になるには，ネフロンの前半部分で水が再吸収されなければならない．**どのくらいの水が再吸収されれば[TF/P]イヌリンは2.0になるだろうか**．この単純な疑問は直観的に解決できる．管腔液中のイヌリン濃度が倍増するのなら，50％の水が除去された（すなわち，再吸収された）に違いない．

　[TF/P]イヌリン値を用いて，水の再吸収率を求めることができる．

$$濾過された水の再吸収率 = 1 - \frac{1}{[TF/P]_{イヌリン}}$$

　この式は，**[TF/P]イヌリン＝2.0**の直観的な解法と比較することで理解できる．上記の式では，濾過された水の再吸収率は1−1/2＝0.5または50％となる．数学的な解法は，直観的なアプローチと同じ答えを正確に導き出し，50％の水が再吸収されたと結論づけられる．

　他の[TF/P]イヌリン値については直観的に解くことは容易ではなく，数式を使用することが必要になってくる．例えば，**[TF/P]イヌリン＝100**であれば，濾過された水の再吸収率は1−（1/100）＝1−0.01＝0.99もしくは99％である．この99％という値は集合管の終末部で得られる値であり，濾過された水の99％が血液中に再吸収された後の状態である．

[TF/P]x/[TF/P]イヌリン

　[TF/P]イヌリン比は，水再吸収をふまえて[TF/P]xを補正する手段である．この補正によって，溶質が再吸収されたのか，分泌されたのか，もしくはまったく輸送されなかったのかを確実に知ることができる．[TF/P]x/[TF/P]イヌリンは，この補正を行うための**二重比率（double ratio）**である．二重比率の正確な意味は，ネフロン内のある部位で，**残っている物質xの濾過量に対する割合**である．例えば，[TF/P]x/[TF/P]イヌリン＝0.3であるならば，xの濾過量の30％がネフロンのある部位の管腔液中に残っているか，もしくは70％が再吸収されたかである．この値は，近位尿細管終末部のNa$^+$の状況に近い．つまり，[TF/P]Na$^+$/[TF/P]イヌリン＝0.3であるならば，濾過されたNa$^+$の30％が管腔液中に残り，70％が再吸収されたことを意味する．前述した近位尿細管終末部では[TF/P]Na$^+$＝1.0であり，Na$^+$は近位尿細管で再吸収されるのかどうかという疑問を思い出すこと．水の再吸収率を二重比率で補正することにより，答えは明らかになる．濾過されたNa$^+$の大部分は再吸収されるが，水の再吸収がそれに伴うので，[TF/P]Na$^+$の値はBowman腔での値と変わらないのである．

Na$^+$バランス

　腎臓のすべての機能のうち，最も重要なのはNa$^+$の再吸収である．Na$^+$は，血漿や間質液からなる細胞外液分画の主要な陽イオンである．血漿量，血液量，血圧を決める細胞外液量を決定するのは，細胞外液中のNa$^+$量である（**第4章**）．したがって，腎機能のうち，Na$^+$の再吸収（すなわち，濾過したNa$^+$を細胞外液に戻すこと）は，細胞外液量，血液量，血圧を正常に維持するうえで非常に重要である．

　体内のNa$^+$量を正常に維持する役割を担っているのは，腎臓である．腎臓では，1日単位でNa$^+$排出量とNa$^+$摂取量が等しくなるよう厳密に調節

されており，この調節を Na$^+$ バランス（Na$^+$ bal-
ance）とよぶ．例えば，1日あたり 150 mEq の
Na$^+$ を摂取する人の場合は，Na$^+$ バランスを維持
するために，毎日 150 mEq の Na$^+$ を過不足なく
排出している．

　Na$^+$ の排出量が摂取量よりも少ないと，その人
は正の Na$^+$ バランス（positive Na$^+$ balance）と
なる．この場合，過剰な Na$^+$ は体内（主に細胞外
液）に留まる．細胞外液中の Na$^+$ 量が増加すると，
細胞外液の量が増える，言い換えると，**細胞外液
量増加**（ECF volume expansion）を引き起こし，
血液量の増加や，動脈圧の上昇をきたし，**浮腫**
（edema）を起こすこともある．

　反対に，Na$^+$ の排出量が摂取量よりも多いと，
その人は負の Na$^+$ バランス（negative Na$^+$ bal-
ance）となる．Na$^+$ の喪失が続くと，細胞外液中
の Na$^+$ 量が減少し，細胞外液の量が減少，つまり
細胞外液量減少（ECF volume contraction）を引
き起こし，血液量の減少や，動脈圧の低下をきた
す．

　体内の Na$^+$ の**量**（細胞外液量を決定する）と Na$^+$
の**濃度**を区別することが重要である．Na$^+$ 濃度は，
存在する Na$^+$ の量だけでなく，水分量によっても
決定される．例えば，Na$^+$ 量が増加しても，（そ
れに比例して水分量が増加すれば）Na$^+$ 濃度は正
常である．また，Na$^+$ 量は正常であっても，（水
分量が減少すれば）Na$^+$ 濃度は上昇する．ほとん
どの場合，Na$^+$ 濃度の変化は，Na$^+$ 量よりもむし
ろ体内水分量の変化によって引き起こされる．
Na$^+$ の**量**と**濃度**それぞれを調節するため，腎臓に
は，Na$^+$ と水の再吸収について別々の調節メカニ
ズムが存在する．

Na$^+$ 輸送の全体像

　図 6.20 に，ネフロンにおける Na$^+$ 輸送を示す．
Na$^+$ は糸球体毛細血管を自由に通過し，続いてネ
フロン全体で再吸収される．矢印はネフロンの各
セグメントにおける再吸収を示し，数値は，濾過
量に対する各セグメントでの再吸収量のおよその
割合である．Na$^+$ の排出量は濾過量の1%未満で
あり，濾過量の99%以上が再吸収されることを
示している．

　Na$^+$ 再吸収の大部分は**近位尿細管**で起こり，濾
過量の 2/3（67%）が再吸収される．近位尿細管に
おける水の再吸収は必ず Na$^+$ の再吸収と関連して
おり，そのメカニズムは等張性である．

　Henle ループの**太い上行脚**では，濾過された
Na$^+$ の 25% が再吸収される．Na$^+$ の再吸収と関連
して水の再吸収が起こる近位尿細管とは対照的
に，太い上行脚では水の透過性がない．

　ネフロンの終端部（遠位尿細管や集合管）では，
濾過量の約 8% が再吸収される．**遠位尿細管前半
部**では，太い上行脚と同様に水の透過性は低く，
濾過量の約 5% が再吸収される．**遠位尿細管後半
部**や**集合管**では，Na$^-$ 再吸収の微調整に相当する
最後の 3% が再吸収され，Na$^+$ バランスが維持さ
れる．Na$^+$ 調節ホルモンである**アルドステロン**の
作用部位が，遠位尿細管後半部から集合管である
ことも理にかなっている【訳者注：本項では，遠
位曲尿細管と結合尿細管を遠位尿細管と分類して
いる（図 6.2 参照）．「遠位尿細管前半部」は遠位曲
尿細管の前半部を指し，「遠位尿細管後半部」は遠
位曲尿細管の後半部と結合尿細管を指す】．

　これまで強調した通り，Na$^+$ バランスを維持す
るためには，尿中に排泄される Na$^+$ 量（例えば，
mEq/day）は，日々摂取する Na$^+$ 量と厳密に同じ
量でなければならない．Na$^+$ の平均摂取量が
150 mEq/day の場合，Na$^+$ バランス維持のために
150 mEq/day を排泄しなければならないが，この
量は濾過量の1%にも満たない（糸球体濾過量
180 L/day，血漿 Na$^+$ 濃度 140 mEq/L の場合，Na$^+$
の濾過量は 25,200 mEq/day となり，150 mEq/
day の排泄量は濾過量の 0.6%（150 mEq/day を
25,200 mEq/day で除した値）に相当する）（図
6.20）．

　Na$^+$ バランス全体を維持するために，ネフロン
の各セグメントは異なる役割を果たす．そのた
め，Na$^+$ 再吸収量や細胞内輸送機構について，各
セグメントごとに説明する．ネフロンの各セグメ
ントにおける機能の概要については，**表 6.7** を参
照のこと．

近位尿細管

　近位尿細管は，近位尿細管前半部と近位尿細管

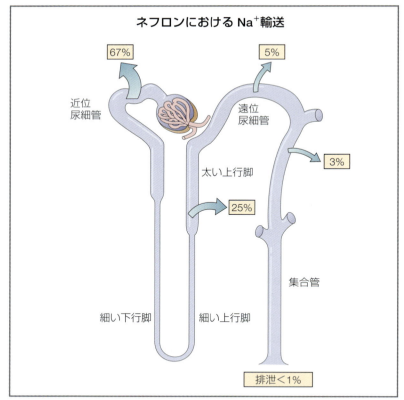

図 6.20　ネフロンにおける Na⁺ 輸送.
矢印は Na⁺ 再吸収の部位を示し，数字は濾過量に対する再吸収率もしくは排泄率を表す．

後半部に分けられる．近位尿細管前半部と後半部では，Na⁺ 再吸収のメカニズムに違いがあり，Na⁺ に付随する陰イオンや他の溶質が異なっている．近位尿細管前半部では，主に重炭酸イオン HCO_3^- やグルコース，アミノ酸などの有機物とともに Na⁺ が再吸収される．近位尿細管後半部では，有機物を伴わず，主に Cl⁻ とともに Na⁺ が再吸収される．

このような違いはあるが，近位尿細管全体として以下のようにまとめることができる：(1)近位尿細管全体で Na⁺ 濾過量の 67％ を再吸収する．(2)近位尿細管全体で濾過された水分量の 67％ を再吸収する．Na⁺ と水が緊密に関連して再吸収されることから，**等張性再吸収（isosmotic reabsorption）**とよばれる．(3)大量の Na⁺ と水（細胞外液の主成分）を再吸収することは細胞外液量を維持するために非常に重要である．(4)近位尿細管は，再吸収と糸球体濾過量を調節する**糸球体尿細**

管バランス（glomerulotubular balance）にかかわる部位である．

まず，近位尿細管前半部と近位尿細管後半部の特徴についてそれぞれ説明した後，近位尿細管の全般的な特性について述べる．

■ 近位尿細管前半部

近位尿細管の最初の半分を近位尿細管前半部とよぶ．このセグメントでは，グルコースやアミノ酸，HCO_3^- などの非常に重要な物質が，Na⁺ とともに再吸収される．グルコースやアミノ酸は代謝において重要な役割を果たし，HCO_3^- は緩衝作用に重要であることから，近位尿細管前半部において**最優先**で再吸収されていると考えられる．

近位尿細管前半部における再吸収のメカニズムを図 6.21 に示す．管腔膜には複数の二次性能動輸送機構があり，膜を介した Na⁺ の濃度勾配を駆動力としている．**第 1 章**で述べた通り，二次性

表6.7　主なネフロンセグメントの機能一覧.

セグメント／細胞型	主要機能	細胞メカニズム	ホルモンの作用	利尿薬
近位尿細管前半部	溶質と水の等張性再吸収	Na^+-グルコース,Na^+-アミノ酸,Na^+-リン酸共輸送	PTHがNa^+-リン酸共輸送を阻害	浸透圧性利尿薬
		Na^+-H^+交換輸送	アンジオテンシンⅡがNa^+-H^+交換輸送を促進	炭酸脱水酵素阻害薬
近位尿細管後半部	溶質と水の等張性再吸収	Cl^-濃度勾配によるNaCl再吸収	—	浸透圧性利尿薬
Henleループの太い上行脚	水を伴わないNaCl再吸収管腔液の希釈対向流増幅系の単一効果管腔の正電位によるCa^{2+}やMg^{2+}再吸収	Na^+-K^+-$2Cl^-$共輸送	ADHがNa^+-K^+-$2Cl^-$共輸送を促進	ループ利尿薬
遠位尿細管前半部	水を伴わないNaCl再吸収管腔液の希釈	Na^+-Cl^-共輸送	PTHがCa^{2+}再吸収を促進	サイアザイド系利尿薬
遠位尿細管後半部および集合管（主細胞）	NaCl再吸収	Na^+チャネル(ENaC)	アルドステロンがNa^+再吸収を促進	K^+保持性利尿薬
	K^+分泌	K^+チャネル	アルドステロンがK^+分泌を促進	K^+保持性利尿薬
	調節性の水再吸収	水チャネル(AQP2)	ADHが水再吸収を促進	
遠位尿細管後半部および集合管（α間在細胞）	K^+再吸収	H^+-K^+ ATPase	—	—
	H^+分泌	H^+ ATPase	アルドステロンがH^+分泌を促進	

ADH：抗利尿ホルモン，PTH：副甲状腺ホルモン，ENaC：上皮性Na^+チャネル，AQP2：アクアポリン2.

能動輸送では，共輸送によってすべての物質が細胞膜を通過して同じ方向に輸送されるか，対向輸送もしくは交換輸送によって，反対方向に輸送される．

　近位尿細管前半部の管腔膜における**共輸送（cotransport）**メカニズムには，Na^+-グルコース輸送（SGLT 2，Na^+依存性グルコース輸送体2），Na^+-アミノ酸輸送，Na^+-リン酸輸送，Na^+-乳酸輸送，Na^+-クエン酸輸送がある．いずれの場合も，電気化学的勾配を利用してNa^+を細胞内へ輸送することに伴って，グルコースやアミノ酸，リン酸，乳酸，クエン酸を電気化学的勾配に逆らって細胞内へ取り込む．その後，Na^+はNa^+-K^+ ATPaseによって血液中に汲み出され，グルコースやその他の物質は促進拡散により輸送される．

　Na^+-H^+交換輸送は，近位尿細管前半部の管腔膜における**対向輸送（countertransport）**，もし

くは**交換輸送（exchange）**の1つである．このメカニズムの詳細は**第7章**において酸塩基の生理学と関連させて議論するので，ここでは簡単な説明に留める．H^+は，Na^+と交換で管腔内に輸送される．H^+は濾過されたHCO_3^-と結合してCO_2と水に変換され，管腔から細胞内へ移動する．細胞内で，CO_2と水はH^+とHCO_3^-に再変換される．H^+はNa^+-H^+交換輸送体により再び管腔内へ輸送され，HCO_3^-は促進拡散により血液中に再吸収される．このサイクル全体を考えると，**濾過されたHCO_3^-の再吸収**となり，近位尿細管前半部でNa^+とともに再吸収される陰イオンは，Cl^-ではなくHCO_3^-といえる．

　近位尿細管前半部の細胞では，Na^+-グルコースやNa^+-アミノ酸の共輸送によって**管腔内が負に帯電する**．これらの輸送体は，正電荷を細胞内に持ち込み，管腔内に負電荷を残す．その他の輸

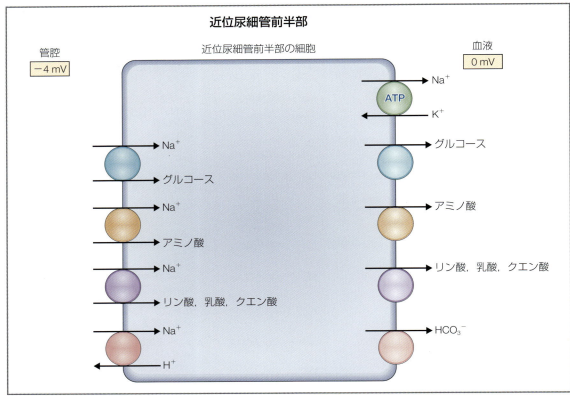

図 6.21　近位尿細管前半部における Na⁺ 再吸収の細胞メカニズム.
経上皮電位差とは,管腔内の電位と血液の電位の差であり,その値は,−4 mV である【訳者注:側底膜において HCO₃⁻ は Na⁺ と共輸送される】.ATP:アデノシン三リン酸.

送体(例えば,Na⁺-H⁺ 交換輸送体)は電気的中性であるため,経上皮電位差に寄与しない.

二次性能動輸送の結果,糸球体濾過液は近位尿細管の中間点に達するまでに次のような作用を受ける:(1)濾過されたグルコースやアミノ酸は 100% 再吸収される.(2)濾過された HCO₃⁻ の 85% が再吸収される.(3)濾過されたリン酸や乳酸,クエン酸の大部分が再吸収される.(4)Na⁺ の再吸収は,これらの輸送過程に共役するため,Na⁺ も大部分が再吸収される.

■ 近位尿細管後半部

前述の通り,近位尿細管前半部を通過した管腔内液は,元の糸球体濾過液とは著しく異なる.濾過されたグルコースやアミノ酸はすべて再吸収され,濾過された HCO₃⁻ の大部分も再吸収される.つまり,近位尿細管後半部に流入する濾液にはグルコースやアミノ酸は含まれず,HCO₃⁻ もほとんど含まれていない.さらに,この管腔内液の **Cl⁻ 濃度は高い**が,それを簡単に証明するのは難しい.近位尿細管前半部では HCO₃⁻ が選択的に再吸収されるため,Cl⁻ が管腔内液に残り,Cl⁻ 濃度が高くなる.水が等張性に再吸収されると管腔内液の Cl⁻ 濃度が上昇し,糸球体濾過液や血液の Cl⁻ 濃度よりも高くなる.

近位尿細管前半部とは対照的に,近位尿細管後半部は主に NaCl を再吸収する(図 6.22).管腔内液の高い Cl⁻ 濃度は,細胞経路と傍細胞(細胞間)経路両方の NaCl 再吸収の駆動力となる.

NaCl 再吸収 (NaCl reabsorption) の細胞経路について以下に説明する.近位尿細管後半の細胞の管腔膜には,おなじみの Na⁺-H⁺ 交換輸送体と,管腔内液の高い Cl⁻ 濃度を駆動力にする **Cl⁻-ギ酸陰イオン交換輸送体** (Cl⁻-formate-anion ex-

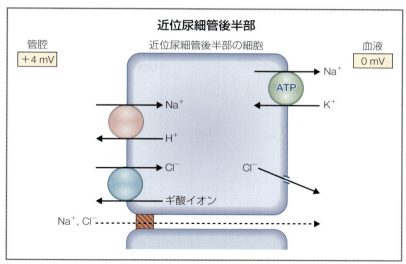

図 6.22 近位尿細管後半部における Na⁺再吸収の細胞メカニズム．
経上皮電位差は＋4 mV である．ATP：アデノシン三リン酸．

changer）の2つの交換輸送機構が存在する．この2つの交換輸送体の機能を組み合わせて，NaClを管腔側から細胞内へと輸送する．そして，Na⁺は Na⁺-K⁺ ATPase により血管側に汲み出され，Cl⁻は拡散により血液中に移行する．

傍細胞経路も，管腔内液の高い Cl⁻濃度によって駆動される．近位尿細管細胞のタイトジャンクションは，実は"タイト"ではなく，NaClのような小さな溶質や水の透過性はかなり高い．したがって，Cl⁻は濃度勾配を利用して，管腔から血液側へ細胞間を通って拡散する．この Cl⁻拡散により **Cl⁻拡散電位（Cl⁻ diffusion potential）**が形成され，血液に対して**管腔は正**に帯電する．続いて，管腔の正の電位差を駆動力にして Na⁺再吸収が起こる．このように，細胞経路と同様に，傍細胞経路も最終的には NaCl の再吸収を引き起こす．

■ 等張性再吸収

等張性再吸収は，近位尿細管機能の特徴である．溶質と水の再吸収は共役しており，比例して起きるため，濾過された溶質の67％が近位尿細管で再吸収された場合，濾過された水も67％再吸収される．

一般的にいう**溶質**には，どのような溶質が含まれるだろうか．主要な陽イオンは Na⁺であり，そ

れに伴って陰イオンの HCO₃⁻（近位尿細管前半）と Cl⁻（近位尿細管後半）が輸送される．それ以外の陰イオンとしては，リン酸，乳酸，クエン酸があり，他の溶質としてグルコースやアミノ酸が挙げられるが，量的に考えると，近位尿細管で再吸収される溶質の大部分は NaCl と NaHCO₃である．

すでに述べた通り，等張性再吸収の結果，近位尿細管全域で [TF/P] $_{Na^+}$ ＝ [TF/P] $_{浸透圧}$ ＝1.0 が成り立つ．近位尿細管で広範囲に Na⁺や溶質（浸透圧物質）の再吸収が起こることを考えると，これは注目に値する．これらの比が 1.0 のままであることは，水の再吸収が Na⁺や他の溶質の再吸収と直接連動していることを示している．

図 6.23 に**等張性再吸収のメカニズム**の模式図を示す．そもそも等張性再吸収では，先に水が再吸収されて溶質が続くのだろうか．それとも，溶質が再吸収されて水が続くのだろうか．図 6.23 の説明の通り，最初に溶質の再吸収が起こり，それに続いて受動的に水が再吸収されるため，後者が正答となる．溶質や水の再吸収経路は点線で表されており，○で囲んだ番号は次のステップ番号に対応している．

① Na⁺は，前の項で説明したいずれかのメカニズムによって管腔膜を通過して細胞内に輸送される．管腔膜の水透過性は高いため，溶質に

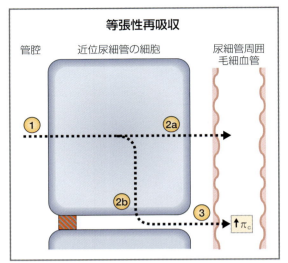

図6.23 近位尿細管における等張性再吸収のメカニズム．
点線の矢印は再吸収の経路を示す．○で囲んだ番号の説明は，本文を参照のこと．π_c：尿細管周囲毛細血管の膠質浸透圧．

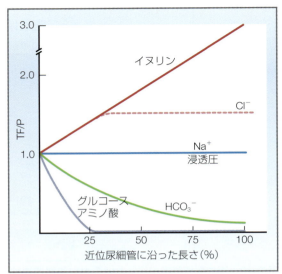

図6.24 近位尿細管における各溶質のTF/P濃度比の変化．

続いて水も輸送され，浸透圧が維持される．

② Na^+は，尿細管周囲に面した側底膜または基底側膜(**底**とは，尿細管周囲毛細血管に面した細胞膜(2a)を指し，**側**は側方細胞間隙に面した細胞膜(2b)を指す)に局在するNa^+-K^+ ATPaseによって細胞外へ汲み出される．水は汲み出されたNa^+に続いて，受動的に細胞外へ輸送される．

③**側方細胞間隙(lateral intercellular space)**は，水や溶質の再吸収のために重要な経路である．ステップ②で示した通り，等張の液体が近位尿細管細胞の間の空間に留まる(近位尿細管での再吸収が亢進すると，この空間が実際に広がることが電子顕微鏡像で確かめられている)．この空間の等張液には，尿細管周囲毛細血管のStarling力が作用する．

再吸収の駆動力となる主なStarling力は，尿細管周囲毛細血管血の**高い膠質浸透圧(high oncotic pressure)**(π_c)である．糸球体濾過により，糸球体毛細血管血のタンパク質濃度(および膠質浸透圧)が上昇することはすでに述べたが，この血液が糸球体毛細血管を出て尿細管周囲毛細血管血となる．ここでの高い膠質浸透圧が，浸透圧のより低い細胞間隙液からの再吸収を促している．

■ 近位尿細管におけるTF/P比

近位尿細管の機能は，さまざまな物質のTF/P濃度比を近位尿細管に沿った長さ【訳者注：近位尿細管開始部位からの相対的距離】の関数としてプロットすることにより，視覚的に理解できる(**図6.24**)．近位尿細管の開始部位(すなわち，Bowman腔)では，再吸収や分泌が起こっていないため，自由に透過するすべての物質について，管腔液の溶質濃度と血漿中の溶質濃度は等しく，そのTF/P比は1.0となる．濾液が近位尿細管中を移動すると，Na^+やすべての溶質が水に比例して再吸収(すなわち，等張性再吸収)されるため，[TF/P]$_{Na^+}$や[TF/P]$_{浸透圧}$は，いずれも1.0に維持される．近位尿細管前半では，グルコースやアミノ酸，HCO_3^-は，水の再吸収より高い割合で再吸収されるため，[TF/P]$_{グルコース}$や[TF/P]$_{アミノ酸}$，[TF/P]$_{HCO_3^-}$は1.0未満になる．近位尿細管前半部では，Cl^-の再吸収は水の再吸収より少ない(すなわち，HCO_3^-がCl^-よりも優先される)ため，[TF/P]$_{Cl^-}$は1.0以上に上昇する．イヌリンは濾過後に再吸収されないため，近位尿細管を進むにつれ[TF/P]$_{イヌリン}$は徐々に上昇する．[TF/P]$_{イヌリン}$が上

昇するのは，水が再吸収される一方，イヌリンは管腔に残るため，管腔液のイヌリン濃度が上昇するためである（近位尿細管全体で，濾過された水の2/3が再吸収されるため，近位尿細管終端部位での[TF/P]イヌリン比は約3.0である）．

■ 糸球体尿細管バランス

糸球体尿細管バランスは，近位尿細管の主要な調節メカニズムであり，濾過（糸球体）と再吸収（近位尿細管）のバランスである．例えば，糸球体濾過量が自然に1%増加すると，Na^+濾過量も同様に1%増加する（溶質xの濾過量＝糸球体濾過量×$[P]_x$（溶質xの血漿濃度））ため，糸球体濾過量が180 L/dayで$[P]_{Na^+}$が140 mEq/Lの場合，Na^+濾過量は25,200 mEq/dayとなり，Na^+濾過量の1%増加は252 mEq/dayに相当する．もし，濾過量の増加に伴って再吸収が増加しなければ，252 mEq/dayのNa^+が過剰に尿中に排泄されることになる．細胞外液のNa^+総量は1,960 mEq（14 L×140 mEq/L）しかないため，252 mEq/dayの喪失は致命的である．

しかし，糸球体尿細管バランスの保護作用により，このようなNa^+の喪失は起こらない．濾過量が増減しても，糸球体尿細管バランスにより，近位尿細管における再吸収が濾過量に対し一定の割合で確保される．この割合（パーセンテージ）は，通常では濾過量の67%（これはなじみの数字であろう）に維持されている．

それでは，定率の再吸収を維持するため，糸球体と近位尿細管はどのようなコミュニケーションをしているのだろうか．糸球体尿細管バランスのメカニズムには，濾過比（filtration fraction）（糸球体濾過量／腎血漿流量）と尿細管周囲毛細血管血のStarling力が関与している（図6.23参照）．前述の例では，腎血漿流量が変化することなく，糸球体濾過量が自然に1%上昇することを仮定した．つまり，濾過比が増加し，糸球体毛細血管血から通常より多くの液体が濾過されたことを意味する．その結果，糸球体毛細血管血のタンパク質濃度や膠質浸透圧が通常より増加し，この血液が下流の尿細管周囲毛細血管血となるため，尿細管周囲毛細血管血の膠質浸透圧が通常より高くな

る．膠質浸透圧は，近位尿細管における等張性再吸収において最も重要な駆動力となるため，再吸収が増加する．

要約すると，糸球体濾過量の増加は濾過比の増加をもたらし，膠質浸透圧を上昇させて，近位尿細管における再吸収を増加させる．一方，糸球体濾過量の減少は濾過比を減少させて，膠質浸透圧を低下させ，再吸収を減少させる．このようにして，濾過と近位尿細管再吸収の比例関係が維持されている（すなわち，糸球体尿細管バランスが存在している）．

■ 細胞外液量の変化

糸球体尿細管バランスによって，通常は濾過されたNa^+や水の67%が近位尿細管で再吸収される．このメカニズムに，糸球体と近位尿細管が，尿細管周囲毛細血管血の膠質浸透圧変化を介してコミュニケーションすることにより，維持されている．しかし，糸球体尿細管バランスは細胞外液量の変化に影響を受ける場合がある．このような影響を受けるしくみは，尿細管周囲毛細血管のStarling力で説明することができる（図6.25）．

● 細胞外液量増加（ECF volume expansion）は，近位尿細管における再吸収の割合を低下させる（図6.25A）．（例えば，生理食塩水の点滴によって）細胞外液量が増加した場合，血漿タンパク質濃度は希釈によって低下し，毛細血管の静水圧（P_c）は上昇する．これらの変化により，尿細管周囲毛細血管では，膠質浸透圧が低下し，静水圧が上昇する．尿細管周囲毛細血管におけるこれらのStarling力の変化は，いずれも近位尿細管における等張性再吸収の割合を低下させる．再吸収されるはずの液体の一部が，（タイトジャンクションを通過して）管腔内に戻り，排泄される．このような糸球体尿細管バランスの変化は，細胞外液量が増加した場合に過剰なNaClや水を排泄するためのメカニズムの1つである．

● 細胞外液量減少は，近位尿細管における再吸収の割合を増加させる（図6.25B）．（例えば，下痢や嘔吐によって）細胞外液量が減少した場合，血漿タンパク質濃度は（濃縮されて）上昇し，毛

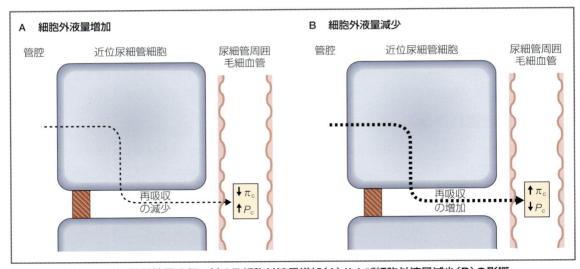

図 6.25　近位尿細管の等張性再吸収に対する細胞外液量増加(A)および細胞外液量減少(B)の影響.
尿細管周囲毛細血管血の Starling 力が変化し，再吸収に影響する．π_c：尿細管周囲毛細血管の膠質浸透圧，P_c：尿細管周囲毛細血管の静水圧．

細血管の静水圧は低下する．その結果，尿細管周囲毛細血管血の膠質浸透圧が上昇し，静水圧が低下する．尿細管周囲毛細血管におけるこれらの Starling 力の変化は，等張性再吸収の**割合を上昇させる**．腎臓が溶質や水の再吸収を通常より増やして細胞外液量を回復させようとしているため，このような糸球体尿細管バランスの変化は，論理的で保護的なメカニズムである．

Starling 力に加えて，細胞外液量減少時に近位尿細管再吸収を増加させる第 2 のメカニズムがある．細胞外液量が減少すると，血液量が減少し，動脈圧が低下して，レニン-アンジオテンシン-アルドステロン系を活性化する．**アンジオテンシンⅡは近位尿細管の Na^+-H^+ 交換輸送（Na^+-H^+ exchange）を刺激し，Na^+ や HCO_3^-，水の再吸収を亢進させる**．結果として，アンジオテンシンⅡは，（Na^+ と水を伴い）HCO_3^- の再吸収を特異的に促進するため，細胞外液量減少は**濃縮性アルカローシス（contraction alkalosis）**（細胞外液量減少に続く代謝性アルカローシス）を引き起こすが，これは第 7 章で説明する．

■ 浸透圧性利尿薬

浸透圧性利尿薬とは，近位尿細管腔に再吸収されにくい物質を存在させることによって，Na^+ と水の排泄を増加させるものである．浸透圧性利尿薬の一例として，濾過されるが再吸収されない糖の一種であるマンニトールが挙げられる．他の例として，未治療の糖尿病が関連する．近位尿細管でグルコース再吸収能力を超えるグルコースが負荷されると，浸透圧利尿が起こる．それぞれの例では，再吸収されなかった糖が近位尿細管腔に存在して，管腔液の浸透圧を上昇させる．近位尿細管では等張性の再吸収が起こるので，**余分な Na^+ が再吸収されることになる**．その結果，管腔液の Na^+ 濃度は近位尿細管前半部で低下し，この管腔液が近位尿細管を進んでも，管腔内 Na^+ 濃度が低いため，Na^+（および水）は再吸収されない．したがって，浸透圧利尿においては，再吸収されない糖（マンニトールやグルコース）の排泄増加が起きているだけでなく，Na^+ や水の排泄も増加する．例えば，未治療の糖尿病では，浸透圧利尿によって細胞外液量の減少が起こる．

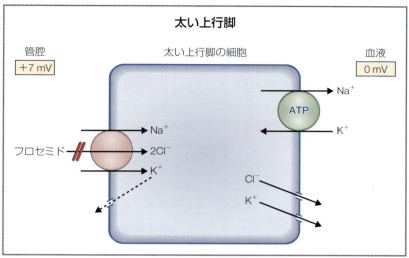

図 6.26　Henle ループの太い上行脚における Na⁺ 再吸収の細胞メカニズム．
経上皮電位差は +7 mV である．ATP：アデノシン三リン酸．

Henle ループ

　Henle ループは，細い下行脚，細い上行脚，太い上行脚の 3 つのセグメントからなり，これらのセグメントが協調して，尿の濃縮や希釈に不可欠な対向流増幅系 (countercurrent multiplication) を構成している．対向流増幅系については本章の後半で説明する．

■ 細い下行脚および細い上行脚

　Henle ループの細い下行脚と細い上行脚の特徴は，低分子量の溶質や水の透過性が高いことである．細い下行脚 (thin descending limb) では，尿素や水の透過性が高い．対向流増幅系では，水は細い下行脚の外へ移動し，溶質は細い下行脚に戻されるため，管腔液は下行脚を進むにつれて徐々に高浸透圧になる．細い上行脚 (thin ascending limb) も NaCl の透過性は高いが，水は通さないため，対向流増幅系によって水を伴わず，溶質だけが細い上行脚の外へ移動し，細い上行脚を進むにつれて管腔液の浸透圧は徐々に低くなる．

■ 太い上行脚

　受動的な透過性だけを示す細い下行脚や上行脚と異なり，太い上行脚では能動輸送により，かなりの量の Na⁺ を再吸収する．通常では，濾過された Na⁺ の **25%** が太い上行脚で再吸収される．
　再吸収のメカニズムは，（遠位尿細管と同様に）**負荷依存的 (load dependent)** である．負荷依存的とは，太い上行脚に流入する Na⁺ が多いほど，その再吸収が増えることを意味する．近位尿細管における Na⁺ 再吸収を抑制した場合でも Na⁺ 排泄はそれほど増加しないが，この現象を負荷依存的な特性で説明できる．例えば，近位尿細管に作用する利尿薬は，軽度の利尿作用しか示さない．利尿薬は実際に近位での Na⁺ 再吸収を阻害するが，Henle ループに流入する **余剰な** Na⁺ の一部は，この負荷依存的メカニズムによって再吸収される．したがって，近位での利尿薬の作用は Henle ループ（および遠位尿細管）で部分的に相殺される．
　太い上行脚の細胞メカニズムを図 6.26 に示す．図に示した通り，管腔膜に 3 種類のイオンを共輸送する **Na⁺-K⁺-2Cl⁻ 共輸送体 (Na⁺-K⁺-2Cl⁻ cotransporter)** が発現している．この輸送体の駆動力は，おなじみの Na⁺ 濃度勾配で，基底側膜の Na⁺-K⁺ ATPase によって維持されている．太い上行脚での Na⁺ や K⁺，Cl⁻ の正味の再吸収は，次のように説明できる．3 種類のイオンは，すべて共輸送体によって細胞内に輸送される．Na⁺ は

Na^+-K^+ ATPase によって細胞外に汲み出され，Cl^- や K^+ は基底側膜のチャネルを介して，電気化学的勾配に従って拡散する．図に示した通り，3 イオン共輸送体によって細胞内に取り込まれた K^+ はすべてではないが，大部分は基底側膜を通過して細胞外へ輸送される．しかし，K^+ の一部は，拡散により管腔内へと戻される．管腔膜を介したこの K^+ のリサイクルが存在するために，細胞内へ輸送される陰イオンのほうが陽イオンよりもわずかに多くなり，3 種類のイオンの正味の輸送は，起電性（electrogenic）となる．この起電性により，太い上行脚の細胞においては管腔内に正の電位差（lumen-positive potential difference）が形成される．管腔内が正となる電位差が Ca^{2+} や Mg^{2+} のような二価の陽イオンの再吸収における駆動力になることは，本章の後半で述べる．

太い上行脚は，最も強力な利尿薬であるループ利尿薬（loop diuretic）の作用部位であり，この種の利尿薬には，フロセミドやブメタニド，エタクリン酸などが含まれる．ループ利尿薬はパラアミノ馬尿酸に関連する有機酸であり，生理的 pH では，Na^+-K^+-$2Cl^-$ 共輸送体の Cl^- 結合部位に結合する陰イオンである．利尿薬が Cl^- 結合部位に結合すると，3 種類のイオン共輸送が機能せず，イオンの輸送が停止する．最大用量のループ利尿薬は，太い上行脚での NaCl 再吸収を完全に阻害し，理論的には濾過量の 25% に及ぶ Na^+ が排泄される可能性もある．

太い上行脚の細胞に水の透過性がないことは，他のほぼすべての細胞膜が高い水透過性を有することを考えると珍しい特徴といえる．太い上行脚では水の透過性がないため，NaCl は再吸収されるが水は再吸収されない．そのため，太い上行脚は希釈セグメント（diluting segment）ともよばれている．つまり，水を残したまま溶質を再吸収するため，管腔液が希釈される．この希釈機能を証明するには，管腔液の Na^+ 濃度や浸透圧の値を調べればよい．太い上行脚から下流へ向かう管腔液の Na^+ 濃度と浸透圧は血液よりも低いため，$[TF/P]_{Na^+}$ と $[TF/P]_{浸透圧}$ は，ともに 1.0 未満になる．

遠位尿細管と集合管

ネフロン終末部（terminal nephron）は，遠位曲尿細管と結合尿細管，集合管で構成されており，両者で濾過された Na^+ の 8% を再吸収する．太い上行脚と同様に，ネフロン終末部の再吸収も負荷依存的（load dependent）で，近位尿細管からの余分な Na^+ を再吸収するためにかなりの能力を有する．遠位尿細管前半部の Na^+ 輸送機構は，遠位尿細管後半部と集合管のメカニズムとは異なるため，各セグメントに分けて説明する．

■ 遠位尿細管前半部

遠位尿細管前半部では，濾過された Na^+ の 5% が再吸収される．細胞レベルでは，管腔膜の Na^+-Cl^- 共輸送体（Na^+-Cl^- cotransporter）が，Na^+ 濃度勾配をエネルギーとして輸送するメカニズムである（図 6.27）．遠位尿細管前半部における Na^+ と Cl^- の正味の再吸収は，次のように説明できる．両イオンは Na^+-Cl^- 共輸送体によって細胞内に取り込まれた後，Na^+ は Na^+-K^+ ATPase によって血管側に汲み出され，Cl^- は基底側膜の Cl^- チャネルを通過して細胞外へ拡散する．

遠位尿細管前半部の Na^+-Cl^- 共輸送体は，太い上行脚の Na^+-K^+-$2Cl^-$ 共輸送体と，以下に述べる点で異なっている．この輸送体は（3 種類ではなく）2 種類のイオンを輸送する電気的に中性な輸送体で，機序の異なるサイアザイド系利尿薬（thiazide diuretic）によって阻害される．クロロチアジド，ヒドロクロロチアジド，メトラゾンなどがこの種の利尿薬に分類される．ループ利尿薬と同様，サイアザイドは有機酸で，生理的 pH において陰イオンである．サイアザイド系利尿薬は，Na^+-Cl^- 共輸送体の Cl^- 部位に結合して輸送サイクルを妨げるため，遠位尿細管前半部における NaCl の再吸収が阻害される．

太い上行脚と同様に，遠位尿細管前半部には水透過性がないため，溶質だけが再吸収されて水は管腔内に残り，管腔液はさらに希釈される．そのため，遠位尿細管前半部は皮質の希釈セグメント（遠位尿細管が腎皮質に存在することを意味する）とよばれる．遠位尿細管前半部に流入する管腔液

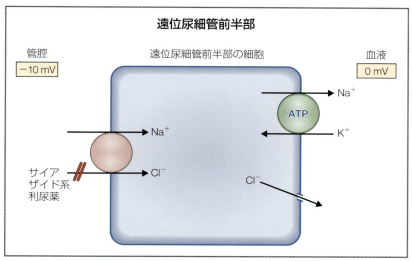

図6.27 遠位尿細管前半部におけるNa⁺再吸収の細胞メカニズム．
経上皮電位差は−10 mVである．ATP：アデノシン三リン酸．

は，太い上行脚の機能によって**すでに希釈（血液と比較して）されている**が，遠位尿細管前半部において，さらに希釈される．

■ 遠位尿細管後半部と集合管

解剖学的にも機能的にも，遠位尿細管後半部と集合管は似ているため，まとめて説明する．これらのセグメントには，**主細胞（principal cell）とα間在細胞（α-intercalated cell）**の2種類の細胞が散在している．主細胞はNa⁺再吸収やK⁺分泌，水再吸収に関与し，α間在細胞はK⁺再吸収やH⁺分泌に関与する．この項では，主細胞におけるNa⁺再吸収を焦点に説明する（水再吸収およびK⁺の分泌や再吸収は本章の後半で説明し，H⁺分泌は第7章で説明する）．

遠位尿細管後半部と集合管では，濾過されたNa⁺の**3%**を再吸収するにすぎない．量的に比較すると，近位尿細管や太い上行脚はもちろん，遠位尿細管前半部との比較でさえ少ない量である．しかし，遠位尿細管後半部と集合管はネフロンの最終セグメントであり，Na⁺排泄量に影響を与える部位である（すなわち，この部位でNa⁺再吸収の微調整を行う）．

遠位尿細管後半部および集合管の主細胞におけるNa⁺再吸収メカニズムを**図6.28**に示す．他のネフロンセグメントでは共役輸送機構がみられるのに対し，主細胞の管腔膜には**上皮性Na⁺チャネル（ENaC）**が発現している．Na⁺は，このチャネルを介して電気化学的勾配に従って管腔内から細胞内へ輸送され，基底側膜のNa⁺-K⁺ ATPaseを介して細胞外へと汲み出される．Na⁺に伴って輸送される主な陰イオンはCl⁻であるが，Cl⁻の輸送機構は解明されていない．

遠位尿細管後半部および集合管の重要な役割がNa⁺再吸収の微調整であることを考えると，これらのセグメントにおけるNa⁺再吸収がホルモンによって調節されていることも驚くべきことではない．**アルドステロン（aldosterone）**は，主細胞に直接作用して**Na⁺再吸収を増加**させる（第4章）ステロイドホルモンである．アルドステロンは，副腎皮質球状帯から分泌され，循環によって主細胞へ運ばれ，拡散によって基底側膜を透過して細胞内へ運ばれる．細胞内のアルドステロンは核内へ移行し，特定のメッセンジャーRNA（mRNA）の転写を活性化する．mRNAは主細胞のNa⁺再吸収にかかわるタンパク質に翻訳されるが，アルドステロンで誘導されるタンパク質には**Na⁺チャネル（ENaC）**自体だけでなく，Na⁺-K⁺ ATPaseやクエン酸回路の酵素（例えば，クエン酸合成酵素）も含まれる．

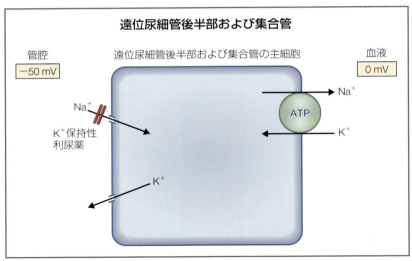

図 6.28　遠位尿細管後半部および集合管の主細胞における Na⁺再吸収の細胞メカニズム．
経上皮電位差は−50 mV である．ATP：アデノシン三リン酸．

　主細胞における Na⁺再吸収は，**K⁺保持性利尿薬（K⁺-sparing diuretic）**（アミロライドやトリアムテレン，スピロノラクトンなど）によって阻害される．**スピロノラクトン（spironolactone）**は，ステロイドの一種でアルドステロン拮抗薬であるが，主細胞においてアルドステロンの核内移行を阻害して mRNA の転写を抑え，タンパク質新生を抑制する．**アミロライド（amiloride）**や**トリアムテレン（triamterene）**は管腔膜の Na⁺チャネルに結合し，アルドステロンにより誘導される Na⁺再吸収の増加を阻害する．K⁺保持性利尿薬が阻害するのは，Na⁺再吸収全体に対する割合が小さいため，その利尿作用は穏やかである．しかし，その名前が示す通り，主な用途は他の利尿薬と併用して主細胞での K⁺分泌を阻害することである．これについては K⁺輸送の項で説明する．
　遠位尿細管後半部および集合管における**水の再吸収**は，本章後半で述べる通り，可変的である．主細胞の水透過性は，体が水を必要とする場合に下垂体後葉から分泌される**抗利尿ホルモン（ADH）**によって制御されている．抗利尿ホルモンのレベルが低い場合やまったくない場合は，主細胞の水透過性は低く，水が NaCl とともに再吸収されることはほとんどない．抗利尿ホルモンの濃度が高い場合は，アクアポリン 2（AQP2）が主細胞の管腔膜に挿入され，水の透過性が上昇する．このように，抗利尿ホルモン存在下では NaCl に伴って水が再吸収される．

Na⁺バランスの調節

　Na⁺とそれに伴う陰イオン Cl⁻や HCO₃⁻が，細胞外液の主要な溶質である．そして，細胞外液の Na⁺量が細胞外液の量を決定する．結果的に，体内の Na⁺量が増加すると，細胞外液量や血液量が増加して血圧の上昇をもたらし（Box 6.2），Na⁺量の減少は，細胞外液量や血液量を減少させて血圧の低下をもたらす．
　Na⁺バランス調節を理解するためには，**有効動脈血液量（effective arterial blood volume：EABV）**について考えるとよい．有効動脈血液量は，動脈中に含まれる細胞外液量の一部であり，**実質的な組織灌流量**である．一般的に細胞外液量の変化は，同方向の有効動脈血液量の変化をもたらす．例えば，細胞外液量が増加すれば有効動脈血液量も増加し，細胞外液量が減少すれば有効動脈血液量も減少する．しかし，浮腫などの場合は，（毛細血管から間質液への濾過が過剰なため）細胞外液量の増加が有効動脈血液量の減少をもたらすような例外もある．腎臓は有効動脈血液量の変化を感知すると，さまざまなメカニズムを介して

Na$^+$バランス　327

Box 6.2　ネフローゼ症候群による全身浮腫

▶ 症例

　72歳の男性は，10年前に糸球体疾患によるネフローゼ症候群（糸球体毛細血管壁が障害され，血漿タンパク質が漏出しやすい状態）の診断を受けた．現在は，体重増加に加え，顔や足，腹部のむくみが顕著にみられる．身体所見では，眼窩周囲浮腫，四肢の圧痕浮腫，腹水，S$_3$ギャロップが記録された（胸部聴診にて奔馬調律（病的Ⅲ音）を認めた）．また，血漿タンパク質濃度が著しく低下し，尿タンパクが陽性であった．医師は，Na$^+$と水の排泄を促すためループ利尿薬のフロセミドを処方したが，初期量では効果がなかったためフロセミドを増量し，2つ目の利尿薬となるスピロノラクトンを併用した．

▶ 解説

　長期にわたる糸球体疾患のため，糸球体毛細血管壁が障害され，血漿タンパク質が尿中に漏出している．血漿アルブミンの排泄により（肝臓でのアルブミン新生が流出に追いつかない）血漿タンパク質濃度は低下し，その結果，血漿膠質浸透圧が低下した．

　血漿膠質浸透圧が全身で低下すると，全身の毛細血管で正味の濾過が増え，浮腫形成を促進する．この症例における浮腫の付加的要因として，腎臓におけるNa$^+$再吸収の増加が挙げられる．つまり，大量の溶液が毛細血管で濾過され，間質液に出た

ため血漿量が減少し，腎灌流圧が低下している．灌流圧の低下はレニン-アンジオテンシン-アルドステロン系を活性化し，高レベルのアルドステロンは，遠位尿細管後半部および集合管のNa$^+$再吸収を刺激する．その結果，Na$^+$バランスは正になり，細胞外液量増加を引き起こすため，間質液のさらなる増加や浮腫の増悪をもたらす．また，奔馬調律（病的Ⅲ音）は，細胞外液量過剰に関連している．初期量のフロセミドで効果がないのは，この症例の浮腫が，いわゆる難治性浮腫か利尿薬抵抗性と考えられる．それはなぜか．フロセミド（ループ利尿薬）が太い上行脚の管腔膜のNa$^+$-K$^+$-2Cl$^-$共輸送体を阻害するには，フロセミドが**遊離した形**で存在しなければならない．しかし，管腔液の高濃度のタンパク質が利尿薬の大部分と結合し，輸送体に対する阻害を阻むためである．

▶ 治療

　利尿薬抵抗性の治療について，1つ目のアプローチはフロセミドの増量である．増量によって濾過量や分泌量が増え，管腔に存在するフロセミド全体の濃度も，遊離した形の濃度も上昇する．2つ目のアプローチは，スピロノラクトンのようなアルドステロン拮抗薬を投薬計画に加えることである．スピロノラクトンはアルドステロンで刺激されるNa$^+$再吸収を阻害し，Na$^+$保持サイクルを遮断する．

Na$^+$排泄量を変化させ，有効動脈血液量を正常値に戻そうとする．

　腎臓におけるNa$^+$排泄の調節メカニズムには，交感神経活動，心房性ナトリウム利尿ペプチド（ANP），尿細管周囲毛細血管におけるStarling力，レニン-アンジオテンシン-アルドステロン系がある．

1. **交感神経活動（sympathetic nerve activity）**．交感神経活動は，圧受容器メカニズムによって動脈圧の低下に応答して，輸入細動脈を収縮させたり，近位尿細管のNa$^+$再吸収を増加させたりする．

2. **心房性ナトリウム利尿ペプチド（ANP）**．心房性ナトリウム利尿ペプチドは，細胞外液量の増加に応答して心房から分泌されるペプチドホルモンで，輸入細動脈を拡張させ，輸出細動脈を

収縮させて糸球体濾過量を増やしたり，遠位尿細管後半部や集合管におけるNa$^+$再吸収を減弱させたりする．心室細胞や脳から分泌される**脳性ナトリウム利尿ペプチド（brain natriuretic peptide：BNP）**や，腎臓で分泌される**ウロジラチン（urodilatin）（C型ナトリウム利尿ペプチド（C-type natriuretic peptide：CNP））**などもANPファミリーのメンバーであり，糸球体濾過量増加やNa$^+$再吸収減弱など，心房性ナトリウム利尿ペプチドと同様の効果を示す．

3. **尿細管周囲毛細血管のStarling力**．Starling力については糸球体尿細管バランスの項目で前述したが，簡単に説明すると，細胞外液量の増加時には膠質浸透圧が下がるため，近位尿細管のNa$^+$再吸収が阻害され，細胞外液量減少時は膠質浸透圧が上昇し，近位尿細管のNa$^+$再吸収を

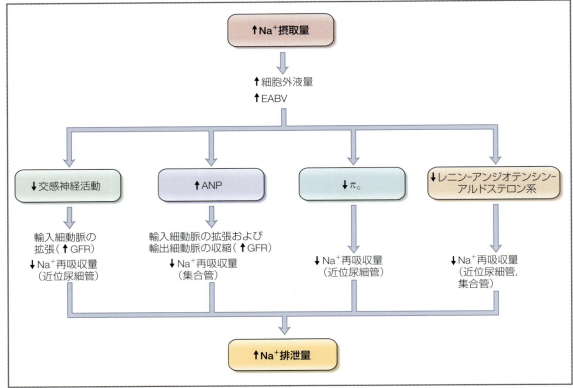

図6.29 Na$^+$摂取量増加時の応答.
ANP：心房性ナトリウム利尿ペプチド，EABV：有効動脈血液量，GFR：糸球体濾過量，π_c：膠質浸透圧.

促進する．

4. **レニン-アンジオテンシン-アルドステロン系（renin-angiotensin-aldosterone system）**．
レニン-アンジオテンシン-アルドステロン系は，動脈圧の低下（すなわち，腎灌流圧の低下）に応答して活性化される．すでに述べた通り，アンジオテンシンⅡは，近位尿細管におけるNa$^+$再吸収（Na$^+$-H$^+$交換輸送）を促進し，アルドステロンは遠位尿細管後半部および集合管でのNa$^+$再吸収を促進する．
次に，Na$^+$バランスを回復するためのメカニズムとして，Na$^+$摂取量増加時と減少時における腎臓の応答メカニズムを例に考察する．

■ Na$^+$摂取量増加時の応答

高Na$^+$食を摂取した場合，Na$^+$は主に細胞外液に留まるため，細胞外液量や有効動脈血液量の増加をもたらす．有効動脈血液量の増加を感知すると，細胞外液量や有効動脈血液量を正常に戻すため，さまざまなメカニズムが協調してNa$^+$排泄量を増加させる（図6.29）．

■ Na$^+$摂取量減少時の応答

低Na$^+$食を摂取した場合は，細胞外液量や有効動脈血液量が減少する．有効動脈血液量の減少を感知すると，細胞外液量や有効動脈血液量を正常値に戻すため，さまざまなメカニズムが協調して，Na$^+$排泄量を減少させる（図6.30）．

K$^+$バランス

興奮組織（神経や骨格筋，心筋など）が正常に機能するためには，K$^+$バランスの維持が不可欠である．興奮性細胞の静止膜電位形成が細胞内外のK$^+$濃度勾配に依存することは，第1章と第4章

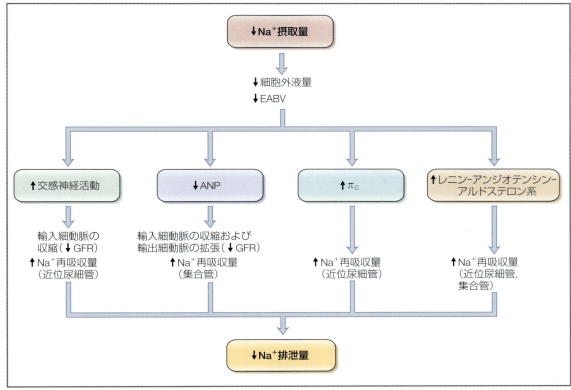

図 6.30　Na$^+$摂取量減少時の応答.
ANP：心房性ナトリウム利尿ペプチド，EABV：有効動脈血液量，GFR：糸球体濾過量，π_c：膠質浸透圧.

ですでに述べた．また，静止膜電位が変化すると，活動電位の立ち上がりにかかわる Na$^+$ チャネルの開閉によって興奮性が変化することも説明した通りである．細胞内もしくは細胞外の K$^+$ 濃度が変化することにより静止膜電位が変化し，その結果，組織の興奮性が変化する．

　体内の K$^+$ 総量のほとんどは細胞内液に存在する．すなわち，K$^+$ 総量の 98％ が細胞内に存在し，細胞外に存在するのは 2％ にすぎない．このため，細胞内 K$^+$ 濃度 (150 mEq/L) は，細胞外の濃度 (4.5 mEq/L) よりもかなり高い．この大きな K$^+$ の濃度勾配は，あらゆる細胞に発現している Na$^+$-K$^+$ ATPase によって維持されている．

　細胞外 K$^+$ 濃度を低く保つうえでの課題は，大量の K$^+$ を細胞内に溜め込むことである．わずかな K$^+$ が細胞内もしくは細胞外へ移動しただけで，細胞外 K$^+$ 濃度は大きく変化する．細胞膜で隔てられた K$^+$ の分布を**体内 K$^+$ バランス (internal K$^+$ balance)** とよぶ．ホルモンや薬物，病的状態によって K$^+$ 分布が変化し，その結果，細胞外 K$^+$ 濃度を変化させる可能性がある．

　ヒトにおいて，食事からの K$^+$ 摂取量が大きく変動する中，細胞外 K$^+$ 濃度をいかに低く保つかという問題もある．食事中の K$^+$ は 50 mEq/day から 150 mEq/day まで変動する可能性があるため，K$^+$ バランスを維持するには，K$^+$ 摂取量と同じ量の K$^+$ を尿中に排泄しなければならない．したがって，K$^+$ の尿中排泄量を 50〜150 mEq/day の間で，1 日ごとに変化させる能力が必要である．このような変化に対応する腎臓のメカニズムを**外的 K$^+$ バランス (external K$^+$ balance)** とよぶ．

体内 K$^+$ バランス

　体内 K$^+$ バランスとは，細胞膜で隔てられた K$^+$ の分布である．強調のため繰り返しになるが，K$^+$ の大部分は細胞内に存在し，細胞膜を介したわず

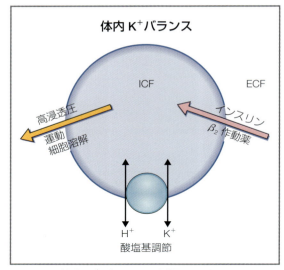

図6.31　体内K⁺バランスに影響する要因.
矢印は, 細胞内, 細胞外へのK⁺輸送の方向を示す.
ECF：細胞外液, ICF：細胞内液.

表6.8　体内K⁺バランス—細胞膜を介した移動.

細胞外へのK⁺移動→ 高カリウム血症	細胞内へのK⁺移動→ 低カリウム血症
インスリン欠乏 β₂アドレナリン受容体拮抗薬 αアドレナリン受容体作動薬 アシドーシス 高浸透圧 細胞溶解 運動	インスリン β₂アドレナリン受容体作動薬 αアドレナリン受容体拮抗薬 アルカローシス 低浸透圧

かなK⁺の移動でも細胞外液や血中のK⁺濃度を大きく変化させることがある. K⁺の分布を変化させるホルモンや薬物, 病的状態について図6.31と表6.8にまとめた. K⁺の細胞外への移動は, **高カリウム血症(hyperkalemia)**とよばれる血中K⁺濃度の上昇をもたらす. 逆に, 細胞内へ移動する場合は, **低カリウム血症(hypokalemia)**とよばれる血中K⁺濃度の低下を引き起こす.

■ インスリン

インスリン(insulin)はNa⁺-K⁺ ATPaseの活性を亢進させ, 細胞内へのK⁺の取り込みを増加させる. 生理学的には, このインスリンの効果によって食後に食物中のK⁺が細胞内に取り込まれる. インスリンは食物摂取に応じて膵臓の内分泌組織から分泌される. インスリンの作用は, （グルコース吸収の促進に加えて）K⁺を細胞内へ取り込むことにある. この効果によって, 摂取されたK⁺が細胞外液に留まって高カリウム血症になることを防いでいる.

1型糖尿病(type 1 diabetes mellitus)で起こるようなインスリン欠乏の状態では, 反対の効果が生じる. つまり, 細胞へのK⁺の取り込みが減少し, **高カリウム血症**を引き起こす. 未治療の1型糖尿病患者がK⁺を含む食事を摂ると, インスリンがK⁺吸収を促進することができないため, 細胞外液にK⁺が留まる（逆に, インスリンの過剰投与は低カリウム血症を招くおそれがある）.

■ 酸塩基調節障害

体内K⁺バランスのメカニズムに, 細胞膜を介した**H⁺-K⁺交換輸送(H⁺-K⁺ exchange)**がかかわっているため, 酸塩基調節障害はK⁺分布の異常を伴うことが多い. 細胞内液のpH緩衝能力が非常に高いため, H⁺-K⁺交換輸送は有用である. この緩衝作用を利用するには, H⁺が細胞を出入りしなければならない. しかし, 電気的中性を保つためには, H⁺が単独で細胞を出入りすることはできないため, 陰イオンを伴うか, 他の陽イオンと交換で輸送される. H⁺が交換輸送される場合は, 交換される陽イオンはK⁺である.

アルカリ血症(アルカレミア)(alkalemia)では, 血中のH⁺濃度が低下している. H⁺が細胞外へ出て, K⁺が細胞内に移行するため, **低カリウム血症**を呈する. 一方, **酸血症(アシデミア)(acidemia)**では, 血中のH⁺濃度が上昇している. H⁺は細胞内に入り, K⁺が細胞外に移行するため, **高カリウム血症**を引き起こす.

酸塩基平衡異常が, つねに細胞膜を介したK⁺の移行をもたらすわけではなく, 次に示す例外を考慮することが重要である. まず第1に, CO_2の異常が原因となる呼吸性アシドーシスや呼吸性アルカローシスでは, 通常K⁺の移行は起こらない. CO_2は脂溶性で, 細胞膜を自由に通過できるので,

電気的中性を保つために K^+ と交換輸送する必要がない．第2に，代謝性アシドーシスには，K^+ 移行を必要としない有機酸（乳酸，ケト酸，サリチル酸など）の過剰に起因するものがある．乳酸などの有機アニオンが H^+ とともに細胞内へ輸送される場合は，電気的中性は維持される（**第7章**で，酸塩基平衡異常によって K^+ の移行が起こる場合と，起こらない場合について説明する）．

■ アドレナリン受容体作動薬および拮抗薬

カテコールアミンは，2つの異なる受容体とメカニズムによって，細胞膜を介した K^+ の分布を変化させる．アルブテロールなどの β_2 作動薬によって β_2 アドレナリン受容体（β_2-adrenergic receptor）が活性化されると，Na^+-K^+ ATPase の活性が亢進して K^+ が細胞内へ移行し，低カリウム血症を起こしうる．一方，α アドレナリン受容体（α-adrenergic receptor）の活性化は K^+ を細胞外へ移行させるため，高カリウム血症を起こしうる．アドレナリン受容体拮抗薬が血中 K^+ 濃度に及ぼす影響は予測可能である．プロプラノロールなどの β_2 アドレナリン受容体拮抗薬は K^+ を細胞外へ移行させ，α アドレナリン受容体拮抗薬は K^+ を細胞内へ移行させる．

■ 浸透圧

高浸透圧（hyperosmolarity）とは，細胞外液の浸透圧が上昇した状態のことで，K^+ の細胞外移行を起こす．このメカニズムは，細胞外液浸透圧の変化に応答した細胞膜を介した水の移動に関連している．例えば，細胞外液の浸透圧が上昇すると，浸透圧勾配に従って水は細胞内から細胞外へ移動する．細胞内の水が減少するため細胞内 K^+ 濃度は上昇し，細胞内液から細胞外液への K^+ 拡散を促す（細胞内液から細胞外液への水の流れが，**K^+ を引っぱる**と考えるとイメージしやすいだろう）．

■ 細胞溶解

細胞溶解（細胞膜の破壊）は，細胞内液から大量の K^+ を放出し高カリウム血症を引き起こす．細胞溶解の例には，熱傷や横紋筋融解（骨格筋の破壊），そして，がんの化学療法時に悪性細胞が破壊された場合などが挙げられる．

■ 運動

運動により K^+ は細胞外へ移動する．細胞内に貯留した ATP が枯渇すると，筋細胞膜の K^+ チャネルが開き，電気化学的勾配に従って K^+ が細胞外へ移動する．通常，この移動は小さく，血中 K^+ 濃度の上昇もわずかであるため，しばらく休憩すれば回復する．ただし，β_2 アドレナリン受容体拮抗薬（独立して，細胞外への K^+ 移行を引き起こす）を服用したり，腎機能障害（K^+ を適切に排泄できない）があると，激しい運動によって高カリウム血症を起こす可能性がある．

余談になるが，細胞外への K^+ 移行は，運動中の骨格筋への血流量の局所的調節を補助している．すでに述べた通り，運動中の筋肉の血流は血管拡張性の代謝産物によって制御されており，K^+ もその1つである．運動中に細胞から K^+ が放出されると，骨格筋細動脈に直接作用して血管を拡張させ，局所の血流を増加させる．

外的 K^+ バランス —腎臓のメカニズム

1日単位で，K^+ の尿中排泄量は K^+ 摂取量（から消化管や汗など，腎臓以外の経路で失った少量の K^+ を差し引いた量）に等しい．生理学におけるバランスの概念は，もうおなじみであろう．K^+ 排泄量と K^+ 摂取量が等しい場合，その人の **K^+ バランス**（K^+ balance）は均衡している．K^+ 排泄量が K^+ 摂取量より少ない場合，その人は**正の K^+ バランス**（positive K^+ balance）となり，高カリウム血症が起こりうる．K^+ 排泄量が K^+ 摂取量より多い場合，その人は**負の K^+ バランス**（negative K^+ balance）となり，低カリウム血症になる可能性がある．

食事による K^+ 摂取量は，人によっても，日によっても変化する（$50 \sim 150\ mEq/day$）ため，K^+ バランスを維持することは特に重要な問題である．外的 K^+ バランスを維持するための腎メカニズムは，広い範囲にわたって K^+ 排泄量を K^+ 摂取

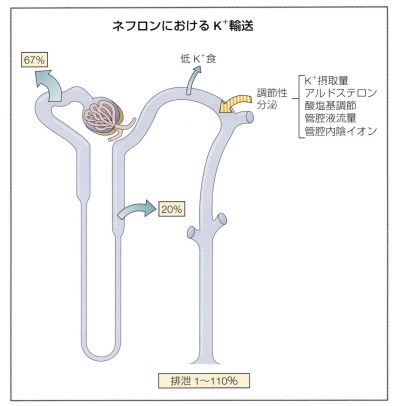

図 6.32　ネフロンにおける K^+ 輸送.
矢印は，K^+ 再吸収もしくは分泌の部位を示し，数字は濾過量に対する再吸収率，分泌率，排泄率を表す．

量にあわせられるような柔軟性が求められる．これを達成するため，腎臓では，**濾過**や**再吸収**，**分泌**の各メカニズムを組み合わせて K^+ 排泄が調節されている（図6.32）．

- **濾過**．K^+ は血漿タンパク質に結合せず，糸球体毛細血管を自由に通過する．
- **近位尿細管**では，K^+ 濾過量の約 67% が等張性再吸収によって再吸収される．
- **太い上行脚**では，濾過された K^+ の 20% が再吸収される．Na^+ 再吸収の項目で説明した通り，太い上行脚では，K^+ は Na^+-K^+-$2Cl^-$ 共輸送体によって細胞に取り込まれ，2つの経路で細胞外へ輸送される．1つ目は再吸収経路で，基底側膜の K^+ チャネルを介して間質側へ輸送される．2つ目は管腔内へ戻される経路で，結果として再吸収されないが，太い上行脚の細胞を介して管腔側が正の電位差を生じる．
- **遠位尿細管および集合管**では，食物中の K^+ の変化に応じた K^+ 排泄調節を行う．このセグメントでは，K^+ バランスを維持するため，必要に応じて K^+ を再吸収したり，分泌したりする．

低 K^+ 食を摂取すると，遠位尿細管後半部および集合管の α 間在細胞（α-intercalated cell）において K^+ がさらに再吸収される．低 K^+ 食摂取の場合，尿中排泄量は濾過量の 1% までに絞られる．

しかし，より一般的には，標準食や高 K^+ 食を摂取した場合，遠位尿細管後半部および集合管の**主細胞**において K^+ が分泌される．この K^+ 分泌量は，食事に含まれる K^+ の量の他，ミネラロコルチコイドや酸塩基の状態，濾液流量によって変化し，尿中 K^+ 排泄量は濾過量の 110% に達する場合もある．

遠位尿細管後半部および集合管は，K^+ バラン

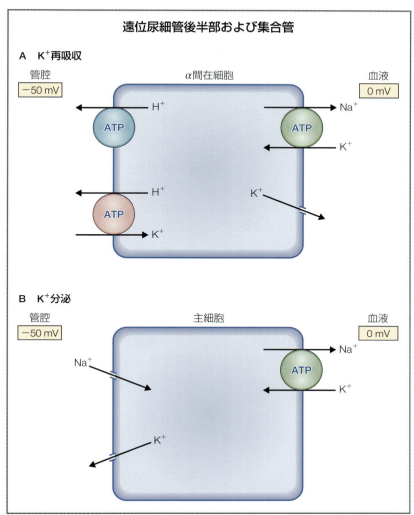

図 6.33 遠位尿細管後半部および集合管のα間在細胞（A）における K+再吸収および主細胞（B）における K+分泌の細胞メカニズム．
ATP：アデノシン三リン酸．

スの維持に欠かせない K+ 分泌の微調整を行うため，このセグメントの K+ 輸送については細心の注意を払う必要がある（近位尿細管や太い上行脚での K+ 再吸収は，ほとんどの場合一定である）．

■ α間在細胞における K+再吸収

低 K+ 食を摂取すると，ネフロン終末部のα間在細胞で K+ が再吸収される（図 6.33A）．簡単に説明すると，α間在細胞の管腔膜には，胃壁細胞に似た H+-K+ ATPase が発現している．この H+-K+ ATPase は，K+ を管腔から細胞内へ輸送するのと交換に H+ を細胞内から管腔へ汲み出す

一次性能動輸送（primary active transport）メカニズムである．K+ は，その後 K+ チャネルを介して細胞内から血液中へ拡散する（再吸収）（図 6.33A には，別の ATPase である H+ ATPase も管腔膜に示されているが，α間在細胞の K+ 再吸収には関与しない．H+ ATPase の機能については，第 7 章の酸塩基バランスで説明する）．

■ 主細胞における K+分泌

主細胞の機能は K+ の再吸収ではなく分泌であるため，主細胞の細胞メカニズムはα間在細胞とは異なっている．図 6.33B に示した主細胞の図

は，Na^+ 再吸収に関連してすでに説明している（図6.28 参照）ので，理解しやすいであろう．

K^+ 分泌とは，血液から管腔への K^+ の正味の移動である．細胞内の K^+ 濃度を高く保つため，K^+ は Na^+-K^+ ATPase によって血液から細胞内へ取り込まれる．管腔膜と基底側膜のいずれにも K^+ チャネルが発現しているため，理論的には，K^+ は管腔へ移動（分泌）することも，血液へ戻されることも可能である．K^+ の透過性や電気化学的勾配の大きさは管腔膜側のほうが高いため，K^+ の大部分は，基底側膜を通過してリサイクルされるより，管腔膜を通過して分泌される（図6.33B では，簡略化のため基底側膜上の K^+ チャネルを省略している）．

K^+ 分泌を変化させる因子について理解するうえで最も重要かつ唯一の原理は，**K^+ 分泌量は管腔膜を介した電気化学的勾配の大きさによって決定される**ことである．この原理を利用すると，アルドステロンや酸塩基平衡異常，食物中の K^+，濾液流量（利尿薬）の影響を簡単に予測できる．管腔膜を介した K^+ の電気化学的勾配を大きくする因子は K^+ 分泌を増加させ，反対に，電気化学的勾配を小さくする因子は K^+ 分泌を減少させる（**表6.9**）．

● 食物中の K^+

外的 K^+ バランスを維持するための基本的なメカニズムには，主細胞による K^+ 分泌調節が関与していることが重要である．このメカニズムを理解できれば，**高 K^+ 食**を摂取した場合の体の反応は容易に理解できる．摂取した K^+ は（食後に分泌されるインスリンに助けられて）細胞内に取り込まれ，細胞内 K^+ の量や濃度を上昇させる．主細胞の細胞内 K^+ 濃度が上昇すると，管腔膜を介した K^+ 分泌の駆動力が増加し，摂取した K^+ は尿中に排泄される．反対に，**低 K^+ 食**を摂取した場合は主細胞の K^+ が相対的に枯渇し，細胞内 K^+ 濃度は低下して K^+ 分泌の駆動力が弱まる．低 K^+ 食摂取時には，主細胞からの K^+ 分泌が低下することに加えて，α 間在細胞における K^+ 再吸収も増加する．この2つの効果を組み合わせることで，K^+ 排泄の低下を説明することができる．

表6.9　主細胞による K^+ 分泌の調節．

K^+ 分泌増加の要因	K^+ 分泌減少の要因
高 K^+ 食	低 K^+ 食
高アルドステロン症	低アルドステロン症
アルカローシス	アシドーシス
サイアザイド系利尿薬	K^+ 保持性利尿薬
ループ利尿薬	
管腔内の陰イオン	

● アルドステロン

アルドステロンは，主細胞による **K^+ 分泌を増加させる**．アルドステロンの効果については，Na^+ 再吸収の項目で説明した通りである．アルドステロンは，管腔膜の Na^+ チャネルや基底側膜の Na^+-K^+ ATPase の発現を亢進させ，主細胞における Na^+ 再吸収を増加させる．Na^+ 再吸収におけるこれらの作用は，次に示す K^+ 分泌にも影響する．第1に，アルドステロンは管腔膜の Na^+ チャネルの発現を増加させ，細胞内に取り込まれる Na^+ を増やし，Na^+-K^+ ATPase への Na^+ 供給をより増加させる．細胞外へ汲み出される Na^+ が増えると，交換で細胞内に取り込まれる K^+ も増加する．第2に，アルドステロンは Na^+-K^+ ATPase の量を増やし，K^+ の取り込み量を増やす．この2つの効果によって細胞内 K^+ 濃度が上昇し，細胞から管腔への K^+ 分泌の駆動力が増加する．最後に，アルドステロンには管腔膜の K^+ チャネルの数を増やす別の効果もあり，K^+ 分泌の駆動力を増加させるために協調して働いている．

Na^+ 再吸収におけるアルドステロンの作用を説明するうえで，主細胞では Na^+ 再吸収と K^+ 分泌が緊密に連携していることに重点を置いた．すでに述べた通り，アルドステロンが K^+ 分泌に及ぼす効果の大部分は，Na^+ 再吸収に及ぼす効果の二次的な作用である．別の観点から，この関連性を示す2つの例を説明する．最初の例は，**高 Na^+ 食**を摂取した場合である．この場合，Na^+ バランスを維持するために Na^+ 排泄が増加するだけでなく，K^+ 排泄も同時に増加する．K^+ 排泄の増加は，主細胞に到達する Na^+ の量が増えることで説明できる．主細胞に到達する Na^+ が増えると，管腔膜を通過して細胞内に取り込まれる Na^+ も増え，その Na^+ が Na^+-K^+ ATPase によって汲み出される

Box 6.3　原発性高アルドステロン症

▶ 症例

　50歳の男性が、脱力と高血圧のため、紹介により来院した。身体所見では、仰臥位の収縮期および拡張期高血圧（160/110）が認められた。血液と尿検査の結果は以下の通りであった。

静脈血	尿
$[Na^+]$：142 mEq/L	$[Na^+]$：60 mEq/L（正常）
$[K^+]$：2.1 mEq/L（低値）	$[K^+]$：55 mEq/L（高値）
$[Cl^-]$：98 mEq/L	浸透圧：520 mOsm/L
浸透圧：289 mOsm/L	

▶ 解説

　身体所見で顕著なのは高血圧で、細胞外液量増加が疑われる。細胞外液量と血液量の増加により、収縮期および拡張期血圧の上昇は説明できる。血漿 Na^+ 濃度と浸透圧は正常のため、溶質の量に対する体内の水分量は正常であると結論できる。したがって、体内の総 Na^+ 量が増加し、それに**比例**して水分量が増加しているはずである。体内の Na^+ と水両方が増加し、細胞外液量の増加につながっている。

　尿中 K^+ 排泄増加に伴って、血漿 K^+ 濃度の著しい低下が認められる。一見、血漿 K^+ 濃度が低い場合は腎臓での K^+ 排泄が減少すると思われるが、尿中 K^+ 排泄の増加によって血漿 K^+ 濃度の低下が"引き起こされる"と考えれば、2つの所見を矛盾なく結びつけられる。

　この症例を副腎球状帯のアルドステロン産生腺腫による原発性高アルドステロン症（Conn（コーン）症候群）と診断すれば、すべての所見を説明できる。血中アルドステロン濃度が高い場合、遠位尿細管後半部および集合管の主細胞に2つの作用（Na^+ 再吸収の増加と K^+ 分泌の増加）を及ぼす。K^+ 分泌増加の結果は明快で、主細胞の K^+ 分泌が増加すれば、尿中 K^+ 排泄が増え、血漿 K^+ 濃度は低下する。一方、尿中 Na^+ 排泄が正常であるのは理解が難しい。アルドステロンの直接的作用は主細胞の Na^+ 再吸収増加であり、尿中 Na^+ 濃度は低下するはずである。Na^+ 再吸収の増加は、細胞外液中の Na^+ 量を増加させ、細胞外液量を増加させるが、この細胞外液量増加には、近位尿細管において二次的な作用がある。つまり、細胞外液量増加による近位尿細管の再吸収抑制作用であり、"アルドステロン・エスケープ"もしくは、ミネラロコルチコイド・エスケープとよばれる。このように"アルドステロン・エスケープ"によって、この男性の尿中 Na^+ 濃度は、アルドステロンの主細胞への直接的作用だけを仮定した場合よりも高くなる。

▶ 治療

　この男性の高血圧は、副腎腫瘍の摘出により治療可能である。手術までの間は、アルドステロン拮抗薬のスピロノラクトンを投与し、Na^+ 制限食で過ごした。スピロノラクトンは、主細胞へのアルドステロンの効果をすべて遮る。Na^+ 再吸収は正常に戻り（細胞外液量も減少し）、K^+ 分泌も正常に戻った（血漿 $[K^+]$ も上昇した）。術後には血圧は正常レベルに戻り、血中、尿中電解質も正常に戻った。

ため、同時に取り込まれる K^+ が増加し、K^+ 分泌の駆動力が増加する。第2の例は、**利尿薬（diuretic）**による治療を受けた場合である。ループ利尿薬やサイアザイド系利尿薬は、主細胞よりも**上流で Na^+ 再吸収を阻害する**ため、主細胞へ到達する Na^+ 量が増加する。高 Na^+ 食について説明したメカニズムは、ここでもあてはまり、主細胞に到達する Na^+ が増えると、Na^+ の再吸収量が増え、より多くの K^+ が分泌される（Box 6.3）。

● 酸塩基平衡異常

　酸塩基平衡異常（acid-base disturbance）があると、主細胞の K^+ 分泌が変化することにより、血中 K^+ 濃度に深刻な影響を及ぼす可能性がある。通常、**アルカローシス（alkalosis）**は K^+ 分泌を増加させ、**アシドーシス（acidosis）**は K^+ 分泌を低下させる。基底側膜を介した H^+ と K^+ の交換がもとになる効果について、次に述べる。**アルカローシス**では、細胞外液の H^+ が不足している。それを中和するため細胞内の H^+ が細胞外へ移動するが、その際、電気的中性を維持するために K^+ が細胞内に取り込まれる。細胞内 K^+ 濃度の上昇により K^+ 分泌の駆動力が高まり、低カリウム血症を呈する。**アシドーシス**では、細胞外液の H^+ が過剰になる。H^+ は中和のために細胞内に取り込まれ、電気的中性を維持するため、K^+ は細胞外へ輸送される。細胞内 K^+ 濃度の低下により、K^+ 分泌の駆動力が減弱され、高カリウム血症を引き起こす。

336 第6章 腎臓の生理学

● 利尿薬

最も一般に使われる利尿薬（diuretic）である**ループ利尿薬**や**サイアザイド系利尿薬**は，K^+排泄を増やし，K^+利尿を起こす．したがって，利尿薬治療の重要な副作用は**低カリウム血症**である．利尿薬によるK^+排泄の増加は，前の項で説明した主細胞でのK^+分泌の増加に基づいている．ループ利尿薬やサイアザイド系利尿薬は，K^+分泌部位よりも**上流**（前者は太い上行脚，後者は遠位尿細管前半部）でNa^+再吸収を阻害するため，主細胞に到達するNa^+が増加する．主細胞に到達するNa^+が増加すると，管腔膜を通過して細胞内に取り込まれるNa^+が増加し，Na^+-K^+ ATPaseによって汲み出されるNa^+も増加する．それにあわせて細胞内に取り込まれるK^+が増加するため，細胞内K^+濃度は上昇し，K^+分泌の駆動力が高まる．

K^+分泌の増加に寄与する2つ目の要素は，利尿薬によって生じる**濾液流量の増加**である．遠位尿細管後半部および集合管における濾液流量が増加すると，管腔液のK^+濃度が希釈され，K^+分泌の駆動力が強くなる（細胞内K^+濃度の上昇もしくは，管腔内K^+濃度の低下いずれでも管腔膜を介した駆動力が強くなる）．

遠位でのK^+分泌増加によるK^+排泄の増加に加えて，**ループ利尿薬**（サイアザイド系利尿薬はあてはまらない）では，太い上行脚においてNa^+-K^+-$2Cl^-$共輸送体によるK^+再吸収が阻害され，K^+排泄が増加する．太い上行脚での直接作用に主細胞のK^+分泌の増加が加わることで，ループ利尿薬が深刻なカリウム利尿や低カリウム血症を引き起こすと考えられる．

● K^+保持性利尿薬

K^+保持性利尿薬（K^+-sparing diuretic）（スピロノラクトンやアミロライド，トリアムテレンなど）は，カリウム利尿を起こさない唯一の利尿薬である．すでに説明した通り，これらの利尿薬は主細胞におけるアルドステロンの作用をすべて阻害し，**K^+分泌を阻害する**．K^+保持性利尿薬は主にループ利尿薬やサイアザイド系利尿薬と併用され，副作用のカリウム利尿や低カリウム血症を軽減するために用いられる．

● 管腔液の陰イオン

遠位尿細管や集合管の管腔液に分子量の大きい陰イオン（硫酸イオンやHCO_3^-など）が存在すると，K^+分泌が増加する．このような再吸収されない陰イオンは，管腔の電気陰性度を上げ，K^+分泌の電気化学的な駆動力を高める．

リン酸，Ca^{2+}，Mg^{2+}バランス

リン酸

リン酸は，骨の構成成分や尿中の**pH 緩衝剤**として重要な役割を担っている．腎臓で血中リン酸濃度が調節されるため，腎臓のメカニズムに注目する必要がある（リン酸のホメオスタシスやホルモンによる調節は，**第9章**を参照のこと）．

リン酸は主に骨基質（85%）に局在し，体内のリン酸の残りは，細胞内液（15%）と細胞外液（<0.5%）に分けられる．細胞内液中では，リン酸はヌクレオチド（DNA や RNA），高エネルギー分子（ATP など）や代謝中間体の成分として存在する．細胞外液中では無機イオンとして存在し，pH 緩衝剤として働く．血漿中のリン酸の約10%はタンパク質に結合している．

腎臓におけるリン酸の輸送（renal handling of phosphate）を**図6.34**に示す．タンパク質に結合していないリン酸（90%）は，糸球体で濾過される．続いて，濾過量の約70%が**近位曲尿細管**で再吸収され，15%が**近位直尿細管**で再吸収される．細胞レベルでは，リン酸は近位尿細管細胞の管腔膜のNa^+-リン酸共輸送体によって再吸収される（**図6.21**参照）．グルコースの再吸収と同様にリン酸の再吸収も飽和する場合があり，**最大輸送量（T_m）**が存在する．最大輸送量に達した場合，再吸収されなかったリン酸は排泄される．リン酸がネフロンの後半セグメント（例えば，遠位尿細管）で再吸収されるかどうかは議論の余地があるが，リン酸摂取量や副甲状腺ホルモン（PTH）のレベルに依存すると考えられる．リン酸は濾過量の15%が排泄されており，他の物質（Na^+やCl^-，HCO_3^-，グルコースなど）と比較すると，排

リン酸, Ca^{2+}, Mg^{2+}バランス　337

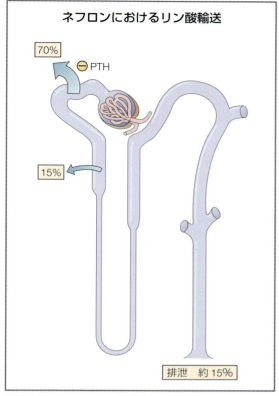

図6.34　ネフロンにおけるリン酸輸送.
矢印はリン酸再吸収の部位を示し，数字は濾過量に対する再吸収率，排泄率を表す．PTH：副甲状腺ホルモン．

泄率が高い．再吸収されないリン酸は尿中のpH緩衝剤(urinary buffer for H^+)として働くため，比較的高いリン酸排泄率が生理的にも重要である(第7章, 滴定酸を参照のこと).

副甲状腺ホルモン(parathyroid hormone：PTH) は，Na^+-リン酸の共輸送を阻害することにより，近位尿細管におけるリン酸の再吸収を調節しており，その結果，リン酸再吸収の最大輸送量を低下させる．副甲状腺ホルモンによってリン酸再吸収が阻害されると，**リン酸尿症(phosphaturia)** を引き起こすか，リン酸排出が増加する．このPTH作用に関して重要なことは，近位尿細管以降ではリン酸再吸収がほとんど起こらないか，まったく起こらないということである．PTHが近位尿細管におけるリン酸の再吸収を阻害すると，近位尿細管以降でのリン酸再吸収がほとんど，あるいはまったく起こらないため，再吸収されなかったリン酸は排泄されるのである．

細胞レベルでのPTHの作用機序には，近位尿細管細胞の基底側膜に発現する受容体にホルモンが結合して，G_sタンパク質を介して**アデニル酸シクラーゼ(adenylyl cyclase)** が活性化されることが関与している．活性化されたアデニル酸シクラーゼは，ATPからセカンドメッセンジャーの環状アデノシン一リン酸(cAMP)への変換過程を触媒する．cAMPに一連のプロテインキナーゼを活性化して，管腔膜の成分をリン酸化する．一連の反応の最終ステップは，Na^+-リン酸共輸送体の阻害である．余談だが，近位尿細管の管腔膜にはcAMPの輸送体があるため，cAMPは管腔へ輸送され，排泄される．**尿中cAMP** の上昇とリン酸尿は，副甲状腺ホルモンが作用した証である．

偽性副甲状腺機能低下症(pseudohypoparathyroidism) とよばれる遺伝性疾患では，受容体やG_sタンパク質，アデニル酸シクラーゼ複合体の欠損が疾患の原因となる．この疾患では，腎細胞は副甲状腺ホルモンに耐性となり，血中の副甲状腺ホルモン濃度が上昇しても通常のようにリン酸尿を起こすことはなく，尿中のリン酸やcAMP濃度は低い．

カルシウム

リン酸と同様に，体内のカルシウム(Ca^{2+})の大部分は骨(99%)に含まれている．残りの1%が細胞内液(ほとんどが結合状態)と細胞外液に存在している．血漿中の全Ca^{2+}濃度は，5 mEq/Lもしくは10 mg/dLである．すべての血漿Ca^{2+}のうち40%が血漿タンパク質と結合し，10%がリン酸やクエン酸など他の陰イオンと結合しており，50%がイオン化した遊離状態で存在している．血漿Ca^{2+}濃度は副甲状腺ホルモンによって，骨や消化管，腎臓で複合的に調節されている．リン酸と同様に，腎臓による調節メカニズムは第9章で述べる通り，全身のCa^{2+}ホメオスタシスのなかでも不可欠な部分である．

腎臓におけるCa^{2+}輸送を図6.35に示す．ネフロンでのCa^{2+}再吸収のパターンは，Na^+再吸収のパターンと非常によく似ている(図6.20参照)．Na^+と同様に，濾過されたCa^{2+}の99%以上が再

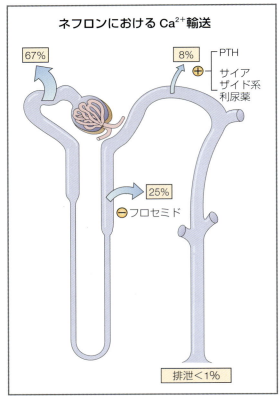

図 6.35　ネフロンにおける Ca^{2+} 輸送.
矢印は Ca^{2+} 再吸収の部位を示し，数字は濾過量に対する再吸収率，排泄率を表す．PTH：副甲状腺ホルモン．

吸収され，残りの 1％ 未満が排泄される．近位尿細管や Henle ループにおける Ca^{2+} 再吸収は Na^+ 再吸収と強く同調しており，遠位尿細管においてのみ，それぞれのイオンが個別に再吸収される．

● 濾過

　Ca^{2+} の濾過過程は，Na^+ と異なっている．血漿タンパク質に結合している Ca^{2+}（すなわち，全 Ca^{2+} の 40％）は糸球体毛細血管を通過できず，濾過されないため，60％ だけが**限外濾過**される．Ca^{2+} の濾過量を計算するには，タンパク質結合について補正する必要がある．糸球体濾過量が 180 L/day で，血漿 Ca^{2+} 濃度が 5 mEq/L の場合，Ca^{2+} の濾過量は 540 mEq/day となる（180 L/day × 5 mEq/L × 0.60）．

● 近位尿細管

　近位尿細管における Ca^{2+} 再吸収は Na^+ 再吸収と似ており，濾過量の 67％ が再吸収される（Na^+ 再吸収の割合と厳密に等しい）．実際に，Ca^{2+} 再吸収は近位尿細管における Na^+ 再吸収と強く同調している．例えば，細胞外液増加によって Na^+ 再吸収が阻害されると，Ca^{2+} 再吸収も同時に阻害され，細胞外液減少によって Na^+ 再吸収が刺激されると，Ca^{2+} 再吸収も同様に変化する．

● Henle ループの太い上行脚

　Na^+ と同様に，Ca^{2+} 濾過量の 25％ が Henle ループの太い上行脚で再吸収される．このセグメントでは，Ca^{2+} 再吸収は傍細胞（細胞間）経由で起こり，Na^+ 再吸収と強く同調している．太い上行脚における同調メカニズムは，Na^+-K^+-$2Cl^-$ 共輸送体によって形成される**管腔の正電位**に基づいている【訳者注：正電位は，Na^+-K^+-$2Cl^-$ 共輸送体と同調して働く K^+ チャネルによって形成される】．正電荷同士は反発するため，管腔の正電位は通常，Ca^{2+} のような二価の陽イオンを再吸収するよう働く．太い上行脚における Ca^{2+} と Na^+ 再吸収の同調性は，利尿作用に関して重要な意味合いをもつ．フロセミドのような**ループ利尿薬**は，Na^+ 再吸収の阻害と同程度に Ca^{2+} 再吸収を阻害する．このメカニズムは，Na^+-K^+-$2Cl^-$ 共輸送体の阻害と管腔の正電位消失によって，傍細胞経路での Ca^{2+} 再吸収の駆動力が消失するためである．ループ利尿薬のこの作用は，**高カルシウム血症**（hypercalcemia）の治療において有用である．

　血清 Ca^{2+} 濃度が上昇（すなわち，高カルシウム血症）すると，Ca^{2+} **感知受容体**（Ca^{2+}-sensing receptor）に Ca^{2+} が結合する．この状態では，Na^+-K^+-$2Cl^-$ 共輸送体が阻害され，管腔の正の電位差と Ca^{2+} 再吸収の駆動力が失われる．したがって，高カルシウム血症では Ca^{2+} の再吸収が減少し，Ca^{2+} の排出が増加する．**家族性低カルシウム尿性高カルシウム血症**（familial *hypo*calci-uric *hyper*calcemia：FHH，第 9 章）では，Ca^{2+} 感知受容体が機能しないため，血清 Ca^{2+} 濃度が上昇しても Na^+-K^+-$2Cl^-$ 共輸送体を阻害せず，Ca^{2+} の再吸収が増加し（低カルシウム尿症，FHH の最初の "H"），血清 Ca^{2+} 濃度が上昇する（高カルシウム血症，FHH の 2 番目の "H"）．

● 遠位尿細管

　遠位尿細管では，Ca^{2+}濾過量の約8%が再吸収される．これは，ネフロン前半部での再吸収量に比べると量的には少ないが，遠位尿細管は，Ca^{2+}再吸収の調節を行う部位である．遠位尿細管における調節に関して3つのポイントを説明する：(1) 遠位尿細管は，Ca^{2+}再吸収がNa^+再吸収と直接同調していない唯一のネフロン部位である．言い換えると，遠位尿細管におけるCa^{2+}とNa^+の再吸収は，(近位尿細管や太い上行脚のように) 必ずしも同調する必要はない．遠位尿細管においてCa^{2+}とNa^+の再吸収が同調していないことは，サイアザイド系利尿薬の作用で説明する((3)参照)．(2)遠位でのCa^{2+}再吸収は，Na^+再吸収と同調していないだけでなく，それ自身を調節するホルモン (副甲状腺ホルモン) も存在する．遠位尿細管において，**副甲状腺ホルモン**は基底側膜の受容体を介してアデニル酸シクラーゼを活性化し，セカンドメッセンジャーのcAMPを産生して，Ca^{2+}再吸収を増加させる．遠位尿細管における副甲状腺ホルモンの作用は，**低カルシウム尿(hypocalciuric)**作用とよばれる．このように，副甲状腺ホルモンには，近位尿細管におけるリン酸尿作用と，遠位尿細管における低カルシウム尿作用の2つの作用があり，その両方がcAMPを介している．(3)遠位でのCa^{2+}とNa^+の再吸収は同調していないため，サイアザイド系利尿薬のCa^{2+}再吸収に対する効果は，近位尿細管や太い上行脚に作用する利尿薬の効果とはまったく異なる．サイアザイド系利尿薬はCa^{2+}再吸収を増やすが，他の機序による利尿薬はCa^{2+}再吸収を減少させる．

　サイアザイド系利尿薬は，遠位尿細管前半部でNa^+-Cl^-共輸送体を阻害することによってNa^+再吸収を阻害し，Na^+排泄を増加させることは説明したが，Ca^{2+}再吸収への影響はまったく逆であり，サイアザイド系利尿薬は，Ca^{2+}再吸収を増加させてCa^{2+}排泄を減少させる．この効果をもとに，原因不明でCa^{2+}の尿中排泄が増加する**特発性高カルシウム尿症(idiopathic hypercalciuria)** の治療にサイアザイド系利尿薬が用いられている．サイアザイド系利尿薬の投与によって，Ca^{2+}再吸収が増加して尿中へのCa^{2+}排泄が減少し，

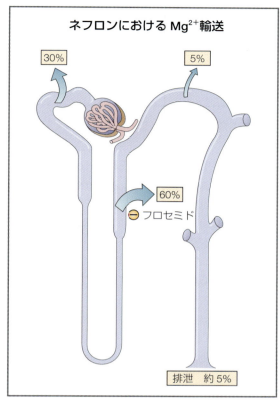

図6.36　ネフロンにおけるMg^{2+}輸送．
矢印はMg^{2+}再吸収の部位を示し，数字は濾過量に対する再吸収率，排泄率を表す．

Ca^{2+}結石の形成を抑制する．

マグネシウム

　マグネシウム(Mg^{2+}) の再吸収パターンは，いくつかの点で，Na^+やCa^{2+}のパターンとは異なる．ネフロン全体でMg^{2+}の95%が再吸収され，排泄されるのは残りの5%であり，他の物質よりも高い割合になっている (図6.36)．血漿Mg^{2+}の20%がタンパク質に結合しているため，残りの80%が糸球体毛細血管を介して濾過される．**近位尿細管**で再吸収されるのは，濾過量の30%で，Na^+やCa^{2+}の67%と比較すると，低い割合である．他のセグメントと比較してMg^{2+}再吸収が多いのは，**太い上行脚**であり，濾過量の60%が再吸収される．Ca^{2+}と同様に，太い上行脚におけるMg^{2+}再吸収は，管腔の正電位が駆動力となる．繰り返しになるが，**ループ利尿薬**はMg^{2+}再吸収

を強力に阻害して，Mg^{2+}排泄を増加させるため，**低マグネシウム血症（hypomagnesemia）**を起こすことがある．遠位尿細管では，Mg^{2+}はわずか（5%）しか再吸収されない．

水バランス―尿の濃縮と希釈

体液の浸透圧は，**浸透圧調節（osmoregulation）**メカニズムにより，約**290 mOsm/L**（おおまかに300 mOsm/L）に維持されている．体液浸透圧がわずかに変化しただけで，腎臓による水の再吸収を変化させる一連のホルモンが反応し，浸透圧を正常値に戻す．**水の再吸収にかかわる腎臓の機能は，体液浸透圧を一定に保つよう働く**．他の腎臓の調節メカニズムと同様に，水バランスの調節も遠位尿細管後半部および集合管のレベルで機能を発揮する．

水の再吸収が変化すると，尿の浸透圧は50～1,200 mOsm/Lまでの範囲でさまざまに変化するが，尿浸透圧を表すために次のような言葉が使われる．尿浸透圧が血漿浸透圧と等しいときは**等張尿（isosmotic urine）**とよび，高いときは**高張尿（hyperosmotic urine）**，低いときは**低張尿（hyposmotic urine）**とよぶ．

体液浸透圧の調節

体液浸透圧の調節は，次のありふれた2例で説明できる．1つ目は水欠乏時の応答で，2つ目は飲水時の応答である．

■ 水欠乏時の応答

飲料水を飲めない場合（例えば，砂漠で遭難し，12時間も飲料水にありつけない場合など）に起こる反応を**図6.37**に示す．図中の○で囲んだ番号は，本文中に付したステップ番号に対応する．
① 体内の水は，口や鼻からの水蒸気や汗として，絶えず失われていく（不感蒸泄とよばれる）．失われた水が，飲料水で補われないと，血漿浸透圧が上昇する．
② 浸透圧が上昇すると，視床下部前部の**浸透圧受容器（osmoreceptor）**が刺激される．この浸透

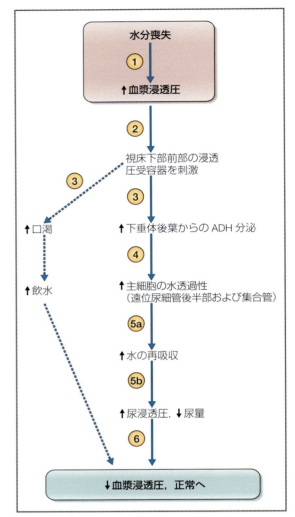

図6.37 水欠乏時の応答．
○で囲んだ番号の説明は，本文を参照のこと．
ADH：抗利尿ホルモン．

圧受容器は非常に鋭敏で，1 mOsm/Lほどの浸透圧上昇にも反応する．
③ 視床下部の浸透圧受容器を刺激されると，飲水行動を促す**口渇（thirst）**が起こるとともに，下垂体後葉から**抗利尿ホルモン（ADH）**が分泌される．
④ 下垂体後葉から分泌された抗利尿ホルモンは循環血液によって腎臓に運ばれ，遠位尿細管後半部および集合管の主細胞の水透過性を上げる．
⑤ 水の透過性が上がると，遠位尿細管後半部および集合管における水の再吸収が増加する（5a）．

このセグメントにおける水の再吸収が増えると，尿の浸透圧が上昇し，尿量が減少する(5b).
⑥水再吸収の増加は，より多くの水が体液に戻されることを意味する．口渇による飲水行動と相まって血漿浸透圧は低下し，正常値に向かう．このシステムは，元の変調（血漿浸透圧の上昇）が一連のフィードバック反応（ADHの分泌と水再吸収の増加）を起こして，血漿浸透圧を正常値に戻すという負のフィードバックのすばらしい例である．

■ 飲水時の応答

飲水時に起こる反応を図6.38に示す．一連の反応は，すべて水欠乏時の反対であるため理解しやすいであろう．図中の○で囲んだ番号は，以下のステップ番号に対応する．
①水を飲むと，摂取された水は体液全体に分散する．体内の溶質の量は変化しないため，吸収された水は体液を希釈し血漿浸透圧の低下をもたらす．
②浸透圧が低下すると，視床下部前部の浸透圧受容器が抑制される．
③浸透圧受容器が抑制されると，口渇がおさまって飲水行動が抑えられるとともに，下垂体後葉からの抗利尿ホルモン分泌も阻害される．
④抗利尿ホルモンの分泌が阻害されると，循環血中の濃度が下がり，腎臓に運ばれる抗利尿ホルモンの量が少なくなる．その結果，遠位尿細管後半部および集合管の主細胞の水透過性が低下する．
⑤水の透過性が下がると，遠位尿細管後半部および集合管における水の再吸収が減少する(5a)．このセグメントで再吸収されなかった水は排泄されるため，尿の浸透圧が低下し，尿量が増加する(5b)．
⑥水の再吸収が少なくなると，循環血液に戻される水が少なくなる．口渇感の低下による飲水行動の抑制と相まって，血漿浸透圧は上昇し正常値へ回復する．

皮質髄質浸透圧勾配

浸透圧調節における腎臓の関与を理解するため

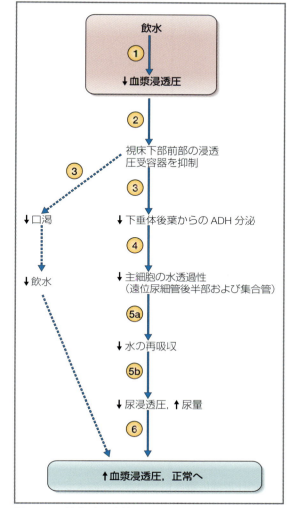

図6.38　飲水時の応答．
○で囲んだ番号の説明は，本文を参照のこと．
ADH：抗利尿ホルモン．

には，まず，**皮質髄質浸透圧勾配**(corticopapillary osmotic gradient)の形成過程や機能を理解する必要がある．皮質髄質浸透圧勾配とは，腎臓の皮質から乳頭にかけての浸透圧の勾配である（腎臓の解剖的区分については図6.1を参照）．皮質の浸透圧は他の部分の体液浸透圧と同様で，およそ300 mOsm/Lである．皮質から髄質外層，髄質内層，乳頭へと進むにつれて間質液の浸透圧は徐々に高くなり，乳頭先端部では1,200 mOsm/Lに達する．

皮質髄質浸透圧勾配の形成に関して，**どの溶質**

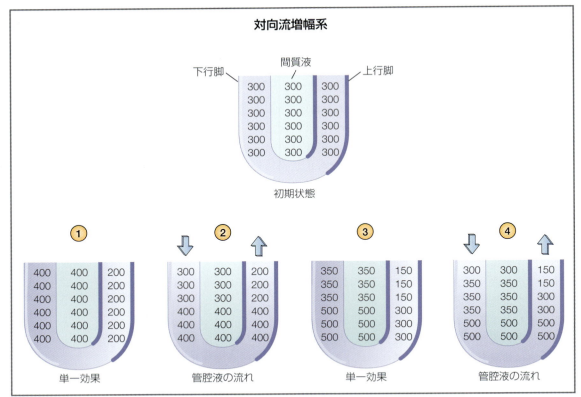

図 6.39　Henle ループにおける対向流増幅系のメカニズム．
○で囲んだ番号の説明は，本文を参照のこと．数字は管腔液や間質液の浸透圧を表す．矢印は管腔液の移動方向を示し，上行脚の太線は水の透過性がない部位を示す．

が浸透圧形成に寄与していて，どのようなメカニズムでその溶質を間質液に留めているのかという疑問が湧いてくる．その答えは2つのプロセスから見出すことができる．1つは，**対向流増幅系（countercurrent multiplication）** という Henle ループの機能で，腎臓深部に NaCl を留める．残りの1つは，**尿素リサイクル**という髄質内層集合管の機能で，尿素を留める．

■ 対向流増幅系

対向流増幅系は Henle ループにある1つの機能で，皮質髄質浸透圧勾配の形成過程において腎臓深部の間質液中に NaCl を留める．図 6.39 に，単一の Henle ループでの対向流増幅系の過程をステップごとに示す．教科書的な説明のため，最初は皮質髄質間に勾配がない状態を示しており，Henle ループ全域とその周辺の間質液の浸透圧は

300 mOsm/L である．対向流増幅系は2ステップのプロセスを繰り返しながら，間質液の浸透圧勾配を構築していく．第1のプロセスは単一効果とよばれ，第2のプロセスは管腔液の流れである．

単一効果

単一効果は，Henle ループの太い上行脚の機能である．**太い上行脚**では，Na^+-K^+-$2Cl^-$共輸送体によって NaCl が再吸収されるが，太い上行脚の水透過性は低く，NaCl に伴う水の再吸収は行われないため，上行脚の管腔液は希釈される．太い上行脚で管腔液から細胞内へ輸送された NaCl は，間質液に移動し浸透圧を上昇させる．下行脚の水透過性は高いため，水は下行脚から流出して，周辺の間質液と同じレベルになるまで浸透圧が上昇する．単一効果の結果，上行脚の浸透圧は低下し，間質液と下行脚の浸透圧は上昇する．**抗利尿**

ホルモンは，Na^+-K^+-$2Cl^-$共輸送体の活性を上げて単一効果を増強させる．例えば，（脱水などで）循環血中の抗利尿ホルモン濃度が高い場合は，皮質髄質浸透圧勾配が大きくなり，循環血中の抗利尿ホルモン濃度が低い状態（**中枢性尿崩症（central diabetes insipidus）**など）では，皮質髄質浸透圧勾配は小さくなる．

管腔液の流れ

　糸球体濾過は絶え間なく続くため，管腔液はネフロンを流れ続けている．近位尿細管から下行脚に新しく管腔液が流入すると，同じ量の管腔液が上行脚を出て遠位尿細管へと送られる必要がある．近位尿細管を経由した浸透圧 300 mOsm/L の管腔液が新しく下行脚に到達すると，下行脚の（単一効果によって生成された）高張の管腔液が Henle ループの底部に向かって押し出される．

　皮質髄質浸透圧勾配の形成にかかわる 2 ステップのプロセスを**図 6.39**に示す．繰り返しになるが，初期状態では Henle ループとその周辺の間質液には皮質髄質浸透圧勾配はない．図中の〇で囲んだ番号は，勾配形成にかかわる以下のステップ番号に対応する．

①**単一効果（single effect）**．NaCl は，上行脚で再吸収されて周囲の間質液に留まり，水は上行脚内腔に残る．その結果，間質液の浸透圧は 400 mOsm/L まで上昇し，上行脚の管腔液は 200 mOsm/L まで希釈される．下行脚の管腔液は間質液と平衡になり，管腔液の浸透圧も 400 mOsm/L になる．

②**管腔液の流れ**．浸透圧が 300 mOsm/L の管腔液が近位尿細管から下行脚に新たに流れ込むと，上行脚でも同量の管腔液が置き換えられる．管腔液が移動すると，下行脚にある高張の管腔液（400 mOsm/L）が Henle ループの底部に向かって**押し下げられる**．この初期段階でも，皮質髄質浸透圧勾配が形成され始めているのがわかるであろう．

③再び**単一効果**．NaCl は上行脚で再吸収されて周囲の間質液に留まり，水は上行脚内腔に残る．間質液と下行脚の管腔液の浸透圧は上昇し，前のステップで形成された勾配はさらに大きくな

る．上行脚の管腔液の浸透圧はさらに低下する（希釈される）．

④再び**管腔液の流れ**．浸透圧が 300 mOsm/L の管腔液が近位尿細管から下行脚に新たに流れ込むと，上行脚でも同量の管腔液が置き換えられる．管腔液が移動すると，下行脚の高張の管腔液が Henle ループの底部に向かって押し下げられる．このステップでは，②よりさらに浸透圧勾配が大きくなっている．

　2 つの基本ステップは，皮質髄質浸透圧勾配が完成するまで繰り返される．**図 6.39**に示す通り，2 ステップの繰り返しが勾配を大きくし，**増幅**している．皮質髄質浸透圧勾配の大きさは **Henle ループの長さ**に依存している．ヒトでは，Henle ループ底部の間質液浸透圧は 1,200 mOsm/L であるが，より長い Henle ループをもつ種（サバクネズミなど）では，Henle ループ底部の浸透圧が 3,000 mOsm/L に達することもある．

■ 尿素リサイクル

　髄質内層集合管からの尿素リサイクルは，皮質髄質浸透圧勾配を形成するための 2 番目のプロセスである．尿素リサイクルのメカニズムを**図 6.40**に示す．繰り返しになるが，〇で囲んだ番号は以下のステップ番号に対応する．

①抗利尿ホルモンは**皮質や髄質外層集合管**の水透過性を上げるが，尿素の透過性は上げない．その結果，皮質や髄質外層集合管では水は再吸収されるが，尿素は管腔液に留まる．

②皮質や髄質外層集合管において，抗利尿ホルモンは水と尿素の透過性に関して異なる作用を示すので，管腔液では尿素濃度が上昇する．

③**髄質内層集合管**では，抗利尿ホルモンは水の透過性を上げるだけでなく，尿素の促進拡散を担う尿素輸送体を増加させる（水の透過性だけに影響する皮質や髄質外層集合管とは対照的である）．

④皮質と髄質外層集合管では，水再吸収によって管腔液の尿素濃度が上昇しているため，尿素の大きな濃度勾配が形成される．抗利尿ホルモン存在下では，髄質内層集合管において尿素輸送が可能なため，尿素は濃度勾配に従って間質液

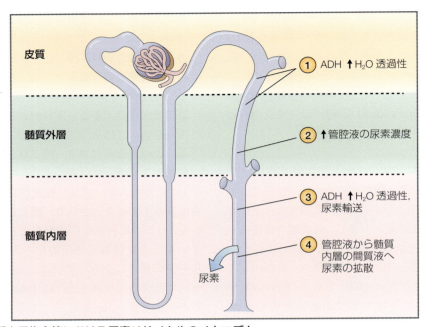

図6.40　髄質内層集合管における尿素リサイクルのメカニズム．
◯で囲んだ番号の説明は，本文を参照のこと．ADH：抗利尿ホルモン．

へ輸送される．排泄されるはずだった尿素は髄質内層でリサイクルされ，皮質髄質浸透圧勾配の形成因子になる．

　このメカニズムが示唆するように，尿素リサイクルも**抗利尿ホルモン**に依存する．水欠乏時など抗利尿ホルモンの濃度が高い場合は，透過性の違いが生じて髄質内層で尿素がリサイクルされ，皮質髄質浸透圧勾配が大きくなる．飲水時や中枢性尿崩症の場合など抗利尿ホルモンのレベルが低い場合は，透過性の違いが生じないため，尿素はリサイクルされない．抗利尿ホルモンが尿素リサイクルを促進するため，抗利尿ホルモンが皮質髄質浸透圧勾配を増大させる第2のメカニズムとなる（第1は，Na^+-K^+-$2Cl^-$共輸送体の活性化により対向流増幅系の単一効果を促進することである）．このように，抗利尿ホルモンの濃度が高いとき（水欠乏時や抗利尿ホルモン不適合分泌症候群など）は，抗利尿ホルモンの濃度が低いとき（飲水時や中枢性尿崩症など）よりも皮質髄質浸透圧勾配が大きくなる．

■ 直血管

　直血管（vasa recta）は，腎臓の髄質および乳頭に血液を供給する毛細血管で，Henleループと同様のコースを辿り，同様にヘアピン状の形（U字型）をしている．髄質に供給されるのは腎血流量のわずか5％であり，直血管の血流は特に少ない．

　直血管は，対向流増幅系とは異なる**対向流交換系（countercurrent exchange）**に関与する．前述の通り，対向流増幅系は**皮質髄質浸透圧勾配を確立する能動的プロセス**である．対向流交換系は純粋に受動的プロセスで，勾配の"維持"に役立つ．直血管の受動的な性質は他の毛細血管と同様で，低分子量の溶質や水を自由に透過させる．直血管を通る血液の流速は遅く，溶質や水が出入りできるため対向流交換系が効果的に機能する．

　対向流交換系について，図6.41に模式的に示す．図では，下行直血管と上行直血管からなる単一の直血管を示している．下行直血管に流れ込む血液の浸透圧は300 mOsm/Lで，血液が下行直血管を下降すると，周囲の間質液の浸透圧は（皮質髄質浸透圧勾配により）徐々に高まる．直血管は

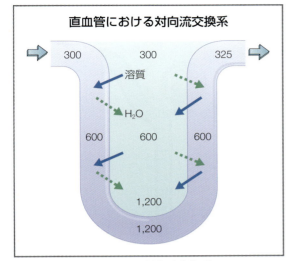

図6.41 直血管における対向流交換系.
青色の線の矢印は溶質の移動方向を示し，緑色の点線の矢印は水の移動方向を示す．太い矢印は，直血管を流れる血液の方向を示す．数字は浸透圧をmOsm/Lで表す．

毛細血管のため，NaClや尿素のような低分子量の溶質は下行直血管に流入し，水は流出して下行直血管を流れる血液の浸透圧は周囲の間質液と平衡化する．直血管の底部での血液の浸透圧は，乳頭先端部の間質液浸透圧（1,200 mOsm/L）と等しくなる．一方，上行直血管では反対の現象が起こる．血液が上行直血管を上昇すると，周囲の間質液の浸透圧が低下する．低分子量の溶質は上行直血管から流出し，水が流入するため，上行直血管を流れる血液の浸透圧は周囲の間質液と平衡化する．

図6.41では，直血管を出る血液の浸透圧が325 mOsm/Lであり，流れ込んだ元の血液の浸透圧よりもわずかに高いことに注意すること．皮質髄質浸透圧勾配を形成する溶質の一部が血液中に回収され，体循環に戻される．このプロセスにより，皮質髄質浸透圧勾配は時間経過とともに消失する可能性があるが，血流によって失われた溶質は対向流増幅系や尿素リサイクルによって連続的に補われるため，通常，勾配が消失することはない．

抗利尿ホルモン

前項で述べた通り，尿細管における抗利尿ホルモンの作用は以下の3点である：(1)遠位尿細管後半部および集合管の主細胞における水の透過性を増加させる．(2)太い上行脚においてNa^+-K^+-$2Cl^-$共輸送体の活性を高めて対向流増幅系を促進し，皮質髄質浸透圧勾配を増大させる．(3)(皮質集合管や髄質外層集合管ではなく)髄質内層集合管における尿素の透過性を上昇させ尿素リサイクルを促進し，皮質髄質浸透圧勾配を増大させる．

抗利尿ホルモンのこれらの作用のうち，最もよく知られているのが主細胞の**水透過性**に関する作用であり，生理学的にも最も重要である．抗利尿ホルモンが分泌されていない状態では，主細胞は水を通さない．抗利尿ホルモン存在下では，**水チャネルのアクアポリン**が主細胞の管腔膜に挿入され，主細胞の水透過性を増加させる．主細胞における抗利尿ホルモンの作用（**図6.42**）について以下に説明する．図中の○で囲んだ番号は，本文中に付したステップ番号に対応している．

① 循環血液中の抗利尿ホルモンレベルが高い場合，抗利尿ホルモンは尿細管周囲毛細血管血を介して主細胞に作用する．抗利尿ホルモンのV_2**受容体**は基底側膜に存在し，促進性Gタンパク質（G_s）を介して**アデニル酸シクラーゼ**と共役している．

② 抗利尿ホルモンが受容体に結合するとアデニル酸シクラーゼが活性化され，ATPから**cAMP**への変換を触媒する．

③④ cAMPは**プロテインキナーゼA（protein kinase A）**を活性化する．活性化されたプロテインキナーゼAは，細胞内の構造物を**リン酸化（phosphorylation）**する．その構造物の正体は明らかではないが，細胞内輸送機構にかかわる微小管やアクチンフィラメントの可能性が示唆されている．

⑤⑥ リン酸化により，水チャネルを含む小胞が主細胞の管腔膜に輸送されて細胞膜と融合し水チャネルが細胞表面に挿入されることにより，水の透過性が増加する．抗利尿ホルモン感受性の水チャネルは**アクアポリン2（aquaporin**

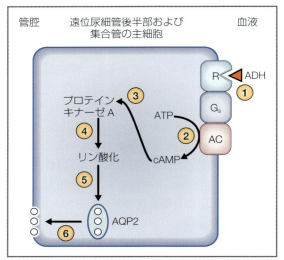

図 6.42　遠位尿細管後半部および集合管の主細胞における抗利尿ホルモン作用の細胞メカニズム．
○で囲んだ番号の説明は，本文を参照のこと．AC：アデニル酸シクラーゼ，ADH：抗利尿ホルモン，AQP2：アクアポリン 2，ATP：アデノシン三リン酸，cAMP：環状アデノシン一リン酸，G_s：促進性 G タンパク質，R：V_2 受容体．

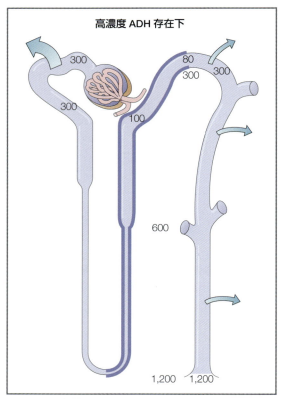

図 6.43　抗利尿ホルモン（ADH）存在下における高張（濃縮）尿の生成メカニズム．
矢印は水の再吸収部位を示し，太線はネフロンの水透過性がない部位を示す．数字は管腔液や間質液の浸透圧を表す（▶Video 6.43 参照）．

2：AQP2）である．凍結割断電子顕微鏡法を用いると，管腔膜の水チャネルは**膜内粒子（intramembranous particle）**とよばれる塊として可視化される．膜内粒子の有無やその数が，主細胞における水透過性の有無やその大きさに関連することから，この粒子の塊が解剖学的解像度での水チャネルを示すと考えられる．

高張尿の生成

定義上，高張尿もしくは濃縮尿とは，血液の浸透圧よりも浸透圧が高い尿を指す．水欠乏時や抗利尿ホルモン不適合分泌症候群など**循環血液中の抗利尿ホルモン濃度が高い場合**に，高張尿が生成される．そのメカニズムを図 6.43 に示す．

■ 高張尿の生成過程

メカニズムの詳細を説明する前に，図 6.43 について一般的な説明をしておく．図中の数字は，ネフロン各部における管腔液および間質液の浸透圧を表す．太い上行脚や遠位尿細管前半部の太線部分は水を通さないことを示し，矢印はネフロン各部位の水の再吸収を示す．

元の糸球体濾過液は血液の浸透圧（300 mOsm/L）と等しいが，尿の浸透圧は血液の浸透圧よりもずっと高い（1,200 mOsm/L）ことに注意すること．また，対向流増幅系と尿素リサイクルが働き続けることによって，皮質髄質浸透圧勾配が適正に形成されていることにも注意してほしい．ここで，高張尿生成に関する 2 つの基本的な疑問を提示する：(1)腎臓は，どのようにして血液の浸透圧以上に尿を濃縮するのか．(2)尿浸透圧の上限を決定するのは何か．以下，これらの疑問に答えるため，高張尿の生成過程について説明する．

1. 糸球体濾過液の浸透圧は，水や低分子量の溶質が抵抗なく濾過されるため，血液と等しい 300 mOsm/L である．かなりの量の水が再吸収されても，近位尿細管全域での浸透圧は

300 mOsm/L のままである．この現象は，水がつねに同じ割合の溶質とともに再吸収されるために起こる．つまり，このプロセスは**等浸透圧性**であり，[TF/P]$_{osm}$ という用語を使って次のように表現できる．糸球体濾過液は [TF/P]$_{osm}$ ＝1.0 であり，近位尿細管で一定のままである．

2. Henle ループの太い上行脚では，Na$^+$-K$^+$-2Cl$^-$ 共輸送体によって NaCl が再吸収される．しかし，太い上行脚の細胞には**水の透過性がない**ため，溶質の再吸収に伴って水を再吸収することができない．溶質が再吸収されても水は管腔内に残るため，管腔液は希釈される．太い上行脚を出る管腔液の浸透圧は 100 mOsm/L となることから，太い上行脚は**希釈セグメント**ともよばれる．

3. 遠位尿細管前半部において，NaCl は Na$^+$-Cl$^-$ 共輸送体によって再吸収される．太い上行脚と同様に，遠位尿細管前半部の細胞には**水の透過性がなく**，溶質の再吸収に続く水の再吸収は起こらない．ここでは管腔液はさらに希釈され，浸透圧は 80 mOsm/L まで低下する．したがって，遠位尿細管前半部は**皮質の希釈セグメント**(cortical diluting segment)ともよばれる(遠位尿細管は，太い上行脚がみられる髄質ではなく，皮質に位置するため)．

4. 遠位尿細管後半部において，**抗利尿ホルモン**存在下では主細胞の水透過性が上昇する．前述の通り，遠位尿細管後半部に到達する管腔液の浸透圧は極端に低く，80 mOsm/L ほどである．細胞に水の透過性があるため，浸透圧勾配に従って水は管腔液から細胞を通過して浸透する(すなわち，再吸収される)．水の再吸収は，管腔液と周囲の間質液の浸透圧が等しくなるまで続く．遠位尿細管を出る管腔液は皮質の間質液と平衡化しており，その浸透圧は 300 mOsm/L である．

5. **集合管**におけるメカニズムは遠位尿細管後半部と同様で，**抗利尿ホルモン**存在下では集合管の主細胞に水の透過性がある．管腔液が集合管を下降すると，徐々に高い浸透圧(つまり，皮質髄質浸透圧勾配)の間質液に曝される．水の再吸収は管腔液と周囲の間質液の浸透圧が等しく

なるまで続くため，最終尿は乳頭先端部の浸透圧まで上昇し，この例では 1,200 mOsm/L になる．

高張尿生成に関する 2 つの疑問に対して答えよ．

⑴**尿は，どのようにして高浸透圧になるのだろうか**．

抗利尿ホルモン存在下では，集合管の管腔液は皮質髄質浸透圧勾配の高浸透圧と平衡化するため，尿は高浸透圧になる．皮質髄質浸透圧勾配は，Henle ループの機能である対向流増幅系と髄質内層集合管の機能である尿素リサイクルによって形成される．

⑵**尿浸透圧はどこまで高くなるのか**．

抗利尿ホルモン存在下で，尿の最終的な浸透圧は Henle ループ底部(乳頭先端部)の浸透圧に等しくなる．

■ 抗利尿ホルモン不適合分泌症候群

前述の通り，**水欠乏時の適切な応答は高張尿の生成**である．しかし，抗利尿ホルモン不適合分泌症候群(SIADH)では**不適切に高張尿を生成する**(表6.10)．抗利尿ホルモン不適合分泌症候群では，頭部損傷に続発する下垂体後葉からの過剰分泌や，**肺腫瘍**(lung tumor)など異常部位からの抗利尿ホルモン分泌によって，抗利尿ホルモンの循環血濃度が異常に高くなる．このような状態では，浸透圧刺激がない場合でも自律的に抗利尿ホルモンが分泌され，言い換えると，抗利尿ホルモンが不要なときでも分泌される．抗利尿ホルモン不適合分泌症候群では，抗利尿ホルモンの濃度が高いため遠位尿細管後半部および集合管の水再吸収が亢進し，高張尿を生成して血漿浸透圧が低下する(通常なら，血漿浸透圧の低下によって抗利尿ホルモン分泌が抑制されるが，抗利尿ホルモン不適合分泌症候群の場合は，抗利尿ホルモンが自律的に分泌されるため，このフィードバック抑制が働かない)．抗利尿ホルモン不適合分泌症候群の治療では，主細胞で抗利尿ホルモンの作用を阻害する**デメクロサイクリン**(demeclocycline)のような薬物が投与される．

表6.10 生理学および病態生理学的観点からみた抗利尿ホルモンの動態.

症例（状態）	血清ADH	血漿浸透圧	尿浸透圧	尿流量	自由水クリアランス(C_{H_2O})
水欠乏	↑	正常高値	高浸透圧	少ない	負
SIADH	↑↑	低値（過剰な水再吸収）	高浸透圧	少ない	負
飲水	↓	正常低値	低浸透圧	多い	正
中枢性尿崩症	↓↓	高値（過剰な水排泄）	低浸透圧	多い	正
腎性尿崩症	↑（高血漿浸透圧による刺激）	高値（過剰な水排泄）	低浸透圧	多い	正

ADH：抗利尿ホルモン，SIADH：抗利尿ホルモン不適合分泌症候群.

低張尿の生成

定義上，低張尿もしくは希釈尿とは，血液の浸透圧よりも浸透圧が低い尿を指す．（飲水時や中枢性尿崩症など）循環血液中の抗利尿ホルモン濃度が低い場合や，（腎性尿崩症（nephrogenic diabetes insipidus）など）抗利尿ホルモンの効果が現れない場合に低張尿が生成される．低張尿生成のメカニズムを図6.44に示した．

■ 低張尿の生成過程

図6.44の形式は図6.43と同様である．図中の数字は浸透圧を示し，矢印は水の再吸収を示す．太線部分は水を通さないネフロンセグメントを示しており，太い上行脚に加えて遠位尿細管全域と集合管も含まれる．抗利尿ホルモン存在下（図6.43）よりも小さいものの，皮質髄質浸透圧勾配が存在していることに注意すること．勾配が小さくなるのは，対向流増幅系や尿素リサイクルに対する抗利尿ホルモンの正の作用で説明できる．抗利尿ホルモン非存在下では，これらの作用は減弱し，皮質髄質浸透圧勾配も小さくなる．ここで，低張尿生成に関する2つの基本的な疑問を提示する：(1)尿は，どのようにして低浸透圧になるのだろうか．(2)尿浸透圧はどこまで低くなるのか．では，これらの疑問に答えるため，低張尿の生成過程について説明する．

1. **近位尿細管**における再吸収は抗利尿ホルモンの影響を受けず，抗利尿ホルモンが存在しない場合は再び等張性に再吸収されるので，管腔液の浸透圧は300 mOsm/Lのままで$[TF/P]_{osm} = 1.0$である．

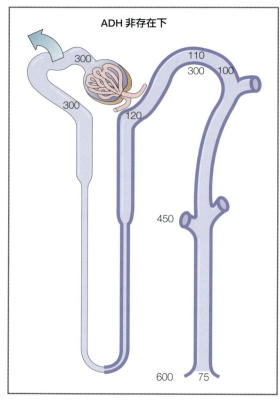

図6.44 抗利尿ホルモン（ADH）非存在下における低張（希釈）尿の生成メカニズム.
矢印は水の再吸収部位を示し，太線はネフロンの水透過性がない部位を示す．数字は管腔液や間質液の浸透圧を表す（▶Video 6.44 参照）．

2. **Henleループの太い上行脚**では，Na^+-K^+-$2Cl^-$共輸送体によってNaClが再吸収される．しかし，太い上行脚の細胞には水の透過性がないため，水の再吸収は起こらない．このように，管腔液は希釈され，太い上行脚を出る管腔液の浸透圧は120 mOsm/Lとなる．抗利尿ホルモン非

存在下では（Na^+-K^+-$2Cl^-$共輸送が阻害され）希釈過程が弱まるため，この部分の浸透圧は抗利尿ホルモン存在下（図6.43）ほど低くならないことに注意すること．

3. **遠位尿細管前半部**においても希釈は継続し，NaCl は Na^+-Cl^-共輸送体によって再吸収されるが，この部分の水の透過性はない．したがって，遠位尿細管前半部を出る管腔液の浸透圧は 110 mOsm/L となる．

4. 抗利尿ホルモン非存在下もしくは低濃度の場合，**遠位尿細管後半部および集合管**において，最も劇的かつ重要な違いがみられる．このセグメントでの**水の透過性が失われ**，管腔液が通過するときに浸透圧の平衡化が起こらない．管腔液は，皮質髄質浸透圧勾配のため徐々に高い浸透圧の間質液に曝されるが，浸透圧駆動による水の再吸収は起こらない．最終尿は乳頭先端部の浸透圧まで**平衡化されず**，浸透圧は 75 mOsm/L になる（遠位尿細管後半部および集合管で NaCl が再吸収されるため，最終尿の浸透圧は遠位尿細管前半部の管腔液浸透圧よりもいくぶん低くなる．実質的に，遠位尿細管後半部および集合管は希釈セグメントになる）．

低張尿生成に関する2つの疑問に対して答えよ．

(1)尿は，どのようにして**低浸透圧**になるのだろうか．

NaCl を再吸収するが水は再吸収しない**希釈セグメント**で管腔液は希釈される．抗利尿ホルモン非存在下では，集合管でも浸透圧平衡は起こらないため，尿が低浸透圧になる．

(2)**尿浸透圧はどこまで低くなるのか**．

最終尿の浸透圧は，遠位尿細管後半部と集合管だけでなく，太い上行脚や遠位尿細管前半部を含めた**すべての希釈セグメント**の機能の総和まで低くなる．

低張尿は飲水に対する正常な反応として生成されるが，**中枢性尿崩症**や**腎性尿崩症**などの異常な状態では，不適切に希釈尿が生成されることがある．これらの症状の特徴を**表6.10**にまとめた．

■ 中枢性尿崩症

中枢性尿崩症は，**頭部損傷**に続発することがある．下垂体茎の損傷により下垂体後葉の抗利尿ホルモンが枯渇するため，浸透圧刺激に応じた後葉からの抗利尿ホルモンの分泌ができない．循環血中の抗利尿ホルモン濃度が低いかゼロとなるため，遠位尿細管全体と集合管の水透過性がなくなり，大量（最大で 15 L/day）の希釈尿が排泄される．（抗利尿ホルモン存在下では，再吸収されるはずの）水が過剰に尿として排泄されるため，血漿浸透圧は異常高値を示す．通常であれば，血漿浸透圧が上昇すると抗利尿ホルモンが分泌されるが，中枢性尿崩症では下垂体後葉からの抗利尿ホルモン分泌は起こらない．中枢性尿崩症の治療では，1-デアミノ-8-D-アルギニンバソプレシン（1-deamino-8-D-arginine vasopressin：dDAVP）のような抗利尿ホルモン類似体が投与される．

■ 腎性尿崩症

腎性尿崩症では，抗利尿ホルモンに対する腎臓の反応が失われる．下垂体後葉からの抗利尿ホルモン分泌は正常でも，受容体，G_s タンパク質，アデニル酸シクラーゼいずれかの欠損のために，主細胞が抗利尿ホルモンに反応しない．

その結果，抗利尿ホルモンは遠位尿細管後半部および集合管における水透過性を増やすことができないため，中枢性尿崩症のように，これらのセグメントで水の再吸収ができず大量の希釈尿が排泄される．血漿浸透圧の上昇によって下垂体後葉が刺激され，さらに抗利尿ホルモンが分泌される．中枢性尿崩症の場合，循環血中の抗利尿ホルモンの濃度は正常よりも高くなるが，このような高い濃度の抗利尿ホルモンでも依然として主細胞は反応しない．

腎性尿崩症の治療には**サイアザイド系利尿薬**が用いられる（抗利尿ホルモンに対する応答が消失しているため，dDAVP のような抗利尿ホルモン類似体の投与は効果がない）．サイアザイド系利尿薬を用いる根拠を理解するには，まず腎性尿崩症の根本的な問題について考えなければならない．つまり，主細胞が抗利尿ホルモンに反応しな

いため，大量の希釈尿が排泄されることである．サイアザイド系利尿薬の有用性は以下のように説明できる：(1)サイアザイド系利尿薬は，遠位尿細管前半部における Na^+-Cl^- 共輸送体の阻害により，このセグメントにおける尿の希釈を抑制する．NaCl の排泄が増えることで，治療を受けない場合よりも尿の希釈が抑えられる．(2)サイアザイド系利尿薬は糸球体濾過量の減少をもたらし，二次的な Na^+ 再吸収の減少により，細胞外液量を減少させる．細胞外液量の減少は Starling 力に影響し，近位尿細管での再吸収を増加させる．つまり，水の濾過量が減ることに加え，近位尿細管における水の再吸収が増えることで水の総排泄量が減少するのである．

■ 自由水クリアランス

自由水(free water)とは，溶質を除去した蒸留水(もしくは溶質を含まない水)と定義される．ネフロンでは，水を伴わず溶質だけが再吸収される**希釈セグメント**(diluting segment)で，自由水が生成される．ネフロンの希釈セグメントとは水透過性のないセグメントで，太い上行脚と遠位尿細管前半部のことである．

自由水クリアランス(C_{H_2O})を測定することにより，腎臓の尿濃縮能や希釈能を評価できる．この測定原理は以下の通りである．**抗利尿ホルモン濃度が低い**場合は，(集合管における水の再吸収が起こらないため)太い上行脚や遠位尿細管前半部で生成された自由水はすべて排泄される．このときの尿は低浸透圧で，自由水クリアランスは正の値をとる．**抗利尿ホルモン濃度が高い**場合，太い上行脚や遠位尿細管前半部で生成された自由水は遠位尿細管後半部および集合管ですべて再吸収される．このときの尿は高浸透圧で，自由水クリアランスは負の値をとる．

■ 自由水クリアランス(C_{H_2O})の測定

自由水クリアランス(C_{H_2O})は，以下の計算式によって算出される．

$$C_{H_2O} = \dot{V} - C_{osm}$$

$$= \dot{V} - \frac{[U]_{osm} \times \dot{V}}{[P]_{osm}}$$

ここで

$$
\begin{aligned}
C_{H_2O} &= 自由水クリアランス(mL/min)\\
\dot{V} &= 尿流量(mL/min)\\
C_{osm} &= 浸透圧クリアランス(mL/min)\\
[U]_{osm} &= 尿浸透圧(mOsm/L)\\
[P]_{osm} &= 血漿浸透圧(mOsm/L)
\end{aligned}
$$

例題

ある男性の尿流量は 10 mL/min，尿浸透圧は 100 mOsm/L，血漿浸透圧は 290 mOsm/L であった．この男性の自由水クリアランスを求めよ．また，その値の意味を説明せよ．

解答

この男性の自由水クリアランスは，以下の通りである．

$$
\begin{aligned}
C_{H_2O} &= \dot{V} - C_{osm}\\
&= \dot{V} - \frac{[U]_{osm} \times \dot{V}}{[P]_{osm}}\\
&= 10\ mL/min - \frac{100\ mOsm/L \times 10\ mL/min}{290\ mOsm/L}\\
&= 10\ mL/min - 3.45\ mL/min\\
&= 6.55\ mL/min
\end{aligned}
$$

C_{H_2O} は正の値で，自由水が排泄されていることを示す．太い上行脚や遠位尿細管前半部で生成された溶質を含まない水は，集合管で再吸収されず排泄される．この状態は，飲水時や中枢性尿崩症など，循環血中の抗利尿ホルモン濃度が低い場合(もしくは，腎性尿崩症のように抗利尿ホルモンの効果が現れない場合)に起こる．

■ 自由水クリアランス(C_{H_2O})の意義

C_{H_2O} の値は，ゼロのこともあれば，正の値のことも，負の値のこともある．それぞれの値がもつ意味合いを説明する．

● C_{H_2O} がゼロの場合

溶質を含まない水が排泄されない場合，C_{H_2O} はゼロになる．この状態では，尿の浸透圧は血漿浸透圧に等しい(**等張尿**)．C_{H_2O} がゼロになるのは珍

まとめ　351

Box 6.4　中枢性尿崩症

▶ 症例

　45歳の女性が頭部外傷により入院した．重度の多尿（2時間で尿量1L）と多飲（1時間にグラス3～4杯）を呈し，24時間尿は10Lに達したが，グルコースは含まれなかった．精密検査のため夜間の水分摂取を制限されると，翌朝には衰弱と錯乱がみられた．血漿浸透圧330 mOsm/L，血漿 Na^+ 濃度164 mEq/L，尿浸透圧70 mOsm/Lであった．女性には，鼻内噴霧によって1-デアミノ-8-D-アルギニンバソプレシン（dDAVP）が投与され，24時間以内に血漿浸透圧は295 mOsm/Lに戻り，尿浸透圧は620 mOsm/Lとなった．

▶ 解説

　注目すべき所見は，夜間の水分摂取制限の後，血漿浸透圧が著しく上昇したにもかかわらず，希釈（低張）尿を生成し続けたことである．尿中にグルコースが含まれないため，多尿の原因から糖尿病は除外され，頭部外傷による二次性の中枢性尿崩症と診断された．

　血漿浸透圧330 mOsm/Lという強い浸透圧刺激にもかかわらず，下垂体後葉から抗利尿ホルモン（ADH）が分泌されない．抗利尿ホルモンの欠乏により水再吸収が著しく障害され，濃縮尿の生成ができない．抗利尿ホルモン非存在下では遠位尿細管および集合管の水透過性がないため，このセグメントで水の再吸収が起こらず，尿は低浸透圧（70 mOsm/L）になる．自由水の過剰排泄により，血漿浸透圧と血漿 Na^+ 濃度はともに上昇する．高い血漿浸透圧は口渇を強力に刺激し，絶え間なく水を飲むようになる．

▶ 治療

　治療に使われたdDAVPは抗利尿ホルモン類似体で，主細胞の V_2 受容体を活性化する．抗利尿ホルモンが V_2 受容体に結合するとアデニル酸シクラーゼが活性化され，環状アデノシン一リン酸（cAMP）を産生し，水チャネルを管腔膜に挿入することで主細胞の水透過性を回復させる．dDAVP治療開始後，患者は高張尿を生成できるようになり，血漿浸透圧も正常に回復した．

しいが，太い上行脚の $NaCl$ 再吸収を阻害する**ループ利尿薬**による治療中に起こることがある．太い上行脚における溶質の再吸収が阻害されると，この部位で自由水が生成されない．もし，自由水が生成されなければ，それを排泄することはできないため，ループ利尿薬による治療中の患者では，飲水時に尿を希釈する能力が失われている．同様に，ループ利尿薬は（ Na^+-K^+-$2Cl^-$ 共輸送体と対向流増幅系を阻害することによって），皮質髄質浸透圧勾配の形成も妨げるため，水欠乏時に尿を濃縮する能力も失う．

● C_{H_2O} が正の値の場合

　抗利尿ホルモンの濃度が低い場合や，抗利尿ホルモンの効果がなく尿が**低張**の場合に C_{H_2O} は正の値になる．この状態では，遠位尿細管後半部および集合管における水透過性がないため，太い上行脚や遠位尿細管前半部で生成された溶質を含まない水は尿として排泄される（Box 6.4）．

● C_{H_2O} が負の値の場合

　抗利尿ホルモンの濃度が高く，尿が**高張**の場合に C_{H_2O} は負の値になる．太い上行脚や遠位尿細管前半部で生成された溶質を含まない水はすべて（それ以上），遠位尿細管後半部および集合管において再吸収される．負の C_{H_2O} という表現はわかりづらいため，符号を逆にして**自由水再吸収（free-water reabsorption）**（ $T^c_{H_2O}$ ）（cは集合管を表す）とよばれる．

まとめ

● 体内全水分量は，細胞内液と細胞外液に分けられる．体重に対する割合で表すと，体内全水分量は60％で，40％が細胞内液，20％が細胞外液である．細胞外液は血漿と間質液からなる．体液区分の量はマーカー物質の希釈により測定される．

● 定常状態では，細胞外液と細胞内液の浸透圧はつねに等しい．体液の浸透圧に異常があると，細胞外液と細胞内液の浸透圧が等しくなるように，細胞膜を介して水が移動する．このような水の移動は，細胞外液量や細胞内液量の変化を

もたらす.

- 腎クリアランスは，ある物質が単位時間で除去される血漿の量で表され，腎臓におけるその物質の輸送能により決定される．糸球体で濾過され尿細管や集合管から分泌されるような物質は，高いクリアランスを示す．一方，濾過されなかったり濾過されても再吸収されるような物質は，クリアランスが低くなる．イヌリンは，クリアランスが糸球体濾過量と等しい糸球体マーカーである.

- 腎血流量は，動脈圧が広範囲に変化しても，輸入細動脈の抵抗を変化させて自動的に調節される．有効腎血漿流量はパラアミノ馬尿酸クリアランスによって測定し，腎血流量は腎血漿流量から算出できる.

- 糸球体濾過量は，糸球体毛細血管壁の透過性（K_f）と正味の限外濾過圧によって決定される．正味の限外濾過圧は，糸球体毛細血管を介した3つのStarling力（P_{GC}, π_{GC}, P_{BS}）の合計である．もし，いずれかのStarling力が変化すれば，正味の限外濾過圧や糸球体濾過量も変化する.

- 糸球体濾過により生成される限外濾過液は，再吸収や分泌により組成が変化する．ある物質の正味の再吸収量もしくは分泌量は，濾過量と排泄量の差である．グルコースの再吸収は最大輸送量で制限されるため，最大輸送量以上のグルコースが負荷されると，尿中に排泄される（糖尿）．パラアミノ馬尿酸の分泌も最大輸送量に制限される.

- Na^+の再吸収量は濾過量の99％を超え，ネフロン全体で起こる．近位尿細管ではNa^+濾過量の67％が水とともに等張的に再吸収される．近位尿細管前半部では，Na^+-グルコース共輸送やNa^+-アミノ酸共輸送，Na^+-H^+交換輸送によってNa^+が再吸収される．近位尿細管後半部では$NaCl$が再吸収される．細胞外液量増加時には近位尿細管における再吸収は抑制され，細胞外液量減少時には近位尿細管における再吸収が亢進する．水の透過性が乏しいHenleループの太い上行脚では，濾過されたNa^+の25％がNa^+-K^+-$2Cl^-$共輸送によって再吸収される．ループ利尿薬は，Na^+-K^+-$2Cl^-$共輸送体を阻害

する．遠位尿細管や集合管では，濾過されたNa^+の8％が再吸収される．遠位尿細管前半部におけるメカニズムはNa^+-Cl^-共輸送で，その輸送はサイアザイド系利尿薬で阻害される．遠位尿細管後半部や集合管では，主細胞にアルドステロン依存性Na^+チャネルが発現しており，このチャネルはK^+保持性利尿薬によって阻害される.

- K^+バランスは，細胞膜を介したK^+の移動と腎臓での調節によって維持されている．K^+バランスを維持するための腎臓のメカニズムには，濾過，近位尿細管や太い上行脚における再吸収，および遠位尿細管後半部や集合管の主細胞による分泌が含まれる．主細胞による分泌は，K^+摂取量やアルドステロン，酸塩基バランス，管腔液流量の影響を受ける．K^+摂取量が少ない場合は，遠位尿細管のα間在細胞によってK^+が再吸収される.

- 遠位尿細管後半部や集合管の主細胞における水再吸収の変化によって，体液浸透圧は一定の範囲に維持される．水欠乏時には抗利尿ホルモンが分泌されて主細胞に作用し，水の再吸収が増加する．水を飲むと抗利尿ホルモン分泌が抑制され，主細胞の水透過性が失われる.

練習問題

　各問に，単語，語句，数字で答えよ．選択肢が複数の場合，正解は1つとは限らず，ないこともある．正解は巻末に示す.

1 腎血漿流量（RPF）が減少し，糸球体濾過量（GFR）が増加するのは，どの細動脈が収縮した場合か.

2 腎静脈グルコース濃度と腎動脈グルコース濃度が等しくなるのは，グルコース滴定曲線のどの部分（点）か.

3 濾過比が上昇すると，尿細管周囲毛細血管血の膠質浸透圧はどう変化するか.

4 有効腎血漿流量を知るためにパラアミノ馬尿酸クリアランスを測定する場合，パラアミノ馬尿酸の血漿濃度は，分泌の最大輸送量（T_m）以上に設定すべきか，以下に設定すべきか.

5 細胞外液量14 L，細胞内液量28 L，血漿

浸透圧 300 mOsm/L の人が，3 L の水と 600 mmol の NaCl を経口摂取した．摂取後の定常状態における血漿浸透圧はどうなるか．

6 糸球体濾過量は一定で，尿流量が増加した場合，血漿イヌリン濃度はどう変化するか．上昇，低下，不変のいずれかを選べ．

7 尿の pH が上昇した場合，弱酸の排泄はどう変化するか．増加，減少，不変のいずれかを選べ．

8 水利尿が起きているとき，$[TF/P]_{イヌリン}$ の値が最も低いのはネフロンのどの部分か．

9 Na^+ の排泄率が最も高いのはネフロンのどの部分か．

10 ループ利尿薬（$Na^+-K^+-2Cl^-$ 共輸送体の阻害薬）の作用により，高張尿生成時の尿浸透圧の最大値はどうなるか．上昇，低下，不変のいずれかを選べ．

11 血漿浸透圧上昇，希釈尿，抗利尿ホルモン低下を示す抗利尿ホルモン（ADH）障害の疾患名は何か．

12 ポテトチップス（すなわち，NaCl）を 1 袋全部食べると，細胞内液量はどう変化するか．増加，減少，不変のいずれかを選べ．

13 グルコース最大輸送量（T_m）の単位は何か．

14 輸出細動脈の拡張は，濾過比にどう影響するか．上昇，低下，不変のいずれかを選べ．

15 次のうち，高カリウム血症を引き起こすのはどれか．

インスリン欠乏，高アルドステロン症，ループ利尿薬，スピロノラクトン，高浸透圧，代謝性アルカローシス．

16 腎臓における副甲状腺ホルモン（PTH）の作用について，正しいのはどれか．

Na^+-リン酸共輸送体の阻害，尿中リン酸排泄の減少，尿中 Ca^{2+} 排泄の減少，尿中 cAMP の減少．

17 糸球体濾過量 120 mL/min，X の血漿濃度 10 mg/mL，X の尿中濃度 100 mg/mL，尿流量は 1.0 mL/min である．X は抵抗なく濾過されると仮定した場合，X は再吸収されているか，分泌されているか．また，その速度を計算せよ．

18 高張尿が生成されるとき，$[TF/P]_{浸透圧}$ の値が最も低いのはネフロンのどの部位か．

19 次のうち，最も高い値を示すのはどれか．

最大輸送量（T_m）以下の PAH クリアランス，閾値以下でのグルコースクリアランス，イヌリンクリアランス．

20 次の物質を排泄率の高いものから順に並べよ．

イヌリン，Na^+，グルコース（閾値以下），高 K^+ 食摂取時の K^+，HCO_3^-．

21 腎臓における尿酸輸送について正しい記述はどれか．

濾過量は排泄量より多い，濾過量は正味の再吸収量より多い，分泌量は再吸収量より多い，正味の再吸収量は濾過量に分泌量を加えたものより多い．

第7章

酸塩基の生理学

酸塩基平衡によって，体液の水素イオン（H^+）濃度は正常に維持されている．この平衡は，細胞外液および内液にある緩衝物質（バッファー）（buffer）の利用や，CO_2 を排出する肺，さらに，HCO_3^- を再吸収し H^+ を分泌する腎の働きによって維持されている．

体液のpH

体液の H^+ 濃度は，きわめて低く保たれている．動脈血 H^+ 濃度は 4.0×10^{-8} Eq/L あるいは 40 nEq/L しかなく，これは Na^+ 濃度より 6 桁以上低い．このようなきわめて小さい数字をそのまま扱うのは面倒であるため，H^+ 濃度は通常 pH という形で対数表示される．

$$pH = -\log_{10}[H^+]$$

H^+ 濃度の正常値である 4.0×10^{-8} Eq/L を pH に変換すると以下のようになる．

$$pH = -\log_{10}[4.0\times10^{-8}\,\text{Eq/L}]$$
$$= 7.4$$

H^+ 濃度の代わりに pH を使う場合，2つ注意すべき点がある．1つ目は，pH は負の対数式で表されるため，逆転させてその動きを考える必要があることである．つまり，H^+ 濃度が増加すれば，pH は低下し，その逆も然りである．2つ目は，H^+ 濃度と pH は対数の関係にあり，直線的ではないため，pH の変化の絶対値が同じであっても H^+ 濃度の変化の程度は pH の値によって変わるということである．この非線形的な関係を，体液の生理的範囲内で図 7.1 に示した．例えば，pH が 7.4 から 7.6 に 0.2 上昇する場合，H^+ 濃度は 15 nEq/L 低下するが，pH が 7.4 から 7.2 に同じく 0.2 低下しても，H^+ 濃度の増加は 23 nEq/L とより大きくなる．言い換えれば，同じ程度の pH の変化でも，酸性域（pH＜7.4）での変化は，アルカリ域（pH＞7.4）での変化に比べて，H^+ 濃度の変化の程度は大きい．

動脈血 pH（arterial pH）の基準値（範囲）は 7.35〜7.45 である．動脈血 pH が 7.35 未満である場合，酸血症（アシデミア）（acidemia）とよばれ，動脈血 pH が 7.45 を超える場合，アルカリ血症（アルカレミア）（alkalemia）とよばれる．生存可能な pH の範囲は 6.8〜8.0 である．

細胞内 pH（intracellular pH）は約 7.2 と，細胞外液 pH よりもやや低い．細胞膜の輸送体が細胞内 pH を制御している．Na^+-H^+ 交換輸送体（Na^+-H^+ exchanger）は H^+ を細胞内から排出し，細胞内液（ICF）をアルカリ性に傾けるのに対し，Cl^--HCO_3^- 交換輸送体（Cl^--HCO_3^- ex-

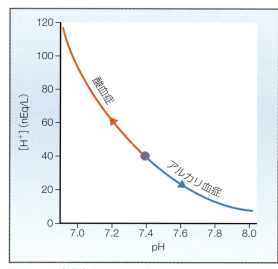

図 7.1　H^+ 濃度と pH の関係．

changer)は HCO_3^- を細胞内から排出し，ICF を酸性に傾ける．

pH を正常範囲に維持するのに役立つメカニズムには，細胞外液（ECF）および ICF の両方での H^+ のバッファー効果，**呼吸性代償（respiratory compensation）** および **腎性代償（renal compensation）** などがある．バッファー効果や呼吸性代償は数分から数時間で速やかに働くが，腎性代償は数時間から数日と遅い反応である．

体内での酸産生

日常の酸産生が多いにもかかわらず，動脈血 pH は弱アルカリ性（7.4）である．ここで，産生される酸は 2 つの形，つまり **揮発性酸（volatile acid）** （CO_2）と **不揮発性酸（nonvolatile acid）** （または **固定酸（fixed acid）** ）をとる．揮発性酸も不揮発性酸も大量に産生されるため，通常弱アルカリ性である血液 pH には大きな脅威となる．

二酸化炭素（CO_2）

CO_2 あるいは揮発性酸は細胞の好気性代謝の最終産物であり，毎日 20,000 mmol/day の速度で産生されている．CO_2 自体は酸ではないが H_2O と反応し，**弱酸（weak acid）** である H_2CO_3 となる．

$$CO_2 + H_2O \rightleftharpoons H_2CO_3 \rightleftharpoons H^+ + HCO_3^-$$
$$\text{炭酸脱水酵素}$$

反応式から，CO_2 は **炭酸脱水酵素（carbonic anhydrase）** の触媒により H_2O と可逆的に結合して H_2CO_3 を生成することがわかる．H_2CO_3 は H^+ と HCO_3^- に解離するが，この反応で生成される H^+ はすぐに緩衝されなければならない．細胞で生成される CO_2 は，静脈血に取り込まれて赤血球の内部で H^+ と HCO_3^- に変換され，肺に運ばれることを思い出してほしい．肺では逆の反応が生じ，CO_2 が再生され，呼気中に排出される（これが **揮発性酸** とよばれるゆえんである）．このように CO_2 産生に由来する H^+ の緩衝は静脈血では一過性の問題にしかならない．

不揮発性酸

タンパク質（protein）やリン脂質の異化によって，約 50 mmol/day の不揮発性酸が生じる．硫黄含有アミノ酸（メチオニン，システイン，シスチンなど）を含むタンパク質やリン脂質の代謝によって，それぞれ **硫酸（sulfuric acid）** （H_2SO_4）と **リン酸（phosphoric acid）** （H_3PO_4）が生成される．揮発性酸として肺から呼出される CO_2 と違い，硫酸やリン酸は不揮発性である．よって，不揮発性酸は腎から体外に排泄されるまで，体液中で緩衝を受ける必要がある．

生理的な異化プロセスで生じる硫酸やリン酸に加えて，病的状況においては過剰な不揮発性酸が生じうる．このような不揮発性酸には，未治療の糖尿病で生じる **ケト酸（ketoacid）** である **β-ヒドロキシ酪酸（β-hydroxybutyric acid）** と **アセト酢酸（acetoacetic acid）** の他，激しい運動や組織低酸素状態で生じる **乳酸（lactic acid）** がある．さらに，**サリチル酸（salicylic acid）** ［アスピリン（アセチルサリチル酸）］，**ギ酸（formic acid）** ［メタノール（methanol）］，**グリコール酸（glycolic acid）** ・**シュウ酸（oxalic acid）** ［エチレングリコール（ethylene glycol）］などの不揮発性酸は，その原因物質（［ ］内）の服用によっても生じる．不揮発性酸の過剰産生や服用は **代謝性アシドーシス（metabolic acidosis）** を生じさせることになるが，これについては後述する．

緩衝作用

緩衝作用の原理

緩衝物質（バッファー） とは，弱酸とその共役塩基，あるいは **弱塩基（weak base）** とその共役酸の混合物である．このバッファーの 2 つの存在形式はバッファー・ペアとよばれる．Brønsted-Lowry（ブレンステッド・ローリー）命名法では，**弱酸** の酸型は HA と表され，H^+ のドナー（渡し手）となり，塩基型は A^- と表され，H^+ のアクセプター（受け手）となる．同様に，**弱塩基** におけ

る H^+ の渡し手は BH^+, H^+ の受け手は B と表される.

緩衝溶液は pH の変化を起こしにくい. 緩衝溶液に H^+ が加わったり, H^+ が除かれたりすることがあっても, 溶液の pH はほとんど変化しない. 例えば, 弱酸を含んだ緩衝溶液に H^+ が加われば, バッファーの A^- と結合し, HA となる. 逆に, H^+ が緩衝溶液から除かれる(あるいは OH^- が加えられる)と, バッファーの HA は H^+ を放出し, A^- となる.

体液は多様なバッファーを含有し, pH の変化に対抗する最初の重要な防御機構を形成している. Robert Pitts(ロバート・ピッツ)は, 体内全水分量が 11.4 L のイヌに 150 mEq の H^+(塩酸(HCl)として)を投与し, 実験的に緩衝能を実証した. 同時に行った実験で Pitts は, 11.4 L の蒸留水に 150 mEq の H^+ を投与した. イヌは H^+ の投与により, 血液 pH は 7.44 から 7.14 に低下し, 酸血症となったが, 生存した. 蒸留水のほうは, 同量の H^+ の投与で pH は 1.84 と, イヌに致死的な結果をもたらすであろう急峻な変化を生じさせた. Pitts は, 大量の H^+ を投与しても体液の pH の変化を防ぐバッファーがイヌの体液にあるとの結論に至った. 投与した H^+ はバッファーの A^- と結合し, 強酸(strong acid)は弱酸に変換されたことで, イヌの体液 pH の変化を完全には防げなかったものの, 最低限に抑えられた. 蒸留水はバッファーを含まず, そのような防御機構をもたなかったのである.

Henderson-Hasselbalch 式

Henderson-Hasselbalch(ヘンダーソン・ハッセルバルヒ)の式(Henderson-Hasselbalch equation)は, 緩衝溶液の pH を計算する際に用いる. 本式は可逆的反応の動態で表されるような, 溶液中の弱酸(および弱塩基)の反応から導かれたものである.

$$HA \underset{K_2}{\overset{K_1}{\rightleftharpoons}} H^+ + A^-$$

順方向の反応である HA の H^+ と A^- への解離は速度定数(rate constant)K_1, 逆方向の反応は速度定数 K_2 で特徴づけられる. 順方向と逆方向の反応速度がちょうど等しい場合, 化学平衡(chemical equilibrium)状態となり, HA と A^- の濃度に正味の変化が起こらなくなる. ここに表されるように, 質量作用の法則(law of mass action)が化学平衡を示している.

$$K_1[HA] = K_2[H^+][A^-]$$

式を変形すると以下のようになる.

$$\frac{K_1}{K_2} = \frac{[H^+][A^-]}{[HA]}$$

速度定数の比を1つの定数と表すことが可能で, これは平衡定数(equilibrium constant)K とよばれ, 以下のようになる.

$$K = \frac{[H^+][A^-]}{[HA]}$$

これを $[H^+]$ を求める式に並べかえると, 以下のようになる.

$$[H^+] = K\frac{[HA]}{[A^-]}$$

$[H^+]$ を pH に変換するため, 上記式の両側を負の対数($\log_{10}$)とすると,

$$-\log[H^+] = -\log K - \log\frac{[HA]}{[A^-]}$$

$-\log[H^+]$, $-\log K$ はそれぞれ pH, pK に等しく, $-\log HA/A^-$ は $+\log A^-/HA$ に等しいことから, Henderson-Hasselbalch の式 の最終形は以下の通りとなる.

$$pH = pK + \log\frac{[A^-]}{[HA]}$$

ここで

$pH = -\log_{10}[H^+]$(pH 単位)
$pK = -\log_{10} K$(pH 単位)
$[A^-] = $ バッファーの塩基型の濃度(mEq/L)
$[HA] = $ バッファーの酸型の濃度(mEq/L)

である.

よって，緩衝溶液の pH は，バッファーの pK，バッファーの塩基型 [A⁻] および酸型 [HA] の濃度から計算可能である．逆に，もし溶液の pH と pK がわかっていれば，A⁻ と HA の濃度比が計算可能である．

pK はバッファー・ペアを特徴づける値である．どのようなものが，その決定要因となるのだろうか．前述の式で，平衡定数 K は順方向の速度定数を逆方向の速度定数で割ったものであることに注目してほしい．よって，HCl のような**強酸**は H⁺ と A⁻ により多く解離し，大きい平衡定数と**小さい** pK（pK は平衡定数の負の対数なので）をもつ．一方，炭酸（H_2CO_3）のような**弱酸**は解離が少なく，小さい平衡定数と**大きい** pK をもつ．

例題

バッファー・ペア $HPO_4^{2-}/H_2PO_4^-$ の pK は 6.8 である．このバッファーに関する 2 つの質問に答えよ．(1)血液 pH が 7.4 のとき，このバッファーの酸型と塩基型の濃度比はいくつか．(2)このバッファーの酸型と塩基型の濃度が等しくなるのは pH がいくつのときか．

解答

このバッファーの酸型は $H_2PO_4^-$，塩基型は HPO_4^{2-} である．酸型・塩基型の濃度比は，溶液の pH と pK によって決まる．

(1) pH 7.4 における酸型と塩基型の濃度比は Henderson-Hasselbalch の式で計算する（ヒント：解答の最終ステップで，式の両側から対数を外せ）．

$$pH = pK + \log \frac{HPO_4^{2-}}{H_2PO_4^-}$$
$$7.4 = 6.8 + \log \frac{HPO_4^{2-}}{H_2PO_4^-}$$
$$0.6 = \log \frac{HPO_4^{2-}}{H_2PO_4^-}$$
$$3.98 = HPO_4^{2-}/H_2PO_4^-$$

よって，pH 7.4 では塩基型（HPO_4^{2-}）の濃度は酸型（$H_2PO_4^-$）の濃度の約 4 倍となる．

(2)酸型と塩基型の濃度が等しくなる pH も Henderson-Hasselbalch の式から計算できる．その場合，$HPO_4^{2-}/H_2PO_4^- = 1.0$ であるため，以下のようになる．

$$pH = pK + \log \frac{HPO_4^{2-}}{H_2PO_4^-}$$
$$= 6.8 + \log 1$$
$$= 6.8 + 0$$
$$= 6.8$$

計算された pH は溶液の pK に等しい．この重要な計算式からわかるように，**溶液の pH と pK が等しい場合は，酸型と塩基型の濃度が等しくなる**ことを示している．本章の後半で述べるように，バッファーが最も有効に働くのは溶液の pH が pK に（ほぼ）等しいときであるが，それは酸型と塩基型の濃度が（ほぼ）等しくなるからである．

滴定曲線

滴定曲線（titration curve）は，Henderson-Hasselbalch の式を図として表現したものである．図 7.2 は，溶液における仮想上の弱酸（HA）と，その共役塩基（A⁻）の滴定曲線を示したものである．H⁺ が加えられるか，除かれた場合の溶液の pH が測定される．

Henderson-Hasselbalch の式で示したように，

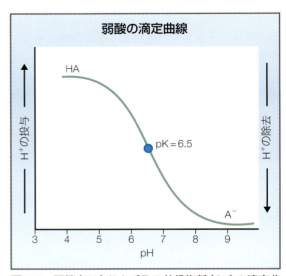

図 7.2 弱酸（HA）およびその共役塩基（A⁻）の滴定曲線．
pH が pK に等しい場合，HA と A⁻ の濃度は等しい．

HAとA⁻の濃度比は溶液のpHとバッファーのpKに依存する．この仮想上のバッファーのpKは6.5であるが，低い（酸性の）pHでは，バッファーは主としてHAの形で存在し，高い（アルカリ性の）pHでは主としてA⁻の形で存在する．もし，pHがpKに等しい場合，HAとA⁻の濃度は等しい．つまり，バッファーの半分はHA，半分はA⁻として存在する．

滴定曲線の大きな特徴は，その形がS字であることである．**曲線の直線的な部分**では，H⁺が加わったり除かれたりしてもpHの変化は少なく，この範囲でバッファーは最も有効であることを示している．この曲線の直線的部分はpH単位で1.0，pKの上下にわたる（pK±1.0）．つまり，最も有効な生理的バッファーのpKは7.4の前後1.0(pH単位)である7.4±1.0である．バッファーの有効pH範囲外では，少量でもH⁺が加わったり除かれたりするとpHが著しく変化する．この仮想上のバッファーの場合，pHが5.5未満ではH⁺の付加はpHの大きな低下をもたらし，pHが7.5より高いとH⁺の除去がpHの大きな上昇をきたす．

細胞外液のバッファー

細胞外液（ECF）における主要なバッファーは，**重炭酸(bicarbonate)とリン酸(phosphate)**である．重炭酸の塩基型A⁻はHCO₃⁻，酸型HAはCO₂(H_2CO_3との平衡状態)であり，リン酸のA⁻はHPO₄²⁻，HAはH₂PO₄⁻である．これらのバッファーの滴定曲線を図7.3に示す．

■ HCO₃⁻/CO₂ バッファー

最も重要な**細胞外バッファー(extracellular buffer)**はHCO₃⁻/CO₂バッファー（HCO₃⁻/CO₂ buffer）である．体内にH⁺が加わったり除かれたりするとき，pHの変化を最前線で防ぐために利用される．以下に述べる3つの特徴により，HCO₃⁻/CO₂は細胞外液のバッファーとして非常に適している：(1)塩基型A⁻であるHCO₃⁻の濃度が高い（24 mEq/L）．(2)HCO₃⁻/CO₂バッファーのpKが6.1と細胞外液のpHに近い．(3)酸型HAであるCO₂は揮発性酸であり，肺で排出すること

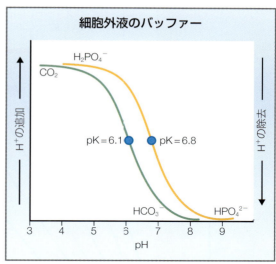

図7.3　H₂PO₄⁻/HPO₄²⁻とCO₂/HCO₃⁻の滴定曲線の比較．

ができる（図7.3）．

HCO₃⁻/CO₂バッファーの機能は，前述のHClを投与したイヌを例に説明することができる．理解しやすくするために，細胞外液をNaHCO₃しか含まれない溶液と仮定する．細胞外液にHClが付加されると，H⁺はHCO₃⁻と結合しH_2CO_3となる．すなわち，強酸(HCl)が弱酸(H_2CO_3)へ変化する．H_2CO_3はさらにCO₂とH₂Oに解離し，どちらも肺から排泄される．HCl投与によりイヌの血液pHは低下するが，バッファーがあるためpHの変化は軽度でおさまる．この反応は以下の通りになる．

$$H^+ + Cl^- + Na^+ + HCO_3^- \rightleftharpoons Na^+ + Cl^- + H_2CO_3$$
$$\qquad\qquad\qquad\qquad\qquad\qquad \Updownarrow$$
$$\qquad\qquad\qquad\qquad\qquad\qquad CO_2 + H_2O$$

Henderson-Hasselbalchの式はHCO₃⁻/CO₂バッファーにもあてはまる．ここで，塩基型(A⁻)はHCO₃⁻であり，酸型(HA)はH_2CO_3である（H_2CO_3はCO₂と平衡状態にある）．炭酸脱水酵素が存在すると，H_2CO_3の大部分はCO₂の形で存在する（400 CO₂：1 H_2CO_3）．このためH_2CO_3濃度は通常きわめて低値であり，無視できる．

動脈血pHは，Henderson-Hasselbalchの式にHCO₃⁻とCO₂の正常値を代入し，後はpKさえわかれば計算可能である．CO₂の値は通常分圧とし

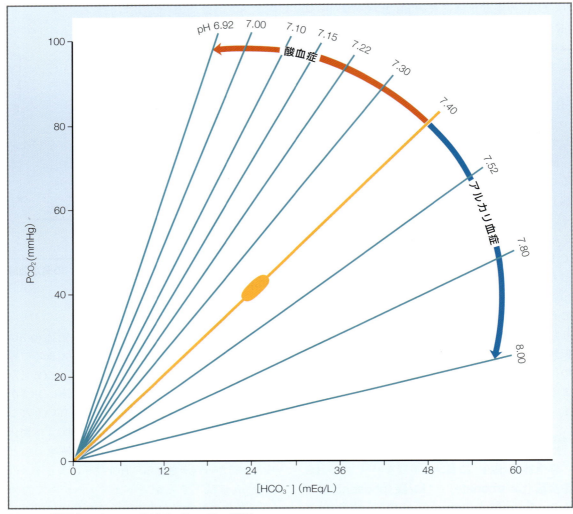

図 7.4 動脈血の P_{CO_2}，$[HCO_3^-]$，pH の関係．
中心の楕円は正常範囲を示す．

て報告されるため，P_{CO_2} は CO_2 の血液への溶解度（0.03 mmol/mmHg）を乗じることによって，CO_2 濃度へ変換する必要があることに注意してほしい．最終形は以下の通りとなる．

$$pH = pK + \log \frac{HCO_3^-}{0.03 \times P_{CO_2}}$$

この式に，以下の正常値を代入すると，動脈血 pH を計算することができる．

$$pK = 6.1$$
$$[HCO_3^-] = 24 \text{ mmol/L}$$
$$P_{CO_2} = 40 \text{ mmHg}$$

計算式は以下のようになる．

$$pH = 6.1 + \log \frac{24 \text{ mmol/L}}{0.03 \times 40 \text{ mmHg}}$$
$$= 6.1 + \log 20$$
$$= 7.4$$

Henderson-Hasselbalch の式は，**酸塩基マップ（acid-base map）**として表すこともできる．酸塩基マップは，P_{CO_2} と HCO_3^- 濃度，pH の相関を示している（図 7.4）．マップの起点から放射状に伸びる線は，**等水素イオン線（isohydric line）**（H^+

濃度，つまり pH が等しい点をつないだ線）とよばれる．それぞれの等水素イオン線は，同じ pH となる P_{CO_2} と HCO_3^- のすべての組み合わせを示している．中央の楕円は動脈血の正常値を示している．グラフ上の点は，すべて Henderson-Hasselbalch の式への代入によって計算可能である．例えば，前述の計算では，P_{CO_2} 40 mmHg と HCO_3^- 濃度 24 mEq/L を代入することで pH 7.4 が求められた．酸塩基マップでも同様に，P_{CO_2} 40 mmHg で HCO_3^- 濃度 24 mEq/L のとき，pH は 7.4 になることが確認できる．

注目すべきは，P_{CO_2} と HCO_3^- 濃度が異常値の組み合わせでも pH が正常値（または，ほぼ正常値）をとりうる点である．例えば，P_{CO_2} 60 mmHg で HCO_3^- 濃度 36 mEq/L のときでも，pH は 7.4 となる（P_{CO_2} も HCO_3^- 濃度も明らかに正常値より高いにもかかわらず）．また，P_{CO_2} 20 mmHg で HCO_3^- 濃度 12 mEq/L でも pH 7.4 となる（P_{CO_2} も HCO_3^- 濃度も正常より低いにもかかわらず）．このように，酸塩基平衡異常が起こった際には，呼吸性代償と腎性代償が働き pH を正常化しようとする．

HCO_3^-/CO_2 バッファーは pH の維持に重要な役割を果たすが，これは**細胞外液に 12 mmol/L の HCl を加えたときの体内での反応**を考えるとわかりやすい．細胞外液の最初の HCO_3^- 濃度は 24 mmol/L である．付加された 12 mmol/L の H^+ は 12 mmol/L の HCO_3^- と結合し，12 mmol/L の H_2CO_3 が形成される．H_2CO_3 は炭酸脱水酵素により 12 mmol/L の CO_2 へ変換される．この**緩衝反応**により，新たな HCO_3^- 濃度は 12 mmol/L となる．新たな CO_2 濃度は，元の 1.2 mmol/L（40 mmHg × 0.03）に緩衝反応で新たに産生された 12 mmol/L が加わったものになる．新たに産生された CO_2 を肺より排泄することができない瞬間を想定すると，新たな pH は以下のようになる．

$$pH = 6.1 + \log \frac{12 \text{ mmol/L}}{1.2 \text{ mmol/L} + 12 \text{ mmol/L}}$$
$$= 6.1 + \log \frac{12 \text{ mmol/L}}{13.2 \text{ mmol/L}}$$
$$= 6.06$$

この計算で求められた pH 6.06 は，きわめて低値で明らかに致死的である．しかし，pH が致死的な値に下がらないように，生体には 2 番目の防御機構が存在し，これが**呼吸性代償**である．酸血症により**頸動脈小体（carotid body）**の化学受容器（chemoreceptor）が刺激され，即座に換気効率を増加させる（**過換気（hyperventilation）**）．それにより，過剰な CO_2 はすべて，時には必要以上に肺から排泄される．この反応は呼吸性代償とよばれ，P_{CO_2} を正常値より低い値（24 mmHg など）まで低下させる．これらの値を Henderson-Hasselbalch の式に代入すると，新たな pH は以下のようになる．

$$pH = 6.1 + \log \frac{12 \text{ mmol/L}}{0.03 \times 24 \text{ mmHg}}$$
$$= 6.1 + \log \frac{12 \text{ mmol/L}}{0.72}$$
$$= 7.32$$

HCO_3^- によるバッファーと呼吸性代償（過換気）の組み合わせにより，おおむね正常な pH（正常値 = 7.4）を保つことができる．HCO_3^- 濃度と P_{CO_2} はどちらも著明に低下しているが，pH はほぼ正常値である．酸塩基平衡が完全に正常化するかは腎臓の働きにかかっている．本章で後述するが，最終的には腎臓で H^+ を排泄し，また"新たな HCO_3^-"を産生することで，H^+ の緩衝に消費された HCO_3^- を補填することができる．

■ HPO_4^{2-}/$H_2PO_4^-$ バッファー

無機リン酸（inorganic phosphate）もまた，バッファーとして働く．**図 7.3** は無機リン酸と HCO_3^- の滴定曲線を比較している．HCO_3^-/CO_2 バッファーの pK は 6.1 であり，滴定曲線の直線部分は pH 5.1 〜 7.1 に位置しており，厳密にいえば pH 7.4 はバッファーの有効 pH 範囲外である．一方で，HPO_4^{2-}/$H_2PO_4^-$ バッファー（HPO_4^{2-}/$H_2PO_4^-$ buffer）の pK は 6.8 であり，直線部分は pH 5.8 〜 7.8 に位置している．これだけみると，無機リン酸のほうが HCO_3^- より生理的に重要なバッファーのようにみえる．なぜなら，HCO_3^- の有効 pH 範囲のほうが血液 pH の 7.4 に近いから

である．しかし，HCO_3^-/CO_2 バッファーは以下の2つの特徴をもつため，無機リン酸より有効なバッファーといえる：(1) HCO_3^-（24 mmol/L）は無機リン酸（1〜2 mmol/L）よりもはるかに豊富に存在する．(2) HCO_3^-/CO_2 バッファーの酸型は CO_2 であり，これは揮発性で，肺から排泄することができる．

細胞内バッファー

細胞内には，**有機リン酸**（organic phosphate）や**タンパク質**などのバッファーが豊富に存在する．酸塩基平衡異常下において，これらの**細胞内バッファー**（intracellular buffer）を利用するためには，まず H^+ が次の3つの機序のうちの1つを用いて細胞膜を通過しなければならない：(1)呼吸性の酸塩基平衡異常のように CO_2 の過剰，または欠乏がある場合，CO_2 自体が細胞膜を通過することができる．例えば，**呼吸性アシドーシス**（respiratory acidosis）では CO_2 が過剰に存在し，緩衝を必要とする H^+ を産生する．CO_2 は速やかに細胞内に入り，そこで産生された H^+ は細胞内バッファーによって緩衝される．(2)不揮発性酸が過剰，または欠乏した状況では，H^+ は**乳酸**（lactatic acid）のような有機陰イオンを伴って細胞内外を移動する．例えば乳酸の蓄積により**代謝性アシドーシス**が生じた場合，乳酸産生により過剰な H^+ が生じ，H^+ は乳酸イオン（lactate）とともに細胞内へ入るため電気的中性が保たれる．(3)有機陰イオンを伴わずに不揮発性酸が過剰，または欠乏した場合，H^+ は電気的中性を保つために細胞内の K^+ と交換する形で細胞内へ入る．

細胞内には存在しないが，**血漿タンパク質**（plasma protein）もまた H^+ を緩衝する．血漿タンパク質と H^+，Ca^{2+} の間には相関関係があり，酸塩基平衡異常が起こるとイオン化 Ca^{2+} 濃度（ionized Ca^{2+} concentration）が変化する（**第9章，図9.34**参照）．その機序は以下の通りである．血漿タンパク質のなかで陰性荷電しているタンパク質（アルブミンなど）は，H^+ または Ca^{2+} と結合しうる（Ca^{2+} のタンパク質結合率は高く，総 Ca^{2+} の40％にも上る）．**酸血症**では血中に H^+ が過剰に存在するが，この過剰な H^+ が血漿タンパク質

と結合するため，タンパク質と結合できない Ca^{2+} が増え，イオン化 Ca^{2+} 濃度が上昇する．一方，**アルカリ血症**では血中の H^+ 欠乏が起こっているが，それにより血漿タンパク質へ結合する H^+ が減少し，結果としてタンパク質に結合する Ca^{2+} が増加するため，イオン化 Ca^{2+} 濃度が低下する（**低カルシウム血症**（hypocalcemia））．低カルシウム血症の症状は一般的に**呼吸性アルカローシス**（respiratory alkalosis）の際に起こり，しびれ感や感覚鈍麻，**テタニー**（tetany）などを含む．

■ 有機リン酸

細胞内の有機リン酸にはアデノシン三リン酸（adenosine triphosphate：ATP），アデノシン二リン酸（adenosine diphosphate：ADP），アデノシン一リン酸（adenosine monophosphate：AMP），グルコース一リン酸，2,3-ビスホスホグリセリン酸（2,3-BPG）などがある．これら有機リン酸のリン酸基によって，H^+ は緩衝される．有機リン酸の pK は 6.0〜7.5 で，生理的なバッファーとして理想的な範囲である．

■ タンパク質

細胞内タンパク質（intracellular protein）は，$-COOH/-COO^-$ や $-NH_3^+/-NH_2$ のように多くの酸性基と塩基性基を含むため，バッファーとして働く．タンパク質の解離基のなかで，生理的な範囲内の pK をもつものは，ヒスチジンのイミダゾール基（pK 6.4〜7.0）と α アミノ基（pK 7.4〜7.9）である．

最も重要な細胞内バッファーは**ヘモグロビン**（hemoglobin）であり，赤血球内に豊富に含まれる．それぞれのヘモグロビン分子は計36個のヒスチジン残基をもつ（4個のポリペプチド鎖に9個ずつ存在する）．**酸化ヘモグロビン**（oxyhemoglobin）の pK は 6.7 であり，生理的バッファーとして有効な値である．しかし，**デオキシヘモグロビン（還元ヘモグロビン）**（deoxyhemoglobin）の pK は 7.9 であり，酸化ヘモグロビンよりもさらに生理的に有効なバッファーといえる．酸素（O_2）を離した後のヘモグロビンの pK の変化は，生理的に重要な意味をもつ．血液が全身の毛細血管を流れるとき，酸化ヘモグロビンは O_2 を組織

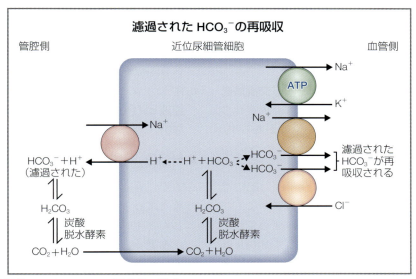

図7.5 近位尿細管におけるHCO$_3^-$再吸収の機序.
ATP：アデノシン三リン酸.

へ放出し，デオキシヘモグロビンへ変化する．それと同時に，組織から全身毛細血管へCO$_2$が加わる．このCO$_2$は赤血球内に拡散し，H$_2$Oと結合しH$_2$CO$_3$となる．その後，H$_2$CO$_3$はH$^+$とHCO$_3^-$へ解離する．産生されたH$^+$はヘモグロビンによって緩衝されるが，このときヘモグロビンは緩衝能に優れたデオキシヘモグロビンの形で存在する．実際，デオキシヘモグロビンはH$^+$のバッファーとして非常に優れている．これは，静脈内へ大量にCO$_2$という酸が負荷されたにもかかわらず，静脈血pHは7.37であり，動脈血pHと比較して0.03しかpHの低下がないことからも理解できる．

酸塩基平衡における腎臓の働き

酸塩基平衡を保つために，腎臓は2つの重要な働きを担っている．1つ目は，**HCO$_3^-$の再吸収**であり，重要な細胞外バッファーであるHCO$_3^-$が尿中へ排泄されないようにしている．2つ目は，タンパク質やリン脂質の異化によって生じた**H$^+$の排泄**である．この不揮発性酸由来のH$^+$を排泄するしくみは2つある：(1)滴定酸（尿中リン酸による緩衝）としてH$^+$を排泄する方法．(2)アンモニウムイオン（NH$_4^+$）としてH$^+$を排泄する方法．どちらの方法でH$^+$を排泄しても，新たなHCO$_3^-$の産生・再吸収を伴う．これによって，H$^+$の緩衝によって消費されたHCO$_3^-$を補填することができる．

濾過されたHCO$_3^-$の再吸収

濾過されたHCO$_3^-$のうち99.9％以上が再吸収され，重要な細胞外バッファーであるHCO$_3^-$が排泄されてしまうのを防いでいる．HCO$_3^-$の再吸収率は，濾過量と排泄量を比べることで計算することができる（第6章）．糸球体濾過量（glomerular filtration rate：GFR）が180 L/day，血漿HCO$_3^-$濃度が24 mEq/Lの場合，濾過量は4,320 mEq/day（180 L/day×24 mEq/L）となる．HCO$_3^-$の排泄量は測定してみるとわずか2 mEq/dayであり，再吸収量は4,318 mEq/dayになるので，99.9％以上（4,318÷4,320）が再吸収されていることがわかる．HCO$_3^-$の再吸収はほとんどが**近位尿細管**（proximal tubule）で行われ，残りはHenleループ，遠位尿細管，集合管で行われる．

■ 近位尿細管におけるHCO$_3^-$再吸収のしくみ

図7.5は，HCO$_3^-$の再吸収部位である近位尿細

管前半部の細胞を示している．濾過されたHCO_3^-は，尿細管管腔内でCO_2へと変化し，CO_2が細胞内へ拡散した後HCO_3^-に戻り，血中へ移動するという流れで再吸収される．

1. 尿細管管腔側の細胞膜には，**Na^+-H^+交換輸送体**がある（近位尿細管前半部にはNa^+依存性二次性能動輸送を担う輸送体がいくつかあるが，Na^+-H^+交換輸送体はその1つである）．Na^+が電気化学的勾配に従って尿細管管腔から細胞内へと移動するとき，H^+は電気化学的勾配に逆らって細胞内から尿細管管腔へと移動する．

2. 尿細管管腔内へ分泌されたH^+は，濾過されて管腔内に存在するHCO_3^-と結合してH_2CO_3になる．H_2CO_3は細胞膜の刷子縁にある**炭酸脱水酵素**によってCO_2とH_2Oに分解される（**炭酸脱水酵素阻害薬(carbonic anhydrase inhibitor)**であるアセタゾラミドは，この反応を阻害することで，HCO_3^-の再吸収を抑える）．CO_2とH_2Oは速やかに細胞膜を通過し，細胞内に入る．

3. 細胞内では，反対の反応が起きる．つまり，CO_2とH_2Oが再結合してH_2CO_3になり，今度は**細胞内の炭酸脱水酵素**によってH^+とHCO_3^-になる．この後，H^+とHCO_3^-は分かれ，異なる経路をたどっていく．H^+はNa^+-H^+交換輸送体で管腔内へ分泌され，また別のHCO_3^-を再吸収するために使われる．HCO_3^-は，Na^+-HCO_3^-共輸送体(Na^+-HCO_3^- cotransport)またはCl^--HCO_3^-交換輸送体によって，血管側の細胞膜を横切って血中へと移動し，結果としてHCO_3^-が再吸収されたことになる．このHCO_3^-を再吸収するしくみの特徴として，次のようなことが挙げられる．

4. 上記HCO_3^-再吸収の結果は，**Na^+とHCO_3^-の正味の再吸収**である．近位尿細管で再吸収されるNa^+の一部は，HCO_3^-の再吸収に伴うものである（残りのNa^+再吸収は，グルコース，アミノ酸，塩化物イオン(Cl^-)，リン酸の再吸収に伴うものである）．

5. HCO_3^-再吸収の過程では**正味のH^+の分泌は起こらない**．Na^+-H^+交換輸送体で管腔内へ分泌されたH^+は，濾過されたHCO_3^-と結合してCO_2とH_2Oになり，細胞内へ入った後にH^+とHCO_3^-に戻る．H^+はNa^+-H^+交換輸送体により尿細管管腔と細胞内の間でリサイクルされ，より多くのHCO_3^-を再吸収できるようになっている．

6. H^+の正味の分泌は起こらないので，**尿細管管腔液pH(tubular fluid pH)はほとんど変化しない**．

■ HCO_3^-濾過量の影響

HCO_3^-濾過量は，GFRと血漿HCO_3^-濃度のかけ算で求められる．HCO_3^-濾過量が変動しても，ほとんどすべてのHCO_3^-が再吸収される．しかし，血漿HCO_3^-濃度が40 mEq/Lを超えると，HCO_3^-濾過量が多すぎて再吸収しきれなくなり，一部が尿中へ排泄されるようになる．例えば，代謝性アルカローシスで血漿HCO_3^-濃度が高いときには，酸塩基平衡異常を正常に戻すために，過剰なHCO_3^-を尿中に排泄する必要がある．血漿HCO_3^-濃度が高ければHCO_3^-濾過量が増え，尿細管での再吸収能を超えるため，尿中へのHCO_3^-排泄が可能になる．その結果，血漿HCO_3^-濃度が低下するため好都合である．

■ 細胞外液量の影響

濾過されたHCO_3^-の再吸収を担う近位尿細管は，細胞外液量が変化したときに，**尿細管周囲毛細血管(peritubular capillary)でのStarling(スターリング)力(Starling force)**（第6章）を利用して**等張性再吸収(isosmotic reabsorption)**を調整する場所でもある【訳者注：近位尿細管では，溶質の移動に伴い水の移動が起こる．そのため，近位尿細管の管腔と周囲の間質の間には浸透圧勾配は形成されない．つまり，近位尿細管を通過する濾液の浸透圧は約300 mOsm/kgのままである．これを等浸透圧性再吸収という】．HCO_3^-もこの等浸透圧性に再吸収される物質の1つであるため，細胞外液量が変化するとHCO_3^-の再吸収も変化する．例えば，**細胞外液量が増加**すると，近位尿細管における等浸透圧性再吸収が抑制されるため，HCO_3^-の再吸収が抑制される．反対に，**細胞外液量が減少**すると，HCO_3^-の再吸収が促進される．

細胞外液量が減少したときのHCO_3^-の再吸収には，もう1つしくみがあり，**アンジオテンシンII**（angiotensin II）がかかわっている．細胞外液量が減少すると**レニン-アンジオテンシン-アルドステロン系**（renin-angiotensin-aldosterone system）が活性化することを思い出してほしい．アンジオテンシンIIは近位尿細管のNa^+-H^+交換輸送体を刺激し，HCO_3^-の再吸収を増やし，血漿HCO_3^-濃度を上昇させる．この作用が"**濃縮性アルカローシス**（contraction alkalosis）"という現象の一因である．濃縮性アルカローシスとは，細胞外液減少により二次性に生じる代謝性アルカローシスのことである．濃縮性アルカローシスは，**ループ利尿薬**（loop diuretic）や**サイアザイド系利尿薬**（thiazide diuretic）の投与中にみられ，**嘔吐**（vomiting）による代謝性アルカローシスの悪化要因にもなる．濃縮性アルカローシスの治療は，等張の$NaCl$（生理食塩水）を投与して，細胞外液量を正常化することである．

■ P_{CO_2} の影響

P_{CO_2}の慢性的な変化は，腎臓でのHCO_3^-再吸収に影響し，この現象を慢性呼吸性酸塩基障害に対する腎性代償という．P_{CO_2}が上昇するとHCO_3^-再吸収が亢進し，P_{CO_2}が低下するとHCO_3^-再吸収が抑制される．

P_{CO_2}がどのように腎臓に影響を与えるか，完全にはわかっていない．一説によると，尿細管細胞へのCO_2供給が関与するとされている．**呼吸性アシドーシス**ではP_{CO_2}が上昇する．尿細管細胞へのCO_2供給が増えるため（H^+が多く産生され），Na^+-H^+交換輸送体を通じたH^+の分泌が増加し，より多くのHCO_3^-を再吸収することができる．そのため，血漿HCO_3^-濃度が上昇し，動脈血pHが上昇する（腎性代償）．反対に，**呼吸性アルカローシス**ではP_{CO_2}が低下しているため，尿細管細胞へのCO_2供給が低下（H^+の産生が低下）し，HCO_3^-再吸収が減少する．そのため，血漿HCO_3^-濃度が低下し，動脈血pHが低下する（腎性代償）．

滴定酸としての H^+ の排泄

滴定酸（titratable acid）とは，尿中バッファー（urinary buffer）と一緒に排泄されるH^+と定義される．無機リン酸は，尿中に比較的高濃度で存在し，理想的なpKをもつ（尿pHとpKが近い）ことから，最も重要なバッファーといえる．尿中には多量のリン酸が存在することを思い出してほしい．濾過されたリン酸のうち85%しか再吸収されないため，残りの15%は滴定酸として利用され，排泄される．

■ 滴定酸排泄のしくみ

滴定酸はネフロンの全長にわたり排泄されるが，主に遠位尿細管後半部と集合管のα間在細胞（α-intercalated cell）から排泄される．このα間在細胞における排泄のしくみを**図7.6**に示し，詳細を以下に述べる．

1. 遠位尿細管後半部と集合管の管腔側膜には，2つの重要な能動輸送体が存在し，管腔側へのH^+の排泄を担う．1つ目は**H^+ ATPase**であり，これは**アルドステロン**（aldosterone）によって活性化される．アルドステロンは，主細胞に作用してNa^+再吸収およびK^+分泌を促進するだけでなく，α間在細胞に作用してH^+の分泌も促している．H^+の排泄を担う2つ目の輸送体は**H^+-K^+ ATPase**であり，α間在細胞におけるK^+の再吸収を担う（**第6章**）．尿細管管腔内に分泌されたH^+は，リン酸バッファーの塩基型A^-であるHPO_4^{2-}に結合し，酸型HAである$H_2PO_4^-$を形成する．この$H_2PO_4^-$は滴定酸であり，尿中に排泄される．

   このしくみがうまく働くためには，糸球体で濾過されたリン酸の多くがH^+の受け手となるHPO_4^{2-}の形で存在することが必要である．では，生体内では本当にそうなっているだろうか．pH 7.4におけるHPO_4^{2-}と$H_2PO_4^-$の濃度比を計算してみると，HPO_4^{2-}は$H_2PO_4^-$の約4倍であり，糸球体濾過液には十分にHPO_4^{2-}が存在していることがわかる（$pH = pK + \log HPO_4^{2-}/H_2PO_4^-$で，リン酸のpKは6.8なので，pH 7.4のとき$HPO_4^{2-}/H_2PO_4^- = 3.98$となる）．

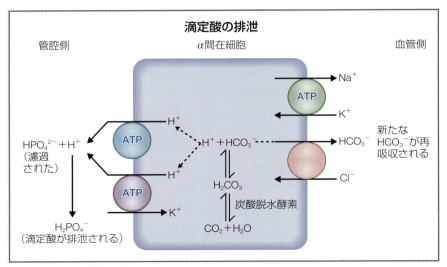

図7.6 滴定酸としてのH⁺排泄の機序．
ATP：アデノシン三リン酸．

2. H⁺ ATPaseから分泌されるH⁺は，尿細管細胞内でCO₂とH₂Oからつくられる．細胞内の炭酸脱水酵素によってCO₂とH₂Oが結合してH₂CO₃を形成する．H₂CO₃はH⁺とHCO₃⁻に分離し，H⁺は尿細管管腔へ分泌され，HCO₃⁻はCl⁻-HCO₃⁻交換輸送体によって血中へ再吸収される（呼吸性アシドーシスのようにPCO₂が増加すると，α間在細胞のCO₂供給が増加し，H⁺の分泌と新しいHCO₃⁻の産生・再吸収が増加する．逆に，呼吸性アルカローシスのようにPCO₂が減少すると，α間質細胞へのCO₂供給が減少し，H⁺の分泌と新しいHCO₃⁻の産生・再吸収が減少する）．

3. つまり，H⁺が滴定酸として分泌されるたびに，**新たなHCO₃⁻が産生され再吸収されている**．この新たなHCO₃⁻は，H⁺の緩衝で消費された細胞外液のHCO₃⁻を補充することになる．このように，HCO₃⁻は絶え間なく産生されているので，タンパク質やリン脂質の異化から生じる不揮発性酸の緩衝で消費されたHCO₃⁻は，腎臓から補充され続ける．

■ 尿中バッファーの量

尿中に滴定酸として排泄できるH⁺の量は，**尿中バッファーの量に依存している**．これは一見わかりにくい概念であるが，根底にある原則は，**尿pHの下限値は4.4**ということである．血液pHは7.4なので，尿pH 4.4のときには尿細管細胞を隔てて1,000倍のH⁺濃度差があることになる．この1,000倍のH⁺濃度差は，H⁺ ATPaseを介してH⁺を分泌できる限界の濃度差であり，尿pHが4.4まで低下すると，H⁺の正味の分泌は止まってしまう．

この原則を理解するためには，**H⁺の排泄量と尿pHの値（H⁺の濃度）を区別して考えることが重要である**．この違いを明確にさせるために，次の2つの例を考えてみる．まず，尿中バッファーがまったく存在しないと仮定する．この場合，尿中にバッファーがなくH⁺がそのままの状態で存在するため，H⁺がごく少量分泌されただけでも尿pHは最低値の4.4まで低下してしまい，それ以上H⁺の分泌が起こらなくなる．次に，尿中バッファーが豊富に存在していると仮定する．この場合，尿pHが4.4に低下するまでに大量のH⁺の分泌が可能である．

この点については，**図7.7**に詳しく示している．図7.7Aは，リン酸の滴定曲線に尿細管管腔液pHのとりうる範囲（斜線の部分）を重ねたものである．糸球体濾過液のpHは7.4であり，HPO₄²⁻とH₂PO₄⁻の両者が含まれているが，HPO₄²⁻のほ

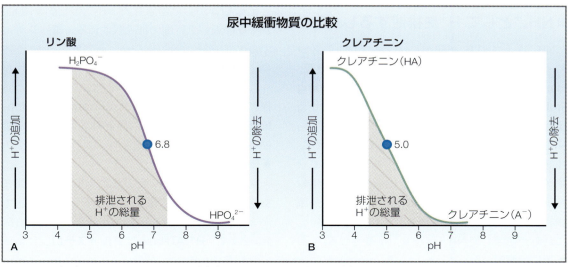

図 7.7 尿中バッファーとしてのリン酸(A)とクレアチニン(B)の緩衝能の比較.
リン酸の pK は 6.8, クレアチニンの pK は 5.0 である. 斜線部は, 糸球体濾過液(pH 7.4)から最終尿(pH 4.4)に至るまでに, 尿中に排泄される H⁺ の総量を表している.

うがはるかに多く含まれている. H⁺ が尿細管管腔内に分泌されると, HPO_4^{2-} と結合して $H_2PO_4^-$ になる. 滴定曲線の直線部分(pH 7.8～5.8)では, H⁺ 排泄量に対して尿 pH の変化は小さい. しかし, HPO_4^{2-} のほとんどが $H_2PO_4^-$ に変換されると, H⁺ の分泌により尿細管管腔液 pH は 4.4 まで急激に低下する. そして尿 pH が 4.4 に達すると, それ以上 H⁺ の分泌は起こらなくなる. より多くの H⁺ を分泌するためには, HPO_4^{2-} を増やすしかない. そのため, 滴定酸として排泄できる H⁺ の量は, 利用できる尿中バッファーの量に依存しているといえる.

■ 尿中バッファーの pK

尿中バッファーの pK も H⁺ の排泄量にかかわっている. Pitts は, 尿中バッファーである**クレアチニン(creatinine)** (pK 5.0) とリン酸 (pK 6.8) の緩衝能を比べ, pK の重要性を実証した. この実験によると, 尿中バッファーとしてクレアチニンとリン酸が同量存在していても, クレアチニンに比べてリン酸のほうが多く H⁺ を排泄できることが示された (図 7.7).

この H⁺ の排泄量の違いは, リン酸とクレアチニンの pK の違いに起因する. **リン酸**は, ほぼ理想的な尿中バッファーであることを思い出してほしい. リン酸の滴定曲線における直線部分は, 尿細管管腔液 pH のとりうる範囲とほぼ完璧に重なっている. 図 7.7A の斜線部分は, 尿細管管腔液 pH が糸球体で濾過された直後の pH 7.4 から最終尿の pH 4.4 まで低下した場合の H⁺ の総排泄量を示している.

図 7.7B は**クレアチニン**の滴定曲線を示している. 繰り返すが, 尿細管管腔液 pH は 7.4 (糸球体濾過液) から最終尿の 4.4 の範囲をとりうる. クレアチニンの pK は 5.0 と尿 pH の下限値に近いため, pH が 4.4 に低下するまでの H⁺ の総排泄量 (斜線部分) はリン酸をバッファーに使用するときに比べ, はるかに少ない.

NH₄⁺ としての H⁺ の排泄

もし H⁺ を排泄するしくみが滴定酸しかなければ, 不揮発性酸の排泄は尿中リン酸の量に規定されてしまう. タンパク質やリン脂質の異化によって生じる不揮発性酸由来の H⁺ は約 50 mEq/day であることを思い出してほしい. そのうち平均 20 mEq/day だけが滴定酸として排泄される. 残りの 30 mEq/day は, もう 1 つのしくみである NH_4^+ として排泄されている.

■ NH₄⁺としてH⁺を排泄するしくみ

NH₄⁺としてのH⁺の排泄には，ネフロンの3つのセグメントが関与している．**近位尿細管**，**Henle ループの太い上行脚**（thick ascending limb of Henle's loop），**集合管**（collecting duct）の α 間在細胞である．近位尿細管では，NH_4^+ は Na^+-H^+ 交換輸送体を介して分泌される．Henle ループの太い上行脚では，近位尿細管で分泌された NH_4^+ が再吸収され，皮髄質の浸透圧勾配形成にかかわる．集合管の α 間在細胞では，尿細管管腔内にアンモニア（NH_3）と H^+ が分泌され，これらが結合して NH_4^+ となり，排泄される．

● 近位尿細管

近位尿細管細胞内では，**グルタミン**（glutamine）が**グルタミナーゼ**（glutaminase）によって分解され，**グルタミン酸**（glutamate）と NH_4^+ が産生される（図7.8）．グルタミン酸は**α-ケトグルタル酸**（α-ketoglutarate）へ代謝され，最終的に CO_2 と H_2O になり，HCO_3^- へと変換される．この HCO_3^- は血管側の細胞膜に存在する $Na^+-HCO_3^-$ 共輸送体によって血中へ再吸収される．滴定酸の場合と同様，この HCO_3^- は新たに産生されたものであり，細胞外液で消費された HCO_3^- を補充することになる．つまり，NH_4^+ が産生され，最終的に排泄されるたびに，新たな HCO_3^- が再吸収されることになる．

NH_4^+ が排泄されるまでには，いくつかのステップがある．近位尿細管細胞では，NH_4^+ は $NH_3 + H^+$ と平衡状態にある．NH_3 は脂溶性なので細胞膜を自由に通過し，濃度勾配に従って，細胞から尿細管管腔へ拡散する．一方，H^+ は，Na^+-H^+ 交換輸送体によって尿細管管腔内へ分泌される．尿細管管腔内で NH_3 と H^+ は，再び結合し NH_4^+ になる．近位尿細管管腔で形成された NH_4^+ はその後，以下の経路をたどる．一部はそのまま尿中へ排泄される．残りは回り道をして間接的に尿中へ排泄される．まず，Henle ループの太い上行脚で再吸収され，髄質間質に蓄えられた後，集合管から管腔へ分泌され，最終的に尿中へ排泄される．

● Henle ループの太い上行脚

図7.8 には示されていないが，前述したように，近位尿細管から分泌された NH_4^+ の一部は Henle ループの太い上行脚で再吸収される．細胞レベルでみてみると，NH_4^+ は $Na^+-K^+-2Cl^-$ 共輸送体（$Na^+-K^+-2Cl^-$ cotransporter）において K^+ の代わりに再吸収される．その結果，NH_4^+ は NaCl と同様に**対向流増幅系**（countercurrent multiplication）にかかわり，髄質内層と腎乳頭の間質に濃縮された状態で存在する．

● 集合管

滴定酸の項で説明したように，集合管の α 間在細胞の管腔側には，H^+ を管腔へ分泌する輸送体が2つある（図7.8）．H^+ ATPase と H^+-K^+ ATPase である．**H^+ ATPase** はアルドステロンによって活性化される．

H^+ が尿細管管腔内に分泌されると，髄質間質内に高濃度で存在する NH_3 が濃度勾配に従って集合管の管腔へ**拡散**し，H^+ と結合して NH_4^+ を形成する．ここで，**NH_3/NH_4^+ バッファー**（NH_3/NH_4^+ buffer）のうち，なぜ NH_3 だけが髄質間質から管腔へ拡散するのか，という疑問が生じる．その答えは，髄質間質には NH_3 と NH_4^+ が平衡状態で存在しているが，NH_3 だけが脂溶性のため，細胞膜を通過することができるからである．尿細管管腔内へ拡散した NH_3 は分泌された H^+ と結合し，NH_4^+ を形成する．NH_4^+ は脂溶性ではないので，細胞膜を通過できず尿細管管腔内に拘束され，そのまま尿中へ排泄される．一連の流れは"diffusion trapping"とよばれ，バッファーのうち脂溶性の NH_3 が拡散して（diffusion），水溶性の NH_4^+ が尿細管管腔から移動できずに拘束され（trapping），排泄されることに由来する．

注目すべきは，α 間在細胞から分泌される H^+ は，CO_2 と H_2O から産生されたということである．H^+ が細胞で産生され排泄されるたびに，**新たな HCO_3^- が産生され再吸収される**．滴定酸の排泄と同様，この新たに産生された HCO_3^- は，タンパク質やリン脂質の代謝で生まれた不揮発性酸により消費された HCO_3^- を補充する．

■ 尿 pH が NH₄⁺排泄に与える影響

尿 pH が低下すると，NH_4^+ として排泄される H^+ が増加する．つまり，尿 pH は NH_4^+ の排泄にお

酸塩基平衡における腎臓の働き　369

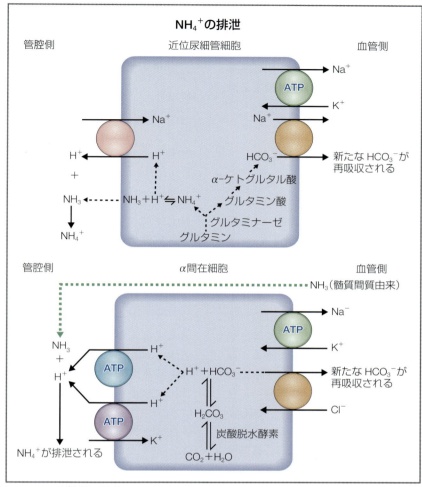

図7.8　**NH_4^+ としての H^+ 排泄の機序．**
近位尿細管細胞内で，グルタミンから NH_3 が産生される．H^+ は Na^+-H^+ 交換輸送体によって尿細管管腔に分泌され，NH_3 は拡散によって尿細管管腔に移動する．NH_4^+ は，Henle ループの太い上行脚にある Na^+-K^+-$2Cl^-$ 共輸送体によって再吸収され，髄質間質に蓄積する（図示していない）．集合管において NH_3 は髄質間質から尿細管管腔へ拡散し，集合管の α 間在細胞から分泌された H^+ と結合し，NH_4^+ として排泄される．ATP：アデノシン三リン酸．

いて有利に働いている．アシドーシスでは大量の H^+ を排泄する必要があり，尿 pH は低下する．尿 pH の与える影響には，NH_3/NH_4^+ の diffusion trapping のしくみが深くかかわっている．尿 pH が低下する（つまり尿中に H^+ が多い）と，この尿中バッファーの多くが NH_4^+ の形になり，NH_3 は少なくなる．尿細管管腔内の NH_3 濃度が低下すると，髄質間質との濃度勾配が大きくなるため，より多くの NH_3 が尿細管管腔内へと拡散する．よって，尿 pH が低ければ低いほど，より多くの NH_3 が尿細管管腔内へと拡散し（diffusion trap-

ping），より多くの H^+ が NH_4^+ として拘束され（trapping），排泄される．

■ **アシドーシスが NH_3 産生に与える影響**

　NH_3 の産生速度は，排泄すべき H^+ の量によって変化する．**慢性アシドーシス（chronic acidosis）** では，近位尿細管細胞が刺激され **NH_3 の産生が増加** する．細胞内 pH の低下により，グルタミン代謝を担う酵素の合成が誘導されるからである．こうして NH_3 産生が増加すると，より多く

370　第7章　酸塩基の生理学

の H^+ が NH_4^+ として排泄され，より多くの新た
な HCO_3^- が再吸収される．例えば，**糖尿病性ケ
トアシドーシス**（diabetic ketoacidosis）では不
揮発性酸の産生が増加するが，腎臓が NH_3 産生
を増加させることで，これらの不揮発性酸を排泄
できるのである．

■ 血漿 K^+ 濃度が NH_3 産生に与える影響

　血漿 K^+ 濃度も NH_3 産生に影響する．**高カリウ
ム血症**（hyperkalemia）は NH_3 産生を抑制し，
NH_4^+ として排泄される H^+ を減らすため，**4型尿
細管性アシドーシス**（4型 RTA）（type 4 renal
tubular acidosis：type 4 RTA）を引き起こす．
反対に，**低カリウム血症**（hypokalemia）は NH_3
産生を促進し，NH_4^+ として排泄される H^+ を増や
す．これらの作用は，主に尿細管細胞膜における
H^+ と K^+ の交換輸送によるものであり，つまり細
胞内 pH に影響を与えているのと同じである．高
カリウム血症では，K^+ が細胞内に移動するかわ
りに，電気的中性を保つために H^+ が細胞外に移
動する．結果として細胞内 pH が上昇し，NH_3 産
生が抑制される．低カリウム血症では，K^+ が細
胞外に移動するかわりに，H^+ が細胞内に移動す
る．結果として細胞内 pH が低下し，グルタミン
から NH_3 産生が促進される．

滴定酸と NH_4^+ 排泄の比較

　日々，H^+ は滴定酸や NH_4^+ の形で排泄されるた
め，健常人ではタンパク質やリン脂質の異化に
よって産生された不揮発性酸のすべてが体外へと
排泄される（そして，不揮発性酸の緩衝で消費さ
れた細胞外液中の HCO_3^- もすべて補充される）．
表7.1 は，滴定酸と NH_4^+ による1日の H^+ 排泄
量を，健常人と代謝性アシドーシス（糖尿病性ケ
トアシドーシスおよび**慢性腎不全**（chronic renal
failure））の患者に分けてまとめたものである．

- 比較的タンパク質を多く摂取している**健常人**で
  は，およそ 50 mEq/day の不揮発性酸が産生さ
  れる．腎臓では，すべて（100%）の不揮発性酸
  由来の H^+ が排泄され，そのうち 40%（20 mEq/
  day）が滴定酸として，60%（30 mEq/day）が

表7.1　H^+ 排泄における滴定酸と NH_4^+ の比較.

状態	不揮発性酸の産生量（mEq/day）	滴定酸としての H^+ 排泄量（mEq/day）	NH_4^+ としての H^+ 排泄量（mEq/day）
正常	50	20	30
糖尿病性ケトアシドーシス	500	100	400
慢性腎不全	50	10	5

NH_4^+ として排泄される．

- **糖尿病性ケトアシドーシス**の患者では，不揮発
  性酸の産生は通常時の10倍である 500 mEq/
  day まで増加しうる．この余分な酸を排泄する
  ために，滴定酸と NH_4^+ の両方の排泄が増加す
  る．アシドーシスによってグルタミン代謝にか
  かわる酵素が誘導され，NH_3 産生が促進される
  ため，NH_4^+ 排泄が増加する．尿細管細胞で
  NH_3 産生が増えるほど，より多くの H^+ を NH_4^+
  として排泄することができる．

  　一方で，滴定酸の排泄がなぜ増えるのかにつ
  いては，あまり知られていない．糖尿病性ケト
  アシドーシスでは，β-ヒドロキシ酪酸とアセ
  ト酢酸が過剰に産生され，これらが原因で代謝
  性アシドーシスをきたす．これらをまとめてケ
  ト酸とよぶ．このケト酸自体が糸球体で濾過さ
  れて，リン酸と同じように尿中バッファーとし
  て働くことで，滴定酸としての H^+ の総排泄量
  を増加させている．

- **慢性腎臓病**（chronic kidney disease）も代謝
  性アシドーシスの原因となる．慢性腎臓病患者
  が通常量のタンパク質が含まれた食事を続ける
  と，毎日 50 mEq の不揮発性酸が産生されるこ
  とになる．慢性腎臓病では，進行性にネフロン
  が失われており，次の2つの理由で不揮発性酸
  の排泄が高度に障害されている：(1)糸球体濾過
  量の減少により，尿中バッファーであるリン酸
  の濾過量が減少するため，滴定酸による酸排泄
  が障害される．(2)障害を受けたネフロンでは
  NH_3 の産生が十分にできず，NH_4^+ の排泄が低
  下する．

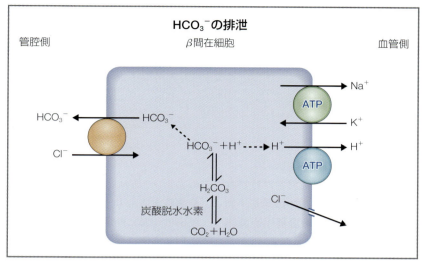

図7.9 β間在細胞によるHCO$_3^-$排泄.
ATP：アデノシン三リン酸.

慢性腎臓病患者が1日に排泄できる不揮発性酸は，わずか15 mEq/day（滴定酸が10 mEq，NH$_4^+$が5 mEq）しかなく，タンパク質の異化によって産生される不揮発性酸50 mEq/dayに比べ，はるかに少ないということに注目してほしい．慢性腎不全患者における代謝性アシドーシスは，実際のところ腎臓における不揮発性酸の排泄低下が原因である．不揮発性酸の産生を減らすためには，慢性腎不全患者に低タンパク食を処方するのが論理的であり，そうすることによって，腎臓での酸排泄と新たなHCO$_3^-$の産生という負担を減らすことができる．

HCO$_3^-$の排泄

ほとんどの状況で，集合管のα間在細胞は，滴定酸やNH$_4^+$の形でH$^+$を排泄し，新たなHCO$_3^-$を産生・補充する．しかし，血中HCO$_3^-$が上昇する代謝性アルカローシスの場合には，図7.9に示すように，同じく集合管に存在するβ間在細胞がHCO$_3^-$を排泄する．そのため，管腔側膜と基底膜のCl$^-$–HCO$_3^-$交換体とH$^+$ ATPaseの配置が逆転しており，HCO$_3^-$を尿中に分泌し，H$^+$を血中に再吸収するしくみになっている．この機構は，血中HCO$_3^-$濃度が高い状態（＝代謝性アルカローシス）で発動し，HCO$_3^-$の排泄を促進し，血中HCO$_3^-$濃度を正常化するように働く．

酸塩基平衡異常

酸塩基平衡異常は，臨床で最もよくみられる病態である．酸塩基平衡異常は血中H$^+$濃度の異常，つまりpHの異常を指す．**酸血症**は血中H$^+$濃度の上昇（pHの低下）を指し，**アシドーシス**(acidosis)とよばれる過程から生じる．一方，**アルカリ血症**は血中H$^+$濃度の低下（pHの上昇）を指し，**アルカローシス**(alkalosis)とよばれる過程から生じる．

血液pHの異常は，HCO$_3^-$濃度の異常が一次性変化であるものと，Pco$_2$の異常が一次性変化であるものに分けられる．HCO$_3^-$/CO$_2$バッファーの関係をHenderson-Hasselbalchの式で考えると理解しやすい．血液pHはHCO$_3^-$濃度とCO$_2$濃度の割合によって規定されることから，HCO$_3^-$濃度とCO$_2$濃度のいずれかが変化するとpHが変化することがわかる．

酸塩基平衡異常は，一次性変化がHCO$_3^-$濃度の異常かCO$_2$の異常かによって代謝性と呼吸性に分けられるため，あわせて4つの**単純性酸塩基平衡異常**(simple acid-base disorder)が存在す

372　第7章　酸塩基の生理学

表7.2　酸塩基平衡異常における一次性および代償性の変化.

病態	CO_2+H_2O	$\leftrightarrow$	H^+	$+$	HCO_3^-	呼吸性代償	腎臓の働き
代謝性アシドーシス	↓		↑		↓	過換気	↑ HCO_3^- 再吸収（調整）
代謝性アルカローシス	↑		↓		↑	低換気	↑ HCO_3^- 排泄（調整）
呼吸性アシドーシス	↑		↑		↑	なし	↑ HCO_3^- 再吸収（腎性代償）
呼吸性アルカローシス	↓		↓		↓	なし	↓ HCO_3^- 再吸収（腎性代償）

太矢印は一次性変化を示す.

る. **単純性**とは，1つの酸塩基平衡異常だけが存在しているという意味であり，複数の酸塩基平衡異常が存在する場合は，**混合性酸塩基平衡異常 (mixed acid-base disorder)** とよばれる.

　代謝性の酸塩基平衡異常は，一次性変化が HCO_3^- の異常であるものを指す. **代謝性アシドーシス**は HCO_3^- 濃度の低下により生じる. Henderson-Hasselbalch の式から，HCO_3^- 濃度の低下により pH が低下することがわかる. 代謝性アシドーシスは，不揮発性酸の蓄積（不揮発性酸の産生増加，不揮発性酸の摂取，不揮発性酸の排泄低下），または HCO_3^- の喪失により生じる. 一方，**代謝性アルカローシス**は HCO_3^- 濃度の上昇により生じる. Henderson-Hasselbalch の式から，HCO_3^- 濃度の増加により pH が上昇することがわかる. 代謝性アルカローシスは，不揮発性酸の喪失または HCO_3^- の蓄積から生じる.

　呼吸性の酸塩基平衡異常は，一次性変化が CO_2 の異常（すなわち呼吸の異常）であるものを指す. **呼吸性アシドーシスは低換気 (hypoventilation)** によって起こり，結果として CO_2 が蓄積するため，P_{CO_2} が上昇し，pH が低下する. 一方，**呼吸性アルカローシス**は過換気によって起こり，CO_2 を喪失するため，P_{CO_2} が低下し，pH が上昇する.

　酸塩基平衡異常が存在する場合，血液 pH を正常範囲に維持するために，いくつかの機構が働く. 最初の防御機構は，細胞外液と細胞内液の緩衝作用である. 緩衝に加えて，2つの代償性反応が働くことで血液 pH を正常化させようとする. **呼吸性代償**と**腎性代償**である. 代償性反応を理解するうえで，次の原則が役立つ. 代謝性の酸塩基平衡異常（HCO_3^- の異常）であれば，呼吸性代償により P_{CO_2} を調整する. 呼吸性の酸塩基平衡異常（CO_2

の異常）であれば，腎性代償が起こり HCO_3^- 濃度を調整する. もう1つ役立つ原則がある. 代償性反応はつねに酸塩基平衡異常の原因となった反応と同じ方向に動く. 例えば，代謝性アシドーシスでは原発性変化として血中 HCO_3^- 濃度の低下が起きる. これを呼吸性に代償するには，換気を促進させて P_{CO_2} を低下させる. 一方，呼吸性アシドーシスでは原発性変化として P_{CO_2} の上昇が起きる. これを腎性に代償するには，血中 HCO_3^- 濃度を上昇させる.

　次に，それぞれの酸塩基平衡異常を提示し，緩衝作用と代償性反応について詳細に説明する. **表7.2** に，4つの単純性酸塩基平衡異常と予測される代償性反応についてまとめている.

血漿アニオンギャップ

　血漿アニオンギャップ (anion gap of plasma)（単に**アニオンギャップ (anion gap)** ともいう）の計算は，酸塩基平衡異常の診断に有用である. アニオンギャップは，電気的中性の原則に基づいている. 血漿を含むすべての体液区分において，陽イオンと陰イオンは等しく存在する. 血漿の一般検査では，測定されるイオンと測定されないイオンがある. 通常測定される陽イオンは Na^+，陰イオンは HCO_3^- と Cl^- である. Na^+ 濃度（mEq/L）は，HCO_3^- と Cl^- 濃度（mEq/L）の和に比べて大きいため，アニオンギャップが生じる（**図7.10**）. 電気的中性は必ず保たれることから，このギャップを埋める**測定されない陰イオン (unmeasured anion)** が存在するはずである. 血漿における測定されない陰イオンには血漿タンパク質やリン酸，クエン酸，硫酸が含まれる.

　アニオンギャップは以下の式で計算される.

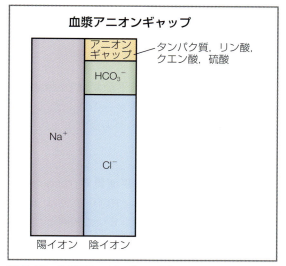

図 7.10 血漿アニオンギャップ.

血漿アニオンギャップ
$$= [Na^+] - ([HCO_3^-] + [Cl^-])$$

ここで

血漿アニオンギャップ
= 測定されない陰イオン
 (mEq/L)

$[Na^+]$ = 測定される陽イオン (mEq/L)
$[HCO_3^-] + [Cl^-]$ = 測定される陰イオン (mEq/L)

アニオンギャップの正常範囲は **8〜14 mEq/L** である．アニオンギャップの正常値は，血漿 Na^+ 濃度，HCO_3^- 濃度，Cl^- 濃度それぞれの正常値を計算式にあてはめることで得られる．Na^+ 濃度 140 mEq/L，HCO_3^- 濃度 24 mEq/L，Cl^- 濃度 104 mEq/L であれば，アニオンギャップは 12 mEq/L となる．

アニオンギャップは，主に**代謝性アシドーシス**の原因を鑑別するのに有用である．代謝性アシドーシスは，定義上，血漿 HCO_3^- 濃度が低下する病態である．Na^+ 濃度が一定と仮定すると，血漿区分の電気的中性を保つには，"失われた HCO_3^-" を置換するために他の陰イオンの増加が必要である．この置換される陰イオンは，測定されない陰イオンの場合もあれば，Cl^- の場合もある．HCO_3^- が測定されない陰イオンで置換された場合アニオンギャップは上昇し，Cl^- で置換され

た場合アニオンギャップは正常となる．

■ アニオンギャップ上昇性代謝性アシドーシス

代謝性アシドーシスのなかには，有機陰イオン（ケト酸，乳酸，ギ酸，サリチル酸など）が蓄積するものがある．この場合，HCO_3^- の減少は測定されない有機陰イオンの上昇で相殺される．そのためアニオンギャップは上昇し，**アニオンギャップ上昇性代謝性アシドーシス**（metabolic acidosis with an increased anion gap）とよばれる．例えば，**糖尿病性ケトアシドーシス**，**乳酸アシドーシス**（lactic acidosis），**サリチル酸中毒**（salicylate poisoning），**メタノール中毒**（methanol poisoning），**エチレングリコール中毒**（ethylene glycol poisoning），慢性腎不全などが含まれる．

アニオンギャップ上昇性代謝性アシドーシスの一部（メタノール中毒やエチレングリコール中毒）では，**浸透圧ギャップ**（osmolar gap）を生じる．浸透圧ギャップは，**実測の血漿浸透圧**（measured plasma osmolarity）と**計算上の血漿浸透圧**（estimated plasma osmolarity）の差である（第6章で述べたように，計算上の血漿浸透圧は血漿の主な溶質である Na^+（と対をなす Cl^- と HCO_3^-），グルコース（ブドウ糖），尿素の和で求められることを思い出してほしい．その計算式は，$2 \times Na^+ +$ グルコース /18 + 血中尿素窒素 /2.8 である）．この計算式は存在するほぼすべての溶質を含むため，通常であれば実測の血漿浸透圧と計算上の血漿浸透圧の差はほとんどない．しかし，メタノール中毒やエチレングリコール中毒といった分子量の小さな溶質が蓄積する病態では，血漿中の溶質質量が著明に増加するため，実測の血漿浸透圧が上昇する．計算上の浸透圧はこれらの溶質を含まないため，浸透圧ギャップが生じる．理論上，アニオンギャップ上昇性代謝性アシドーシスを引き起こす溶質（ケト酸，乳酸，サリチル酸など）でも浸透圧ギャップを生じうるが，これらの溶質は比較的分子量が大きいため，血漿浸透圧への影響は少ない．

アニオンギャップ上昇性代謝性アシドーシスの一部の症例では，二次性（隠れた）の代謝性酸塩基

平衡異常が血漿 HCO_3^- を変化させる．例えば，二次性の代謝性アルカローシスは血漿 HCO_3^- を上昇させる．あるいは，二次性のアニオンギャップ正常代謝性アシドーシスは，血漿 HCO_3^- を低下させる．どうすれば，このような"隠れた"二次性の代謝性酸塩基平衡異常を明らかにすることができるのか．もし，一次性変化がアニオンギャップ上昇性代謝性アシドーシスであれば，次のように Δ/Δ 分析（ ΔHCO_3^-/Δ アニオンギャップ）が役立つ．(1)アニオンギャップ上昇性代謝性アシドーシスが血漿 HCO_3^- を変化させる唯一の異常であれば，血漿 HCO_3^- の（正常値からの）低下は，アニオンギャップの（正常からの）上昇に正確に反映される．(2)二次性の代謝性異常が血漿 HCO_3^- の上昇（すなわち代謝性アルカローシス）であれば，血漿 HCO_3^- の低下はアニオンギャップの上昇より少ない．(3)二次性の代謝異常が HCO_3^- の低下（すなわち，アニオンギャップ正常代謝性アシドーシス）であれば，血漿 HCO_3^- の低下はアニオンギャップの上昇より多い．

■ アニオンギャップ正常の代謝性アシドーシス

代謝性アシドーシス（下痢，すべての RTA など）には，測定されない陰イオンが蓄積しないものもある．この場合，HCO_3^- 濃度の減少は，測定される陰イオンである Cl^- 濃度の増加で相殺される．なぜならば，Cl^- は測定される陰イオンであり，測定される陰イオン（ HCO_3^- ）がもう1つの測定される陰イオン（ Cl^- ）に置換されるため，アニオンギャップは変化しないからである．このタイプの代謝性アシドーシスは，**アニオンギャップ正常の高 Cl 性代謝性アシドーシス（hyperchloremic metabolic acidosis with a normal anion gap）** とよばれる（"**アニオンギャップがない**"と表現されることがあるが，これは誤りである．アニオンギャップは増加しないだけであり，正常のまま存在するからである）．

酸塩基マップ

4つの単純性酸塩基平衡異常では，pH，Pco_2，HCO_3^- 濃度は一定の範囲内の値をとる．これらは酸塩基マップ上で斜線部分に一致する（**図 7.11**）．酸塩基マップにより，患者の酸塩基平衡の状況を簡便に評価することができる．

● **代謝性酸塩基平衡異常**

単純性の**代謝性酸塩基平衡異常（metabolic disorder）** では呼吸性代償が速やかに起こるため，pH，Pco_2，HCO_3^- は1つの範囲として示すことができる．

● **呼吸性酸塩基平衡異常**

単純性の**呼吸性酸塩基平衡異常（respiratory disorder）** では，pH，Pco_2，HCO_3^- 濃度は急性と慢性で異なる値になるため，2つの範囲として示される．急性の場合は，腎性代償が起こる前の状態なので，pH は正常値から大きく逸脱した値となる．慢性の場合は，数日経ち腎性代償が起こった後なので，pH は急性に比べ正常値に近い値となる．

酸塩基マップは次のように使用できる．患者の検査値が斜線領域にあれば，単純性酸塩基平衡異常のみが存在すると考えることができる．患者の検査値が斜線領域から外れていれば（2つの領域の間にあるなど），複数の酸塩基平衡異常が存在する（混合性酸塩基平衡異常）と考えることができる．次に，それぞれの単純性酸塩基平衡異常について説明していく．**表 7.2** と**図 7.11** の酸塩基マップを参照すること．

代償性変化の予測式

酸塩基マップは視覚的にはわかりやすいが，ベッドサイドで使用するには不便かもしれない．そこで，患者の pH，Pco_2，HCO_3^- 濃度が単純性酸塩基平衡異常で説明できるのかどうかを評価するための"代償性変化の予測式"がつくられた．この予測式を**表 7.3** にまとめている．この予測式を用いると，**代謝性酸塩基平衡異常**では，HCO_3^- 濃度の変化に対して Pco_2 がどのくらい代償性に変化するか（呼吸性代償）を予測することができ，**呼吸性酸塩基平衡異常**では，Pco_2 の変化に対して HCO_3^- 濃度がどのくらい代償性に変化するか（腎性代償）を予測することができる．酸塩基マップと同様，呼吸性の酸塩基平衡異常では，急性と慢性で予測式が2つある．

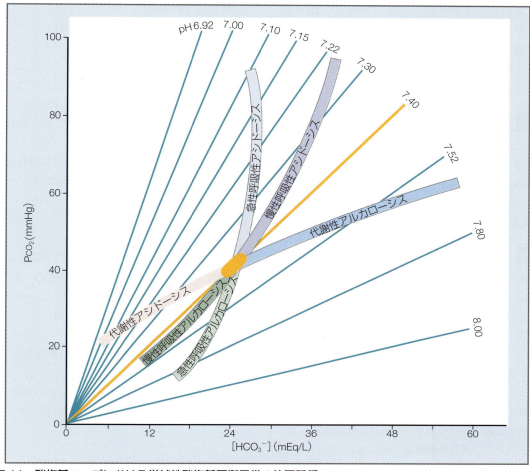

図 7.11 酸塩基マップにおける単純性酸塩基平衡異常の位置関係.
各酸塩基平衡異常でとりうる値の範囲を斜線領域で示している．呼吸性の酸塩基平衡異常では急性と慢性でとりうる範囲が異なるので，2つの斜線領域がある．

表 7.3 単純性酸塩基平衡異常における代償性変化の予測式.

酸塩基平衡異常	一次性変化	代償性反応	代償性変化の予測式
代謝性アシドーシス	↓ $[HCO_3^-]$	↓ P_{CO_2}	HCO_3^- 1 mEq/L 低下 → P_{CO_2} 1.2 mmHg 低下
代謝性アルカローシス	↑ $[HCO_3^-]$	↑ P_{CO_2}	HCO_3^- 1 mEq/L 上昇 → P_{CO_2} 0.6 mmHg 上昇
呼吸性アシドーシス			
急性	↑ P_{CO_2}	↑ $[HCO_3^-]$	P_{CO_2} 1 mmHg 上昇 → HCO_3^- 0.1 mEq/L 上昇
慢性	↑ P_{CO_2}	↑ $[HCO_3^-]$	P_{CO_2} 1 mmHg 上昇 → HCO_3^- 0.3 mEq/L 上昇
呼吸性アルカローシス			
急性	↓ P_{CO_2}	↓ $[HCO_3^-]$	P_{CO_2} 1 mmHg 低下 → HCO_3^- 0.2 mEq/L 低下
慢性	↓ P_{CO_2}	↓ $[HCO_3^-]$	P_{CO_2} 1 mmHg 低下 → HCO_3^- 0.4 mEq/L 低下

376 第 7 章 酸塩基の生理学

患者の検査値が予測式を用いた値と一致すれば，単純性酸塩基平衡異常のみが存在している，と評価することができる．一方，患者の検査値と予測式を用いた値が異なる場合，混合性酸塩基平衡異常が存在している，と評価することができる．

例題

3 日前から嘔吐が続いている女性が搬入された．血液検査では，pH 7.5，P_{CO_2} 48 mmHg，HCO_3^- 37 mEq/L であった．このとき，どのような酸塩基平衡異常が存在するか．単純性酸塩基平衡異常か，混合性酸塩基平衡異常か．

解答

患者の pH は上昇し（アルカリ血症），P_{CO_2} と HCO_3^- 濃度が上昇していることから，代謝性アルカローシスが存在することがわかる．代謝性アルカローシスの一次性変化は HCO_3^- 濃度の上昇であり，その結果，pH が上昇する．pH の上昇は，化学受容器を介して低換気を起こす．低換気によって CO_2 が貯留し，P_{CO_2} が上昇する．これが代謝性アルカローシスに対する呼吸性代償である．

患者の酸塩基平衡異常が単純性の**代謝性アルカローシス**か，**混合性酸塩基平衡異常**なのかは，先ほどの代償性変化の予測式を使って答えることができる（**表 7.3**）．代謝性アルカローシスでは，HCO_3^- 濃度の上昇に対し P_{CO_2} の増加が予測される．患者の P_{CO_2} 実測値が予測値と一致すれば，単純性の代謝性アルカローシスだけが存在することになる．患者の P_{CO_2} 実測値が予測値と異なっていれば，代謝性アルカローシス以外の酸塩基平衡異常も存在することがわかる（混合性酸塩基平衡異常）．例題の患者に予測式を適用すると以下のようになる．

HCO_3^- **の上昇**（正常からの上昇）
$$= 37\ mEq/L - 24\ mEq/L = 13\ mEq/L$$

予測される P_{CO_2} の増加量（正常からの上昇）
$$= 0.7\ mmHg/mEq/L \times 13\ mEq/L$$
$$= 9.1\ mmHg$$

予想される P_{CO_2}
$$= 40\ mmHg + 9.1\ mmHg$$
$$= 49.1\ mmHg$$

この計算から次のことがわかる．単純性の代謝性アルカローシスで HCO_3^- 濃度が 37 mEq/L となっている場合，代償性の低換気により P_{CO_2} は 49.1 mmHg となることが予測される．患者の P_{CO_2} 実測値は 48 mmHg であり，予測値と実質的に一致する．よって，この患者では単純性の代謝性アルカローシスに対し呼吸性代償が起こっており，他の酸塩基平衡異常を合併していないことがわかる．

代謝性アシドーシス

代謝性アシドーシスは，血中の **HCO_3^- 濃度の低下**によって起こる．代謝性アシドーシスの原因には，ケト酸や乳酸などの不揮発性酸の産生増加，サリチル酸などの不揮発性酸の摂取，正常の代謝で産生される不揮発性酸の腎臓での排泄不全，腎臓や消化管からの HCO_3^- の喪失が挙げられる（**表 7.4**，**Box 7.1**）．代謝性アシドーシスの患者の動脈血ガス分析では，次の変化が認められる．

$$
\begin{array}{cc}
pH & \downarrow \\
HCO_3^-\ 濃度 & \downarrow \\
P_{CO_2} & \downarrow
\end{array}
$$

代謝性アシドーシスを生じる過程では，以下のような一連の流れがみられる．代謝性アシドーシスは，下痢や 2 型尿細管性アシドーシス（2 型 RTA）（type 2 renal tubular acidosis：type 2 RTA）のように，HCO_3^- の喪失（直接 HCO_3^- 濃度の低下につながる）でも起こりうるが，ほとんどの場合，不揮発性酸の過剰な蓄積が原因である．

1. **不揮発性酸の蓄積**．不揮発性酸の産生増加，摂取，排泄低下により，不揮発性酸の過剰な蓄積が起こる．
2. **緩衝作用**．過剰な不揮発性酸は，細胞外液と細胞内液において緩衝される．細胞外液では，不揮発性酸は主に HCO_3^- により緩衝されるため，HCO_3^- **濃度は低下**する．Henderson-Hasselbalch の式からわかるように，HCO_3^- 濃度が低下すると **pH が低下**する（$pH = pK + \log HCO_3^-/CO_2$）．

酸塩基平衡異常　377

表 7.4　代謝性アシドーシスの原因.

原因	例	病態
不揮発性酸の過剰産生または摂取	糖尿病性ケトアシドーシス	β-ヒドロキシ酪酸とアセト酢酸の蓄積 アニオンギャップ上昇
	乳酸アシドーシス	低酸素血症による乳酸の蓄積 アニオンギャップ上昇
	サリチル酸中毒	呼吸性アルカローシス合併 アニオンギャップ上昇
	メタノール中毒／ホルムアルデヒド中毒	ギ酸へ変換 アニオンギャップ上昇 浸透圧ギャップ上昇
	エチレングリコール中毒	グリコール酸とシュウ酸へ変換 アニオンギャップ上昇 浸透圧ギャップ上昇
HCO_3^- の喪失	下痢	腸管からの HCO_3^- 喪失 アニオンギャップ正常 高クロール血症
	2 型尿細管性アシドーシス（2 型 RTA）	腎臓からの HCO_3^- 喪失（HCO_3^- の再吸収障害） アニオンギャップ正常 高クロール血症
不揮発性酸の排泄低下	慢性腎臓病	NH_4^+ としての H^+ 排泄障害 アニオンギャップ上昇とアニオンギャップ正常
	1 型尿細管性アシドーシス（1 型 RTA）	滴定酸と NH_4^+ としての H^+ 排泄障害 尿の酸性化障害 アニオンギャップ正常
	4 型尿細管性アシドーシス（4 型 RTA）	低アルドステロン症（hypoaldosteronism） NH_4^+ の排泄障害 高カリウム血症による NH_3 産生低下 アニオンギャップ正常

Box 7.1　糖尿病性ケトアシドーシス

▶ 症例

56 歳の女性が 15 年前に 1 型糖尿病と診断され，厳格な食事療法と 1 日 2 回のインスリン皮下注射により管理されていた．数日前のウイルス感染を
きっかけに食欲低下，発熱，嘔吐をきたした．息切れを認め，集中治療室へ入院となった．

身体所見上，全身状態は非常に悪く，粘膜乾燥，皮膚のツルゴール低下を認めた．また，深く速い呼吸を認めた．尿検査では尿糖および尿ケトン体が陽性であった．

血液検査の結果を以下に示す．

動脈血ガス
pH : 7.07
P_{CO_2} : 18 mmHg
$[HCO_3^-]$: 5 mEq/L

静脈血
$[Na^+]$: 132 mEq/L
$[Cl^-]$: 94 mEq/L
$[K^+]$: 5.9 mEq/L
[グルコース] : 650 mg/dL

インスリン注射と等張食塩水の静脈内投与が行われた．治療開始 12 時間後には，血液データと呼吸状態は改善し，正常に戻った．

▶ 解説

患者の糖尿病は非常によく管理されていたが，急性ウイルス感染症を契機に糖尿病性ケトアシドーシスを発症した．患者の血糖値は 650 mg/dL（正常値 80 mg/dL）と高値であり，尿糖が陽性であることから，糖尿病の病勢悪化がわかる．血糖が高すぎると，糸球体で濾過されるグルコースが尿細管での再吸収能を超えてしまうため，尿糖が陽性となる．

入院時の動脈血ガス所見は，pH の低下，HCO_3^- の低下，P_{CO_2} の低下を認めており，代謝性アシドーシスであることがわかる．管理不良の 1 型糖尿病では，β-ヒドロキシ酪酸とアセト酢酸といった不揮発性酸の過剰産生により代謝性アシドーシスを

呈する．インスリンの欠乏により脂肪分解が亢進する．その結果，産生された脂肪酸は，ケト酸であるβ-ヒドロキシ酪酸とアセト酢酸に変換される（尿中ケトン陽性が**ケトアシドーシス（ketoacidosis）**の診断の助けとなる）．これらの過剰な不揮発性酸は細胞外液のHCO_3^-により緩衝されるため，血中のHCO_3^-濃度が低下し，pHが低下する．代謝性アシドーシスに対する呼吸性代償として**Kussmaul（クスマウル）呼吸（Kussmaul's respiration）**とよばれる過換気（深く速い呼吸）が起こり，P_{CO_2}が低下する．

患者の酸塩基平衡異常は，**単純性**の代謝性アシドーシス（単一の酸塩基平衡異常）か，**混合性酸塩基平衡異常**か．この問いに答えるために，代償性変化の予測式を用いて，HCO_3^-濃度の変化に対して予測されるP_{CO_2}の変化（呼吸性代償）を計算することができる（**表7.3**参照）．単純性の代謝性アシドーシスでは，HCO_3^-濃度1 mEq/Lの低下につき1.2 mmHgのP_{CO_2}の低下が予測される．この患者のHCO_3^-濃度は5 mEq/Lなので，正常値24 mEq/Lから19 mEq/L低下している．予測されるP_{CO_2}の変化は23 mmHg（19×1.2）となる．このP_{CO_2}変化の予測値と実測値を比較する．患者のP_{CO_2}は18 mmHgで，正常値40 mmHgから22 mmHg低下している．P_{CO_2}変化の予測値（25 mmHg）とP_{CO_2}変化の実測値（22 mmHg）がほぼ一致していることから，この患者の酸塩基平衡異常は単純性の代謝性アシドーシスであることがわかる．

代謝性アシドーシスの原因を鑑別するうえでアニオンギャップが有用である．この患者のアニオンギャップは以下のように計算できる．

$$アニオンギャップ＝[Na^+]-([Cl^-]+[HCO_3^-])$$
$$＝132-(94+5)$$
$$＝33 mEq/L$$

アニオンギャップの正常範囲は8〜16 mEq/Lである．この患者のアニオンギャップは33 mEq/Lと著明に上昇しており，測定されない陰イオンが存在していることがわかる．すなわち，血漿区分の電気的中性を保つため，測定される陰イオンであるHCO_3^-が低下した分だけ，測定されない陰イオンが増えている．患者の糖尿病の病歴と尿中ケトンが陽性であることから，この測定されない陰イオンは，β-ヒドロキシ酪酸とアセト酢酸であると予測できる．

ここで一考する．患者はアニオンギャップ上昇性代謝性アシドーシスを呈していることから，二次性の代謝性酸塩基平衡異常の有無を評価するた

めにΔ/Δ分析が役に立つ．HCO_3^-濃度5 mEq/Lは正常から19 mEq/L低下している．アニオンギャップ33 mEq/Lは正常より21 mEq/L上昇している（正常アニオンギャップは12 mEq/L）．HCO_3^-濃度低下とアニオンギャップ上昇がほぼ同等であることから，他の代謝性酸塩基平衡異常は存在しないと結論づけることができる．

皮膚のツルゴール低下と粘膜乾燥から，細胞外液量の減少が示唆される．細胞外液量減少の原因は，尿糖による浸透圧利尿に伴う溶質と水分の喪失である．患者の血糖値は非常に高く，糸球体で濾過されたグルコースの一部は再吸収されない．再吸収されなかったグルコースは浸透圧利尿を起こし，グルコースとともにNaClと水が排泄され，細胞外液量の減少が起こる．

糖尿病性ケトアシドーシスでは，**低ナトリウム血症（hyponatremia）**，つまり血中Na^+濃度の低下がよくみられる．これは次のように説明できる．細胞外液中のグルコース濃度が著明に上昇すると，細胞外液の浸透圧も上昇する（グルコースは浸透圧活性をもつ溶質である）．この細胞外液の浸透圧上昇により，細胞内外の浸透圧を等しくするまで細胞内から細胞外へ水が移動し，細胞外液中の溶質が希釈され，血中Na^+濃度の低下が起こる．

患者は**高カリウム血症**（血中K^+濃度の上昇）もきたしていた．酸塩基平衡異常とK^+バランスの関係は複雑であることが多いが，糖尿病性ケトアシドーシスにおいては特に複雑である．患者の高カリウム血症の原因として最も考えられるのはインスリン欠乏である．インスリンはK^+の細胞内への移動を起こす主要な因子であることを思い出してほしい（**第6章**）．インスリンが欠乏するとK^+が細胞外へ移動し，高カリウム血症が起こる．血糖上昇に伴う浸透圧上昇も，高カリウム血症の原因として考えられる．浸透圧平衡に達するために細胞内から細胞外へ水が移動する際，水とともにK^+の移動も伴うため，高カリウム血症が起こる．代謝性アシドーシスは高カリウム血症の原因としては考えにくい．緩衝作用を受けるためにH^+が細胞内に移動するが，ケトアシドーシスではH^+はケト陰イオンを伴って移動し，K^+と交換されるわけではないからである．

▶ 治療

治療はインスリン投与である．インスリンにより患者の血糖値を低下させ，ケトアシドーシスを改善させ，高カリウム血症を改善させる．食塩水の静脈内投与も行われ，これにより浸透圧利尿によって喪失したNa^+と水を補充することができる．

細胞内液では，過剰な不揮発性酸は有機リン酸やタンパク質によって緩衝される．この細胞内バッファーを利用するためには，まずH^+が細胞内に入る必要がある．H^+はケト酸，乳酸，ギ酸といった有機陰イオンを伴い細胞内に入るか，細胞内K^+の細胞外への移動と交換する形で細胞内に入る．H^+がK^+と交換に細胞内へ入った場合は，**高カリウム血症**をきたす．

3. **呼吸性代償**．動脈血 pH が低下すると，頸動脈小体にある末梢の化学受容器が刺激され，**過換気**が起こる．過換気による **P_{CO_2} の低下**が，代謝性アシドーシスに対する呼吸性代償である．Henderson-Hasselbalch の式を用いて，なぜP_{CO_2} の低下が代償性反応となるのか考えてみる．

$$pH = pK + \log \frac{[HCO_3^-]}{P_{CO_2}} \quad \begin{array}{l}(\downarrow = 一次性変化)\\ (\downarrow = 呼吸性代償)\end{array}$$

一次性変化はHCO_3^-濃度の低下であり，代償性反応がなければ，pH は著明に低下する．呼吸性代償である過換気によってP_{CO_2}を減少させることでHCO_3^-/CO_2比を正常に近づけ，その結果 pH を正常に近づける．

4. **正常化に向けた腎臓の働き**．緩衝反応と呼吸性代償は速やかに起こるが，酸塩基平衡異常を正常化することはできない．酸塩基平衡異常を正常化するためには腎臓の働きが必要であるが，それには数日かかる．過剰な不揮発性酸は，滴定酸やNH_4^+として排泄される．それと同時に新たなHCO_3^-が産生，再吸収され，緩衝で消費されたHCO_3^-を補填する．こうして血中のHCO_3^-濃度は正常に戻る．

代謝性アルカローシス

代謝性アルカローシスは血中の**HCO_3^-濃度の上昇**によって起こる．代謝性アルカローシスの原因には，消化管からの不揮発性酸の喪失，腎臓からの不揮発性酸の喪失（**高アルドステロン症（hyperaldosteronism）**など），HCO_3^-を含む輸液の投与，細胞外液量の減少（利尿薬投与など）が挙げられる（**表 7.5**，**Box 7.2**）．代謝性アルカローシスの動脈血ガス分析では次の変化が認められる．

表 7.5　代謝性アルカローシスの原因．

原因	例	病態
H^+の喪失	嘔吐	胃液中の H^+ の喪失血中に HCO_3^- が留まる細胞外液量減少により代謝性アルカローシスが維持される低カリウム血症
	高アルドステロン症	間在細胞からの H^+ 分泌増加低カリウム血症
HCO_3^-の蓄積	$NaHCO_3$ の摂取ミルクアルカリ症候群（milk-alkali syndrome）	腎不全患者における大量の HCO_3^- 摂取
細胞外液濃縮性アルカローシス	ループ利尿薬サイアザイド系利尿薬	アンジオテンシンⅡによる糸球体で濾過された HCO_3^- の再吸収亢進アルドステロンによる H^+ 分泌亢進に伴う，新たな HCO_3^- の再吸収亢進

$$
\begin{array}{ll}
pH & \uparrow \\
HCO_3^-濃度 & \uparrow \\
P_{CO_2} & \uparrow
\end{array}
$$

代謝性アルカローシスを生じる過程では，以下のような一連の流れがみられる．代謝性アルカローシスはHCO_3^-の投与によっても起こりうるが，ほとんどの場合，体内から不揮発性酸を失うことが原因である．

1. **不揮発性酸の喪失**．代謝性アルカローシスの代表的な例が**嘔吐（vomiting）**である．嘔吐では胃液中の HCl を失う．胃の壁細胞でCO_2とH_2OからH^+とHCO_3^-が形成される．H^+はCl^-とともに胃の管腔へ分泌され，消化を促進する．一方，HCO_3^-は血中へ吸収される．健常人では，胃に分泌されたH^+は小腸へと流れ，小腸では pH の低下が引き金となって膵臓からHCO_3^-が分泌される．そのため健常人では，胃の壁細胞で血中に吸収されたHCO_3^-は，膵臓からのHCO_3^-分泌により血中から除かれるため，正味のHCO_3^-の増減は起こらない．しかし，嘔吐が起こると胃液中のH^+が失われ，小腸にH^+が到達しないため，膵臓からのHCO_3^-分泌が起こらない．HCO_3^-は血中に残され，その結果

Box 7.2 嘔吐による代謝性アルカローシス

▶ 症例

35歳の男性. 強い心窩部痛があり, 精査目的に入院となった. 入院数日前から嘔気, 嘔吐が出現, 持続していた. 身体所見上, 心窩部に圧痛を認めた. 血圧は, 仰臥位で120/80 mmHg, 立位で100/60 mmHg であった. 胃十二指腸内視鏡を行い, 幽門部潰瘍とそれに伴う胃流出路閉塞がみられた. 入院時の血液検査結果を以下に示す.

動脈血ガス	静脈血
pH : 7.53	[Na$^+$] : 137 mEq/L
Pco$_2$: 45 mmHg	[Cl$^-$] : 82 mEq/L
[HCO$_3$$^-$] : 37 mEq/L	[K$^+$] : 2.8 mEq/L

等張食塩水と K$^+$ の投与が行われ, 手術を検討することとなった.

▶ 解説

この患者では, 幽門部潰瘍による胃流出路閉塞がみられた. 胃の内容物が小腸へ流れにくくなるため, 嘔吐が起こっている. 動脈血ガスでは, pH の上昇, HCO$_3$$^-$ 濃度の上昇, Pco$_2$ の上昇を認めており, 代謝性アルカローシスであることがわかる. 嘔吐により胃液中の H$^+$ が失われ, 血中に HCO$_3$$^-$ が残される. 血中 Cl$^-$ 濃度が低下していることに注目してほしい (正常値 100 mEq/L). これは胃液中の H$^+$ が HCl の形で出ていくからである. 代謝性アルカローシスに対する呼吸性代償として低換気が起こっているため, Pco$_2$ の上昇がみられる.

アニオンギャップの計算は, どの酸塩基平衡異常の鑑別においても有用である. この患者のアニオンギャップは 18 mEq/L と上昇している.

$$\text{アニオンギャップ} = [\text{Na}^+] - ([\text{Cl}^-] + [\text{HCO}_3^-])$$
$$= 137 - (82 + 37)$$
$$= 18 \text{ mEq/L}$$

この症例のように, アニオンギャップの上昇が必ずしも代謝性アシドーシスになるわけではない.

この患者では, 酸塩基平衡異常は代謝性アルカローシスである. 患者は数日間食事摂取ができなかったため, 脂肪分解が亢進し, 脂肪酸が産生され, ケト酸が産生された. これが測定されない陰イオンとなり, アニオンギャップが上昇したのである.

また, 患者には起立性低血圧 (orthostatic hypotension) (立位で血圧が低下すること) がみられており, これは細胞外液量の減少を示唆する. 細胞外液量の減少によりレニン-アンジオテンシン-アルドステロン系が亢進し, 代謝性アルカローシスを悪化させる. アンジオテンシンⅡは, Na$^+$-H$^+$ 交換輸送体を活性化し HCO$_3$$^-$ 再吸収を亢進させ, アルドステロンは H$^+$ 分泌を亢進させる. この2つのホルモンは, いずれも尿細管に作用し, 代謝性アルカローシスを悪化させる. 要約すると, 胃液中の H$^+$ の喪失により代謝性アルカローシスが形成され, 細胞外液量の減少により腎臓で過剰な HCO$_3$$^-$ を排泄できず, 代謝性アルカローシスが維持される.

患者は低カリウム血症を合併しているが, これにはいくつかの原因が考えられる. 1つ目は, 嘔吐により胃液に含まれる K$^+$ を喪失したことによる. 2つ目は, 代謝性アルカローシスがあるため, H$^+$ が細胞外へ出るのと交換に K$^+$ が細胞内へ入ったことによる. 3つ目は, 最も重要な原因であるが, 細胞外液量の減少によりアルドステロン分泌が亢進したことによる. この二次性の高アルドステロン症により, 集合管主細胞で K$^+$ 分泌が亢進し, 低カリウム血症を悪化させる (第6章).

▶ 治療

急性期治療として, 食塩水と K$^+$ の投与を行う. 嘔吐がおさまっていたとしても, 細胞外液量を補充しない限り, 代謝性アルカローシスは改善しない.

HCO$_3$$^-$ 濃度は上昇する. Henderson-Hasselbalch の式からわかるように, HCO$_3$$^-$ 濃度が上昇すると, pH が上昇する (pH = pK + log HCO$_3$$^-$/CO$_2$).

2. **緩衝作用**. 代謝性アシドーシスと同様, 細胞外液と細胞内液において緩衝作用が起こる. 細胞内バッファーを利用するために, H$^+$ が K$^+$ と交換に細胞外へ出るため, **低カリウム血症**をきたす.

3. **呼吸性代償**. 動脈血 pH が上昇すると, 末梢の化学受容器が抑制され, **低換気**が起こる. 低換気による **Pco$_2$ の上昇**が代謝性アルカローシスの呼吸性代償である. 代謝性アシドーシスの場合と同様, Henderson-Hasselbalch の式を用いて, なぜ Pco$_2$ の上昇が代償性反応となるのか考えてみる.

$$pH = pK + \log \frac{[HCO_3^-]}{Pco_2} \quad \begin{array}{l}(\uparrow = 一次性変化)\\(\uparrow = 呼吸性代償)\end{array}$$

代謝性アルカローシスの一次性変化は HCO_3^- 濃度の上昇であり，代償性反応がなければ pH は著明に上昇する．呼吸性代償である低換気によって Pco_2 を上昇させることで HCO_3^-/CO_2 比を正常に近づけ，その結果 pH を正常に近づける．

4. **正常化に向けた腎臓の働き**．代謝性アルカローシスにおける腎臓の働きは，すべての酸塩基平衡異常のなかで最も簡単なはずである．一次性変化は HCO_3^- 濃度の上昇なので，腎臓により過剰な HCO_3^- を排泄することで，この酸塩基平衡異常を正常化することができる．糸球体で濾過された HCO_3^- の尿細管での再吸収能には上限があるため，HCO_3^- の濾過量がその再吸収能を超えるほど多ければ，尿中に HCO_3^- が排泄されるようになり，結果的に HCO_3^- 濃度は正常値まで低下する．

しかし，実際には代謝性アルカローシスの正常化は，それほど簡単ではない．特に，**細胞外液量の減少**（嘔吐などによる）を伴うときには正常化は困難である．細胞外液量の減少は，腎臓に以下の3点において二次的な影響を与える．どれも，尿中への過剰な HCO_3^- の排泄を抑えることで，代謝性アルカローシスを維持する方向に働く（**濃縮性アルカローシス**）（図7.12）：(1)細胞外液量が減少すると，Starling 力により近位尿細管での HCO_3^- の再吸収が亢進する．(2)細胞外液が減少すると，**レニン-アンジオテンシン-アルドステロン系**が刺激され，アンジオテンシンⅡ濃度が上昇する．**アンジオテンシンⅡ**は Na^+-H^+ 交換輸送体を刺激し，濾過された HCO_3^- の再吸収を促進する．(3)**アルドステロン**濃度の上昇により，α 間在細胞で H^+ の分泌と"新たな HCO_3^-"の再吸収が刺激される．以上の3点は，すべて細胞外液量の減少によって起こる反応であり，HCO_3^- を上昇させる方向に働き，嘔吐がおさまった後でも代謝性アルカローシスを維持させる．

代謝性アルカローシスは，"生理食塩水反応性"と"生理食塩水不応答性"の2つに分類され

る．"生理食塩水反応性"代謝性アルカローシス（"saline-responsive" metabolic alkalosis）は，上記で述べたように，細胞外液量の減少によって起こる．つまり，生理食塩水を投与することで細胞外液量が回復すると，結果的に代謝性アルカローシスも改善する．このタイプの代謝性アルカローシスは，嘔吐，ループ利尿薬やサイアザイド系利尿薬の投与などによって起こる．一方，"生理食塩水不応答性"代謝性アルカローシス（"saline-unresponsive" metabolic alkalosis）は，細胞外液量減少が原因ではないため，生理食塩水を投与しても代謝性アルカローシスが改善することはない．このタイプの代謝性アルカローシスは，原発性アルドステロン症，Cushing（クッシング）症候群，Cushing 病，甘草の過剰摂取などによって起こる（**第9章参照**）．

呼吸性アシドーシス

呼吸性アシドーシスは**低換気**によって引き起こされ，その結果，CO_2 **の貯留**が起こる．CO_2 貯留の原因には，延髄の呼吸中枢の抑制，呼吸筋の麻痺，気道閉塞，肺毛細血管と肺胞間の CO_2 の交換障害が挙げられる（**表7.6**，**Box 7.3**）．呼吸性アシドーシスの患者の動脈血ガスでは，次の変化が認められる．

$$\begin{array}{ll} pH & \downarrow \\ HCO_3^- 濃度 & \uparrow \\ Pco_2 & \uparrow \end{array}$$

呼吸性アシドーシスを生じる過程では，以下のような一連の流れがみられる．

1. CO_2 **の貯留**．低換気により CO_2 が貯留し，Pco_2 が上昇する．呼吸性アシドーシスの一次性変化は Pco_2 の上昇であり，Henderson-Hasselbalch の式からわかるように，**pH が低下**する（$pH = 6.1 + \log HCO_3^-/CO_2$）．$Pco_2$ が上昇すると，質量作用の法則により HCO_3^- 濃度が上昇する．

2. **緩衝作用**．過剰な CO_2 の緩衝は，もっぱら細胞内，特に赤血球内で行われる．細胞内バッファーを利用するために，CO_2 は細胞膜を介して拡散し細胞内に入っていく．細胞内で CO_2

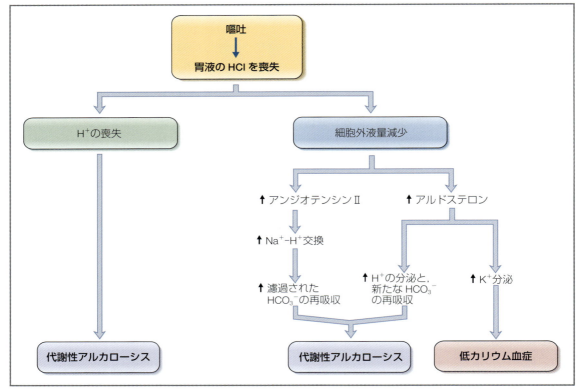

図 7.12 嘔吐による代謝性アルカローシスの形成と維持.

表 7.6 呼吸性アシドーシスの原因.

原因	例	病態
延髄呼吸中枢の抑制	オピオイド,バルビツール酸,麻酔薬 中枢神経系の障害 中枢性睡眠時無呼吸 酸素投与	末梢の化学受容器の抑制
呼吸筋の障害	Guillain-Barré（ギラン・バレー）症候群,ポリオ,筋萎縮性側索硬化症（ALS）,多発性硬化症	
気道閉塞	窒息 閉塞性睡眠時無呼吸 喉頭痙攣	
換気障害	急性呼吸窮迫症候群（acute respiratory distress syndrome：ARDS） 慢性閉塞性肺疾患（chronic obstructive pulmonary disease：COPD） 肺炎 肺水腫	肺毛細血管と肺胞間のガス交換障害

は H^+ と HCO_3^- に変換され，H^+ が細胞内タンパク質（ヘモグロビンなど）や有機リン酸によって緩衝される.

3. **呼吸性代償**. 呼吸性アシドーシスは呼吸の異常が原因で起こるので, 呼吸性代償は起こらない.

4. **腎性代償**. 呼吸性アシドーシスに対する腎性代償として, 滴定酸および NH_4^+ による H^+ 排泄の亢進と, 新たな HCO_3^- の産生および再吸収が起こる. 呼吸性アシドーシスでは, 質量作用の法則により HCO_3^- 濃度が上昇するが, 新たな HCO_3^- 再吸収の HCO_3^- 濃度の上昇効果は, それよりもはるかに大きい. Henderson-Hasselbalch の式を用いて, なぜ HCO_3^- 濃度の上昇が代償性反応となるのか考えてみる.

$$pH = pK + \log \frac{[HCO_3^-]}{P_{CO_2}} \quad \begin{array}{l}(\uparrow = 腎性代償) \\ (\uparrow = 一次性変化)\end{array}$$

急性呼吸性アシドーシス（acute respiratory acidosis）では, 腎性代償はまだ起こっていない

酸塩基平衡異常　383

Box 7.3　慢性閉塞性肺疾患

▶ 症例

　68歳の男性は1日30本，40年間の喫煙歴がある．これまで何度か喘息，気管支炎の発作があり，最近は朝方の喀痰，咳，呼吸苦を自覚していた．微熱，呼吸苦，喘鳴を主訴に受診し，入院となった．身体所見上，チアノーゼ，樽状胸郭を認めた．入院時の血液検査結果を以下に示す．

動脈血ガス	静脈血
pH：7.29	$[Na^+]$：139 mEq/L
Pco_2：70 mmHg	$[Cl^-]$：95 mEq/L
Po_2：54 mmHg	
$[HCO_3^-]$：33 mEq/L	

▶ 解説

　この患者の喫煙歴と喘息，気管支炎の既往からは，慢性閉塞性肺疾患（COPD）が強く疑われる．動脈血ガスでは，pHの低下，Pco_2の上昇，HCO_3^-濃度の上昇を認めており，呼吸性アシドーシスであることがわかる．閉塞性肺疾患では肺胞換気が不十分になる．そのため，肺胞気から肺毛細血管へのO_2の移動が不十分になりPo_2は54 mmHgと著明に低下している（正常値100 mmHg）．同様に，肺毛細血管から肺胞気へのCO_2の移動も不十分になるため，Pco_2は著明に上昇している（呼吸性アシドーシス）．HCO_3^-濃度の上昇は，質量作用の法則にもよるが，腎性代償の影響もあると考えられる．

　腎性代償の予測式を用いると，腎性代償がどの程度起こっているか，つまり，この患者の呼吸性アシドーシスが急性のものか慢性のものか判断することができる．呼吸性アシドーシスではPco_2の

変化量からHCO_3^-濃度の変化量を予測できることを思い出してほしい．患者のPco_2は70 mmHgであり，これは正常値40 mmHgから30 mmHg上昇している．そして，患者のHCO_3^-濃度は33 mEq/Lであり，これは正常値24 mEq/Lから9 mEq/L上昇している．このHCO_3^-濃度の上昇は，急性呼吸性アシドーシスもしくは慢性呼吸性アシドーシスのどちらにあてはまるだろうか．急性呼吸性アシドーシスであれば，Pco_2の上昇が30 mmHgなので，予測式からはHCO_3^-濃度は3 mEq/L上昇することになる．一方，慢性呼吸性アシドーシスであれば　HCO_3^-濃度は12 mEq/L上昇することになる．患者のHCO_3^-濃度の上昇は9 mEq/Lと慢性呼吸性アシドーシスの腎性代償が働いている状態と近い（慢性肺疾患の既往と矛盾しない）．HCO_3^-濃度の変化量が，予測される値と完全に一致しない理由として，他の酸塩基平衡異常の存在が示唆される．この患者では，組織への酸素供給が低下したことによる乳酸アシドーシスなどが考えられる．

　患者のアニオンギャップは$Na^+-(Cl^-+HCO_3^-)$から計算すると，139−95−33＝11 mEq/Lと正常範囲内であり，もし乳酸アシドーシスがあったとしても，まだ高度ではないと判断できる．慢性呼吸性アシドーシスに合併した乳酸アシドーシスが高度にならないか，アニオンギャップを注意深くフォローしていく必要がある．

▶ 治療

　抗菌薬の投与を開始し，呼吸不全に対し人工呼吸管理を行う．

ため，pHは非常に低くなる（Henderson-Hasselbalchの式で考えると，分母が大きくなるのに分子はほとんど大きくならないからである）．一方，**慢性呼吸性アシドーシス（chronic respiratory acidosis）**では，腎性代償が起こっているのでHCO_3^-濃度が上昇し，HCO_3^-/CO_2比が正常に近づき，その結果pHが正常に近づく．急性と慢性の違いは腎性代償の有無で決まる．そのため，呼吸性アシドーシスでは，Pco_2の変化に対してHCO_3^-濃度がどのくらい代償性に変化するかの予測式は，急性と慢性で異なる（**表7.3**参照）．

呼吸性アルカローシス

　呼吸性アルカローシスは**過換気**によって引き起こされ，その結果，**CO_2の過剰な排泄**が起こる．過換気の原因には，延髄の呼吸中枢の直接刺激，低酸素血症（末梢の化学受容器が刺激される），人工呼吸管理が挙げられる（**表7.7**，**Box 7.4**）．呼吸性アルカローシスの患者の動脈血ガスでは，次の変化が認められる．

pH　↑
HCO_3^-濃度　↓

表7.7 呼吸性アルカローシスの原因.

原因	例	病態
延髄呼吸中枢の刺激	過換気症候群 グラム陰性桿菌による敗血症	
	サリチル酸中毒	代謝性アシドーシス合併
	神経疾患（腫瘍，脳卒中）	
低酸素症	高所 肺炎，肺塞栓症	低酸素血症による末梢の化学受容器刺激
	人工呼吸	

$$PCO_2 \quad \downarrow$$

呼吸性アルカローシスを生じる過程では，以下のような一連の流れがみられる.

1. **CO_2 の喪失**. 過換気により CO_2 が過剰に排泄され，PCO_2 が低下する. 呼吸性アルカローシスの一次性変化は PCO_2 の低下であり，Henderson-Hasselbalch の式からわかるように，**pH が上昇**する（$pH = 6.1 + \log HCO_3^-/CO_2$）. PCO_2 が低下すると，質量作用の法則により HCO_3^- 濃度が低下する.

2. **緩衝作用**. 緩衝は，もっぱら細胞内，特に赤血球内で行われる. 呼吸性アルカローシスでは CO_2 が細胞から出ていくため，細胞内 pH が上昇する.

3. **呼吸性代償**. 呼吸性アシドーシスと同様，呼吸性アルカローシスは呼吸の異常が原因で起こるので，呼吸性代償は起こらない.

4. **腎性代償**. 呼吸性アルカローシスに対する腎性代償として，滴定酸と NH_4^+ による H^+ 排泄の抑制と，新たな HCO_3^- の産生および再吸収の抑制が起こる. 呼吸性アルカローシスでは質量作用の法則により HCO_3^- 濃度が低下するが，新たな HCO_3^- 再吸収の抑制により，HCO_3^- 濃度の低下効果はそれよりはるかに大きくなる. Henderson-Hasselbalch の式を用いて，なぜ HCO_3^- 濃度の低下が代償性反応となるのか考えてみる.

$$pH = pK + \log \frac{[HCO_3^-]}{PCO_2} \quad \begin{array}{l} (\downarrow = 腎性代償) \\ (\downarrow = 一次性変化) \end{array}$$

急性呼吸性アルカローシス（acute respiratory alkalosis） では，腎性代償はまだ起こっていないため，pH は非常に高くなる（Henderson-Hasselbalch の式で考えると，分母が小さくなるのに分子はほとんど小さくならないからである）. 一方，**慢性呼吸性アルカローシス（chronic respiratory alkalosis）** では，腎性代償が起こっているので HCO_3^- 濃度が低下し，HCO_3^-/CO_2 比が正常に近づき，その結果 pH が正常に近づく. 急性と慢性の違いは腎性代償の有無で決まる. 繰り返しになるが，呼吸性アルカローシスにおいても，PCO_2 の変化に対して HCO_3^- 濃度がどのくらい代償性に変化するかの予測式は，急性と慢性で異なる（**表7.3** 参照）.

例題

患者の動脈血ガスが以下のような結果であった. pH 7.29，HCO_3^- 濃度 33 mEq/L，PCO_2 70 mmHg. どのような酸塩基平衡異常が存在するか. 急性か慢性か. 単純性酸塩基平衡異常か混合性酸塩基平衡異常か.

解答

pH が 7.29 なので酸血症である. PCO_2 と HCO_3^- 濃度が上昇していることから，代謝性アシドーシスではなく呼吸性アシドーシスであることがわかる. 一次性変化は低換気による PCO_2 の上昇である（もし代謝性アシドーシスであれば，呼吸性代償の過換気が生じ，PCO_2 が低下するはずである）.

呼吸性アシドーシスが急性または慢性か判断するには，酸塩基マップと患者の実際の値を比較すればよい. 酸塩基マップを用いると，この患者では慢性呼吸性アシドーシスが起こっていることがわかる.

腎性代償の予測式を用いて，単純性酸塩基平衡異常か混合性酸塩基平衡異常か判断することができる. さらに，この代償式を用いて急性か慢性かを判断することもできる. 呼吸性アシドーシスでは，腎性代償の予測式を用いて，PCO_2 の変化に

Box 7.4　過換気症候群

▶ **症例**

24歳の女性．大学院生で，試験前の不安に襲われている．口答試験当日，自分ではコントロールできないほどの過換気状態となった．頭がフラフラし，手や足のしびれ，ジリジリする感覚が出現した．搬入されたときの動脈血ガス所見を以下に示す．

pH：7.56

P_{CO_2}：23 mmHg

HCO_3^-：20 mEq/L

▶ **解説**

動脈血ガス所見から，急性呼吸性アルカローシスであることがわかる．過換気では，呼気からCO_2を過剰に排泄するため，P_{CO_2}が低下しpHが上昇する．HCO_3^-濃度の低下は質量作用の法則によるものである．頭がフラフラするのは，P_{CO_2}の

低下による脳細動脈の血管収縮が原因である．手足のしびれやジリジリする感覚は，pHの上昇（H^+濃度の低下）に起因する．アルブミンと結合するH^+が少なくなり，代わりにCa^{2+}がアルブミンと結合するため，遊離したイオン化Ca^{2+}濃度が低下し，ニューロンの興奮性が亢進し，異常感覚やしびれをきたす．

▶ **治療**

患者はペーパーバッグを用いて呼吸するように指導され，速やかに症状の改善を認めた．吐き出したCO_2を再度吸うことで，P_{CO_2}が上昇し，呼吸性アルカローシスが改善したためである．患者は入院することなく自宅へ帰ることができた【訳者注：ペーパーバッグ法は，低酸素血症を生じる可能性があることや，代謝性アシドーシスの代償で過換気になっている場合にはP_{CO_2}上昇により酸血症が悪化する可能性があることから，現在は推奨されていない】．

対してHCO_3^-濃度がどのくらい代償性に変化するかを計算する．この患者ではP_{CO_2}が70 mmHgで，正常値から30 mmHg上昇している（P_{CO_2}の正常値は40 mmHg）．これに対する代償性変化はHCO_3^-濃度の上昇である．患者のHCO_3^-濃度は33 mEq/Lであり，これは正常値から9 mEq/L上昇している（HCO_3^-濃度の正常値は24 mEq/L）．腎性代償の予測式では，慢性呼吸性アシドーシスにおいて，P_{CO_2}が1 mmHg上昇すると，HCO_3^-濃度は0.3 mEq/L上昇する．この患者ではP_{CO_2}が30 mmHg上昇しているため，HCO_3^-濃度は30×0.3＝9 mEq/L上昇するはずである．この患者でも，ちょうどHCO_3^-濃度が9 mEq/L上昇しており，この変化は慢性呼吸性代謝性アシドーシスに対する腎性代償の予測式と一致する．よって，この患者では**単純性の慢性呼吸性アシドーシス**に対する腎性代償が起こっていることがわかる．

まとめ

● 毎日の大量のCO_2（揮発性酸）や不揮発性酸の産生にもかかわらず，体液のpHは通常7.4に維

持される．pHを一定に維持するメカニズムとして緩衝作用，呼吸性代償および腎性代償がある．

● 緩衝作用がpH維持の最前線である．緩衝溶液とは，弱酸とその共役塩基の混合液である．生理的に最も有効なバッファーのpKは7.4付近を示す．細胞外バッファーとしては，HCO_3^-/CO_2（最も重要）とHPO_4^{2-}/$H_2PO_4^-$がある．細胞内バッファーの例としては，主に有機リン酸と**デオキシヘモグロビン**のようなタンパク質がある．

● 酸塩基平衡維持のための腎臓の働きには，糸球体で濾過されたほぼすべての重炭酸イオン（HCO_3^-）の再吸収と，滴定酸およびNH_4^+としてのH^+の尿中排泄がある．1個のH^+が滴定酸あるいはNH_4^+として尿に排泄されると，1個のHCO_3^-が新たに合成され，再吸収される．

● 単純性酸塩基平衡異常の原因は，代謝性あるいは呼吸性に分かれる．代謝性の場合は，不揮発性酸の獲得あるいは喪失によるHCO_3^-濃度異常の一次性変化（最初に生じる原因）である．例えば，不揮発性酸の獲得があれば代謝性アシドーシスが生じ，不揮発性酸の喪失があれば代

386　第7章　酸塩基の生理学

謝性アルカローシスとなる．呼吸性の場合は，低換気（呼吸性アシドーシス）あるいは過換気（呼吸性アルカローシス）によるPCO_2の異常が一次性変化である．

- 酸塩基平衡異常の代償性反応は，呼吸性あるいは腎性のどちらかによって引き起こされる．一次性変化が代謝性の場合，代償は呼吸性に行われ，一次性変化が呼吸性の場合，代償は腎性（代謝性）となる．

練習問題

各問に，単語，語句，数字で答えよ．選択肢が複数の場合，正解は1つとは限らず，ないこともある．正解は巻末に示す．

1 弱酸 A の pK が 5.5，弱酸 B の pK が 7.5 である．pH 7 において，A^- の形でより多く存在するのは弱酸 A と弱酸 B のどちらか．

2 動脈血の pH が 7.22 で PCO_2 が 20 mmHg である場合，HCO_3^- 濃度はいくつとなるか．

3 設問 2 において，換気量（正常に比べて）は以下のどれか．
　増加，減少，不変．

4 動脈血の pH が 7.25，PCO_2 が 24 mmHg，HCO_3^- 濃度が 10.2 mEq/L である場合，これは以下のいずれの状況で起こりうるか．
　下痢，嘔吐，閉塞性肺疾患（obstructive pulmonary disease），過換気症候群（hysterical hyperventilation），サリチル酸中毒，慢性腎不全．

5 どのクラスの利尿薬が代謝性アルカローシスの原因となるか．
　炭酸脱水酵素阻害薬，ループ利尿薬，サイアザイド系利尿薬，K 保持性利尿薬（K^+-sparing diuretic）．

6 救急外来を受診したある患者の血液検査が以下の通りであった．どのような酸塩基平衡異常があり，アニオンギャップはいくつか．
　pH：7.1，HCO_3^-：10 mEq/L，Na^+：142 mEq/L，Cl^-：103 mEq/L．

7 浸透圧ギャップの単位は何か．

8 以下の疾患を有する患者で低換気となるのはどれか．
　下痢，嘔吐，高所への移動，モルヒネ中毒，閉塞性肺疾患，高アルドステロン症，エチレングリ

コール中毒，サリチル酸中毒．

9 以下のイベントの順番を正しく並べかえよ．
　Na^+-H^+ 交換，糸球体毛細血管での HCO_3^- の濾過，HCO_3^- の促通性拡散，H_2CO_3 の CO_2 と H_2O への変換，H_2CO_3 の H^+ と HCO_3^- への変換，HCO_3^- の H_2CO_3 への変換．

10 1 日に 25 mEq の H^+ が $H_2PO_4^-$ として，また，45 mEq の H^+ が NH_4^+ として排泄された場合，新規にどれくらいの HCO_3^- が合成されるか．

11 2 人の患者の動脈血 PCO_2 が，70 mmHg と増加している．1 人は急性呼吸性アシドーシス，もう 1 人は慢性呼吸性アシドーシスである．どちらの患者の血液 HCO_3^- 濃度がより高くなっているか．また，pH がより高いのはどちらの患者か．

12 ある患者の血液ガス所見が以下の通りである．これらの値は単純性酸塩基平衡異常で説明が可能か．可能な場合，どちらか．不可能な場合，どのような酸塩基平衡異常が存在するか．
　pH：7.22，HCO_3^-：18 mEq/L，PCO_2：45 mmHg．

13 急性から慢性の呼吸性アルカローシスへ転換した状況において，血液 pH はどのような変化をきたすか．

14 尿中の総 H^+ 排泄量の最もよい指標は以下のどれか．
　尿 pH，糸球体 HPO_4^{2-} 濾過量，糸球体 NH_3 濾過量．

15 NH_4^+ の排泄が最も増加するのは以下のどれか．
　糖尿病性ケトアシドーシス，慢性腎不全，嘔吐，過換気症候群．

16 ある脳幹腫瘍患者の血液ガス所見が以下の通りである．pH：7.55，HCO_3^-：22 mEq/L，PCO_2：26 mmHg．一次性の酸塩基平衡異常は何か．また，それは単純性酸塩基平衡異常か，あるいは混合性酸塩基平衡異常か．

17 インスリン注射を忘れた 1 型糖尿病患者の血液ガス所見が以下の通りである．pH：7.34，HCO_3^-：16 mEq/L，Na^+：140 mEq/L，Cl^-：96 mEq/L，PCO_2：30 mmHg．血液ガスからは代謝性アシドーシスが存在することがわかる．この代謝性アシドーシスは単純性酸の代謝性アシドーシスか混合性酸塩基平衡異常か．もし混合性であれば，他にどの酸塩基平衡異常が存在するか．

第8章

消化器系の生理学

消化器系の役割は,栄養素の消化と吸収である.これらの役割を果たすため,消化器系には以下の4つの機能がある:(1)消化管の運動により食物が口から直腸に向かって運ばれ,混ぜ合わされ,食物の大きさが小さくなる.消化管内で食物が運ばれるスピードは,消化と吸収にとって最適になるように調整されている.(2)唾液腺,膵臓,肝臓からの分泌物は,消化管の内腔に液体,電解質,酵素,粘液を加える.これらの分泌物は消化と吸収をさらに促すことになる.(3)摂取された食物は吸収されやすい分子に消化される.(4)栄養素,電解質,水分は消化管内腔から血流へと吸収される.

消化管の構造

消化器系は次の順番で並んでいる.口腔,食道,小腸(small intestine)(十二指腸,空腸,回腸を含む),大腸,そして肛門.消化器系にはこの他,唾液腺,膵臓,肝臓,胆囊が含まれ,いずれも分泌機能を有している.

消化管の壁には,粘膜(mucosal)と漿膜(serosal)という2つの面がある.粘膜の表面は,消化管の内腔に面しており,漿膜は血液に面している(図8.1).消化管壁は,消化管の内腔から血液のほうに向かって4つの層からなっている.粘膜層(mucosal layer)は上皮,粘膜固有層(lamina propria),粘膜筋板(muscularis mucosae)からなる.上皮細胞は消化および分泌の機能を果たすため特化している.粘膜固有層は主として結合組織からなっているが,血管やリンパ管も含んでいる.粘膜筋板は平滑筋細胞からなっている.粘膜筋板の収縮により上皮細胞層の形と表面積が変わる.粘膜層の下には粘膜下層(submucosal

layer)があり,これはコラーゲン,エラスチン,消化管の腺および血管からなっている.消化管の運動性は,粘膜下層と漿膜の間にある平滑筋の2層,すなわち輪状筋(circular muscle)および縦走筋(longitudinal muscle)によりもたらされる.縦走筋層は薄く神経線維もわずかしか含まないが,輪状筋層は厚く神経支配も豊富である.神経細胞は平滑筋細胞に対して真のシナプスを形成するわけではない.むしろそれらは,軸索の走行に沿って結節状に膨らんだ部分であるバリコシティ(varicosity)から神経伝達物質を放出する.粘膜下と節層間の2つの神経叢が消化管の神経組織を含んでいる.粘膜下神経叢(submucosal plexus)(Meissner(マイスネル)神経叢(Meissner plexus))は,粘膜下層および輪状筋の間にある.筋層間神経叢(myenteric plexus)は輪状筋と縦走筋の間に存在する.

消化管の神経支配

消化器系は,部分的には自律神経系により調整されているが,この調整には外的と内的な要素がある.外的な要素は消化管の交感神経,副交感神経による支配である.内的な要素は腸神経系(enteric nervous system)とよばれている.腸神経系は,消化管の壁にある粘膜下神経叢と筋層間神経叢に含まれている.これらは副交感神経系,交感神経系と広く情報を伝達している.

副交感神経の支配

副交感神経系の支配は,迷走神経(第Ⅹ脳神経)と骨盤神経からもたらされる(第2章,図2.3参照).消化管の副交感神経支配のパターンは,そ

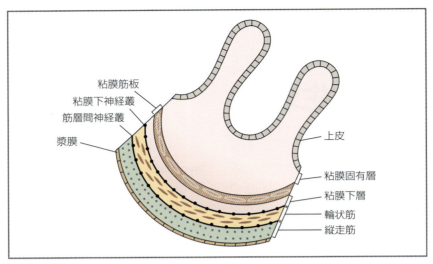

図 8.1　消化管の壁の構造．

の機能と合致している．**迷走神経**（vagus nerve）は**上部**消化管を支配し，食道の上 1/3，胃壁，小腸，上行結腸，横行結腸の一部の壁を支配している．**骨盤神経**（pelvic nerve）は**下部**消化管，すなわち横行結腸，下行結腸，Ｓ状結腸の壁を支配している．

　第 2 章で，副交感神経には長い節前線維があり，これが標的器官内，あるいは標的器官付近でシナプス結合をしていると述べたことを思い出してほしい．消化管では，これらの神経節は，実際は器官の壁の筋層間神経叢および粘膜下神経叢に位置している．副交感神経系からの情報はこれらの神経叢の中で統合され，さらに平滑筋細胞，内分泌細胞および外分泌細胞へと伝達される（**図 8.2，8.3**）．

　副交感神経の節後ニューロンは，コリン作動性あるいはペプチド作動性のいずれかに分類される．**コリン作動性ニューロン**（cholinergic neuron）は，古典的な神経伝達物質である**アセチルコリン**（acetylcholine：ACh）を放出する．**ペプチド作動性ニューロン**（peptidergic neuron）は，サブスタンスＰや**血管作動性腸管ペプチド**（vasoactive intestinal peptide：VIP）を含む数種類のペプチドのうちの 1 つを放出する．神経ペプチドがまだ同定されていない場合もある．

　迷走神経は，75％が求心性，25％が遠心性線維からなる混合神経である．求心性線維は末梢からの（例えば消化管壁にある機械受容器あるいは化学受容器からの）感覚情報を中枢神経系（CNS）に伝える．遠心性線維は，CNS からの運動情報を末梢にある標的器官に伝える（**図 8.2** 参照）．したがって，消化管壁の機械受容器と化学受容器は迷走神経を介して求心性の情報を CNS に伝え，これが同じく迷走神経に含まれる遠心路に伝わって反射が起きる．このように，迷走神経の求心路と遠心路の双方が含まれる反射を**迷走神経反射**（vasovagal reflex）とよぶ．

交感神経の支配

　交感神経の節前線維は比較的短く，消化管"外"の神経節でシナプスを形成する（副交感神経は節前線維が長く，消化管壁の"中"の神経節でシナプスをつくっているのと対比すること）．4 つの交感神経節が消化管の壁を支配している．腹腔神経節，上腸間膜動脈神経節，下腸間膜動脈神経節，下腹神経節である（**第 2 章，図 2.2** 参照）．節後線維はアドレナリン作動性であるが（つまりノルアドレナリンを放出するが），これらの交感神経節を出た後，筋層間神経叢および粘膜下神経叢の神経節でシナプスを形成，あるいは直接，平滑筋細胞，内分泌細胞または外分泌細胞を支配する（**図 8.2** 参照）．

消化管の神経支配 389

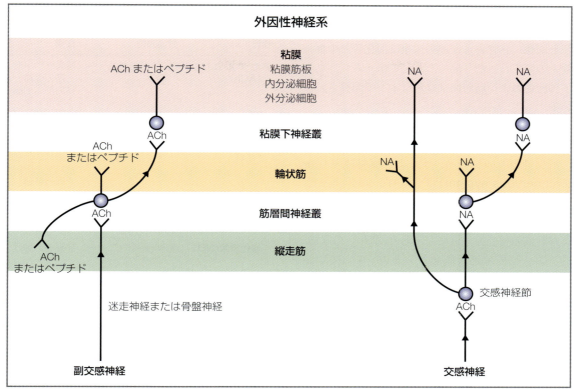

図 8.2 消化管の外因性神経系.
副交感神経系と交感神経系の遠心性ニューロンは，筋層間神経叢および粘膜下神経叢，平滑筋および粘膜においてシナプスを形成する．ACh：アセチルコリン，NA：ノルアドレナリン．

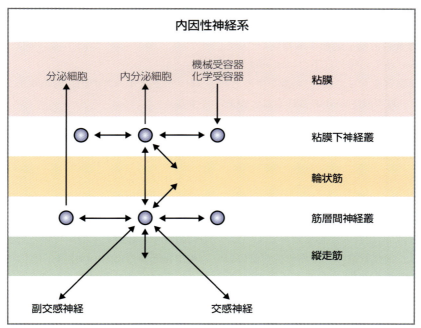

図 8.3 消化管の内因性神経系．

390 第8章 消化器系の生理学

交感神経線維の約50%は求心性であり，50%は遠心性である．したがって副交感神経による支配と同様，感覚および運動情報は消化管と中枢神経系の間を行ったり戻ったりして伝えられ，粘膜下神経叢および筋層間神経叢によって調整されている．

消化管固有の神経支配

消化管固有の神経系，すなわち**腸神経系**（enteric nervous system）は，外的な神経支配がない状態でも消化管のすべての機能を調整することができる．腸神経系は，筋層間神経叢および粘膜下神経叢の神経節に位置しており，消化管の収縮，分泌および内分泌機能をコントロールしている（図8.3参照）．**図8.2**に示すように，これらの神経節は副交感神経系と交感神経系からの入力を受け，その活動が調整されている．神経節は，消化管粘膜の機械受容器あるいは化学受容器からの感覚情報も直接受けており，運動情報を平滑筋細胞，分泌細胞，内分泌細胞に直接送っている．情報は，介在ニューロンにより神経節間でも伝達されている．

腸神経系のニューロンの中には多数の神経化学物質，すなわち**ニューロクリン**（neurocrine）が同定されている（**表8.1**）．一部の物質は神経伝達物質として分類され，一部は神経調節物質（すなわち神経伝達物質の活動を**調節**する物質）として分類されている．多くの腸神経系のニューロンは複数の神経化学物質をもっており，刺激をすると，2つ以上のニューロクリンが分泌されることがある．

消化管の調整物質

ホルモン，ニューロクリン，パラクリンを含む消化管ペプチドは，消化管の活動を調整している．これらの機能は，消化管壁の平滑筋や括約筋の収縮や弛緩，消化酵素の分泌，水分や電解質の分泌，消化管組織を栄養する作用などを含んでいる．これに加えて，いくつかの消化管ペプチドは他の消化管ペプチドの分泌を調整する．例えば，ソマト

表8.1　腸神経系の神経伝達物質および神経調整物質．

物質	分泌部位	作用
アセチルコリン（ACh）	コリン作動性ニューロン	腸管壁の平滑筋の収縮 括約筋の弛緩 ↑唾液分泌 ↑胃の分泌 ↑膵臓分泌
ノルアドレナリン（NA）	アドレナリン作動性ニューロン	消化管壁の平滑筋の弛緩 括約筋の収縮 ↑唾液分泌
血管作動性腸管ペプチド（VIP）	腸神経系のニューロン	平滑筋の弛緩 ↑腸の分泌 ↑膵臓分泌
一酸化窒素（NO）	腸神経系のニューロン	平滑筋の弛緩
ガストリン放出ペプチド（GRP），あるいはボンベシン	胃粘膜の迷走神経	↑ガストリンの分泌
エンケファリン（オピオイド）	腸神経系のニューロン	平滑筋の収縮 ↓腸の分泌
ペプチドYY	回腸と結腸	↓胃でのH$^+$の分泌 ↓膵臓分泌 ↓グレリン（↓食欲）
ニューロペプチドY	腸神経系のニューロン	平滑筋の弛緩 ↓腸の分泌
サブスタンスP	腸神経系のニューロンにAChとともに分泌される	平滑筋の収縮 ↑唾液分泌

スタチンはすべての消化管ホルモンの分泌を抑制する．

消化管ペプチドの特徴

消化管ペプチドはホルモン，パラクリン，ニューロクリンに分類される．この分類は，そのペプチドが内分泌細胞，または消化管のニューロンから放出されるか，あるいはそのペプチドが標的器官に到達する経路に基づいている（図8.4）．

● **ホルモン**（hormone）は，消化管の内分泌細胞から分泌されるペプチドである．それらは門脈循環に分泌され肝臓を通過して，全身の循環の中に入っていく．次いで全身の循環は，ホルモンを標的器官の細胞のホルモン受容体のところ

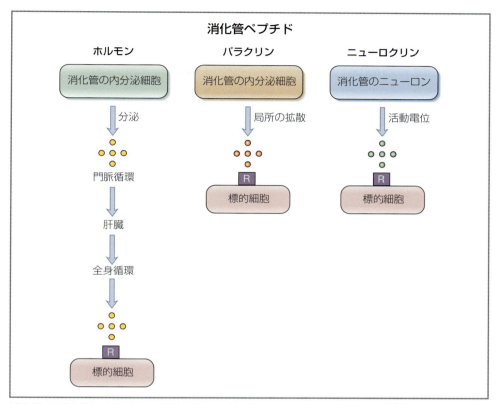

図 8.4 消化管ペプチドのホルモン，パラクリン，またはニューロクリンとしての分類．
R：受容体．

に送り届ける．標的細胞は消化管そのものの中にある場合もあり（例えば，ガストリンは胃の壁細胞に働き，胃酸の分泌を引き起こす），あるいは標的細胞は身体の他のどの部位にも存在しうる（例えば，胃抑制ペプチドは膵臓のβ細胞に働きインスリンの分泌を促す）．消化管粘膜の内分泌細胞は腺として集中して存在するのではなく，広い範囲に単一の細胞あるいは細胞のグループとして散在している．次の4つの消化管ペプチドがホルモンとして分類されている．ガストリン（gastrin），コレシストキニン（cholecystokinin：CCK），セクレチン（secretin），グルコース依存性インスリン分泌刺激ポリペプチド（glucose-dependent insulinotropic polypeptide：GIP）（あるいは別名，胃抑制ペプチド）である．

- パラクリン（paracrine）は，ホルモンのように消化管の内分泌細胞から分泌されるペプチドである．しかしホルモンとは対照的に，パラクリンはそれを分泌した組織の中で局所的に作用する．パラクリン物質は間質液の中を短い距離だけ拡散することにより，あるいは短い距離を毛細血管で運ばれて近傍の標的細胞に達する．したがってパラクリン物質が作用する場合，その物質が分泌される場所は，働く場所とは短い距離しか離れていない．パラクリン機能をもつ消化管ペプチドの主要なものは，消化管全体に抑制的な作用をもつソマトスタチンである（もう1つの消化管のパラクリンであるヒスタミンはペプチドではない）．

- ニューロクリン（neurocrine）は消化管系のニューロンで合成され，活動電位が生じることによって放出される．放出後，シナプスを横切って拡散し，標的細胞に働く．消化器系のニューロクリン物質としては，ACh，ノルアドレナリン，血管作動性腸管ペプチド（VIP），一

392　第8章　消化器系の生理学

表8.2　消化管ホルモンのまとめ.

ホルモン	ホルモンの ファミリー	分泌部位	分泌のための刺激	作用
ガストリン	ガストリン-CCK	胃のG細胞	小ペプチドおよび アミノ酸 胃壁の伸展 迷走神経刺激 （GRP）	↑胃のH$^+$分泌 胃粘膜の成長を促す
コレシストキニン （CCK）	ガストリン-CCK	十二指腸および空 腸のI細胞	小ペプチドおよび アミノ酸 脂肪酸	↑膵酵素の分泌 ↑膵によるHCO$_3^-$分泌 胆嚢の収縮およびOddi括約筋の弛緩 を促す 外分泌性の膵臓および胆嚢の刺激 胃内容排出の抑制
セクレチン	セクレチン-グル カゴン	十二指腸のS細 胞	十二指腸のH$^+$ 十二指腸の脂肪酸	↑膵によるHCO$_3^-$分泌 ↑胆汁へのHCO$_3^-$分泌 ↓胃のH$^+$分泌 ガストリンの胃粘膜への栄養作用の 抑制
グルコース依存性 インスリン分泌 刺激ポリペプチ ド（GIP）	セクレチン-グル カゴン	十二指腸および空 腸	脂肪酸 アミノ酸 経口摂取したグル コース	↑膵臓のβ細胞からのインスリン分泌 ↓胃のガストリン分泌

酸化窒素（NO），**ガストリン放出ペプチド**
（**gastrin-releasing peptide：GRP**），あるい
はボンベシン，エンケファリン，ニューロペプ
チドY，サブスタンスPがある．これらの物質
が分泌される場所と作用を**表8.1**にまとめる．

消化管ホルモン

　胃腸内分泌細胞（enteroendocrine cell）は，消化
管に存在する特殊なホルモン分泌細胞である．
"公式"の消化管ホルモンと認定されるためには，
いくつかの基準を満たさなければならない：(1)そ
の物質は生理的刺激に反応して分泌され，血流に
乗って別の場所へ運ばれ，そして，その場所で生
理作用を及ぼさなければならない．(2)その機能は
いかなる神経活動からも独立したものである．そ
して，(3)その物質は単離，純化され，科学的に同
定され，かつ合成されている必要がある．これら
の厳しい基準を適応すると，消化管ホルモンは次
の4つ—ガストリン，CCK，セクレチン，GIPだ
けである．これに加えて，モチリン，膵ポリペプ
チド，ソマトスタチン，5ヒドロキシトリプタミ
ン（5-HT，セロトニン），グレリン，レプチン，
グルカゴン様ペプチド-1および2（GLP-1および

GLP-2），エンテログルカゴン，ペプチドYY（PYY），
ニューロテンシンは基準の一部を満たすが，すべ
ては満たさない【訳者注：レプチンは脂肪細胞か
ら分泌されるため，一般に消化管ホルモンに分類
されない】．

　表8.2には4つの"公式の"消化管ホルモンに
ついて，そのファミリー，分泌される部位，分泌
を刺激する因子，生理学的作用につき記述してい
る．この章で後述する消化管の運動性，分泌，吸
収についての説明において，**表8.2**を参照するこ
と．

■ ガストリン

　ガストリンの機能は，胃の壁細胞からの**H$^+$の
分泌**を促し調整することである．17個のアミノ
酸からなる直鎖のペプチドであるガストリンは，
胃の幽門洞にあるG（ガストリン）細胞から分泌さ
れる．17個のアミノ酸からなるガストリンの形
態はG$_{17}$もしくは"小さな"ガストリンとよばれ，
食事に反応して分泌される．34個のアミノ酸か
らなるガストリンの形態は，G$_{34}$もしくは"大"ガ
ストリンといわれ，空腹時（食間）に分泌される．
この食間の時期には，血清のガストリンは大部分

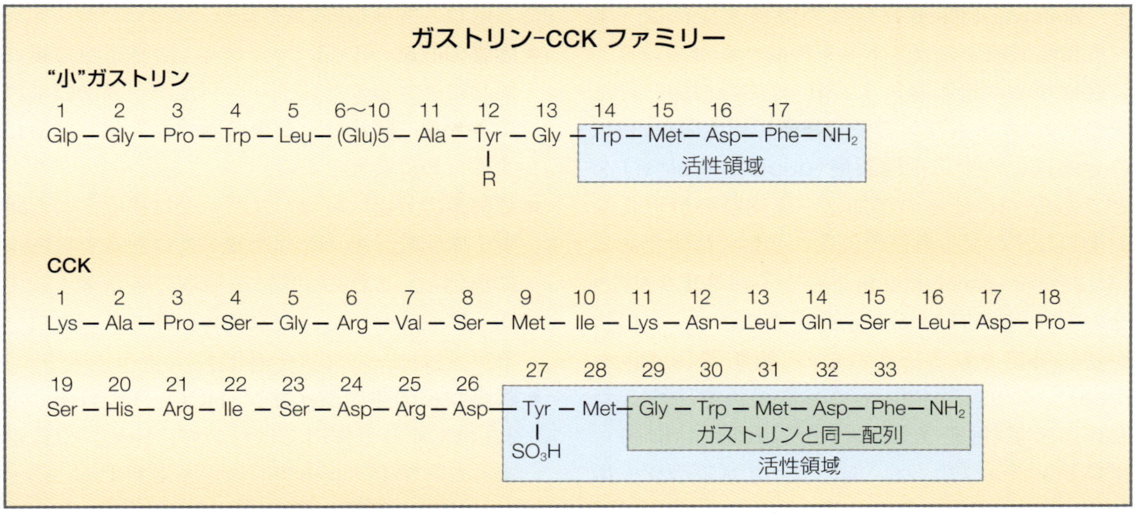

消化管の調整物質　393

ガストリン-CCK ファミリー

"小"ガストリン

1	2	3	4	5	6〜10	11	12	13	14	15	16	17
Glp —	Gly —	Pro —	Trp —	Leu —	(Glu)5 —	Ala —	Tyr —	Gly —	Trp —	Met —	Asp —	Phe — NH₂

Tyr の下: R

活性領域（Trp — Met — Asp — Phe — NH₂ 青色ボックス）

CCK

1	2	3	4	5	6	7	8	9	10	11	12	13	14	15	16	17	18
Lys —	Ala —	Pro —	Ser —	Gly —	Arg —	Val —	Ser —	Met —	Ile —	Lys —	Asn —	Leu —	Gln —	Ser —	Leu —	Asp —	Pro —

19	20	21	22	23	24	25	26	27	28	29	30	31	32	33
Ser —	His —	Arg —	Ile —	Ser —	Asp —	Arg —	Asp —	Tyr —	Met —	Gly —	Trp —	Met —	Asp —	Phe — NH₂

Tyr の下: SO_3H

ガストリンと同一配列／活性領域（Gly — Trp — Met — Asp — Phe — NH₂）

図 8.5　ヒトガストリンおよびブタコレシストキニン(CCK)の構造.
青色のボックスは，生物学的活性に最低限必要な断片を示す．緑色のボックスは，ガストリンと同一である CCK 分子の部分を示す．Glp：ピログルタミル酸残基.

G_{34} の形をとっている．食物を摂取すると，G_{17} が分泌される．G_{34} は G_{17} の二量体ダイマーではなく，G_{17} も G_{34} からできるわけではない．むしろ，それぞれのガストリンは，それぞれ別の前駆体：プレガストリンから固有の経路により生合成される．

ガストリンの生物学的活性に必要となる最小の断片は，C 末端の 4 ペプチド（C-terminal tetrapeptide）である（図 8.5）（C 末端のフェニルアラニンはアミノ基をもっているが，これは単に，それがフェニルアラミドであることを意味しているにすぎない）．C 末端の 4 ペプチドが生物学的活性に必要となる最小の断片であるといっても，ガストリン分子全体の活性からみれば，それは 1/6 の活性をもつにすぎない．

● ガストリンの分泌

食物を摂取すると，ガストリンは胃の幽門洞にある G 細胞（G cell）から分泌される．ガストリンの分泌を開始させる生理学的刺激は，すべて食物の摂取と関連している．これらの刺激には，タンパクの消化産物（例えば，短いペプチドやアミノ酸），食物によって胃の壁が引き伸ばされること，さらに迷走神経の刺激がある．タンパク質の消化産物のうち，フェニルアラニンとトリプトファンが最も強いガストリンの分泌を促進する刺

激となる．局所的な迷走神経反射もガストリンの分泌を促す．これらの局所反射において，迷走神経の節後神経末端から放出され G 細胞に達するニューロクリンは，**ガストリン放出ペプチド (gastrin-releasing peptide：GRP)**，すなわちボンベシンである．これらの促進性の刺激に加えて，ガストリンの分泌は，胃内容の pH 低下や，ソマトスタチンによって**抑制**される．

● ガストリンの作用

ガストリンは次の 2 つの主要な作用をもっている：(1)胃の壁細胞からのH^+分泌を刺激する作用．(2)**胃粘膜の成長**を促す栄養効果．ガストリンの生理作用は，その過剰あるいは欠乏により何が起きるかをみることにより，はっきりわかる．例えば，ガストリン産生腫瘍をもつ Zollinger-Ellison（ゾリンジャー・エリソン）症候群 (Zollinger-Ellison syndrome) の患者では，H^+ の分泌が増加し，ガストリンの栄養作用により胃粘膜の肥大が引き起こされる．逆に，胃の幽門洞が切除（ガストリンの分泌源である G 細胞が切除）された患者では，H^+ の分泌が減少し，胃粘膜は萎縮する．

● Zollinger-Ellison 症候群

Zollinger-Ellison 症候群は，通常は膵臓の非β細胞の中に生じるガストリン産生腫瘍，すなわちガストリノーマ (gastrinoma) によって引き起こされ

394　第8章　消化器系の生理学

る．Zollinger-Ellison 症候群の徴候と症状は，すべて循環血液中のガストリンのレベルが高いことに起因する．壁細胞による H^+ 分泌の増加，胃粘膜の肥大（ガストリンの栄養作用），絶え間ない H^+ の分泌による**十二指腸潰瘍（duodenal ulcer）**などである．H^+ 分泌の増加は小腸内腔の酸性化も引き起こすので，脂肪の消化に必要な酵素である膵リパーゼ（pancreatic lipase）が不活性化される．そのため，脂肪が十分に消化・吸収されず，脂肪が便に排出されることになる（**脂肪便（steatorrhea）**）．Zollinger-Ellison 症候群の治療は，H_2 受容体遮断薬（例えば，**シメチジン（cimetidine）**），プロトンポンプ阻害薬（例えば，**オメプラゾール（omeprazole）**）の投与，腫瘍の摘除，あるいは最終手段として，ガストリンの標的器官である胃の切除などがある．

■ コレシストキニン

コレシストキニン（CCK）の機能は，**脂肪の消化と吸収**を促すことに向けて調整されている．CCK は 33 個のアミノ酸からなるペプチドで，ガストリンと構造的に関連し"ガストリン-CCK ファミリー"に属している（図 8.5）．C 末端の 5 アミノ酸（CCK-5）はガストリンと同一であり，ガストリンの活性に最低限必要な 4 ペプチドを含んでいる．したがって，CCK はガストリンの活性を一部もっている．CCK_1 受容体は CCK に選択的だが，CCK_2 受容体は CCK とガストリンの両方に同じように感受性がある．CCK の生物学的活性に必要な最低限の分子は，**C 末端の 7 アミノ酸（C-terminal heptapeptide：CCK-7）**である．

CCK は次の 2 つの生理学的刺激に反応して，十二指腸と空腸の粘膜にある **I 細胞（I cell）**により分泌される：(1)モノグリセリドと脂肪酸（しかしトリグリセリド（中性脂肪）には刺激されない），(2)短いペプチドとアミノ酸．これらの刺激は食事の中に，消化吸収する必要のある脂肪やタンパク質が含まれていることを I 細胞に知らせる．CCK は，これにより適切な膵酵素，胆汁酸が分泌されるように促し，消化と吸収を助ける．

CCK の作用は主に 5 つあり，それぞれが脂肪，タンパク質，炭水化物の消化と吸収のすべてにわ

たる過程に寄与している．

- **胆嚢の収縮**が Oddi（オッディ）括約筋の弛緩と同時に起きることにより，胆汁が小腸内腔に放出される．胆汁は，食事の脂質を乳化し可溶化するために必要となる．
- **膵酵素の分泌**．膵臓のリパーゼは摂取された脂質を脂肪酸，モノグリセリド，コレステロールに消化し，これらがすべて吸収できるようにする．膵アミラーゼは炭水化物，膵タンパク質分解酵素はタンパク質を消化する．
- **膵臓からの重炭酸イオン（HCO_3^-）の分泌**．これは CCK の主作用ではないが，HCO_3^- の分泌をもたらすセクレチンの作用を増強する．
- **外分泌性の膵臓と胆嚢の成長**．CCK の主たる標的器官は外分泌性の膵臓と胆嚢なので，CCK がこれらの器官に栄養作用をもっていることは理にかなっている．
- **胃内容排出の抑制**．CCK は胃が内容物を排出するのを抑制，あるいは遅くする．そして**胃内容排出（gastric emptying）にかかる時間を延長**する．この作用は，非常に時間がかかる脂肪酸の消化と吸収にとって重要である．CCK は**び粥（chyme）**（部分的に消化された粥状の食物）を胃から小腸にゆっくり移動させ，その後の消化と吸収のステップに十分な時間がとれるようにする．

■ セクレチン

27 アミノ酸からなるペプチドであるセクレチンは，グルカゴンと構造的に相同であり，セクレチン-グルカゴンファミリーに属している（図 8.6）．セクレチンの 27 アミノ酸のうち 14 アミノ酸配列はグルカゴンと同一である．活性のある断片を一部に含んでいるガストリンや CCK と違い，セクレチンの 27 アミノ酸すべてがその生物学的活性のために必要となる．活性が生じるためには，セクレチン分子全体が，三次元構造として α ヘリックスに折りたたまれる必要がある．

セクレチンは，小腸内腔の H^+ や脂肪酸に反応して十二指腸の **S 細胞（S cell）**（セクレチン細胞（secretin cell））から分泌される．したがって，酸性の胃内容（pH＜4.5）が小腸に到達すると，セ

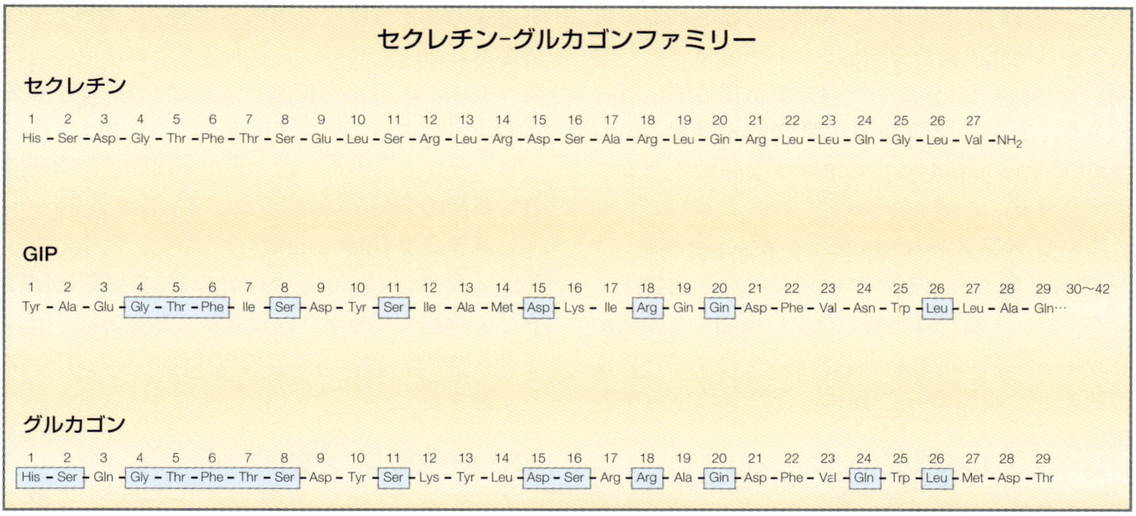

消化管の調整物質　**395**

図8.6　セクレチン，グルコース依存性インスリン分泌刺激ポリペプチド（GIP），およびグルカゴンの構造. 青色のボックス（アミノ酸）は，セクレチンと相同である GIP およびグルカゴンの部分を示す.

クレチンの分泌が開始される.

　セクレチンの作用は，膵臓と胆汁による HCO_3^- の分泌を促し，これにより小腸内腔の H^+ を中和することである．H^+ の中和は脂肪の消化に不可欠である．膵リパーゼは pH が6と8の間で最適化されており，pH が3以下に下がると不活化・変性する．セクレチンはまた，胃の壁細胞に対するガストリンの効果を抑制する（H^+ の分泌と細胞の成長）.

■ グルコース依存性インスリン分泌刺激ポリペプチド（GIP）

　42個のアミノ酸からなるペプチドである GIP もセクレチン–グルカゴンファミリーに属している（図8.6）．GIP はセクレチンと9アミノ酸を共通にもっており，グルカゴンと16アミノ酸を共通してもっている．この相同性のため，GIP の薬理学的レベルはセクレチンの作用の多くをもたらす.

　GIP は十二指腸と空腸粘膜の K 細胞から分泌される．GIP は3つすべての栄養素のタイプ，すなわちグルコース，アミノ酸，脂肪酸のすべてに反応して分泌される唯一の消化管ホルモンである【訳者注：GLP–1 も3種の栄養素すべてによって分泌が誘発される】.

　GIP の主たる生理作用は，膵臓β細胞からの**インスリン分泌の刺激（増強）**である．この作用のため，GIP は**インクレチン（incretin）**（すなわちインスリンの分泌を促す消化管ホルモン）に分類されている．この作用は，経口的に投与したグルコース（ブドウ糖）が，経静脈的に投与した同量のグルコースより速く細胞に利用されることを説明する．経口的に投与したグルコースは GIP の分泌を促し，さらにこれが（β細胞を直接刺激してインスリンを分泌させる効果に加えて）インスリンの分泌を刺激する．経静脈的に投与されたグルコースは，β細胞を直接刺激してインスリンを分泌させる作用をもつにすぎない．GIP の作用は他に，胃の H^+ の分泌を抑制し，胃内容排出も抑制する.

■ ホルモンの候補

　消化管からはホルモンの候補，あるいはホルモンと想定される物質も分泌される．これらの物質は，"公式な"消化管ホルモンと分類されるのに必要な基準を1つまたは2つ満たしていないため，ホルモンの候補とみなされる.

　モチリン（motilin）に22アミノ酸からなるペプチドであるが，ガストリン–CCK ファミリーにもセクレチン–グルカゴンファミリーにも属してい

ない．空腹時に上部十二指腸から分泌される．モチリンは消化の動きを増加させると考えられており，とりわけ90分ごとに起きる**伝播性消化管収縮運動（または空腹期消化管強収縮運動）（migrating myoelectric complex）**を開始させると考えられる．

膵ポリペプチド（pancreatic polypeptide）は36アミノ酸からなるペプチドで，炭水化物，タンパク質，あるいは脂質の摂取に反応して膵臓から分泌される．膵ポリペプチドの生理学的作用は不明だが，膵臓からのHCO_3^-や酵素の分泌を抑制する．

ペプチドYY（peptide YY）は回腸と直腸の細胞から分泌される．ペプチドYYは，胃酸や膵臓からの分泌を抑制し，グレリンの分泌を抑制することで食欲を低下させる．

エンテログルカゴン（enteroglucagon）は，血糖値の低下に反応して小腸の細胞から放出される．これに続いてエンテログルカゴンは，肝臓においてグリコーゲン分解と糖新生を引き起こす．

グルカゴン様ペプチド-1（glucagon-like peptide-1：GLP-1）は，プログルカゴンが選択的に切断されることによって生成される．これは小腸のL細胞により合成・分泌される．GIPと同様，GLP-1は**インクレチン（incretin）**に分類されている．それというのも，GLP-1は膵臓のβ細胞の受容体に結合し，**インスリンの分泌を刺激**するからである．補助的な作用として，GLP-1はグルカゴンの分泌も抑制し，グルコースなどの分泌促進物質への膵臓β細胞の感受性を増加させ，胃内容排出を減少させ，食欲を抑制する（すなわち満腹感を増加させる）．これらの理由から，GLP-1アナログ製剤は2型糖尿病の治療法の1つとして考えられてきている．

パラクリン

消化管ホルモンと同様，パラクリンも消化管の内分泌細胞で合成される．パラクリンは全身の循環系に入らないで，短い距離を拡散して標的細胞に到達することにより，**局所で作用する**．

ソマトスタチン（somatostatin）は，腸管内腔のpHの低下に反応して，消化管粘膜のD細胞（内分泌またはパラクリンの両方の性質をもつ）から分泌される．そして，ソマトスタチンは他の消化管ホルモンの分泌を**抑制**し，胃でのH^+の分泌を**抑制**する．このような消化管でのパラクリン作用の他，ソマトスタチンは，視床下部および内分泌性の膵臓のデルタ（δ）細胞により分泌される．

ヒスタミン（histamine）は，消化管粘膜の内分泌タイプの細胞，とりわけ胃のH^+分泌領域に存在する細胞より分泌される．ヒスタミンは，ガストリンやAChとともに胃の壁細胞からのH^+分泌を刺激する．

ニューロクリン

ニューロクリンは，消化管のニューロンの細胞体により合成される．ニューロンの活動電位によりニューロクリンが放出され，シナプスを横切って拡散し，シナプス後細胞の受容体に働く．

表8.1にはACh，ノルアドレナリンのような非ペプチド性のニューロクリン，またVIP，GRP，エンケファリン，ニューロペプチドY，サブスタンスPのようなペプチドのニューロクリンをまとめて示している．最もよく知られているニューロクリンは，コリン作動性ニューロンから放出されるAChと，アドレナリン作動性ニューロンから放出されるノルアドレナリンである．他のニューロクリンは，（ペプチド作動性ニューロンともよばれる）節後の非コリン作動性副交感神経ニューロンから放出される．

満腹感

食欲と食物摂取を制御する中枢は視床下部にある．食物の存在下でも食欲を抑制する**満腹中枢（satiety center）**は視床下部の腹内側核（VMN）に位置しており，**摂食中枢（feeding center）**は視床下部外側野（LHA）にある．これらの中枢に入る情報は，視床下部の**弓状核（arcuate nucleus）**から来る．

弓状核には満腹・摂食中枢に投射するさまざまなニューロンがある．**食欲低下ニューロン（anorexigenic neuron）**は**プロオピオメラノコルチン（pro-opiomelanocortin：POMC）**を放出し，食欲を低下させる．**摂食促進ニューロン（orexi-**

genic neuron)はニューロペプチドYを放出し，食欲を亢進させる．以下の物質は，弓状核の食欲低下ニューロンと摂食促進ニューロンに影響を与え，それにより食欲および摂食活動を減少させたり増加させたりする．

● レプチン

レプチン（leptin）は，脂肪細胞（fat cell）に貯蔵されている脂肪細胞量に応じて脂肪細胞から分泌される．したがってレプチンは体脂肪の量を感知し，循環血液に分泌され，血液脳関門を越えて視床下部の弓状核に働く．食欲低下ニューロンを刺激し，摂食促進ニューロンを抑制するので食欲を低下させ，エネルギーの消費を増加させる．レプチンは体脂肪を感知するので，長期的（慢性的）には食欲を低下させる作用がある．

● インスリン

インスリン（insulin）は食欲低下ニューロンを刺激し，摂食促進ニューロンを抑制する点において，レプチンと似た作用がある．レプチンと対照的に，インスリンの濃度は1日の間に変動する．したがって，インスリンは食欲を急速に（短期的に）低下させる作用がある．

● GLP-1

前述したように，GLP-1は小腸のL細胞により合成・分泌される．作用の1つとして（レプチンとインスリンのように）食欲を低下させる作用がある．

● グレリン

グレリン（ghrelin）は胃の細胞（gastric cell）より分泌され，食物摂取の直前期に血中濃度が最も高くなる．レプチンやインスリンとは逆の作用があり，摂食促進ニューロンを刺激し食欲低下ニューロンを抑制するので，食欲を亢進させ，摂食を促す．飢餓や体重が減少した時期には強くグレリンの分泌が促される．

● ペプチドYY

ペプチドYY（peptide YY：PYY）は食事をとった後，小腸のL細胞から分泌される．視床下部への直接効果あるいはグレリンの分泌を抑制することによって，食欲を低下させる作用がある．消化が完了したとの信号を送り，胃でのH^+の分泌および膵臓分泌を抑制する作用もある．

消化管運動

消化管運動とは一般に，消化管の壁や括約筋の収縮と弛緩を表す用語である．消化管運動により，摂取した食物をすりつぶし，混ぜ合わせ，断片化することによって消化・吸収しやすくなるようにし，食物が消化管に沿って運ばれるように促す．

消化管のうち収縮する組織は，横紋筋である咽頭，食道の上1/3，外肛門括約筋を除き，すべて平滑筋である．消化管の平滑筋は，細胞同士がギャップ結合（gap junction）とよばれる，電気抵抗の低い経路で電気的につながっている単一ユニット平滑筋（unitary smooth muscle）である．ギャップ結合により細胞から細胞へと活動電位がすばやく広がることができ，協調的でスムーズな収縮がもたらされる．

消化管の輪状筋と縦走筋は異なる役割をもっている．輪状筋が収縮すると，平滑筋の輪が短くなり，その分節の直径が小さくなる．縦走筋が収縮すると，長軸方向に短縮が起こり，その分節の長さが短くなる．

消化管平滑筋の収縮は，相動性（一過性）のことも緊張性（持続性）のこともある．相動性収縮（phasic contraction）では，周期的な収縮の後に弛緩が起きる．相動性収縮は，食道，胃の幽門洞，小腸でみられるが，いずれの組織も食物を混ぜ合わせ先に送っていく．緊張性収縮（tonic contraction）は，規則的な弛緩の時期を挟むことなく，一定の収縮あるいは緊張状態のレベルを保つ．これは上部の胃や食道下部，回盲腸，内肛門括約筋でみられる．

括約筋（sphincter）は輪状筋の特殊化した領域で，消化管の隣接した領域を分けている：(1)上部食道括約筋は咽頭と上部食道を分けている．(2)下部食道括約筋は食道と胃を分けている．(3)幽門部の括約筋は胃と十二指腸を分けている．(4)回盲(部)括約筋（回盲弁）は回腸と盲腸を分けている．(5)内肛門括約筋と外肛門括約筋は便の失禁を防いでいる．安静時，括約筋は周囲の器官の圧力を超える陽圧を維持している．そのため安静時には，

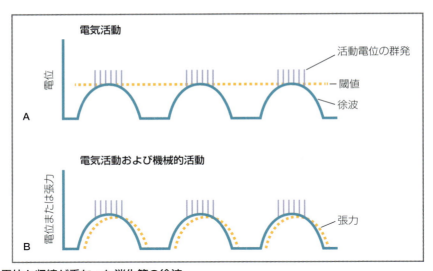

図 8.7 活動電位と収縮が重なった消化管の徐波.
活動電位の群発の後に収縮が続く．A：電気活動，B：電気活動および機械的活動.

順行性（前向き），逆行性（後ろ向き）の流れが妨げられている．例えば安静時では，下部食道括約筋の陽圧は胃内容が食道に逆流するのを防いでいる．消化管の内容が括約筋を通り抜けるためには，括約筋が弛緩して一過性に圧力を下げなければならない．括約筋の圧力の変化は，反射によって隣接する器官の平滑筋の収縮と協調している（例えば，嚥下反射）．

徐波

すべての筋肉と同様に，消化管の平滑筋の収縮においては電気活動，すなわち活動電位が先行する．ゆっくりした波（**徐波**（slow wave））は，消化管の平滑筋における電気活動の特徴である．この徐波は**活動電位ではなく**，むしろ平滑筋の膜電位の**振動する脱分極と再分極**である（図 8.7）．徐波の脱分極相においては，膜電位は陰性が弱まり，閾値に向かって動く．再分極相においては，膜電位はより陰性が強まり，閾値から離れる．徐波のプラトーあるいはピークにおいて膜電位が閾値にまで脱分極されていると，徐波の"上"に重なるように活動電位が生じる．例えば，図 8.7 に示した徐波は閾値に達し，プラトーに達してから 6 つの活動電位の群発が起きている．他の筋肉と同様，機械的な反応（筋収縮あるいは筋緊張）は電気活動の後で起きる．図 8.7 に示すように，筋収縮あるいは筋緊張は，活動電位の群発が起きてからすぐ後に起こっているのがわかる．

● 徐波の周波数

徐波の固有の頻度あるいは周波数は，消化管の部位によって異なり，1 分間に 3 ～ 12 回である．消化管の各部位には固有の周波数があり，胃では一番低く（1 分間に 3 回），十二指腸で最も頻度が高くなる（1 分間に 12 回）．徐波の周波数は活動電位の周波数を決定し，したがって収縮の周波数も決める（活動電位は，徐波が膜電位を閾値まで到達させないと起きない）．徐波の固有の周波数は，神経あるいはホルモンの入力により影響されない．しかし，神経あるいはホルモンの活動は，活動電位の発生と収縮の強さの双方を調節する．

● 徐波の起源

徐波は，筋層間神経叢に豊富にある **Cajal（カハール）間質細胞**（interstitial cells of Cajal）で生じると考えられている．周期的な脱分極や過分極が Cajal 間質細胞で自発的に起こり，隣接する平滑筋に，抵抗の低いギャップ結合を介して広がる．洞房結節が心臓のペースメーカになっているのと同様に，Cajal 間質細胞は消化管平滑筋の**ペースメーカ**と考えることができる．消化管の各領域において，ペースメーカが徐波の周波数を駆動し，これがさらに活動電位および筋収縮が起きる頻度を決定する．

● 徐波のメカニズム

徐波の脱分極相は，Ca²⁺チャネルの周期的な開口により引き起こされ，これが細胞膜を脱分極させる内向きのCa²⁺電流を作り出す．徐波のプラトー相において，Ca²⁺チャネルが開くと内向きCa²⁺電流が生じ，膜電位は脱分極されたまま維持される．徐波の再分極相は，K⁺チャネルが開いて外向きのK⁺電流を生じ，細胞膜が再分極することによって引き起こされる．

● 徐波，活動電位および筋収縮の関係

消化管の平滑筋細胞では，閾値下の徐波であっても弱い筋収縮を引き起こす．したがって，活動電位が生じていなくても平滑筋は完全に弛緩しているわけではなく，基礎レベルの収縮，すなわち**緊張性収縮**をしている．しかし，徐波が膜電位を閾値まで脱分極すると，徐波に重畳して活動電位が起き，これに続いてはるかに強い収縮，すなわち**相動性収縮**が起きる．徐波に重畳する活動電位の数が多いほど，相動性収縮が強くなる．骨格筋では，個々の活動電位に引き続いて別々の筋収縮，すなわち筋の単収縮が起きる．しかし，平滑筋では骨格筋とは異なり，個々の活動電位に1つひとつに分かれた単収縮が続くわけではない．その代わりに，複数の収縮が加算されて持続した収縮となる（図8.7B）．

咀嚼と嚥下

咀嚼と嚥下は食物摂取の最初の段階であり，消化と吸収に備える．

■ 咀嚼

咀嚼は3つの機能をもっている：(1)食物を唾液と混ぜ，嚥下しやすいようになめらかにする．(2)食塊を小さくして，嚥下しやすいようにする（飲み込む食塊の大きさは消化の過程には影響を与えないが）．(3)摂取された炭水化物を唾液のアミラーゼと混ぜ，炭水化物の消化を開始する．

咀嚼には随意的な要素と不随意的な要素がある．不随意的な要素は，口の中の食物によって開始される反射である．感覚情報は口の機械受容器から**脳幹**（brain stem）に伝達され，咀嚼にかかわる筋肉が反射的に振動する活動パターンを統合

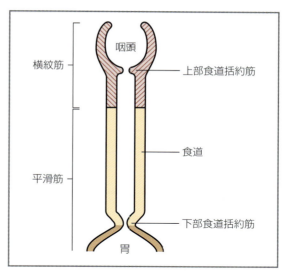

図8.8 上部消化管の構造．
咽頭，上部食道括約筋，および食道の上部1/3は横紋筋で構成されている．食道の下部2/3と下部食道括約筋は平滑筋で構成されている．

している．随意的な咀嚼は，不随意的すなわち反射的な咀嚼をいつでも抑えて行うことができる．

■ 嚥下

嚥下は口腔内では随意的に始まるが，その後は不随意的あるいは反射的にコントロールされる．反射の部分は，**延髄**（medulla）にある**嚥下中枢**（swallowing center）により制御されている．感覚情報（例えば，口腔内の食物）は，咽頭の近くに位置する感覚受容器により検知される．この感覚，あるいは求心性の情報は，迷走神経および舌咽神経により延髄の嚥下中枢へ運ばれる．延髄は感覚情報を統合し，運動，すなわち遠心性の出力を咽頭や上部食道の横紋筋に送っている（図8.8）．

嚥下には3つの相がある．**口腔相**（oral phase），**咽頭相**（pharyngeal phase），**食道相**（esophageal phase）である．口腔相は随意的であり，咽頭相および食道相は反射によりコントロールされている．

● 口腔相

舌が，食塊を高密度の感覚受容器がある咽頭に押し付けると開始される．前に述べたように，これらの受容器が活性化されると延髄の嚥下反射が

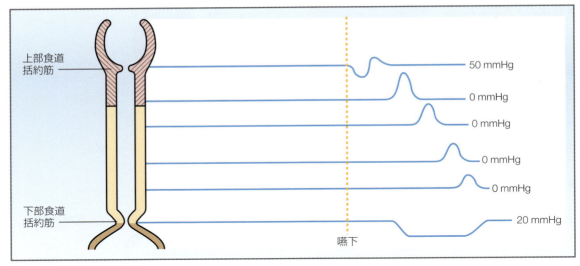

図8.9 嚥下時の食道内圧.

不随意に開始される.

- **咽頭相**

　咽頭相の目的は口腔から食塊を咽頭に運ぶことであるが，これは以下のステップで行われる：(1)まず軟口蓋が上に引き上げられる．このことによって咽頭鼻部に食塊が逆流しないように，食塊が咽頭口部に動いていくための狭い通り道ができる．(2)喉頭蓋は喉頭の開口部を覆うように動き，そして喉頭が上に動いて喉頭蓋に押し付けられ，気管に食物が入らないようにする．(3)上部食道括約筋が弛緩して，食物が咽頭から食道へと通過する．(4)収縮の蠕動波が咽頭で開始され，開口した括約筋に食塊が運ばれる．嚥下の咽頭相では呼吸が抑制される．

- **食道相**

　嚥下の食道相は，一部は嚥下反射と一部は腸神経系により制御されている．食道相においては，食物は食道から胃へと運ばれる．食道相において食塊が上部食道括約筋を通過してしまうと，嚥下反射により括約筋が閉じ，食物は咽頭に逆流できなくなる．同じく嚥下反射により調整されている．**食道第一次蠕動波**（primary peristaltic wave）が食道を下降していくと（蠕動の項を参照），食塊は先に運ばれていく．最初の蠕動波が食塊を食道からすべて排出できないと，食道壁が持続的に引き伸ばされるため，**食道第二次蠕動波**（secondary peristaltic wave）が生じる．この二次波は腸神経系を介して起きるが，食道壁が引き伸ばされたところで始まり，下降していく．

食道の運動性

　食道の運動機能は，食塊を咽頭から胃まで運ぶことである（図8.8参照）．嚥下の食道相と食道の運動には重複しているところがある．食道の中の食塊の通り道には次のようなものがある．

1. 嚥下反射を介して**上部食道括約筋**（upper esophageal sphincter）が開くと，食塊は咽頭から食道へと進む．食塊がいったん食道に入ると，上部食道括約筋は閉じ，咽頭への逆流を防止する．

2. **食道第一次蠕動収縮**（primary peristaltic contraction）は，同じく嚥下反射を介するが，協調した系列的な一連の収縮による（図8.9）．食道の各分節が収縮すると，食塊のすぐ後ろの部分に高圧の領域ができ，これが食道を下に押し下げる．それぞれの系列的な収縮が食塊をさらに押し進める．座ったり立ったりすると，この活動は**重力**により促進される．

3. 下部食道括約筋は，上部食道括約筋が安静時の張りに戻った直後に開く．すなわち，下部食道括約筋は食塊が食道を降りていく間じゅう開いている．**下部食道括約筋**（lower esopha-

geal sphincter) の開口は，迷走神経のペプチ
ド作動性の線維が VIP および一酸化窒素 (NO)
を神経伝達物質として放出することにより起
きる．VIP と NO は下部食道括約筋の弛緩をも
たらす．

　下部食道括約筋が弛緩すると同時に，吻側の
胃も弛緩する．これは受入れ弛緩(受容性弛緩)
(receptive relaxation) とよばれている．受入
れ弛緩は，胃の吻側の圧力を減少させることに
より，食塊を胃の中で動きやすくする．食塊が
胃の吻側に入るやいなや，下部食道括約筋は収
縮し，安静時の高緊張に戻る．この安静時の緊
張のもとで，この括約筋の圧力は食道や胃の吻
側の圧力よりも高くなるため，胃から食道への
逆流が防止される．

4. 食道第一次蠕動収縮が食塊を十分動かすこと
ができなかった場合には，腸神経系により食道
第二次蠕動収縮 (secondary peristaltic con-
traction) が起き，食道の中に残っている食物
すべてが胃に排出される．この第二次蠕動収
縮は，食道が引き伸ばされたところで始まり，
下へと進んでいく．

　食道が胸腔内に位置する（食道の下部のみが腹
腔内にある）ため，興味深い問題が生じる．胸部
の食道では食道内圧が胸腔内圧と同じであり，大
気圧より低い．したがって，食道内圧は腹腔内圧
より低い．この低い食道内圧により次の2つの問
題が生じる：(1)食道の上部においては空気を食道
の外に保っておくこと．(2)食道の下部では酸性の
胃内容が食道に入らないようにすることである．
そのため上部および下部の食道括約筋は，食物が
咽頭から食道に向かって，あるいは食道から胃に
向かって通過しているときを除いて閉じられてい
る．腹腔内の圧力が上昇している状態では（例え
ば，妊娠あるいは病的な肥満），胃の内容が食道
に逆流する胃食道逆流 (gastroesophageal re-
flux) が起きる．

　アカラシア（すなわち"弛緩の欠如"）は嚥下障害
の1つである．下部食道括約筋が弛緩できず，ま
た食道遠位の 2/3 の蠕動が障害される．その結果
として，下部食道括約筋の上にある食道の拡張が
起きる．

胃の運動性

　胃の運動には次の3つの要素がある：(1)胃の吻
側の弛緩が起こり，食道から食塊を受け取る．(2)
食塊の大きさを小さくし，および消化を開始する
ために胃の分泌物と混ぜる収縮．(3)び粥を小腸に
運ぶための胃内容排出．び粥が小腸に運搬される
スピードは，栄養素の消化と吸収に十分な時間が
とれるようにホルモンによって調整されている．

■ 胃の構造と神経支配

　胃には3つの筋層がある．外側の縦走筋，中央
の輪状筋，そして胃に特有の内側の斜走筋である．
筋肉の壁の厚さは，食道近位から遠位の胃に行く
に従って厚くなる．

　胃の神経支配は，自律神経系による外因性の神
経支配と，筋層間神経叢および粘膜下神経叢によ
る内因性の神経支配を含む．胃の筋層間神経叢
は，迷走神経を通じて副交感神経支配，また腹腔
神経節からの線維を通じて交感神経支配を受けて
いる．

　図 8.10 は胃の3つの解剖学的区分を示してい
る．胃底部(fundus of stomach)，胃体部(body
of stomach)，幽門洞(antrum) である．胃の運
動性の違いからは，胃は口側および尾側の2つの
部分にも分けられる．口側の領域は近位部であ
り，胃底部および胃体部の近位部分を含み，壁は
薄い．尾側の領域は遠位であり，胃体部の遠位部
分および幽門洞を含んでおり，口側の領域よりも
強い収縮を起こすことのできる厚い壁をもってい
る．尾側の領域の収縮は食物を混ぜ，それを小腸
に送る．

■ 受入れ弛緩

　胃の口側の領域は薄い筋層をもっている．その
機能は食塊を受け取ることである．食道の運動の
項でも前述したように，下部食道の壁が食物によ
り引き伸ばされると下部食道括約筋の弛緩が起き
る．そして同時に受入れ弛緩とよばれる，胃の口
側の弛緩が起きる．受入れ弛緩は胃の口側の圧力
を減少させるとともに，体積を増加させる．胃の
口側は，弛緩状態では 1.5 L もの食物を受け入れ

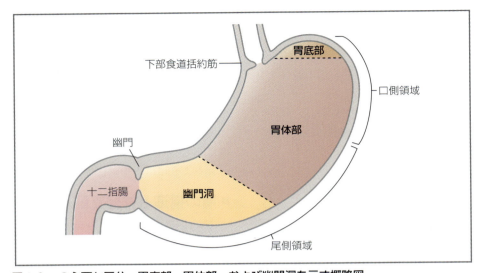

図 8.10 　胃の 3 つの主要な区分：胃底部，胃体部，および幽門洞を示す概略図．
口側の領域は，胃底部および胃体部上部を含む．尾側の領域は，胃体部下部と幽門洞を含む．

ることができる．
　受入れ弛緩は**迷走神経反射**であり，反射の遠心路および求心路がともに迷走神経に含まれていることを意味する．機械受容器が胃の拡張を検知し，この情報が感覚神経を介して中枢神経に送られる．中枢神経は，それから遠心性の情報を胃の口側の平滑筋に送り，弛緩させる．これら節後性のペプチド作動性の迷走神経線維から放出される神経伝達物質は **VIP** である．迷走神経切断は受入れ弛緩を消失させる．

■ 混合と消化

　尾側の胃は厚い筋肉の壁をもっており，食物を混ぜ合わせ消化するのに必要な収縮を作り出す．この収縮は，食物を小さなかけらにし，胃の分泌物と混ぜ合わせて消化過程を開始する．
　収縮波は胃体部の中央で始まり，遠位部の胃のほうに進む．これは強力な収縮で，幽門に近づくにつれて強さが増していく．この収縮が胃内容を混ぜ，幽門から十二指腸に向かって周期的に少しずつ胃内容を進める．しかし，び粥の大部分は収縮波により幽門も閉じてしまうため，すぐに十二指腸に運ばれるわけではない．したがって，胃内容のほとんどは胃の中に押し戻され，混合され，さらに小さなかけらになる．この過程を "retro-pulsion（後方へ押しやること）" という．
　胃の尾側における**徐波**の頻度は，1 分間に 3 〜 5 回である．徐波が膜電位を閾値まで上昇させ，活動電位を起こすことができるようにしているのを思い出してほしい．徐波の頻度が活動電位と収縮の頻度の最大値を決定するので，胃の尾側も 1 分間に 3 〜 5 回収縮する．
　神経とホルモンの入力が徐波の頻度に影響を与えることはないが，それらは活動電位の頻度と収縮力に影響を与える．**副交感神経の刺激**と，消化管ホルモンであるガストリンおよびモチリンは，活動電位の頻度を増加させ，胃の収縮力を増加させる．**交感神経の刺激**と，消化管ホルモンであるセクレチンおよび GIP は，活動電位の頻度と収縮力を減少させる．
　空腹時，胃には**空腹期消化管強収縮運動（migrating myoelectric complex）**とよばれる周期的な収縮が起きるが，これは**モチリン**を介して起きる．この収縮は 90 分の間隔で起こり，前の食事で残った残渣を胃から排出する機能がある．

■ 胃内容の排出

　食事をした後，胃には約 1.5 L の内容物があるが，これは固形物，液体，および胃からの分泌物からなる．胃内容の十二指腸への排出には約 3 時

間かかる．この胃内容の排出のスピードは，十二指腸の中で胃の H^+ を中和し，栄養素の消化と吸収をするのに十分な時間をもたらす．

液体は固形物に比較して，また，等張性の内容物は高張性や低張性の内容物に比較して速く排出される．十二指腸に入るためには，固形物は $1\,mm^3$ かそれ以下の粒子にまで細かくならなければならない．胃での"retropulsion"は，固形物の食物の小片が必要なサイズになるまで繰り返される．

胃内容の排出を遅くする（すなわち胃内容排出時間を延長させる）要因には，大きく2つのものがある．脂肪の存在と，十二指腸における H^+（低い pH 値）の存在である．この**脂肪**の効果は，脂肪酸が十二指腸に達すると分泌される **CCK** を介してもたらされる．次いで，CCK が胃内容の排出速度を遅くする．そのため，胃内容がゆっくりと十二指腸に運ばれ，脂肪が消化・吸収されるのに十分な時間がもたらされる．H^+ の効果は，**腸神経系（enteric nervous system）**の反射を介してもたらされる．十二指腸の H^+ 受容体により腸内容の pH 低下が察知され，筋層間神経叢の介在ニューロンを介して胃の平滑筋に情報が伝わる．この反射も，胃内容がゆっくりと十二指腸に運ばれるのを確実にし，膵酵素が最適な機能を発揮するのに必要な，膵臓の HCO_3^- による H^+ の中和の時間を確保する．

小腸の運動性

小腸の機能は，栄養素の消化と吸収である．これに関連して，小腸の運動は，び粥を消化酵素や膵臓の分泌物と混ぜ合わせ，小腸の粘膜に栄養素を曝露すること，そして未吸収のび粥を小腸から大腸に送ることに役立っている．

小腸では，他の消化管の平滑筋と同様に，**徐波**の頻度が活動電位および収縮の起きる頻度を決定する．徐波は，十二指腸においては胃より頻度が高い（1分間あたり12回）．回腸では，徐波の頻度は少し低下し，1分間あたり9回程度である．胃においてと同様に，90分ごとに小腸のび粥の残渣を排出するための収縮（**空腹期消化管強収縮運動**）が起きる．

小腸には副交感神経，交感神経両方の神経支配がある．副交感神経の支配は迷走神経を介し，そして交感神経の支配は腹腔神経節および上腸間膜動脈神経節由来の線維を介する．**副交感神経（parasympathetic）**の刺激は小腸平滑筋の収縮を増し，**交感神経（sympathetic）**の活動は収縮を減らす．多くの副交感神経はコリン作動性であるが（すなわち ACh を放出する），一部の副交感神経は他のニューロクリンを放出する（すなわちペプチド作動性である）．副交感神経性のペプチドニューロンから放出されるニューロクリンには，VIP，エンケファリン，モチリンがある．

小腸には2つの収縮のパターンがある．分節収縮と蠕動収縮である．それぞれのパターンは，ともに**腸神経系**によって調整されている（図8.11）．

■ 分節収縮

図8.11A に示すように，分節収縮は**び粥を混ぜ合わせ**，膵臓からの酵素や分泌物にさらす役割を果たしている．ステップ1は，小腸の内腔にあるび粥の塊を示している．小腸の分節が収縮し，食塊を分けて口側と尾側の両方に送る（ステップ2）．次に，その小腸の分節が弛緩し，分けられた食塊がまた元に戻って一緒に混ぜ合わせられるようにする（ステップ3）．このように，食塊が行ったり来たりすることが食塊を混ぜ合わせるのに役立つが，小腸に沿って先に進む順行性の動きは生じない．

■ 蠕動収縮

び粥を混ぜ合わせる分節収縮に対して，蠕動収縮は小腸から大腸へ**び粥を運ぶ**役割がある（図8.11B）．ステップ1は，び粥の食塊を示している．収縮が食塊の口側（後ろ）で起きる．同時に，小腸のその食塊の尾側（前）にある部分は弛緩する（ステップ2）．び粥は，このようにして尾側の方向へ運ばれる．蠕動収縮波が小腸に沿って起こり，食塊の後ろでは収縮，食塊の前では弛緩というように，系列的な収縮が繰り返し起こることによって，び粥の塊は小腸を運ばれていく（ステップ3）．

このように，小腸に沿った進行方向の動きを成

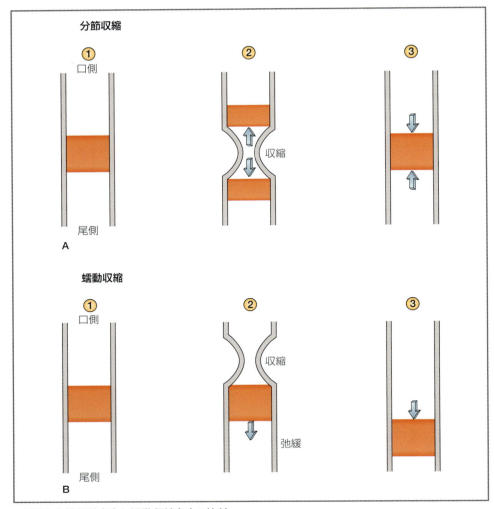

図 8.11 小腸の分節収縮(A)と蠕動収縮(B)の比較.
分節収縮は,び粥を混合する.蠕動運動は,び粥を尾側方向に運ぶ.蠕動収縮の場合,食塊の後方(口側)で輪状筋が収縮し,縦走筋は弛緩する.食塊の前方(尾側)で輪状筋が弛緩し,縦方向の筋肉が収縮する.

し遂げるためには,輪状筋と縦走筋が反対の機能を果たしながら,互いの活動を補い合わなければならない(輪状筋の収縮が小腸の分節の**直径**を減少させるのに対し,縦走筋の収縮がその小腸の分節の**長さ**を減少させるということを思い出すこと).輪状筋と縦走筋が同時に収縮した場合に起きる問題を防ぐため,これらの筋肉は相反性に支配されている.その結果,分節の輪状筋が収縮すると同時に縦走筋は弛緩する.縦走筋が収縮すると同時に輪状筋は弛緩する.

したがって,**蠕動運動**(peristalsis)は以下のように起きる.小腸内腔の食塊は,セロトニン(5-HT)を放出する小腸粘膜の腸クロム親和様(enterochromaffin-like:ECL)細胞によって感知される.セロトニンは,粘膜固有の**一次求心性ニューロン**(intrinsic primary afferent neuron:IPAN)上の受容体に結合し,これを活性化すると,その小腸の分節の**蠕動反射**(peristaltic reflex)を開始する.**食塊の後方(口側)**では,興奮性伝達物質(例えば,ACh,サブスタンスP,ニューロペプチドYなど)が輪状筋中に放出されるが,これらの経路は同時に縦走筋では阻害される.したがって,小腸のこの領域の分節は狭くなるとともに長くなる.**食塊の前方(尾側)**では,抑制性の経路(例え

ば，VIP, NO）が輪状筋において活性化される一方，興奮性経路が縦走筋で活性化される．これによって小腸のこの部分は広がり，短くなる．

■ 嘔吐

嘔吐反射は，延髄の**嘔吐中枢（vomiting center）**が調整している．求心性の情報は，前庭系，喉の後部，消化管，第四脳室の化学受容器トリガーゾーンから嘔吐中枢に達する．

嘔吐反射（vomiting reflex）では，以下のイベントがこの時間的順序で起きる：(1)正常蠕動のもとになる胃および小腸の徐波の活動の停止．(2)**蠕動収縮が逆向きになり**，小腸で始まり胃へとさかのぼる．(3)胃と幽門の弛緩．(4)腹圧を増加させる強制的な吸息．(5)喉頭の上方への運動と下部食道括約筋の弛緩．(6)声門の閉鎖．(7)胃，時には十二指腸の内容の強制的な排出．**嘔気（吐き気）（retching）**では，上部食道括約筋は閉じたままであり，下部食道括約筋が開いているので，胃内容物は嘔気がおさまると胃に戻る．

大腸の運動性

小腸で吸収されなかった物質は大腸に入る．糞便とよばれる大腸の内容物は，最終的には外に排出される．小腸の内容物が盲腸および近位結腸に入ると，回盲括約筋が収縮し回腸への逆流を防止する．次いで糞便は，盲腸から結腸（すなわち，上行結腸，横行結腸，下行結腸，S状結腸），直腸，さらに肛門管へ移動する．

■ 分節収縮

分節収縮は盲腸および結腸近位部に起きる．小腸においてと同様に，これらの収縮は大腸の内容物を混ぜる役割を果たしている．大腸においては，収縮は**ハウストラ（結腸膨起）（haustra）**とよばれる袋状の分節と関連がある．

■ 便塊の移動

便塊の移動は大腸内で起こり，大腸の内容物を横行結腸からS状結腸までのように長い距離にわたって運ぶ機能を果たす．便塊の運動は1日に1〜3回の範囲で起こる．水分吸収は遠位結腸で起こるため，大腸の糞便の内容物は半固体になり，ますます先に移動することが困難になる．最終的な便塊の動きにより糞便の内容物は直腸へと運ばれ，そこで排便が起こるまで溜められる．

■ 排便

直腸が糞便で満たされてくると，直腸の平滑筋壁は収縮し，内肛門括約筋は**直腸肛門反射（rectosphincteric reflex）**により弛緩する．しかし，外肛門括約筋（横紋筋で構成され，随意的に制御される）がまだ持続的に収縮しているので，この時点ではまだ排便は起こらない．しかし，いったん直腸がその容量の25％までいっぱいになると便意が生じる．排便をしてよい状況であれば，外肛門括約筋は随意的に弛緩し，直腸の平滑筋が収縮して圧力を生じるため，糞便は肛門管を通って押し出される．排便するために作り出される腹腔内圧を，**Valsalva（バルサルバ）操作（Valsalva maneuver）**（閉塞した声門に対して呼気圧をかける）によって増加させることができる．

■ 胃結腸反射

食物による胃壁の伸展は，結腸の運動を促し，大腸における便塊の動きの頻度を増加させる．この長い反射弓は**胃結腸反射（gastrocolic reflex）**とよばれ，求心路は胃から来ており，副交感神経系を介する．結腸の運動を増加させる反射の遠心路は，CCKおよびガストリンの2つのホルモンを介する．

分泌

消化液の分泌は，液体，酵素，粘液を消化管の内腔に加えることである．これらの分泌物は，唾液腺（唾液），胃粘膜の細胞（胃液分泌），膵外分泌細胞（膵液分泌），および肝臓（胆汁）によって産生される（**表8.3**）．

唾液分泌

唾液は，1日あたり1Lの速さで唾液腺により産生され，口腔内に分泌される．**唾液の機能は以**

406　第8章　消化器系の生理学

表8.3　消化管分泌のまとめ.

分泌	分泌物の特徴	分泌を増加させる要因	分泌を抑制する要因
唾液	高濃度のHCO_3^- 高濃度K^+ 低浸透圧 α-アミラーゼと舌リパーゼ	副交感神経(顕著) 交感神経	睡眠 脱水 アトロピン
胃液	塩酸	ガストリン ACh ヒスタミン	胃のH^+ 十二指腸のび粥 ソマトスタチン アトロピン シメチジン オメプラゾール
	ペプシノーゲン 内因子	副交感神経	
膵液	高濃度のHCO_3^- 等張性	セクレチン コレシストキニン(CCK)(セクレチンの作用を強める) 副交感神経	
	膵リパーゼ, アミラーゼ, タンパク質分解酵素	CCK 副交感神経	
胆汁	胆汁酸塩 ビリルビン リン脂質 コレステロール	CCK(胆嚢収縮とOddi括約筋の弛緩) 副交感神経	回腸切除

下の通りである：(1)唾液酵素によるデンプンおよび脂質の初期の消化. (2)有害である可能性もある, 摂取された食物を希釈し緩衝する. (3)摂取した食物を粘液でなめらかにすることにより, 食道の通過を助ける.

■ 唾液腺の構造

　主要な唾液腺は, 耳下腺, 顎下腺, 舌下腺の3つである. おのおのの腺は, 唾液を産生し導管(duct)を通して口腔に送っている一対の構造になっている. 耳下腺(parotid gland)は漿液性細胞から構成され, 水, イオン, および酵素からなる水性の液体を分泌する. 顎下腺(submaxillary gland)と舌下腺(sublingual gland)は混合腺であり, 漿液性および粘液性両方の細胞を有する. 漿液性細胞は水性の液体を分泌し, 粘液性細胞は

ムチン糖タンパク質を分泌して潤滑にする.

　各唾液腺は"ブドウの房"のような外観をしており, 1つひとつのブドウが単一の腺房に相当する(図8.12). 腺房(acinus)は枝分かれした導管の盲端であり, 腺房細胞が取り囲んでいる. 腺房細胞(acinar cell)は, 水, イオン, 酵素, 粘液からなる初期唾液を産生する. この初期唾液は介在導管とよばれる短い部分を通り, 次いで導管細胞が並んだ線条導管を通る. 導管細胞(ductal cell)は, 初期唾液のさまざまな電解質の濃度を調整して, 最終唾液を産生する. 筋上皮細胞(myoepithelial cell)は, 腺房および介在導管に存在する. 神経の入力によって刺激されると, 筋上皮細胞は収縮して唾液を口腔内に放出する.

　唾液腺房細胞および導管細胞は, 副交感神経支配(parasympathetic innervation)と交感神経支配(sympathetic innervation)の両方を受ける. 多くの器官はそのような二重神経支配を受けているが, 唾液腺に特徴的な点は, 唾液産生が副交感神経系と交感神経系双方によって刺激されることである(副交感神経による制御が支配優位であるが).

　唾液腺は非常に血流量が多く, 唾液産生が刺激されると, さらに増加する. 重量あたりの血流量で比較すると, 唾液腺への最大血流量は運動中の骨格筋血流量の10倍以上に達する.

■ 唾液の形成

　唾液は, 腺のサイズが小さいことを考えると, 量が非常に多い水溶液である. 唾液は, 水, 電解質, α-アミラーゼ, 舌リパーゼ(lingual lipase), カリクレイン, および粘液からなる. 血漿と比較すると, 唾液は低張性(hypotonic)(すなわち, 浸透圧がより低い)であり, K^+とHCO_3^-の濃度は高く, Na^+とCl^-濃度が低い. したがって, 唾液は血漿を単純に濾過した液体ではなく, いくつかの輸送機構を介する2段階のプロセスで形成される. 第1のステップでは, 腺房細胞により等張性の血漿に似た溶液が形成される. 第2のステップでは, 導管細胞により, この血漿様の溶液が修飾される.

　腺房と導管における唾液産生のステップを図

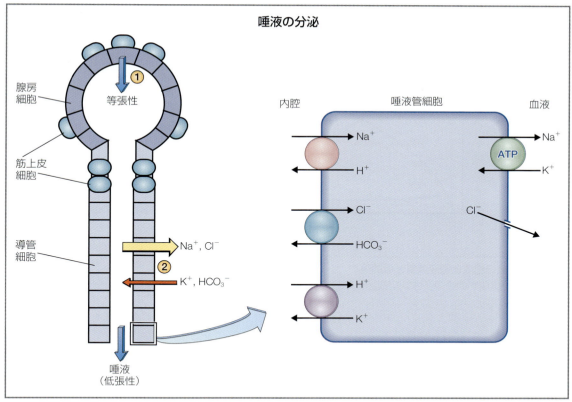

図 8.12　唾液分泌のメカニズム．
初期唾液は，腺房細胞（①）によって産生され，続いて導管上皮細胞によって修飾される（②）．ATP：アデノシン三リン酸．

8.12 に示す．図の中の○で囲んだ数字は，以下のステップに対応する．

① **腺房細胞**は初期唾液を分泌するが，これは**等張性**（isotonic）であり，血漿とほぼ同じ電解質組成を有する．したがって初期唾液では，浸透圧，Na^+，K^+，Cl^-，HCO_3^-の濃度は血漿中の濃度に類似している．

② **導管細胞**は初期唾液の組成を修飾する．この修飾にかかわる輸送機構は複雑であるが，管腔膜および基底側膜において起きることを別々に検討し，次いで，すべての輸送機構の正味の結果を確定することによって単純化することができる．導管細胞の管腔膜には，Na^+-H^+交換輸送体，Cl^--HCO_3^-交換輸送体，H^+-K^+交換輸送体の3つの輸送体が含まれている．導管細胞の基底側膜には，Na^+-K^+ ATPase（Na^+-K^+ ATPアーゼ）およびCl^-チャネルがある．これらの輸送体の働きをあわせた作用は，**Na^+およびCl^-の吸収，K^+およびHCO_3^-の分泌**である．Na^+およびCl^-の正味の吸収は，唾液のNa^+とCl^-濃度を血漿中の濃度よりも低くし，K^+およびHCO_3^-の正味の分泌は，唾液のK^+とHCO_3^-濃度を血漿中の濃度より高くする．炭酸水素カリウム（$KHCO_3$）が分泌される量よりも，$NaCl$が吸収される量のほうが多いので，**正味として溶質の吸収**が起きる．

最後に，**最初**は等張性であった唾液が，どのようにして導管から流れ出るにつれて低張性になるのか，という疑問がある．その答えは，導管細胞が相対的に**水を透過しにくい**ことにある．上記のように，$KHCO_3$が分泌されるよりも多くの$NaCl$が吸収されるので，正味として溶質の吸収がみられる．導管細胞は水に不透過性であるため，水は溶質とともに吸収されず，最終唾液が**低張性**になるのである．

腺房細胞は，α-アミラーゼ，舌リパーゼ，

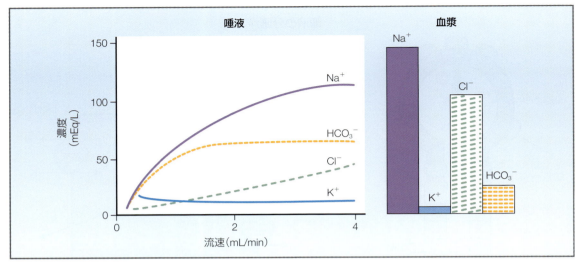

図 8.13 唾液の組成と唾液流量との関係.
唾液のイオン組成を血漿のイオン組成と比較して示す.

ムチン糖タンパク質，免疫グロブリン A（IgA），カリクレインなどの有機成分も分泌する．α-アミラーゼ（α-amylase）は炭水化物の初期の消化を開始し，舌リパーゼは脂質の初期の消化を開始する．粘液成分は潤滑剤としての役割を果たす．カリクレイン（kallikrein）は，高分子量のキニノーゲンを強力な血管拡張作用をもつブラジキニンに切断する酵素である．唾液腺の活動が活発な間は，カリクレインが分泌され，ブラジキニンを産生する．生じたブラジキニンは局所の血管拡張を引き起こす．このことにより唾液腺の分泌活動が増加している間，唾液腺の血流が増加することが説明できる．

■ 唾液の流量がその組成に及ぼす影響

唾液の流れる速さが変化すると，唾液のイオンの組成は変化する（図 8.13）．最も高い流速（4 mL/min）では，最終唾液は血漿，および腺房細胞によって生成される初期唾液の組成に最もよく似ている．最も低い流速（<1 mL/min）では，最終唾液は血漿と組成が最も異なっている（Na^+とCl^-の濃度がより低く，K^+の濃度がより高い）．流速に依存して濃度が変化するメカニズムは，主に唾液が導管細胞と接触する時間の長さによる．流速が速くなると，導管細胞は唾液の組成を変化させる時間が短い．これに対して流速が遅くなると，唾液を変化させる時間が長くなる．最も接触時間が長くなる低流速の条件下では，より多くのNa^+とCl^-が再吸収され，最初の唾液に対してその濃度が低下し，より多くのK^+が分泌され，その濃度が上昇する．

この"接触時間"説で説明できない唯一の電解質はHCO_3^-である．HCO_3^-は導管細胞によって分泌されるので，接触時間による説明に従えば，その濃度は低流量のときに最高になるはずである．しかし図 8.13 に示すように，唾液のHCO_3^-濃度は低流量では最も低値で，高流量では最高になる．これは（例えば，副交感神経刺激によって）唾液産生が刺激されると，HCO_3^-分泌が選択的に刺激されるために起きる．したがって，唾液の流速が増加するにつれて，HCO_3^-濃度も上昇する．

■ 唾液分泌の調整

唾液分泌の調節には 2 つの特徴がある：(1)唾液分泌はもっぱら自律神経系による神経支配のもとで制御されるが，他の消化管の分泌物は神経およびホルモン両方の制御下にある．(2)唾液分泌は副交感神経刺激が支配的であるが，副交感神経刺激（parasympathetic）と交感神経刺激（sympathetic）の両方により唾液分泌が増加する（通常，副交感神経系と交感神経系は反対の作用をもつ）．

自律神経系による唾液分泌の調節は図 8.14 に

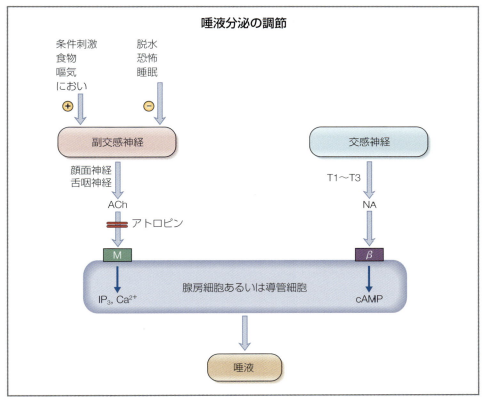

図8.14 自律神経系による唾液分泌の調節.
ACh：アセチルコリン，β：β受容体，cAMP：環状アデノシン一リン酸，IP_3：イノシトール 1,4,5-トリスリン酸，M：ムスカリン受容体，NA：ノルアドレナリン，T1〜T3：胸髄の髄節.

要約されている．図に示すように，腺房細胞および導管細胞は副交感神経および交感神経の支配を受ける．唾液腺細胞の刺激は，唾液産生の増加，HCO_3^- および酵素分泌の増加，筋上皮細胞の収縮をもたらす．

● 副交感神経支配

唾液腺への副交感神経の入力は，顔面神経（第Ⅶ脳神経）および舌咽神経（第Ⅸ脳神経）を介して行われる．副交感神経節後ニューロンはAChを放出するが，AChは腺房および導管細胞上の**ムスカリン受容体（muscarinic receptor）**に作用する．細胞レベルでは，ムスカリン受容体が活性化されると，イノシトール 1,4,5-トリスリン酸（inositol 1,4,5-trisphosphate：IP_3）の産生が起こり，細胞内 Ca^{2+} 濃度が上昇する．これにより唾液分泌の増加という生理学的作用が生じ，主に唾液の量を増加させ，酵素成分も増やす．いくつかの要因が唾液腺への副交感神経性の入力を調節する．

唾液腺へ入力する副交感神経活性は，食物，におい，吐き気ならびに条件反射（例えば，Pavlovの犬の唾液分泌）によって増加する．副交感神経の活動は，恐怖，睡眠，脱水によって減少する．

● 交感神経支配

唾液腺への交感神経の入力は，胸髄T1〜T3の髄節に由来し，上頸神経節でシナプスする節前神経から入る．交感神経節後ニューロンはノルアドレナリンを放出し，これは腺房細胞および導管細胞上のβアドレナリン受容体（β-adrenergic receptor）に作用する．βアドレナリン受容体が活性化されると，アデニル酸シクラーゼが刺激され**環状アデノシン一リン酸（cyclic adenosine monophosphate：cAMP）**が産生される．副交感神経の IP_3/Ca^{2+} のメカニズムと同様に，cAMPの生理学的作用は唾液分泌を増加させることである．交感神経刺激は腺房細胞上のαアドレナリン受容体も活性化するが，βアドレナリン受容体の活性

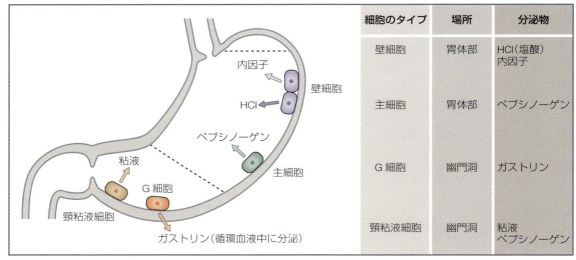

図 8.15　さまざまな胃細胞からの分泌物.

化がより重要と考えられている.

胃の分泌

　胃粘膜の細胞は，**胃液（gastric juice）**とよばれる液体を分泌する．胃液は4つの主な成分，塩酸（HCl），ペプシノーゲン，内因子，粘液からなる．HClとペプシノーゲン（pepsinogen）は，ともにタンパク質消化のプロセスを開始する．**内因子（intrinsic factor）**は，回腸におけるビタミンB_{12}の吸収に必要であり，胃液の唯一の必須成分である．**粘液（mucus）**は，HClの腐食作用から胃粘膜を保護し，また胃内容物を潤滑にする．

■ 胃粘膜の構造と細胞の種類

　胃の解剖学的な区分（胃底部，胃体部，幽門洞）については，「胃の運動性」の項で述べた．これらのおおまかな解剖学的区分に加えて，胃の粘膜は胃液のさまざまな成分を分泌するいくつかの細胞のタイプからなる．これらの細胞のタイプおよび，それぞれが分泌する産物を図8.15に示す．

　胃体部には，胃の内腔に導管を介して分泌物を放出する**酸分泌腺（oxyntic gland）**が含まれる（図8.16）．胃粘膜上の導管の開口部は胃小窩（pit）とよばれ，周りに上皮細胞が並んでいる．その腺の深部には，頸粘液細胞，壁（酸分泌）細胞，主（消化）細胞がある．**壁細胞（parietal cell）**は，

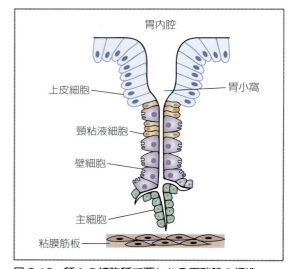

図 8.16　種々の細胞種で覆われる胃酸腺の構造．
導管は，胃粘膜の表面上の胃小窩（pit）に開口する．

HClおよび内因子という2つの分泌産物を産生する．**主細胞（chief cell）**は1種類の分泌産物，つまりペプシノーゲンを分泌する．

　幽門洞には**幽門腺（pyloric gland）**があり，酸分泌腺と同様に構成されているが，より深い窪みがある．幽門腺には，G細胞と粘液細胞という2つのタイプの細胞がある．G細胞はガストリンを分泌するが，幽門管にではなく循環血液中に分泌する．**頸粘液細胞（mucous neck cell）**は，粘液，

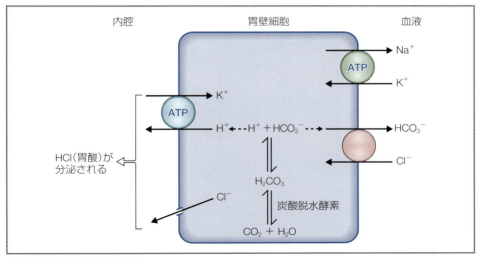

図8.17　胃の壁細胞による HCl 分泌のメカニズム．
ATP：アデノシン三リン酸．

HCO_3^- とペプシノーゲンを分泌する．粘液と HCO_3^- は，胃粘膜に保護的，中和的に作用する．

■ HCl の分泌

壁細胞の主な機能は，HCl を分泌し，胃内容物を酸性化して pH を 1 と 2 の間にすることである．生理学的に，この低い胃 pH は，近くの主細胞によって分泌される不活性ペプシノーゲンを，活性型である**ペプシン（pepsin）**，すなわちタンパク質消化のプロセスを開始するタンパク質分解酵素に変換する働きがある．壁細胞による HCl 分泌の細胞メカニズムについてまず述べ，次に，正常な HCl 分泌機構を調節するメカニズムおよび H^+ 分泌の病態生理について述べる．

細胞機構

胃壁細胞による HCl 分泌の細胞機構を図8.17 に示す．腎細胞と同様に，胃の内腔に面する細胞膜は**頂端膜（apical membrane）**または管腔膜とよばれ，血流に面する細胞膜は**基底側膜（basolateral membrane）**とよばれる．頂端膜は H^+-K^+ ATPase および Cl^- チャネルを含み，基底側膜は Na^+-K^+ ATPase および Cl^--HCO_3^- 交換輸送体を含む．細胞は**炭酸脱水酵素（carbonic anhydrase）**を含む．

HCl 分泌は図 8.17 に示しており，以下のように起きる．

1. 細胞内液中では，好気性代謝から生成された CO_2 が炭酸脱水酵素によって触媒され，H_2O と結合して H_2CO_3 ができる．H_2CO_3 は H^+ と HCO_3^- に解離する．H^+ は Cl^- とともに胃の内腔に分泌され，HCO_3^- はステップ2 および 3 でそれぞれ述べるように，血液に吸収される．

2. **頂端膜**では，H^+ が H^+-K^+ ATPase を介して胃の内腔に分泌される．H^+-K^+ ATPase は電気化学的勾配（上り坂）に逆らって，H^+ および K^+ を輸送する一次性能動輸送である．H^+-K^+ ATPase は**オメプラゾール**という薬物によって阻害されるが，オメプラゾールは H^+ 分泌を減少させるため消化性潰瘍の治療に使用される．Cl^- は頂端膜の Cl^- チャネルを通って拡散し，H^+ の分泌に引き続いて内腔に放出される．

3. **基底側膜**では，HCO_3^- は Cl^--HCO_3^- 交換輸送体を介して細胞から血液中に吸収される．吸収された HCO_3^- は，食事後に胃の静脈血で観察される"アルカリ潮"（高 pH）の原因となる．最終的に，この HCO_3^- は膵臓分泌物の形で消化管に分泌されて戻る．

4. 胃壁細胞の頂端膜および基底側膜で起こる現象があわさって，**正味の HCl の分泌**および**正味の HCO_3^- の吸収**をもたらす．

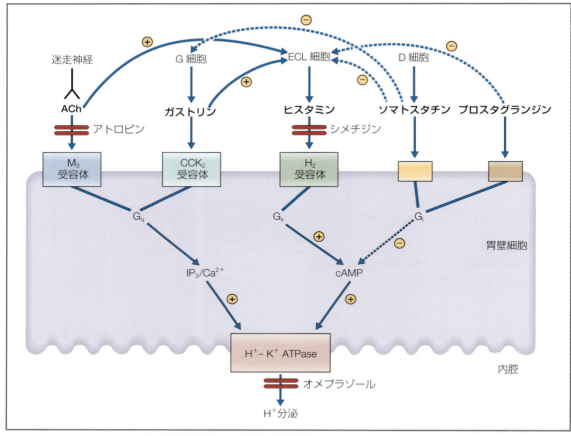

図 8.18　胃壁細胞による H$^+$ 分泌を刺激および阻害する薬物.
ACh：アセチルコリン，cAMP：環状アデノシン一リン酸，CCK：コレシストキニン，ECL：腸クロム親和様，IP$_3$：イノシトール 1,4,5-トリスリン酸，M：ムスカリン.

HCl の分泌を変化させる物質

3つの物質，つまりヒスタミン（パラクリン），ACh（ニューロクリン），ガストリン（ホルモン）が胃壁細胞による H$^+$ 分泌を刺激する．これらの物質は，壁細胞上の異なる受容体に結合し，異なる細胞作用機序で作用する（図 8.18）．これに加えて，ACh およびガストリンにはヒスタミン放出の刺激を介する間接的効果がある．

- ヒスタミンは胃粘膜の腸クロム親和様細胞（enterochromaffin-like cell：ECL 細胞）から放出され，パラクリンの機序を介して近くの壁細胞に拡散し，そこで H$_2$ 受容体（H$_2$ receptor）に結合する．ヒスタミンのセカンドメッセンジャーは cAMP である．ヒスタミンは，G$_s$ タンパク質を介してアデニル酸シクラーゼと連動している H$_2$ 受容体に結合する．アデニル酸シクラーゼが活性化されると，cAMP の産生が増加する．cAMP はプロテインキナーゼ A を活性化し，壁細胞による H$^+$ の分泌が起きる．**シメチジン（cimetidine）** は H$_2$ 受容体を遮断し，壁細胞に対するヒスタミンの作用を遮断する．

- **ACh は胃粘膜を支配する迷走神経から放出され，壁細胞上の M$_3$ ムスカリン受容体（M$_3$ muscarinic receptor）** に直接結合する．ACh のセカンドメッセンジャーは IP$_3$/Ca^{2+} である．ACh がムスカリン受容体に結合すると，ホスホリパーゼ C が活性化される．ホスホリパーゼ C はジアシルグリセロールおよび IP$_3$ を膜のリン脂質から遊離させ，次いで，遊離した IP$_3$ は細胞内の貯蔵部位から Ca^{2+} を放出させる．

Ca^{2+}とジアシルグリセロールはプロテインキナーゼを活性化し，これが最終的に生理作用として，壁細胞によるH^+分泌をもたらす．**アトロピン**(atropine)は，壁細胞上のムスカリン受容体を遮断し，これにより ACh の作用を遮断する．

ACh はまた，ECL 細胞を刺激することでヒスタミンを放出させ，放出されたヒスタミンは前述した通り，壁細胞に作用するため，ACh は間接的にH^+分泌を増加させる．

● **ガストリン**は，幽門洞の G 細胞によって循環血液中に分泌される．ガストリンは**胃内の局所的な拡散によってではなく**，内分泌の機序によって壁細胞に到達する．つまり，ガストリンは幽門洞から全身の循環に分泌され，次いで循環を介して胃に戻ってくる．ガストリンは，壁細胞上のコレシストキニン 2（CCK_2）受容体に結合する（CCK_2受容体はガストリンと CCK に対して同程度の親和性を有するが，コレシストキニン 1（CCK_1）受容体は CCK に特異的に結合する）．ACh と同様に，ガストリンは**IP_3/Ca^{2+}**をセカンドメッセンジャーとするシステムによりH^+分泌を刺激する．G 細胞からのガストリン分泌を誘発する刺激については，後で詳細に述べる．ここでは簡単に述べるが，これらの刺激は，胃壁の伸展，短いペプチドとアミノ酸の存在，および迷走神経の刺激である．

またガストリンは，ACh と同様，ECL 細胞からヒスタミンを放出させることによって，間接的にH^+分泌を刺激する．

H^+分泌の速度は，ヒスタミン，ACh，ガストリンの独立した作用，および 3 つの物質間の相互作用によって調節される．この相互作用は**増強**(potentiation)とよばれ，2 つの刺激が組み合わさって，個々の応答をあわせたよりも大きい応答を生じさせる能力のことをいう．壁細胞における増強について説明すると，1 点は，おのおのの物質が異なる受容体を介してH^+分泌を刺激し，さらにヒスタミンの場合には，異なるセカンドメッセンジャーを刺激するということである．もう 1 点は第 2 の経路であり，ACh やガストリンは ECL 細胞からのヒスタミン遊離を 2 番目の間接

的な経路で刺激し，このヒスタミンが壁細胞からのH^+分泌を刺激する．この増強の現象は，H^+分泌を阻害する種々の薬物の作用に影響を与える．例えば，ヒスタミンは ACh およびガストリンの作用を増強するので，**シメチジン**のようなH_2受容体遮断薬は，予想されるよりも大きな効果を発揮する．つまり，シメチジンはヒスタミンの直接作用を阻止するだけでなく，ACh およびガストリンによるヒスタミンの増強効果も遮断する．他の例を挙げれば，ACh はヒスタミンおよびガストリンの作用を増強する．この増強の結果，**アトロピン**などのムスカリン受容体遮断薬は，ACh の直接作用および ACh によるヒスタミンおよびガストリンの増強作用を遮断する．

H^+分泌の刺激

これまでヒスタミン，ACh およびガストリンはすべて壁細胞による HCl 分泌を刺激すると述べてきたので，ここでは，食事に反応して HCl 分泌がどのように制御されているかを総合的に論じる．**図 8.19** は，HCl を分泌する胃の壁細胞，およびガストリンを分泌する G 細胞を示す．迷走神経は直接，壁細胞を神経支配し，神経伝達物質として ACh を放出する．迷走神経は G 細胞も神経支配しており，GRP を神経伝達物質として放出する．

図 8.19 に示すように，第 2 の経路，すなわち G 細胞を介する経路では，壁細胞は迷走神経により間接的に刺激される．迷走神経刺激により G 細胞からガストリンが放出され，ガストリンは全身循環に入り，また胃に戻って，壁細胞によるH^+分泌を刺激する．この迷走神経刺激の二重作用の結果の 1 つは，**アトロピン**などのムスカリン遮断薬を投与しても HCl 分泌が完全には遮断されないことである．アトロピンは，ACh を介する壁細胞への迷走神経の直接的な作用を遮断するが，G 細胞上のシナプスにおける神経伝達物質は ACh ではなく GRP であるため，ガストリン分泌に対する迷走神経の作用は遮断しない．

胃の HCl 分泌は，3 つの段階，**頭相**(cephalic phase)，**胃相**(gastric phase)，**腸相**(intestinal phase)に分けられる．頭相および胃相を**図 8.19**

414 第8章 消化器系の生理学

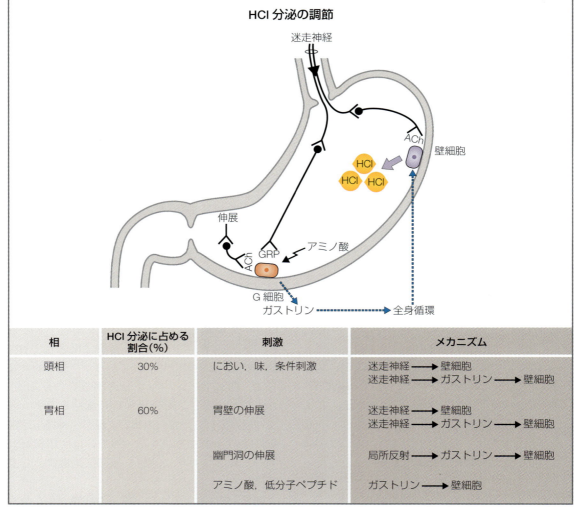

図 8.19 頭相および胃相における HCl 分泌の調節.
ACh：アセチルコリン，GRP：ガストリン放出ペプチド（ボンベシン）.

- **頭相**は，食事に反応して分泌される総 HCl の約 30% を占める．頭相における HCl 分泌の刺激となるのは，**におい**をかぐこと，**味**を感じること，咀嚼，嚥下，および食物を予測しているときに起きる**条件反射（conditioned reflex）**である．頭相で HCl 分泌を促進するメカニズムは 2 つある．第 1 のメカニズムは，迷走神経が ACh を放出することによって，壁細胞が直接刺激されることである．第 2 のメカニズムは，ガストリンによる壁細胞の間接的な刺激である．この間接的な経路では，迷走神経は GRP を G 細胞へと放出し，ガストリン分泌を刺激する．ガストリンは循環血液中に入り，壁細胞を刺激して HCl を分泌させる．

- **胃相**は，食事に反応して分泌される HCl 全体の約 60% を占める．胃相における HCl 分泌の刺激になるのは，胃壁の**伸展（distention）**，およびタンパク質の分解産物，すなわち**アミノ酸（amino acid）**および**短いペプチド（small peptide）**の存在である．胃相には 4 つの生理学的メカニズムが関係する．最初の 2 つのメカニズムは胃壁の伸展により開始されるが，これは頭相に関与しているメカニズムと同様のもの

である．胃壁の伸展は，壁細胞の迷走神経の刺激により，直接的にガストリンの放出を刺激し，間接的にガストリンの放出を介して壁細胞の刺激を引き起こす．第3のメカニズムは，胃の幽門洞の伸展により開始され，ガストリン放出を刺激する局所の反射を介する．第4のメカニズムは，アミノ酸および短いペプチドがG細胞に直接効果を及ぼしてガストリン放出を刺激する．これらの生理学的なメカニズムに加えて，**アルコールやカフェイン**も胃のHCl分泌を刺激する．

● **腸相**はHCl分泌のわずか**10%**を占めるにすぎず（図8.19には示されていない），タンパク質の消化産物により媒介される．

HCl分泌の抑制

ペプシノーゲンからペプシンへの活性化のためにHClがもはや必要なくなると（すなわち，び粥が小腸に移動してしまった場合），HCl分泌は阻害される．理論的には，HCl分泌を抑制する主要な因子は胃内容物の**pHの低下**のはずである．しかし，ここで疑問が生じる．なぜ胃内容物のpHは小腸に移動すると減少するのだろうか．その答えは，食物自体がH^+の緩衝液（バッファー）になるという事実にある．胃内に食物があると，H^+が分泌されてもその多くが緩衝されてしまう．すなわちH^+分泌により胃内容物は酸性化されるが，バッファーがなかった場合ほどの酸性化はみられない．食物が小腸に移動するとこの緩衝能力は低下し，さらにH^+が分泌されるので，胃のpHをより低い値まで低下させる．この低いpHによりガストリンの分泌は阻害され，これがさらにH^+分泌を減少させる．

壁細胞によるH^+分泌の主な抑制は，主として**ソマトスタチン(somatostatin)**による．胃のD細胞によって分泌されるソマトスタチンは，直接および間接路の双方を介して胃のH^+分泌を阻害する（図8.18参照）．**直接路(direct pathway)**では，ソマトスタチンはG_iタンパク質を介してアデニル酸シクラーゼに連動している壁細胞上の受容体に結合する．ソマトスタチンが受容体に結合すると，G_iが活性化，アデニル酸シクラーゼが

阻害されて，cAMPレベルが低下する．このようにして，ソマトスタチンはヒスタミンのH^+分泌刺激効果に拮抗する．**間接路(indirect pathway)**では，パラクリンの機序によって，ソマトスタチンはECL細胞からのヒスタミン放出，およびG細胞からのガストリン放出の両方を阻害する．これらの間接作用の正味の結果は，ヒスタミンおよびガストリンの刺激作用を低下させることである．ソマトスタチンと同様に，**プロスタグランジン(prostaglandin)**（例えば，プロスタグランジンE_2）も，G_iタンパク質を活性化してアデニル酸シクラーゼを阻害することにより，H^+分泌に対するヒスタミンの刺激作用に拮抗する（図8.18参照）．

消化性潰瘍

胃内容物は非常に酸性であり，消化酵素ペプシンを含むため，有害な影響を及ぼす可能性のある胃内腔の内容物と胃粘膜上皮は直接接触しているようにみえるかもしれない．胃内容物が粘膜上皮細胞を侵食し消化するのを防ぐのは何か．第1に，頸部粘液腺は粘液を分泌するが，この粘液は細胞と胃内腔との間にゲル状の保護バリアを形成する．第2に，胃の上皮細胞はHCO_3^-を分泌するが，これは粘液にとらえられる．H^+が粘液に浸透しても，上皮細胞に達する前にHCO_3^-によって中和される．さらに，ペプシンが粘液に浸透したとしても，比較的アルカリ性の（HCO_3^-濃度の高い）環境で不活化される．プロスタグランジンE_2は胃粘膜関門を維持してHCO_3^-分泌を刺激し，粘膜の血流を増加させることで，H^+およびペプシンの有害な作用から胃粘膜を保護する．

消化性潰瘍(peptic ulcer disease)は，胃または十二指腸粘膜の潰瘍性病変である．潰瘍形成は，（通常，粘液およびHCO_3^-の層によって保護されている）粘膜上のH^+およびペプシンの腐食作用および消化作用によって引き起こされる．したがって，消化性潰瘍が形成されるためには，粘膜を保護するバリアの喪失，H^+およびペプシンの分泌過剰，または，これら2つの組み合わせが存在しなければならない．言い換えれば，消化性潰瘍は，胃十二指腸粘膜を保護する因子と障害する

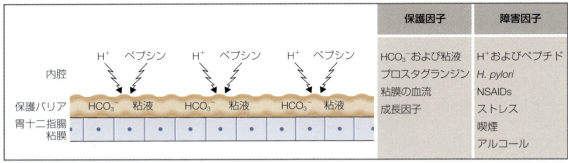

図 8.20 胃十二指腸の粘膜における保護因子と障害因子のバランス.
H. pylori：ヘリコバクター・ピロリ菌，NSAIDs：非ステロイド性抗炎症薬.

表 8.4 胃の H^+ の障害.

疾患	H^+ 分泌	ガストリン濃度	コメント
胃潰瘍	↓	↑（H^+ 分泌が減少するため）	胃粘膜の保護バリアを障害する
十二指腸潰瘍	↑	↑（食物摂取に対するガストリンの反応）	ガストリン高値のため壁細胞量が増加する
Zollinger-Ellison 症候群	↑↑	↑↑	ガストリンが膵腫瘍によって分泌される 栄養作用のあるガストリン高値のため壁細胞量が増加する

因子との間の不均衡によって引き起こされる（図 8.20）．粘液と HCO_3^- に加え，プロスタグランジン，粘膜の血流，成長因子が**保護因子（protective factor）**となる．H^+，ペプシンの他，*Helicobacter Pylori*（ヘリコバクター・ピロリ，ピロリ菌）感染症，非ステロイド性抗炎症薬（NSAIDs），ストレス，喫煙，アルコール摂取が**障害因子（damaging factor）**になる．消化性潰瘍は，生じた場所に応じて胃または十二指腸潰瘍のいずれかに分類される．**胃潰瘍（gastric ulcer）**，**十二指腸潰瘍（duodenal ulcer）**，Zollinger-Ellison 症候群の特徴を表 8.4 に要約する．

- **胃潰瘍**は，主に胃粘膜関門が欠損するため，H^+ とペプシンにより粘膜の一部が消化されてしま

うことにより生じる．胃潰瘍における主要な原因となる因子は，**グラム陰性細菌であるピロリ菌**である．これは胃潰瘍の発生において，かなり直接的な原因となる．ピロリ菌は胃粘膜（しばしば幽門洞）にコロニーをつくり，胃の上皮細胞に定着し，粘膜を保護している胃粘膜関門およびその下にある細胞を破壊する細胞毒素（例えば CagA 毒素）を放出する．ピロリ菌には，尿素を NH_3 に変換する酵素である**ウレアーゼ（urease）**が含まれているため，胃粘液に定着することができる．生成された NH_3 は局所の環境をアルカリ化し，周りがすべて酸性になっている胃内腔で生き延びることを可能にする．局所の環境での居住が可能になるため，バクテリアは押し流される代わりに胃の上皮に定着する．他の障害因子として，NH_3 と平衡状態にある NH_4^+ がある．ピロリ菌の**検査**は，そのウレアーゼ活性を用いて行われる．この検査では患者は ^{13}C 尿素を含む溶液を飲むが，これが胃の中で $^{13}CO_2$ と NH_3 に変換される．$^{13}CO_2$ は血液に吸収され，肺によって呼気の中に吐き出されるため，呼気検査で測定される．驚くべきことに，胃潰瘍の人では分泌された H^+ の一部が損傷した粘膜に漏れ出ていくため，正味の H^+ 分泌速度は正常よりも低くなる．胃潰瘍では，正味の H^+ 分泌の減少の結果としてガストリンの分泌速度が増加する（ガストリン分泌は H^+ によって阻害されることを思い出すこと）．

- **十二指腸潰瘍**．十二指腸潰瘍は胃潰瘍よりもよ

くみられ，H^+分泌速度が正常より速いために起こる．過剰なH^+が十二指腸に送られると，膵液中のHCO_3^-の緩衝能を超えてしまう．ペプシンとともに作用することにより，この過剰なH^+が十二指腸粘膜を消化して損傷する．ピロリ菌感染もまた十二指腸潰瘍を引き起こすが，その役割は間接的なものである（細菌が**胃粘膜にコロニーをつくると，どのようにして十二指腸**潰瘍を引き起こすのか）：(1)前述したように，ピロリ菌は胃粘液にコロニーを形成する．コロニーが形成されると生じる結果の1つは，幽門洞のD細胞からの**ソマトスタチン分泌を阻害**することである．ソマトスタチンは通常G細胞からのガストリンの分泌を阻害するので，"阻害の阻害"はガストリン分泌を増加させ，胃の壁細胞によるH^+分泌の増加をもたらす．このようにして十二指腸に送られるH^+の量が増加する．(2)胃のピロリ菌感染が十二指腸に広がり，十二指腸のHCO_3^-**分泌を阻害**する．通常，十二指腸のHCO_3^-は胃から供給されるH^+負荷を中和するのに十分である．しかしこの場合，過剰なH^+が十二指腸に送られるだけでなく，それを中和するのに十分なHCO_3^-が分泌されない．要約すると，十二指腸におけるH^+の中和が不十分となるため，十二指腸の内容物が異常に酸性になり，十二指腸粘膜にH^+およびペプシンの腐食作用が加わる．十二指腸潰瘍の患者では，ガストリンの基礎分泌が正常でも，食事に反応して分泌されるガストリンの量は増加する．増加したガストリンレベルはまた，胃に対して栄養作用を及ぼし，壁細胞の量を増加させる．

- **Zollinger-Ellison 症候群**（ガストリノーマ）．H^+分泌速度が最も速くなる状態は，腫瘍（通常は膵島細胞腫またはガストリノーマ）が大量のガストリンを分泌する Zollinger-Ellison 症候群の際にみられる．ガストリンが高レベルになると，2つの直接的な効果が生じる．壁細胞によるH^+分泌の増加，および壁細胞の増加である．過剰なH^+が十二指腸に放出されると，膵液中のHCO_3^-の緩衝能力を圧倒するため，粘膜を侵食し**潰瘍**（ulcer）が生じる．十二指腸の pH

が低いと脂肪消化に必要な膵リパーゼが不活性化されるため，十二指腸へ送られるH^+の量が増加すると，**脂肪便**が引き起こされる．腫瘍によるガストリン分泌は，（G細胞による生理的なガストリン分泌のように）H^+濃度によって**フィードバック制御されない**ので，減弱することなく分泌され続ける．Zollinger-Ellison 症候群の治療には，**シメチジンおよびオメプラゾール**などのH^+分泌の阻害薬の投与，および腫瘍の外科的除去がある．

■ ペプシノーゲンの分泌

ペプシンの不活性な前駆体であるペプシノーゲンは，主細胞および酸分泌腺の粘液細胞によって分泌される．胃内容物の pH が壁細胞からのH^+分泌によって低下すると，ペプシノーゲンはペプシンに変換され，タンパク質消化の過程が開始される．H^+分泌の頭相と胃相において，**迷走神経刺激**（vagal stimulation）はペプシノーゲン分泌のための最も重要な刺激である．H^+は局所反射も誘発し，主細胞がペプシノーゲンを分泌するように刺激する．これらの補助的な反射は，胃の pH がペプシノーゲンをペプシンに変換するのに十分低い場合にのみ，ペプシノーゲンが分泌されるようにしている．

■ 内因子の分泌

内因子であるムコタンパク質は，壁細胞のもう1つの分泌産物である．回腸におけるビタミンB_{12}の吸収には内因子が必要であり，これが欠乏すると**悪性貧血**（pernicious anemia）が起きる．内因子は，胃が産生する唯一の必須の分泌物の成分である．したがって胃切除の後，患者が内因子の喪失によってビタミンB_{12}の吸収不良を起こさないようにするために，ビタミンB_{12}の注射を受けなければならない．

膵臓の分泌

外分泌性の膵臓は，1日あたり約1Lの液体を十二指腸の管腔内に分泌する．この分泌物は，HCO_3^-濃度が高い水性の成分と酵素性の成分とからなる．HCO_3^-を含有する水性の成分は，胃か

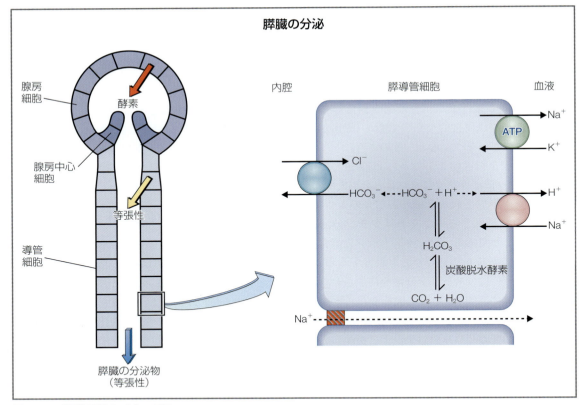

図 8.21　膵臓分泌のメカニズム．
酵素成分は腺房細胞によって産生され，水性成分は腺房中心細胞および導管細胞によって産生される．ATP：アデノシン三リン酸．

ら十二指腸に運ばれる H^+ を中和する機能を果たす．**酵素成分(enzymatic portion)** は，炭水化物，タンパク質，および脂質を吸収可能な分子に消化するように機能する．

■ 膵外分泌腺の構造

　膵外分泌腺は，膵臓の約 90% を占めている．残りの膵臓組織は，内分泌性の膵臓(2%)，血管，および間質液である(膵内分泌については第9章で述べる)．

　膵外分泌腺は，唾液腺とほぼ同じような構成をなしている．ブドウの房に似ているが，それぞれのブドウが単一の腺房に相当する(図 8.21)．枝分かれした導管系の盲端である**腺房**には，膵臓分泌の酵素成分を分泌する**腺房細胞**が並んでいる．**導管の周囲**には**導管細胞**が並んでいる．導管上皮細胞は，腺房の**腺房中心細胞(centroacinar cell)** の特別な領域に向かって伸びている．腺房中心細胞および導管細胞は，膵臓の分泌物のうち，HCO_3^- を含有する水性の成分を分泌する．

　副交感神経系と交感神経系の両方によって，膵外分泌は支配されている．交感神経の支配は，腹腔神経叢および上腸間膜動脈神経叢の節後神経から来る．副交感神経の支配は，迷走神経から来ている．副交感神経節前線維は腸神経系においてシナプスを形成し，節後線維は膵外分泌腺にシナプス結合をする．**副交感神経**の活動は膵臓分泌を刺激し，**交感神経**の活動は膵臓分泌を抑制する(副交感神経活動と交感神経活動の両方が刺激となる唾液腺と対比すること)．

■ 膵臓分泌液の成分

　膵臓分泌液の酵素性および水性の成分は，別々のメカニズムにより産生される．酵素は腺房細胞

表8.5 消化酵素の分泌部位.

栄養素のグループ	唾液	胃	膵臓	腸管粘膜
炭水化物	アミラーゼ	—	アミラーゼ	スクラーゼ マルターゼ ラクターゼ トレハラーゼ α-デキストリナーゼ
タンパク質	—	ペプシン	トリプシン キモトリプシン カルボキシペプチダーゼ エラスターゼ	アミノ-オリゴペプチダーゼ ジペプチダーゼ エンテロキナーゼ
脂質	舌リパーゼ	—	リパーゼ-コリパーゼ ホスホリパーゼA_2 コレステロールエステル加 　水分解酵素	—

によって分泌されるが，水性成分は腺房中心細胞により分泌され，次いで導管細胞によって修飾を受ける.

膵臓分泌は以下のステップで行われ，**図8.21**で説明している.

1. **膵臓分泌の酵素成分（腺房細胞）**. 炭水化物，タンパク質および脂質の消化に必要な酵素のほとんどは，膵臓によって分泌される（**表8.5**）. **膵アミラーゼ（pancreatic amylase）**および**膵リパーゼ**は，活性型の酵素として分泌される. **膵タンパク質分解酵素（pancreatic protease）**は不活性型として分泌され，十二指腸内腔で活性型に変換される. 例えば，膵臓はトリプシノーゲンを分泌するが，トリプシノーゲンは小腸管腔内でその活性型である**トリプシン（trypsin）**に変換される. 膵酵素の機能については，後に栄養素の消化に関する項で述べる.

膵酵素は，腺房細胞の**粗面小胞体（rough endoplasmic reticulum）**上で合成される. 次いでGolgi（ゴルジ）複合体に移され，その後，濃縮空胞に移され，そこでチモーゲン顆粒に濃縮される. 酵素は分泌刺激（例えば，副交感神経活動またはCCK）がくるまで，チモーゲン顆粒中に貯蔵される. 腺房細胞が刺激されると，顆粒は細胞骨格のネットワークにより頂端膜に移動し，顆粒は原形質膜と融合して，顆粒の内容物は腺房内腔に放出される.

2. **膵臓分泌物（腺房中心細胞および導管細胞）の水性成分**. 膵液は，Na^+，Cl^-，K^+，および

HCO_3^-（酵素に加えて）を含む等張液である. Na^+とK^+の濃度は血漿中の濃度と同じであるが，Cl^-およびHCO_3^-の濃度は膵臓の流速によって変動する.

腺房中心細胞および導管細胞は**等張性**で，Na^+，K^+，Cl^-，HCO_3^-を含む初期の水性分泌物を産生する. 次に，この初期の分泌物は，導管上皮細胞における輸送プロセスによって以下のような修飾を受ける. 導管細胞の頂端膜には$Cl^- - HCO_3^-$交換輸送体があり，基底側膜には$Na^+ - K^+$ ATPaseおよび$Na^+ - H^+$交換輸送体がある. 炭酸脱水酵素の存在下で，CO_2とH_2Oが細胞内で結合してH_2CO_3を生成する. H_2CO_3はH^+とHCO_3^-に解離する. HCO_3^-は頂端膜の$Cl^- - HCO_3^-$交換輸送体によって膵液に分泌される. H^+は基底側膜の$Na^+ - H^+$交換輸送体によって血液中に移送される. これらの輸送過程の正味の結果は，つまり効果の総和は，HCO_3^-の膵管内液への分泌およびH^+の正味の吸収である. H^+の吸収は膵の静脈血の酸性化をもたらす.

■ 膵液の流速がその組成に及ぼす影響

膵液流量が変化しても，膵液中のNa^+およびK^+濃度は一定の値に保たれるが，HCO_3^-およびCl^-の濃度は変化する（**図8.22**）（唾液組成と唾液流量の関係はこれと似ているが，同じではないことを思い出してほしい）. 膵液ではCl^-濃度とHCO_3^-濃度との間には相反する関係があるが，これはCl^-とHCO_3^-の濃度が，導管細胞の頂端側の

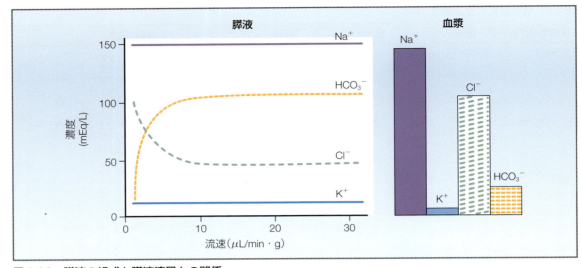

図8.22 膵液の組成と膵液流量との関係.
膵液のイオン組成を血漿のイオン組成と比較して示す.

細胞膜にあるCl^--HCO_3^-交換輸送体によって維持されていることによる（図8.21参照）. 膵液流量（1 gあたり30 μL/minを超える）が最も高い場合に, 膵液のHCO_3^-濃度が最も高く（血漿HCO_3^-よりもはるかに高く）, Cl^-濃度が最も低い. 最も流速が低い場合にHCO_3^-が最も低く, Cl^-が最も高くなる.

流速とCl^-, HCO_3^-の相対濃度との間の関係は, 以下のように説明される. 膵臓の分泌速度が低い（基礎分泌）状態では, 膵臓細胞からNa^+, Cl^-とH_2Oを主成分とする等張性溶液が分泌される. しかしながら,（例えば, セクレチンによって）腺房中心細胞および導管細胞が刺激されると, 主にNa^+, HCO_3^-とH_2Oからなる, 異なる組成をもつ等張性溶液がより多く分泌されるようになる.

■ 膵臓分泌の調節

膵臓分泌には2つの機能がある：(1)炭水化物, タンパク質, および脂質の消化に必要な酵素を分泌すること. 膵臓分泌の酵素成分は, これらの消化機能を果たす.(2)胃から十二指腸に送られたびん中のH^+を中和すること. 膵臓の分泌物の水性の成分は, 中和の役割を果たすHCO_3^-を含んでいる. したがって, 酵素の成分と水性の成分が別々に調節されていることは理にかなっている.

水性の分泌は十二指腸にH^+が到達することによって刺激され, 酵素成分の分泌は消化産物（低分子ペプチド, アミノ酸, 脂肪酸）によって刺激される.

胃液分泌と同様, 膵臓からの分泌も, 頭相, 胃相, 腸相に分けられる. 膵臓では, 頭相と胃相は腸相ほど重要ではない. 簡単にいえば, **頭相**は嗅覚, 味覚, および各種の条件づけによって開始され, 迷走神経により媒介される. 頭相では主に酵素成分が分泌される. **胃相**は胃壁の伸展によって開始され, 迷走神経によっても媒介される. 胃相では, 主に酵素性の分泌物が産生される.

腸相が最も重要な段階であり, 膵臓分泌の約**80%**を占める. 腸相では, 酵素性および水性の分泌物両方の分泌が刺激される. 腸相における腺房細胞と導管細胞のホルモンおよび神経調節機構を図8.23に示す.

● 膵臓の**腺房細胞**(酵素分泌)は, CCK(CCK_1受容体)の受容体およびAChのムスカリン受容体をもっている. 腸相の間, **CCK**は酵素分泌を最も強く刺激する. I細胞は, 小腸腔内のアミノ酸, 低分子ペプチド, および脂肪酸の存在によって刺激され, CCKを分泌する. CCK分泌を刺激するアミノ酸のうち, フェニルアラニン, メチオニン, トリプトファンが最も強力なものであ

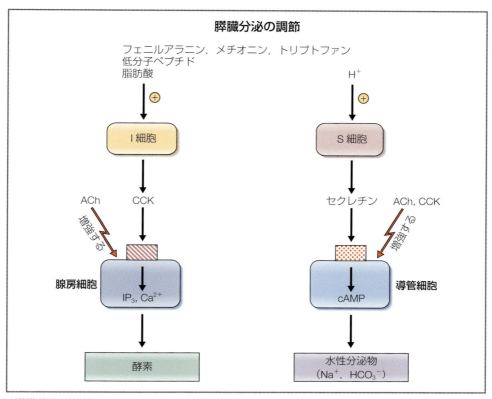

図 8.23 膵臓分泌の調節.
ACh：アセチルコリン, cAMP：環状アデノシン一リン酸, CCK：コレシストキニン, IP₃：イノシトール 1,4,5-トリスリン酸.

る．さらに ACh も酵素分泌を刺激し，迷走神経反射による CCK の作用を増強する．

- **導管細胞（Na⁺，HCO₃⁻，および H₂O を含む水性分泌）**．導管細胞は，CCK，ACh，およびセクレチンの受容体を有する．十二指腸の S 細胞によって分泌される**セクレチン**は，HCO₃⁻に富む水性分泌の刺激として主要な物質である．セクレチンは，胃から酸性のび粥がやってきたという合図になる．小腸の内腔の H⁺ 上昇に反応して分泌される．膵リパーゼが確実に活性化されるためには（膵リパーゼは低 pH で不活性化されるため），酸性のび粥が HCO₃⁻を含む膵液によって迅速に中和されることが必要である．セクレチンの効果は，CCK および ACh の両方によって増強される．
- **遠位の小腸における脂肪の存在**は，消化の腸相が終了したという合図になり，膵臓分泌を抑制する．この抑制を媒介するのは，回腸の内分泌細胞によって分泌されるペプチド YY およびソマトスタチンである．

胆汁の分泌

胆汁は，小腸における**脂質の消化および吸収**に必要である．炭水化物やタンパク質と比較して，脂質は水に不溶性であるため，消化吸収に特有な問題が生じる．**胆汁酸塩（bile salt），胆汁色素（bile pigment）**，およびコレステロールの混合物である胆汁は，この不溶性の問題を解決する．胆汁は，肝臓によって産生・分泌され，胆嚢に貯蔵され，胆嚢が収縮するように刺激されると，小腸の管腔に放出される．腸の内腔では，胆汁酸塩が脂質を乳化して消化しやすくし，脂質消化産物を**ミセル（micelle）**とよばれるパケット（packet）（集合体）に可溶化する．

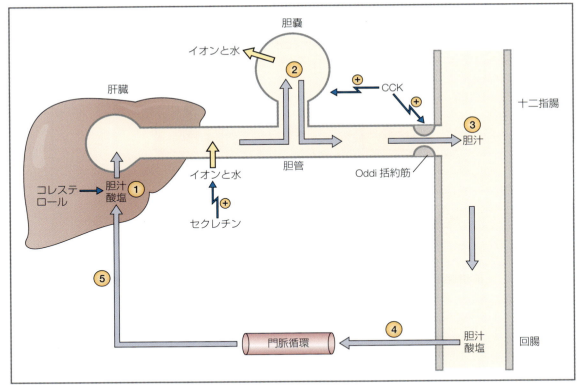

図 8.24　胆汁酸塩の分泌および腸肝循環.
水色の矢印は胆汁が流れる経路を示し，黄色の矢印はイオンと水の動きを示す．CCK：コレシストキニン.

■ 胆道系の概要

　胆道系の構成成分には，図 8.24 に示すように，肝臓，胆嚢，胆管，十二指腸，回腸，門脈循環がある．この項では胆道系の概要を説明し，後の項で詳細な**胆汁分泌（bile secretion）**のステップについて述べる．

　肝臓の肝細胞は，胆汁の成分を持続的に合成し，分泌している（ステップ 1）．胆汁の成分には，**胆汁酸塩**，コレステロール，リン脂質，胆汁色素，イオン，水がある．胆汁は，胆管を通って肝臓から流出して胆嚢に入り，そこで貯蔵される（ステップ 2）．胆嚢では水とイオンが吸収され，胆汁酸塩を濃縮する．

　び粥が小腸に達すると，**CCK** が分泌される．CCK は，胆管系の別個の，しかし協調する 2 つの作用をもっている．CCK は胆嚢の収縮および Oddi 括約筋の弛緩の刺激となり，貯蔵された胆汁を胆嚢から十二指腸の管腔内に流入させる（ステップ 3）．小腸では，胆汁酸塩が食物の脂質を乳化し，可溶化する．

　脂質の吸収が完了すると，胆汁酸塩は**腸肝循環（enterohepatic circulation）**を介して肝臓に再循環される（ステップ 4）．腸肝循環に関連するステップには，回腸から門脈循環への胆汁酸塩の吸収，肝への輸送，肝細胞による門脈血からの胆汁酸塩の抽出がある（ステップ 5）．胆汁酸塩が肝臓へ再循環されるので，新しい胆汁酸塩を合成する必要性は少なくてすむ．肝臓は，糞便中に排泄されるわずかな割合の胆汁酸塩プールの分を補充するだけでよい．

■ 胆汁の組成

　前述のように，胆汁は肝細胞によって持続的に分泌されている．胆汁の有機成分は，胆汁酸塩（50％），ビリルビン（2％）などの胆汁色素，コレステロール（4％），リン脂質（40％）である．胆汁は，胆管を覆っている肝細胞によって分泌される

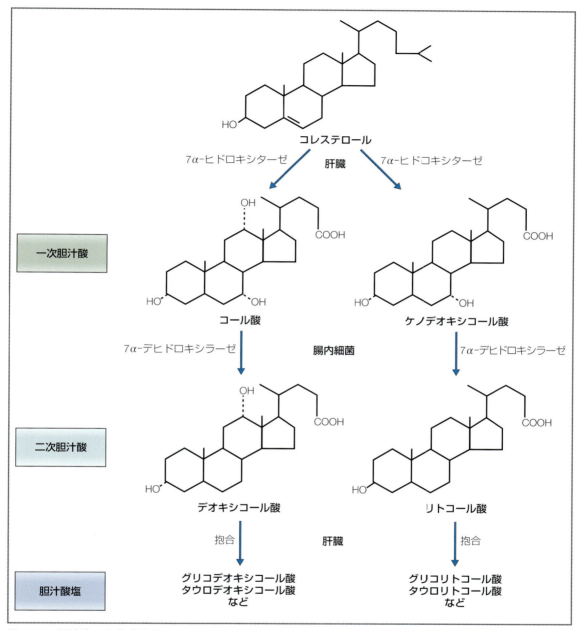

図 8.25 胆汁酸の生合成経路.
肝臓は，一次胆汁酸および二次胆汁酸をグリシンまたはタウリンと一緒に抱合し，それぞれの胆汁酸塩に変換する．結果として生じた胆汁酸塩は，胆汁酸および抱合するアミノ酸の名前をとって命名される（例えば，グリコデオキシコール酸はグリシンと抱合されたデオキシコール酸である）.

電解質および水も含んでいる.
- **胆汁酸塩**（胆汁酸を含む）は，胆汁の有機成分の50％を占める．胆汁酸塩プールは全体で約2.5 g であり，肝臓，胆管，胆囊および腸の胆汁酸塩を含む．図 8.25 に示すように，肝細胞はコレステロールから 2 つの**一次胆汁酸**（primary bile acid），すなわちコール酸およびケノデオキシコール酸を合成する．これらの一次胆汁酸が腸管の内腔に分泌されると，それぞれの一部が腸内細菌によって C-7 で脱ヒドロキ

シル化されて2つの**二次胆汁酸**(secondary bile acid)，すなわちデオキシコール酸およびリトコール酸を生成する．したがって，全部で4つの胆汁酸が次の相対的な量で存在する：コール酸＞ケノデオキシコール酸＞デオキシコール酸＞リトコール酸．

肝臓は，胆汁酸とアミノ酸グリシンまたはタウリンとを結合させて**胆汁酸塩**を形成する．その結果として，親胆汁酸および抱合アミノ酸(例えば，グリココール酸，タウロコール酸)のそれぞれに命名された合計8つの胆汁酸塩が存在する．この抱合過程は，胆汁酸のpKを変化させ，それらを**より水に溶けやすくする**．これは次のように説明される：十二指腸の内容物のpHは3～5の範囲である．胆汁酸のpKは約7である．大部分の胆汁酸は水に不溶性で解離していないHAの形をとっている．一方，胆汁酸塩のpKは1～4の範囲である．したがって十二指腸のpHでは，大部分の胆汁酸塩はイオン化したA⁻の形になっており，水に可溶性である．この説明から，胆汁酸よりも胆汁酸塩のほうが十二指腸の水性内容物への溶解度が高いということになる(pHとpKについては**第7章**を参照)．

胆汁酸塩の重要な特性は**両親媒性**(amphipathic)を示す(水にも油にも溶けやすい)ことであり，これは分子が親水性(水溶性)および疎水性(脂質-可溶性)部分の両方を有することを意味する．親水性の負に帯電した基が疎水性のステロイドの核から外側に向いて突出しており，油相と水相の界面では，胆汁酸塩分子の親水性部分が水相に溶解し，疎水性部分が油相に溶解する．

それらの両親媒性特性に依存する胆汁酸塩の役割は，食物の脂質を可溶化することである．胆汁酸塩がなければ，脂質は腸管内の水溶液に不溶性であり，消化および吸収されにくい．これに関して，胆汁酸塩の第1の役割は，食物の脂質を**乳化**(emulsify)させることである．負に荷電した胆汁酸塩は脂質を取り囲み，腸管腔内に小さな脂質小滴を生成する．胆汁酸塩の陰電荷は互いに反発するため，液滴は合体するのではなく分散して存在するようになり，消化酵素の表面積が増加する(乳化がなければ，食物の脂質は融合して大きな

"塊"になってしまい，消化のための表面積が相対的に小さくなってしまう)．胆汁酸塩の第2の役割は，モノグリセリド，リゾレシチン，および脂肪酸を含む脂質消化産物と**ミセル**を形成することである．ミセルの核はこれらの脂質の産物を含み，ミセルの表面は胆汁酸塩で覆われている．胆汁酸塩分子の疎水性部分は，ミセルの脂質の核になじみ，親水性部分は，腸管内の水溶液になじむ．このようにして，疎水性の脂質消化産物は，そうでなければ"友好的でない"水性の環境に溶解する．二次胆汁酸塩よりも多くのヒドロキシ基を有する一次胆汁酸塩は，より効果的に脂質を可溶化する．

- **リン脂質**(phospholipid)および**コレステロール**(cholesterol)も肝細胞によって胆汁に分泌され，脂質消化産物とともにミセルに含まれる．胆汁酸塩と同様，リン脂質は両親媒性であり，胆汁酸塩と協調してミセルを形成する．リン脂質の疎水性部分はミセルの内側に向き，親水性部分は腸管内の水溶液に溶解する．

- **ビリルビン**(bilirubin)は，黄色のヘモグロビン代謝の副産物であり，主要な**胆汁色素**である．細網内皮系(reticuloendothelial system：RES)の細胞はヘモグロビンを分解しビリルビンを生成するが，ビリルビンはアルブミンに結合して血液中で運ばれる．肝臓は血液からビリルビンを抽出し，それをグルクロン酸と抱合して，**ビリルビングルクロニド**(bilirubin glucuronide)を形成する．これは胆汁に分泌され，胆汁の黄色の原因となる．ビリルビングルクロニド，すなわち抱合されたビリルビンは，胆汁の成分として腸管内に分泌される．腸管内腔では，ビリルビングルクロニドはビリルビンに変換されて戻り，次いでビリルビンは腸内細菌の作用によって**ウロビリノーゲン**(urobilinogen)に変換される．ウロビリノーゲンの一部は肝臓に再循環され，一部は尿中へ排泄され，一部は酸化されて，便にその暗い色を与えている化合物である**ウロビリン**(urobilin)と**ステルコビリン**(stercobilin)となる．

- 胆管を覆う上皮細胞によって，**イオンおよび水**が胆汁中に分泌される．分泌のメカニズムは，

膵管細胞と同じである．セクレチンは，膵管における作用と同様に，胆管によるイオンおよび水の分泌を刺激する．

■ 胆嚢の機能

胆嚢は次の3つの機能を果たす：胆汁を貯蔵し，胆汁を濃縮し，刺激されて収縮すると胆汁を小腸の内腔に放出する．

● 胆嚢の充填

前述のように，肝細胞および導管細胞は胆汁を持続的に産生する．胆汁は肝臓で産生されると，胆管を通って胆嚢に流れ込み，後で放出するために貯蔵される．食間期には，胆嚢は弛緩しており，Oddi 括約筋は閉鎖しているため，胆嚢は胆汁で満たされている．

● 胆汁の濃縮

胆嚢の上皮細胞は，腎臓の近位尿細管における等浸透圧性の再吸収プロセスと同じように，イオンおよび水を吸収する．胆汁の有機成分は吸収されないので，等浸透圧の水溶液が除去されるとともに濃縮される．

● 胆汁の排出

胆嚢からの胆汁の排出は，食事を摂取してから 30 分以内に開始される．胆汁放出の主な刺激となるのは，I 細胞により分泌される CCK であり，CCK はアミノ酸，低分子ペプチド，脂肪酸に応答して分泌される．CCK は，胆嚢からの胆汁の放出をもたらす次の2つの作用を同時に有する：(1) 胆嚢の収縮．(2) Oddi 括約筋の弛緩（十二指腸への出口のところにある胆管の平滑筋の肥厚した部分）．胆汁は律動的に噴出され，一定した流れで放出されるわけではない．このパルス状の放出パターンは，十二指腸の律動性の収縮によって引き起こされる．十二指腸が弛緩し，十二指腸の圧力が低くなると，胆汁が排出される．十二指腸が収縮して十二指腸圧が高くなると，この高い圧力に抗することができず胆汁が排出されなくなる．

■ 胆汁酸塩の腸肝循環

通常，分泌された胆汁酸塩の大部分は，糞便中に排泄されるのではなく，腸肝循環（腸と肝臓との間の循環を意味する）を通じて肝臓に戻っていく．腸肝循環にかかわるステップは以下の通りである（図 8.24 参照）．

1. 回腸 (ileum) では，胆汁酸塩は Na^+−胆汁酸塩共輸送体によって腸管内腔から門脈に輸送される（ステップ 4，図 8.24 参照）．重要なことは，この再循環のステップは小腸（回腸）の末端に位置するため，胆汁酸塩は小腸の全長にわたって高濃度で存在し，脂質の消化および吸収を最大化できることである．

2. 門脈血は胆汁酸塩を肝臓に運ぶ（ステップ 5，図 8.24 参照）．

3. 肝臓は門脈血液から胆汁酸塩を抽出し，それらを肝臓の胆汁酸塩／胆汁酸プールに加える．したがって肝臓は再循環されない（すなわち，糞便中に排泄される）ごく一部の胆汁酸塩を合成して補充しなければならない．（総胆汁酸塩プール 2.5 g のうち）糞便への喪失は 1 日約 600 mg である．肝臓では，胆汁酸合成が胆汁酸塩による負のフィードバック制御下にあるため，新しく胆汁酸を毎日どれくらい合成しなければいけないかを“知っている”．生合成経路の律速酵素である**コレステロール 7α-ヒドロキシラーゼ** (cholesterol 7α-hydroxylase) は，胆汁酸塩によって阻害される．より多量の胆汁酸塩が肝臓に再循環されると，合成の必要性が減少し，この酵素は阻害される．少量の胆汁酸塩が再循環されると，合成の必要性が上がり，酵素が刺激される．肝臓への胆汁酸塩の再循環もまた胆汁分泌を刺激するが，これは**利胆作用** (choleretic effect) とよばれる．

　回腸切除術 (ileal resection) を受けた人では，肝臓への胆汁酸塩の再循環が阻害され，大量の胆汁酸塩が糞便中に排泄される．過度の糞便への喪失のため，胆汁酸塩／胆汁酸プール全体が減少する．それというのも，胆汁酸塩の喪失により新たな胆汁酸の合成が強く刺激されるが，喪失した量には追いつかないからである．胆汁中の胆汁酸塩含量の減少がもたらす1つの結果は，食物の脂質の吸収障害および脂肪便である（Box 8.1）．

426　第8章　消化器系の生理学

Box 8.1　回腸切除

▶ 症例

　36歳の女性は重度のCrohn（クローン）病（腸の慢性炎症性疾患）に起因する穿孔の後，回腸の75%を切除した．術後管理として，毎月のビタミンB$_{12}$の注射が含まれていた．手術後，下痢があり，便に脂肪滴が混じっていることに気づいた．彼女の担当医師は，下痢をコントロールするために薬物コレスチラミンを処方したが，脂肪便が続いている．

▶ 解説

　重度のCrohn病により小腸の穿孔を引き起こし，回腸のほぼ全体の切除，小腸の末端部分の切除が必要になった．回腸を切除した結果には，胆汁酸の肝への再循環が減少すること，内因子-ビタミンB$_{12}$複合体の吸収が減少することなどが含まれる．

　回腸が損なわれていない健常人では，胆汁中に分泌された胆汁酸の95%が，糞便中に排泄されるのではなく腸肝循環を介して肝臓に戻っていく．この再循環は，肝臓において新たに胆汁酸を合成する需要を減少させる．回腸切除術を受けた患者では，分泌された胆汁酸の大部分が糞便中に失われ，新しく胆汁酸を合成する需要が増加する．肝臓は需要に追いつくことができず，総胆汁酸プールの減少が起きる．胆汁酸プールが減少するので，胆汁酸の小腸への分泌が不十分になり，脂質の消化のための乳化，食物脂質の吸収のためのミセル形成の両方が損なわれる．その結果，食物中の脂質は糞便中に排泄され，糞便中に脂肪滴（脂肪便）としてみられる．

　胆汁酸の再吸収と並んで，回腸の重要な働きであるビタミンB$_{12}$吸収機能を，この患者は失ってしまった．正常では，回腸は内因子-ビタミンB$_{12}$複合体の吸収部位である．内因子は胃壁細胞によって分泌され，食餌性ビタミンB$_{12}$と安定な複合体を形成し，その複合体は回腸で吸収される．この患者はビタミンB$_{12}$を吸収することができないので，腸の吸収経路を使わないでも体内への吸収を可能にするため，毎月注射を受けなければならない．

　この女性の下痢は，一部は結腸の管腔内の胆汁酸の濃度が（再循環しなかったために）上昇したことによって引き起こされたと考えられる．胆汁酸は，結腸上皮細胞においてcAMP依存性のCl$^-$分泌を刺激する．Cl$^-$分泌が刺激されると，これに引きずられてNa$^+$および水が腸管内腔に入り，分泌性下痢（時に胆汁酸性の下痢とよばれる）を生じる．

▶ 治療

　胆汁酸性の下痢を治療するために使用される薬物コレスチラミンは，結腸内の胆汁酸に結合する．結合した形態では，胆汁酸はCl$^-$分泌を刺激せず，分泌性下痢も引き起こさない．しかし，女性の脂肪便は続くと思われる．

消化と吸収

　消化と吸収は，消化管の究極的な役割である．

　消化（digestion）とは，摂取した食物を吸収可能な分子へ化学的に分解することである．消化酵素は，唾液，胃液および膵液中に分泌され，小腸上皮細胞の頂端膜上にも存在する．種々の消化酵素の分泌源を表8.5に，消化吸収機能を表8.6に要約している．

　吸収（absorption）は，栄養素，水，電解質が腸管の内腔から血液中に移動することである．吸収には，細胞経路と傍細胞経路の2つの経路がある．細胞経路（cellular path）では，物質は頂端（内腔）膜を通過し，小腸上皮細胞に入り，細胞から基底側膜を越えて血液に押し出される必要があ

る．頂端膜および基底側膜における輸送体が，この吸収プロセスに関与している．傍細胞経路（paracellular path）では，物質は小腸上皮細胞間，腸管細胞の脇にある空間を，タイトジャンクションを通って，血液中へと移動する．

　小腸粘膜の構造は，大量の栄養素を吸収するのに理想的である．絨毛および微絨毛とよばれる構造的特徴は，小腸の表面積を増加させ，栄養素が消化酵素に曝露される面積を最大にして大きな吸収面を作り出す．小腸の表面には，ケルクリングの皺襞（folds of Kerckring）とよばれる縦方向に走る折り目が並んでいる．これらの折り目から指のような絨毛（villi）が突出している．絨毛は十二指腸で最も長く，ここで消化と吸収が最も起こりやすい．回腸末端で最短となる．絨毛の表面は，上皮細胞（epithelial cell）（腸細胞）が主に覆い，

表 8.6　各栄養素の消化と吸収メカニズムのまとめ.

栄養素	消化産物	吸収部位	吸収のメカニズム
炭水化物	グルコース ガラクトース フルクトース	小腸	Na^+-グルコース共輸送 Na^+-ガラクトース共輸送 促進拡散
タンパク質	アミノ酸 ジペプチド トリペプチド	小腸	Na^+-アミノ酸共輸送 H^+-ジペプチド共輸送 H^+-トリペプチド共輸送
脂質	脂肪酸 モノグリセリド コレステロール	小腸	胆汁酸塩は小腸においてミセルを形成する 腸管細胞に脂肪酸，モノグリセリド，およびコレステロールが拡散 細胞内でトリグリセリドやリン脂質に再エステル化 細胞内でキロミクロンを形成し（アポタンパク質を必要とする）リンパに運ばれる
脂溶性ビタミン		小腸	胆汁酸塩や脂質の消化産物とともにミセルを形成 腸管細胞への拡散
水溶性ビタミン ビタミン B_{12}		小腸 回腸	Na^+依存性共輸送 内因子
胆汁酸塩		回腸	Na^+-胆汁酸塩共輸送
Ca^{2+}		小腸	ビタミン D 依存性 Ca^{2+}結合タンパク質
Fe^{2+}	Fe^{3+} は Fe^{2+} に 還元される	小腸	腸管のアポフェリチンと結合 血中のトランスフェリンと結合

粘液分泌細胞（杯細胞）が入り混じっている．上皮細胞の頂端表面は，小さく包み込むような**微絨毛（microvilli）**とよばれる包皮によってさらに拡張されている．この微絨毛表面は，光学顕微鏡下で外観が刷毛のようにみえるので，**刷子縁（brush border）**とよばれる．ケルクリングの皺襞，絨毛，および微絨毛をあわせると，合計の表面積が 600 倍にも増える．

　小腸の上皮細胞は，体内のあらゆる細胞のなかでも最も高い代謝回転速度を有する細胞の 1 つで，3〜6 日ごとに入れ替わる．腸管の粘膜細胞は回転率が高いため，放射線照射および化学療法の影響を特に受けやすい．

炭水化物

　炭水化物は，米国の典型的な食事の約 50％を占める．摂取される炭水化物は，多糖類，**二糖類（disaccharide）**（スクロース，ラクトース，マルトース，トレハロース），および少量の単糖類（グルコース，フルクトース，ガラクトース）である．

■ 炭水化物の消化

　単糖類のみが小腸上皮細胞に吸収される．した

がって，すべての摂取された炭水化物が吸収されるためには，これをグルコース，ガラクトース，またはフルクトースなどの単糖類に消化する必要がある．炭水化物の消化経路を**図 8.26** に示す．デンプンはまず二糖類に消化され，次いで二糖類は単糖類に消化される．

　デンプン（starch）の消化はα-**アミラーゼ（α-amylase）**により始まる．唾液アミラーゼは口腔中でデンプン消化のプロセスを開始する．しかし，α-アミラーゼは pH の低い胃内容物によって不活性化されるので，全体としては大きな役割は果たさない．膵アミラーゼはデンプンの中の 1,4-グリコシド結合を消化し，3 つのオリゴ糖，すなわちα-限界デキストリン，マルトース，マルトトリオースにする．これらは，腸の刷子縁の酵素，α-**デキストリナーゼ（α-dextrinase）**，**マルターゼ（maltase）**，**スクラーゼ（sucrase）**によってさらに単糖類に消化される．これらの最終的なおのおのの消化段階の産物はグルコースである．単糖類であるグルコースは，上皮細胞が吸収することができる．

　食品中にある 3 つの**二糖類**は，トレハロース，ラクトース，およびスクロースである．それらは

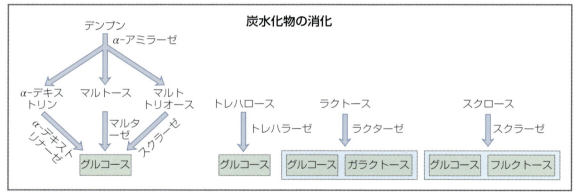

図 8.26　小腸における炭水化物の消化.

すでに二糖類の形態であるため，アミラーゼによる消化のステップを必要としない．二糖類の各分子は，酵素**トレハラーゼ**(trehalase)，**ラクターゼ**(lactase)，および**スクラーゼ**(sucrase)によって2つの単糖類分子に消化される．したがって，トレハロースはトレハラーゼによって2分子のグルコースに消化され，ラクトースはラクターゼによってグルコースとガラクトースに消化される．スクロースはスクラーゼによりグルコースおよびフルクトースに消化される．

これらをまとめると，炭水化物消化の最終産物は，グルコース，ガラクトース，フルクトースの3つである．それぞれが腸管の上皮細胞によって吸収される．

■ 炭水化物の吸収

小腸上皮細胞による単糖類吸収の機構を図8.27に示す．グルコースおよびガラクトースは，**Na$^+$依存性共輸送**(Na$^+$-dependent cotransport)を含む機構によって吸収される．フルクトースは促進拡散によって吸収される．

グルコース(glucose)と**ガラクトース**(galactose)は，初期近位尿細管にみられるものと同様の二次性能動輸送機構によって頂端膜を介して吸収される．グルコースとガラクトースの両方が，電気化学的勾配に逆らって腸管内腔からNa$^+$-グルコース共輸送体(Na$^+$-glucose cotransporter：SGLT1)を介して小腸上皮細胞内に移動する．このステップに必要なエネルギーは，直接アデノシン三リン酸(ATP)からではなく，頂端膜を隔てたNa$^+$勾配により得られる．もちろんNa$^+$勾配は，基底側膜上のNa$^+$-K$^+$ ATPaseによって作り出され，維持されているものである．グルコースとガラクトースは**グルコース輸送体 GLUT2**(glucose transporter 2)を介した促進拡散により，基底側膜を横切って小腸上皮細胞から血液に押し出される．

フルクトース(fructose)は，グルコースやガラクトースとは異なった処理を受ける．その吸収は，エネルギーを必要とするステップや頂端膜の共輸送を必要としない．むしろ，頂端膜と基底側膜の両方を横切って促進拡散により輸送される．頂端膜では，GLUT5とよばれるフルクトースに特異的な輸送体で運ばれ，基底側膜ではフルクトースはGLUT2によって輸送される．輸送に促進拡散のみが関与するため，フルクトースは(グルコースとガラクトースとは対照的に)電気化学的勾配に逆らって吸収することができない．

■ 炭水化物の消化と吸収の異常

炭水化物の吸収障害の大部分は，摂取した炭水化物が吸収可能な形態(すなわち，単糖類)に分解されないことによる．吸収されない炭水化物(例えば，二糖類)が消化管内腔に残存していると，それらは相当量の水を"保持"することによって腸管の内容物を等浸透圧に保つ．このように小腸内に溶質および水が保持されると，浸透圧性下痢が引き起こされる．

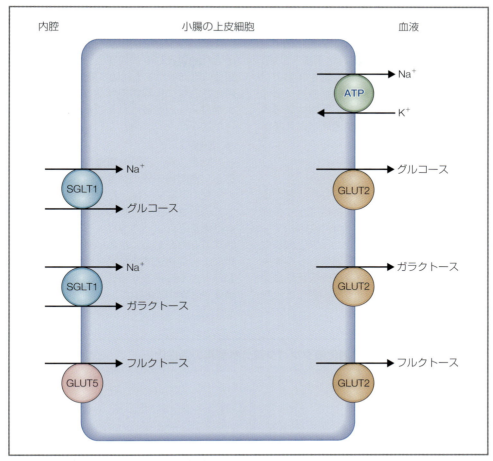

図 8.27　小腸の上皮細胞による単糖類の吸収機構．
ATP：アデノシン三リン酸，GLUT：グルコーストランスポーター，SGLT：Na$^+$-グルコース共輸送体．

乳糖不耐症（lactose intolerance）は，ラクターゼの欠損によって引き起こされ，炭水化物を吸収可能な形に消化できない，よくみられる実例の1つである．この障害では刷子縁のラクターゼが不足または欠乏しており，ラクトース（乳糖）はグルコースとガラクトースに消化されない．ラクトースが牛乳または乳製品として摂取されると，ラクトースは小腸の内腔に消化されないままで残る．ラクトース（二糖類）は吸収されないため，内腔に水分を保持し，**浸透圧性下痢**（osmotic diarrhea）を引き起こす．乳糖不耐症の人は，乳製品の摂取を避けるか，ラクターゼを補った乳製品を摂取する必要がある（Box 8.2）．

タンパク質

食事のタンパク質は，胃と小腸のタンパク質分解酵素によって吸収可能な形態（すなわち，アミノ酸，**ジペプチド**（dipeptide），および**トリペプチド**（tripeptide））に消化され，次いで血液中に吸収される．消化管の分泌物（例えば，膵酵素）に含まれるタンパク質も同様に消化され，吸収される．

■ タンパク質の消化

タンパク質の消化は，ペプシンの作用により胃で始まり，膵臓および刷子縁のタンパク質分解酵素を有する小腸で終わる（図 8.28, 8.29）．タンパク質分解酵素には，ニンドペプチダーゼとエキ

Box 8.2　乳糖不耐症

▶ 症例
18歳の女子大学生が牛乳を飲むと下痢，鼓腸，ガスが出ると医師に訴えた．牛乳を消化するのが難しいといつも思っているという．医師は，この女性に乳糖不耐症があると疑った．医師は2週間の間，乳製品を摂取せず，下痢や過剰なガスが起きないかどうか気をつけるようにといった．この期間，いずれの症状も認めなかった．

▶ 解説
女性にはラクターゼ欠損があり，これは腸の刷子縁の酵素ラクターゼが部分的または完全に欠如するものである．ラクターゼは，食事中のラクトース（牛乳に含まれる二糖類）をグルコースとガラクトースに消化するために不可欠である．ラクターゼが欠損していると，ラクトースを吸収可能な単糖類の形態に消化することができず，消化されないままのラクトースが腸管腔に残り，そこで浸透圧活性物質として作用する．ラクトースは等浸透圧性に水を保持するため，浸透圧性下痢を生じる．消化されない未吸収のラクトースがメタンおよび水素ガスへと発酵されることによって，過剰なガスが生じる．

▶ 治療
みたところ，この欠損はラクターゼに特異的である．他の刷子縁の酵素（例えば，α-デキストリナーゼ，マルターゼ，スクラーゼ，トレハラーゼ）はこの女性は正常である．したがって，乳製品を避けることによってラクトースのみを食事から排除する必要がある．あるいは，ラクトースを単糖類に十分に消化するために，ラクターゼ錠剤を乳製品とともに摂取することもできる．それ以上の検査や治療は必要ない．

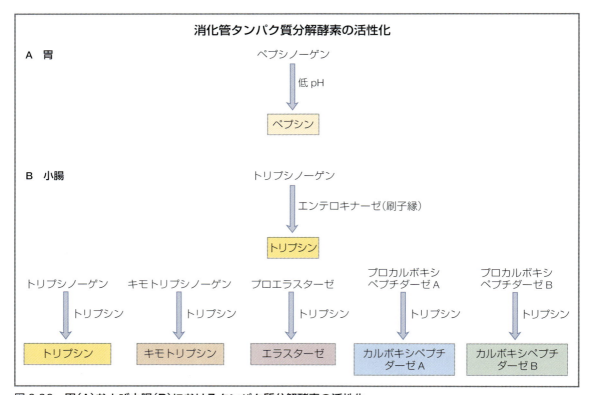

図 8.28　胃（A）および小腸（B）におけるタンパク質分解酵素の活性化．
トリプシンは，自身の活性化を自己触媒したり，他の酵素前駆体の活性化を行う．

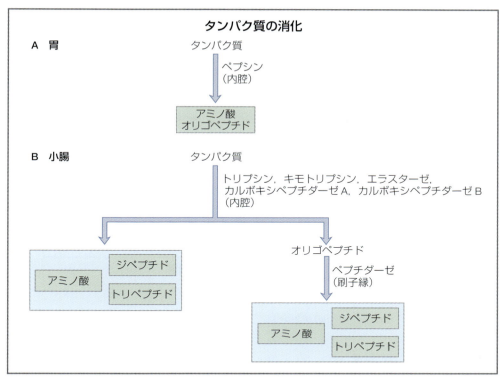

図 8.29 胃(A)および小腸(B)におけるタンパク質の消化.

ソペプチダーゼの 2 つのクラスがある．**エンドペプチダーゼ**(endopeptidase)は，タンパク質の内部のペプチド結合を加水分解する．消化管のエンドペプチダーゼには，ペプシン，トリプシン，キモトリプシン，エラスターゼがある．**エキソペプチダーゼ**(exopeptidase)は，タンパク質およびペプチドの C 末端から一度に 1 つのアミノ酸を加水分解する．消化管のエキソペプチダーゼには，カルボキシペプチダーゼ A および B がある．

　上記のように，タンパク質の消化は**胃**における**ペプシン**の作用から始まる．胃の主細胞は，ペプシンの不活性型前駆体であるペプシノーゲンを分泌する．低い胃 pH では，ペプシノーゲンはペプシンに活性化される．ペプシンには 3 つのアイソザイムがあり，それぞれの至適 pH は 1 〜 3 の間である．pH が 5 より上になるとペプシンは変性し，不活性化される．したがって，ペプシンは低い pH の胃では活性があり，膵臓からの HCO_3^- 分泌物が胃の H^+ を中和して pH を上昇させる十二指腸において，ペプシン活性は消滅する．興味深いことに，ペプシンは正常なタンパク質消化には必須ではない．胃切除の手術を受けた人や，胃で H^+ が分泌されない（そしてペプシンをペプシンに活性化することができない）人でもタンパク質消化および吸収は正常である．これらの実例は，膵臓および刷子縁のタンパク質分解酵素だけで摂取されたタンパク質を十分に消化できることを示している．

　タンパク質の消化は，**小腸**で膵臓および刷子縁のタンパク質分解酵素のあわさった作用で継続する．トリプシノーゲン，キモトリプシノーゲン，プロエラスターゼ，プロカルボキシペプチダーゼ A，およびプロカルボキシペプチダーゼ B（図 8.28 参照）という 5 つの主要な膵タンパク質分解酵素が，不活性型前駆体として分泌される．

　腸におけるタンパク質消化の第 1 段階は，トリプシノーゲンの活性化，すなわち刷子縁の**エンテロキナーゼ**(enterokinase)によるトリプシノーゲンの活性型，**トリプシン**への活性化である．最初に少量のトリプシンが生成され，次いでその触

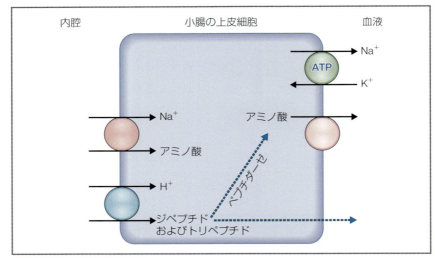

図 8.30　小腸におけるアミノ酸，ジペプチド，トリペプチドの吸収機構.
ATP：アデノシン三リン酸.

媒のもとに，他のすべての不活性型前駆体が活性型酵素に変換される．残りのトリプシノーゲンも，トリプシンによって自己触媒され，さらに多くのトリプシンを生成する．活性化の段階で，トリプシン，キモトリプシン，エラスターゼ，カルボキシペプチダーゼA，カルボキシペプチダーゼBの5つの酵素が活性化される．これらの膵タンパク質分解酵素は，食物のタンパク質を，アミノ酸，ジペプチド，トリペプチド，より大きなペプチドであるオリゴペプチドに加水分解する．アミノ酸，ジペプチド，トリペプチドのみが吸収可能である．オリゴペプチドは，刷子縁のタンパク質分解酵素によってさらに加水分解され，より小さな吸収可能な分子に生成される（図8.29）．最後に，膵タンパク質分解酵素はタンパク質分解酵素自身を消化する．

■ タンパク質の吸収

　前述のように，タンパク質の消化産物には，アミノ酸，ジペプチド，トリペプチドがある．どの形態も，小腸上皮細胞によって吸収されうる．特に，タンパク質と炭水化物の対比に注意することが重要である．炭水化物は単糖類の形でしか吸収されないが，タンパク質はより大きな単位でも吸収される．

　L-アミノ酸（L-amino acid）は，単糖類の吸収機構に類似したメカニズムによって吸収される（図8.30）．アミノ酸はNa$^+$勾配に沿って，頂端膜中のNa$^+$-アミノ酸共輸送体により，腸管内腔から上皮細胞内に輸送される．頂端膜には，4つの個別の共輸送体：中性，酸性，塩基性，イミノアミノ酸の輸送体がそれぞれ1つある．次いで，アミノ酸は促進拡散によって基底側膜を越えて血液に輸送されるが，ここでもやはり中性，酸性，塩基性，イミノアミノ酸にそれぞれ別々の輸送機構がある．

　摂取されたタンパク質のほとんどは，小腸上皮細胞によって遊離アミノ酸としてではなく，**ジペプチド**と**トリペプチド**の形で吸収される．頂端膜におけるNa$^+$-H$^+$交換輸送体（図8.30には示されていない）によって生成されたH$^+$の勾配を利用して，頂端膜内の別個のH$^+$依存性共輸送体により，ジペプチドとトリペプチドが腸管内腔から上皮細胞内に輸送される．いったん上皮細胞内に入ると，大部分のジペプチドとトリペプチドは，細胞質内のペプチダーゼによってアミノ酸に加水分解され，促進拡散によって細胞を出る．残りのジペプチドとトリペプチドは変化を受けないまま吸収される．

■ タンパク質の消化と吸収の障害

　タンパク質の消化や吸収の障害は，膵酵素の欠

損がある場合，または小腸上皮細胞の輸送体に欠陥がある場合に生じる．

慢性膵炎（chronic pancreatitis）および**嚢胞性線維症**（cystic fibrosis）のような外分泌性の膵臓の障害では，タンパク質分解酵素を含む，すべての膵酵素の欠乏がある．食物中のタンパク質は，タンパク質分解酵素によってアミノ酸，ジペプチドおよびトリペプチドに消化されなければ吸収されない．すべての酵素前駆体（トリプシンそれ自体を含む）を活性型にするためにトリプシンが必要となるため，トリプシン単独の欠損の場合も，すべての膵酵素が欠損しているのと同じようにみえてしまう（図 8.28 参照）．

いくつかの疾患は，Na^+-アミノ酸共輸送体の欠陥または欠損によって引き起こされる．**シスチン尿症**（cystinuria）は，二塩基性アミノ酸であるシスチン，リジン，アルギニンおよびオルニチンの輸送体が小腸および腎臓の両方に存在しない遺伝的障害である．この欠損の結果として，これらのアミノ酸はいずれも小腸において吸収されず，または腎臓でも再吸収されない．小腸での障害のため，アミノ酸は吸収されず糞便中に排泄される結果となる．腎臓での障害により，これらの特定のアミノ酸の排泄が増加し，シスチン尿症，すなわち，病名の由来でもある過剰なシスチン排泄が起きる．

脂質

食物の脂質には，トリグリセリド，コレステロール，リン脂質が含まれる．脂質の消化吸収を非常に複雑にする要因は，脂質が水に溶けないこと（疎水性）である．消化管は水溶液で満たされているので，脂質が消化・吸収されるためには，何らかの形で水に溶解する必要がある．したがって，脂質を処理するための機構は，水溶性である炭水化物およびタンパク質より複雑である．

■ 脂質の消化

食物中の脂質の消化は，舌および胃のリパーゼの作用によって胃で始まり，膵酵素である膵リパーゼ，コレステロールエステル加水分解酵素，ホスホリパーゼ A_2 の作用により小腸で完了する

（図 8.31）．

胃

脂質の消化における胃の機能は，食物中の脂質を撹拌して混合し，酵素による消化を開始することである．撹拌作用は，脂質を小滴に分解し，消化酵素と接する表面積を増加させる．胃では，脂質滴が食物のタンパク質によって乳化される（分離される）（小腸の主な乳化剤である胆汁酸は胃内容物には存在しない）．**舌リパーゼ**および**胃リパーゼ**（gastric lipase）は，摂取したトリグリセリドの約 10% を，グリセロールおよび遊離脂肪酸に加水分解することによって脂質の消化を開始する．脂質の消化（および吸収）全体に対して胃が果たしている最も重要な役割の 1 つは，び粥を小腸内にゆっくりと排出し，膵酵素が脂質を消化するのに十分な時間を与えることである．その後の小腸における消化と吸収のステップで非常に重要となる．この**胃内容排出**速度は，**CCK によって遅くなる**．食物中の脂質が最初に小腸に現れると，CCK が分泌される．

小腸

脂質の消化のほとんどは小腸で起こるが，脂質の消化にとっては小腸のほうが胃よりも都合がよい．**胆汁酸塩**は小腸の内腔に分泌される．これらの胆汁酸塩は，リゾレシチンおよび脂質消化産物とともに食物脂質を取り囲み，**乳化**（emulsification）する．乳化により，脂質の小滴が生じ小腸内腔の水溶液に分散して，接する表面積が大きくなるために膵酵素が作用しやすくなる．**膵酵素**（pancreatic enzyme）（膵リパーゼ，コレステロールエステル加水分解酵素，ホスホリパーゼ A_2）と 1 つの特殊タンパク質（コリパーゼ）が小腸に分泌され，消化のプロセスが行われていく（図 8.31）．

- **膵リパーゼ**は活性型の酵素として分泌される．トリグリセリド分子を 1 分子のモノグリセリドと 2 分子の脂肪酸に加水分解する．膵リパーゼの作用で潜在的に問題となる可能性があるのは，胆汁酸塩によって不活性化されることである．胆汁酸塩は，乳化した脂質滴の脂質-水の

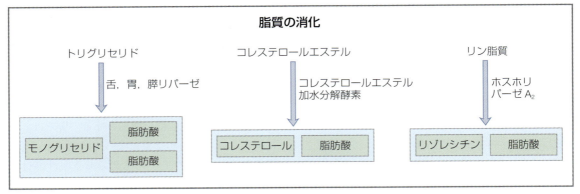

図 8.31　小腸における脂質の消化.

界面で膵リパーゼに置きかわる．この"問題"はコリパーゼ(colipase)によって解決される．コリパーゼは，トリプシンによって腸管内腔で活性化される不活性型のプロコリパーゼとして膵液中に分泌される．次いで，コリパーゼは脂質−水の界面で胆汁酸塩に置きかわり，膵リパーゼと結合する．阻害作用のある胆汁酸塩が取り除かれると，膵リパーゼはその消化機能を発揮することができるようになる．

- コレステロールエステル加水分解酵素(cholesterol ester hydrolase)は活性型の酵素として分泌され，コレステロールエステルを加水分解してコレステロールおよび脂肪酸を遊離させる．それはトリグリセリドのエステル結合も加水分解し，グリセロールを生じる．
- ホスホリパーゼ A_2 (phospholipase A_2)は酵素の前駆体として分泌され，他の多くの膵酵素と同様に，トリプシンによって活性化される．ホスホリパーゼ A_2 は，リン脂質をリゾレシチンおよび脂肪酸に加水分解する．

脂質消化の最終生成物は，モノグリセリド，脂肪酸，コレステロール，リゾレシチン，およびグリセロール(トリグリセリドのエステル結合の加水分解由来)である．グリセロールを除いて，各最終生成物は疎水性であり，水に溶解しない．疎水性の消化産物は，ミセルになって可溶化し，吸収のために腸細胞の頂端膜に輸送されなければならない．

■ 脂質の吸収

脂質の吸収は図 8.32 に示すような一連のステップで行われ，以下のように説明される．図の○で囲んだ数字は，次の手順と関連している．

①脂質消化物(コレステロール，モノグリセリド，リゾレシチンおよび遊離脂肪酸)は，水溶性であるグリセロールを除き，混合ミセルとして腸管内腔で可溶化される．混合ミセルは，平均の直径が 50 Å の円筒形状のディスクである．前述したように，ミセルの核は脂質の消化産物を含み，外面は両親媒性である胆汁酸塩が並んでいる．胆汁酸塩分子の親水性の部分は，腸管内腔の水溶液に溶解し，ミセルの核中の脂質を可溶化する．

②ミセルは，小腸上皮細胞の先端(刷子縁)膜に拡散する．頂端膜では，脂質はミセルから放出され，細胞内外の濃度勾配に従って細胞内へと拡散する．しかし，ミセル自体は細胞内に入ることはなく，胆汁酸塩は下流の回腸で吸収されるべく腸管内に残される．摂取された脂質の大部分は空腸中部で吸収されるので，胆汁酸塩の"仕事"は腸肝循環を介して肝臓に戻されるずっと前に完了している．

③小腸上皮細胞の滑面小胞体で，脂質の消化産物は遊離脂肪酸とともに再エステル化(re-esterification/re-esterify)されて，トリグリセリド，コレステロールエステル，およびリン脂質という，摂取された脂質に再合成される．

④細胞の内部では，再エステル化された脂質は，

消化と吸収　435

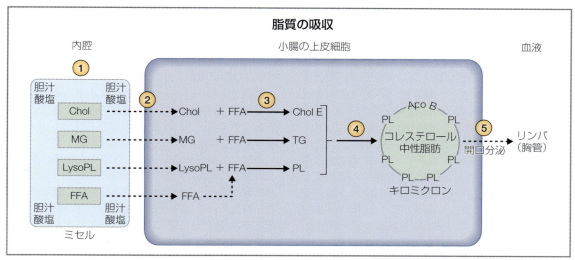

図 8.32　小腸における脂質吸収のメカニズム．
○で囲まれた数字は，本文に記載されているステップに対応している．Apo B：β-リポタンパク質，Chol：コレステロール，Chol E：コレステロールエステル，FFA：遊離脂肪酸，LysoPL：リゾレシチン，MG：モノグリセリド，PL：リン脂質，TG：トリグリセリド．

アポタンパク質とともにキロミクロン（chylomicron）とよばれる脂質を運ぶ粒子としてパッケージングされる．平均の直径が1,000 Å のキロミクロンは，中核のトリグリセリドとコレステロール，その外側のリン脂質とアポタンパク質で構成されている．リン脂質はキロミクロン外表面の80%を覆い，表面の残りの20%はアポタンパク質（apoprotein）で覆われている．小腸上皮細胞によって合成されるアポタンパク質は，キロミクロンの吸収に必須である．Apo B（またはβ-リポタンパク質（β-lipoprotein））を合成できないと，キロミクロンを吸収することができず，したがって食物の脂質を吸収することができない状態である無βリポタンパク血症（abetalipoproteinemia）が生じる．

⑤キロミクロンは，Golgi 装置上の分泌小胞にパッケージングされる．分泌小胞は基底側膜に移動し，キロミクロンの開口放出（exocytosis）が起こる．キロミクロンは大きすぎて毛細血管に入ることはできないが，毛細リンパ管（lymphatic capillary）（乳び管）を覆っている内皮細胞の間を移動することによって，毛細リンパ管に入ることができる．リンパの循環はキロミクロンを胸管（thoracic duct）に運び，胸管から血流に排出される．

■ 脂質の消化および吸収の異常

脂質の消化および吸収の機構はより複雑であり，炭水化物やタンパク質よりも多くのステップを必要とする．したがって，脂質の消化あるいは吸収の異常が起こりうるステップの数もより多くなる．膵酵素の分泌と酵素の正常な機能，胆汁酸分泌，乳化，ミセル形成，小腸上皮細胞への脂質の拡散，キロミクロンの形成，キロミクロンのリンパへの移送など，各ステップが正常に働いていることが不可欠である．いずれかのステップでも異常が起きれば，脂質の吸収が妨げられ，脂肪便（糞便中に脂肪が排泄される）が生じる．

● 膵機能不全（pancreatic insufficiency）
膵外分泌腺の疾患（例えば，慢性膵炎（chronic pancreatitis）および嚢胞性線維症（cystic fibrosis））では，膵リパーゼおよびコリパーゼ，コレステロールエステル加水分解酵素およびホスホリパーゼ A_2 など，脂質消化に関与する十分な量の膵酵素を分泌できなくなる．例えば，膵リパーゼが存在しない場合，トリグリセリドをモノグリセリドおよび遊離脂肪酸に消化することができない．未消化のトリグリセリドは吸収することがで

Box 8.3　Zollinger-Ellison 症候群

▶ 症例

　52歳の男性が腹痛, 吐き気, 食欲不振, 頻繁な腹痛, 下痢を主治医に訴えた. 男性は夜に痛みが強く, 食物を食べたり, HCO_3^- を含む制酸薬を服用したりすることで, 時に軽くなるという. 胃腸の内視鏡検査では十二指腸球部の潰瘍を認めた. 便検査では潜血および脂肪が陽性であった. この患者は Zollinger-Ellison 症候群が疑われるため, 血清ガストリン値が測定され, その結果, 著しく上昇していることがわかった. コンピュータ断層撮影 (CT) スキャンでは, 膵頭部に 1.5 cm の腫瘍があることがわかった. 男性は外科医に紹介された. 手術を待つ間, 男性は胃の壁細胞による H^+ 分泌を阻害するオメプラゾールで治療された. 開腹手術中に, 膵腫瘍がみつかり, 摘出が行われた. 術後, 男性の症状は軽減し, その後の内視鏡検査では十二指腸潰瘍が治癒したことがわかった.

▶ 解説

　この男性の症状および臨床症状のすべては, 直接または間接的に, 膵臓のガストリン分泌腫瘍によって引き起こされる. Zollinger-Ellison 症候群では, 腫瘍は大量のガストリンを循環系に分泌する. ガストリンの標的細胞は, 胃壁細胞であり, そこで H^+ 分泌を刺激する.

　ガストリンの生理学的供給源である胃の G 細胞は, 負のフィードバック制御下にある. したがって, 通常, ガストリン分泌および H^+ 分泌は, 胃内容物が酸性化されたとき (すなわち, H^+ がもう必要でないとき) に阻害される. しかし Zollinger-Ellison 症候群では, この負のフィードバック制御機構が機能しない. 胃内容物を酸性化しても腫瘍によるガストリン分泌が阻害されない. したがって, ガストリン分泌は壁細胞による H^+ 分泌と同様に, 抑制されないままである.

　この男性の下痢は, (ガストリンによって刺激された) 胃から小腸に送られる多量の液体によって引き起こされる. ボリュームが非常に大きいため, 腸がそれを吸収する能力を圧倒する.

　通常, 小腸の機構により, 食物中の脂肪は完全に吸収されるので, 便における脂肪の存在 (脂肪便) は異常である. Zollinger-Ellison 症候群に脂肪便がみられるのは 2 つの理由がある. (1) 1 つ目は, 過剰な H^+ が胃から小腸に運ばれ, HCO_3^- を含有する膵液の緩衝能を圧倒することである. 十二指腸の内容物は中和されず酸性の pH のままであり, この pH が膵リパーゼを不活性化する. 膵リパーゼが不活性化されると, 食物中のトリグリセリドをモノグリセリドおよび脂肪酸に消化することができなくなる. 未消化のトリグリセリドは腸管の上皮細胞に吸収されず, 便中に排泄される. (2) 脂肪便が生じる理由の 2 つ目は, (十二指腸潰瘍によって示されるように) 十二指腸の内容物の酸性度が腸粘膜に損傷を与え, 脂質の吸収のために絨毛の表面積を減少させることである.

▶ 治療

　この男性には, ガストリン分泌腫瘍を除去する手術を待つ間, 胃の壁細胞の頂端膜の H^+-K^+ ATPase を直接遮断するオメプラゾールが投与された. この ATPase は胃における H^+ 分泌の原因である. この薬物は H^+ 分泌を減少させ, 十二指腸への H^+ の負荷を減少させることが期待される. その後, ガストリン分泌腫瘍が外科的に除去された.

きず, 糞便中に排泄される.

● 十二指腸の酸性度

　十二指腸に送られた酸性のび粥が HCO_3^- を含む膵臓分泌物によって十分に中和されない場合, 膵酵素は不活性化される (すなわち, 膵リパーゼに最適な pH は 6 である). 十二指腸に送られる胃のび粥は, 幽門部での pH が 2 から十二指腸球部での pH が 4 の範囲にある. H^+ を中和し, 膵酵素が最も適切に機能する範囲に pH を上昇させるには, 十分な HCO_3^- が膵液中に分泌されなければならない.

　胃で分泌された H^+ が十分に中和されない理由は 2 つある: (1) 胃壁の壁細胞が過剰な H^+ を分泌して十二指腸に過剰な負荷をかける. または, (2) 膵臓が膵液中に十分な量の HCO_3^- を分泌できないこと. 第 1 の理由は, 腫瘍が大量のガストリンを分泌する Zollinger-Ellison 症候群の例で示される (Box 8.3). 高レベルのガストリンは, 胃壁細胞による H^+ 分泌を過剰に刺激し, この H^+ が十二指腸に送られると, 膵液が中和できる能力を圧倒する. 第 2 の理由は, (酵素分泌障害に加えて) HCO_3^- 分泌障害をもたらす膵外分泌の障害 (例えば膵炎) によって説明される.

● 胆汁酸塩の欠乏

胆汁酸塩の欠乏は，脂質の消化産物の可溶化に必要なミセル形成能力を阻害する．**回腸切除**は胆汁酸塩の腸肝循環を障害するため，胆汁酸塩は肝臓に戻されるかわりに糞便中へ排泄される．新しい胆汁酸塩の合成は便への喪失に追いつくことができないため，総胆汁酸塩のプールが減少する．

● 細菌の過剰な増殖

細菌の過剰な増殖は，胆汁酸塩の脱抱合化を起こすことによって胆汁酸塩の作用を低下させる．言い換えれば，細菌の作用により胆汁酸塩からグリシンおよびタウリンが除去され，胆汁酸に変換される．腸の pH では，胆汁酸は主に非イオン化した形をとっている（その pK が腸内 pH より高いため）．非イオン化した形態は脂溶性であるため，小腸上皮細胞を横切る拡散によって容易に吸収される．この理由から，胆汁酸が"早すぎる"時期（回腸に達する前）に，すなわちミセル形成および脂質吸収が完了する前に吸収される．同様に，腸管内の **pH の低下**は，胆汁酸を非イオン化した形態に変換することによって胆汁酸の"早期の"吸収を促す．

● 吸収に必要な腸細胞の減少

熱帯性スプルー（tropical sprue）のような状態では，小腸上皮細胞の数が減少し，これによって微絨毛の表面積が減少する．頂端膜を横切る脂質の吸収は拡散によるが，これは表面積に依存するため，吸収のための表面積が減少すると脂質の吸収が障害される．

● アポタンパク質合成の障害

Apo B（β-リポタンパク質）を合成することができないと，**無βリポタンパク血症**が起きる．この病気では，キロミクロンがつくられない，あるいはキロミクロンを腸の細胞からリンパに輸送することができない．いずれの場合も，血液中への脂質の吸収が減少し，腸細胞に脂質が蓄積される．

ビタミン

ビタミンは，さまざまな代謝反応の補酵素または補因子として少量ながら必要となる．ビタミンは体内で合成されないため，食事から摂取し腸管で吸収される必要がある．ビタミンは脂溶性と水溶性に分類される．

■ 脂溶性ビタミン

脂溶性ビタミンには，ビタミン A，D，E，K がある．脂溶性ビタミンの吸収メカニズムを理解することは簡単である．これらは食物の脂質と同じように処理される．腸管内腔では，脂溶性ビタミンは**ミセル**に取り込まれ，腸管の上皮細胞の頂端膜へと輸送される．頂端膜を横切って細胞内に拡散し，**キロミクロン**に取り込まれ，リンパ液中に押し出され，全身循環へと送られる．

■ 水溶性ビタミン

水溶性ビタミンには，ビタミン B_1，B_2，B_6，B_{12}，C，ビオチン，葉酸，ニコチン酸，パントテン酸が含まれる．ほとんどの場合，水溶性ビタミンは小腸の **Na^+ 依存性共輸送機構**を介して吸収される．

例外は**ビタミン B_{12}**（vitamin B_{12}）（コバラミン）の吸収であり，その吸収は他の水溶性ビタミンの吸収より複雑である．ビタミン B_{12} の吸収には**内因子**が必要で，吸収は次のステップで起こる：(1) 食事中のビタミン B_{12} は，胃のペプシンの消化作用によって食物から遊離する．(2) 遊離ビタミン B_{12} は唾液中に分泌される **R タンパク質**（R protein）に結合する．(3) 十二指腸では，膵タンパク質分解酵素が R タンパク質を分解し，ビタミン B_{12} を内因子，すなわち胃壁細胞によって分泌される糖タンパク質の 1 つに転移させる．(4) ビタミン B_{12}-内因子複合体は，膵タンパク質分解酵素により分解されにくいため，吸収のための特異的輸送機構がある回腸まで運ばれる．

胃切除術（gastrectomy）の結果の 1 つとして，内因子を分泌する壁細胞が失われることがある．したがって胃切除をすると，患者は回腸からビタミン B_{12} を吸収できなくなり，最終的にビタミン B_{12} 欠乏になり**悪性貧血**（pernicious anemia）を発症することがある．悪性貧血を防ぐためには，ビタミン B_{12} は注射で投与しなければならない．経口的にビタミン B_{12} を補充しても，内因子がないため吸収されないかもしれないからである．

カルシウム

Ca²⁺は小腸で吸収されるが，その吸収はビタミンDの活性型，**1,25-ジヒドロキシコレカルシフェロール (1,25-dihydroxycholecalciferol)** の存在に依存している．この活性型ビタミンDは，以下に説明するように生成される：食餌中のビタミンD₃（コレカルシフェロール）は不活性型である．肝臓でコレカルシフェロールは25-ヒドロキシコレカルシフェロールに変換されるが，これもまた不活性型であるとはいえ，循環するビタミンD₃の主要な型である．腎臓の近位尿細管において，25-ヒドロキシコレカルシフェロールは**1α-ヒドロキシラーゼ (1α-hydroxylase)** によって触媒され，1,25-ジヒドロキシコレカルシフェロールに変換される．ビタミンDの生物学的な活性をもつ代謝産物である1,25-ジヒドロキシコレカルシフェロールは，腸管，腎臓，骨に作用する．カルシウムのホメオスタシスにおける1,25-ジヒドロキシコレカルシフェロールの役割については，第9章で説明する．簡単にいうと，その最も重要な作用は，小腸上皮細胞においてビタミンD依存性Ca²⁺結合タンパク質（**カルビンディンD-28K (calbindin D-28K)**）の合成を誘導することにより，小腸からのCa²⁺の吸収を促進することである．

ビタミンD欠乏症や（慢性腎不全の場合のように）ビタミンDの1,25-ジヒドロキシコレカルシフェロールへの変換がうまくなされない場合に，消化管からのCa²⁺吸収は不足する．Ca²⁺吸収が不十分になると，小児では**くる病 (rickets)** が，成人では**骨軟化症 (osteomalacia)** が起きる．

鉄

鉄は，遊離鉄（Fe²⁺）またはヘム鉄（すなわち，ヘモグロビンまたはミオグロビンに結合した鉄）として小腸上皮細胞の頂端膜を介して吸収される．腸管細胞の内部では，ヘム鉄はリソソーム酵素によって消化され，遊離鉄を放出する．遊離鉄は**アポフェリチン (apoferritin)** に結合し，基底側膜を越えて血液中に輸送される．循環血液中で，鉄は**トランスフェリン (transferrin)** とよばれるβ

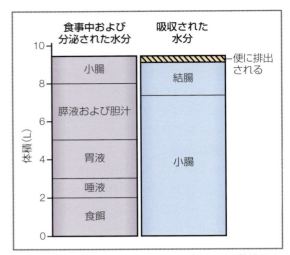

図8.33 腸で吸収された水分と，摂取され分泌された水分の日常量の比較．
斜線の領域は，糞便中に排出される少量の液体を示す．

グロブリンに結合し，トランスフェリンはそれを小腸から肝臓の貯蔵部位に輸送する．鉄は肝臓から骨髄に輸送され，そこで放出されてヘモグロビンの合成に利用される．

腸液および電解質の輸送

腸管は，大量の水分および電解質を吸収する．小腸と大腸をあわせると，毎日約9Lの液体が吸収されるが，これは細胞外液量全体にほぼ相当する量である．この多量の液体が吸収される原因は何だろうか．

図8.33は，腸管の内腔に9Lをわずかに超える量の液体があることを示しており，これは食餌中の液体の量（2L）と唾液，胃液，膵液，胆汁，および腸の分泌物（7L）の合計である．この9Lのうち，大部分が小腸および結腸の上皮細胞によって吸収される．吸収されない残りわずかの量（100〜200mL）が糞便中に排泄される．当然，吸収機構の障害があると，消化管からの過剰な体液喪失（**下痢 (diarrhea)**）につながる可能性がある．下痢による体内全水分量や電解質の喪失は非常に大きくなる場合がある．

小腸および結腸は，大量の電解質（Na⁺，Cl⁻，

HCO_3^-，K^+）や水を吸収するだけでなく，小腸の**陰窩（crypt）**を覆う上皮細胞は液体および電解質を分泌もする．この分泌が加わることにより，すでに腸管にあって吸収されなければならない水の量がさらに増える．

腸における液体と電解質の吸収および分泌機構には，細胞経路と傍細胞経路がある．上皮細胞間の**タイトジャンクション（tight junction）**の透過性により，液体と電解質が傍細胞経路を介して移動するか，または細胞経路を介して移動するかが決まる．小腸のタイトジャンクションは"通しやすい"（抵抗が低い）ため，傍細胞経路の移動が可能であるが，結腸のタイトジャンクションは"通しにくい"（抵抗が高い）ため，傍細胞経路での移動がしにくくなっている．

腸での吸収

絨毛を覆う小腸上皮細胞は，大量の水分を吸収する．このプロセスの第1段階は，溶質の吸収とそれに続く水の吸収である．吸収される液（吸収される水溶液）はつねに**等浸透圧性（isosmotic）**であり，吸収される溶質と水の量は互いに比例する．この等浸透圧性の吸収機構は，腎近位尿細管におけるものと類似している．溶質の吸収メカニズムは，空腸，回腸，結腸で異なる．

■ 空腸

空腸は，小腸における**Na$^+$吸収（Na$^+$ absorption）**が起きる主要な部位である（**図8.34**）．空腸での電解質輸送の機構は，腎臓の初期の近位尿細管におけるものと同様であり，**図8.34A**に示されている．Na$^+$は，いくつかの異なるNa$^+$依存性共輸送体を介して空腸の上皮細胞に入る．頂端膜は，Na$^+$-モノサッカライド共輸送体（Na$^+$-グルコースとNa$^+$-ガラクトース），Na$^+$-アミノ酸共輸送体，Na$^+$-H$^+$交換輸送体を含む．Na$^+$は輸送体に結合して細胞内に入った後，Na$^+$-K$^+$ATPaseを介して基底側膜を横切って押し出される．Na$^+$-H$^+$交換輸送のためのH$^+$の源は，細胞内CO$_2$およびH$_2$Oであり，炭酸脱水酵素の存在下でH$^+$とHCO$_3^-$に変換されることに留意せよ．H$^+$はNa$^+$-H$^+$交換輸送体によって腸管内腔に分泌さ

れ，HCO$_3^-$は血液に吸収される．

■ 回腸

回腸（ileum）には，空腸と同じ輸送機構に加えて，頂端膜におけるCl$^-$-HCO$_3^-$交換輸送機構と，基底側膜ではHCO$_3^-$輸送体のかわりにCl$^-$輸送体（**図8.34B**）がある．したがって，H$^+$とHCO$_3^-$が回腸の上皮細胞の内部で生成されると，H$^+$はNa$^+$-H$^+$交換輸送体を介して内腔に分泌され，HCO$_3^-$もまた（空腸におけるように血液に吸収されるのではなく）Cl$^-$-HCO$_3^-$交換輸送体を介して腸管内腔に分泌される．頂端膜におけるNa$^+$-H$^+$交換輸送およびCl$^-$-HCO$_3^-$交換輸送をあわせた結果は，細胞内へのNaClの正味の移動であり，その後NaClは吸収される．したがって，回腸ではNaClの正味の吸収があり，空腸ではNaHCO$_3$の正味の吸収があることになる．

■ 結腸

結腸の細胞メカニズムは，腎臓の遠位尿細管の主細胞および集合管のものと同様である（**図8.35**）．頂端膜はNa$^+$およびK$^+$チャネルを有し，これらにより**Na$^+$吸収**および**K$^+$分泌（K$^+$ secretion）**がなされる．腎臓の主細胞と同様に，Na$^+$チャネルの合成は**アルドステロン（aldosterone）**によって誘導され，これはNa$^+$吸収の増加をもたらし，二次的にK$^+$分泌の増加をもたらす．

アルドステロンが結腸内でK$^+$分泌を増加させるメカニズムは，腎臓の主細胞におけるものと同様である．Na$^+$チャネルの数の増加，頂端膜を越えるNa$^+$の細胞内への流入の増加，Na$^+$-K$^+$ATPaseにより基底側膜から外に汲み出されるNa$^+$の増加，細胞内に送り込まれるK$^+$の増加，さらに最終的に頂端膜を越えて分泌されるK$^+$の増加が起きる．腎臓の主細胞にみられるK$^+$分泌の流速依存性さえも結腸内でみられる．例えば**下痢**では，腸液の流速が高くなり結腸のK$^+$分泌が増加し，その結果，糞便におけるK$^+$損失の増加と，**低カリウム血症（hypokalemia）**を起こす．

腸の分泌

腸の**陰窩**を覆う上皮細胞は，液体および電解質

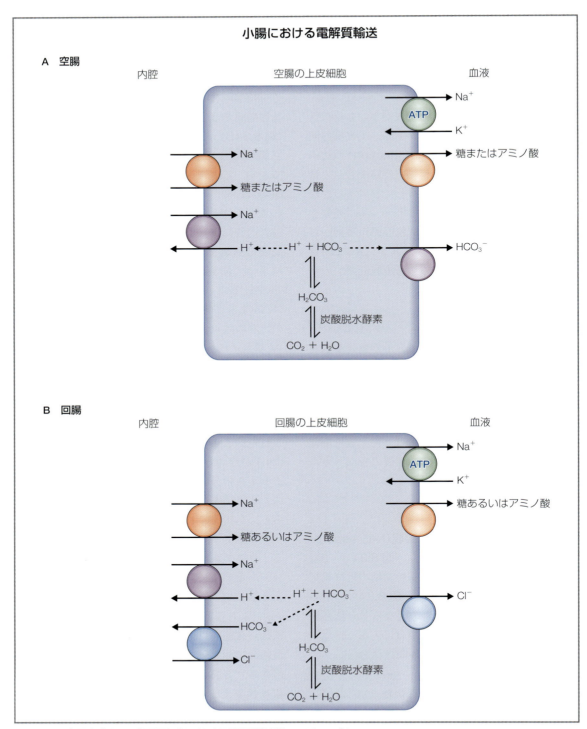

図 8.34　空腸(A)および回腸(B)における電解質輸送のメカニズム．
ATP：アデノシン三リン酸．

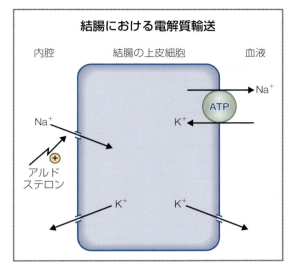

図8.35　結腸における電解質輸送のメカニズム．
ATP：アデノシン三リン酸．

質および水は，腸の絨毛細胞によって吸収される．しかし，アデニル酸シクラーゼが最大限に刺激されているような疾患（例えば**コレラ**（cholera））では，陰窩細胞による体液分泌は，絨毛細胞の吸収能力を圧倒し，生命を脅かすような重度の下痢を引き起こす（後述の「分泌性下痢」の項参照）．

下痢

"駆け抜ける"という意味の**下痢**（diarrhea）は，世界中の主要な死因の1つである．大量の細胞外液が腸管から急速に失われると，重篤な病気や死亡が引き起こされることがある．これまでの説明で強調してきたように，1日に9L以上もの多量の体液が腸管から失われる影響は大きい．

下痢では，細胞外液が失われ細胞外液量の減少，血管内容積の減少，および**動脈圧の低下**が起きる．圧受容器の機構およびレニン-アンジオテンシンⅡ-アルドステロン系が働いて血圧を回復させようとするが，腸管から失われた体液の量が多すぎる場合や喪失速度があまりにも速い場合，この働きは無効である．

循環虚脱の他に，下痢によって引き起こされる障害には，下痢として失われた体液の中の特定の電解質，特にHCO_3^-およびK^+に関係するものがある．唾液，膵液および腸液など腸管に分泌される液体はHCO_3^-含量が高いため，下痢で失われる体液はHCO_3^-濃度が比較的高い．（Cl^-よりも相対的に多くの）HCO_3^-が失われると，**アニオンギャップ正常の高Cl^-性代謝性アシドーシス**が引き起こされる（第7章）．下痢で失われる体液はまた，結腸による流速依存性のK^+分泌のためにK^+濃度が高い．腸管からのK^+の過剰な喪失は，**低カリウム血症**をもたらす．

下痢の原因および種類には，吸収表面積の減少，浸透圧性下痢および分泌性下痢が含まれる．

■ 吸収のために必要な表面積の減少

小腸の感染および炎症のような疾患は吸収表面積の減少をもたらし，腸管による水分の吸収を減少させる（図8.33参照）．

を分泌する（液体および電解質を吸収する，絨毛を覆う上皮細胞と比較すること）．陰窩細胞における電解質分泌のメカニズムを図8.36に示す．頂端膜はCl^-チャネルを有する．基底側膜はNa^+-K^+ ATPaseを有することに加えて，Henle（ヘンレ）ループの太い上行脚に見出されるのと同様のNa^+-K^+-$2Cl^-$共輸送体を有する．この3イオン共輸送体はNa^+，Cl^-，およびK^+を血液から細胞に取り込む．Cl^-はNa^+-K^+-$2Cl^-$共輸送体にのって細胞内に移動し，次いで頂端膜のCl^-チャネルを通って腸管内腔に拡散する．Na^+は，細胞間を移動しながら受動的にCl^-の分泌に引っ張られて，腸管内腔に出る．最後に水は，NaClの分泌に引き続いて内腔に分泌される．

頂端膜のCl^-**チャネル**は通常閉じているが，種々のホルモンおよび神経伝達物質が基底側膜上の受容体に結合すると，それに反応して開くことがある．このような活性化にかかわる物質にはAChおよびVIPがあるが，これらだけではない．神経伝達物質またはホルモンは基底側膜の受容体に結合し，アデニル酸シクラーゼを活性化し，陰窩細胞内でcAMPを生成する．**cAMP**は頂端膜のCl^-チャネルを開き，Cl^-分泌を開始する．Cl^-に続いてNa^+および水が腸管内腔に引き込まれる．通常，腸の陰窩細胞によって分泌される電解

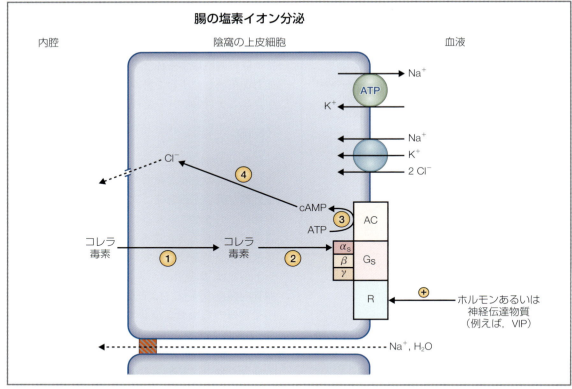

図8.36　腸の陰窩における上皮細胞によるCl⁻および液体の分泌の機序．
○で囲まれた数字は，本文に記載されているステップに対応する．コレラ毒素はアデニル酸シクラーゼ（AC）を活性化し，環状アデノシン一リン酸（cAMP）産生を増加させ，頂端膜のCl⁻チャネルを開く．ATP：アデノシン三リン酸，R：受容体，VIP：血管作動性腸管ペプチド．

■ 浸透圧性下痢

浸透圧性下痢は，腸の管腔内の非吸収性溶質の存在によって引き起こされる．例えば**ラクターゼ欠乏（lactase deficiency）**では，ラクトースは，この炭水化物の吸収型であるグルコースおよびガラクトースに消化されない．未消化のラクトースは吸収されず，腸管内腔に留まるため，そこで水を保持し，浸透圧性下痢を引き起こす．腸管内の細菌は，ラクトースをより浸透圧活性の高い溶質粒子に分解し，さらに問題を複雑にする．

■ 分泌性下痢

腸から水分が十分に吸収されないことによって引き起こされる他のタイプの下痢とは対照的に，分泌性下痢（例えば，コレラ）は，陰窩細胞による液体の過剰な分泌によって引き起こされる．分泌性下痢の主な原因は，**コレラ菌（*Vibrio cholerae*）**または**大腸菌（*Escherichia coli*）**のような腸管系病原菌の過剰な増殖である．例えば，細菌性毒素の1つである**コレラ毒素（cholera toxin）**（図8.36参照）は，頂端膜を越えて腸の陰窩細胞に入る（ステップ1）．細胞の内部では，毒素のAサブユニットが分離し，細胞を横切って基底側膜に移動する．そこで，アデニル酸シクラーゼに結合したG$_s$タンパク質のα$_s$サブユニットの**アデノシン二リン酸（ADP）リボシル化（adenosine diphosphate (ADP) ribosylation）**を触媒する（ステップ2）．α$_s$サブユニットがADP-リボシル化されると，α$_s$サブユニットがそのGTPase活性を阻害するため，GTPはGDPに戻ることができなくなる．GTPがα$_s$サブユニットに永続的に結合したままになると，アデニル酸シクラーゼは持続的に活性化され（ステップ3），cAMPレベルが高く維持さ

れて，頂端膜のCl^-チャネルは開いたままになる（ステップ4）．その結果として起きるCl^-分泌には，Na^+とH_2Oの分泌が伴う．腸管内腔に分泌される水分の量は，小腸および結腸の吸収機構を圧倒し，大量の下痢を引き起こす．**経口補水液（oral rehydration solution）**の投与は，世界中の下痢性疾患の治療における主要な進歩である．この溶液は，水分および電解質（すなわち，Na^+−グルコース共輸送体）の腸管での吸収を刺激するグルコース，Na^+，Cl^-，HCO_3^-を含んでおり，水分および電解質の大量の喪失を埋め合わせることができる．

肝臓の生理学

肝臓（liver）は腹腔内に位置し，胃，小腸，大腸，膵臓，脾臓からの門脈血を受ける．肝臓の機能には，吸収された物質の処理が含まれる．すなわち，胆汁酸の合成・分泌，ビリルビンの産生・排泄，炭水化物，タンパク質，脂質などの主要な栄養素の代謝に関与する．さらに，老廃物の解毒および排泄を行う．

肝臓の血流の大部分は，消化管（胃，小腸，大腸，膵臓），脾臓からの静脈血であり，門脈を介して肝臓に送られる（図8.37）．したがって，肝臓は吸収された栄養素を受け取り，薬物や毒素などの有害な吸収物質を解毒するために理想的な位置にあるといえる．

胆汁の生成と分泌

すでに述べたように（「胆汁分泌」の項を参照），胆汁酸は肝細胞によってコレステロールから合成され，胆汁に輸送され，胆嚢に貯蔵されて濃縮され，腸管内に分泌されて食物の脂質の消化および吸収を助ける．その後，胆汁酸は腸肝循環を通して回収され，回腸から肝臓に戻される．

ビリルビンの生成と排出

細網内皮系（reticuloendothelial system：RES）は，老化した赤血球を処理する（図8.38）．ヘモグロビンが細網内皮系によって分解される

と，副産物の1つとして**ビリベルジン（biliverdin）**（緑色）が生じ，これは**ビリルビン（bilirubin）**（黄色）に変換される．ビリルビンは，循環中のアルブミンに結合して肝臓に運ばれ，そこで肝細胞に取り込まれる．肝臓のミクロソームで，ビリルビンは**UDP−グルクロン酸トランスフェラーゼ（UDP-glucuronyl transferase）**という酵素により，グルクロン酸と抱合される（UDP−グルクロン酸トランスフェラーゼは生後ゆっくりと合成されるため，新生児では"新生児黄疸"が出ることがある）．抱合型ビリルビンは水溶性であり，その一部は尿中に排泄される．抱合型ビリルビンの残りは胆汁に分泌され，次に胆汁を介して小腸に分泌される．抱合型ビリルビンは，回腸末端および結腸まで運ばれ，そこで細菌の酵素によって抱合が外れ，**ウロビリノーゲン（urobilinogen）**に代謝される．その一部は腸肝循環を介して回収されて肝臓に戻る．残りはウロビリンと**ステルコビリン（stercobilin）**に変換され，糞便中に排泄される．

黄疸（jaundice）は，遊離または抱合したビリルビンの蓄積により，皮膚および眼の強膜が黄色に変色する状態である．黄疸は，赤血球の破壊が増え，非抱合型ビリルビンの産生が増加したときに起こる．黄疸はまた，胆管の閉塞または肝臓疾患に伴って起きる．これらの場合，抱合型ビリルビンを胆汁中に排泄することができないため，循環中に吸収される．閉塞性黄疸では，尿は抱合したビリルビンの尿中濃度が高いため暗い色になり，便はステルコビリンの量が減少して明るい色（粘土のような色）となる．

肝臓の代謝機能

肝臓は，炭水化物，タンパク質，および脂質の代謝に関与する．**炭水化物の代謝**において，肝臓は糖新生を行い，グルコースをグリコーゲンとして貯蔵し，必要に応じて血中に貯蔵されたグルコースを放出する．

タンパク質代謝においては，肝臓は非必須アミノ酸を合成し，アミノ酸が炭水化物の生合成経路に入るように修飾する．肝臓はまた，アルブミンおよび凝固因子を含むほとんどすべての血漿タンパク質を合成する．肝不全の患者は，低アルブミ

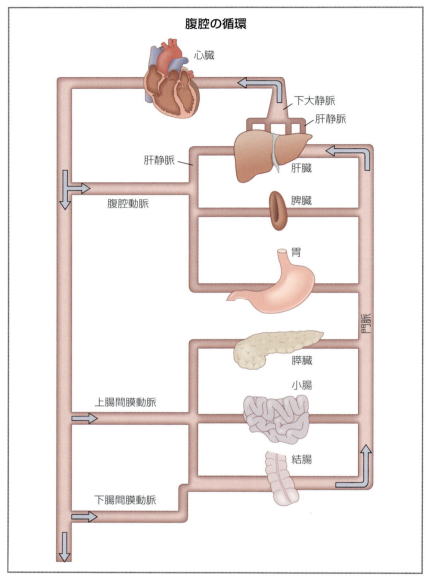

図 8.37 臓器の循環における血流.

ン血症（血漿膠質浸透圧低下による浮腫を引き起こす可能性がある）や凝固障害を起こす．肝臓はまた，タンパク質代謝の副産物であるアンモニアを尿素に変換し，尿素は尿中に排泄される．

　脂質代謝（lipid metabolism）において，肝臓は脂肪酸の酸化に関与し，リポタンパク質，コレステロール，リン脂質を合成する．前述のように，肝臓はコレステロールの一部を胆汁酸に変換し，脂質の消化および吸収に関与する．

物質の解毒

　肝臓は，腸管から吸収される潜在的に有毒な物質から身体を守る．これらの物質は，門脈循環を介して肝臓に運ばれ，肝臓はいわゆる"初回通過代謝"でそれらを修飾し，これらの物質がまったくあるいはほとんどが全身循環に入らないようにする．例えば，結腸から吸収された細菌は肝臓のKupffer（クッパー）細胞によって貪食されるので，全身循環に入ることはない．別の例としては，肝

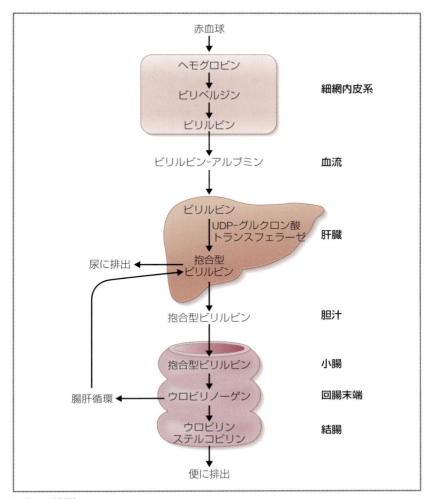

図 8.38 ビリルビンの代謝.
UDP：ウリジン二リン酸.

酵素は内因性毒素および外因性毒素の両方を修飾することにより，それらを水溶化して胆汁または尿中に排泄することができるようにする．シトクロム P-450 酵素系によって触媒される**第 1 相反応（phase Ⅰ reaction）**の後に，物質をグルクロン酸抱合物，硫酸塩，アミノ酸またはグルタチオンと結合させる**第 2 相反応（phase Ⅱ reaction）**が続く．

まとめ

- 消化管は，副交感神経系および交感神経系の両方によって支配されており，これらは筋層間神経叢と粘膜下神経叢の内因性神経系に収束する．
- 消化管ペプチドは，消化管の細胞によって分泌される．消化管ペプチドには，循環に放出されるホルモンであるガストリン，CCK，セクレチンおよび GIP，局所的に作用するパラクリンであるソマトスタチンおよびヒスタミン，さらに神経から放出されるニューロクリンがある．
- 消化管の平滑筋細胞の徐波は，膜電位の自発的な脱分極と再分極である．徐波において膜電位が閾値に達すると，活動電位が発生する．このように徐波の頻度は，活動電位の頻度，ひいては収縮の頻度を決定する．
- 胃の運動には，摂取した食物を混合および粉砕

446 第8章 消化器系の生理学

する動きがある．小腸の運動には，び粥を消化酵素と混合する腸管の分節収縮，および尾側方向にび粥を移動させる蠕動収縮が含まれる．大腸では，長い距離を動いた糞便の塊が，最終的には直腸内に押し込まれ，排便が起こるまで貯蔵される．

● 唾液分泌は，食物を緩衝・希釈することと，デンプンおよび脂質の初期消化に利用される．唾液は低張性であり，腺房細胞による初期唾液の形成と導管上皮細胞によるその修飾という，2段階のプロセスによって産生される．

● 胃壁細胞は H^+-K^+ ATPase（プロトンポンプ）により H^+ を分泌するが，これはオメプラゾールにより阻害される．胃の H^+ 分泌は，アセチルコリン，ガストリン，ヒスタミンにより増加し，ソマトスタチン，プロスタグランジンで抑制される．

● 膵臓の分泌物は，胃で分泌される H^+ の中和のための HCO_3^-，炭水化物，タンパク質，脂質の消化に必要な酵素を含んでいる．膵液は等張性であり，2段階のプロセスによって産生される．腺房細胞は酵素成分を分泌し，腺房中心細胞および導管上皮細胞は HCO_3^- を含有する水性成分を分泌し，導管細胞は分泌物の組成を修飾する．

● 胆汁の主成分である胆汁酸塩は，脂質を乳化して可溶化するために使われ，その消化と吸収を助ける．胆汁は肝細胞によって産生され，胆嚢に貯蔵され，胆嚢が収縮すると腸に分泌される．胆汁酸塩は脂質の消化産物を可溶化し，ミセルを形成する．胆汁酸の約95％が腸肝循環を介して肝臓に再循環される．

● 炭水化物が吸収されるためには単糖類に消化されなければならない．この消化のステップは，唾液と膵のアミラーゼ，腸の刷子縁の二糖類分解酵素によって行われる．グルコースおよびガラクトースは，Na^+ 依存性共輸送体によって小腸上皮細胞に吸収され，フルクトースは促進拡散によって吸収される．

● タンパク質は，吸収のためにアミノ酸，ジペプチド，トリペプチドに消化される．消化のステップは，ペプシン，トリプシン，その他の膵臓と刷子縁のタンパク質分解酵素によって行われる．アミノ酸，ジペプチド，トリペプチドは，Na^+ または H^+ 依存性共輸送体によって小腸上皮細胞に吸収される．

● 脂質は，膵酵素によってモノグリセリド，脂肪酸，コレステロール，リゾレシチンに消化される．脂質の消化産物は，胆汁酸によりミセルに可溶化される．小腸上皮細胞の頂端膜において，脂質はミセルから放出され細胞内に拡散する．細胞内では，それらはキロミクロンとして取り込まれてパッケージされ，開口放出によってリンパ管に移動する．

● 約9Lの液体が消化管によって毎日吸収されている．吸収される液体の容積は，摂取された容積と，唾液，胃液，膵液，腸液中に分泌される容積との合計にほぼ等しい．下痢は，この吸収が減少する場合，または分泌が増加する場合に生じる．

● 肝臓は，ヘモグロビンの代謝物であるビリルビンをグルクロン酸と抱合する．形成された抱合型ビリルビンは尿および胆汁中に排出される．腸では，抱合されたビリルビンはウロビリノーゲンに変換されて，一部は肝臓に再循環する．腸内に残ったウロビリノーゲンは，ウロビリンやステルコビリンに変換されて，便中に排泄される．

練習問題

各問に，単語，語句，数字で答えよ．設問に選択肢が複数与えられている場合，正解は1つとは限らず，ないこともある．正解は巻末に示す．

1 コレシストキニン（CCK）の作用はどれか．
胆嚢の収縮，胃内容排出の促進，HCO_3^- 分泌の刺激，膵酵素分泌の刺激．

2 十二指腸潰瘍の患者は，壁細胞の H^+ 分泌を抑制する薬物であるシメチジンで治療される．シメチジンの作用機序はどれか．
H^+-K^+ ATPase の阻害，ムスカリン受容体の阻害，ムスカリン受容体の刺激，細胞内環状AMP（cAMP）レベルの低下，ソマトスタチンの阻害．

3 徐波の上昇相（上への動き）の間，膜電位に

はどのような変化が起きるか.

より陰性が強まる，陰性が弱まる，より陽性が強まる，陽性が弱まる.

4 唾液管において起きる以下のどの現象が，最終唾液分泌が腺房細胞の初期分泌に比較して低張であることの説明になるか.

水の分泌，水の吸収，溶質が水よりも多く吸収される，水よりも多く溶質が分泌される.

5 コレラ毒素は，以下のうち，どの直接的，間接的作用を有するか.

Na^+チャネルを開く，Cl^-チャネルを閉じる，cAMP レベルを上昇させる，GTP 結合タンパク質のα_sサブユニットを活性する，GTPase 活性を増加させる.

6 小腸に吸収される前に消化されなければならない物質はどれか.

Ca^{2+}，アラニン，フルクトース，スクロース，コレステロール.

7 脂質吸収において起きる以下の現象の正しい順序を述べよ.

コレステロールエステルの形成，膵リパーゼの作用，腸管内腔における脂質の乳化，ミセル，キロミクロン.

8 次のうち膵液の流量が増加すると，膵液中の濃度が増加するのはどれか.

Na^+，K^+，HCO_3^-，Cl^-，浸透圧.

9 トリプシンにより触媒されるのはどの反応か.

ペプシノーゲンからペプシンへの変換，トリプシノーゲンからトリプシンへの変換，プロカルボキシペプチダーゼからカルボキシペプチダーゼへ

の変換.

10 徐波の周波数が最も高いのはどこか.

胃，十二指腸，回腸.

11 以下の各項目について，消化器系のなかでの正しい位置を示せ. 位置は，解剖学的，グラフまたはグラフの一部，または概念的な説明であってもよい.

ガストリン分泌
Na^+-胆汁酸塩共輸送体
H^+-K^+ ATPase
内因子分泌
オメプラゾールの作用
Na^+-グルコース共輸送体
二次胆汁酸（または担汁酸塩）

12 ピロリ菌感染患者は胃潰瘍を発症し，オメプラゾールで治療される. 以下のうちオメプラゾールの作用機序はどれか.

壁細胞に対する ACh 作用の阻害，壁細胞に対するソマトスタチン作用の刺激，CCK_2 受容体の阻害，H^+-K^+ ATPase の阻害，Na^+-K^+ ATPase の阻害.

13 次のうち食欲を抑制するのはどれか.

体脂肪の増加，インスリン濃度の上昇，グレリン濃度の上昇.

14 蠕動反射において，食塊の口側（後ろ）で起きるのはどれか.

IPAN ニューロンからの 5-ヒドロキシトリプタミン（5-HT）の放出，輪状筋の収縮，縦走筋の収縮，輪状筋へのアセチルコリンの作用，輪状筋への血管作動性腸管ペプチド（VIP）の作用.

第9章

内分泌系の生理学

内分泌系は，神経系と協調して生体恒常性の維持に重要な役割を担っている．成長，発達，生殖，血圧，イオンやその他液性因子の血中濃度，さらには行動までもが内分泌系によって調節される．内分泌生理学とは，**ホルモン（hormone）**の分泌と標的組織における作用に関する学問である．

ホルモンとは，内分泌腺にある内分泌細胞で生合成され，体循環中に分泌されて輸送され，特定の標的組織に作用し，その生理的な応答をきわめて微量で発現する生理活性物質の総称である．ペプチドやステロイド，アミンに分類される．**表9.1**に，本章および**第10章**で解説するホルモンの一覧とその略称を示す．

代表的な内分泌腺には，視床下部，下垂体前葉および後葉，甲状腺，副甲状腺，副腎皮質，副腎髄質，性腺，胎盤および膵臓がある．腎臓もまた内分泌腺とみなされ，さらに消化管にも内分泌細胞が散在する．**表9.2**に主要なホルモンと，それを分泌する分泌腺，化学構造に基づく分類と主要な作用をまとめた．また，**図9.1**に内分泌腺とホルモン分泌の概観図を示す．

ホルモンの生合成

ホルモンは，ペプチド（タンパク質を含む），ステロイド，アミンの3種類に分類される．これらは，それぞれ生合成経路が異なっており，**ペプチドホルモン（peptide hormone）**はアミノ酸から，**ステロイドホルモン（steroid hormone）**はコレステロールから，**アミンホルモン（amine hormone）**はチロシンから生成される．

ペプチドホルモンの生合成

多くのホルモンはペプチド（あるいはタンパク質）である．これらペプチドホルモンは，生化学的によく知られるタンパク質生合成経路で生成され，その一次構造は核内のホルモン遺伝子から転写されて生成するメッセンジャーRNA（mRNA）によって決定される．**図9.2**にペプチドホルモンの生合成経路を示す．図内の○で囲んだ番号は，それぞれ以下のステップに対応している．

①ホルモンの遺伝情報は，**核（nucleus）**においてmRNAへと転写される．一般に，あるペプチドホルモンの一次構造は1つの遺伝子で指令される．ペプチドホルモンの遺伝子は，そのほぼすべてがすでにクローニングされており，組換えDNA技術を用いることでヒトペプチドホルモンを合成することができる．

②生成したmRNAは核から細胞質へと移行し，**リボソーム（ribosome）**上で翻訳されてホルモン前駆体である**プレプロホルモン（preprohormon）**が生成される．翻訳はN末端側のシグナルペプチドから行われる．シグナルペプチドがシグナル認識粒子に認識されると，翻訳が一時的に停止して小胞体上の受容体に結合する．その後，小胞体上において翻訳が再開され，全ペプチド配列（プレプロホルモン）の生成へと至る．

③生成されたプレプロホルモンは**小胞体（endoplasmic reticulum）**の内部に入り，シグナルペプチドが切断されて**プロホルモン（prohormone）**へと変換される．プロホルモンには，最終生成物であるホルモンに加え，最終的には不要となる余剰ペプチド配列が含まれる．この余剰ペプチドは，ホルモン生成の最終過程で切

450　第9章　内分泌系の生理学

表9.1　ホルモン名と略称.

略語	ホルモン	略語	ホルモン
ACTH	副腎皮質刺激ホルモン adrenocorticotropic hormone	LH	黄体形成ホルモン luteinizing hormone
ADH	抗利尿ホルモン antidiuretic hormone	MIT	モノヨードチロシン monoiodotyrosine
CRH	副腎皮質刺激ホルモン（コルチコトロピン）放出ホルモン corticotropin-releasing hormone	MSH	メラニン細胞刺激ホルモン melanocyte-stimulating hormone
DHEA	デヒドロエピアンドロステロン dehydroepiandrosterone	PIF	プロラクチン抑制因子（ドパミン） prolactin-inhibiting factor（dopamine）
DIT	ジヨードチロシン diiodotyrosine	POMC	プロオピオメラノコルチン pro-opiomelanocortin
DOC	11-デオキシコルチコステロン 11-deoxycorticosterone	PTH	副甲状腺ホルモン parathyroid hormone
FSH	卵胞刺激ホルモン follicle-stimulating hormone	PTU	プロピルチオウラシル propylthiouracil
GH	成長ホルモン growth hormone	SRIF	成長ホルモン放出抑制因子（ソマトスタチン） somatotropin release-inhibiting factor
GHRH	成長ホルモン放出ホルモン growth hormone-releasing hormone	T_3	トリヨードサイロニン triiodothyronine
GnRH	性腺刺激ホルモン（ゴナドトロピン）放出ホルモン gonadotropin-releasing hormone	T_4	サイロキシン thyroxine
hCG	ヒト絨毛性ゴナドトロピン human chorionic gonadotropin	TBG	サイロキシン結合グロブリン thyroxine-binding globulin
hPL	ヒト胎盤性乳腺刺激ホルモン human placental lactogen	TRH	甲状腺刺激ホルモン（サイロトロピン）放出ホルモン thyrotropin-releasing hormone
IGF	インスリン様成長因子 insulin-like growth factor	TSH	甲状腺刺激ホルモン thyroid-stimulating hormone

断されることとなる．余剰ペプチドは，ホルモンを正しく折りたたむための分子内結合などに必要となる場合もある．

④プロホルモンは Golgi（ゴルジ）装置（Golgi apparatus）へと輸送され，**分泌小胞（secretory vesicle）**に梱包される．そして，分泌小胞の内部に存在するタンパク質切断酵素によって，プロホルモンから余剰ペプチド配列が切断され，最終生成物である**ホルモン**が生成される．Golgi 装置では，そのホルモンのグリコシル化（糖鎖付加）やリン酸化などの修飾も行われる．

⑤最終生成物であるホルモンは，内分泌細胞が刺激されるまで分泌小胞に蓄えられる．例えば，副甲状腺の主細胞で生成される**副甲状腺ホルモン（parathyroid hormone：PTH）**は細胞外 Ca^{2+} 濃度の低下が分泌刺激となるが，副甲状腺上のセンサー分子群が細胞外 Ca^{2+} 濃度の低下を検知するまでは分泌小胞の内部に蓄えられている．ひとたび細胞外 Ca^{2+} 濃度低下を検知すると，PTH を含む分泌小胞が細胞膜へと輸送され，開口放出によって PTH を血中へと分泌する．分泌小胞に含まれる切断酵素や切断断片など PTH 以外の分子群も同時に放出される．

ステロイドホルモンの生合成

ステロイドホルモンは副腎皮質や性腺，黄体，胎盤において生成・分泌される．ステロイドホルモンには，**コルチゾール（cortisol）**や**アルドステロン（aldosterone）**，**エストラジオール（estradiol）**，**エストリオール（estriol）**，プロゲステロ

ホルモンの生合成　451

表 9.2　内分泌腺とホルモン作用.

内分泌腺	ホルモン[*1]	化学構造による分類[*2]	生理学的作用
視床下部	甲状腺刺激ホルモン放出ホルモン（TRH）	ペプチド	甲状腺刺激ホルモン（TSH）とプロラクチンの分泌促進
	副腎皮質刺激ホルモン放出ホルモン（CRH）	ペプチド	副腎皮質刺激ホルモン（ACTH）の分泌促進
	性腺刺激ホルモン放出ホルモン（GnRH）	ペプチド	黄体形成ホルモン（LH）と卵胞刺激ホルモン（FSH）の分泌促進
	ソマトスタチン（成長ホルモン放出抑制因子：SRIF）	ペプチド	成長ホルモンの分泌抑制
	ドパミン（プロラクチン抑制因子：PIF）	アミン	プロラクチンの分泌抑制
	成長ホルモン放出ホルモン（GHRH）	ペプチド	成長ホルモンの分泌促進
下垂体前葉	甲状腺刺激ホルモン（TSH）	ペプチド	甲状腺ホルモンの生合成と分泌の促進
	卵胞刺激ホルモン（FSH）	ペプチド	精巣 Sertoli（セルトリ）細胞における精子成熟の促進 卵巣における卵胞形成とエストロゲン生成の促進
	黄体形成ホルモン（LH）	ペプチド	精巣 Leydig（ライディッヒ）細胞におけるテストステロン生成の促進 卵巣における排卵，黄体形成，エストロゲンやプロゲステロン生成の促進
	成長ホルモン	ペプチド	タンパク質合成と成長の促進
	プロラクチン	ペプチド	乳腺における乳汁の産生・分泌の促進
	副腎皮質刺激ホルモン（ACTH）	ペプチド	副腎皮質ホルモン（コルチゾール，アンドロゲン，アルドステロン）の生合成と分泌の促進
	メラニン細胞刺激ホルモン（MSH）	ペプチド	メラニン合成促進（ヒトでは不明）
下垂体後葉	オキシトシン	ペプチド	射乳，子宮収縮刺激
	抗利尿ホルモン（ADH）／バソプレシン	ペプチド	集合管主細胞における水再吸収の促進・細動脈収縮
甲状腺	トリヨードサイロニン（T_3）およびサイロキシン（T_4）	アミン	骨格の成長促進，酸素消費，熱産生，タンパク質・脂質・糖質の代謝促進，新生児期における中枢神経系の成熟
	カルシトニン	ペプチド	血漿 Ca^{2+} 濃度の低下
副甲状腺	副甲状腺ホルモン（PTH）	ペプチド	血漿 Ca^{2+} 濃度の上昇
副腎皮質	コルチゾール（グルココルチコイド）	ステロイド	糖新生の促進，抗炎症作用，免疫抑制作用，血管におけるカテコールアミン感受性の増強
	アルドステロン（ミネラロコルチコイド）	ステロイド	腎における Na^+ 吸収・K^+ および H^+ 排泄の促進
	デヒドロエピアンドロステロン（DHEA）およびアンドロステンジオン（副腎アンドロゲン）	ステロイド	精巣におけるテストステロンの作用を参照
精巣	テストステロン	ステロイド	精子形成の促進，男性の二次性徴の発現促進
卵巣	エストラジオール	ステロイド	女性生殖器の成長と発達の促進，卵胞期の促進，乳腺発達の促進，プロラクチンの分泌促進，妊娠の維持
	プロゲステロン	ステロイド	黄体期の促進，妊娠の維持

表 9.2　内分泌腺とホルモン作用—続き．

内分泌腺	ホルモン*1	化学構造による分類*2	生理学的作用
黄体	エストラジオールおよびプロゲステロン	ステロイド	卵巣におけるエストラジオールおよびプロゲステロンの作用を参照
胎盤	ヒト絨毛性ゴナドトロピン(hCG)	ペプチド	妊娠初期の黄体におけるエストロゲンとプロゲステロンの生合成促進
	ヒト胎盤性乳腺刺激ホルモン(hPL)	ペプチド	妊娠期における成長ホルモン・プロラクチン様作用
	エストリオール	ステロイド	卵巣におけるエストラジオールの作用を参照
	プロゲステロン	ステロイド	卵巣におけるプロゲステロンの作用を参照
膵	インスリン(β細胞)	ペプチド	血糖値の低下
	グルカゴン(α細胞)	ペプチド	血糖値の上昇
腎	レニン	ペプチド	アンジオテンシノーゲンからアンジオテンシン I への変換の触媒
	ビタミン D（1,25-ジヒドロキシコレカルシフェロール）	ステロイド	小腸における Ca^{2+} 吸収の促進，骨石灰化の促進
副腎髄質	ノルアドレナリン，アドレナリン	アミン	交感神経系（第 2 章）を参照

*1：ホルモンの標準的な略語を括弧内に示した．
*2：ペプチドにはタンパク質も含む．

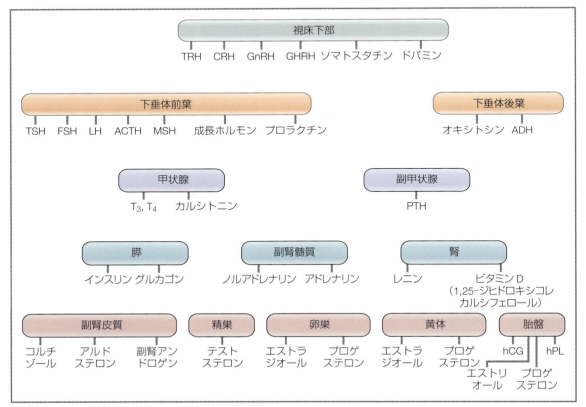

図 9.1　内分泌腺と分泌されるホルモン．
略称は表 9.1 を参照．

ホルモン分泌の調節　453

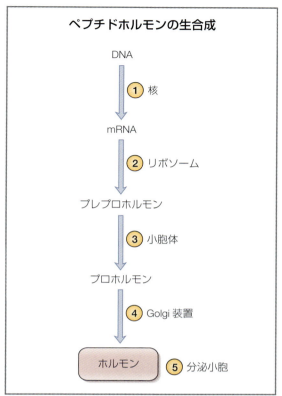

図9.2　ペプチドホルモンの合成過程．
○で囲んだ番号で示した各ステップについては本文で解説する．DNA：デオキシリボ核酸，mRNA：メッセンジャーリボ核酸．

ン（progesterone），テストステロン（testosterone），活性型ビタミンD（別名：1,25-ジヒドロキシコレカルシフェロール（1,25-dihydroxycholecalciferol））が含まれるが，これらのステロイドホルモンはすべてコレステロール（cholesterol）を原料としており，後に解説するように，ステロイド核の側鎖の切断や付加，水酸化（hydroxylation），芳香族化といった修飾を受けて生成される．本章では，副腎皮質ホルモンと活性型ビタミンDの生合成経路を解説する．性ホルモンの生合成経路は第10章で述べる．

アミンホルモンの生合成

アミンホルモンには，アドレナリン（adrenaline）（別名：エピネフリン（epinephrine））やノルアドレナリン（noradrenaline）（別名：ノルエピネフリン（norepinephrine）），ドパミン（dopamine）のようなカテコールアミン（catecholamine）と甲状腺ホルモン（thyroid hormone）があり，いずれもアミノ酸であるチロシン（tyrosine）を原料として生成される．本章では，甲状腺ホルモンの生合成経路について解説する．カテコールアミンの生合成経路は第1章に記載した．

ホルモンの循環

ホルモンが生成・分泌されると，遊離ホルモンとして，あるいはタンパク質と結合して血液中を循環する．循環中でその多くがタンパク質と結合した状態で存在するホルモンとして，甲状腺ホルモンやステロイドホルモン，インスリン様成長因子がある．循環中でホルモンがタンパク質と結合していることには，(1)ホルモンの貯蔵庫となる，(2)遊離ホルモン量を安定化させる，という2つの機能がある．

ホルモン分泌の調節

生体恒常性を維持するためには，ホルモン分泌が必要に応じて開始されたり，停止されることが必須である．分泌速度の調節は，**神経性調節**（neural mechanism）あるいは**フィードバック制御**（feedback mechanism）によって行われる．**神経性調節**の例としてカテコールアミンの分泌がある．すなわち，交感神経の節前線維が副腎髄質にシナプス結合を形成し，交感神経系の興奮によってカテコールアミンが血中へと分泌される．**フィードバック制御**は，神経性調節よりも一般的な制御機構である．「フィードバック」とは，入出力のある系において出力（結果）に応じて入力（原因）を変化させるしくみであり，ホルモンの分泌においては，ホルモンによって引き起こされた生理的応答が，そのホルモンを分泌する内分泌腺に直接あるいは間接的に作用して，その分泌速度を変化させることを意味する．フィードバック制御には，**正のフィードバック**（positive feedback）と**負のフィードバック**（negative feedback）があるが，ホルモン分泌を調節するメカニズムとしては負のフィードバック制御がより重要で一般的で

あり，正のフィードバック制御はまれである．

負のフィードバック

負のフィードバック制御は，内分泌系のみならず，ほぼすべての臓器系において恒常性を維持するための基本となるしくみである．例えば，**第4章**では，動脈圧のわずかな変化が動脈圧を正常に戻すためのしくみを作動させ活性化する負のフィードバック制御について解説した．動脈圧の低下は，圧受容器によって感知され，血圧を上昇させるための一連の機構を活性化する．血圧が正常に戻ると，圧受容器を興奮させる刺激はなくなり，作動していたこれらの機構は停止する．フィードバック制御が鋭敏であればあるほど，動脈圧の正常範囲からの逸脱は小さくなる．

内分泌系における負のフィードバック制御とは，**あるホルモンの作用によって直接あるいは間接的にそのホルモンのさらなる分泌が抑制されるしくみ**を意味する．例として，**図9.3**に視床下部（hypothalamus）−**下垂体前葉**（anterior pituitary）−末梢内分泌腺における負のフィードバック制御の様式を示す．視床下部は，放出ホルモンを分泌して下垂体前葉ホルモンの分泌を促す．下垂体前葉ホルモンは末梢内分泌腺に作用してホルモンの分泌を誘導し，標的組織に作用して生理学的作用を発現する（例えば，下垂体前葉ホルモンから分泌された性腺刺激ホルモンが精巣に作用してテストステロンの分泌を誘導し，これが骨格筋に作用する）．負のフィードバック制御が作動すると，分泌されたホルモンが下垂体前葉や視床下部に作用して，そのホルモンの分泌を抑制する．フィードバック制御にはループの長さによっていくつかの種類がある．**長環フィードバック**（long-loop feedback）では，末梢内分泌腺から分泌されたホルモンが視床下部−下垂体系を抑制する．**短環フィードバック**（short-loop feedback）では，下垂体前葉ホルモンが視床下部にフィードバックして放出ホルモンの分泌を抑制する．**図9.3**には示されていないが，視床下部ホルモンがそれ自体の分泌を抑制する**超短環フィードバック**（ultrashort-loop feedback）も存在する（例えば，成長ホルモン放出ホルモン（growth

hormone-releasing hormone：GHRH）はそれ自身の分泌を抑制する）．

どの種類の負のフィードバック制御が作動した場合でも，発現する生理学的作用に基づいてホルモンの効果が十分あるいは過剰であると判断されると，さらなるホルモン分泌は抑制される．逆に，ホルモンの効果が不十分あるいは低いと判断された場合には，さらなるホルモン分泌が刺激される．

視床下部−下垂体系を介さない負のフィードバック制御機構も存在する．例えば，膵内分泌腺から分泌される**インスリン**（insulin）である．インスリンは血糖降下作用をもつホルモンであるが，その分泌は血糖値によって促進あるいは抑制される．すなわち，血糖値が高いときにはインスリン分泌が誘導され，標的組織である肝や筋，脂肪に作用して血糖値を正常値へと低下させる．血糖値が十分に低くなると，インスリンはもはや必要とされず，その分泌は停止される．

正のフィードバック

正のフィードバック制御は，わずかな例でしかみられない．この制御が作動した場合，**ホルモンの作用によってさらなるホルモン分泌が誘導される**（図9.3）．すなわち，負のフィードバック制御が自己抑制的であるのに対し，正のフィードバック制御は自己増幅的である．生体調節系ではまれにしか起こらないが，正のフィードバック制御が作動すると，爆発的イベントが引き起こされることとなる．

内分泌系以外の生体調節系でみられる正のフィードバック制御の例として，神経系における**活動電位発生時**のNa^+チャネルの開口がある．脱分極によって電位依存性Na^+チャネルが開くと，細胞内にNa^+が流入し，これが，さらなる脱分極とNa^+流入を誘導する．この自己増幅的な過程によって，急速で爆発的な活動電位の立ち上がり相が生み出される．

内分泌系における正のフィードバック制御の重要な例として，月経周期の中間時点における下垂体前葉による**卵胞刺激ホルモン**（follicle-stimulating hormone：FSH）と**黄体形成ホルモン**（luteinizing hormone：LH）の分泌に対する**エスト**

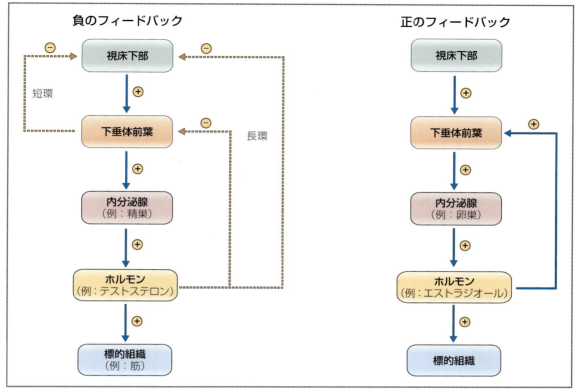

図9.3 ホルモン分泌におけるフィードバック制御.
例として視床下部-下垂体系におけるフィードバック制御を示す.線と（＋）は促進を示し,点線と（－）は抑制を示す.

ロゲン（estrogen）の作用が挙げられる.卵胞期には卵巣からエストロゲンが分泌され,これが下垂体前葉に作用してFSHとLHの急速な分泌を誘導する.FSHとLHは卵巣に作用して排卵とエストロゲン分泌を誘導する.すなわち,卵巣で分泌されたエストロゲンが下垂体前葉でFSHとLHの分泌を促進して,これらの下垂体前葉ホルモンはさらなるエストロゲン分泌を誘導する.この例では,排卵に先立つFSHとLHの急速な分泌バーストが爆発的イベントとなる.

もう1つの例として,**オキシトシン（oxytocin）**の分泌が挙げられる.子宮頸管が開大すると,下垂体後葉においてオキシトシンの分泌が誘導される.オキシトシンは子宮を収縮させ,胎児を送り進めることにより子宮頸管のさらなる開大を誘発する.この例における爆発的イベントは,分娩であり,胎児の娩出である.

ホルモン受容体の調節

前項では,主に負のフィードバック制御によってホルモンの循環レベルを調節する機構について解説した.ただし,標的組織におけるホルモン応答を決める因子は血中ホルモン量だけではない.ホルモンに反応するには,標的組織はホルモンを特異的に認識する**受容体（receptor）**を発現していなければならない.これらの受容体は,後に解説するように,生理的応答の発現へと至る細胞内シグナル伝達系と共役している.

ホルモンに対する標的組織の応答性は,ホルモン濃度と応答の大きさが相関する**用量反応関係（dose-response relationship）**で表される.通常,応答強度はホルモン濃度の増加に伴って上昇し,やがてプラトーに達する.ホルモンに対する**感受性（sensitivity）**は,最大応答強度の50％の

応答を示すホルモン濃度として定義される．50%応答を生み出すために，より多くのホルモンが必要であれば，標的組織における感受性が低下していることとなる．逆に，より少ないホルモンで50%応答が示された場合には，標的組織の感受性が上昇しているといえる．

標的組織におけるホルモン感受性は，ホルモン受容体の**数**が変化したり，ホルモンに対するホルモン受容体の**親和性（affinity）**が変化したりすることによって変わりうる．ホルモン受容体の数が多ければ多いほど，最大応答は大きくなる．また，ホルモンに対する受容体の親和性が高ければ高いほど，応答確率が高くなる．

受容体の数や親和性が変化することを，**ダウンレギュレーション（down-regulation）**あるいは**アップレギュレーション（up-regulation）**という．ダウンレギュレーションは受容体の数や親和性が低下した状態であり，アップレギュレーションはそれらが上昇した状態である．ホルモンは，標的組織において自身の受容体をダウンレギュレーションあるいはアップレギュレーションし，また，他のホルモンに対する受容体も調節することがある．

ダウンレギュレーション

ダウンレギュレーションとは，ホルモンが標的組織において受容体の数を減らしたり親和性を低下させたりするしくみのことである．これは，新たな受容体の合成の抑制や分解の促進，あるいは受容体の不活性化によって起こる可能性がある．ダウンレギュレーションの目的は，ホルモン量が長期にわたって過剰である場合に，標的組織におけるホルモン感受性を低下させることである．ダウンレギュレーションが起こると，血中ホルモン濃度が高いままであってもホルモンへの応答は減弱することとなる．ダウンレギュレーションの例として，**プロゲステロン（progesterone）**が子宮において示す自身の受容体に対する作用が挙げられる（第10章）．

あるホルモンが，別のホルモンの受容体の数を減らしたり親和性を低下させたりする作用もダウンレギュレーションとよばれる．例えば，プロゲ

ステロンは子宮において，上述したように自身の受容体をダウンレギュレーションするだけでなく，エストロゲン受容体もダウンレギュレーションする．また，甲状腺系においてもこのようなダウンレギュレーションがみられ，**トリヨードサイロニン（triiodothyronine：T_3）**は，下垂体前葉において**甲状腺刺激ホルモン放出ホルモン（thyrotropin-releasing hormone：TRH）**受容体の感受性を低下させる．したがって，慢性的に T_3 濃度の高い状態が続くと，視床下部-下垂体-甲状腺系の反応が全体として低下することとなる．

アップレギュレーション

アップレギュレーションとは，ホルモンが標的組織において受容体の数を増やしたり親和性を高めたりするしくみのことである．これは，新たな受容体の合成の促進や既存の受容体の分解の抑制，あるいは受容体の活性化によって起こる可能性がある．例えば，**プロラクチン（prolactin）**は乳腺において，**成長ホルモン（growth hormone：GH）**は骨格筋や肝において，**エストロゲン**は子宮において，それぞれの受容体の数を増加させる．

あるホルモンが，別のホルモンの受容体の数を増やしたり親和性を上昇させたりする作用もアップレギュレーションとよばれる．例えば，エストロゲンは子宮において，自身の受容体をアップレギュレーションするのみならず，卵巣においてLH受容体もアップレギュレーションする．

ホルモンの作用機序とセカンドメッセンジャー

標的組織におけるホルモン作用は，ホルモンが受容体に結合して複合体を形成することによって開始される．多くのホルモン作用には**Gタンパク質（G protein）**共役受容体が関与する．この場合，ホルモン-受容体複合体はGタンパク質（グアノシン三リン酸結合タンパク質）を介して**アデニル酸シクラーゼ（adenylyl cyclase）**や**ホスホリパーゼC（phospholipase C）**のようなエフェ

ホルモンの作用機序とセカンドメッセンジャー　457

表9.3　ホルモンの作用機序.

アデニル酸シクラーゼ系	ホスホリパーゼC系	ステロイドホルモン系	チロシンキナーゼ系	グアニル酸シクラーゼ系
ACTH	GnRH	グルココルチコイド	インスリン	心房性ナトリウム利尿ペプチド(ANP)
LH	TRH	エストロゲン	IGF-1	一酸化窒素(NO)
FSH	GHRH	プロゲステロン	成長ホルモン	
TSH	アンジオテンシンⅡ	テストステロン	プロラクチン	
ADH(V_2受容体)	ADH(V_1受容体)	アルドステロン		
hCG	オキシトシン	1,25-ジヒドロキシコレカルシフェロール		
MSH	α_1受容体	甲状腺ホルモン		
CRH				
カルシトニン				
PTH				
グルカゴン				
β_1，β_2受容体				

クタータンパク質と結合している．これらエフェクタータンパク質が活性化されると，**環状アデノシン一リン酸**（cyclic adenosine monophosphate：cAMP）や**イノシトール 1,4,5-トリスリン酸**（inositol 1,4,5-trisphosphate：IP_3）のようなセカンドメッセンジャーが産生され，これがホルモンのシグナル伝達を増幅して生理学的作用の発現へと至る．

　ホルモンの標的細胞における主要な作用機序には，上述したアデニル酸シクラーゼ系やホスホリパーゼC系の他に，**心房性ナトリウム利尿ペプチド**（atrial natriuretic peptide：ANP）や**一酸化窒素**（nitric oxide：NO）の作用に関与し，**環状グアノシン一リン酸**（cyclic guanosine monophosphate：cGMP）を産生する**グアニル酸シクラーゼ**（guanylyl cyclase）系，**インスリン**や**インスリン様成長因子**（insulin-like growth factor：IGF）の作用に関与する**チロシンキナーゼ**（tyrosine kinase）系，脂溶性ホルモンの作用に関与する**ステロイドホルモン系**がある．主要なホルモンの作用機序について**表9.3**に示す．

G タンパク質

　Gタンパク質については，すでに**第2章**において自律神経受容体との関連で解説した．Gタンパク質は，ホルモン受容体をアデニル酸シクラーゼのようなエフェクター酵素と連関させる膜連関型タンパク質の1ファミリーであり，不活性型と活性型の切り換えによってホルモン作用を伝達する"分子スイッチ"として機能する．

　分子レベルでは，Gタンパク質はヘテロ三量体タンパク質であり，α，β，γの3つのサブユニットから構成される．αサブユニットは，**グアノシン二リン酸**（guanosine diphosphate：GDP）あるいは**グアノシン三リン酸**（guanosine triphosphate：GTP）に結合するとともに，GTPを加水分解してGDPへと変換するGTPase活性をもつ．αサブユニットにGDPが結合しているときにはGタンパク質は不活性であるが，GTPが結合することによってGタンパク質は活性化され，エフェクタータンパク質との結合が促進される．Gタンパク質の全体としての活性は，**グアニンヌクレオチド交換因子**（guanine nucleotide-exchanging factor：GEF），あるいは**グアニンヌクレオチド放出因子**（guanine nucleotide-releasing factor：GRF）と**GTPase活性化タンパク質**（GTPase-activating protein：GAP）の相対的な活性によって制御されている．GEFはGDPとGTPの交換反応を促進し，GAPはGTPase活性を上昇させる因子である．

　Gタンパク質は，αサブユニットの配列と役割によっていくつかのファミリーに分類される．アデニル酸シクラーゼ系に関与するGタンパク質には，**刺激性Gタンパク質**（G_sまたは$G_{\alpha s}$）と**抑制性Gタンパク質**（G_iまたは$G_{\alpha i}$）があり，GTPがG_sに結合するとアデニル酸シクラーゼが活性化され，G_iに結合するとアデニル酸シクラーゼは抑制される．ホスホリパーゼC系ではG_qが関与する．

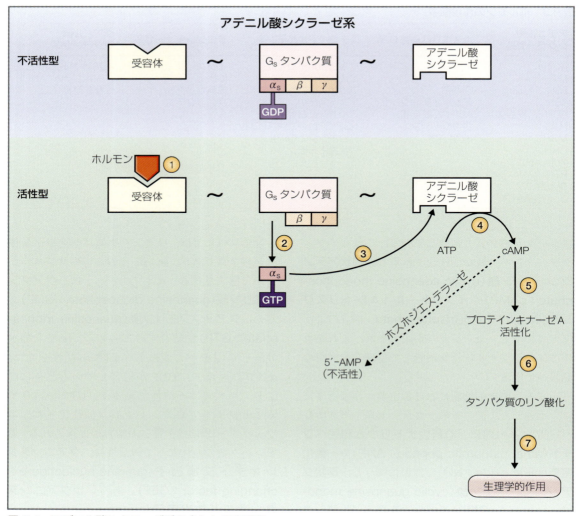

図9.4 アデニル酸シクラーゼ系を介した反応過程.
○で囲んだ番号で示した各ステップについては本文で解説する．AMP：アデノシン一リン酸，ATP：アデノシン三リン酸，cAMP：環状アデノシン一リン酸，GDP：グアノシン二リン酸，GTP：グアノシン三リン酸．

アデニル酸シクラーゼ系

　アデニル酸シクラーゼ系は，多くのホルモン作用に関与するシグナル伝達系である（表9.3）．この系では，ホルモンがG_sあるいはG_iタンパク質と共役する受容体と結合することによって，アデニル酸シクラーゼが活性化あるいは抑制され，セカンドメッセンジャーであるcAMPの細胞内濃度が上昇したり減少したりする．cAMPはホルモンのシグナルを増幅し，生理学的作用を発現する．

　アデニル酸シクラーゼ系の反応過程を図9.4に示す．ここでは，ホルモン受容体がG_sタンパク質と共役している場合を例示する．受容体とG_sタンパク質およびアデニル酸シクラーゼから構成される複合体は細胞膜に存在する．ホルモンが受容体に結合していない場合には，G_sタンパク質にはGDPが結合しており，**不活性**である．ホルモンが受容体に結合すると，以下に示す反応が引き起こされる（図9.4参照）．

1. 細胞膜上の**受容体**にホルモンが結合すると，αサブユニットの立体構造が変化する（ステップ①）．これによって，GDPがαサブユニットから解離してGTPに置換されるとともに，αサブユニットとβγサブユニット複合体が解離す

ホルモンの作用機序とセカンドメッセンジャー　459

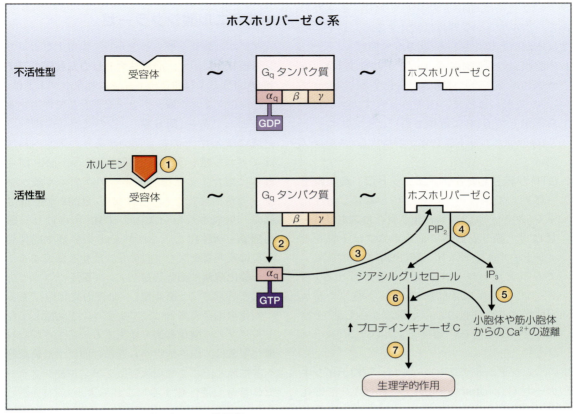

図 9.5　ホスホリパーゼ C 系を介した反応過程.
○で囲んだ番号で示した各ステップについては本文で解説する．GDP：グアノシン二リン酸，GTP：グアノシン三リン酸，IP₃：イノシトール 1,4,5-トリスリン酸，PIP₂：ホスファチジルイノシトール 4,5-ビスリン酸．

る（ステップ②）．

2. **GTP が結合したαサブユニット**は，細胞膜上を移動してアデニル酸シクラーゼと結合し活性化する（ステップ③）．活性化された**アデニル酸シクラーゼ**は，ATP から cAMP への変換反応を触媒し，生成された cAMP がセカンドメッセンジャーとして機能する（ステップ④）．図には示していないが，G タンパク質自身がもつ GTPase 活性によって GTP は GDP へと加水分解され，αサブユニットは不活性な状態へと戻る．

3. cAMP は，**プロテインキナーゼ A（protein kinase A：PKA）**の活性化など一連の過程を経て，細胞内のさまざまなタンパク質のセリン残基やスレオニン残基をリン酸化する（ステップ⑤，⑥）．これらリン酸化されたタンパク質群が，最終的な生理学的作用の発現に関与する（ス

テップ⑦）．

4. cAMP は，分解酵素である**ホスホジエステラーゼ（phosphodiesterase）**によって活性をもたない 5′-adenosine monophosphate（5′-AMP）へと分解され，これによってセカンドメッセンジャーとしての作用を失う．

ホスホリパーゼ C 系

ホスホリパーゼ C 系が関与するホルモン作用についても**表 9.3** に示す．この系では，ホルモンが受容体に結合すると，G_q タンパク質を介してホスホリパーゼ C が活性化される．これによって細胞内の IP₃ や Ca²⁺ が増加し，生理学的作用が発現する．この系の反応過程を**図 9.5** に示す．

受容体と G_q タンパク質およびホスホリパーゼ C から構成される複合体は，細胞膜に存在する．ホルモンが受容体に結合していない場合には，G_q

タンパク質には GDP が結合しており，**不活性**である．ホルモンが受容体に結合すると，以下に示す反応が引き起こされる（**図9.5 参照**）．

1. 細胞膜上の受容体にホルモンが結合すると，α サブユニットの立体構造が変化する（ステップ①）．これによって，GDP が α サブユニットから解離して GTP に置換され，α サブユニットと $\beta\gamma$ サブユニット複合体が解離する（ステップ②）．

2. **GTP が結合した α サブユニット**は，細胞膜上を移動してホスホリパーゼ C と結合し活性化する（ステップ③）．活性化された**ホスホリパーゼ C** は，膜リン脂質であるホスファチジルイノシトール 4,5-ビスリン酸（PIP_2）を分解してジアシルグリセロールと IP_3 を遊離させる（ステップ④）．生成された IP_3 は，小胞体や筋小胞体のような細胞内 Ca^{2+} 貯蔵庫から Ca^{2+} を放出させ，細胞内 Ca^{2+} 濃度を上昇させる（ステップ⑤）．

3. Ca^{2+} とジアシルグリセロールは，**プロテインキナーゼ C**（protein kinase C：PKC）を活性化して細胞内のさまざまなタンパク質をリン酸化し，最終的な生理学的作用の発現へと至る（ステップ⑥，⑦）．

酵素連結型受容体系

ホルモンが結合する細胞膜上の受容体のなかには，それ自身の細胞内領域が酵素活性をもっていたり，酵素活性をもつ他のタンパク質と結合していたりするものもある．ホルモンがこれら**酵素連結型受容体**（catalytic receptor）に結合すると，GTP から cGMP の産生を触媒する**グアニル酸シクラーゼ**や，タンパク質の特定のアミノ酸残基をリン酸化するリン酸化酵素（キナーゼ）のような酵素が活性化される．リン酸化酵素には**セリン／スレオニンキナーゼ**（serine/threonine kinase）と**チロシンキナーゼ**があり，それぞれ基質タンパク質中のセリン／スレオニン残基あるいはチロシン残基をリン酸化して基質タンパク質に負電荷（リン酸）を付加することで立体構造を変化させ，これが生理学的作用の発現に重要となる．

グアニル酸シクラーゼ

グアニル酸シクラーゼを介して作用するホルモンも**表9.3** に示す．**心房性ナトリウム利尿ペプチド（ANP）**および関連ナトリウム利尿ペプチドは，受容体型グアニル酸シクラーゼを介して作用するホルモンである（**第6章**）．この受容体の細胞外領域には ANP との結合部位があり，細胞内領域はグアニル酸シクラーゼ活性をもつ．ANP が受容体に結合すると細胞内領域のグアニル酸シクラーゼが活性化され，GTP から cGMP が生成される．生成された cGMP は cGMP 依存性リン酸化酵素を活性化し，これが ANP の生理学的作用発現に重要なタンパク質のリン酸化を誘導する．

一酸化窒素は細胞質型グアニル酸シクラーゼを介して作用する（**第4章**）．血管内皮細胞にある一酸化窒素合成酵素は，アルギニンを切断してシトルリンと一酸化窒素を産生する．産生された一酸化窒素は，内皮細胞から近傍の血管平滑筋細胞へと拡散し，ここで細胞質型グアニル酸シクラーゼに結合し活性化する．これによって GTP から cGMP が生成され，血管平滑筋の弛緩を誘導する．

セリン／スレオニンキナーゼ

先に解説したように，多くのホルモンは G タンパク質共役受容体を介して作用し，その過程には**アデニル酸シクラーゼ系やホスホリパーゼ C 系**が関与する（**表9.3**）．これらの作用過程では，最終的にそれぞれプロテインキナーゼ A やプロテインキナーゼ C のようなセリン／スレオニンキナーゼが活性化される．活性化したこれらのキナーゼは，ホルモンの生理学的作用を遂行するタンパク質群のセリン残基やスレオニン残基をリン酸化する．また，**Ca^{2+}-カルモジュリン依存性プロテインキナーゼ**（Ca^{2+}-calmodulin-dependent protein kinase：CaMK）や**分裂促進因子活性化プロテインキナーゼ**（mitogen-activated protein kinase：MAPK）もセリン残基やスレオニン残基をリン酸化する酵素であり，一連の生物学的作用を引き起こす．

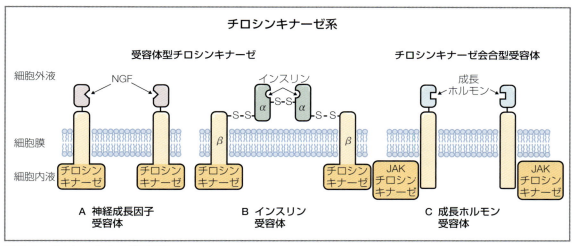

図9.6　チロシンキナーゼ受容体．
神経成長因子（NGF）（A）とインスリン（B）に対する受容体は，それ自身が内因性にチロシンキナーゼ活性をもつ．成長ホルモン（C）に対する受容体はチロシンキナーゼ会合型受容体であり，受容体自身はチロシンキナーゼ活性をもたないが，ヤヌスキナーゼ（JAK）のようなチロシンキナーゼと会合している．

■ チロシンキナーゼ

　チロシンキナーゼはタンパク質のチロシン残基をリン酸化する酵素であり，**受容体型チロシンキナーゼ**（receptor tyrosine kinase）と**チロシンキナーゼ会合型受容体**（tyrosine kinase-associated receptor）の2種類に大別される（図9.6）．受容体型チロシンキナーゼは，受容体自身がチロシンキナーゼ活性をもつ．一方，チロシンキナーゼ会合型受容体は，受容体自身はチロシンキナーゼ活性をもたないが，チロシンキナーゼ活性をもつ他のタンパク質（非受容体型チロシンキナーゼ）と会合する（図9.6）．

- **受容体型チロシンキナーゼ**には，細胞外領域のホルモン・リガンド結合部位，疎水性の高い細胞膜貫通領域，細胞内領域のチロシンキナーゼ活性をもつ部位がある．ホルモンやリガンドが受容体に結合すると，受容体自身がもつチロシンキナーゼが活性化され，受容体自身やその他のタンパク質のチロシンリン酸化を誘導する．
  受容体型チロシンキナーゼは，**神経成長因子**（nerve growth factor：NGF）受容体や**上皮成長因子**（epidermal growth factor：EGF）受容体のような単量体型受容体（図9.6A）と，**インスリン受容体やインスリン様成長因子受容体**（IGF）のような二量体型受容体（図9.6B）とに分類できる．単量体型受容体は，リガンドが受容体の細胞外領域に結合することで二量体化され，受容体自身のチロシンキナーゼ活性によって自己リン酸化やその他のタンパク質のチロシンリン酸化が誘導され，生理機能の発現に至る．
  　二量体型受容体は，インスリンのようなリガンドが結合すると受容体自身のチロシンキナーゼ活性によって自己リン酸化やその他のタンパク質のチロシンリン酸化が誘導され，生理機能を発現する．インスリン受容体シグナル伝達については後に解説する．

- **成長ホルモン受容体**のような**チロシンキナーゼ会合型受容体**（図9.6C）も，受容体型チロシンキナーゼと同様に，細胞外領域のホルモン・リガンド結合部位と疎水性の高い膜貫通領域および細胞内領域をもつ．しかし，受容体型チロシンキナーゼとは異なり，チロシンキナーゼ会合型受容体の細胞内領域はチロシンキナーゼ活性をもたない．これらの受容体は，細胞内においてヤヌスキナーゼ（Janus kinase：JAK）のような非受容体型チロシンキナーゼと非共有結合により会合している．ホルモンが受容体の細胞外領域に結合すると，受容体が二量体化してJAKのような会合タンパク質のチロシンキナー

ゼを活性化する．そして，このチロシンキナーゼがJAK自身や受容体など各種タンパク質のチロシン残基をリン酸化して，そのシグナルを伝達する．JAKの下流の標的分子の1つに**シグナル伝達兼転写活性化因子**(signal transducers and activators of transcription：STAT)がある．このタンパク質は，ホルモンの生理機能に関与するmRNAの転写を誘導して，最終的に新たなタンパク質の合成を誘導する．

ステロイドホルモンと甲状腺ホルモンの作用機序

脂溶性ホルモンである**ステロイドホルモンと甲状腺ホルモン**は，同一の機序を介して生理学的作用を示す．水溶性ホルモンであるペプチドホルモンが，アデニル酸シクラーゼ系やホスホリパーゼC系によって細胞膜上の受容体への結合とセカンドメッセンジャーの生成を介して作用するのに対し，これら脂溶性ホルモンは細胞膜を透過して細胞質あるいは核内に存在する受容体タンパク質と結合し，転写や新たなタンパク質の合成を誘導する（図9.7）．さらに，ペプチドホルモンが標的組織において数分以内に作用する一方で，脂溶性ホルモンの**作用は遅く**，数時間かけて作用を示す．

ステロイドホルモンの作用過程は以下の通りである（図9.8）．

1. ステロイドホルモンは，細胞膜を透過して細胞内に入る（ステップ①）．そして，細胞質（図9.8に示している）あるいは核内にある**特定の受容体タンパク質**と結合する（ステップ②）．ステロイドホルモン受容体は，細胞内受容体スーパーファミリーに属する単量体のリン酸化タンパク質である．図9.7に示すように，各受容体にはAからFの6つのドメインがあり，ホルモンはC末端近傍の**E**ドメインに結合する．**C**ドメインは異なるステロイドホルモン受容体間で高度に保存された領域であり，2つの亜鉛フィンガー（zinc finger）構造をもち，DNAとの結合に重要な領域である．ホルモンが結合すると受容体の立体構造が変化し，活性化されたホルモン-受容体複合体が核内へと移行する．
2. この複合体は**二量体化**して，Cドメインの亜鉛

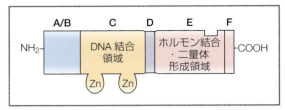

図9.7 ステロイドホルモン受容体の構造.
細胞質あるいは核に存在する受容体の構造を示す．AからFの6つのドメインが存在する．

フィンガーを介して標的遺伝子の5′領域にある**ステロイド応答領域**(steroid-responsive element：SRE)とよばれる特定のDNA塩基配列に結合する（ステップ③）．

3. ホルモン-受容体複合体は**転写因子**として機能して，この遺伝子の転写活性を調節する（ステップ④）．生成された**mRNA**（ステップ⑤）は細胞質に移行し（ステップ⑥），タンパク質へと翻訳されて（ステップ⑦），ホルモンの特異的な生理学的作用の発現へと至る（ステップ⑧）．**新たに合成されるタンパク質の性質は作用したホルモンに固有のもの**であり，ホルモン作用の特異性を説明するものである．例えば，活性型ビタミンD（1,25-ジヒドロキシコレカルシフェロール）は小腸におけるCa^{2+}吸収を促進するCa^{2+}結合タンパク質の合成を誘導し，アルドステロンは腎主細胞においてNa^+再吸収を促進する上皮性Na^+チャネル（epithelial Na^+ channel：ENaC）の合成を誘導する．また，テストステロンは骨格筋タンパク質の合成を誘導する．

視床下部と下垂体の関係

視床下部と下垂体は協調して機能することによって，多くの内分泌系を取りまとめる役割をもつ．視床下部-下垂体ユニットは，甲状腺や副腎，性腺の機能を調節し，成長，乳汁の産生・射出，浸透圧調節を制御する．視床下部と下垂体の機能連関を理解するためには，この2つの組織間の解剖学的な関係を理解することが重要である．

下垂体(pituitary gland, hypophysis)は前葉と後葉で構成されている．**下垂体前葉**(anterior pi-

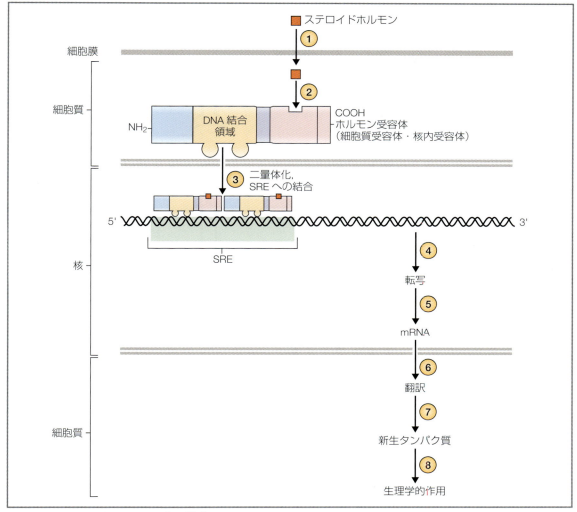

図9.8 ステロイドホルモンの作用機序．
○で囲んだ番号で示した各過程については本文で解説する．mRNA：メッセンジャーリボ核酸，SRE：ステロイド応答領域．

tuitary）は腺性下垂体，**下垂体後葉**（posterior pituitary）は神経性下垂体ともよばれる．解剖学的には，視床下部と下垂体とは，**下垂体茎**（infundibulum）とよばれる細い漏斗状突起でつながっている．機能的には，視床下部は神経とホルモンの両方のメカニズムを介して下垂体を制御している（図9.9）．

視床下部と下垂体後葉の関係

　下垂体後葉は神経外胚葉由来である．下垂体後葉からは**抗利尿ホルモン**（antidiuretic hormone：ADH）とオキシトシンの2つのホルモンが分泌され，ADHは腎と細動脈に，オキシトシンは乳腺と子宮に作用する．

　視床下部と下垂体後葉との間には神経接続がある．つまり，下垂体後葉は視床下部に細胞体がある神経細胞の軸索が集合して構築されている組織である．したがって，下垂体後葉から分泌されるADHとオキシトシンは，神経細胞で発現し放出されて生理活性を示す**神経ペプチド**（neuropeptide）である．

　ADHやオキシトシンを分泌するニューロンの細胞体は，視床下部の**視索上核**（supraoptic nucleus）および**室傍核**（paraventricular nucleus）

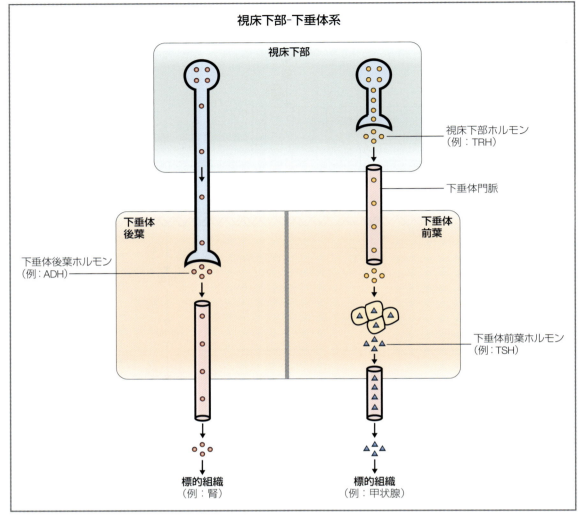

図9.9 視床下部と下垂体（前葉・後葉）の関連.
赤色の●は下垂体後葉ホルモンを，オレンジ色の●は視床下部ホルモンを，青色の▲は下垂体前葉ホルモンを示す．ADH：抗利尿ホルモン，TRH：甲状腺刺激ホルモン放出ホルモン，TSH：甲状腺刺激ホルモン．

に存在する．両者いずれも2つのホルモンを産生するが，**ADH**は主に視索上核において，**オキシトシン**は主に室傍核において産生される．

　細胞体で合成されたこれらのホルモンは，神経分泌小胞に梱包された状態で軸索に沿って輸送され，下垂体後葉の神経終末に貯蔵される．細胞体が刺激されると，神経分泌小胞は神経終末から開口放出によって放出され，内容物であるホルモンが分泌される．分泌されたホルモンは，近くの有窓性毛細血管に入り，体循環を経て標的組織へと運ばれる．

　すなわち，視床下部と下垂体後葉の関係は単純明快であり，ホルモンを分泌する神経細胞の細胞体が視床下部にあり，その軸索が下垂体後葉にあるものである．

視床下部と下垂体前葉の関係

　下垂体前葉は，胎生期における咽頭部の陥入によってできるRathke（ラトケ）囊（Rathke's pouch）に由来する．神経組織である下垂体後葉とは異なり，下垂体前葉は主に内分泌細胞の集合体である．下垂体前葉は，**甲状腺刺激ホルモン**

(thyroid-stimulating hormone：TSH)，卵胞刺激ホルモン（FSH），黄体形成ホルモン（LH），成長ホルモン，プロラクチンおよび**副腎皮質刺激ホルモン**（adrenocorticotropic hormone：ACTH）の6種類のペプチドホルモンを分泌する．

視床下部と下垂体後葉とが神経接続していたこととは対照的に，視床下部と下垂体前葉との連絡には神経性と内分泌性の両方が関与する．視床下部と下垂体前葉は**下垂体門脈**（hypothalamic-hypophysial portal vessel）によって直接結ばれており，下垂体前葉に供給される血液の大部分はこの経路を介している．

下垂体門脈には**長下垂体門脈**と**短下垂体門脈**がある．動脈血は上下垂体動脈を介して視床下部へと運ばれ，正中隆起で毛細血管網（一次毛細血管叢）に分配される．これら一次毛細血管叢は，合流して長下垂体門脈を形成し，下垂体茎を下降して視床下部静脈血を下垂体前葉へと供給する．このシステムと並行して，下垂体茎の下部では下下垂体動脈が毛細血管網を形成しており，これらは短下垂体門脈へと収束する．これらも血液を下垂体前葉へと供給する．すなわち，下垂体前葉の血液供給は他の臓器とは異なり，視床下部からの静脈血が長・短下垂体門脈を介して供給されるものである．

このような経路で下垂体前葉に血液が供給されることは，生理的には2つの重要な意義がある．1つ目は，下垂体前葉には視床下部ホルモンが直接，高濃度で作用することができる点であり，2つ目は，体循環血液中には視床下部ホルモンが高濃度では現れないという点である．したがって，生体内において高濃度の視床下部ホルモンに曝露されるのは唯一，下垂体前葉の細胞のみということとなる．

このような"解剖学的"連関を念頭に置きながら，視床下部と下垂体前葉の"機能"連関について解説する．視床下部は，下垂体前葉からのホルモン分泌を促進するホルモン（ホルモン放出ホルモン），あるいは抑制するホルモン（ホルモン放出抑制ホルモン）を分泌する．これら視床下部ホルモンは視床下部ニューロンの細胞体で合成され，軸索に沿って正中隆起へと輸送される．このニュー

ロンが刺激されると，これらホルモンは神経終末から分泌されて近傍の一次毛細血管叢に入る．毛細血管中の血液は，下垂体門脈を介して直接下垂体前葉へ運ばれる．こうして視床下部ホルモンが下垂体前葉細胞に作用し，下垂体前葉ホルモンの分泌を促進したり，抑制したりする．下垂体前葉ホルモンはその後，体循環を経て標的組織へと運ばれる．

このような視床下部と下垂体前葉の関係について，**甲状腺刺激ホルモン放出ホルモン（TRH）−甲状腺刺激ホルモン（TSH）−甲状腺ホルモン系**を例として示す（図9.9右）．TRHは視床下部ニューロンで合成され，正中隆起で分泌される．ここで血中に移行し，下垂体門脈を経て下垂体前葉へと輸送され，TSH分泌を刺激する．TSHは体循環に入って標的組織である甲状腺に運ばれ，**甲状腺ホルモンの分泌を促進する**．

下垂体前葉ホルモン

前項に示したように，下垂体前葉からはTSH，FSH，LH，ACTH，成長ホルモン，プロラクチンの6種類のホルモンが分泌される．これらホルモンは5種類の細胞から分泌され，これらの細胞は，いずれも栄養物質を意味する接尾辞"troph"で表される．すなわち，TSH分泌細胞である**サイロトロフ**（thyrotroph）（下垂体前葉を構成する細胞のうちの5％，以下同じ），FSHおよびLH分泌細胞である**ゴナドトロフ**（gonadotroph）（15％），ACTH分泌細胞である**コルチコトロフ**（corticotroph）（15％），成長ホルモン分泌細胞である**ソマトトロフ**（somatotroph）（20％），およびプロラクチン分泌細胞である**ラクトトロフ**（lactotroph）（15％）である．

これらの下垂体前葉ホルモンは，いずれもペプチドホルモンであり，すでに解説した生合成経路（核内でのDNAからmRNAへの転写，リボソームにおけるmRNAからプレプロホルモンへの翻訳，小胞体やGolgi装置におけるプレプロホルモンの翻訳後修飾）を経て産生され，分泌小胞内に蓄えられる．下垂体前葉が視床下部ホルモンに

よって刺激されると，分泌小胞が開口放出され，分泌された下垂体前葉ホルモンは体循環を経て標的組織へと輸送される．例えば，前述した通り，TSH分泌細胞は視床下部ホルモンであるTRHによって刺激されてTSHを分泌し，体循環によって標的組織である甲状腺へと輸送される．

下垂体前葉ホルモンは，化学構造と機能の類似性によって，TSH・FSH・LHファミリーとACTHファミリー，成長ホルモン・プロラクチンファミリーの3つに分類される．

このうちTSH・FSH・LHファミリーとACTHについては，本項での解説は概要に留め，TSHは甲状腺の項，ACTHは副腎皮質の項，FSHとLHは第10章にて詳細に解説する．成長ホルモンとプロラクチンについては本項で詳細に解説する．

TSH・FSH・LHファミリー

TSHとFSHおよびLHは，いずれもポリペプチド鎖のアスパラギン残基に糖鎖が共有結合した糖タンパク質（glycoprotein）である．各ホルモンは，共有結合していないαおよびβの2つのサブユニットから構成されており，いずれのサブユニットも単独では生理学的作用を示さない．TSHとFSHおよびLHのαサブユニットは同一であり，同一のmRNAから産生される．βサブユニットは，相同性は高いものの，それぞれのホルモンで異なっており，これにより各ホルモンの特異性が発現されることとなる．αサブユニットとβサブユニットのペアリングは小胞体において開始され，Golgi装置でも継続される．分泌小胞内では，ペアリングされた分子がより安定な形態へと再び折りたたまれる．

胎盤から分泌されるホルモンであるヒト絨毛性ゴナドトロピン（human chorionic gonadotropin：hCG）も構造的に類似しており，TSHやFSH，LHと同一のαサブユニットと，それ自身のβサブユニットをもつ糖タンパク質であり，これが生物学的特異性を与えている．

ACTHファミリー

ACTHファミリーは，1つのタンパク質前駆体であるプロオピオメラノコルチン（pro-opiomelanocortin：POMC）から派生する．ACTHファミリーには，ACTHやγ-リポトロピン，β-リポトロピン，β-エンドルフィン，メラニン細胞刺激ホルモン（melanocyte-stimulating hormone：MSH）などが含まれる．ACTHは，このファミリーのうちヒトでの生理学的作用がよく知られている唯一のホルモンである．MSHは下等脊椎動物の色素形成に関与し，ヒトにおいても若干の活性をもつ．β-エンドルフィンは内因性オピオイドである．

ACTHファミリーのプレプロホルモンであるプレプロオピオメラノコルチン（prepro-opiomelanocortin）は，単一の遺伝子から産生され，小胞体においてシグナルペプチドが切断されてPOMCが生成される．その後Golgi装置において，エンドペプチダーゼによってさらに切断され，ACTHファミリーの各種ペプチドが産生される（図9.10）．ヒト下垂体前葉では，主にACTH，γ-リポトロピン，β-エンドルフィンが産生される．

重要なこととして，POMCとその切断生成物のうちのいくつかにはMSH活性が認められる．すなわち，ACTH中間体を加水分解して残った「断片」にはγ-MSHが含まれ，ACTHにはα-MSHが含まれる．また，γ-リポトロピンにはβ-MSHが含まれる．ヒトでは，これらMSHを含む断片の血中濃度が上昇すると色素沈着を引き起こすことがある．例えば，原発性副腎皮質機能不全であるAddison（アジソン）病（Addison disease）では，コルチゾールによる負のフィードバック制御のためにPOMCとACTHの濃度が増加する．POMCとACTHにはMSH活性があるため，Addison病の主徴候として皮膚の色素沈着がある．

成長ホルモン

成長ホルモンは生涯にわたって分泌され，正常な成長に最も重要なホルモンである．成長には数多くの過程が関与することを考えると，成長ホルモンがタンパク質や糖質，脂質の代謝に大きな影響を与えることは驚くにあたらない．

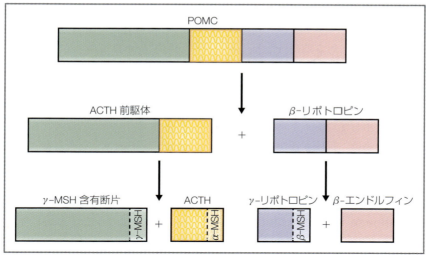

図9.10 プロオピオメラノコルチン(POMC)に由来するホルモン群.
下垂体前葉では，POMCの部位特異的な切断によってγ-MSH構造を含む断片（緑），α-MSH構造を含むACTH（オレンジ），β-MSH構造を含むγ-リポトロピン（紫）およびβ-エンドルフィン（ピンク）が産生される．ACTH：副腎皮質刺激ホルモン，MSH：メラニン細胞刺激ホルモン．

■ 成長ホルモンの生化学

　成長ホルモンは下垂体前葉の成長ホルモン分泌細胞（ソマトトロフ）で合成され，ソマトトロピンともよばれる．その生合成は，視床下部から分泌される**成長ホルモン放出ホルモン（GHRH）**によって刺激される．

　ヒト成長ホルモンは，**191アミノ酸**からなる1本鎖ポリペプチドであり，分子内に**2ヵ所のジスルフィド結合**によるクロスブリッジをもつ．この遺伝子は，構造の類似するプロラクチンやヒト胎盤性乳腺刺激ホルモンの遺伝子とともにファミリーを形成している．プロラクチンは下垂体前葉のラクトトロフで産生され，199アミノ酸からなる1本鎖ポリペプチドであり，分子内に3ヵ所のジスルフィド結合によるクロスブリッジをもち，成長ホルモンとの配列相同性は75％である．ヒト胎盤性乳腺刺激ホルモンは胎盤で産生され，191アミノ酸からなる1本鎖ポリペプチドであり，分子内に2ヵ所のジスルフィド結合によるクロスブリッジをもち，成長ホルモンとの配列相同性は80％である．

■ 成長ホルモンの分泌調節

　成長ホルモン分泌は，およそ2時間ごとにピークを迎える**拍動性**の分泌パターンを示す．そのなかでも最大の分泌ピークは，入眠後1時間以内の睡眠ステージⅢおよびⅣの期間に現れる．このような拍動性分泌の頻度や大きさは，いずれも成長ホルモンの総分泌量を変化させるさまざまな因子によって影響を受ける（表9.4）．

　また，成長ホルモン分泌は年齢によって変化し，生涯一定ではない．成長ホルモンの分泌量は，出生児から幼児期には着実に増加し，小児期にはほぼ一定に保たれる．**思春期（puberty）**になると，女性ではエストロゲン，男性ではテストステロンの作用によって成長ホルモン分泌が著しく増加する．この成長ホルモン分泌上昇は，拍動性分泌の頻度と大きさの両方が増大することによって起こり，思春期における**急成長**に関与する．思春期以降には成長ホルモン分泌は一定値まで減少し，老齢期には分泌速度や拍動性はさらに減少して最少となる．

　表9.4に，成長ホルモン分泌を調節する主な因子を示す．**低血糖（hypoglycemia）**と**飢餓（starvation）**は，成長ホルモン分泌の強力な刺激とな

る．また，運動やさまざまなストレス（外傷，発熱，麻酔など）も分泌を促進する．先に示したように，年齢も分泌調節因子であり，思春期には最大，老齢期には最小となる．

　成長ホルモン分泌の調節機序を図9.11に示す．この図では，視床下部と下垂体前葉，成長ホルモン標的組織との関連を示している．下垂体前葉における成長ホルモン分泌は，視床下部からの2つの経路によって支配されている．1つはGHRHによる促進性調節，もう1つは**ソマトスタチン**(somatostatin)（**成長ホルモン放出抑制因子**(somatotropin release-inhibiting factor：SRIF)ともよばれる）による抑制性調節である．

表9.4　成長ホルモンの分泌制御因子．

刺激因子	抑制因子
血糖値の低下 遊離脂肪酸の低下 アルギニン 絶食・飢餓 思春期に分泌されるホルモン（エストロゲン・テストステロン） 運動 ストレス 睡眠（ステージⅢおよびステージⅣ） αアドレナリン受容体作動薬	血糖値の上昇 遊離脂肪酸の上昇 肥満 老化 ソマトスタチン ソマトメジン 成長ホルモン βアドレナリン受容体作動薬 妊娠

- GHRHは，成長ホルモン分泌細胞（ソマトトロフ）に直接作用して成長ホルモン遺伝子の転写を誘導し，ホルモンの生合成と分泌を促進する．GHRHは成長ホルモン分泌細胞膜上の受容体に結合し，G_sタンパク質を介してアデニル酸シクラーゼ系とホスホリパーゼC系の両方を活性化する．したがって，GHRHの作用にはcAMPとIP_3/Ca^{2+}の両方がセカンドメッセンジャーとして機能し，これによって成長ホルモン分泌が刺激される．
- ソマトスタチン(SRIF)も視床下部から分泌され，成長ホルモン分泌細胞に作用する．ソマトスタチンはGHRHの作用を阻害することによって成長ホルモンの分泌を抑制する．すなわち，ソマトスタチンは成長ホルモン分泌細胞膜上の受容体に結合し，G_iタンパク質を介してアデニル酸シクラーゼ系を抑制してcAMPの生成を抑制する．これによって成長ホルモン分泌が減少する．

　成長ホルモン分泌は，以下の3種類の負のフィードバック制御によっても調節される（図9.11）：(1)視床下部における，GHRHによるGHRH自身の分泌抑制（超短環フィードバック）．(2)成長ホルモンが標的細胞に作用した際の副産物であるソマトメジンが，下垂体前葉に作用して起

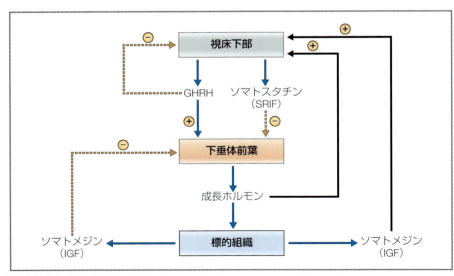

図9.11　成長ホルモンの分泌調節．
GHRH：成長ホルモン放出ホルモン，IGF：インスリン様成長因子，SRIF：成長ホルモン放出抑制因子．

こる成長ホルモン分泌抑制，(3)成長ホルモンとソマトメジンによる，視床下部におけるソマトスタチン分泌刺激．前述したように，ソマトスタチンは下垂体前葉において成長ホルモン分泌を抑制するため，この作用も負のフィードバック制御として機能する．

■ 成長ホルモンの作用

成長ホルモンは，ほぼすべての臓器に対して成長促進作用を示すが，特に肝や筋，脂肪組織，骨に対し多様な代謝作用をもつ．これらの作用には，身長発育やタンパク質合成，臓器の成熟，糖や脂質の代謝などが含まれる．

このような成長ホルモンの作用には，骨格筋や肝，脂肪細胞など標的組織に対する**チロシンキナーゼ会合型受容体**を介した直接作用と，肝におけるソマトメジンの産生を介した間接作用の2つがある．成長ホルモンが示す成長促進作用は，主に後者(ソマトメジン産生を介した間接作用)が関与するが，特に**ソマトメジンC(somatomedin C)(インスリン様成長因子-1(IGF-1))**が重要である．ソマトメジンは，標的組織のインスリン様成長因子受容体を介して作用する．インスリン様成長因子受容体は，インスリン受容体と類似した構造をもつ受容体型チロシンキナーゼであり，自己リン酸化活性をもつ．

成長ホルモンの作用には以下のようなものがある．

● 糖尿病誘発作用または抗インスリン作用

成長ホルモンは**インスリン抵抗性(insulin resistance)**を引き起こし，肝における糖新生の増加や，筋や脂肪組織などの標的組織におけるグルコースの取り込みと代謝を抑制する．これらの作用は，糖尿病などインスリンが不足した場合やインスリン作用が低下した場合に起こるような血糖値の上昇をもたらすことから，**糖尿病誘発作用(diabetogenic effect)**ともいわれる．成長ホルモンは脂肪組織における脂肪分解も誘導する．これらの代謝作用の結果，成長ホルモンは血中インスリン濃度を上昇させる．

● タンパク質合成の促進と臓器の成熟

成長ホルモンは，ほぼすべての臓器においてアミノ酸取り込みを増加させ，DNAやRNA，タンパク質の合成を促進する．これらの作用が，除脂肪体重の増加と臓器サイズの増大といった成長ホルモンの成長促進作用を説明するものである．すでに解説した通り，これらの成長ホルモン作用の多くはソマトメジンを介して起こる．

● 身長発育の促進

成長ホルモン作用のうち，最も顕著なものが身長発育の促進作用である．成長ホルモンは，ソマトメジンを介してDNAやRNA，タンパク質の合成を促進し，さまざまな軟骨代謝過程を変化させる．骨が伸長する際，骨端板は厚くなり，より多くの骨組織が骨端に蓄積される．また，軟骨形成細胞の代謝や軟骨細胞の増殖も促進する．

■ 成長ホルモンの病態生理

成長ホルモンが欠乏したり過剰に分泌されたりすると，その生理学的作用から予想されるように，身長発育や臓器の成熟，糖・脂質代謝に影響を及ぼす．

小児における**成長ホルモン欠損症(growth hormone deficiency)**では，成長の遅延や低身長，軽度肥満，思春期遅発などの**低身長症(dwarfism)**の症状が現れる．成長ホルモン欠損症は，視床下部から下垂体前葉および標的組織に至るどの段階が障害されても発症し，例えば，視床下部機能障害によるGHRH分泌不全や，下垂体前葉における成長ホルモン分泌自体の低下，肝におけるソマトメジン産生障害，標的組織における成長ホルモン受容体やソマトメジン受容体の機能障害(成長ホルモン抵抗性)などが関与する．小児における成長ホルモン欠損症の治療にはヒト成長ホルモン補充療法が行われる．ただし，低身長症の一種である**Laron(ラロン)型低身長症(Laron dwarfism)**では成長ホルモン受容体に機能障害があるために，成長ホルモンは標的組織においてIGF-1の産生を誘導できない．この疾患では，ネガティブフィードバックにより血中成長ホルモン量は高値となる．したがって，Laron型低身長症では成長ホルモン補充療法は無効であり，遺伝子組換えIGF-1による治療が必須である．

成長ホルモンが過剰分泌されると**先端巨大症**

(acromegaly)が現れる．これは多くの場合，下垂体腺腫が原因となる．成長ホルモン過剰分泌による症状は，過剰分泌が思春期の前に起こるか後に起こるかによって異なる．思春期以前に起きた場合，骨端板への過剰な刺激によって**巨人症**（gigantism）（過剰な身長発育）が現れる．身長発育が完了した思春期以降に成長ホルモン過剰分泌が起きた場合，骨膜骨形成の亢進や手足の巨大化，舌の肥大化や粗大化顔貌，インスリン抵抗性や耐糖能障害を引き起こす．成長ホルモン過剰分泌を是正するために，**オクトレオチド**（octreotide）のような**ソマトスタチン類縁体**（somatostatin analogue）が投与される．この薬物は，内在性のソマトスタチンと同様に，下垂体前葉からの成長ホルモン分泌を抑制する作用を示す．

プロラクチン

プロラクチンは乳汁産生に重要なホルモンであり，乳腺の発達にも関与する．妊娠や授乳をしていない女性や男性では血中プロラクチン濃度は低くなっている．しかし，妊娠中や授乳中には血中プロラクチン濃度が上昇し，乳腺発達や乳汁産生を促進する．

■ プロラクチンの生化学

プロラクチンは，下垂体前葉のおよそ15％を占めるプロラクチン分泌細胞（ラクトトロフ）で合成される．プロラクチンの需要が増加する妊娠・授乳中には，プロラクチン分泌細胞の数が増加する．プロラクチンの構造は成長ホルモンと類似しており，**198アミノ酸**【訳者注：NCBI Accession #NP_000939.1 および UniProt Accession #P01236 によると，human prolactin は 227 アミノ酸の前駆体のうちの29-227 番目との記載があり，199アミノ酸となるように思われる】からなる**1本鎖ポリペプチド**であり，分子内に3ヵ所のジスルフィド結合によるクロスブリッジをもつ．

プロラクチンの分泌を増加または低下させる刺激は，プロラクチン遺伝子の転写を増加または低下させる．すなわち，プロラクチン分泌を促すTRHはプロラクチン遺伝子の転写を増加させ，

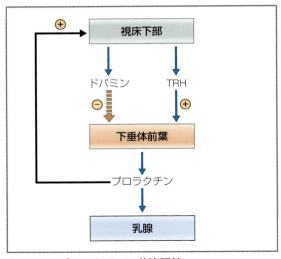

図9.12　プロラクチンの分泌調節．
TRH：甲状腺刺激ホルモン放出ホルモン．

逆にプロラクチン分泌を抑制するドパミンはプロラクチン遺伝子の転写を減少させる．

■ プロラクチン分泌の調節

プロラクチン分泌は，図9.12に示すように，視床下部から2つの経路を介した調節を受けている．1つはドパミンを介してcAMP量を低下させることで作用する抑制性調節，もう1つはTRHを介した促進性調節である．

妊娠中や授乳期を除き，プロラクチン分泌は視床下部からの**ドパミンによる抑制**をつねに受けている．すなわち，**プロラクチン抑制因子**（prolactin-inhibiting factor：PIF）であるドパミンによる抑制作用は，TRHによる促進作用を上回る．ペプチドである他の視床下部放出ホルモン・放出抑制ホルモンとは対照的に，ドパミンはカテコールアミンである．

ドパミンの示すこの抑制作用に関して，2つの疑問が生じる．1つ目は，視床下部のドパミンの供給源は何かという点であり，もう1つは，ドパミンはどのようにして下垂体前葉に届けられるのかという点である．ドパミンの主要な供給源は，視床下部のドパミン作動性ニューロンであり，ここでドパミンが合成されて正中隆起に分泌される．このドパミンは，一次毛細血管から下垂体門脈を経由して下垂体前葉に直接，高濃度で運ばれ，

表9.5　プロラクチンの分泌制御因子.

刺激因子	抑制因子
妊娠（エストロゲン）	ドパミン
授乳	ドパミン受容体作動薬（ブロモクリプチン）
睡眠	
ストレス	ソマトスタチン
TRH	プロラクチン（負のフィードバック制御）
ドパミン受容体拮抗薬	

TRH：甲状腺刺激ホルモン放出ホルモン

プロラクチン分泌を抑制する．ドパミンはまた，下垂体後葉のドパミン作動性ニューロンからも分泌され，短い連絡門脈を経由して下垂体前葉に届けられる．最後に，下垂体前葉にある非プロラクチン分泌細胞がわずかにドパミンを分泌する．このドパミンはプロラクチン産生細胞までの短い距離を拡散し，パラクリン（傍分泌）機構によってプロラクチン分泌を抑制する．

表9.5に，プロラクチン分泌を調節する因子群を示す．**プロラクチン**は，視床下部に作用してドパミンの合成と分泌を増加させることによって，自身の分泌を抑制する（**図9.12**）．プロラクチンがドパミン分泌を刺激して，その結果プロラクチン分泌が抑制されることから，プロラクチンが示すこの作用は負のフィードバック制御として機能する．**妊娠**と**授乳**は最も重要なプロラクチン分泌刺激である．例えば，授乳中には血清プロラクチン濃度は基礎値の10倍以上に増加する．授乳時には，乳首への刺激が求心性神経線維を介して視床下部へと伝達され，ドパミン分泌を抑制する．これによってドパミンによる抑制効果が解除され，プロラクチンの分泌が増加する．ドパミンやドパミン受容体作動薬，ドパミン受容体拮抗薬のプロラクチン分泌に与える効果は，**図9.12**のフィードバック制御に基づき予測可能である．すなわち，ドパミンそれ自体や**ブロモクリプチン**（bromocriptine）のようなドパミン受容体作動薬はプロラクチン分泌を抑制し，ドパミン受容体拮抗薬はドパミンの"抑制効果を解除"することによってプロラクチン分泌を増加させる．

■ プロラクチンの作用

プロラクチンは，エストロゲンやプロゲストロ

ンとともに乳腺の発達や授乳期の乳汁産生を促進し，排卵を抑制する．

● 乳房の発達

思春期には，プロラクチンはエストロゲンやプロゲステロンとともに，乳管の増殖と分枝を刺激する．妊娠すると，プロラクチンはやはりエストロゲンやプロゲステロンとともに腺房を分化・成長させ，出産後の乳汁産生に備える．

● 乳汁産生

プロラクチンの主要な作用は，授乳に応答した乳汁産生（lactogenesis）と分泌の促進である．乳汁分泌のためには妊娠は必須というわけではなく，乳首に十分な刺激が与えられればプロラクチンが分泌され乳汁が生成される．プロラクチンは，乳汁中の糖質成分である**ラクトース**やタンパク質成分である**カゼイン**，脂質など，乳汁成分の合成を誘導することで乳汁産生を促進する．プロラクチンは乳腺において，細胞膜上の受容体に結合した後，未同定のセカンドメッセンジャーを介して，ラクトースやカゼイン，脂質の生合成に必要な酵素群の遺伝子の転写を誘導することで作用を示す．

妊娠中には血中プロラクチン濃度が上昇するが，エストロゲンやプロゲステロンの血中濃度が高いためにプロラクチン受容体がダウンレギュレーションされ，プロラクチンの作用が抑制されるため，乳汁分泌は起こらない．出産時，エストロゲンおよびプロゲステロン濃度が急峻に低下し，プロラクチン受容体に対する抑制効果が解除される．その結果，プロラクチンによる乳汁産生の促進作用が示され，乳汁分泌が起こる．

● 排卵の抑制

女性では，プロラクチンは**性腺刺激ホルモン（ゴナドトロピン）放出ホルモン**（gonadotropin-releasing hormone：GnRH）の生成と分泌を抑制することによって排卵を抑制する（**第10章**）．GnRH分泌抑制とそれによる排卵抑制により，授乳中は妊娠しづらいこととなる．男性がプロラクチン産生腫瘍などによって高プロラクチン血症を呈すると，GnRH分泌と精子生成が抑制され，不妊症となる．

プロラクチンの病態生理

プロラクチンの欠乏や過剰分泌は，それぞれ乳汁分泌障害や乳汁漏出症（乳汁産生過剰）を引き起こす．

- **プロラクチン欠損症（prolactin deficiency）**は，下垂体前葉全体の損傷あるいはプロラクチン分泌細胞の選択的な損傷によって引き起こされる．これによって乳汁分泌不全が引き起こされる．

- **プロラクチン過剰分泌（prolactin excess）**は，視床下部の損傷や視床下部下垂体路の障害，プロラクチン産生腫瘍によって引き起こされる．視床下部の損傷や視床下部下垂体路の障害によるプロラクチン過剰分泌は，ドパミンによる恒常的な分泌抑制が機能しないために起こる．プロラクチン過剰分泌による主な症状には，**乳汁漏出症（galactorrhea）**と**不妊症（infertility）**がある．不妊症は，血中プロラクチン濃度が高いことにより，GnRH 分泌が抑制されることによって引き起こされる．プロラクチン過剰分泌の治療には，その原因が視床下部の損傷であれプロラクチン産生腫瘍であれ，ドパミン受容体作動薬である**ブロモクリプチン**が用いられる．この薬物はドパミンと同様に，下垂体前葉に作用してプロラクチン分泌を抑制する．

下垂体後葉ホルモン

下垂体後葉からは ADH とオキシトシンが分泌される．これら 2 つのホルモンは，いずれも神経ペプチドであり，視床下部にある細胞体で合成された後，下垂体後葉へと軸索輸送され，その神経終末より分泌される．

ADH とオキシトシンの生合成・分泌

生合成と翻訳後修飾

ADH とオキシトシンは，視床下部の視索上核と室傍核で合成される 9 アミノ酸から構成される相同性の高いペプチドホルモンである（**ノナペプチド（nonapeptide）**という．産生経路とアミノ酸配列をそれぞれ図9.13および図9.14に示す）．ADH ニューロンの細胞体は主に**視索上核**に，オキシトシンニューロンの細胞体は主に**室傍核**にあるが，それぞれ他方のホルモンも合成できる．ADH とオキシトシンのプレプロホルモンの遺伝子座は，同じ染色体上のごく近い部位に存在する．ADH 前駆体である**プレプロプレッソフィジン（prepropressophysin）**は，シグナルペプチド，ADH，ニューロフィジンⅡおよび糖タンパク質から構成される．オキシトシン前駆体である**プレプロオキシフィジン（prepro-oxyphysin）**は，シグナルペプチド，オキシトシンおよびニューロフィジンⅠから構成される．生成されたプレプロホルモンは，Golgi 装置においてシグナルペプチドが切断されてプロホルモンであるプロプレッソフィジンとプロオキシフィジンに変換され，分泌小胞に梱包される．そして，軸索輸送によって視床下部から下垂体茎を経由して下垂体後葉へと運ばれる．この過程において，分泌小胞内部でプロホルモンからニューロフィジンが切断される．

分泌

上記の過程を経て下垂体後葉へと運ばれた分泌小胞には，それぞれ ADH とニューロフィジンⅡおよび糖タンパク質，またはオキシトシンとニューロフィジンⅠが含まれる．分泌は，視床下部に存在する細胞体で発生した活動電位が下垂体後葉の神経終末へと伝達されることによって引き起こされる．活動電位によって神経終末が脱分極すると Ca^{2+} が流入し，ADH あるいはオキシトシンの含まれる分泌小胞が開口放出されて，ニューロフィジンとともに分泌される．分泌されたホルモンは近くの有窓毛細血管から血中に入り，体循環によって標的組織へと運ばれる．

抗利尿ホルモン（ADH）

ADH（バソプレシン）は，体液の浸透圧を調節する主要なホルモンである．ADH は下垂体後葉において血漿浸透圧の上昇に応答して分泌され，腎の遠位尿細管後半部や集合管の主細胞に作用し

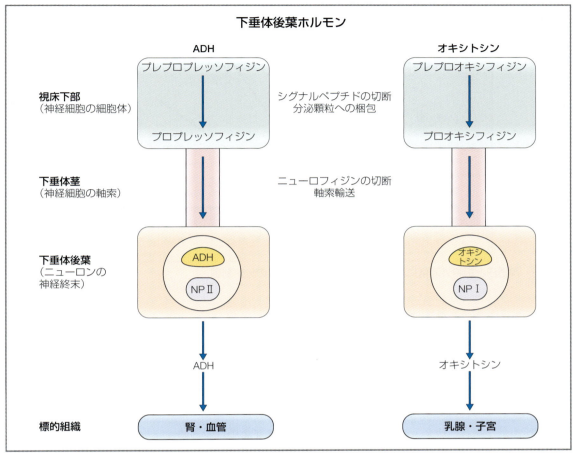

図 9.13 抗利尿ホルモン（ADH）とオキシトシンの合成過程.
NP Ⅰ：ニューロフィジン Ⅰ，NP Ⅱ：ニューロフィジン Ⅱ.

図 9.14 抗利尿ホルモン（ADH）とオキシトシンのアミノ酸配列.
灰色の枠内は相同性アミノ酸配列を示す.

表 9.6 抗利尿ホルモン（ADH）の分泌制御因子.

刺激因子	抑制因子
血漿浸透圧の上昇 細胞外液量の減少 アンジオテンシンⅡ 痛み 吐き気 低血糖 ニコチン 鎮痛薬 抗がん薬	血漿浸透圧の減少 エタノール αアドレナリン受容体作動薬 心房性ナトリウム利尿ペプチド（ANP）

調節と ADH 作用は，第 6 章を参照のこと.

■ ADH の分泌調節

表 9.6 に，ADH 分泌を調節する因子群を示す.
血漿浸透圧の上昇は，生理的に最も重要な ADH 分泌刺激である（図 9.15）．例えば，水の摂

て水の再吸収を促進する．これにより，体液の浸透圧を正常値へと回復させる．腎における浸透圧

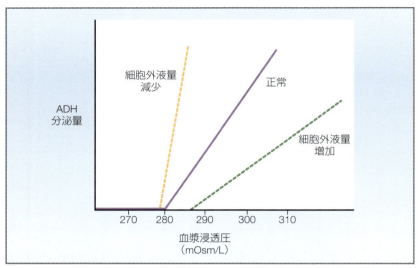

図9.15 浸透圧と細胞外液量による抗利尿ホルモン(ADH)の分泌制御.

取を絶たれると血漿浸透圧が上昇するが，このような浸透圧上昇が視床下部前部の浸透圧受容器で感知されると，近傍のADHニューロンに活動電位を発生させ，軸索を伝播して下垂体後葉の神経終末からのADH分泌を引き起こす．逆に血漿浸透圧が低下すると，浸透圧受容器からADH分泌を抑制する信号が送られることとなる．

　大量出血などによる**血液量の減少**も強力なADH分泌刺激である．細胞外液量が10％以上減少すると動脈圧が減少し，これが左房や頸動脈，大動脈弓にある圧受容器で感知される．この動脈圧の情報が迷走神経を介して視床下部へと伝えられると，視床下部はADH分泌を誘導するように指示する．分泌されたADHは集合管に作用して水の再吸収を促し，細胞外液量を回復させようとする．重要なことに，血液量が減少した場合には血漿浸透圧が正常より低値であってもADH分泌は促進され，逆に血液量が過多であるときには，血漿浸透圧が正常より高値であってもADH分泌は抑制される（図9.15）．

　痛み，吐き気，低血糖，あるいはニコチン，アヘン製剤，抗腫瘍薬のような薬物もADH分泌を促す．また，エタノールやαアドレナリン受容体作動薬，心房性ナトリウム利尿ペプチド（ANP）はADH分泌を抑制する．

■ ADHの作用

　ADHは，腎と血管平滑筋においてそれぞれ異なる2種類の作用を示す．これら2種類の作用には，それぞれ異なる受容体と細胞内シグナル伝達系が関与する．

● 水透過性の亢進

　ADHの主要な作用は，遠位尿細管後半部や集合管の主細胞に作用して水の透過性を上昇させることである．主細胞上のADH受容体は**V_2受容体（V_2 receptor）**であり，G_sタンパク質と共役してアデニル酸シクラーゼを活性化する．セカンドメッセンジャーである**cAMP**は，リン酸化の過程を経て水チャネルである**アクアポリン2（aquaporin 2：AQP2）**を細胞質から管腔膜へと移行させる．主細胞における水の透過性が上昇することで，集合管における水の再吸収が促進され，尿を濃縮させて高浸透圧となる（第6章）．

● 血管平滑筋の収縮

　ADHの2つ目の作用として，血管平滑筋の収縮を引き起こすことがある．ADHの別名であるバソプレシンはこの作用に由来する．血管平滑筋におけるADH受容体は**V_1受容体（V_1 receptor）**であり，G_qタンパク質と共役してホスホリパーゼCを活性化する．セカンドメッセンジャーであるIP_3/Ca^{2+}は，血管平滑筋の収縮や細動脈の

収縮, 全末梢抵抗の上昇を引き起こす.

■ADH の病態生理

ADH の病態生理は第6章で解説しているため, ここでは概略のみ示す.

下垂体後葉における ADH 分泌不全は, **中枢性尿崩症（central diabetes insipidus）**を引き起こす. この疾患では, 血中 ADH 濃度が低く, 集合管における水の透過性が亢進せず尿が濃縮されない. そのため, 希釈尿の大量排泄と体液濃縮を呈し, 血漿浸透圧や血漿 Na^+ 濃度の上昇が認められる. この疾患の治療には, ADH 類縁体である dDAVP が用いられる.

下垂体後葉における ADH 分泌が正常であっても, 集合管主細胞における ADH 応答性が障害されると, **腎性尿崩症（nephrogenic diabetes insipidus）**が引き起こされる. 集合管主細胞における ADH 応答性障害の原因には, V_2 受容体や G_s タンパク質, あるいはアデニル酸シクラーゼの機能障害がある. 腎性尿崩症も中枢性尿崩症と同様, 集合管で水が再吸収されず尿が濃縮されないため, 希釈尿の大量排泄がみられ, その結果, 体液が濃縮されて血漿浸透圧が上昇する. しかし, 中枢性尿崩症とは対照的に, 腎性尿崩症では血漿浸透圧の上昇によって ADH 分泌が刺激されるため, 血中 ADH 濃度は高値を示す. この疾患の治療には, **サイアザイド系利尿薬**が用いられる. この薬物の有用性は以下のように説明される：(1)サイアザイド系利尿薬は遠位尿細管前半部における Na^+ 再吸収を阻害する. この部位で尿の希釈を防ぐことによって, 最終的に排泄される尿は治療しない場合に比べて希釈されづらくなる. (2)サイアザイド系利尿薬は糸球体濾過量（GFR）を低下させる. これは, 濾過される水の量が減少することによって水の排泄量も減少するからである. (3)サイアザイド系利尿薬は, Na^+ の排泄を増加させることにより, 二次的に細胞外液量を低減させることがある. 細胞外液量が減ることに応答して, 近位尿細管での溶質と水の再吸収が増える. これは, 水の再吸収が増加することによって水の排泄量が減少するからである.

ADH 不適合分泌症候群（syndrome of inap-propriate ADH：SIADH）では, 肺燕麦細胞がん（小細胞肺がん）（Box 9.1）のような部位からの ADH の過剰な自発性分泌が起こる. 過剰量の ADH によって集合管における水の過剰な再吸収が起こり, 体液が希釈されて血漿浸透圧や血漿 Na^+ 濃度が低下する. 尿は不適切に濃縮されている（つまり, 血漿浸透圧に対して濃縮されすぎている）. この疾患の治療には, テトラサイクリン系抗菌薬である**デメクロサイクリン**のような ADH 拮抗薬の投与や, **水の摂取制限**が行われる.

オキシトシン

オキシトシンは, 乳腺腺房を取り巻く筋上皮細胞を収縮させることで, 授乳中の射乳を誘導する.

■オキシトシンの分泌調節

下垂体後葉におけるオキシトシンの分泌は, 授乳や乳幼児の姿をみたり, 泣き声を聞いたり, においを嗅いだりしたとき, 子宮頸部の拡張時など, さまざまな要因によって引き起こされる（表9.7）.

授乳が特に重要な分泌刺激である. 授乳時には, 乳首の感覚受容器で発生したインパルスが求心性神経を介して脊髄に伝えられ, 脊髄視床路を上行して脳幹へ, そして視床下部の室傍核および視索上核に至る. オキシトシンは, 授乳開始から数秒以内に下垂体後葉の神経終末から分泌される. 授乳が続くと, 視床下部にある細胞体においてオキシトシンが新しく合成され, 軸索輸送されることで分泌されたオキシトシンが補充される.

授乳はオキシトシン分泌に必須ではなく, 乳幼児の姿や声, においに対する**条件反射**でもオキシトシン分泌と射乳が起こる. また, 陣痛時の子宮頸部の拡張やオルガスムもオキシトシンの分泌刺激となる.

■オキシトシンの作用

●射乳

プロラクチンによって産生された乳汁は, 乳腺房や細乳管に蓄えられる. オキシトシンの主要な作用は, この乳汁を射出させることである. 授乳や条件反射によってオキシトシンが分泌される

Box 9.1　ADH 不適合分泌症候群（SIADH）

▶ 症例

　56 歳男性．小細胞肺がんがあり，全身痙攣発作が起こり入院．検査所見は以下の通り．

血液　　　　　　　　　**尿**
Na^+：110 mEq/L　　　浸透圧：650 mOsm/L
浸透圧：225 mOsm/L

　患者の肺がんは手術不能と診断された．高張食塩水の静脈投与を受け発作はおさまった．ADH 拮抗薬であるデメクロサイクリンを処方され，水の摂取量を厳しく制限するように指導されて退院した．

▶ 解説

　入院時の検査で，患者の血漿 Na^+ 濃度と血漿浸透圧がきわめて低値を示した（これらの正常値はそれぞれ 140 mEq/L および 290 mOsm/L）一方で，尿は 650 mEq/L と高張であった．すなわち，非常に希薄な血漿浸透圧を考慮すると，**不適切な尿の濃縮**が起きている．

　このような異常値を示した原因は，小細胞肺がんが下垂体後葉とは無関係に ADH を合成・分泌していることである．通常，下垂体後葉からの ADH 分泌は血漿浸透圧による負のフィードバック制御を受けており，浸透圧の低下によって抑制される．しかし，腫瘍細胞における ADH 分泌はこのような負のフィードバック制御を受けず，血漿浸透圧がどんなに低かろうが ADH を分泌し続けるために SIADH を発症する．

　この男性が示した検査値異常は，以下のように説明できる．腫瘍細胞から過剰な ADH が不適切に分泌され，これが腎へと到達して遠位尿細管後半部や集合管に作用し，水の再吸収を促進する．再吸収された水は，体内全水分量に加わり溶質を希釈するため，血漿 Na^+ 濃度や血漿浸透圧が低値を示すこととなる．血漿浸透圧が下がると下垂体後葉における ADH 分泌は止まるが，腫瘍細胞からの ADH 分泌は止まらない．

　男性が起こした全身痙攣発作は，脳浮腫が原因である．腎で再吸収された過剰量の水は，細胞内液を含む体内全水分量に分配される．これによって，細胞の容積が増加することになるが，頭蓋骨に包み込まれ空間が固定されている脳にとって，このような細胞の膨張は致命的な状況を引き起こす．

▶ 治療

　この男性には速やかに高張食塩水が投与され，細胞外液浸透圧の回復が図られた．細胞外液が細胞内液よりも高張となると，浸透圧勾配によって水は細胞外へと流出し，細胞内液量が減少する．脳における細胞容積が低下することによって，発作再発の危険性を低下させる．

　ただし，男性の肺がんは手術不能であるため，ADH の過剰分泌は続くと考えられる．そのため，水の摂取が制限され，また，ADH 拮抗薬であるデメクロサイクリンによって主細胞における水の再吸収を抑制することが図られた．

表9.7　オキシトシンの分泌制御因子．

刺激因子	抑制因子
哺乳 乳幼児の視覚・聴覚・嗅覚刺激 子宮頸部の収縮 オルガスム	オピオイド（エンドルフィン）

と，細乳管を取り巻く筋上皮細胞を収縮させ，乳汁を太い乳管へと放出する．放出された乳汁は乳管槽に集められ，乳頭から排出される．

● 子宮収縮

　オキシトシンは，非常に低濃度で子宮平滑筋の強い律動的収縮を誘導する．オキシトシンが出産の開始あるいは正常分娩の過程で生理的役割を担っているかどうかは明らかではないが，オキシトシンがもつこの作用は**陣痛を誘発**し，**産褥期の出血量を低減**させる際にオキシトシンを用いることの基礎となるものである．

甲状腺ホルモン

　甲状腺ホルモンは，甲状腺の上皮細胞（濾胞上皮細胞）において合成・分泌される．その作用は全身のほぼすべての臓器系にわたり，成長や発生に関与するものも含まれる．甲状腺は，はじめて機能低下症が報告された内分泌腺であり，1850年には，甲状腺を欠損する患者は**クレチン病**

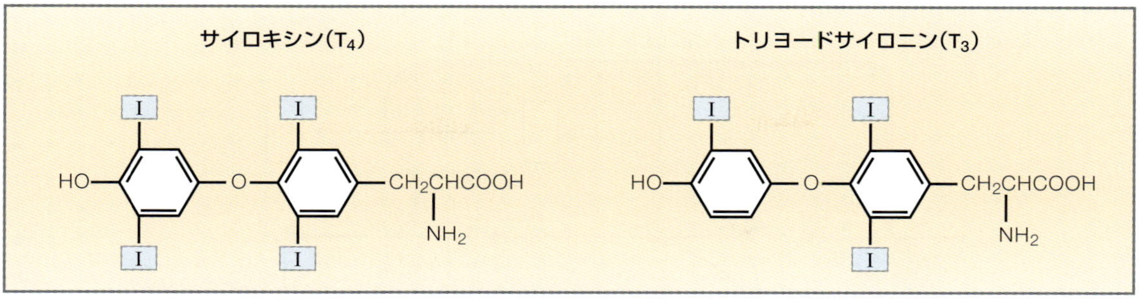

図9.16 サイロキシン(T_4)とトリヨードサイロニン(T_3)の構造.

(cretinism)とよばれる知能と身体の発達遅滞を呈することが報告されている．1891年には，このような患者への甲状腺粗抽出物の投与，いわばホルモン補充療法が行われている．甲状腺の機能低下あるいは機能亢進は，内分泌腺障害において最も高頻度に出現し，米国における有病率は4〜5％，ヨウ素欠乏症(iodine deficiency)のみられる地域ではより高率にみられる．

甲状腺ホルモンの生合成と輸送

生理活性をもつ甲状腺ホルモンには，**トリヨードサイロニン(T_3)**と**サイロキシン(T_4)**の2つがある．図9.16に示すように，T_3とT_4の違いは，分子内のヨウ素数が1つ多いか少ないかのみである．T_3はT_4より高活性であるが，甲状腺から分泌されるホルモンのほとんどすべて(90％)はT_4である．活性の低いT_4を分泌するという「問題」は，標的組織でT_4からT_3へと変換されることによって解決される．図9.16には示していないが，甲状腺からは生理活性をもたない**リバースT_3** (reverse T_3：rT_3)も分泌される．

■ 甲状腺ホルモンの生合成

甲状腺は直径200〜300 μmの**甲状腺濾胞** (thyroid follicle)とよばれる球状の袋で構成される組織であり，甲状腺ホルモンは甲状腺濾胞の壁面を構成する一層の**濾胞上皮細胞** (follicular epithelial cell)において生成される(図9.17)．この細胞は，血管に面した基底膜と濾胞腔に面した頂端膜をもつ．濾胞腔の内部には，新しく合成され

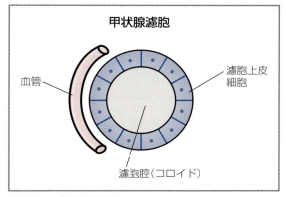

図9.17 甲状腺濾胞.
ホルモンは濾胞腔にコロイドとして貯蔵される．

た甲状腺ホルモンが**サイログロブリン** (thyroglobulin)と結合して**コロイド** (colloid)として蓄えられている．甲状腺が刺激されると，濾胞上皮細胞はエンドサイトーシス(細胞内取り込み)によってコロイド状の甲状腺ホルモンを取り込む．

甲状腺ホルモンの生合成過程は他のホルモンに比べて複雑であり，以下のような3つの特徴がある：(1)甲状腺ホルモンには多量のヨウ素が含まれる．このヨウ素は食事から十分に摂取されなければならない．(2)甲状腺ホルモンの生合成は細胞内だけでなく細胞外でも行われ，合成されたホルモンは甲状腺に分泌刺激が与えられるまで，細胞外の濾胞腔に貯蔵される．(3)すでに解説したように，甲状腺における主要な分泌物は高活性型のT_3ではなく低活性型のT_4である．

濾胞上皮細胞における甲状腺ホルモンの生合成過程を図9.18に示す．○で囲んだ番号は，下記

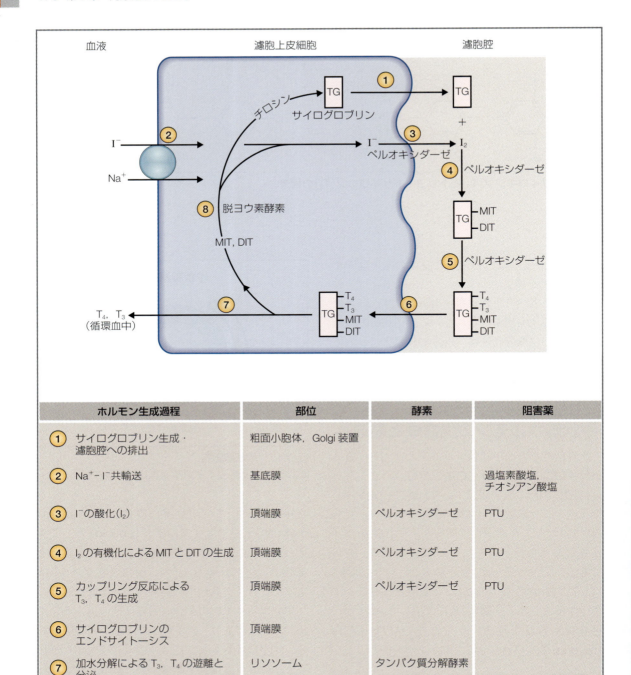

図9.18 甲状腺濾胞細胞における甲状腺ホルモンの合成過程.
◯で囲んだ番号で示した各ステップについては本文で解説する．DIT：ジヨードチロシン，MIT：モノヨードチロシン，PTU：プロピルチオウラシル，T_3：トリヨードサイロニン，T_4：サイロキシン，TG：サイログロブリン．

ステップに対応する.

①**サイログロブリン生成**. 濾胞上皮細胞の粗面小胞体と Golgi 装置において, チロシンを多く含む糖タンパク質であるサイログロブリンが合成され, 分泌小胞に梱包される. これが頂端膜より濾胞腔に排出される. 後の過程でチロシン残基はヨウ素化され(④), 甲状腺ホルモン前駆体となる.

②**Na$^+$-I$^-$共輸送(I トラップ)**. ヨウ素イオンは, 化学的・電気的勾配に逆らって血液から濾胞上皮細胞に能動輸送される. このポンプの活性は, 生体内のヨウ素イオン濃度によって調節される. 例えば, ヨウ素イオン濃度が低いときにはポンプは活性化される. 食事からのヨウ素摂取量が不十分であると, Na$^+$-I$^-$共輸送体は活性を高めて不足を補おうとする. しかし, 極度のヨウ素不足状態であるときには Na$^+$-I$^-$共輸送体でも補いきれず, 甲状腺ホルモンの合成が低下する.

Na$^+$-I$^-$共輸送の競合阻害薬である**チオシアン酸塩(thiocyanate)**や**過塩素酸塩(perchlorate)**は, 濾胞上皮細胞へのヨウ素イオン取り込みを阻害して甲状腺ホルモン合成を抑制する.

③**ヨウ素イオンからヨウ素分子への酸化**. ヨウ素イオンが細胞内に取り込まれると, 頂端膜側へ移行して**甲状腺ペルオキシダーゼ(thyroid peroxidase)**によって酸化されてヨウ素分子 I$_2$ となる. 甲状腺ペルオキシダーゼは, この反応に続く 2 つの過程(④ヨウ素のサイログロブリンへの有機化, ⑤カップリング反応)にも触媒として機能する.

この酵素は**プロピルチオウラシル(PTU)**によって阻害される. PTU は, 甲状腺ペルオキシダーゼが触媒するすべての過程を阻害することで甲状腺ホルモンの合成を抑制する. このため, PTU 投与は甲状腺機能亢進症の有効な治療法である.

④**ヨウ素の有機化**. 酸化されたヨウ素は, 濾胞腔の頂端膜直下で甲状腺ペルオキシダーゼの作用によってサイログロブリンのチロシンと結合する. これによって**モノヨードチロシン(mono-**

iodotyrosine:MIT)と**ジヨードチロシン(diiodotyrosine:DIT)**が生成される. MIT と DIT は, 甲状腺が刺激されホルモンが分泌されるまで, 濾胞腔においてサイログロブリンと結合した状態で保存される. 血中ヨウ素イオン濃度が高いときには, ヨウ素の有機化と甲状腺ホルモン合成が抑制される. これは **Wolff-Chaikoff(ウォルフ・チャイコフ)効果(Wolff-Chaikoff effect)**として知られる.

⑤**カップリング反応**. サイログロブリン上に存在する MIT あるいは DIT の間で 2 種類のカップリング反応が起こる. 1 つは, 2 分子の DIT が結合して T$_4$ が生成される反応であり, もう 1 つは, DIT と MIT が 1 分子ずつ結合して T$_3$ が生成される反応である. これらの反応は, いずれも甲状腺ペルオキシダーゼによって触媒される. T$_4$ 生成反応は T$_3$ 生成反応より速く, その結果 T$_4$ は T$_3$ に比べ, およそ 10 倍多く産生される. MIT や DIT の一部はカップリングされずサイログロブリン上に残るため, カップリング反応後のサイログロブリン上には T$_4$ および T$_3$ と, 未反応 MIT および DIT が存在する. このヨウ素化サイログロブリンは, 甲状腺が TSH などによって刺激されるまで**コロイド**として濾胞腔内に蓄えられる.

⑥**サイログロブリンのエンドサイトーシス**. 甲状腺が刺激されると, T$_4$, T$_3$, MIT, DIT を結合したヨウ素化サイログロブリンが濾胞上皮細胞内にエンドサイトーシスされる. このとき, 濾胞上皮細胞の頂端膜から微絨毛を伸ばし, コロイドを取り囲んで飲作用によって細胞内に取り込む. 細胞内に取り込まれたサイログロブリンは, 微小管によって基底膜側へと輸送される.

⑦**リソソーム酵素による T$_4$ と T$_3$ の加水分解**. サイログロブリンを含む液胞がリソソーム膜と融合する. そして, リソソーム中のタンパク質分解酵素がペプチド結合を加水分解して, サイログロブリンから T$_4$, T$_3$, MIT および DIT を遊離させる. T$_4$ と T$_3$ は基底膜を越えて近傍の毛細血管に入り, 体循環に至る. 甲状腺が分泌するホルモンの 90% は T$_4$ であり, 残りの 10% が T$_3$ である. MIT と DIT は濾胞上皮細胞に残り,

480 第9章 内分泌系の生理学

新たなサイログロブリン合成に再利用される.
⑧MIT と DIT の脱ヨウ素化. MIT と DIT に含まれるヨウ素が, 濾胞上皮細胞内において甲状腺脱ヨウ素酵素(thyroid deiodinase)によって取り除かれる. これによって生成されたヨウ素イオンは細胞内プールにリサイクルされ, ポンプにより細胞外から取り込まれたヨウ素イオンに加えられる. 脱ヨウ素化されて生成したチロシンは, 新たなサイログロブリン合成のための材料として利用される. つまり, 甲状腺脱ヨウ素酵素はヨウ素イオンとチロシンを"救い出す"こととなり, この酵素の欠損はヨウ素摂取不足と同様の症状を呈することとなる.

■ 循環中の甲状腺ホルモンの結合状態

甲状腺ホルモン(T_4 および T_3)は, 血漿タンパク質と結合した状態か遊離した状態(結合していない状態)で血液中を循環している. ほとんどの T_4 および T_3 はサイロキシン結合グロブリン(thyroxine-binding globulin:TBG)と結合しており, 一部が T_4 結合性プレアルブミンやアルブミンと結合した状態, さらにごく一部が遊離した状態である. ただし, 生理活性をもつ甲状腺ホルモンは"遊離型のみ"であり, TBG は循環系における甲状腺ホルモンの巨大貯蔵庫としての役割をもつ. ここから甲状腺ホルモンが遊離することで, 活性をもつホルモンの濃度が保たれることとなる.

TBG の血中濃度が変化すると, 生理活性をもつ遊離型ホルモンの割合が変化する. 例えば, 肝不全(hepatic failure)では肝におけるタンパク質合成が低下するために血中 TBG 濃度が低下するが, これによって一過的に遊離型ホルモンが増加する. この結果, 負のフィードバック制御が作動して甲状腺ホルモンの生成が抑制される. 一方, 妊娠期にはエストロゲン濃度が高いために肝でのTBG の分解が抑制され, 血中 TBG 濃度が上昇する. このため多くの甲状腺ホルモンが TBG と結合して, 遊離型ホルモンが一過的に減少する. 遊離型ホルモンの一過的な減少は, 負のフィードバック制御によって, 甲状腺ホルモンの合成と分泌を増加させる. 妊娠中には, これらすべての結

果として T_4 および T_3 の総量は TBG が増加したことによって増えることになるが, 生理活性をもつ遊離型ホルモンの量は正常に保たれ, 臨床的には甲状腺機能は正常である.

血中 TBG 濃度は, T_3 レジン摂取試験(T_3 resin uptake test)を用いて, 合成樹脂への放射性 T_3 結合量を測定することによって間接的に評価できる. この検査では, T_3 結合性樹脂と被検者の血清サンプルを含む反応系中に, 一定量の放射性 T_3 が添加される. 放射性 T_3 は血清中に存在するTBG の T_3 非結合部位に優先的に結合し, その残りが樹脂に結合する. したがって, 肝不全のように血中 TBG 濃度が低いときや, 甲状腺機能亢進症のように過剰にホルモンが生成され TBG のホルモン結合部位が通常よりも多く占有されている場合には, 樹脂に吸着する放射性 T_3 の量が増加することになる. 逆に, 妊娠期のように血中TBG 濃度が高いときや, ホルモン分泌不全により TBG のホルモン結合部位が通常より少なく占有されている場合には, 樹脂に吸着する放射性 T_3 の量は減少することとなる.

■ 標的組織における T_4 活性化

すでに解説したように, 甲状腺から分泌されるホルモンの大部分は T_4 であるが, その活性は T_3 に比べて弱い. この「問題」は, 肝や腎のような標的組織において 5′-脱ヨウ素酵素(5′-iodinase)によって解決される. この酵素は, 分子外環にあるヨウ素を 1 つ除去して T_4 から T_3 へと変換する反応を触媒する. 一部の T_4 は, 標的組織において分子内環のヨウ素が除去されて活性をもたないリバース T_3(rT_3)へと変換される. このように T_4 は T_3 の前駆体として機能し, T_4 が T_3 あるいは rT_3 へどのような割合で変換されるかによって, 標的組織において機能する活性型ホルモンの量が決定される.

飢餓・絶食時, 標的組織の 5′-脱ヨウ素酵素は興味深い作用を示す. 飢餓は骨格筋などの組織における 5′-脱ヨウ素酵素の活性を阻害し, カロリー欠乏期における酸素消費量と基礎代謝率を低下させる. しかし, 脳における 5′-脱ヨウ素酵素の活性は飢餓時でも抑制されない. このため, 脳では

表 9.8 甲状腺ホルモンの分泌制御因子．

刺激因子	抑制因子
甲状腺刺激ホルモン 甲状腺刺激抗体 妊娠などによるサイロキシン結合グロブリンの増加	ヨウ素欠乏 脱ヨウ素酵素欠損 ヨウ素過剰摂取（Wolff-Chaikoff効果） 過塩素酸塩，チオシアン酸塩（Na^+-I^-共輸送の抑制） プロピルチオウラシル（ペルオキシダーゼの抑制） 肝障害などによるサイロキシン結合グロブリンの減少

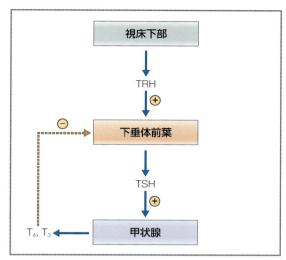

図 9.19 甲状腺ホルモンの分泌調節．
T_3：トリヨードサイロニン，T_4：サイロキシン，TRH：甲状腺刺激ホルモン放出ホルモン，TSH：甲状腺刺激ホルモン．

カロリー欠乏期においても T_3 量が保たれることとなる．

甲状腺ホルモン分泌の調節

表 9.8 に，甲状腺ホルモン分泌に影響を与える因子群を示す．甲状腺ホルモンは，主に視床下部-下垂体系で合成と分泌が制御される（図 9.19）．視床下部から分泌される TRH が下垂体前葉の TSH 分泌細胞（サイロトロフ）に作用して TSH 分泌を誘導し，分泌された TSH が甲状腺に作用して甲状腺ホルモンの合成と分泌を刺激する．

- TRH は 3 アミノ酸からなるトリペプチドであり，視床下部の室傍核から分泌される．分泌された TRH は下垂体前葉の TSH 分泌細胞に作用して，*TSH* 遺伝子の転写と TSH 分泌の両方を刺激する．すでに解説した通り，TRH にはプロラクチン分泌を誘導する作用もある．

- TSH は糖タンパク質であり，TRH 刺激によって下垂体前葉から分泌される．TSH は，生合成経路の複数の段階に影響を与えることによって，甲状腺の成長（すなわち栄養効果）および甲状腺ホルモンの分泌を調節する．TSH 分泌細胞の発達と TSH 分泌は胎生 13 週頃から始まり，これは胎児の甲状腺が甲状腺ホルモンを分泌し始めるのと同時期である．

  TSH 分泌は次の 2 つの相互作用で調節される：(1) 視床下部からの TRH が TSH 分泌を促進する．(2) 甲状腺ホルモンが，TSH 分泌細胞上の TRH 受容体をダウンレギュレートして TRH 刺激に対する感受性を低下させることによって，TSH 分泌を阻害する．この負のフィードバック制御は遊離 T_3 を介して行われるが，これは，下垂体前葉が T_4 から T_3 への変換を担う甲状腺脱ヨウ素酵素を発現していることによって可能となる．このような TRH による促進と遊離 T_3 による負のフィードバック制御を介した TSH 分泌の相互調節によって，TSH の分泌量は比較的安定し，その結果として甲状腺ホルモンの分泌量も安定することとなる．これは拍動性に起こる成長ホルモンの分泌とは対照的である．

- **TSH の甲状腺における作用**は，TSH が細胞膜上の受容体に結合し，G_s タンパク質と共役してアデニル酸シクラーゼの活性化を誘導することによって開始される．これによって cAMP が産生され，TSH のセカンドメッセンジャーとして機能する．TSH は甲状腺において 2 種類の作用を示す．1 つは，甲状腺ホルモンの合成と分泌の促進作用である．これは，TSH が甲状腺ホルモン生合成経路のすべての過程を促進することによって起こり，ヨウ素イオンの取り込みや酸化，ヨウ素の有機化による MIT および DIT の産生とカップリング反応による T_4 および T_3 の産生，エンドサイトーシスおよびサイログロブリンの分解による T_4 および T_3 の

放出のすべてが促進される. もう1つの作用は, 甲状腺に対する成長効果である. この効果はTSH濃度が持続的に高いときに示され, 甲状腺濾胞細胞の肥大と過形成, および甲状腺血流量の増加を引き起こす.

- TSH受容体は, TSH受容体に対する抗体である**甲状腺刺激抗体(thyroid-stimulating immunoglobulin)**によっても活性化される. この抗体は, 血漿タンパク質のIgG分画に含まれ, TSH受容体に結合すると, 甲状腺細胞にTSHと同じ応答, すなわち甲状腺ホルモンの合成と分泌の刺激や甲状腺肥大・過形成を誘導する(甲状腺機能亢進症). 代表的な甲状腺機能亢進症である**Basedow(バセドウ)病(Basedow's disease)**(英語圏では**Graves(グレーブス)病(Graves' disease)**)は, 甲状腺刺激抗体の血中濃度が上昇することで引き起こされる. この疾患では, 甲状腺は抗体によって強く刺激され, 血中甲状腺ホルモン濃度が上昇することとなる. このとき, TSH分泌は甲状腺ホルモンによる負のフィードバック制御によって阻害されるため, 血中TSH濃度は正常よりも低値を示す.

甲状腺ホルモンの作用

甲状腺ホルモンは人体のほとんどすべての臓器系に作用する(図9.20). 甲状腺ホルモンは, 成長ホルモンやソマトメジンと相乗的に作用して, 骨形成を促進したり, 基礎代謝率や熱産生, 酸素消費量を増大させたり, 心血管系や呼吸器系に作用して血流量や組織への酸素供給量を増加させたりする.

すでに解説したように, 甲状腺からは活性の低いT_4が高活性のT_3に比べ多量に分泌される. そこで, 標的組織における甲状腺ホルモンの作用では, はじめに**5′-脱ヨウ素酵素によるT_4からT_3への変換**が行われる. また, T_4は生理学的作用をもたないrT_3にも変換される. 通常T_3とrT_3は, ほぼ等量産生される(それぞれ45%および55%). しかし, この比率は特定の条件下で変化することがある. 例えば, 妊娠や絶食, ストレスや肝・腎機能の低下, アドレナリンβ受容体遮断薬などは, T_4からT_3への変換を減少(rT_3への変換を増加)させることで, 活性型ホルモン量を低下させる. 肥満ではT_3の比率が増加し, 活性型ホルモン量が増加する.

標的細胞においてT_3が産生されると, 核内へ移行して**核内受容体**に結合する. T_3と受容体の複合体は, DNA上の甲状腺ホルモン応答配列に結合して**DNAの転写**を促進する. 新しく転写されたmRNAは翻訳され, 新たなタンパク質が合成される. このようにして, 新たに合成されたタンパク質が甲状腺ホルモンの多様な作用を担うこととなる. T_3受容体はリボソームやミトコンドリアにも存在し, 転写後や翻訳後に起こる事象に関与する.

甲状腺ホルモンの作用により**新しく合成されるタンパク質**は, Na^+-K^+ATPase(Na^+-K^+ATPアーゼ)や輸送タンパク質, β_1アドレナリン受容体, リソソーム酵素, タンパク質分解酵素や構造タンパク質など, きわめて多岐にわたる. 誘導されるタンパク質は標的組織に特異的である. Na^+-K^+ATPaseはほとんどの組織で誘導され, 酸素消費率や基礎代謝率, 熱産生の増加に寄与する. 心筋細胞ではミオシンやβ_1アドレナリン受容体, Ca^{2+}ATPaseが誘導され, 心拍数や収縮性の増大に関与する. 肝や脂肪組織では代謝を制御する重要な酵素群が誘導され, 糖や脂質, タンパク質の代謝を変化させる.

各臓器系におけるT_3作用は以下の通りである.

- **基礎代謝率**

甲状腺ホルモン作用のうち, **酸素消費量の増加**とそれに伴う**基礎代謝率の増加**および**体温上昇**は, 最も重要で顕著な効果の1つである. 甲状腺ホルモンは, **Na^+-K^+ ATPase**の合成を誘導して活性を上昇させることにより, 脳や生殖腺, 脾臓を除くすべての組織において酸素消費量を増大させる. Na^+-K^+ ATPaseはNa^+とK^+の一次性能動輸送に寄与するが, この活性は酸素消費量や体熱産生と強く相関しており, その大部分を説明することができる. すなわち, 甲状腺ホルモンによってNa^+-K^+ ATPase活性が上昇すると, 酸素消費量や基礎代謝率, 熱産生も増大することとなる.

甲状腺ホルモン　483

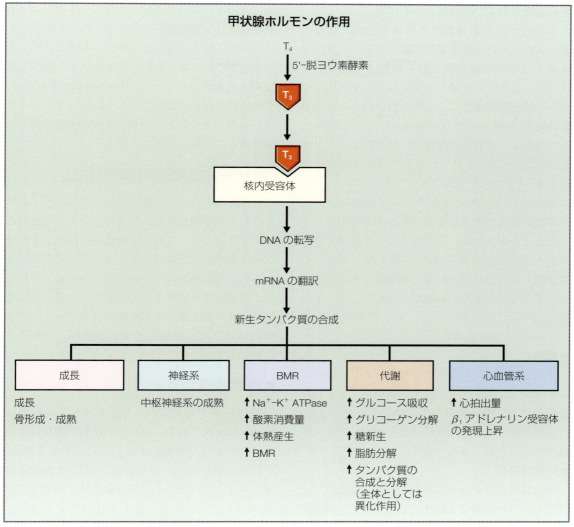

図9.20　甲状腺ホルモンの作用機序.
標的組織においてサイロキシン（T_4）は高活性のトリヨードサイロニン（T_3）に変換される．T_3は，さまざまな器官系で多様な生理学的作用を示す．BMR：基礎代謝率，DNA：デオキシリボ核酸，mRNA：メッセンジャーリボ核酸．

● 代謝

　酸素消費量が増大するためには，酸化的代謝に利用できる基質が増加しなければならない．甲状腺ホルモンは，消化管における**グルコース（glucose）**（ブドウ糖）吸収を増加させ，カテコールアミンやグルカゴン，成長ホルモンなど，他のホルモンが示す**糖新生（gluconeogenesis）**や**脂肪分解（lipolysis）**，**タンパク質分解（proteolysis）**を増強する．甲状腺ホルモンはタンパク質の合成も分解も促進するが，全体としては異化作用が強く，筋量を低下させる．甲状腺ホルモンによるこの効果は，甲状腺機能亢進症において酸素消費量を高める一因となる無益回路である．このような代謝への作用は，甲状腺ホルモンがシトクロム酸化酵素やNADPHシトクロムC還元酵素，αグリセロリン酸デヒドロゲナーゼ（脱水素酵素）やリンゴ酸酵素，その他いくつかのタンパク質分解酵素など，重要な代謝酵素の合成を誘導することによって起こる．

484　第9章　内分泌系の生理学

● 心血管系および呼吸器系への作用

甲状腺ホルモンは酸素消費量を増加させるため，組織における酸素需要が高くなる．甲状腺ホルモンは心拍出量と換気量を増加させることによって，これらの組織への酸素輸送量を増加させる．**心拍出量の増加**は，心拍数の増加と1回拍出量の増大（収縮性の増大）が組み合わさった結果として起きる．これらの作用は，甲状腺ホルモンが心筋においてβ_1アドレナリン受容体の合成を誘導する（すなわち，アップレギュレートする）ことで説明される．β_1アドレナリン受容体は，心拍数や収縮性を増大させる交感神経系の作用に関与することを考えると，甲状腺ホルモンが多く存在するときには，心筋にβ_1アドレナリン受容体の数が増えて交感神経系による刺激により敏感になることとなる．なお，相補的な作用として，甲状腺ホルモンは心筋のミオシンや筋小胞体Ca^{2+}ATPaseの合成も誘導する．

● 成長

甲状腺ホルモンは成長に不可欠であり，成長ホルモンやソマトメジンと相乗的に機能して骨形成を促進する．甲状腺ホルモンは骨化や骨端融合，骨成熟を促進する．甲状腺機能低下症では，骨年齢は実際の年齢より低くなる．

● 中枢神経系

甲状腺ホルモンは中枢神経系へも多様な作用を及ぼし，その影響は年齢によって異なる．**周産期**には，甲状腺ホルモンは中枢神経系の正常発達に必須であり，この時期における甲状腺機能低下症は,不可逆的な精神遅滞を引き起こす．このため,新生児に対する甲状腺機能検査が新生児マススクリーニングとして制度化されており，ここで障害が発見され甲状腺ホルモンの補充投与が行われると，中枢神経機能を回復させることができる．**成人**での甲状腺機能低下症は，倦怠感を生じ，動作が緩慢となって眠気を感じ，記憶力が低下して知的能力が減衰するなどの症状を示す．甲状腺機能亢進症では過興奮や過反射,過敏症などを呈する．

● 自律神経系

甲状腺ホルモンは**交感神経系**にも作用するが,その機序は完全には理解されていない．甲状腺ホルモンが基礎代謝率や熱産生，心拍数や1回拍出量に及ぼす作用の多くは，カテコールアミンがβアドレナリン受容体を介して示す作用と類似している．甲状腺ホルモンとカテコールアミンによる熱産生や心拍出量，脂肪分解や糖新生への作用は相乗的と考えられる．この相乗作用の重要性は,甲状腺機能亢進症の症状の多くに対しプロプラノロールのような**アドレナリンβ受容体遮断薬**が著効であることから，みてとれる．

甲状腺ホルモンの病態生理

前述した通り，甲状腺ホルモン障害は内分泌異常として最も頻発する．甲状腺ホルモンの過剰あるいは欠乏によって現れる徴候や症状は，ホルモンの生理学的作用を考えるとよく理解できる．すなわち，甲状腺ホルモンの障害は，成長や中枢機能，基礎代謝率や熱産生，代謝や心血管系に影響を及ぼす．**表9.9**に甲状腺機能亢進症および甲状腺機能低下症の症状と一般的な病因，TSH量と治療法を示す．

■ 甲状腺機能亢進症

甲状腺機能亢進症のうち最も頻発する疾患は**Basedow病**であり，これは**甲状腺刺激抗体**の血中濃度の上昇を特徴とする自己免疫疾患である．甲状腺刺激抗体は，甲状腺濾胞細胞のTSH受容体に対する抗体であり，甲状腺を強く刺激して甲状腺ホルモンの分泌亢進と甲状腺肥大を誘導する．甲状腺機能亢進症は上記以外にも，甲状腺がんやTRH・TSHの分泌亢進，甲状腺ホルモン製剤の過剰投与によっても引き起こされる．

甲状腺機能亢進症の診断は，症状と血中T_3,T_4濃度（高値を示す）に基づき行われる．TSHは甲状腺機能亢進症の原因によって低値を示す場合と高値を示す場合とがある．Basedow病や甲状腺がんのような甲状腺自体の障害，あるいは甲状腺ホルモンの過剰投与を原因とする甲状腺機能亢進症の場合には，T_3濃度の上昇により下垂体前葉において負のフィードバック制御が作動し，TSHは低値を示す．一方，TRHやTSHの分泌亢進のように視床下部や下垂体前葉の障害が甲状腺機能亢進症の原因である場合には，TSHは高値を示す．

甲状腺ホルモン　485

表9.9　甲状腺ホルモンの病態生理.

	甲状腺機能亢進症	甲状腺機能低下症
症状	基礎代謝率の上昇 体重の減少 負の窒素平衡 熱産生の増加 汗の増加 心拍出量の増加 動悸，息切れ ふるえ，筋力の低下 眼球突出（Basedow 病） 粘液水腫（Basedow 病） 甲状腺腫	基礎代謝率の低下 体重の増加 正の窒素平衡 熱産生の減少 寒がり 心拍出量の減少 低換気 嗜眠，感情鈍麻 眼瞼下垂 全身性の粘液水腫 発育遅延 精神遅滞（周産期） 甲状腺腫
病因	Basedow 病（Graves 病，甲状腺刺激抗体の増加） 甲状腺がん TSH 過剰分泌 T_3, T_4 過剰投与	甲状腺炎（自己免疫異常，橋本病） 甲状腺機能亢進症の術後 ヨウ素欠乏 先天性（クレチン病） TRH，TSH 不足
TSH 量	減少（T_3 による下垂体前葉に対する負のフィードバック制御） 増加（下垂体前葉の障害）	増加（甲状腺障害による負のフィードバック制御） 減少（視床下部あるいは下垂体前葉の障害）
治療	プロピルチオウラシル（ペルオキシダーゼとホルモン生合成の阻害） 甲状腺摘除 放射線治療（$^{131}I^-$ による甲状腺破壊） アドレナリン β 受容体遮断薬（補助療法）	甲状腺ホルモン補充療法

TRH：甲状腺刺激ホルモン放出ホルモン，TSH：甲状腺刺激ホルモン.

　甲状腺機能亢進症の症状は劇的であり，代謝の増加によって食事摂取量が増加するにもかかわらず体重が減少したり，酸素消費量の増加によって体熱産生が増大して発汗量が増えたりする．また，心臓において β_1 受容体が増加することによって頻脈となり，運動時に息切れを起こしたり，ホルモンの中枢神経系への作用によって，ふるえや精神的不安，脱力を起こしたりする．甲状腺の活性上昇によって甲状腺は肥大し，甲状腺腫（goiter）とよばれる状態を呈する．甲状腺腫によって食道を圧迫して嚥下困難を引き起こすこともある．

　甲状腺機能亢進症の治療は，プロピルチオウラシルのような甲状腺ホルモン合成阻害薬の投与や，甲状腺の外科的切除，$^{131}I^-$ を用いた放射性ヨウ素内用療法（アブレーション）によって行われる．

■ 甲状腺機能低下症

　甲状腺機能低下症（hypothyroidism）のうち最も頻発する原因として，抗甲状腺抗体が組織を破壊したりホルモン産生を阻害したりする自己免疫性破壊（甲状腺炎）がある．また，甲状腺機能亢進症の治療として甲状腺の外科的切除を受けた後に発症する障害や，視床下部–下垂体系の障害，あるいはヨウ素欠乏も甲状腺機能低下症の原因である．標的組織における甲状腺ホルモン受容体の発現低下による感受性不足を原因として発症する場合も，まれにみられる．

　甲状腺機能低下症の診断は，症状と血中 T_3, T_4 濃度（低値を示す）に基づき行われる．TSH は，甲状腺機能低下症の原因によって高値を示す場合と低値を示す場合とがある．甲状腺炎のように甲状腺自体の障害が甲状腺機能低下症の原因である場合には，TSH は負のフィードバック制御によって高値を示す．すなわち，血中 T_3 濃度が低いこ

とにより TSH 分泌が誘導される．一方で，視床下部や下垂体前葉の障害が甲状腺機能低下症の原因である場合には，TSH は低値を示す．

甲状腺機能低下症の症状は甲状腺機能亢進症と正反対であり，基礎代謝率が低下することによって食事量が増えることなく体重が増加したり，熱産生が低下して寒さに弱くなったりする．また，徐脈がみられ，動作が緩慢となり，言語のもつれや精神活動の緩慢，倦怠感や眠気，眼窩周囲の腫れ，便秘や脱毛，月経不順などが現れる．また，毛細血管からの体液の濾過が亢進し，浸透活性のあるムコ多糖類が間質液に蓄積して浮腫を生じる**粘液水腫 (myxedema)** がみられることもある．甲状腺機能低下症が甲状腺機能自体の障害による場合には，TSH が高値となり甲状腺を刺激し続けることによって甲状腺腫を引き起こす．臨床的に重要な点として，**周産期**に発症した甲状腺機能低下症が治療されずに放置されると，**クレチン病**とよばれる不可逆的な成長障害と精神遅滞が起こる．

甲状腺機能低下症の治療はホルモンの補充療法により行われ，通常 T_4 が投与される．投与された T_4 は内因性ホルモンと同様に標的組織において活性型 T_3 へと変換される．

■ 甲状腺腫

甲状腺腫（甲状腺の肥大）は，ある種の甲状腺機能亢進症の原因と関連することがあり，また，おそらくは驚くべきことに，ある種の甲状腺機能低下症や甲状腺機能正常症の原因とも関連することがある．甲状腺機能亢進，甲状腺機能低下および甲状腺機能正常という用語はそれぞれ，甲状腺ホルモン量が過剰，欠乏，正常という臨床状態を示している．すなわち，これらの用語は甲状腺ホルモンの血中濃度を示すものであり，甲状腺自体の大きさを示すものではない．甲状腺腫が存在するかどうか知るためには，甲状腺疾患の病因を精査することが必要である．高濃度 TSH や甲状腺刺激抗体のような TSH と類似する作用を示す物質は，甲状腺に対して栄養効果を与えて肥大化させる．これが甲状腺腫を理解するための中心原理となる．

● Basedow 病

最も頻発する甲状腺機能亢進症である Basedow 病では，高濃度の甲状腺刺激抗体が T_4 および T_3 の過剰分泌を誘導し，甲状腺を肥大化させて甲状腺腫へと至る．この疾患では，TSH は負のフィードバック制御によって低値を示すが，甲状腺刺激抗体が示す TSH 類似作用によって，このような肥大化が起こる．

● TSH 分泌腫瘍

TSH 分泌腫瘍 (TSH-secreting tumor) は，甲状腺機能亢進症の原因としてはまれであるが，TSH が高値となることによって T_4 および T_3 が過剰に分泌され，甲状腺を肥大化させ甲状腺腫へと至る．

● T_4 摂取

甲状腺ホルモン製剤の過剰摂取による甲状腺機能亢進症では，摂取による甲状腺ホルモンの濃度上昇と関連する．これは，負のフィードバック制御によって TSH を低下させる．このため，**甲状腺腫はみられず**，甲状腺はむしろ時間とともに小さくなっていく．

● 自己免疫性甲状腺炎

最も頻発する甲状腺機能低下症である**自己免疫性甲状腺炎 (autoimmune thyroiditis)** では，ペルオキシダーゼに対する抗体の作用で甲状腺ホルモン合成が抑制され，T_4 や T_3 の分泌が減少する．TSH の値は負のフィードバック制御によって上昇し，その結果，高レベルの TSH が甲状腺に栄養効果を及ぼして**甲状腺腫**へと至る．きわめて意外なことに，この疾患では甲状腺ホルモン合成が効率的に行われないにもかかわらず，甲状腺は肥大するのである．

● TSH 欠乏症（下垂体前葉障害）

TSH 欠乏症 (TSH deficiency)（下垂体前葉障害 (anterior pituitary failure)）は，甲状腺機能低下症の原因としてはまれであるが，TSH が減少しているために甲状腺ホルモンの分泌が低下し，**甲状腺腫も引き起こさない**．

● ヨウ素欠乏症

ヨウ素が欠乏すると，T_4 や T_3 の合成が一過的に低下して，負のフィードバック制御によって TSH 分泌が促進される．増加した TSH レベルは甲状腺に栄養効果を及ぼし，甲状腺腫へと至る．

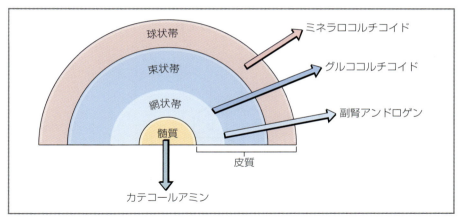

図 9.21　副腎髄質および副腎皮質におけるホルモン分泌.
副腎髄質からはカテコールアミン類が分泌される．副腎皮質の 3 層構造からは，それぞれグルココルチコイドとアンドロゲン（網状帯・束状帯）およびミネラロコルチコイド（球状帯）が分泌される．

肥大している以外は正常な甲状腺は，TSH が高値であるために甲状腺ホルモンの血中濃度を正常に保つことができる．この場合，臨床的には甲状腺機能は正常であり無症状である．もし，甲状腺が甲状腺ホルモンの血中濃度を正常に保つことができない場合には，臨床的に甲状腺機能低下症であることとなる．

副腎髄質と副腎皮質

副腎は腎直上の後腹膜腔に存在する．副腎は，実際には副腎髄質と副腎皮質という異なる 2 つの腺で構成されており，それぞれ生命維持に必須のホルモンを分泌している．単位重量あたりの血流量を組織ごとにみた場合，副腎には他のどの組織よりも多くの血液が供給されている．

副腎髄質（adrenal medulla）は副腎の内側の領域に存在し，組織のおよそ 20％ を占める．副腎髄質は神経外胚葉に由来し，カテコールアミンであるアドレナリンとノルアドレナリンを分泌する（第 2 章）．

組織のおよそ 80％ を占める**副腎皮質**（adrenal cortex）は，副腎の外側の領域において 3 つの明確な層構造をとっている．副腎皮質は中胚葉に由来し，副腎皮質ステロイドホルモンを分泌する．副腎皮質は胎生 8 週までに分化し，子宮内での全発育期間にわたって胎児のステロイドホルモンの産生に関与する（第 10 章）．胎生副腎皮質は出生直後に内層に向かって退行して最終的には消失し，3 層から構成される成人性副腎皮質に置き換えられる．

副腎皮質ステロイドホルモンの生合成

副腎皮質は，**グルコ（糖質）コルチコイド**（glucocorticoid），**ミネラロ（鉱質，電解質）コルチコイド**（mineralocorticoid）および**副腎アンドロゲン**（adrenal androgen）の 3 種類のステロイドホルモンを分泌する．図 9.21 に副腎の構造とそれぞれの部位から分泌されるホルモンを示す．グルココルチコイドと副腎アンドロゲンは，皮質最内層の**網状帯**（zona reticularis）と中央の最も厚い層である**束状帯**（zona fasciculata）から分泌される．ミネラロコルチコイドは最外層の**球状帯**（zona glomerulosa）から分泌される．

■ 副腎皮質ステロイドホルモンの構造

図 9.22 に主な副腎皮質ステロイドホルモンの構造を示す．ステロイドホルモンとは構造中にステロイド核をもつホルモンのことであり，その原料は**コレステロール**（炭素数 27）である．ステロイド核は，3 つのシクロヘキサン環と 1 つのシクロペンタン環がつながった構造をもち，それぞれ

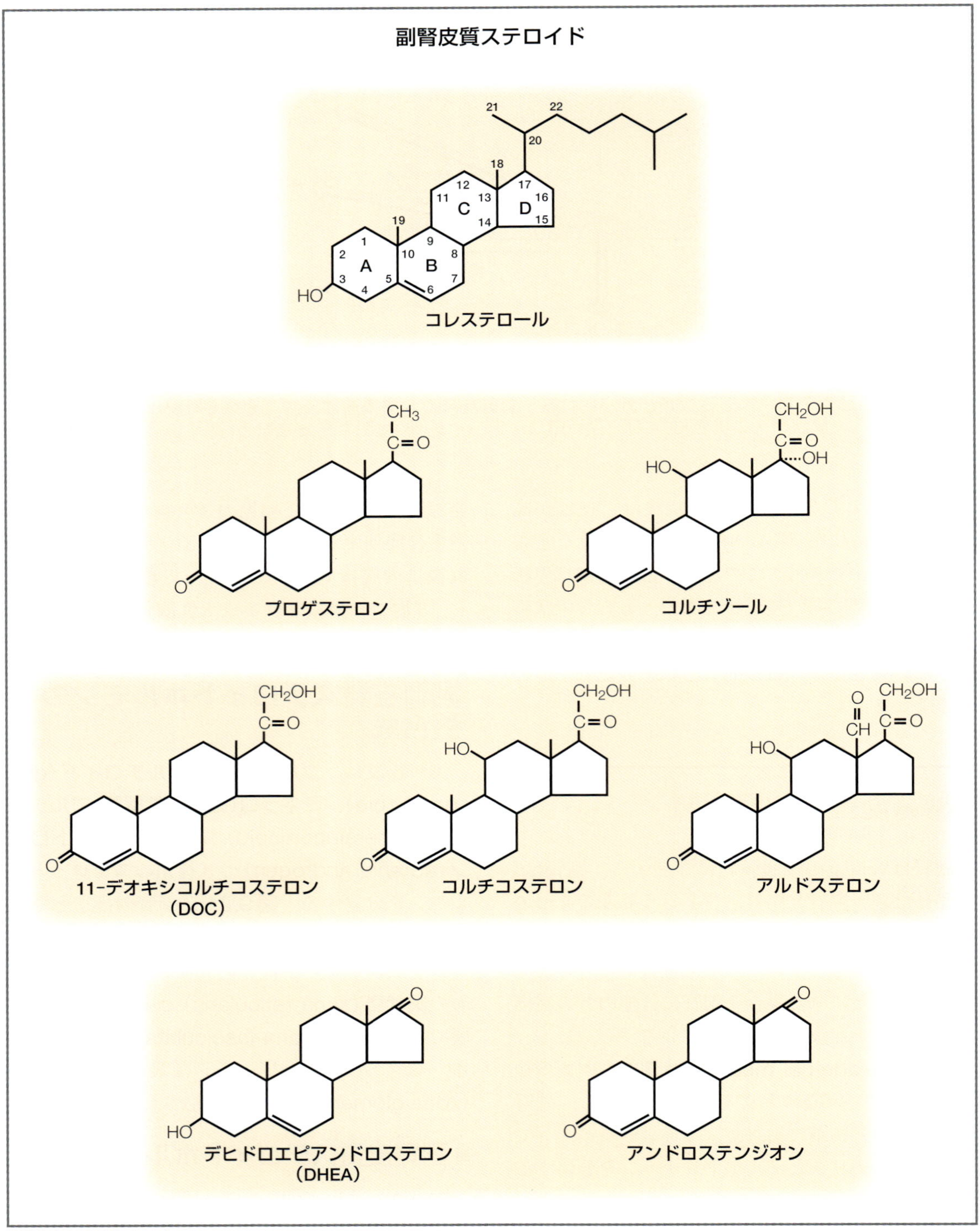

488 第9章 内分泌系の生理学

副腎皮質ステロイド

コレステロール

プロゲステロン

コルチゾール

11-デオキシコルチコステロン
（DOC）

コルチコステロン

アルドステロン

デヒドロエピアンドロステロン
（DHEA）

アンドロステンジオン

図 9.22 **副腎皮質ステロイドホルモンの構造.**
副腎皮質ステロイドホルモンは，すべてコレステロールを原料として生成される．コレステロールの構造には，ステロイド核を特徴づける4つの環（AからD）と炭素番号をあわせて示す．

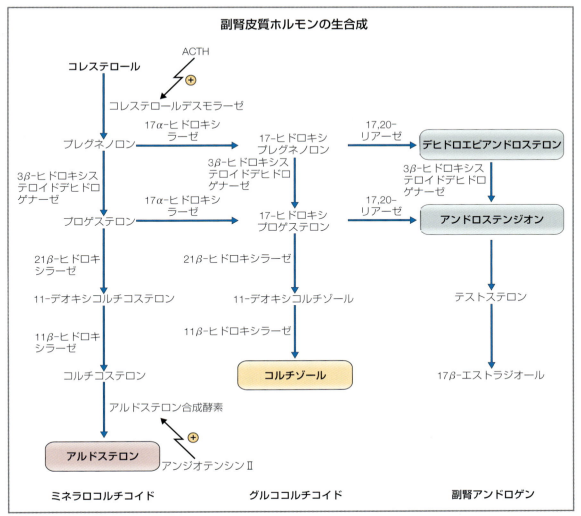

図 9.23　主な副腎皮質ステロイドホルモンの合成経路.
副腎皮質からの主要な分泌産物を色付きボックスで示す．ACTH：副腎皮質刺激ホルモン．

A環，B環，C環，D環とよばれる．グルココルチコイドを代表する**コルチゾール**は，C-3にケトン，C-11とC-21に水酸基をもつ．ミネラロコルチコイドを代表する**アルドステロン**は，C-18に二重結合の酸素をもつ．副腎アンドロゲンを代表する**デヒドロエピアンドロステロン**（dehydroepiandrosterone：DHEA）や**アンドロステンジオン**（androstenedione）は，C-17に二重結合の酸素をもち，グルココルチコイドおよびミネラロコルチコイドに存在するC-20とC-21側鎖を欠く．図中には示していないが，精巣から分泌されるテストステロンや，卵巣から分泌されるエストロゲンもステロイドホルモンの一種である．エストロゲンはA環が芳香環であり，C-19を欠く．

図9.22をまとめると，グルココルチコイドとミネラロコルチコイドは炭素数21のステロイドであり，アンドロゲンは炭素数19のステロイドである．また，エストロゲンは炭素数18のステロイドである．これらはすべて炭素数27のコレステロールを材料とする．

■ 副腎皮質における生合成経路

図9.23に，副腎皮質ステロイドホルモンの生

合成経路を示す．この図には，副腎皮質で起こるすべてのステロイドホルモン生合成経路が示されているが，これらの経路が副腎皮質のすべての層で機能しているわけではないことに注意すべきである．すなわち，すでに解説したように，副腎皮質は3層構造をもち，それぞれの層がグルココルチコイドと副腎アンドロゲンあるいはミネラロコルチコイドのいずれか特定のホルモンを合成し分泌する．副腎皮質のそれぞれの層では，ステロイドホルモン生合成に関与する酵素の局在が異なっており，これによって各層において生成されるホルモンを合成するために必要となる経路のみが機能できる．例えば，網状帯と束状帯には17,20-リアーゼがあるために副腎アンドロゲンが産生可能であり，球状帯にはアルドステロン合成酵素があるためにアルドステロンが産生可能である．

　すべての副腎皮質ステロイドの前駆体は**コレステロール**である．コレステロールのほとんどは，体循環を介して副腎皮質に供給され，一部が副腎皮質細胞内で新たに合成される．コレステロールは，低密度リポタンパク質に結合した状態で循環している．副腎皮質細胞の細胞膜上には，これらリポタンパク質の受容体があり，ここにリポタンパク質とコレステロールの複合体が結合してエンドサイトーシスによって細胞内へと取り込まれる．細胞内では，コレステロールはエステル化され，ステロイドホルモンの合成に必要となるまで細胞質小胞に蓄えられる．

　コレステロールから活性をもつステロイドホルモンへの変換には，いくつかの酵素により触媒されるステロイド核の水酸化と，脱水素化および異性化が関与する．このうち水酸化は，**シトクロムP-450（cytochrome P-450）**スーパーファミリータンパク質群が酵素として機能し，電子供与体であるNADPHとO_2を用いて基質を酸化する．NADPHからシトクロムP-450への電子伝達には，フラビン酵素である**アドレノドキシン還元酵素（adrenodoxin reductase）**と，鉄含有タンパク質である**アドレノドキシン（adrenodoxin）**が関与する．

　すべてのステロイドホルモン生合成は，**コレステロールデスモラーゼ（cholesterol desmolase）**（別名：コレステロール側鎖切断酵素，シトクロムP-450$_{scc}$）が触媒して起こる．コレステロールの側鎖切断によるプレグネノロンへの変換反応から始まる．すなわち，コレステロールデスモラーゼは副腎皮質のすべての層がもつ酵素である．この反応は，副腎皮質ステロイドホルモン生合成過程における律速過程であり，**ACTH**によって促進される（コルチゾール分泌調節の項で解説する）．この過程に引き続いて起こる各ホルモンの合成経路を以下に示す．

● **グルココルチコイド（コルチゾール）**

　ヒトにおける主要なグルココルチコイドは**コルチゾール**であり，これは**束状帯／網状帯（zonae fasciculata/reticularis）**において生合成される．この過程に関与する酵素と，それによって触媒される反応は以下の通りである：(1)コレステロールデスモラーゼ（コレステロール側鎖切断酵素，シトクロムP-450$_{scc}$）：コレステロール→プレグネノロン．(2)17α-ヒドロキシラーゼ（シトクロムP-450$_{17\alpha}$）：プレグネノロン→17-ヒドロキシプレグネノロン．(3)3β-ヒドロキシステロイドデヒドロゲナーゼ：17-ヒドロキシプレグネノロン→17-ヒドロキシプロゲステロン．(4)21-ヒドロキシラーゼ（シトクロムP-450$_{c21}$）および11β-ヒドロキシラーゼ（シトクロムP-450$_{11\beta}$）：それぞれC-21およびC-11の水酸化によるコルチゾールの生成．いくつかの生合成過程は順序が入れ替わってもよく，例えば，17α-ヒドロキシラーゼによるC-17の水酸化は，3β-ヒドロキシステロイドデヒドロゲナーゼの反応の前でも後でもよい．

　コルチゾールはグルココルチコイド活性をもつ唯一のステロイドではなく，例えば，**コルチコステロン（corticosterone）**もグルココルチコイド活性をもつ．したがって，束状帯において17α-ヒドロキシラーゼによる水酸化が何らかの事情で阻害されコルチゾール産生が抑制されたとしても，コルチコステロンは正常に産生され，悪影響は現れない．つまり，コルチコステロンが合成されている限り，コルチゾールは生命を維持するうえでは必須ではない．しかし，コレステロールデスモラーゼや3β-ヒドロキシステロイドデヒドロ

ゲナーゼ，21-ヒドロキシラーゼや11β-ヒドロキシラーゼによって触媒される過程が阻害されると，コルチゾールとコルチコステロンはいずれも合成されなくなり，この場合，適切なホルモン補充療法が行われなければ死に至ることとなる.

グルココルチコイド生合成を阻害する薬物として，メチラポンやケトコナゾールがある．**メチラポン**は11β-ヒドロキシラーゼを阻害し，コルチゾール生合成の最終過程を抑制する．**ケトコナゾール**は，生合成の最初に働くコレステロールデスモラーゼを含め，複数の合成過程を阻害する.

● 副腎アンドロゲン（DHEA およびアンドロステンジオン）

DHEA とアンドロステンジオンは，**束状帯**および**網状帯**において産生されるアンドロゲンステロイドである．これら自体はアンドロゲン活性は弱いが，精巣において，より強い活性をもつテストステロンへと変換される．副腎アンドロゲンの前駆体は17-ヒドロキシプレグネノロンや17-ヒドロキシプロゲステロンであり，C-20 および C-21 の側鎖が切断されることでアンドロゲンへと変換される．男性では，副腎のアンドロゲンの重要性は乏しい．なぜなら，男性では精巣においてコレステロールから独自のテストステロンが合成され，副腎の前駆体を必要としないからである（**第10章**参照）．しかし，女性では，副腎皮質がアンドロゲン化合物の主な供給源となる.

副腎アンドロゲンはC-17 にケトン基をもつため，C-17 に側鎖をもつコルチゾールやアルドステロン，およびC-17 に水酸基をもつテストステロンと区別できる．したがって，主な副腎アンドロゲンは**17-ケトステロイド**（17-ketosteroid）とよばれ，尿中で濃度を測定することができる.

束状帯および網状帯も，わずかにテストステロンや17β-エストラジオールを産生するが，これらのホルモンの主要な産生源は精巣および卵巣である（**第10章**）.

● ミネラロコルチコイド（アルドステロン）

生体における主要なミネラロコルチコイドは**アルドステロン**であり，**球状帯**のみで産生される．球状帯では，コレステロールは束状帯と同一の過程を経てコルチコステロンに変換され，その後，

アルドステロン合成酵素（aldosterone syntase）（別名：18-ヒドロキシラーゼ，シトクロムP-450$_{c18}$）の作用によってアルドステロンへと変換される．球状帯では，以下の2つの理由のためにグルココルチコイドは生成されない：(1)グルココルチコイドであるコルチコステロンは，アルドステロン合成酵素によってアルドステロンに変換される．(2)球状帯は17α-ヒドロキシラーゼをもたず，したがって，プロゲステロンからコルチゾールを産生できない.

アルドステロンだけがミネラロコルチコイド活性をもつステロイドではなく，**11-デオキシコルチコステロン**（11-deoxycorticosterone：DOC）や**コルチコステロン**もミネラロコルチコイド活性をもつ．したがって，ミネラロコルチコイド生合成経路のうち，11β-ヒドロキシラーゼやアルドステロン合成酵素の欠失のように，DOC 生成過程より後の段階で阻害されたとしても，ミネラロコルチコイドは産生される．一方，21β-ヒドロキシラーゼの欠失のように，DOC 生成過程より前の段階で阻害された場合には，ミネラロコルチコイドは産生されない.

副腎皮質ステロイドの分泌調節

すでに解説したように，副腎皮質ステロイドホルモンの合成と分泌は，ACTH によるコレステロールデスモラーゼの活性化に依存し，ACTH がない場合には副腎皮質ステロイドホルモンは生成されない．ここで2つの疑問が生じる．1つ目は，ACTH の分泌は何によって制御されているのかという点であり，もう1つは束状帯，網状帯，および球状帯の機能を制御しているのはどのような特異的な調節因子かという点である.

● グルココルチコイドと副腎アンドロゲンを分泌する**束状帯**および**網状帯**は，視床下部-下垂体系による排他的な制御下にある．視床下部ホルモンは**副腎皮質刺激ホルモン放出ホルモン**（corticotropin-releasing hormone：CRH）であり，下垂体前葉ホルモンは ACTH である.

● ミネラロコルチコイドを分泌する**球状帯**は，ステロイド生合成の第1段階では ACTH に依存するが，それ以外の過程では**レニン-アンジオ**

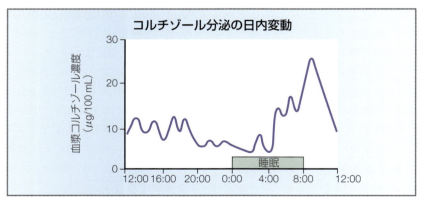

図 9.24　コルチゾール分泌の日内変動．

テンシン-アルドステロン系 (renin-angiotensin-aldosterone system) を介して調節される．

以下，束状帯および網状帯の機能調節についてまず説明する．球状帯の機能調節については別に述べる．

■ グルココルチコイドと副腎アンドロゲンの分泌調節

　コルチゾール分泌は**拍動性**に起こり，かつ**日内変動**を示すことが大きな特徴である（図 9.24）．すなわち，24 時間の間に平均して 10 回の分泌バーストがみられ，夕方から就寝直後の分泌量が最も少なく，覚醒直前の分泌量が最も多い．覚醒直前のピークで分泌されるコルチゾールは，1 日の総分泌量の約半分にも及ぶ．副腎アンドロゲンなど，他の副腎ステロイドも類似の日内変動を示す．CRH と ACTH の分泌も同様の日内変動を示し，実際には CRH 分泌の日内変動が ACTH 分泌の日内変動を駆動し，それがステロイドホルモン分泌の日内変動を駆動している．

　束状帯および網状帯におけるグルココルチコイドの分泌は，**視床下部-下垂体系** (hypothalamic-pituitary axis) によって排他的に制御されている（図 9.25）．視床下部から分泌される CRH が下垂体前葉のコルチコトロフに作用して ACTH 分泌を誘導し，ACTH が副腎皮質に作用してステロイドホルモンの産生と分泌を促進する．

- **CRH** は 41 アミノ酸からなるポリペプチドであり，視床下部の室傍核ニューロンで分泌され

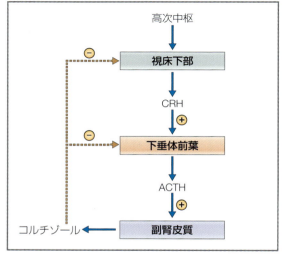

図 9.25　コルチゾールの分泌調節．
ACTH：副腎皮質刺激ホルモン，CRH：副腎皮質刺激ホルモン放出ホルモン．

る．下垂体前葉に作用する他の視床下部ホルモンと同様に，CRH は下垂体門脈を介して下垂体前葉へ運ばれ，コルチコトロフに作用して，アデニル酸シクラーゼ／cAMP 系を介して血流への ACTH 分泌を誘導する．

　視床下部の CRH 分泌細胞は，**中枢神経系における高次中枢**によって制御される．この高次中枢は 2 つの機能を担っている．(1) 前述した CRH 分泌の日内変動と拍動性を指令する機能．この日内変動を駆動する「体内時計」は，入眠と覚醒の時間を変化させるなど，睡眠覚醒周期を変化させることでシフトさせることができる．日内変動は，昏睡状態や失明，明暗いずれか一

方の条件に固定されることによって消失する．(2)生理的・心理的ストレスへの反応を調節する機能．ストレスは CRH 分泌バーストの振幅を増大させる．

● 下垂体前葉ホルモンである **ACTH** は，副腎皮質にいくつかの作用を及ぼす．ACTH の即時的効果には，貯蔵コレステロールのミトコンドリアへの移行を促進すること，コレステロールとシトクロム P-450 スーパーファミリータンパク質との結合を刺激すること，コレステロールデスモラーゼを活性化することがある．長期的効果には，シトクロム P-450 やアドレノドキシン遺伝子の転写活性を上昇させること，ACTH 受容体をアップレギュレーションすることがある．ACTH 量の高い状態が続くと，IGF-2 などの増殖因子の局所的な作用によって副腎皮質の肥大と過形成が起こる．

すでに解説したように，ACTH は **日内変動** のある **拍動性** 分泌パターンを示し，これがコルチゾールの分泌特性を誘導するが，覚醒前に起こる ACTH の分泌ピークは，**CRH 分泌のバースト** によって誘導される．

● コルチゾールは，視床下部−下垂体系の 3 点において **負のフィードバック制御** を作動させる：(1)視床下部への直接作用による CRH の分泌抑制．(2)視床下部にシナプスを形成する海馬ニューロンへの作用を介した間接的な CRH の分泌抑制．(3)下垂体前葉における CRH 作用の抑制による ACTH の分泌抑制．したがって，コルチゾールが慢性的に不足すると，CRH-ACTH 系が刺激されて ACTH 濃度は上昇する．逆にコルチゾールが慢性的に過剰であると，CRH-ACTH 系が抑制されて ACTH 濃度は低下する．

● 副腎皮質機能亢進症 (hypercortisolism) の鑑別診断で行われる **デキサメタゾン抑制試験** (dexamethasone suppression test) は，CRH-ACTH 系におけるコルチゾールの負のフィードバック制御に基づく検査手法である．デキサメタゾンは，ACTH 分泌に対する負のフィードバック制御を含む，すべてのコルチゾール作用を強く示す合成グルココルチコイド

表 9.10　ACTH の分泌制御因子.

刺激因子	抑制因子
血中コルチゾール量の減少 睡眠から覚醒への遷移 ストレス，低血糖，手術，外傷 精神疾患 抗利尿ホルモン(ADH) αアドレナリン受容体作動薬 βアドレナリン受容体拮抗薬 セロトニン	血中コルチゾール量 の増加 オピオイド ソマトスタチン

ACTH：副腎皮質刺激ホルモン.

であり，**健常人** に低用量投与した際には，コルチゾールと同様に ACTH 分泌を抑制してコルチゾール分泌を抑制する．デキサメタゾン抑制試験では，この変化を検査し，副腎皮質機能亢進症が ACTH 産生腫瘍によるものかコルチゾール産生腫瘍によるものかを鑑別できる．**ACTH 産生腫瘍** が原因である場合，腫瘍細胞におけるグルココルチコイド感受性が正常細胞より低く負のフィードバック制御が作動しにくいことから，コルチゾールの分泌を抑制するために，より高用量のデキサメタゾンが必要となり，低用量のデキサメタゾンではコルチゾール分泌は抑制されない．一方で，**副腎皮質腫瘍** が原因である場合には，腫瘍細胞から自律的にコルチゾールが分泌され ACTH による制御を受けなくなるため，デキサメタゾンは低用量でも高用量でもコルチゾール分泌を抑制しない．

CRH-ACTH 系による負のフィードバック制御に加え，他の因子も ACTH やコルチゾールの分泌に影響を与える（**表 9.10**）．これらの因子群の多くは，高次中枢から視床下部への影響を介して ACTH 分泌を変化させる．

■ アルドステロンの分泌調節

球状帯におけるアルドステロンの分泌調節は，コルチゾールや副腎アンドロゲンとは異なる．ただし，ACTH はコレステロールからアルドステロンを生成する第 1 反応過程を触媒するコレステロールデスモラーゼの活性化に必須であり，ACTH がアルドステロン分泌調節においても本質的に重要であることは変わらない．他の副腎皮質ステロイドホルモンと同様に，アルドステロンの

分泌も日内変動を示し，深夜に低く覚醒直前に高くなる．しかし，アルドステロンの分泌調節における最も主要な因子はACTHではなく，レニン-アンジオテンシン-アルドステロン系を介した細胞外液量の変動や血漿K^+濃度の変化である．

● レニン-アンジオテンシン-アルドステロン系

この調節系が，アルドステロン分泌の主要な制御様式である．この調節系では，アンジオテンシンⅡ（angiotensin Ⅱ）が，コレステロールデスモラーゼとアルドステロン合成酵素，すなわち，アルドステロン生合成経路の最初と最後の過程の両方を活性化させることによって，アルドステロンの合成と分泌を増加させる（図9.23参照）．アンジオテンシンⅡは，球状帯においてG_qタンパク質と共役するAT_1受容体と結合し，ホスホリパーゼCの活性化を介して，IP_3/Ca^{2+}をセカンドメッセンジャーとして機能する．増加したIP_3/Ca^{2+}は，球状帯にある細胞の細胞膜を脱分極させて電位依存性Ca^{2+}チャネルを開き，Ca^{2+}流入とコレステロールデスモラーゼおよびアルドステロン合成の段階でのアルドステロン合成を刺激する．

レニン-アンジオテンシン-アルドステロン系の調節については，すでに第4章で解説した．簡単にまとめると，出血やNa^+欠乏によって細胞外液量が減少すると腎灌流圧が低下する．これによって，腎の傍糸球体細胞からのレニン分泌を誘導する．酵素であるレニンは，アンジオテンシノーゲンからアンジオテンシンⅠへの変換を触媒するが，アンジオテンシンⅠは活性をもたない．レニンの作用によって生成されたアンジオテンシンⅠは，アンジオテンシン変換酵素（angiotensin-converting enzyme：ACE）によって活性をもつアンジオテンシンⅡへと変換され，これが球状帯に作用してアルドステロン生成を誘導する．

アルドステロンが細胞外液量を保つ作用をもつことを考えると，レニン-アンジオテンシン-アルドステロン系を介したアルドステロン分泌制御は合理的である．例えば，細胞外液量が減少するとアルドステロン分泌が誘導され，分泌されたアルドステロンが腎に作用してNa^+再吸収を促進し，細胞外液量を回復させる．

● 血漿K^+濃度．アルドステロンの分泌を制御するもう1つの因子は，血漿K^+濃度である．血漿K^+濃度が上昇するとアルドステロン分泌が増加し，逆に，減少するとアルドステロン分泌は低下する．例えば，血漿K^+濃度が上昇すると，球状帯にある細胞の脱分極を誘導して電位依存性Ca^{2+}チャネルを開口させる．このチャネルが開口するとCa^{2+}が流入し，コレステロールデスモラーゼやアルドステロン合成酵素が刺激されて，アルドステロン分泌が増加する．アルドステロンがK^+バランスを維持する役割をもつことを考えると，血漿K^+濃度を介したアルドステロン分泌制御もやはり合理的である．例えば，血漿K^+濃度の上昇がアルドステロン分泌を誘導し，アルドステロンは腎に作用してK^+排泄を増加させ，血漿K^+濃度を正常に戻す．

副腎皮質ステロイドの作用

副腎皮質ステロイドは多様な作用を有している．グルココルチコイド，ミネラロコルチコイド，副腎アンドロゲンは，こうした作用に基づいて分類されている．これらのホルモンが標的組織においてホルモン特有の作用を発現するためには，DNAの転写，特定のmRNAの合成，そして新しいタンパク質の合成の誘導が必要である．これらの新しいタンパク質は，標的組織におけるステロイドホルモンの作用に特異性を与える（表9.11）．

■ グルココルチコイドの作用

グルココルチコイドは生命の維持に必須であり，副腎皮質が摘出されたり機能が障害されたりすると，グルココルチコイドを補充しない限り死に至る．コルチゾールなどグルココルチコイドの作用は，糖新生やカテコールアミンに対する血管反応性，抗炎症作用や免疫抑制反応，中枢神経機能調節に不可欠である．

● 糖新生の促進

コルチゾールは，糖新生を促進しグリコーゲン貯蔵量を増加させる．つまり，コルチゾールは異化（catabolic）ホルモンであり，糖尿病誘発性（diabetogenic）に作用する．具体的には，タンパク質や脂質，糖質の代謝を協調的に変化させて，以下のようにグルコース産生を増加させる：(1)筋

副腎髄質と副腎皮質　495

表9.11　副腎皮質ステロイドホルモンの作用.

グルココルチコイド	ミネラロコルチコイド	副腎アンドロゲン
糖新生の促進 タンパク質分解の促進（異化作用） 脂肪分解の促進 グルコース消費の減少 インスリン感受性の低下 抗炎症作用 免疫抑制作用 血管におけるカテコールアミン感受性の増強 骨形成の抑制 糸球体濾過量の増加 REM睡眠の減少	Na^+再吸収の促進 K^+排泄の促進 H^+排泄の促進	女性：恥毛や腋毛の発毛促進，性欲亢進 男性：テストステロンと同様

ではタンパク質の分解を促進するとともに合成を抑制し，糖新生の材料としてアミノ酸を肝に追加供給する．(2)また，脂肪分解を促進して，糖新生の材料としてグリセロールを肝に追加供給する．(3)さらに各組織におけるグルコース利用を抑制し，脂肪組織でのインスリン感受性を低下させる．このように，さまざまな糖新生経路を活性化するグルココルチコイドは，**絶食・飢餓時でも生存**するために必須のホルモンである．原発性慢性副腎不全（Addison病）など，副腎皮質機能低下症では低血糖が起こる．逆に，**Cushing（クッシング）症候群（Cushing syndrome）**のような副腎皮質機能亢進症では高血糖となる．

● 抗炎症作用

コルチゾールは，以下の3つの作用によって外傷や刺激物に対する抗炎症作用を示す：(1)ホスホリパーゼA_2の阻害タンパク質である**リポコルチン（lipocortin）**の産生誘導．ホスホリパーゼA_2は，炎症反応をもたらすプロスタグランジンやロイコトリエンの前駆体であるアラキドン酸を膜のリン脂質から遊離させる．つまり，コルチゾールの示す抗炎症作用は，リポコルチンを介してプロスタグランジンやロイコトリエンの前駆体の産生を抑制することによって示される．(2)**インターロイキン2(IL-2)**産生とTリンパ球の増殖の抑制．(3)マスト細胞からの**ヒスタミン(histamine)**や血小板からの**セロトニン(serotonin)**の放出の抑制．

● 免疫抑制作用

コルチゾールは，先に示した通りIL-2産生とTリンパ球の増殖を抑制するが，これによって免疫応答も抑制する．このため，臓器移植の際に拒絶反応を抑えるため，免疫抑制薬として合成グルココルチコイドが投与される．

● カテコールアミンに対する血管反応性の維持

コルチゾールは正常な動脈圧の維持に必須であり，細動脈においてα_1アドレナリン受容体をアップレギュレートすることで，カテコールアミンの作用を助ける補助的な役割を果たす．このように，コルチゾールはカテコールアミンに対する細動脈の血管収縮反応に必要である．グルココルチコイドが不足すると低血圧となり，過剰になると高血圧となる．

● 骨形成の抑制

コルチゾールは骨形成を抑制する．これは，骨基質の主成分であるI型コラーゲンの産生や骨芽細胞による新規骨形成，小腸におけるCa^{2+}吸収を低下させることによる．

● 糸球体濾過量の増加

コルチゾールは輸入細動脈を拡張させ，その結果，腎血流量が増加して糸球体濾過量が増加する．

● 中枢神経系への作用

グルココルチコイド受容体は，脳，特に大脳辺縁系に発現している．コルチゾールは，REM睡眠の減少や徐波睡眠の増加，覚醒時間の増加を誘導する．ACTHやコルチゾールの最大分泌ピークが覚醒直前に起こることを思い出してほしい．

■ ミネラロコルチコイドの作用

アルドステロンなどミネラロコルチコイドの作用は**第6章**で詳しく解説した．簡単にまとめると，アルドステロンは，腎の遠位尿細管後半部や

集合管に作用して Na^+ 再吸収を増加させ，K^+ 排出および H^+ イオンの排出を誘導する．Na^+ 再吸収と K^+ 排出に対する作用は主細胞において，H^+ 排泄に対する作用は α 間在細胞において起こる．したがって，アルドステロン産生腫瘍などによって血中アルドステロンが上昇すると，Na^+ 再吸収と K^+ 排出，H^+ 排出がすべて増加し，その結果，細胞外液量の増加や高血圧，低カリウム血症，代謝性アルカローシスを呈する．逆に，副腎皮質不全などによって血中アルドステロンが低下すると，Na^+ 再吸収と K^+ 排泄，H^+ 排泄がいずれも低下し，細胞外液量の減少や低血圧，高カリウム血症，代謝性アシドーシスへと至る．

　腎の遠位尿細管後半部や集合管のようなミネラロコルチコイドの標的組織における作用に関して，興味深い「問題」が生じる．すなわち，コルチゾールに対するミネラロコルチコイド受容体の親和性は，驚くべきことにアルドステロンに対する親和性と同じくらい高いのである．血中にはコルチゾールがアルドステロンに比べはるかに多く存在しているため，ミネラロコルチコイド受容体にはアルドステロンではなく，コルチゾールが優先的に結合して占拠してしまうように思われる．では，腎はどのようにしてアルドステロン濃度に変化が生じ，ミネラロコルチコイドの作用が望まれていることを知ることができるのだろうか．この「問題」は腎細胞自身が解決する．実は，腎細胞には，コルチゾールをミネラロコルチコイド受容体への親和性が低いコルチゾンに変換する 11β-ヒドロキシステロイドデヒドロゲナーゼ (11β-hydroxysteroid dehydrogenase) が発現している．これによってコルチゾールは，ミネラロコルチコイドの標的組織では効果的に不活性化される．このような独特なしくみを用いることによって，腎細胞は血中に大量に存在するコルチゾールに妨げられることなく，アルドステロンの変動を検出することができるようになる．また，ミネラロコルチコイドの標的組織におけるコルチゾールのこの不活性化は，コルチゾールの血中濃度が高いときに，コルチゾールがミネラロコルチコイド受容体に高い親和性をもつにもかかわらずミネラロコルチコイド活性がほとんど示されない理由も説明す

る．甘草に含まれるステロイドであるグリチルレチン酸 (glycyrrhetinic acid) は，11β-ヒドロキシステロイドデヒドロゲナーゼを阻害する．甘草を過剰に摂取すると，腎におけるコルチゾールからコルチゾンへの不活性化が阻害され，その結果，高濃度のコルチゾールによって高いミネラロコルチコイド活性が持続することとなる．この場合，動脈圧の上昇や低カリウム血症，代謝性アルカローシスを呈することとなる．

■ 副腎アンドロゲンの作用

　副腎皮質では，アンドロゲン化合物である DHEA やアンドロステンジオンを産生し，これらは主に精巣においてテストステロンに変換される．男性では精巣においてコレステロールを材料としてテストステロンが新たに合成され，その量が副腎において合成される前駆体と比べはるかに多いため，副腎アンドロゲンの役割は少ない．しかし，女性では副腎アンドロゲンが主要なアンドロゲンであり，恥毛や腋毛の発毛と性欲に関与する．

　副腎性器症候群 (adrenogenital syndrome) など副腎アンドロゲン産生が亢進した状態では，DHEA やアンドロステンジオンが高濃度となることで女性の男性化，恥毛や腋毛の早期発毛，男女ともに生殖腺の機能抑制へと至る．また，副腎アンドロゲンの過剰産生により，尿中の 17-ケトステロイド濃度が増加することもある．

副腎皮質の病態生理

　副腎皮質が関与する疾患は，副腎皮質ホルモンの過剰あるいは不足によって特徴づけられる．これらの疾患の病態生理を評価する際には，以下の点について考えることが有益である．

1. 症状や徴候はどのようなものか．それらの症状や徴候は，1 つの副腎皮質ホルモンの過剰あるいは欠乏によって説明できるか．あるいは，複数の副腎皮質ホルモンの影響を考えなければならないか．ホルモン過剰あるいは欠乏による影響は，これらホルモンの生理機能から予測可能である（表9.11）．いくつか例示する．

　コルチゾールは糖新生を促進する．したがっ

て，コルチゾールが過剰である場合には高血糖が，不足である場合は空腹時に低血糖となる．**アルドステロン**は，腎の集合管の主細胞におけるK^+排出を増加させる．したがって，アルドステロンが過剰である場合にはK^+の過剰排出と低カリウム血症が，不足である場合にはK^+の低排出と高カリウム血症が誘導される．また，アルドステロンは主細胞においてNa^+再吸収を増加させる．したがって，アルドステロンが過剰である場合には細胞外液量増加と高血圧が，不足である場合には細胞外液量低下と低血圧が引き起こされる．**副腎アンドロゲン**はテストステロン様の作用を示す．したがって，過剰である場合には女性において多毛症など男性化が起き，不足である場合には女性において恥毛や腋毛が消失して性欲が減退する．

2. 疾患の病因はどのようなものか．副腎皮質の障害は，副腎皮質における一次的な障害，あるいは視床下部-下垂体系における一次的な障害によって引き起こされる場合がある．あるいは，アルドステロンの場合には，レニン-アンジオテンシン系の障害である可能性もある．例えば，副腎皮質機能亢進症のような副腎皮質ホルモンの過剰産生と考えられる症状は，副腎皮質における一次的な障害によって引き起こされる可能性がある．あるいは，その症状は下垂体や視床下部の一次的な障害によって引き起こされ，それが副腎皮質において二次的な影響を及ぼしている可能性もある．したがって，病因を推定するためには，血中のCRHやACTHの濃度を測定して，これらによるフィードバック制御について評価することが必須である．

　　ステロイドホルモン合成経路の酵素欠損によって引き起こされる障害では，特定の酵素反応が阻害されることによって生じる異常を，合成経路に基づき予測することができる（**図9.23**参照）．例えば，男性化した女性には，高カリウム血症のようなアルドステロン欠乏や低血糖のようなコルチゾール欠乏と一致する症状もみられる．このような一連の症状は，例えば21β-ヒドロキシラーゼが欠損しているなど，すべてのミネラロコルチコイドとグルココルチコイド

の合成を妨げるような酵素の機能障害があることを示唆している．この機能障害のために，ステロイド中間体はアンドロゲン合成へと押しやられ，副腎アンドロゲンレベルが上昇して男性化を引き起こすこととなる．副腎皮質の病態を理解するためには，ホルモンの合成経路（**図9.23**参照）と作用（**表9.11**）を組み合わせて考えることが重要である．主な疾患の特徴を**表9.12**に示す．

■ Addison 病

　原発性副腎皮質不全（primary adrenocortical insufficiency）であるAddison病は，多くの場合，副腎皮質のすべての層が自己免疫異常によって破壊されることで引き起こされる（**Box 9.2**）．この疾患では，すべての副腎皮質ホルモンの合成が抑制され，コルチゾール，アルドステロンおよび副腎アンドロゲンの血中濃度はすべて低値を示す．これらホルモンの生理機能から推察できるように，Addison病ではグルココルチコイド欠失によって，低血糖や食欲不振，体重の減少，吐き気や嘔吐，脱力がみられ，ミネラロコルチコイド欠失によって，高カリウム血症や代謝性アシドーシス，細胞外液量の減少による低血圧が引き起こされる．また，女性では，副腎アンドロゲンであるDHEAおよびアンドロステンジオンの欠乏により，恥毛や腋毛の減少や性欲減退がみられる．

　Addison病では，皮膚，特に肘や膝，爪床，乳頭，乳輪，そして新しい傷跡への**色素沈着過剰**（hyperpigmentation）が特徴的にみられる．このような高色素沈着は，α-MSHフラグメントを含む**ACTH量の亢進**によって起こる．したがって，色素沈着は，Addison病の病因を知るうえで重要な手がかりを与える．ACTH濃度は低値ではなく高値でなければならず，副腎皮質機能低下症の原因は，下垂体前葉からのACTH分泌の一次的な障害であってはならない．むしろ，Addison病の副腎皮質機能低下症は，副腎皮質それ自身の障害が一次的に起こらなければならず，コルチゾール低値であることが負のフィードバック制御によってACTH分泌を亢進させる（**図9.25**参照）．

　Addison病の治療は，グルココルチコイドおよ

498　第9章　内分泌系の生理学

表9.12　副腎皮質の病態生理.

病態	臨床症状	ACTH量	治療
Addison病 （原発性副腎皮質機能不全）	低血糖 食欲不振，体重減少，吐き気，嘔吐 脱力 低血圧 高カリウム血症 代謝性アシドーシス 女性における恥毛・腋毛の減少 色素沈着	増加（コルチゾール低下による負のフィードバック制御）	グルココルチコイドとミネラロコルチコイドの補充療法
Cushing症候群 （原発性副腎腫瘍など）	高血圧 筋萎縮 中心性肥満 満月様顔貌，野牛の肩瘤（バッファローハンプ） 骨粗鬆症 皮膚伸展線条 女性の男性化・月経不順 高血圧	減少（コルチゾール増加による負のフィードバック制御）	ケトコナゾール メチラポン
Cushing病 （ACTH過剰分泌）	Cushing症候群と同じ	増加	ACTH産生腫瘍の摘除
アルドステロン産生腫瘍 （Conn症候群）	高血圧 低カリウム血症 代謝性アルカローシス 血漿レニンの減少	—	アルドステロン拮抗薬（スピロノラクトンなど） 腫瘍摘除
21β-水酸化酵素欠損症	女性の男性化 早期身長発育 恥毛や腋毛の早期発毛 グルココルチコイド・ミネラロコルチコイド欠乏でみられる諸症状	増加（コルチゾール減少による負のフィードバック制御）	グルココルチコイドとミネラロコルチコイドの補充療法
17α-水酸化酵素欠損症	女性における恥毛や腋毛の欠失 グルココルチコイド欠乏でみられる諸症状 ミネラロコルチコイド過剰でみられる諸症状	増加（コルチゾール減少による負のフィードバック制御）	グルココルチコイドの補充療法 アルドステロン拮抗薬（スピロノラクトン）

ACTH：副腎皮質刺激ホルモン.

びミネラロコルチコイドの補充療法によって行われる.

■ 二次性副腎皮質不全

　二次性副腎皮質不全は，まれではあるがCRHの不足，あるいは下垂体前葉コルチコトロフにおける分泌不全に起因するACTH不足が原因となる．いずれの場合もACTHが減少し，副腎皮質によるコルチゾール分泌が低下する．コルチゾールの不足は，低血糖のような一次性副腎皮質不全で起こる多くの症状を生じさせる．しかし，一次性副腎皮質不全と二次性副腎皮質不全の間にはいくつかの違いも存在する．(1)二次性副腎皮質不全では，ACTHは高値ではなく低値を示す．(2)球状

帯におけるアルドステロン合成はある程度のACTHが存在すれば維持されるため，二次性副腎皮質不全では通常，アルドステロンは正常値を示す．アルドステロンレベルが正常であれば，高カリウム血症や代謝性アシドーシス，細胞外液量の減少は認められない．(3)二次性副腎皮質不全では，α-MSHフラグメントを含むACTHのレベルがAddison病のように高くないため，色素沈着は起こらない．

■ Cushing症候群

　Cushing症候群は，グルココルチコイドが慢性的に過剰であることの結果として起こる．これは，副腎皮質におけるコルチゾールの自発性過剰

Box 9.2　Addison 病

▶ 症例

45 歳女性．進行性脱力と体重減少，時折の吐き気や皮膚の色素沈着の悪化を訴え入院．身体所見では，痩せ，皮膚の濃いしわ，恥毛や腋毛の減少がみられた．血圧は仰臥位で 120/80，立位で 106/50，脈拍は仰臥位で 100 拍/min，立位で 120 拍/min．検査所見は以下の通り．

血液	尿
Na^+：120 mEq/L	Na^+：上昇
K^+：5.8 mEq/L	K^+：減少
HCO_3^-：20 mEq/L	pH：上昇
浸透圧：254 mOsm/L	浸透圧：450 mOsm/L

動脈血ガス分析により代謝性アシドーシスがみられ，血中尿素窒素（blood urea nitrogen：BUN）やクレアチニンが上昇していた．また，血糖値は正常低値であり，絶食時低血糖を呈した．血漿 ACTH は上昇しており，ACTH 刺激による副腎皮質応答がみられず，コルチゾール分泌は促進されなかった．

治療のために，1 日 2 回，早朝と夕方に服用するコルチゾールと，合成ミネラロコルチコイドであるフルドロコルチゾンの投与が行われる．

▶ 解説

この女性は原発性副腎皮質不全（Addison 病）であり，副腎皮質の全層が破壊され，すべての副腎皮質ホルモン（グルココルチコイド，ミネラロコルチコイドおよび副腎アンドロゲン）が欠乏している．負のフィードバックによる血中コルチゾール濃度の低下が，下垂体前葉における ACTH 分泌を増加させる．この女性が示した血液と尿の異常値や起立時低血圧，低血糖，体毛の減少や色素沈着は，副腎皮質ステロイドホルモンの血中濃度低下によって以下のように説明できる．

まず，高カリウム血症と代謝性アシドーシスがみられる．同時に，尿への K^+ 排泄が減少し，尿 pH が上昇している．これら K^+ と酸塩基平衡異常は，アルドステロンの不足が原因となる．通常，アルドステロンは遠位尿細管と集合管における K^+ と H^+ の排泄を誘導するため，アルドステロン欠乏が起こるとこれらが排泄されず血中濃度の上昇をきたし，高カリウム血症と代謝性アシドーシスへと至る．

仰臥位から立位になると，血圧の低下と脈拍の上昇がみられた．この起立性低血圧は，アルドステロンとコルチゾールの不足が原因となる．アルドステロンは，K^+ と H^+ の排泄を誘導することに加え Na^+ 再吸収を誘導するため，アルドステロン欠乏が起こると Na^+ 再吸収が不十分となって体内 Na^+ 量が減少して，細胞外液量と血液量の低下，動脈圧（特に立位血圧）の低下をきたす．コルチゾールが欠乏すると，血管におけるカテコールアミンの応答性が低下することによって低血圧をきたす．起立時の脈拍の上昇は，血圧の低下に対して血圧反射機能が働き，血圧を正常へと戻そうとしたことを示す．BUN とクレアチニンの上昇は，糸球体濾過量の減少（腎前性高窒素血症）を示しており，これは細胞外液量の減少とも一致する所見である．

血漿 Na^+ 濃度や血漿浸透圧の低下は，細胞外液量が減少したことによる二次的な作用である．細胞外液量が 10%以上減少すると ADH 分泌が誘導され，腎に作用して水の再吸収を促進し，尿浸透圧が低下する．再吸収された水は体液を希釈し，血漿 Na^+ 濃度や血漿浸透圧を低下させる．血液量が減少した状態において分泌された ADH は，細胞外液量の維持にはきわめて適切であるが，浸透圧維持には不適切である．

低血糖や吐き気，体重減少，脱力は，グルココルチコイド欠乏が原因である．体重の大部分は水であるため，血漿 Na^+ 濃度や細胞外液の減少も体重減少の要因である．

色素沈着は，コルチゾール量の低下による下垂体前葉への負のフィードバック制御に起因する．コルチゾールレベルが低下すると，ACTH 分泌が亢進する．ACTH は α-MSH 断片を有しており，Addison 病のように血中 ACTH 量が増加する状態では，α-MSH 活性により色素沈着を呈することとなる．

恥毛や腋毛の減少は，副腎アンドロゲンである DHEA とアンドロステンジオンが欠失したことによる．女性において副腎アンドロゲンは，アンドロゲンの主要な供給源である．

▶ 治療

治療は，不足している副腎皮質ステロイドホルモンの補充療法によって行われる．これは生命維持に必須となる．ここでは合成ミネラロコルチコイドであるフルドロコルチゾンと，グルココルチコイドであるコルチゾールが投与される．コルチゾールは，分泌の日内変動を模倣するために，1 日に 2 回，朝に高濃度，夕方に低濃度で投与される．

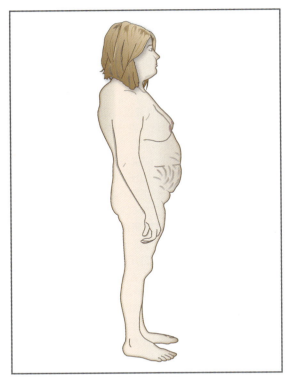

図 9.26 **Cushing 病患者の特徴.**
中心性肥満，野牛の肩瘤（バッファローハンプ），筋萎縮や皮膚伸展線条がみられる．

産生や，薬理学的用量の合成ステロイド薬投与によって引き起こされることがある．**Cushing 病 (Cushing disease)** は，Cushing 症候群と同様にグルココルチコイドの過剰を特徴とするが別の疾患であり，下垂体腺腫からの ACTH の過剰分泌によるコルチゾール分泌亢進が原因である．

　Cushing 症候群または Cushing 病の症状は，グルココルチコイドと副腎アンドロゲンが過剰であることの結果として現れる．コルチゾールが過剰であることによって，高血糖，タンパク質分解の亢進と筋萎縮，脂肪分解の亢進と痩せた四肢，中心性肥満，満月様顔貌，鎖骨上の脂肪，野牛の肩瘤（バッファローハンプ），傷治癒の遅延，骨粗鬆症，皮下結合組織の欠失による皮膚伸展線条が引き起こされる（図 9.26）．また，コルチゾールは弱いながらもミネラロコルチコイド活性をもち，コルチゾールが α_1 アドレナリン受容体をアップレギュレートしてカテコールアミンに対する細動脈の反応性を高めるため，高血圧がみられる．さらに，副腎アンドロゲンが過剰であることによって，女性に男性化や月経不順が生じる．

　Cushing 症候群と Cushing 病の臨床像は類似しているが，血中 ACTH に差異がみられる．Cushing 症候群の主因は副腎皮質障害であり，コルチゾールが過剰生成される．過剰なコルチゾールは下垂体前葉への負のフィードバック制御によって ACTH 分泌を阻害するため，血中 ACTH は低値となる．一方で，Cushing 病の主因は下垂体前葉障害であり，ACTH が過剰生成されるため，血中 ACTH は高値となる．すでに解説したように，これら 2 つの疾患は**デキサメタゾン抑制試験**によって鑑別できる．Cushing 症候群では，視床下部-下垂体系は正常であり副腎腺腫が自律的にコルチゾールを分泌するため，どのような濃度のデキサメタゾンによってもコルチゾール分泌を抑制することはできない．一方で，Cushing 病では，ACTH およびコルチゾールの分泌は低用量のデキサメタゾンでは抑制されないが高用量のデキサメタゾンによって抑制される．

　Cushing 症候群の治療には，ステロイドホルモン合成系を阻害する**ケトコナゾール**や**メチラポン**が用いられる．薬物治療が無効である場合は，副腎摘出とホルモン補充療法が必要になることもある．Cushing 病では ACTH 産生腫瘍を外科的に除去することが必要である．

■ 原発性アルドステロン症

　原発性アルドステロン症（primary hyperaldosteronism）（Conn（コーン）症候群（Conn syndrome））は，アルドステロン産生腫瘍を原因とする疾患である．その症状は，アルドステロンの生理学的作用（Na^+ 再吸収と K^+，H^+ の排出促進）を考えると理解しやすい．アルドステロンが過剰に存在する場合，Na^+ 再吸収の増加によって細胞外液量が増加して高血圧となり，K^+ 排出の増加によって低カリウム血症となり，また H^+ 排出の増加によって代謝性アルカローシスとなる．原発性アルドステロン症では，細胞外液量の増大によって腎灌流圧が増加してレニン分泌を抑制するため，血中レニン濃度が低下する．この疾患の治

療には，**スピロノラクトン**などのアルドステロン拮抗薬が用いられ，その後アルドステロン産生腫瘍の外科的切除も行われる．

■21β-水酸化酵素欠損症

　ステロイドホルモン生合成系に関与する酵素欠損による先天性異常もいくつか知られている．このうち最も頻発する疾患は，副腎性器症候群の1つである21β-水酸化酵素欠損症（21β-hydroxylase deficiency）である．**図9.23**を参照しながら，この酵素欠損により生じる障害を考える．21β-水酸化酵素は，プロゲステロンから11-デオキシコルチコステロンへの変換，および17-ヒドロキシプロゲステロンから11-デオキシコルチゾールへの変換に関与する酵素である．したがって，この酵素が欠失すると，これらの変換ができなくなるために，ミネラロコルチコイドとグルココルチコイドの両方が産生されなくなり，すでに解説したような症状を引き起こす．さらに，これらの過程より上流において生成された中間生成物が蓄積して副腎アンドロゲンの合成経路へ供給されることによって，DHEAやアンドロステンジオンが過剰に生成され，女性の男性化が引き起こされる．また，尿に排泄される17-ケトステロイドが増加する．女児胎児が子宮内でこの障害に曝されると，過剰のアンドロゲンによって外性器を男性化させ，陰茎様の陰核や陰嚢様の陰唇を形成することとなる．小児期に治療されないと，アンドロゲン過剰によって成長が早まり恥毛や腋毛が早期に発毛し，性腺機能が抑制される．この疾患ではコルチゾール量が低いため，下垂体前葉への負のフィードバック制御によってACTH分泌が亢進し，これによって副腎皮質に栄養効果を及ぼして副腎皮質過形成を引き起こす．このため，この疾患群は**先天性副腎皮質過形成**（congenital adrenal hyperplasia）ともよばれる．21β-水酸化酵素欠損症の治療には，グルココルチコイドおよびミネラロコルチコイド両方の補充療法が用いられる．

■17α-水酸化酵素欠損症

　21β-水酸化酵素欠損症に比べると少数ではあ

るが，17α-水酸化酵素欠損症も，ステロイドホルモン生合成経路の先天性異常の1つである．この欠損の結果は，21β-水酸化酵素欠損症とは異なる．**図9.23**に示すように，17α-水酸化酵素は，プレグネノロンから17-ヒドロキシプレグネノロンへの変換，およびプロゲステロンから17-ヒドロキシプロゲステロンへの変換に関与する酵素であり，この酵素が欠失するとグルココルチコイドと副腎アンドロゲンが産生されないこととなる．コルチゾール不足によって低血糖などの症状を呈し，副腎アンドロゲン不足によって女性では恥毛や陰毛を欠く．また，この過程より上流において生成される中間生成物が蓄積してミネラロコルチコイド合成経路へ供給されることによって，ミネラロコルチコイド活性をもつ11-デオキシコルチコステロンとコルチコステロンの生成が亢進し，高血圧や低カリウム血症，代謝性アルカローシスを誘導する．

　興味深いことに，17α-水酸化酵素欠損症ではアルドステロンの血中濃度は低下する．蓄積された中間生成物がミネラロコルチコイド生成経路へと供給されるにもかかわらず，アルドステロンが低下するのはなぜだろうか．その答えは，レニン-アンジオテンシン-アルドステロン系のフィードバック調節にある．11-デオキシコルチコステロンおよびコルチコステロン量が増加すると，高血圧や代謝性アルカローシス，低カリウム血症のようなミネラロコルチコイド過剰の症状が誘発される．高血圧はレニン分泌を抑制し，アンジオテンシンとアルドステロンを低下させる．また，低カリウム血症はアルドステロン分泌を直接抑制する．

膵内分泌腺

　膵内分泌腺は，主に**インスリン**と**グルカゴン**（glucagon）の2つのペプチドホルモンを分泌し，それらは協同してグルコースや脂肪酸，アミノ酸の代謝を調節する．また，膵内分泌腺はソマトスタチンや膵ポリペプチドを分泌するが，その機能については不明な点も多い．

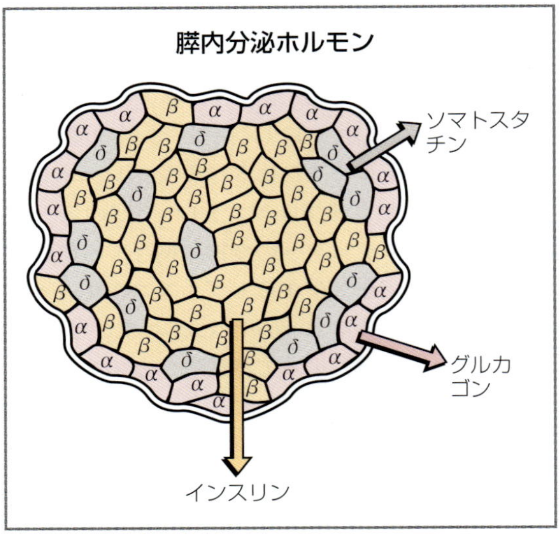

502　第9章　内分泌系の生理学

図9.27　Langerhans島に存在する3種類の内分泌細胞.

　膵において内分泌細胞は，**Langerhans（ランゲルハンス）島**（islet of Langerhans）とよばれる島状の細胞集団を構築しており，全膵臓重量の1〜2%を占める．膵にはおよそ100万個のLangerhans島が散在し，各Langerhans島にはおよそ2,500個の細胞が存在する．**図9.27**に示すように，Langerhans島には4種の細胞が含まれ，それぞれが異なるホルモンを分泌する．Langerhans島の65%を占めるβ細胞（β-cell）は**インスリン**を，20%を占めるα細胞（α-cell）は**グルカゴン**を，また，10%を占めるδ細胞（δ-cell）は**ソマトスタチン**を分泌する．残りの細胞は，**膵ポリペプチド**（pancreatic polypeptide）や他のペプチドを分泌する．

　Langerhans島の内側は主にβ細胞が含まれ，α細胞は外縁周囲に分布している【訳者注：げっ歯類ではここに記述されたような明確な分布の違いがあるものの，ヒトではそれほど明確な差異はなく，鳥類ではむしろα細胞が内側に存在することが知られている】．δ細胞はα細胞とβ細胞の間に挟まれて分布しており，これら3種類の細胞が互いに密接して存在することから，パラクリン（傍分泌）作用が示唆される．

　Langerhans島内部の細胞群は，以下の3つの相互作用によって互いの分泌を調節する（つまり，

パラクリン作用）：(1)ギャップ結合によるα細胞間，β細胞間，あるいはα細胞とβ細胞の間の連結．これらのギャップ結合は，イオン電流や分子量1,000以下の分子の移動を介して，細胞間の速やかな相互作用を可能とする．(2)Langerhans島には，膵臓を流れる総血液量の約10%が供給される．このような**血液供給**は，ある細胞種からの静脈血が他の細胞種に浴びるように灌流していく．Langerhans島の中心部に小動脈が入り，有窓性毛細血管のネットワークを介して血液を行きわたらせ，外側へと運ぶ小静脈へと集めていく．このようにしてβ細胞から分泌されたインスリンが，α細胞やδ細胞へと運ばれていく．(3)Langerhans島はアドレナリン作動性ニューロンやコリン作動性ニューロン，ペプチド作動性ニューロンによって支配されている．δ細胞はニューロン様の形態をしており，樹状突起に似た突起をβ細胞に出していることから，Langerhans島内における神経性相互作用の存在が示唆されている．

インスリン

　β細胞において合成・分泌されるインスリンは，さまざまな「初」を誇る．まず，動物からヒトの治療のために投与できる形で精製された「初」のホルモンであり，一次構造や立体構造が決定された「初」のホルモンである．また，その作用機序が解明された「初」のホルモンであり，ラジオイムノアッセイによって測定された「初」のホルモンである．さらに，プロホルモンという大きな前駆体から成熟することが見出された「初」のホルモンであり，組換え遺伝子技術で合成された「初」のホルモンでもある．

■ インスリンの構造と生合成

　インスリンは2本鎖のペプチドホルモンであり，21アミノ酸から構成される**A鎖**と，30アミノ酸から構成される**B鎖**をもつ．A鎖とB鎖とは2ヵ所のジスルフィド結合によりクロスブリッジされ，A鎖にはもう1ヵ所ジスルフィド結合によるクロスブリッジがある．

　インスリン遺伝子は**11番染色体**上にあり，関連する増殖因子をコードする遺伝子とともにスー

膵内分泌腺　503

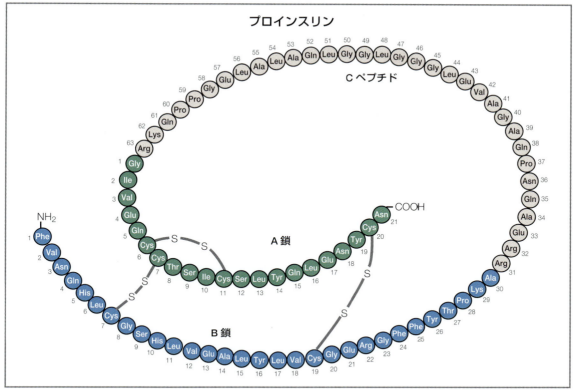

図9.28　ブタプロインスリンの構造．
灰色で示すCペプチドが切断されてインスリンが生成する．(Shaw WN, Chance RR: Effect of porcine proinsulin *in vitro* on adipose tissue and diaphragm of the normal rat. Diabetes 17:737, 1968 より改変．)

パーファミリーを形成している．転写されたmRNAからはリボソーム上でまず**プレプロインスリン(preproinsulin)**が生成される．プレプロインスリンはシグナルペプチド，A鎖，B鎖およびそれらを連結するCペプチドの4種類のペプチドから構成されている．シグナルペプチドは生合成の初期段階(ペプチド鎖がまだ組み立てられている間)に切断されて，**プロインスリン(proinsulin)**となる(図9.28)．プロインスリンは小胞体に運ばれ，Cペプチドが結合したままジスルフィド結合によるクロスブリッジが形成される．プロインスリンはGolgi装置において分泌小胞に梱包され，この過程でタンパク質切断酵素によってCペプチドが切断され，**インスリン**が生成される．

インスリンとCペプチドは，両者とも分泌小胞内に梱包されており，β細胞が刺激されることによって血中へ等しいモル量分泌される．Cペプチド(C peptide)の分泌は，インスリン注射を受けている1型糖尿病患者(血中インスリン濃度が分泌量を反映しないことになる)において，β細胞の内因性の分泌機能を調べる際に測定される．

インスリンは肝や腎においてジスルフィド結合が切断され，A鎖とB鎖が遊離して活性を失い，尿中へ排泄される．

■ インスリンの分泌調節

インスリンの分泌を制御する因子群について**表9.13**に示す．このうち，**グルコース**が最も重要であり，血糖値が上昇すると速やかにインスリン分泌が促進される．グルコースはインスリン分泌刺激として傑出しているため，**図9.29**に示すようにインスリン分泌機構を説明する際に用いられる．図内の○で囲んだ番号は，以下の各ステップを示している．

1. グルコースの取り込み．β細胞の細胞膜に発現

表9.13 インスリンの分泌制御因子.

促進因子	抑制因子
血糖値の上昇 血中アミノ酸の上昇 遊離脂肪酸やケトン体の上昇 グルカゴン コルチゾール インクレチン（グルカゴン様ペプチド（GLP）-1, グルコース依存性インスリン分泌刺激ポリペプチド（GIP）） カリウム 迷走神経刺激（アセチルコリン） スルホニル尿素薬（トルブタミド，グリベンクラミドなど） 肥満	血糖値の低下 絶食 運動 ソマトスタチン αアドレナリン受容体作動薬 ジアゾキシド

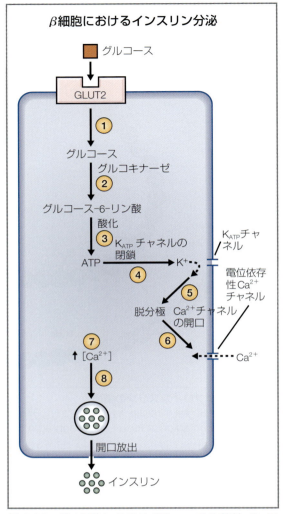

図9.29 膵β細胞におけるグルコース応答性インスリン分泌機序.
○で囲んだ番号で示した各ステップについては本文で解説する. ATP：アデノシン三リン酸, GLUT：グルコース輸送体.

するグルコース輸送体GLUT2（glucose transporter 2）【訳者注：ヒトの場合はGLUT1（glucose transporter 1）】が, 促進拡散によって血中から細胞内へとグルコースを取り込む（ステップ①）.

2. **β細胞内におけるグルコースの代謝**. 取り込まれたグルコースは, グルコキナーゼによってグルコース-6-リン酸へとリン酸化され（ステップ②）, その後酸化される（ステップ③）. この酸化ステップにおける生成物の1つであるATPは, インスリン分泌を調節する重要な因子であるらしい.

3. **ATP依存性K^+チャネルの閉鎖**. β細胞の細胞膜上のK_{ATP}チャネルは, ATP量の変化に応じて開閉が調節されている. 細胞内ATP濃度が上昇するとK_{ATP}チャネルは閉鎖し（ステップ④）, 細胞膜の脱分極を誘導する（ステップ⑤）. K_{ATP}チャネルが閉鎖するとなぜ細胞膜が脱分極するかは第1章を参照. 簡単に説明すると, K_{ATP}チャネルが閉鎖するとK^+コンダクタンスが低下して膜電位がK^+平衡電位から浅くなり, 脱分極が起こる.

4. **脱分極による電位感受性Ca^{2+}チャネルの開口**. β細胞の細胞膜においてもCa^{2+}チャネルは膜電位によって調節されており, 脱分極で開口し, 過分極で閉鎖する. ATPによって誘導された脱分極でCa^{2+}が開き（ステップ⑥）, 電気化学的勾配によってCa^{2+}が細胞内へと流入し, 小胞体からCa^{2+}誘導性Ca^{2+}放出を誘導して, 細胞内Ca^{2+}濃度が上昇する（ステップ⑦）.

5. **Ca^{2+}濃度上昇によるインスリン分泌の惹起**. 細胞内Ca^{2+}濃度が上昇すると, インスリンを含む分泌小胞の開口放出が誘導される（ステップ⑧）. インスリンは膵静脈に分泌され, 体循環によって運ばれる. Cペプチドもインスリンと等モル分泌され, 代謝されずに尿中へ排泄さ

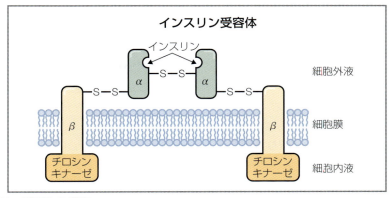

図9.30 インスリン受容体の構造．
2つのαサブユニットがジスルフィド結合でクロスブリッジされており，それぞれが1つのβサブユニットとジスルフィド結合でクロスブリッジしている．βサブユニットは内因性にチロシンキナーゼ活性をもつ．

れる．したがって，Cペプチドの排泄量によって内因性β細胞の機能を評価することができる．

第8章において解説したように，グルコースを経口投与すると，静脈投与した場合に比べて，より強くインスリン分泌を誘導する．これは，グルコースを経口投与すると消化管から**グルカゴン様ペプチド-1**（glucagon-like peptide-1：GLP-1）や**グルコース依存性インスリン分泌刺激ポリペプチド**（glucose-dependent insulinotropic polypeptide：GIP）のような**インクレチン**（incretin）が分泌されるためである．これら消化管ペプチドは，グルコースのβ細胞への直接作用に加えて，インスリン分泌を促進する作用をもつ．

インスリン分泌を調節する他の因子の多くは，この基本的な機構の1つまたはそれ以上の段階を変化させて効果を示す．例えば，アミノ酸や脂肪酸によるインスリン分泌促進作用は，グルコースによる代謝経路と並行した経路によって示される．**グルカゴン**はホスホリパーゼCと共役するG$_q$タンパク質を活性化し，細胞内Ca^{2+}（すなわち，IP$_3$/Ca^{2+}）を上昇させてインスリンの開口放出を引き起こす．ソマトスタチンは，グルカゴンが刺激するメカニズムを抑制する．2型糖尿病治療薬として用いられるスルホニル尿素薬（トルブタミドやグリベンクラミド，グリメピリドなど）は，K$_{ATP}$チャネルを閉鎖することによって細胞膜を脱分極させ，グルコースによって誘導される脱分極

の効果を模倣してインスリン分泌を誘導する経口血糖降下薬である．

運動は，β細胞における交感神経系の作用を仲介するα$_2$受容体を活性化することによってインスリン分泌を抑制する．活動筋は燃料としてグルコースを用いるため，この文脈において運動の最も重要な役割は低血糖を防ぐことにある．

■ インスリンの作用機序

インスリンの標的組織における作用は，インスリンが細胞膜上の受容体に結合することで開始される．図9.30に示すように，**インスリン受容体は2つのαサブユニットと2つのβサブユニット**から構成されたヘテロ四量体である．αサブユニットは細胞外ドメインにあり，βサブユニットは細胞膜を貫通している．2つのαサブユニットはジスルフィド結合によって連結しており，また，それぞれのαサブユニットはβサブユニットとジスルフィド結合によって連結している．βサブユニットは**チロシンキナーゼ活性**をもつ．

インスリンの作用機序を以下に示す．

1. **インスリンがαサブユニットに結合する**と，受容体の立体構造が変化する．この構造変化によってβサブユニットのチロシンキナーゼが活性化され，ATP存在下で自身をリン酸化する．つまり，βサブユニットは**自己リン酸化**（autophosphorylate）される．

2. 活性化された**チロシンキナーゼ**は，インスリン

の生理学的作用発現に関与するリン酸化酵素や脱リン酸化酵素，ホスホリパーゼやGタンパク質など，受容体以外のタンパク質群をリン酸化する．このようなリン酸化によってタンパク質は活性化あるいは不活性化され，インスリンのさまざまな代謝作用を発現させる．

3. **インスリンと受容体の複合体**は，エンドサイトーシスによって標的細胞内に**取り込まれる**．インスリン受容体は細胞内のタンパク質分解酵素によって分解されるか，貯蔵されるか，あるいは細胞膜上にリサイクルされ再利用される．インスリンは，インスリン受容体の合成速度を低下させ分解速度を上昇させることによって自身の受容体を**ダウンレギュレート**する．このようなダウンレギュレーションは，肥満や2型糖尿病でみられるインスリン感受性低下の一因となる．

以上の作用に加え，インスリンは，核やGolgi装置，小胞体へも作用し，IGF-1やIGF-2などソマトメジンと同様に**遺伝子の転写**も促進する．

■インスリン作用

インスリンは"**飽食**"（**abundance**）のホルモンである．栄養素の供給が生体の需要を超えると，インスリンは過剰量の栄養素を肝ではグリコーゲンとして，脂肪組織では脂肪として，筋ではタンパク質として確実に貯蔵する．これらの貯蔵された栄養素は，その後の空腹時に脳や筋などさまざまな組織へのグルコースの共有を維持するために利用される．インスリンがどのように栄養素の流れを変化させ，血中濃度を変化させるかを**図9.31**，**表9.14**に示す．肝や筋，脂肪組織における作用は以下の通りである．

● 血糖降下作用

インスリンが示す血糖降下作用は，直接的な血中グルコース濃度の低下と，糖摂取後の血糖上昇抑制の2つにより説明できる．インスリンの血糖降下作用は，以下のように，グルコース酸化の刺激と糖新生の抑制が同時に協調して起こることで生じる．(1)インスリンは，筋や脂肪組織などの標的組織において**グルコース輸送体GLUT4（glucose transporter 4)**を細胞内貯蔵部位から細胞

膜へと移行させ，細胞内への**グルコース取り込みを増加**させる．グルコースが細胞内へと取り込まれると，血糖値が低下することとなる．(2)インスリンは，肝および筋においてグルコースから**グリコーゲンの合成**を促進し，かつグリコーゲンの分解を抑制する．(3)インスリンは，フルクトース-2,6-二リン酸の産生を増加させホスホフルクトキナーゼ活性を上昇させることで**糖新生を抑制**する．このようにして，基質はグルコースの生成（異化）とは逆方向に進む（**同化（anabolic)**）．

● 血中脂肪酸とケトン体の減少

インスリンは貯蔵脂肪の動員や脂肪酸酸化を抑制し，同時に脂肪酸の貯蔵を増加させる．その結果，インスリンは血中の脂肪酸とケトン体を減少させる．脂肪組織では，インスリンは**脂肪蓄積を促進**するとともに**脂肪分解を抑制**する．肝では，インスリンはケトン体（β-ヒドロキシ酪酸やアセト酢酸）の産生を抑制する．これは，脂肪酸分解が減少することによって，ケトン体合成の原料となるアセチルCoA（acetyl coenzyme A)が減少するためである．

● 血中アミノ酸濃度の低下

インスリンは同化ホルモンであり，組織へのアミノ酸やタンパク質取り込みを促進して血中アミノ酸量を減少させる．インスリンは，筋など標的細胞へのアミノ酸取り込みを促進してタンパク質合成を増加させ，また，その分解を抑制する．

● その他の作用

インスリンは，Na^+-K^+ ATPaseの活性化を介して細胞内への**K^+取り込み**を促進する．このインスリン作用は，血漿K^+濃度の上昇からの防御機構であると考えられ，K^+が食事によって摂取された際に糖やその他の栄養素とともに細胞内へ確実に取り込むための作用である．インスリンはまた，**視床下部の満腹中枢（hypothalamic satiety center)**にも直接作用するようである．

■インスリンの病態生理

インスリンが関与する主要な疾患は糖尿病である．インスリン分泌不全を原因とする**1型糖尿病（type 1 diabetes mellitus)**と，標的組織におけるインスリン抵抗性を原因とする**2型糖尿病**

膵内分泌腺 507

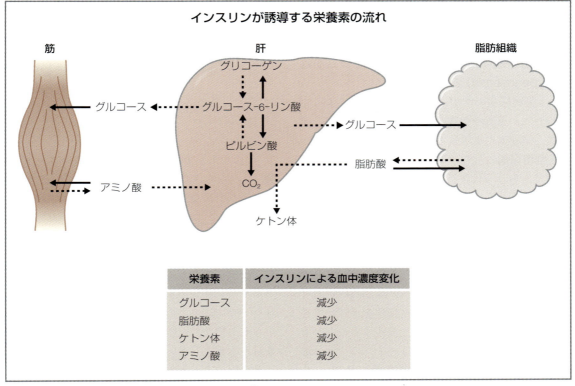

図9.31 筋・肝・脂肪組織におけるインスリン作用.
各組織における栄養素の流れと，これによって示される各栄養素の血中濃度の変化を示す．実線は促進，点線は抑制．

表9.14 主なインスリン作用と血中濃度への効果.

インスリン作用	血中濃度への効果
細胞内へのグルコース取り込みの促進	血糖値の低下
グリコーゲン合成の促進	
グリコーゲン分解の抑制	
糖新生の抑制	
タンパク質合成の促進（同化作用）	アミノ酸の減少
脂肪蓄積の促進	脂肪酸の減少
脂肪分解の抑制	ケトン体の減少
細胞内へのK^+取り込みの促進	K^+の減少

(type 2 diabetes mellitus)がある．

- **1型糖尿病**は，膵β細胞が主に自己免疫異常によって破壊されることによって発症する．膵β細胞が適正量のインスリンを分泌しないと，糖や脂質，タンパク質の代謝が撹乱され，重大な障害が生じる．

 1型糖尿病の特徴として，細胞内へのグルコース取り込みの減少やグルコース利用の抑制，糖新生の増加による**血糖値の上昇**，脂肪分解の亢進や脂肪酸酸化の増大による**血中脂肪酸やケトン体の増加**，タンパク質分解の促進による**血中アミノ酸の増加**などが挙げられる．異化亢進により除脂肪体重が減少し，脂肪組織も減少する．

 1型糖尿病では体液や電解質平衡にも異常がみられ，例えば，ケトン体の増加によって**糖尿病性ケトアシドーシス(diabetic ketoacidosis)** とよばれる代謝性アシドーシスを引き起こす．また，血糖値の上昇によって近位尿細管の再吸収能を上回るグルコースが糸球体濾過によってもたらされ，吸収しきれなかったグルコースが尿で浸透圧性溶質となり，**浸透圧利尿**

508　第9章　内分泌系の生理学

(osmotic diuresis)や多尿，口渇・多飲を生じる．多尿によって細胞外液量が低下して低血圧となる．さらに，インスリン欠乏によってK⁺の細胞内取り込みが減少し，**高カリウム血症(hyperkalemia)**を示す．

　1型糖尿病の治療はインスリン注射によって行われ，糖質や脂質，タンパク質の貯蓄能の回復，栄養素や電解質濃度の正常化が図られる．

● 2型糖尿病は，しばしば肥満を伴う．2型糖尿病でみられる代謝異常は，すべてではないが1型糖尿病と共通する部分もある．2型糖尿病は，標的組織におけるインスリン受容体の発現低下とインスリン感受性の低下，すなわち**インスリン抵抗性(insulin resistance)**によって発症する．インスリンはβ細胞から正常に分泌されているが，正常濃度では筋や肝，脂肪組織におけるインスリン受容体シグナル伝達を活性化できず，インスリンの代謝作用を発現することができない【訳者注：日本人では，インスリン分泌能の低下を原因とする2型糖尿病が多くみられる】．通常，血糖値は空腹時も食後も上昇する．2型糖尿病の治療は食事制限と運動療法を基本として行われ，インスリン分泌を誘導する**スルホニル尿素薬**や，標的組織におけるインスリン感受性を改善する**メトホルミン**のようなビグアナイド薬の投与も行われる【訳者注：近年では，GLP-1作用に注目したGLP-1受容体作動薬など，インクレチン製剤も用いられる．また，近位尿細管におけるグルコースの再吸収を担うSGLT2を阻害することによって尿中にグルコースを積極的に排出させ，それによって血糖低下を図るSGLT2阻害薬や，作用機序は完全には解明されていないがインスリン分泌の促進作用とインスリン作用の増強作用の両者をあわせもつグリミン系血糖降下薬が新たな機序に基づく薬剤として用いられている】．

グルカゴン

　グルカゴンはLangerhans島のα細胞で合成・分泌される．分泌調節や作用，血中濃度への影響など多くの点において，グルカゴンはインスリンと鏡像関係にある．すなわち，インスリンが"飽

表9.15　グルカゴンの分泌制御因子.

促進因子	抑制因子
絶食	インスリン
血糖値の低下	ソマトスタチン
アミノ酸の増加（特にアルギニン）	脂肪酸やケトン体の増加
コレシストキニン	
βアドレナリン受容体作動薬	
アセチルコリン	

食"のホルモンであるのに対し，グルカゴンは"**飢餓**"のホルモンであり，インスリンとは対照的に貯蔵された栄養を動員して利用を促進する．

■ グルカゴンの構造と生合成

　グルカゴンは29アミノ酸からなる1本鎖のポリペプチドであり，消化管ホルモンであるセクレチンやインクレチンを含むペプチドファミリーのメンバーである．このファミリーのペプチドは，いずれも構造的な特徴を共有しており，生理学的な作用も重複している（**第8章，図8.6**参照）．

　他のペプチドホルモンと同様，グルカゴンはプレプログルカゴンとして合成される．そして，シグナルペプチドとその他のペプチド配列を除去してグルカゴンを生成した後，分泌小胞に蓄えられる．グルコースとインスリンは，いずれもグルカゴン合成を抑制する．プレプログルカゴン遺伝子にはインスリンやcAMPに応答する領域が存在する．

■ グルカゴンの分泌調節

　グルカゴンは血糖値を上昇させ維持するように作用する．したがって，グルカゴン分泌を刺激する因子は，血糖値が低下したことをα細胞に知らせる因子群である（**表9.15**）．

　血糖値の低下は重要なグルカゴン分泌刺激因子である．インスリンは，低血糖によるグルカゴン分泌促進作用を抑制する．したがって，インスリンが存在する場合には低血糖によるグルカゴン分泌促進作用が調節されるが，1型糖尿病のようにインスリンが欠乏すると低血糖に対するグルカゴン応答が増強され，重篤な慢性高血糖に至る危険性がある．

　グルカゴン分泌は，タンパク質，特に**アルギニ**

ン（arginine）やアラニン（alanine）の摂取によっても刺激される．このようなアミノ酸によるグルカゴン分泌促進作用は，同時にグルコースを摂取すると減弱する．この作用には，グルカゴン分泌に与えるインスリンの抑制効果が部分的に関与する．すなわち，グルコースとアミノ酸は，インスリン分泌には相補的に作用するのに対し，グルカゴン分泌には相反刺激となる．

　その他，タンパク質や脂質の摂取によって消化管粘膜から分泌される**コレシストキニン（cholecystokinin：CCK）**や絶食，**激しい運動**などもグルカゴン分泌を刺激する．これらグルカゴン分泌促進効果には，交感神経性のβアドレナリン受容体の活性化も関与する．

■ グルカゴン作用

　グルカゴンが受容体に結合すると，G_sタンパク質を介して**アデニル酸シクラーゼを活性化**し，cAMPをセカンドメッセンジャーとして作用を示す．産生されたcAMPは，プロテインキナーゼを活性化してさまざまな酵素群をリン酸化し，それによってグルカゴンの生理学的作用が発現する．

　グルカゴンは，飢餓のホルモンとして，貯蓄された栄養素を動員して利用を促し，空腹時の血糖値を維持する作用をもつ．インスリンが肝や脂肪，筋に作用するのに対し，グルカゴンは主に肝に作用する．グルカゴンがどのように栄養素の流れを変化させ血中濃度を変化させるかを**図9.32**に示すとともに，グルカゴンの主要な作用を**表9.16**に示す．

● 血糖値の上昇

　グルカゴンは，(1)グリコーゲン分解を誘導するとともにグルコースからのグリコーゲン合成を抑制し，(2)フルクトース-2,6-二リン酸の生成を低下させてホスホフルクトキナーゼ活性を低下させ，糖新生を促進する．この2つの協調作用によって，グルカゴンは血糖値を上昇させる．糖新生にはアミノ酸が利用され，生じたアミノ基は尿素に取り込まれる．

● 脂肪酸とケトン体の増加

　グルカゴンは脂肪分解を促進し，脂肪酸合成を抑制する．そして，生成したグリセロールを基質とする糖新生を促進する．脂肪酸からはケトン体（β-ヒドロキシ酪酸やアセト酢酸，アセトン）を生成する．

ソマトスタチン

　膵で産生されるソマトスタチンは14アミノ酸からなるポリペプチドであり，Langerhans島のδ細胞から分泌される．消化管で分泌されるソマトスタチンは28アミノ酸から構成され，これらの生理学的作用は類似している．ソマトスタチンの分泌は糖やアミノ酸，脂肪酸などあらゆる栄養素の摂取，いくつかの消化管ホルモンやグルカゴン，αアドレナリン受容体作動薬によって刺激される．一方で，インスリンはパラクリン（傍分泌）機構を介してソマトスタチン分泌を抑制する．

　膵ソマトスタチンはα細胞およびβ細胞へのパラクリン作用を介して，それぞれ**グルカゴンとインスリンの分泌を抑制**する．したがって，食事によってδ細胞から分泌されたソマトスタチンは，近隣のα細胞やβ細胞に作用してホルモン分泌を抑制する．したがって，ソマトスタチンは食事摂取に対するインスリンやグルカゴンの応答を調節したり制限したりする作用をもつものと考えられる．

Ca²⁺とリン酸の代謝調節

血中Ca²⁺の存在様式

　血中の総Ca^{2+}濃度は通常10 mg/dLであり，そのうち40%はアルブミンを中心とする血漿タンパク質に結合している（**図9.33**）．残り60%はタンパク質には結合しておらず，糸球体で濾過されうる．このうち，わずかにリン酸や硫酸，クエン酸などアニオン（陰イオン）と複合体を形成している以外は，**遊離型Ca^{2+}**として存在する．血中Ca^{2+}のうち約半分（5 mg/dL）が遊離型Ca^{2+}であり，これが**唯一生物活性を示す**存在様式である．

　血漿Ca^{2+}濃度が低下した状態である**低カルシウム血症（hypocalcemia）**では，反射亢進や自発

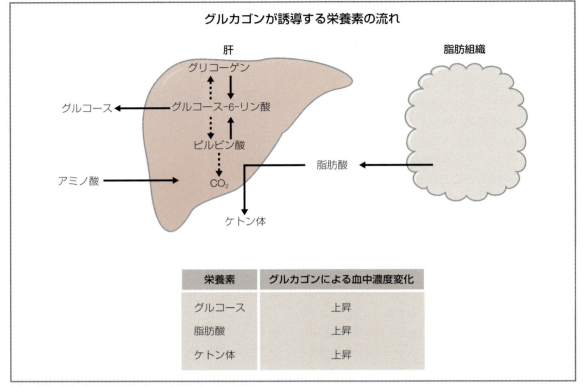

図 9.32 肝・脂肪組織におけるグルカゴン作用.
各組織における栄養素の流れと,これによって示される各栄養素の血中濃度の変化を示す.線は促進,点線は抑制.

表 9.16 主なグルカゴン作用と血中濃度への効果.

グルカゴン作用	血中濃度への効果
グリコーゲン分解の促進	血糖値上昇
糖新生の促進	
脂肪分解の促進	遊離脂肪酸の増加
ケトン体生成の促進	ケトン体の増加

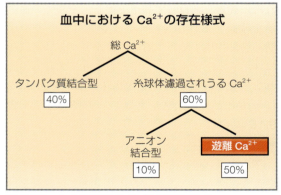

図 9.33 血中における Ca^{2+} の存在様式.
総 Ca^{2+} 濃度に対する存在比率を％で示す.遊離型 Ca^{2+} のみ生理活性を示す.

性痙攣,筋痙攣,うずき,しびれがみられる.低カルシウム血症の重要な指標として,顔面神経の叩打によって誘発される顔面筋の収縮(Chvostek(クボステック)徴候(Chvostek sign))や,血圧測定用マンシェットで上腕動脈血流を止めた際の手指痙攣(Trousseau(トルソー)徴候(Trousseau sign))がある.Ca^{2+} が筋収縮におけるクロスブリッジサイクルに必須であることを考えると,低カルシウム血症が骨格筋の痙攣を引き起こすことを不思議に感じるかもしれないが,筋

収縮のクロスブリッジサイクルに関与するのは"細胞内" Ca^{2+} であり,現在議論しているのは"細胞外" Ca^{2+} 濃度が低下した状態のことである.細胞外の Ca^{2+} 濃度が低下すると,感覚ニューロン

や運動ニューロン，筋など興奮性細胞において興奮性が高まり，活動電位を発生するための閾電位が低くなることで，より弱い内向き電流によって容易に閾値以上まで脱分極し活動電位を生じることとなる．このため，低カルシウム血症では感覚ニューロンへの影響によってうずきやしびれが現れ，運動ニューロンや筋への影響によって自発性痙攣が現れる．

血漿 Ca^{2+} 濃度が上昇した状態である**高カルシウム血症**（hypercalcemia）では，便秘や多尿，多飲，神経学的には反射減退，嗜眠，昏睡，死亡などがある．

血漿タンパク質や複合体を形成するアニオンの量が変化したり酸塩基平衡が崩れたりすると，血漿中における Ca^{2+} の存在様式が変化する．もし，生物活性をもつ遊離型 Ca^{2+} の濃度が変化した場合には，生理的に重要な影響が現れる．

- **血漿タンパク質濃度の変化**は，タンパク質の濃度変化と同じ方向に総 Ca^{2+} 濃度を変化させる．つまり，タンパク質濃度が増えると総 Ca^{2+} 濃度も増え，タンパク質濃度が減ると総 Ca^{2+} 濃度も減る．血漿タンパク質濃度は通常慢性的で，時間の経過とともにゆっくりと変化するので，遊離型 Ca^{2+} の濃度が並行して変化することはない．一過性に遊離型 Ca^{2+} 濃度が変化した場合にも，後述する PTH のような調節機序がそれを感知し正常域へ戻すしくみが作動する．
- **アニオン濃度の変化**は，アニオンと複合体を形成した Ca^{2+} の割合を変化させ，遊離型 Ca^{2+} の濃度を変化させる．例えば，血漿中のリン酸濃度が増加すると，これと複合体を形成する Ca^{2+} の割合が増加する結果，遊離型 Ca^{2+} の濃度は低下する．逆に血漿中のリン酸濃度が減少すると，複合体を形成する Ca^{2+} が減少して遊離型 Ca^{2+} 濃度が上昇する．
- **酸塩基平衡異常**は，血漿アルブミンと結合できる Ca^{2+} の割合を変化させ，遊離型 Ca^{2+} 濃度を変化させる（**図 9.34**）．アルブミンには多くの負電荷を帯びた部位が存在し，ここには H^+ や Ca^{2+} が結合できる．**酸血症（アシデミア）**（acidemia）では過剰量の H^+ が血液中に存在し，し

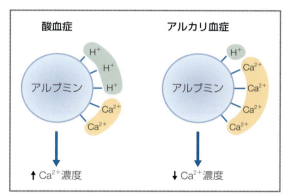

図 9.34　酸塩基平衡異常による血中遊離 Ca^{2+} 濃度の変動．

たがって多くの H^+ がアルブミンに結合して Ca^{2+} の結合できる部位が減る．そのため，遊離型 Ca^{2+} 濃度が上昇する．逆に，**アルカリ血症（アルカレミア）**（alkalemia）では，血液中の H^+ 量が低下してアルブミンに結合する H^+ が減るため，その分多くの Ca^{2+} がアルブミンに結合できる．このように，**急性呼吸性アルカローシス**（acute respiratory alkalosis）のようなアルカリ血症では遊離型 Ca^{2+} 濃度が減少し，しばしば低カルシウム血症を伴う．

Ca^{2+} 恒常性

Ca^{2+} の恒常性維持には，骨と腎，そして小腸の 3 つの器官系と，**副甲状腺ホルモン（PTH）**，**カルシトニン**（calcitonin）および**ビタミン D**（vitamin D）の 3 つのホルモンが協調して機能することが重要である．これら器官系とホルモンが Ca^{2+} の代謝平衡を保つための相互関係を**図 9.35** に示す．

この図では，Ca^{2+} の代謝平衡が保たれた状態である．すなわち，腎からの Ca^{2+} 正味排泄量と消化管における Ca^{2+} 正味吸収量が等しい状況である．

1 日に 1,000 mg の Ca^{2+} を摂取した場合を考えると，消化管からはおよそ 350 mg の Ca^{2+} が吸収される．この過程は，活性型ビタミン D である 1,25-ジヒドロキシコレカルシフェロールによって促進される．一方，およそ 150 mg の Ca^{2+} が唾液や膵液，腸液として消化管に排出される．したがって，Ca^{2+} の正味の吸収量は 1 日あたり

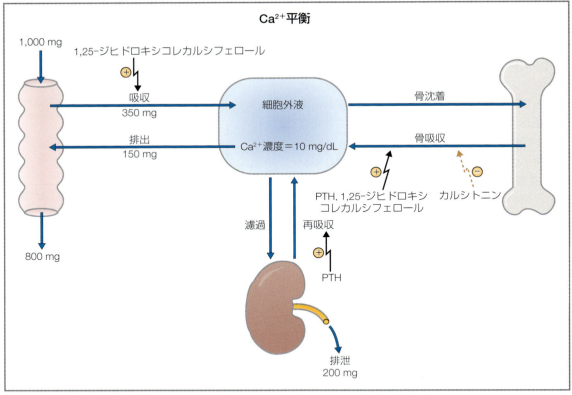

図 9.35　成人における Ca^{2+} 恒常性維持機構.
成人が食事から1日に 1,000 mg の Ca^{2+} を摂取したときの各組織における Ca^{2+} 流出入を示す.小腸における Ca^{2+} 吸収や骨吸収,腎における Ca^{2+} 再吸収がホルモンによって制御される.PTH:副甲状腺ホルモン.

200 mg(350 mg − 150 mg)となり,摂取された 1,000 mg のうち残りの 800 mg は糞便中に排泄される.吸収された Ca^{2+} は細胞外液中の Ca^{2+} プールへと入る.

図 9.35 では,骨における Ca^{2+} の流出入はないものと仮定している.しかし,**骨リモデリング**(新しい骨の形成と古い骨の破壊)は持続的に行われている.骨吸収は PTH や 1,25-ジヒドロキシコレカルシフェロールによって促進され,カルシトニンによって抑制される.

最終的に Ca^{2+} の代謝平衡を保つためには,消化管から吸収された Ca^{2+}(図 9.35 では1日あたり 200 mg)と同じ量の Ca^{2+} を腎から排泄しなければならない.第6章で解説したように,腎は Ca^{2+} の糸球体濾過とそれに続く大規模な再吸収のためのしくみをもつ.

副甲状腺ホルモン

PTH は,細胞外液中の Ca^{2+} 濃度を調節する役割をもつ.血漿 Ca^{2+} 濃度が低下すると,副甲状腺から PTH が分泌され,骨や腎,小腸に作用して血漿 Ca^{2+} 濃度を正常に戻そうとする.

■ 副甲状腺ホルモンの構造

ヒトの副甲状腺は,甲状腺の裏側に4つ存在する.副甲状腺の**主細胞**は,84 アミノ酸からなる1本鎖ポリペプチドである PTH を合成・分泌している.この分子の生物活性は,すべて N 末端側の 34 アミノ酸に存在する.PTH は,リボソームで 115 アミノ酸からなる**プレプロ PTH(preproPTH)**として合成され,合成が完了する過程で 25 アミノ酸のシグナルペプチドが切断される.残り 90 アミノ酸からなる**プロ PTH(proPTH)**は,Golgi 装置に運ばれて6アミノ酸が切断され,最

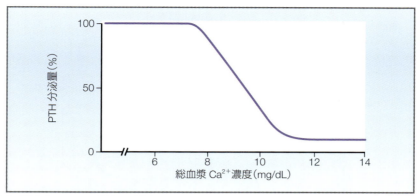

図9.36 血漿 Ca^{2+} 濃度と PTH 分泌の関係.

終的に84アミノ酸からなるホルモンが形成される. PTH は分泌小胞に梱包されて貯蔵される.

■ 副甲状腺ホルモンの分泌調節

PTH 分泌は**血漿 Ca^{2+} 濃度**によって制御される. 図9.36に示すように, 血漿 Ca^{2+} 濃度が正常値 (10 mg/dL) 以上であるときには, PTH 分泌はわずかにしか起こらない. しかし, 血漿 Ca^{2+} 濃度が 10 mg/dL 未満になると PTH 分泌が刺激され, 7.5 mg/dL において最大値に達する. 図9.36 は血漿 Ca^{2+} 濃度と PTH 分泌との関係を示しているが, 実際には, PTH 分泌の制御因子は遊離型 Ca^{2+} の濃度である. 遊離型 Ca^{2+} 濃度減少に対して副甲状腺はきわめて速やかに応答し, 数秒以内に PTH が分泌される. また, 遊離型 Ca^{2+} 濃度低下が速く起こるほど PTH の分泌応答が強くなる.

多くの内分泌腺が細胞内 Ca^{2+} 濃度上昇に応答してホルモンを分泌することを考えると, 主細胞が Ca^{2+} 濃度の低下に応答して PTH を分泌することが奇妙に思えるかもしれない. しかし, 主細胞が感知するのは細胞外 Ca^{2+} 濃度の低下であって, 細胞内 Ca^{2+} 濃度の低下ではない. 副甲状腺細胞の細胞膜には **Ca^{2+} 感知受容体 (Ca^{2+} sensing receptor)** が発現しており, これは G_q タンパク質と共役している. 細胞外 Ca^{2+} 濃度が上昇して Ca^{2+} が受容体に結合すると, ホスホリパーゼC を活性化し, IP_3/Ca^{2+} が増加する. これは PTH 分泌を抑制する. 逆に細胞外 Ca^{2+} が減少すると, 受容体への Ca^{2+} 結合が減少して PTH 分泌を刺激することとなる.

このような急性で迅速な PTH 分泌応答に加えて, 血漿 Ca^{2+} 濃度の長期的な変化によってプレプロ PTH 遺伝子の転写が変化し, PTH の合成と貯蔵や副甲状腺の発達にも変化が生じる. 例えば, **慢性低カルシウム血症 (chronic hypocalcemia)** は, PTH の合成と貯蔵の増加, および副甲状腺の過形成を特徴とする**二次性副甲状腺機能亢進症 (secondary hyperparathyroidism)** を引き起こす. 一方, **慢性高カルシウム血症 (chronic hypercalcemia)** では, PTH の合成と貯蔵が減少するとともに, 貯蔵された PTH の分解が増加することで, 活性をもたない PTH 断片が血中に放出される.

Ca^{2+} と比較すると重要性は高くないが, **マグネシウム (Mg^{2+})** も PTH 分泌に Ca^{2+} と同様の効果を示す. したがって, PTH 分泌は低マグネシウム血症では促進され, 高マグネシウム血症では抑制される. ただし例外的に, アルコール依存症のような慢性的な Mg^{2+} 欠乏と関連する著しい低マグネシウム血症では, PTH の合成や貯蔵, 分泌は**抑制**される.

血漿 Ca^{2+} 濃度の上昇に伴う PTH 分泌抑制を補うように, 1,25-ジヒドロキシコレカルシフェロールも PTH の合成と分泌を直接抑制する.

■ 副甲状腺ホルモンの作用

PTH は骨や腎, 腸に作用して, それらが協調して血漿 Ca^{2+} 濃度を上昇させる. 骨と腎には直接作用して, cAMP を介して効果を示す. 腸では間接的に作用し, ビタミンDの活性化を介して

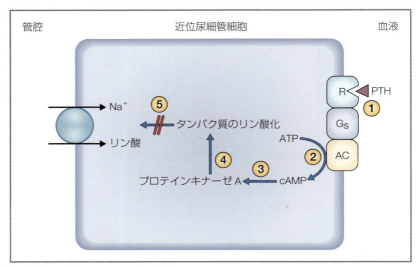

図9.37　腎近位尿細管におけるPTHの作用機序．
○で囲んだ番号で示した各ステップについては本文で解説する．AC：アデニル酸シクラーゼ，ATP：アデノシン三リン酸，cAMP：環状アデノシン一リン酸，PTH：副甲状腺ホルモン，R：副甲状腺ホルモン受容体．

効果を示す．

　PTHの**作用機序**について，腎におけるリン酸再吸収抑制を例として示す（図9.37）．図内の○で囲んだ番号は，以下のステップ番号に対応している．近位尿細管においてPTHの作用は，ホルモンが受容体に結合する基底膜側から始まる．受容体は，G_sタンパク質を介して**アデニル酸シクラーゼ**を活性化する（ステップ①）．これによってcAMPが産生され（ステップ②），一連のリン酸化酵素を活性化する（ステップ③）．これによって細胞内のさまざまなタンパク質がリン酸化され（ステップ④），管腔膜上においてNa^+-リン酸共輸送を抑制する（ステップ⑤）．Na^+-リン酸共輸送が阻害されると，リン酸再吸収が減少して尿への排泄量が増加し，**リン酸尿（phosphaturia）** を呈する．

　骨，腎および腸におけるPTHの作用を図9.38にまとめ，以下に解説する．

● **骨における作用**

　PTHは骨に対して複数の作用を示し，直接的なものと間接的なものとがある．**PTH受容体**は**骨芽細胞（osteoblast）** に存在するが，破骨細胞には存在しない．まず，PTHは一過的に骨芽細胞に直接作用して**骨形成（bone formation）** を増加させる．PTHはまた，破骨細胞に対して間接的に作用して長期的に持続する**骨吸収**の促進作用を示す．この間接作用には，骨芽細胞から分泌されるサイトカイン類が関与しており，これが破骨細胞の数と活性を増加させることによって示される．このように，PTHが破骨細胞に対して示す骨吸収促進作用には，骨を形成する細胞である骨芽細胞が必須である．副甲状腺機能亢進症のようなPTH濃度が慢性的に上昇している状態では，骨吸収が恒常的に活性化されており，血漿Ca^{2+}濃度を上昇させる．なお，**骨粗鬆症（osteoporosis）** に対する有効な治療法として合成PTHの間欠的投与が用いられるが，これはPTHが骨芽細胞に一過性に示す骨形成促進作用を利用したものである．

　骨に対してPTHが示す全体的な効果は，骨吸収を促進し，Ca^{2+}とリン酸の両方を細胞外液へと輸送することである．骨基質の分解に伴って放出されたヒドロキシプロリンは尿中に排泄される．

　なお，PTHの骨への作用だけでは，PTHが示す血漿中の遊離Ca^{2+}濃度を上昇させる作用全体を説明できない．骨から放出されたリン酸は細胞外液中でCa^{2+}と複合体を形成し，遊離型Ca^{2+}の濃度上昇を制限する．したがって，血漿中の遊離型Ca^{2+}濃度を上昇させるためには，骨におけるPTH作用と協調的に機能する別のメカニズムが

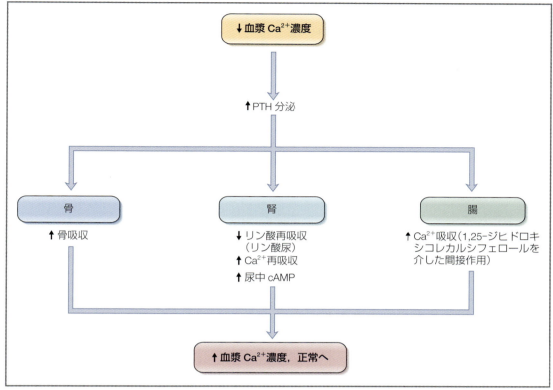

図9.38　**PTHの分泌調節と骨・腎・小腸における作用**.
cAMP：環状アデノシン一リン酸，PTH：副甲状腺ホルモン.

必要である．それが，次に示すPTHによる尿へのリン酸排泄促進作用である．

● 腎における作用

腎においてPTHは，(1)**リン酸再吸収の抑制**，(2)**Ca^{2+}再吸収の促進**という2つの作用を示す．(1)の作用は，PTHが近位尿細管においてNa$^+$-リン酸共輸送を抑制することによって示される．その結果，PTHは尿中へのリン酸の排泄を増加させる**リン酸尿**を引き起こす．近位尿細管の細胞で生成された**cAMP**も尿中に排泄される．骨から吸収されたリン酸は尿中に排泄され，このリン酸は細胞外液中のCa^{2+}と複合体を形成するため，PTHのリン酸尿作用は非常に重要である．リン酸塩を尿中に放出することで，血漿中の遊離Ca^{2+}濃度を上昇させるのである．(2)の作用は，PTHが遠位尿細管に作用することによって示され，骨吸収とリン酸尿に起因する血漿Ca^{2+}濃度上昇を補完する．

● 小腸における作用

PTHは小腸には直接作用を示さないが，ビタミンDの活性化を介して，腸におけるCa^{2+}再吸収を促進する間接的な作用を示す．PTHは，腎において25-ヒドロキシコレカルシフェロール-1-ヒドロキシラーゼを活性化し，この酵素が25-ヒドロキシコレカルシフェロールを活性型である1,25-ジヒドロキシコレカルシフェロールに変換する．そして，生成された1,25-ジヒドロキシコレカルシフェロールがCa^{2+}吸収を促進する．

■ 副甲状腺ホルモンの病態生理

PTHの病態生理には，PTHの過剰や欠乏，標的器官におけるPTH感受性の低下などが含まれる．PTHに関連する疾患を表9.17に示す．

- **原発性副甲状腺機能亢進症**（primary hyperparathyroidism）は多くの場合，副甲状腺腫が過剰量のPTHを分泌することが原因となる（Box 9.3）．骨や腎，腸におけるPTHの作用

516　第9章　内分泌系の生理学

表 9.17　副甲状腺ホルモンの病態生理.

病態	副甲状腺ホルモン	1,25-ヒドロキシコレカルシフェロール	骨	尿	血漿 Ca^{2+} 濃度	血漿リン酸濃度
原発性副甲状腺機能亢進症	↑*	↑ (PTH による 25-ヒドロキシコレカルシフェロール-1-ヒドロキシラーゼ活性化)	↑再吸収	↑尿中リン酸（リン酸尿） ↑尿中 Ca^{2+}（糸球体濾過量増大による） ↑尿中 cAMP	↑	↓
術後副甲状腺機能低下症	↓*	↓ (PTH による 25-ヒドロキシコレカルシフェロール-1-ヒドロキシラーゼの抑制)	↓再吸収	↓尿中リン酸 ↓尿中 cAMP	↓	↑
偽性副甲状腺機能低下症	↑	↓	↓再吸収（G_s 異常）*	↓尿中リン酸 ↓尿中 cAMP（G_s 異常）*	↓	↑
悪性腫瘍に伴う高カルシウム血症（↑PTH-rP*）	↓	↑	↑再吸収	↑尿中リン酸（リン酸尿） ↑尿中 Ca^{2+}（糸球体濾過量増大による） ↑尿中 cAMP	↑	↓
慢性腎不全	↑(二次性)	↓*	骨軟化症（1,25-ジヒドロキシコレカルシフェロール活性低下による） ↑骨吸収（PTH 濃度上昇による）	↓尿中リン酸（糸球体濾過量の減少による）*	↓(1,25-ジヒドロキシコレカルシフェロール活性低下による)	↑（尿中リン酸の減少による）

cAMP：環状アデノシン一リン酸，PTH：副甲状腺ホルモン.

Box 9.3　原発性副甲状腺機能亢進症

▶ 症例

　52 歳女性．主訴は全身性脱力や易疲労性，食欲不振，時折の嘔吐．また，尿量が増加し，異常に喉が渇くと訴える．臨床検査所見として，高カルシウム血症，低リン血症，リン酸尿がみられた．副甲状腺異常を疑い PTH を測定したところ，異常高値を示した．

　手術によって副甲状腺腫が 1 つみつかり切除された．その結果，術後検査所見は正常に戻り，また，自覚症状も改善された．

▶ 解説

　この女性は，良性の副甲状腺腫瘍による原発性副甲状腺機能亢進症である．正常な副甲状腺から分泌されるホルモンと化学的に同一の PTH が腫瘍から過剰に分泌され，これが骨や腎に直接，また

小腸に間接的に作用することによって，高カルシウム血症と低リン血症を呈した．高カルシウム血症は，PTH による骨吸収や腎における Ca^{2+} 再吸収，小腸におけるビタミン D 活性化を介した Ca^{2+} 吸収の促進作用によって示されたものである．低リン血症は，PTH による腎リン酸再吸収の抑制と尿中への排泄増加により起きたものである．

　反射低下や脱力，食欲不振，嘔吐などの症状も，多くは高カルシウム血症が原因である．多尿や多飲は，腎髄質内層への Ca^{2+} 蓄積が原因である．ADH は集合管に作用するが，髄質内層への Ca^{2+} 沈着はこの作用を抑制し，腎性尿崩症を発症する．

▶ 治療

　手術で根治した．

から推測できるように，この疾患では血中PTH濃度が増加し，**高カルシウム血症**や**低リン血症**(hypophosphatemia)がみられる．高カルシウム血症は骨吸収や腎におけるCa^{2+}再吸収，腸におけるCa^{2+}吸収が増加することが原因となる．低リン血症は，腎におけるリン酸再吸収の減少やリン酸尿が原因となる．

この疾患の患者は，過剰量のリン酸やcAMP，Ca^{2+}を尿中に排泄する．尿中のCa^{2+}の増加(高カルシウム尿症)は，リン酸塩あるいはシュウ酸塩として析出することがある．PTHの尿細管への直接作用がCa^{2+}再吸収の促進であり，Ca^{2+}排泄を低減させることを考えると，高カルシウム尿症が現れるのは奇異に感じるかもしれない．しかし，血漿Ca^{2+}濃度が上昇すると尿へのCa^{2+}濾過量が増加し，ネフロンにおける再吸収能を超えてしまう．その結果，再吸収できなかったCa^{2+}が尿中に排泄されることとなる．原発性副甲状腺機能亢進症の患者は，高カルシウム尿症による**尿路結石**，骨再吸収の亢進による**骨密度低下**，および**便秘**に悩まされる．治療は通常，外科的に副甲状腺を切除することによって行われる．

● **二次性副甲状腺機能亢進症**

上述した原発性副甲状腺機能亢進症が副甲状腺自体の障害によるPTHの過剰分泌が原因であったことに対し，**二次性副甲状腺機能亢進症**(secondary hyperparathyroidism)では副甲状腺は正常であるが，ビタミンD欠乏や慢性腎臓病によって引き起こされる**低カルシウム血症**によって，二次的にPTHが過剰に分泌される．この疾患では血中PTHは高いが，血漿Ca^{2+}濃度は低値あるいは正常であり，決して高値とはならない．

● **副甲状腺機能低下症**

副甲状腺機能低下症(hypoparathyroidism)は，甲状腺がんやBasedow病の治療目的での甲状腺手術，あるいは副甲状腺機能亢進症の治療目的での副甲状腺手術の過誤によって比較的多発する疾患である．頻度は低いものの，自己免疫異常や先天的に起こる場合もある．この疾患では，血中PTH濃度が減少し，**低カルシウム血症**と**高リン血症**を呈する．低カルシウム血症は，骨吸収や腎でのCa^{2+}再吸収，腸でのCa^{2+}吸収が低下する

ことによって起こる．高リン血症は，リン酸再吸収が上昇することによって起こる．治療は通常，経口Ca^{2+}サプリメントと1,25-ジヒドロキシコレカルシフェロール(活性型ビタミンD)の経口投与によって行われる．

● **偽性副甲状腺機能低下症**

偽性副甲状腺機能低下症(pseudohypoparathyroidism)Ⅰa型患者は，1940年代初期に内分泌学者であるFuller Albright(フラー・オルブライト)によって，低カルシウム血症や高リン血症がみられるとともに，低身長や短頸，肥満，皮下石灰化，第4中足骨や中手骨の短縮化などの特徴的な所見が認められると報告されている．このような身体特徴は，**Albright(オルブライト)遺伝性骨異栄養症(Albright hereditary osteodystrophy)**とよばれる．

この疾患では，副甲状腺機能低下症と同様に低カルシウム血症と高リン血症がみられるが，血中PTH濃度は逆に増加しており，PTH投与によっても尿中のリン酸やcAMPは増加しない．現在では，この疾患は腎および骨のPTH受容体に共役する**G_sタンパク質**に異常がある常染色体顕性遺伝性疾患であることが判明している．この疾患では，PTHが受容体に結合してもアデニル酸シクラーゼが活性化されないため，通常の生理学的作用が示されず，結果として低カルシウム血症と高リン血症を呈することとなる．

● **悪性腫瘍に伴う高カルシウム血症(humoral hypercalcemia of malignancy)**

肺がんや乳がんなどの悪性腫瘍には，PTHと構造的に相同性の高い**PTH関連ペプチド(PTH-related peptide：PTH-rP)**を分泌するものがある．PTH-rPは骨吸収の促進や腎におけるリン酸再吸収の抑制，Ca^{2+}再吸収の亢進など，PTHが示すすべての生理学的作用を示す．したがってPTH-rPは骨や腎に作用して，高カルシウム血症や低リン血症など原発性副甲状腺機能亢進症と類似の血液所見を示す．しかし，この疾患では，血中PTH値が低い点において原発性副甲状腺機能亢進症とは異なっており，正常な副甲状腺からのPTH分泌は高カルシウム血症のために抑制されている．この疾患の治療には，腎における

518 第9章 内分泌系の生理学

Box 9.4　悪性腫瘍に伴う高カルシウム血症

▶ 症例

　72歳男性．2年前に肺がんと診断され，手術や放射線治療，化学療法が行われたが再発した．男性はさらなる治療を望まず，残りの時間を自宅で家族と過ごすことを希望した．来院前週に男性は嗜眠と多尿を呈し，ひどい喉の渇きを訴え，ほぼ常時水を飲むようになった．検査したところ，血漿 Ca^{2+} の異常高値と血漿リン酸の異常低値が認められた．血清アルブミンは正常であり，PTH は低値であった．また，アルカリホスファターゼが顕著に上昇していた．短時間の水制限試験によって血漿浸透圧は310 mOsm/L に上昇し，尿浸透圧は90 mOsm/L であった．鼻腔スプレーによる ADH 類縁体（dDAVP）投与は浸透圧を変化させなかった．

▶ 解説

　この男性は，悪性の肺がんが副甲状腺ホルモン関連ペプチド（PTH-rP）を分泌する，悪性腫瘍に伴う高カルシウム血症である．PTH-rP は化学構造が PTH と類似しており，同一の生理学的作用を示す．高レベルの PTH-rP は骨吸収を促進し，これはアルカリホスファターゼおよび血漿 Ca^{2+} の上昇によって確認できる．また，血漿リン酸の低下から確認できるように，腎におけるリン酸再吸収が減少しリン酸尿を呈する．さらに，腎における Ca^{2+} 再吸収が増加し，これは血漿 Ca^{2+} 上昇に寄与する．血清アルブミンが正常であったことから，血漿中

の総 Ca^{2+} 濃度上昇はタンパク質に結合した Ca^{2+} 濃度の上昇ではなく，遊離型 Ca^{2+} が増加したことによって引き起こされたものと考えられる．PTH の低下は，副甲状腺における PTH 分泌に対する高血漿 Ca^{2+} による負のフィードバック制御の結果である．

　上昇した血漿浸透圧と，過度に希釈された尿とが同時にみられることから，この男性は中枢性もしくは腎性の尿崩症を発症しているものと考えられる．dDAVP 投与により腎性尿崩症であることが確認され，外因性 ADH 投与によってすら尿を濃縮させることはできない．高カルシウム血症のため腎髄質内層で Ca^{2+} 蓄積をきたし，集合管において ADH によるアデニル酸シクラーゼの活性化と水透過性亢進を阻害してしまう．

▶ 治療

　血漿 Ca^{2+} 濃度を低下させるために，生理食塩水とループ利尿薬であるフロセミドが投与された．フロセミドは，Henle ループの太い上行脚において Na^+-K^+-$2Cl^-$ 共輸送体を抑制して，管腔側における正の正常膜電位が消失し，これによって Ca^{2+} 再吸収が抑制され，Ca^{2+} の排泄が促進される．その後，血漿 Ca^{2+} を正常値に保つ補助となるであろう，骨吸収阻害薬パミドロン酸を処方されて男性は帰宅した．

Ca^{2+} 再吸収を抑制しその排泄を促進する**フロセミド**や，骨吸収を阻害する**エチドロン酸**が用いられる（Box 9.4）．

　興味深いことに，PTH-rP は授乳における生理学的な役割を担っており，母体の骨から乳汁への Ca^{2+} 動員を促進する．

● **家族性低カルシウム尿性高カルシウム血症（familial hypocalciuric hypercalcemia：FHH）**は，尿中への Ca^{2+} 排泄の減少と血漿 Ca^{2+} 濃度の上昇を特徴とする常染色体顕性遺伝性疾患である．この疾患は，副甲状腺における PTH 分泌と，腎・Henle（ヘンレ）ループの太い上行脚における Ca^{2+} 再吸収を調節する **Ca^{2+} 感知受容体**の不活性変異が原因となって起こる．通常，血漿 Ca^{2+} 濃度が上昇すると，Ca^{2+} は太い上行脚の Ca^{2+} 感知受容体に結合して，Na^+-$2Cl^-$-K^+

共輸送と内腔の正の電位差を阻害し，Ca^{2+} 再吸収を抑制する．これによって，通常は血漿 Ca^{2+} 濃度が高くなると補正的に尿中への Ca^{2+} 排泄が増加する．しかし，腎の受容体が障害されている場合には，血漿 Ca^{2+} 濃度が高くても「正常である」と誤検知して Ca^{2+} 再吸収が増加し，低カルシウム尿症と高カルシウム血症が誘導される．また，副甲状腺の受容体が障害されているために，血漿 Ca^{2+} 濃度が正常であると誤検知され，健常人のようには PTH 分泌が抑制されない．

　Ca^{2+} 感知受容体作動薬（シナカルセト）は，副甲状腺および Henle ループの太い上行脚の Ca^{2+} 感知受容体と結合して作動薬として作用する．これらの薬剤は，慢性腎臓病などにおける二次性副甲状腺機能亢進症の治療において，PTH 分泌を

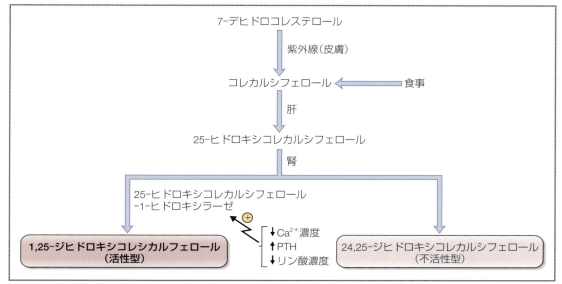

図9.39　1,25-ジヒドロキシコレカルシフェロールの生合成経路.
PTH：副甲状腺ホルモン.

抑制するために使用される.

カルシトニン

カルシトニンは，32アミノ酸で構成される1本鎖のペプチドであり，甲状腺の**傍濾胞細胞**（parafollicular cell）あるいはC細胞（Cはカルシトニンを意味する）において合成・分泌される．カルシトニン遺伝子からはプレプロカルシトニンが合成され，シグナルペプチドが切断されてプロカルシトニンとなった後，さらなるペプチド断片の除去によってカルシトニンとなり分泌小胞に貯蔵される．

カルシトニン分泌は，主には血漿Ca^{2+}濃度上昇によって誘導される．この点は，PTH分泌が血漿Ca^{2+}濃度の低下によって誘導される点と対照的である．カルシトニンの主要な作用は，破骨細胞における骨吸収の抑制であり，これによって血漿Ca^{2+}濃度が低下する．

PTHとは異なり，カルシトニンはヒトでは分単位で起こる血漿Ca^{2+}濃度調節には関与しない．それどころか，カルシトニンのヒトにおける生理学的作用は明確ではなく，甲状腺摘出によってカルシトニン濃度が減少しても，甲状腺腫瘍によってカルシトニンレベルが上昇しても，Ca^{2+}代謝は正常に保たれる．

ビタミンD

ビタミンDは，PTHと並んでCa^{2+}とリン酸の代謝を調節するホルモンであるが，これら両者の役割は明確に区別できる．すなわち，PTHは血漿Ca^{2+}濃度を維持する役割をもち，遊離Ca^{2+}濃度を正常値に近づけるように調整されている一方で，ビタミンDは骨石灰化を促進するホルモンであり，Ca^{2+}とリン酸の血中濃度をいずれも増加させる作用を示す．

■ ビタミンDの生合成

ビタミンD（**コレカルシフェロール**）は，食事から摂取され，皮膚ではコレステロールから産生される．コレカルシフェロール自体は不活性であり，生理学的活性を示すためには，以下に示す一連の水酸化によって活性型ビタミンD（1,25-ジヒドロキシコレカルシフェロール）へと変換されなければならない．この過程は負のフィードバック制御を受ける．ビタミンDの代謝過程を**図9.39**に示す．

コレカルシフェロールは，食事からの摂取あるいは皮膚における紫外線照射による7-デヒドロ

コレステロールからの生成によって体内に供給される. 前述の通り, コレカルシフェロール自体は生理学的活性をもたない. これは肝において水酸化されて **25-ヒドロキシコレカルシフェロール** (25-hydroxycholecalciferol) が生成されるが, これも依然として不活性である. この水酸化は小胞体で行われ, NADPH や O_2, Mg^{2+} を必要とするが, シトクロム P-450 は不要である. 25-ヒドロキシコレカルシフェロールは, 血漿中ではα-グロブリンと結合しており, 血中における主なビタミン D の存在様式である.

腎では, 25-ヒドロキシコレカルシフェロールは, C-1 あるいは C-24 のいずれか一方が水酸化され, それぞれ活性型である **1,25-ジヒドロキシコレカルシフェロール**か, 不活性型である **24,25-ジヒドロキシコレカルシフェロール** (24,25-dihydroxycholecalciferol) を生成する. C-1 水酸化は **25-ヒドロキシコレカルシフェロール-1-ヒドロキシラーゼ** (25-hydroxycholecalciferol-1-hydroxylase) (別 名: cytochrome P-450, CYP27B1 など) によって触媒され, この酵素活性は血漿 Ca^{2+} 濃度や PTH などの因子によって調節される. C-1 水酸化は腎のミトコンドリアで行われ, NADPH や O_2, Mg^{2+} を必要とするとともに, この反応を触媒する酵素はシトクロム P-450 スーパーファミリーに属する.

■ ビタミン D 生合成の調節

腎の細胞が活性型であるビタミン D (1,25-ジヒドロキシコレカルシフェロール) と不活性型である 24,25-ジヒドロキシコレカルシフェロールのどちらが産生されるかは, 体内の Ca^{2+} 濃度がどのような状況にあるかによって決まる. 食事により Ca^{2+} を十分に摂取し, 血漿 Ca^{2+} 濃度が正常あるいは高い状態にある場合には, それ以上の Ca^{2+} を必要としないため, 不活性型である 24,25-ジヒドロキシコレカルシフェロールが優先的に合成される. 一方, Ca^{2+} 摂取が不足しており血漿 Ca^{2+} 濃度が低下している状態では, 活性型である 1,25-ジヒドロキシコレカルシフェロールが優先的に合成され, 消化管からの Ca^{2+} 吸収を誘導する.

活性型である 1,25-ジヒドロキシコレカルシフェロールの産生は, 25-ヒドロキシコレカルシフェロール-1-ヒドロキシラーゼの活性が変化することによって調節される (図 9.39). 25-ヒドロキシコレカルシフェロール-1-ヒドロキシラーゼの活性は, 血漿 Ca^{2+} 濃度低下や血中 PTH 濃度上昇, 血漿リン酸濃度低下によって上昇する.

■ ビタミン D の作用

活性型ビタミン D (1,25-ジヒドロキシコレカルシフェロール) の全体的な役割は, 血漿中の Ca^{2+} とリン酸の濃度を上昇させ, Ca^{2+}・リン積を上昇させて新たな骨石灰化を促進することである. 血漿中の Ca^{2+} とリン酸の濃度を上昇させるために, ビタミン D は腸, 腎, 骨に協調して作用する. 1,25-ジヒドロキシコレカルシフェロールはステロイドホルモンであり, その作用には遺伝子の転写やタンパク質合成の促進が関与し, 以下の作用を有する.

● 腸における作用

1,25-ジヒドロキシコレカルシフェロールの主要な作用は腸において示され, Ca^{2+} とリン酸の吸収をいずれも上昇させる. 特に, Ca^{2+} 吸収への効果については多くのことが知られている. 腸において 1,25-ジヒドロキシコレカルシフェロールは, ビタミン D 依存性 Ca^{2+} 結合タンパク質である**カルビンディン D-28K** (calbindin D-28K) の合成を誘導する. このタンパク質は, 4 つの Ca^{2+} を結合できる細胞質タンパク質である.

図 9.40 に, 腸管上皮細胞における Ca^{2+} 吸収機構を示す. Ca^{2+} は, 電気化学的勾配によって管腔側から細胞内へと流入し (ステップ①), 細胞内でカルビンディン D-28K と結合する (ステップ②). そして, 基底膜側において Ca^{2+} ATPase によって細胞外へと排出される (ステップ③). 腸管上皮細胞においてカルビンディン D-28K が Ca^{2+} 吸収を促進する詳細な役割は未解明であるが, Ca^{2+} を管腔から血液へと輸送させるシャトルとしての機能, あるいは細胞内 Ca^{2+} 濃度を低く保つための Ca^{2+} バッファーとしての機能によって, 管腔膜内外での Ca^{2+} 濃度勾配を維持している可能性が考えられる.

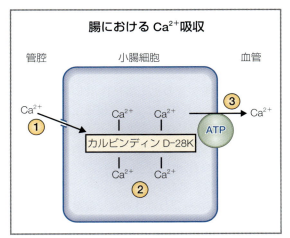

図 9.40　小腸における Ca^{2+} 吸収に与えるカルビンディン D-28K の役割.
1,25-ジヒドロキシコレカルシフェロールはカルビンディン D-28K の産生を誘導する．○で囲んだ番号で示した各ステップについては本文で解説する．

● 腎における作用

腎における 1,25-ジヒドロキシコレカルシフェロールの作用は腸と同様であり，Ca^{2+} とリン酸の再吸収を促進する．その作用は PTH とは明確に異なっており，PTH は Ca^{2+} の再吸収を促進する一方でリン酸の再吸収は抑制するが，1,25-ジヒドロキシコレカルシフェロールは両者とも促進する．

● 骨における作用

骨において 1,25-ジヒドロキシコレカルシフェロールは PTH と相乗的に作用し，破骨細胞の活性を高めて骨吸収を促進する．1,25-ジヒドロキシコレカルシフェロールの全体としての作用は骨石灰化の促進であり，これは奇妙にも思えるが，石灰化された古い骨を吸収して，より多くの Ca^{2+} とリン酸を細胞外液に供給することで，新しい骨の石灰化が可能となっている（骨リモデリング）．

■ ビタミン D の病態生理

小児期におけるビタミン D の欠乏が，成長骨の石灰化に必要な Ca^{2+} とリン酸を不足させることによって，**くる病（rickets）**を引き起こす．くる病では，成長が障害され骨格の変形がみられる．この疾患は，ビタミン D が十分に摂取でき十分な日照のある地域では，まれにしかみられない．成人におけるビタミン D の欠乏は，新しい骨の石灰化が障害されることによって体重支持骨の弯曲や軟化を生じる**骨軟化症（osteomalacia）**を引き起こす．

ビタミン D 抵抗性（vitamin D resistance）は，腎における 1,25-ジヒドロキシコレカルシフェロールの産生が障害された際に発症する．この状態は，食事によってビタミン D をいくら摂取しても，腎において C-1 水酸化が起こらないか抑制されており，不活性であるために**抵抗性**とよばれる．この病態は，25-ヒドロキシコレカルシフェロール-1-ヒドロキシラーゼの先天性欠失によっても引き起こされるが，より一般的には**慢性腎臓病（chronic kidney disease）**によって引き起こされる．慢性腎臓病は，病変腎組織が 1,25-ジヒドロキシコレカルシフェロールを産生する能力を失うため，骨軟化症を含むさまざまな骨障害をもたらす．

骨粗鬆症

骨粗鬆症（osteoporosis）は，骨基質が減少し，結果として皮質骨と海綿骨の量が減少した状態である．骨量の維持には，女性ではエストロゲンが，男性ではテストステロンが必要である．高齢になると性ステロイドレベルが低下し，これが骨粗鬆症発症の危険因子となる．実際，女性の閉経に伴うエストロゲンレベルの急減は，骨粗鬆症の大きなリスクとなる．**ビスホスホネート系薬剤**は骨吸収を抑制し，骨粗鬆症の治療に広く用いられている．骨吸収のメディエーターとして機能する RANKL（receptor activator of nuclear factor κB ligand）に対するモノクローナル抗体である**デノスマブ**は，骨粗鬆症に対する新しい治療薬である．

まとめ

● ホルモンは，内分泌腺において合成・分泌され，血流を介して標的組織へと運ばれる．ホルモンはその構造に基づき，ペプチド，ステロイド，

アミンに分類される．ホルモンの血中濃度はラジオイムノアッセイにより測定できる．

- ペプチドホルモンは，遺伝子の転写・翻訳によってプレプロホルモンとして合成される．そして，シグナルペプチドやその他のペプチド断片が切断され，分泌小胞に貯蔵される．ステロイドホルモンは，副腎皮質や精巣，卵巣，胎盤においてコレステロールから合成される．アミンはチロシン誘導体である．

- ホルモンの合成と分泌は，負のフィードバック制御あるいは正のフィードバック制御により調節される．負のフィードバック制御によって応答は抑制され，正のフィードバック制御によって応答は増幅される．ホルモン受容体も数や活性が調節されており，増加（アップレギュレーション）したり減少（ダウンレギュレーション）したりする．

- ホルモンの作用機序は多様であり，アデニル酸シクラーゼを介して cAMP をセカンドメッセンジャーとするホルモン，ホスホリパーゼ C を介して IP_3/Ca^{2+} をセカンドメッセンジャーとするホルモン，タンパク質合成を誘導するステロイドホルモン，およびチロシンキナーゼを介するホルモンなどがある．

- 視床下部と下垂体後葉は神経接続している．すなわち，細胞体が視床下部にあるニューロンの軸索が下垂体後葉において神経終末を形成し，ここからホルモンが分泌される．視床下部と下垂体前葉は下垂体門脈で連結している．

- 下垂体前葉からは TSH，FSH，LH，ACTH，成長ホルモンおよびプロラクチンが分泌される．下垂体後葉からは ADH とオキシトシンが分泌される．

- 成長ホルモンは身体発育に必須であり，グルコース代謝やタンパク質合成，器官や骨の生育を担う．成長ホルモンの作用の多くはソマトメジンが担っている．小児期における成長ホルモンの欠乏は，発育遅延を引き起こす．成長ホルモンの過剰は先端巨大症を引き起こす．

- プロラクチンは，乳腺の発達と乳汁産生に関与する．プロラクチンの分泌は，視床下部から分泌されるドパミンによって恒常的に抑制されて

いる．プロラクチン産生腫瘍などによって過剰に分泌されると乳汁漏出症を呈し，これはブロモクリプチンなどドパミン受容体作動薬で治療される．

- ADH は腎集合管の主細胞に作用して，水の再吸収を促進することによって浸透圧調節に重要な役割をもつ．ADH 分泌は，血漿浸透圧の増加や細胞外液量の低下によって促進される．ADH 欠乏は尿崩症を引き起こし，過剰では SIADH を引き起こす．

- オキシトシン分泌は哺乳刺激で促進され，授乳期の射乳に重要な役割をもつ．

- 甲状腺ホルモンは，甲状腺濾胞細胞で合成される．サイログロブリンのチロシン残基がヨウ素化されることで MIT と DIT が産生され，これらのカップリング反応によって T_3 と T_4 が生成される．T_4 は標的組織において，高活性型である T_3 へと変換される．甲状腺ホルモンは，Na^+-K^+ ATPase の増加，酸素消費量や基礎代謝率の上昇，心拍出量の増加などの作用をもつ．甲状腺機能亢進症は甲状腺刺激抗体によって引き起こされることが多く（Basedow 病），体重の減少や基礎代謝率の増加，熱産生の増加，心拍数の増加，精神的不安がみられる．甲状腺機能低下症では体重増加や基礎代謝率の減少，寒冷に対する耐性の低下，動作緩慢，嗜眠を呈する．

- 副腎皮質から分泌されるステロイドホルモンは，グルココルチコイド，ミネラロコルチコイドおよび副腎アンドロゲンに分類でき，いずれもコレステロールから合成される．グルココルチコイドは糖新生を誘導し，抗炎症作用や免疫抑制作用を示す．ミネラロコルチコイドは腎で Na^+ 再吸収と K^+ 排出および H^+ の排出を促進する．Addison 病は原発性副腎皮質機能低下症である．Cushing 症候群はグルココルチコイドの過剰産生が原因であり，原発性アルドステロン症（Conn 症候群）はミネラロコルチコイドの過剰産生が原因である．

- Langerhans 島には 3 種類の細胞が含まれ，それぞれ異なるホルモンを分泌する．すなわち，α 細胞はグルカゴンを，β 細胞はインスリンを，

δ 細胞はソマトスタチンをそれぞれ分泌する.
インスリンは飽食のホルモンであり, グルコー
スをグリコーゲンとして, 脂肪酸を脂肪として,
アミノ酸をタンパク質として貯蓄する作用をも
つ. 1 型糖尿病はインスリン欠乏が原因となり,
2 型糖尿病は標的組織におけるインスリン作用
の低下が原因となる. グルカゴンは飢餓のホル
モンであり, 貯蓄されたエネルギー源の利用を
促進する.

● Ca^{2+} の恒常性維持は, 3 つの臓器 (骨, 腎, 腸)
の相互作用と 3 つのホルモン (PTH, カルシト
ニン, ビタミン D) の作用により制御される.
PTH は, 骨吸収の促進や腸での Ca^{2+} 吸収の促
進, 腎での Ca^{2+} 再吸収の促進および腎でのリ
ン酸再吸収の減少によって血漿 Ca^{2+} 濃度を上
昇させる. 副甲状腺機能亢進症では高カルシウ
ム血症と低リン血症がみられ, 副甲状腺機能低
下症では低カルシウム血症と高リン血症がみら
れる. ビタミン D は, 腎で活性型である 1,25-
ジヒドロキシコレカルシフェロールに変換され
る. ビタミン D は, 細胞外液の Ca^{2+} およびリ
ン酸濃度を上昇させることで骨石灰化を促進す
る. ビタミン D は, 腸および腎で Ca^{2+} とリン
酸の吸収をいずれも増加させ, 骨吸収を促進す
る. ビタミン D 欠乏により, 小児ではくる病,
成人では骨軟化症が誘導される.

練習問題

下記の内分泌疾患や内分泌系の異常によって,
血中成分濃度など各パラメーターはどのように変
化するか. 増加するか, 減少するか, それとも変
化しないか, それぞれ考えよ.

1 Addison 病
コルチゾール, ACTH, 血糖値.

2 腎性尿崩症
ADH, 尿浸透圧.

3 原発性アルドステロン症
血漿 K^+, 血圧, レニン.

4 Cushing 病
ACTH, コルチゾール, 血糖値.

5 術後副甲状腺機能低下症
血漿 Ca^{2+}, 血漿リン酸, 尿中 cAMP.

6 交通事故による下垂体茎の損傷
プロラクチン, ADH, 血漿浸透圧, PTH.

7 自己免疫異常による甲状腺障害
T_4, TSH, 基礎代謝率, T_3 レジン摂取率.

8 21β-水酸化酵素欠損症
ACTH, コルチゾール, デオキシコルチコステ
ロン, アルドステロン, デヒドロエピアンドロス
テロン (DHEA), 尿中 17-ケトステロイド.

9 健常人への合成グルココルチコイド (デキサ
メタゾン) 投与
ACTH, コルチゾール.

10 副甲状腺ホルモン関連ペプチド (PTH-rP)
を産生する肺がん
血漿 Ca^{2+}, PTH.

11 17α-水酸化酵素欠損症
血圧, 血糖値, DHEA, アルドステロン.

第10章

生殖の生理学

　性腺は，オスとメスの生殖細胞の発生および成熟を支える内分泌腺である．オスの性腺（精巣）は，精子の形成と成熟，雄性ステロイドホルモンであるテストステロンの合成，分泌を担う．メスの生殖腺（卵巣）は，卵子の形成と成熟，雌性ステロイドホルモンであるエストロゲンと**プロゲステロン**(progesterone)の合成，分泌を担う．

性分化

　性分化(sexual differentiation)には性腺，生殖器官，外陰部の発生が含まれる．“雄性”または“雌性”は，次の3つの方法で特徴づけられる：(1) **性染色体**(sex chromosome)がXY，XXのいずれかであるかという遺伝的性．(2)性腺が精巣，卵巣のいずれかであるかという性腺の性．(3)雄性または雌性にみえるという表現型，生殖器に基づく性(図10.1)．

遺伝的性

　遺伝的性は，**性染色体**で雄性におけるXYと雌性におけるXXで決定される．妊娠初期5週間は，性腺は雌雄中立または雌雄両性を呈し，それは雌雄どちらでもない状態である．およそ妊娠7週になって，Y染色体の性決定領域の遺伝子産物(*SRY遺伝子*)が，精巣の形成，発達にかかわる転写因子の役割を担う．妊娠9週になると，(*SRY遺伝子*がない)遺伝的雌性において卵巣の発達が始まる．したがって，遺伝的性は通常，性腺の性を決定し，性腺はメスで認められる時期よりも少し前にオスで現れる．

性腺の性

　性腺に基づく性は，雄性生殖腺または雌性生殖腺（すなわち精巣または卵巣）の存在によって定義される．性腺は，生殖細胞とステロイドホルモン分泌細胞からなる．

　精巣（雄性の性腺）は，3つの細胞型からなる：**生殖細胞**(germ cell)，**Sertoli（セルトリ）細胞**(Sertoli cell)，**Leydig（ライディッヒ）細胞**(Leydig cell)．生殖細胞は精原細胞を生み出し，Sertoli細胞は抗Müller（ミュラー）管ホルモン(antimüllerian hormone)とよばれている糖タンパク質ホルモンを合成する．そして，Leydig細胞はテストステロンを合成する．

　卵巣（雌性生殖腺）には3つの細胞型がある：**生殖細胞**，**顆粒膜細胞**(granulosa cell)，**卵胞膜細胞（莢膜細胞）**(theca cell)．生殖細胞は**卵祖細胞**(oogonia)を生じる．卵祖細胞は顆粒膜細胞と間質によって囲まれており，この環境下では**卵母細胞**(oocyte)とよばれ，**排卵**(ovulation)が起こるまでの間は減数分裂前期に留まる．**卵胞膜細胞**はプロゲステロンを合成し，顆粒膜細胞とともにエストラジオール(estradiol)を合成する．

　外見的性に影響を及ぼす雄性，雌性生殖腺には2つの大きな違いがある：(1)精巣は**抗Müller管ホルモン**(Müller抑制物質)を合成するが，卵巣は合成しない．(2)精巣は**テストステロン**(testosterone)を合成する一方で，卵巣は合成しない．抗Müller管ホルモンとテストステロンは，胎児が雄性の表現型に決まる際に必須である．精巣がなく，抗Müller管ホルモンやテストステロンが産生されない場合，胎児は“デフォルト”として雌性の表現型をもつ．

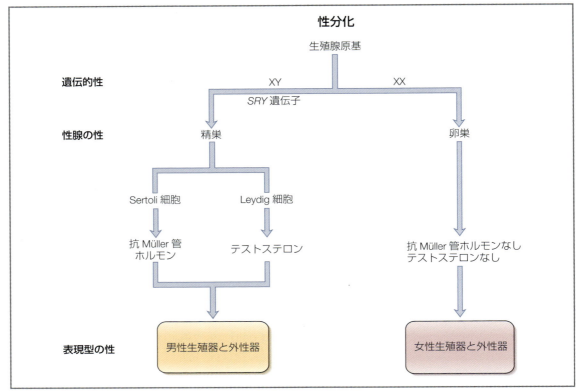

図10.1 遺伝的性，性腺に基づく性，表現型の性とその決定．
SRY: Y染色体性決定領域遺伝子．

表現型の性

　表現型に基づく性は，体内の生殖器官と外陰部の身体的な特徴によって定義される．オスにおける体内生殖器官として，**前立腺(prostate)**，**精嚢(seminal vesicle)**，**精管(vas deferens)**，**精巣上体(epididymis)** が挙げられる．オスの外性器は**陰嚢(scrotum)** と**陰茎(penis)** である．メスにおける内性器は，**卵管(fallopian tube)**，**子宮(uterus)**，**膣(vagina)** の上1/3からなり，外性器は，**陰核(clitoris)**，**大陰唇(labia majora)**，**小陰唇(labia minora)**，膣の下2/3からなる．前述のように，表現型に基づく性は以下のような性腺ホルモン分泌によって決められる．

● オスの表現型

　性腺に基づくオスでは，雄性表現型の発達に必要な**抗Müller管ホルモン**と**テストステロン**を合成，分泌する精巣が認められる．**Wolff(ウォルフ)管(wolffian duct)** は発生学的に，精巣上体，精管，精嚢と射精管を生み出す．性腺上のオスで認められるテストステロンは，Wolff管の成長と分化を誘導する．各精巣から分泌されるテストステロンは，同側のWolff管に作用する．Wolff管に及ぼすこの作用に関して，テストステロンが**ジヒドロテストステロン(dihydrotestosterone)**（後述）に変換される必要はない．同時に，精巣Sertoli細胞から産生される抗Müller管ホルモンは，第2の管である**Müller管(Müllerian duct)** の萎縮を引き起こす(Müller管が抗Müller管ホルモンによって抑制されなかった場合，Müller管は雌性生殖器になる)．雄性外性器(陰茎と陰嚢)は妊娠9〜10週で分化する．雄性外性器の成長と発達は，テストステロンからジヒドロテストステロンへの変換と，標的組織における**アンドロゲン受容体(androgen receptor)** の存在に依存する．先天的に標的組織においてアンドロゲン受容体を欠損した場合には**アンドロゲン不応症候群(androgen insensitivity syndrome)** となり，雄性外性

Box 10.1　アンドロゲン不応症候群

▶ 症例

　外見的に正常である女性．11 歳で乳房の発達が始まり，13 歳では同年齢女子の平均よりも大きな乳房になった．しかし，16 歳でも月経がなく，陰毛および腋毛が乏しい．婦人科医は内診時に精巣と短い膣を認めるも，子宮頸部，卵巣，子宮は認められなかった．染色体検査により XY の遺伝子型であることがわかった．**アンドロゲン不応症候群 (androgen insensitivity syndrome)（精巣性女性化症候群 (testicular feminization)）**を疑い，医師は性器皮膚線維芽細胞におけるアンドロゲン結合能の測定を依頼した．その結果，テストステロンやジヒドロテストステロンの結合能を示さず，組織中にアンドロゲン受容体が存在しないか欠損していることが示唆された．血漿テストステロンレベルの軽度上昇，黄体形成ホルモンレベルの上昇が認められた．彼女の体内の精巣は摘出され，間欠的なエストロゲン補充治療で治療された．その一方で，今後も月経周期はなく，妊娠・出産はできないと告げられた．

▶ 解説

　この女性には，雌性外性器（膣下部，陰核，陰唇）で雌性の表現型がある．思春期には乳房が発達したが，彼女には男性の遺伝子型 (XY) と雄性性腺（精巣）が認められる．

　この女性の障害（アンドロゲン不応症候群）の基礎にあるのは，標的組織におけるアンドロゲン受容体の欠如であり，それはアンドロゲンに対する抵抗性につながる．彼女の精巣（それ自体は正常で

ある）は，子宮内で抗 Müller 管ホルモンとテストステロンを分泌した．健常男性と同様に，抗 Müller 管ホルモンは子宮内で Müller 管の発生を抑制した．したがって，卵管，子宮や膣上部は認められない．精巣は子宮内でテストステロンも分泌し，それは Wolff 管の成長と分化を通じて雄性生殖器官と雄性外性器の発達を導いた．しかし標的組織にアンドロゲン受容体がないため，雄性生殖器官と外陰部は発達しなかった．このように，精巣が正常量のテストステロンを分泌したにもかかわらず，テストステロンは雄性生殖器官の組織に作用することができなかった（アンドロゲン受容体の欠如は思春期に体毛が乏しかった要因でもある）．アンドロゲン受容体がない場合，胎児がデフォルトとしての表現型である雌性を呈するため，雌性の表現型（短い膣，陰唇と陰核）が認められる．

　女性の乳房が思春期に発達したのは，彼女の精巣が高レベルで循環している LH によって刺激され，テストステロンからエストラジオールに変換されたことによる．エストラジオールは乳房発達を促進する．

▶ 治療

　アンドロゲン不応症候群において，精巣は腫瘍化する可能性があるため摘除される．エストラジオールの供給源であった精巣摘除後に，女性の乳房を維持するためエストロゲン療法で治療される．しかし，卵巣と子宮がないため，将来的に子どもを授かることはできない．

器は雌性を呈し Wolff 管と Müller 管は退縮する (Box 10.1)．

● メスの表現型

　性腺に基づく雌性ではエストロゲン (estrogen) を分泌する卵巣が認められるが，卵巣は抗 Müller 管ホルモンやテストステロンを分泌しない．このようにメスでは，Wolff 管の成長と分化を刺激して体内の雄性生殖器官にするのに必要なテストステロンや，Müller 管の分化を抑制するのに必要な抗 Müller 管ホルモンを用いることができない．その結果，Müller 管は，体内の雌性生殖器（卵管，子宮，頸部，膣の上 1/3）に発達する．体内の生殖器官と同様，外部の雌性生殖器（陰核，

大陰唇，小陰唇と膣の下 2/3）の発生にはホルモンが必要ない．その一方で，これらの生殖器官が正常な大きさまで成長するためにはエストロゲンの存在が必要である．

　外性器が分化している間に，性腺上の雌性が子宮内で高レベルのアンドロゲンに曝される場合（例えば，副腎皮質によるアンドロゲンの過剰な産生によって），雄性の表現型が生じる．そのようなアンドロゲンの曝露が外陰部の分化後に認められる場合には，雌性の表現型は保持されるが，おそらく陰核腫大が生じるであろう (Box 10.2)．

528 第10章 生殖の生理学

Box 10.2 先天性副腎過形成（congenital adrenal hyperplasia）

▶ 症例

出生時に外性器形成不全を呈しており，陰茎がなく陰核の腫脹が認められた乳児．染色体検査の結果，遺伝子型がXXであることが判明し，卵巣は認められた一方で精巣は認められなかった．検査により，乳児は副腎皮質酵素である21β-ヒドロキシラーゼの先天的欠損がある副腎過形成であることが確認された．治療として，外陰部の外科再建術によって女性の表現型をもたせ，**グルココルチコイドとミネラロコルチコイド**の投与が行われ，女性として育てられた．

▶ 解説

乳児は，21β-ヒドロキシラーゼ（ステロイド前駆体をミネラロコルチコイドとコルチゾール（第9章，図9.23参照）に変換する副腎酵素）の先天性欠損を呈する．この障害の結果，ステロイド前駆体は蓄積して，副腎アンドロゲン，デヒドロエピアンドロステロンとアンドロステンジオンの産生に向けられる．アンドロゲンのレベルの高値は，陰核の腫張という外陰部の男性化を引き起こした．

遺伝子型はXX（女性型）であり，内部臓器には卵巣，卵管，子宮と膣上部が含まれ雌性である．精巣はなく，Müller管の分化を抑制するために必要な抗Müller管ホルモンの供給源がなかったため，卵管，子宮と膣上部は発達した．コルチゾールの低下が副腎皮質刺激ホルモン（ACTH）の分泌を増加させるため，副腎皮質の増殖が認められ，副腎皮質過形成につながる．

▶ 治療

外性器形成不全の外科的修復には，女性の表現型をもたせるための再建が必要になる．乳児には正常な卵巣，卵管と子宮が認められるので，思春期で正常な月経周期を開始させ，正常な生殖能力をもたせる必要がある．ホルモン補充療法には，大きく2つの目的がある：⑴低下した副腎グルココルチコイドとミネラロコルチコイドの補充．⑵副腎からのアンドロゲン産生量を減らし，さらなる男性化を防止するために，（下垂体前葉におけるグルココルチコイドの負のフィードバックによる）ACTH分泌を抑制することである．

思春期

生涯にわたるゴナドトロピン分泌

オスとメスにおいて，性腺機能は視床下部-下垂体系により**図10.2**で示すように誘導され，その活性は生涯にわたって変化する．

視床下部ホルモンの一種である**性腺刺激ホルモン（ゴナドトロピン）放出ホルモン**（gonadotropin-releasing hormone：GnRH）の分泌は妊娠4週から始まるが，そのレベルは思春期まで低いままである．**下垂体前葉ホルモン**（anterior pituitary hormone）である**卵胞刺激ホルモン**（follicle-stimulating hormone：FSH）や**黄体形成ホルモン**（luteinizing hormone：LH）の分泌は，妊娠10～12週の間に始まるが，GnRHと同様にFSHとLHの血中濃度は思春期まで低いままである．小児期では，FSH濃度はLH濃度より相対的に高い．

思春期ならびに生殖年齢期間を通じて，これらのホルモン分泌パターンは変化する：⑴GnRH，FSHとLHの分泌は増加し律動的になる．⑵FSHとLHとの相対的な濃度は逆転し，LH濃度がFSH濃度よりも高くなってくる．⑶加えて，女性においては**月経周期**（menstrual cycle）とよばれる28日間のゴナドトロピン分泌のサイクルが出現する．

最終的に，高齢期にはゴナドトロピンの分泌率はさらに増加し，小児期と同様に，FSH濃度がLH濃度より高くなる．

GnRH，FSHとLHの律動的分泌

思春期の初期に起こるイベントとしてGnRHの律動的分泌（pulsatile secretion）の開始がある．このGnRH分泌の新しいパターンは，下垂体前葉を介してFSHとLHの律動的分泌を引き起こす．思春期に認められる最も初期のイベントの1つは，急速眼球運動を伴うREM睡眠中に出現するLHの大きな夜間のパルスである．思春期の初期に認められるもう1つの重要なイベントは，下垂体前葉のGnRH受容体の感受性増加で

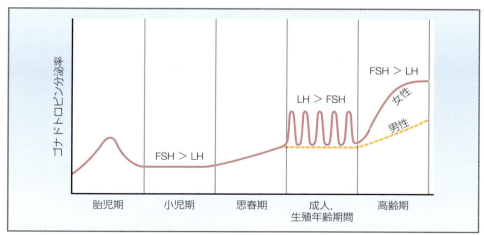

図10.2　生涯にわたる男性と女性のゴナドトロピン分泌.
FSH：卵胞刺激ホルモン，LH：黄体形成ホルモン．

ある．このように思春期になると，GnRHは下垂体前葉でGnRH自体の受容体の発現を上昇させ，GnRH濃度の変化は，より大きなFSHとLH分泌刺激となる．加えて，これら2つの下垂体前葉ホルモンの相対的な分泌率の変化が認められ，思春期や生殖期間中は，LH濃度はFSH濃度より高くなる（小児期や高齢期では，FSH濃度がLH濃度より高い）．

　FSHとLHの律動的分泌は，性腺ステロイドホルモンであるテストステロンとエストラジオールの分泌を促進する．このように，性ステロイドホルモンの血中濃度が増加すると，思春期に**第二次性徴**（secondary sex characteristic）が出現する．

　思春期の成熟過程の開始は遺伝的にプログラムされており，そこには明らかな家族性のパターンがある．例えば，**初経**（menarche）（**月経**（menstrual, menstruation）の開始）の年齢は，母娘の間で同じような時期に認められる．しかし，律動的GnRH分泌開始の機序は明らかになっていない．GnRHを合成・分泌する視床下部ニューロンの緩徐な成熟が関与している可能性がある．また，中枢神経系と栄養状態がこうした過程に影響を与えている可能性もある．例えば，女性において極度のストレスがあったり，カロリー摂取のな

い状況では，思春期の開始が遅延する．この他に，メラトニンが思春期の開始に役割を果たすことも示唆されている．松果体から分泌されるメラトニンは，GnRH分泌に対する生理的な抑制物質になりうる．メラトニン濃度は小児期の間に最も高く，成人期に低下するが，この低下がGnRH分泌抑制を解除している可能性がある．この考えを支持する知見として，松果体除去手術により思春期早発を誘導することが挙げられる．

思春期の特徴

　前述のように，思春期の生物学的イベントは視床下部-下垂体系における律動的活性の開始によって生じる．この律動的で群発的な活動により，精巣と卵巣は，第二次性徴出現の原因となるそれぞれの性ホルモンであるテストステロンとエストロゲンを分泌するようになる．GnRH欠乏に起因する晩発思春期の治療で示されるように，視床下部-下垂体系の律動性が正常な性機能発達のために必要とされる．もし（正常な律動的分泌パターンを復元するため）GnRH類似物質の間欠的投与によって治療される場合，思春期が始まり，性機能が確立される．しかし，長時間作用性GnRH類似物質が投与される場合には，思春期は始まらない．思春期のイベントとそれらのタイミ

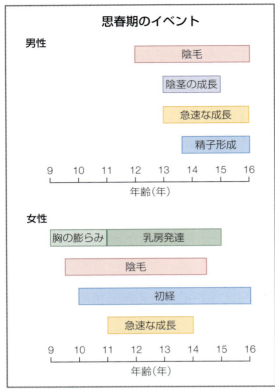

図10.3 男性と女性における思春期の主要なイベント．

ングは図10.3に示している．

男性では，思春期は視床下部-下垂体系の活性化と関係しており，精巣におけるLeydig細胞増殖やLeydig細胞によるテストステロンの合成，分泌増加を引き起こす．主として**精細管（seminiferous tubule）**数の増加による精巣の成長が認められ，前立腺のような生殖付属器官の成長を伴う．また，この時期には顕著かつ急速な成長が認められ，身長が成人レベルに達したとき骨端は閉鎖する．テストステロンの血漿濃度が増加するにつれて，髭，陰毛，腋毛が出現し，陰茎の成長，喉頭や声帯の大きさの増加による声変わり，精子形成の開始（**精通（spermarche）**）が生じる．

女性においても，思春期は視床下部-下垂体系の活性化と関係しており，それにより卵巣からのエストラジオール産生が誘導される．女性において思春期に最初に認められる徴候として胸の膨らみ（**乳房発育（thelarche）**）があり，それに引き続いて約2年後に月経周期の開始である初経が認め

られる．急速な成長と骨端閉鎖は，概して女性のほうが男性よりも早い．陰毛および腋毛（**陰毛発現（pubarche）**）は副腎アンドロゲンの分泌増加に依存しており，**アドレナーキ（adrenarche）**とよばれる．陰毛発現やアドレナーキは初経よりも先行して認められる．

男性における生殖生理

精巣の構造

男性の性腺は**精巣（testis）**であり，精子形成とテストステロンの分泌という2つの機能を有する．通常，精巣は陰嚢内に位置するが，精巣は体外側にあって35〜36℃または体温マイナス1〜2℃に維持される．正常な精子形成にとって不可欠なこの低めの体温は，精巣動脈と同静脈の対向流によって維持され，そこでは熱交換が容易になる．

成人精巣の80％は精子を産生する精細管からなる．**精細管**は直径120〜300μmの回旋状ループ構造となっており，小葉をなし，結合組織によって囲まれている．精細管の内側を覆っている上皮は3種類の細胞からなり，それらは幹細胞である精原細胞，精液になるために必要な**精母細胞（spermatocyte）**，精子の成熟過程にかかわるSertoli細胞である．

精細管の内側を覆っているSertoli細胞には，精子形成を助ける4つの重要な機能がある：(1) Sertoli細胞は，血流に乗っていない状態で分化している精子に栄養を提供する．(2) Sertoli細胞は，互いに密着結合をし，血液精巣関門とよばれている精巣と血流の間のバリアをつくっている．**血液精巣関門（blood-testes barrier）**には選択的透過性があり，テストステロンのような物質の同関門通過を容認する一方で，発育過程の精子にダメージを与えうる有害物質の通過を遮断する．(3) Sertoli細胞は，精細管腔に液体を分泌し，管腔内で精巣上体に精子を運ぶことを助ける．(4) Sertoli細胞は，発育途上の精子近くで，精細管腔にアンドロゲン結合タンパク質を分泌する．アンド

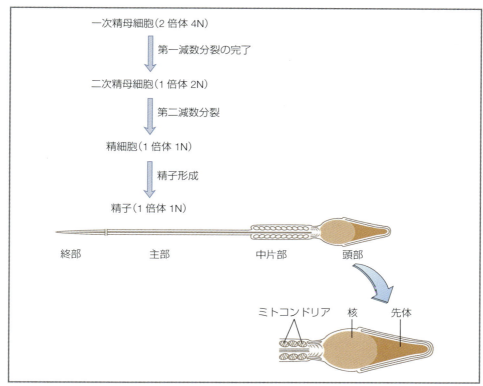

図 10.4 精子の発達と構造.

ロゲン結合タンパク質はテストステロンの局所濃度を高く保つ.

成人精巣の残り 20% は，**Leydig 細胞**が点在する結合組織である．Leydig 細胞の機能は，雄性ステロイドホルモンであるテストステロンの合成と分泌である．テストステロンは，精巣 Sertoli 細胞において精子形成を助ける局所作用（パラクリン（傍分泌））, ならびに骨格筋や前立腺など他の標的器官に対する内分泌作用を有する．

精子形成

精子形成は，思春期から高齢期まで雄性の生殖期間を通じて連続的に起こる．精子形成は精細管の長さに沿って生じるが，その過程は 3 つの相に大別される：(1) 精原細胞の**有糸分裂 (mitotic division)** により，成熟した精子になる精母細胞を生成する．(2) 精母細胞の**減数分裂 (meiotic division)** が，染色体数を減少させて精子細胞を形成する．(3) 精子細胞が，細胞質の喪失と鞭毛の発達を通して成熟した精子に変わる精子形成（図 10.4）．精子形成は，1 サイクルで**約 64 日**を必要とする．精子形成サイクルには，成熟した精子が連続的に産生される，**精子形成波 (spermatogenic wave)** とよばれる機構もある．200 万個の精原細胞は毎日この過程を経るが，各精原細胞は 64 の精子を生み出すため，結果として毎日 1 億 2,800 万個の精子が形成される．

精子の貯蔵，射精と性腺分泌機能

精子は，精巣から出た後，精子の成熟と貯蔵を担う**精巣上体**へと移る．精子は精巣上体内で数ヵ月間生存可能である．

性的刺激の間，内腔付近の平滑筋収縮によって精子が精巣上体から放出される．**射精 (ejaculation)** の際に，精子は精管を経て尿道に放出される．**精管の膨大部**は精子のもう 1 つの貯蔵場所であり，射出された精子に大切な**クエン酸塩**と**フルクトース**が豊富な液体を分泌する．

精嚢は，フルクトース，クエン酸塩，**プロスタグランジン (prostaglandin)**，フィブリノゲンが

豊富な液体を分泌する．精管が精子を射精管に移す際に，精嚢は射出された精子の栄養源となる分泌物を出す．精液に存在するプロスタグランジンは，2通りの機序で受精を支持しうる：(1)プロスタグランジンは，精子が通り抜けやすいように子宮頸管粘液と反応する．(2)プロスタグランジンは，精子の移動を推進するため雌性生殖器である子宮と卵管で蠕動性収縮を誘発する．

前立腺は，クエン酸塩，カルシウム，酵素が豊富な乳状液を分泌物として精液に加える．前立腺分泌物は弱アルカリ性であるが，それにより精管と膣からの酸性分泌物を中和し，精子運動や受精を助ける．総じて，雄性生殖腺の分泌物は精液量の90%を構成し，精子は残りの10%を構成する．

射出された精子は，すぐには卵子と受精できない．精子は，**受精能獲得（capacitation）**のために雌性生殖器内に4〜6時間いなければならない．受精能を獲得するには，精液における受精抑制因子が洗浄される過程が必要であり，コレステロールは精子膜から引っ込められ，表面タンパク質は再分布される．精子へのCa^{2+}流入は精子運動を増加させ，精子運動は鞭状になる．受精能獲得には，先体膜が精子外側膜と融合する**先体反応（acrosome reaction）**も必要である．この融合により孔ができると，加水分解およびタンパク質分解酵素が先体から離れることができ，卵子の保護被膜を突き進むための精子用の経路が形成される．

テストステロンの合成と分泌

主要な雄性ホルモンであるテストステロンは，精巣のLeydig細胞で合成・分泌される．精巣のステロイド産生経路（図10.5）は，副腎皮質（第9章，図9.23参照）経路と似ている一方で，2つの大きな差異がある：(1)精巣には酵素21β-ヒドロキシラーゼ（21β-hydroxylase）と11β-ヒドロキシラーゼ（11β-hydroxylase）がないため，グルコ（糖質）コルチコイド（glucocorticoid）やミネラロ（鉱質）コルチコイド（mineralocorticoid）を合成できない．(2)精巣にはアンドロステンジオンをテストステロンに変換するのに必要な**17β-ヒドロキシステロイドデヒドロゲナーゼ（17β-**

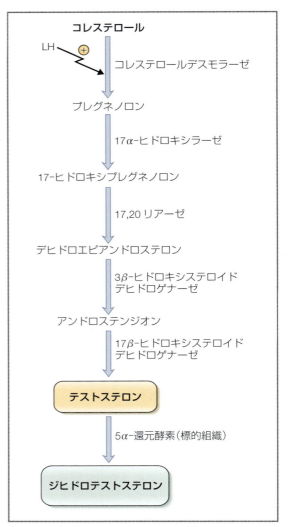

図10.5　精巣のテストステロン合成経路．
ジヒドロテストステロンは，5α-還元酵素を含む標的組織でテストステロンから合成される．LH：黄体形成ホルモン．

hydroxysteroid dehydrogenase）という酵素も存在する．このように，精巣におけるアンドロゲンの最終産物は，デヒドロエピアンドロステロン（DHEA），アンドロステンジオン（副腎皮質のアンドロゲンの最終産物）ではなく，テストステロンであるといえる．

テストステロンが，すべてのアンドロゲン標的組織に対して活性を発揮するというわけではない．いくつかの組織では，ジヒドロテストステロンが活性アンドロゲンである．それらの標的組織では，**5α-還元酵素（5α-reductase）**によってテ

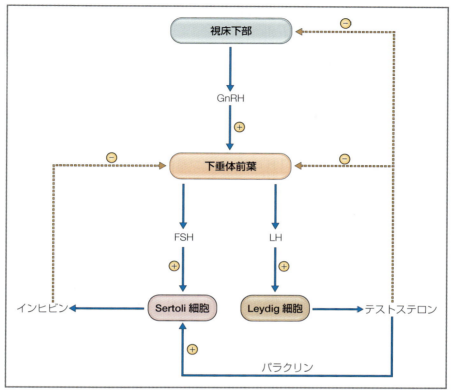

図 10.6　男性における性腺刺激ホルモン放出ホルモン（GnRH），卵胞刺激ホルモン（FSH）と黄体形成ホルモン（LH）分泌の制御．

ストステロンがジヒドロテストステロンに変換される．

体内循環しているテストステロンの 98％は，**性ホルモン結合グロブリン（sex hormone-binding globulin：SHBG）**やアルブミンなどの血漿タンパク質と結合している．未結合の遊離テストステロンだけが生物学的活性を有しており，性ホルモン結合グロブリンは基本的に循環ホルモンの貯蔵庫として機能する．性ホルモン結合グロブリンの合成自体は，エストロゲンによって刺激され，アンドロゲンによって抑制される．

精巣機能の制御

精巣における精子形成とテストステロン分泌という機能は，視床下部-下垂体系によって制御される（図 10.6）．視床下部ホルモンは GnRH であり，下垂体前葉ホルモンは FSH と LH である．

■ GnRH（性腺刺激ホルモン放出ホルモン）

GnRH は，弓状核（arcuate nucleus）にある視床下部ニューロンによって分泌されるアミノ酸数 10 個のデカペプチドである．GnRH は視床下部-下垂体門脈血中に分泌され，下垂体前葉に直接高濃度で届けられる．生殖期間全体を通して GnRH 分泌が律動的であり，下垂体前葉から FSH と LH の律動的分泌を誘導することを思い出してほしい．GnRH が連続的に投与される場合，高濃度の GnRH が GnRH 受容体発現を抑制し，それによって FSH と LH の分泌が阻害される．この原理は，LH とテストステロン分泌を阻害する目的で，前立腺がんの治療で用いられている．

■ FSH と LH

FSH と LH は，精巣を刺激してそれらの精子形成および内分泌機能を担う**下垂体前葉ホルモン**

（ゴナドトロピン（gonadotropin））である．FSH と LH は，**甲状腺刺激ホルモン（thyroid-stimu-lating hormone：TSH）とヒト絨毛性ゴナドトロピン（human chorionic gonadotropin：hCG）**を含む糖タンパク質ホルモンファミリーに属する．同ファミリーに属するすべての分子は，同一のαサブユニットを有する一方で，個々の生物活性を担う固有のβサブユニットをもつ．**FSH** は精子形成と Sertoli 細胞機能を刺激する．**LH** は**コレステロールデスモラーゼ（cholesterol desmo-lase）**の活性を増加させることによって，テストステロンを合成する Leydig 細胞を活性化する．このように，精巣における LH の機能は，副腎皮質における ACTH の機能に対応し，ステロイド産生経路の第 1 段階を刺激する．

Leydig 細胞から分泌されるテストステロンには，局所的に精巣内（パラクリン作用）で，また他の標的組織（内分泌作用）で作用する．精巣内でテストステロンは，Leydig 細胞から近傍の Sertoli 細胞まで拡散し，そこでは FSH による精子形成作用を補強する．精巣外では，テストステロンは体内循環に向けて分泌され，標的組織に到達する．

■ 負のフィードバック

雄性における視床下部-下垂体系は**負のフィードバック**によって制御され，そこには 2 つの経路がある．第 1 の経路では，**テストステロン**自体は視床下部と下垂体前葉にフィードバック作用をもたらし，GnRH と LH の分泌を阻害する．視床下部レベルで，テストステロンは GnRH パルスの頻度と振幅を減少させる．第 2 の経路では，Ser-toli 細胞が**インヒビン（inhibin）**とよばれる物質を分泌する．インヒビンは，下垂体前葉での FSH 分泌に対する抑制作用を有する糖タンパク質であり，トランスフォーミング増殖因子βスーパーファミリーに属する．このように，精子形成にかかわる Sertoli 細胞は，精巣の精子形成活動の指標として用いられる自らのフィードバック制御物質を合成する．

精巣摘出後などテストステロンの血中濃度が低下するとき，視床下部-下垂体系の負のフィードバック制御がみえてくる．そのような状態のもと

で，視床下部と下垂体前葉においてテストステロンによるフィードバック阻害が減弱することにより，GnRH，FSH，LH パルスの頻度と振幅は増加する．

アンドロゲンの作用

体内を循環するテストステロンの大半はタンパク質に結合している．そのうちの 45% が**性ホルモン結合グロブリン（SHBG）**に結合し，残りは血清アルブミンに結合している．体内を循環する非常にわずかなテストステロンが遊離型として存在し，標的組織に作用する．

いくつかの標的組織では，テストステロンは活性型の男性ホルモンである．それ以外の標的組織では，テストステロンは **5α-還元酵素**の作用によって，ジヒドロテストステロンに活性化されなければならない（Box 10.3）．**表 10.1** に，テストステロンとジヒドロテストステロンの標的組織と特異的作用のまとめを示す．

- **テストステロンは**，胎児期における体内の雄性生殖器（精巣上体，精管，精囊など）の分化に重要な役割を果たす．思春期になると，テストステロンは筋肉量増加，思春期の急速な成長，骨端の閉鎖，陰茎や精囊の成長，声変わり，精子形成，性欲の要因となる．また，先述の通り，テストステロンは下垂体前葉と視床下部に対して負のフィードバック作用を有する．

- **ジヒドロテストステロンは**，胎児期における外部の雄性生殖器（陰茎，陰囊，前立腺）の分化，男性における毛髪分布や脱毛症，皮脂腺刺激，前立腺の発達に重要な役割を果たす．

フィナステリド（finasteride）のような **5α-還元酵素抑制薬（5α-reductase inhibitor）**は，テストステロンからジヒドロテストステロンへの変換を阻害し，いくつかの標的組織で活性アンドロゲンの産生を抑制する．前立腺の発達や男性型脱毛症がテストステロンよりもジヒドロテストステロンに依存するため，5α-還元酵素抑制薬が**良性の前立腺肥大や男性型脱毛症**に対する治療薬として用いられる．

アンドロゲンの**作用機序**は，標的組織や標的細胞でテストステロンまたはジヒドロテストステロ

男性における生殖生理　535

Box 10.3　5α-還元酵素欠損症（5α-reductase deficiency）

▶ 症例

　13歳の少女．出生時に陰核肥大様の所見が認められたが，両親も医師も特に異常を疑わなかった．現在，周囲の友人は乳房の発達が認められ，月経が始まっているのに対して，彼女はこれらの変化のいずれも経験していない．実際に，彼女の声は低くなっており，男性のように筋骨ともにたくましくなり，陰核肥大はより顕著になっている．本症例は5α-還元酵素欠損症に起因する男性仮性半陰陽と診断される．身体診察では，卵巣や子宮がなく，腟盲嚢，小さな前立腺，陰茎，下降した精巣と尿道下裂（陰茎下側に尿道口）を呈する．また，男性型の筋肉を有する反面，体毛，髭，ざ瘡（にきび）が認められない．遺伝子型は46,XYとして確認され，血液検査では，テストステロンの高値～正常値とジヒドロテストステロンの低値を示した．外陰部皮膚からの線維芽細胞には5α-還元酵素活性が認められなかった．

▶ 解説

　本症例は，精巣が認められる一方で卵巣を有しておらず，遺伝子型では男性である．彼女の精巣はテストステロンを分泌するが，5α-還元酵素がない状態である．健常男性において，いくつかのアンドロゲンの標的組織では5α-還元酵素が認められ，そこではテストステロンがジヒドロテストステロンに変換される．それらの組織では，ジヒドロテストステロンが活性アンドロゲンである．ジヒドロテストステロンを介した男性化作用として，雄性の外生殖器，毛嚢の刺激，男性脱毛症，脂腺の活動性と前立腺の成長・分化が挙げられる．健常男性におけるそれ以外のアンドロゲンの標的組織では，5α-還元酵素がないため，ジヒドロテストステロンを合成できず，テストステロンが活性を担う．テストステロンに直接反応する男性化作用として，雄性生殖器官（精巣上体，精管，精嚢）の分化，筋量増加，思春期の急速な成長，陰茎の成長，声変わり，精子形成と性欲などが挙げられる．

　男性の遺伝子型（46,XY）であることやY染色体の存在により，彼女には精巣が認められると確定した．出生前に，精巣は抗Müller管ホルモンとテストステロンを合成した．抗Müller管ホルモンは

Müller管が雌性生殖器に発達するのを抑制し，その結果として彼女には卵管，子宮，腟の上1/3が認められなかった．テストステロンは，Wolff管を内部の雄性生殖器官（精巣上体，精管，精嚢）へと分化させた．これらの器官形成にはジヒドロテストステロンが必要ではなく，5α-還元酵素が欠損している場合であっても分化に至る．しかし，外部の雄性生殖器（陰茎，陰嚢など）の分化にはジヒドロテストステロンが必要となる．したがって，5α-還元酵素欠損症であれば，彼女の外陰部が正常に発達しないことを意味する．思春期には，テストステロンの高い血中濃度により陰核は陰茎のように成長した．十分に高い血中濃度によって，外陰部の成長に関与するアンドロゲン受容体は明らかに活性化される．また　彼女の声は低くなり骨格筋量増加（テストステロンによって制御され，ジヒドロテストステロンへの転換を必要としない作用）を呈した．多くの男性的な特徴を獲得した一方で，毛嚢がジヒドロテストステロンを必要とするため，彼女には体毛や髭が生じなかった．また，乳房発達のために必要とされるエストロゲンの供給源である卵巣が認められなかったので，彼女には乳房が認められなかった．

▶ 治療

　この少女が女性として生きることを選択する場合，陰茎の成長，声変わり，筋量増加など男性化にかかわるテストステロンを産生している精巣を摘出することが必要になる．また，卵巣をもたないため，乳房発育と女性特有の脂肪分布に必要な内因性エストロゲンがない．したがって，彼女にはエストロゲン補充療法が必要となる．また，腟入口部の外科的再建を選択する可能性がある一方で，卵巣と体内の雌性生殖器がないため，手術を行っても子どもを授かることはできない．彼女が男性として残りの人生を送ることを選択する場合，5α-還元酵素を必要としないアンドロゲン化合物を用いた治療を受けることになる．アンドロゲン補充療法により，男性の体格と髪や髭の発生，皮脂腺刺激，前立腺の成長，晩年には男性脱毛症を含む男性化が起きる．

536 第10章 生殖の生理学

表10.1 アンドロゲンの標的組織における作用.

テストステロンによる制御	ジヒドロテストステロンによる制御
精巣上体，精管，精嚢の分化	陰茎，陰嚢と前立腺の発達
筋量増加	男性の毛髪パターン
思春期の急速な成長	男性脱毛症
急速成長の終止（骨端閉鎖）	皮脂腺刺激
陰茎と精嚢の発達	前立腺の成長
声変わり	
精子産生	
下垂体前葉に対する負のフィードバック	
性欲	

ンがアンドロゲン受容体タンパク質に結合することから始まる．その後，アンドロゲン受容体複合体は核内へ移動し，遺伝子転写を開始する．新しいメッセンジャー RNA（mRNA）が生み出され，アンドロゲンのさまざまな生理的作用を担うタンパク質に変換される．

女性における生殖生理

雌性生殖腺として**卵巣**が知られており，卵巣は子宮や卵管とともに雌性の生殖器を構成する．雄性における精巣と同様に，卵巣には2つの機能がある．卵子形成と，雌性ステロイドホルモンであるプロゲステロンとエストロゲンの分泌である．成人の卵巣は靭帯によって子宮に付着し，これらの靭帯の中を卵巣動脈，静脈，リンパ管，神経が走行する．

卵巣は3つの領域に大別される．**皮質**は，外側にある最大の領域である．それは胚上皮によって区切られ，卵胞に入ったすべての**卵母細胞**を含む．卵胞はステロイドホルモン合成も行う．**髄質**は中間帯で，種々の細胞型が混在している．**卵巣門**（hilum）は内層であり，血管とリンパ管が通っている．

卵巣のステロイドホルモンには，パラクリン作用と内分泌作用がある．卵巣のステロイドホルモンは，局所的に卵巣内で卵子の発達に関与する．全身的に卵巣のステロイドホルモンは，子宮，乳房，骨を含む種々の標的組織に作用する．

卵巣の機能単位は**単一卵胞**（single ovarian follicle）であり，内分泌細胞に囲まれた1個の胚細胞からなる．卵胞は十分に発達した際に，次の重要な役割を担う：(1)発育過程の卵母細胞に栄養分を提供する．(2)適切な時期に卵母細胞を放出する（排卵）．(3)膣と卵管について，精子が卵子に受精できるようにする．(4)子宮内膜を**受精卵**（fertilized ovum）が**着床**（implantation）できるようにする．(5)受精の際に胎盤が役割を果たせるようになるまでの間，胎児のためにステロイドホルモン産生を維持する．

卵子形成

発育過程の卵巣において，始原生殖細胞は妊娠第20～24週まで有糸分裂によって卵祖細胞を生み出す．その際，約700万個の**卵祖細胞**がある．妊娠第8～9週から，これらの卵祖細胞の一部は減数分裂前期に入り**一次卵母細胞**（primary oocyte）になる．減数分裂の過程は生後約6ヵ月まで続き，その段階では，すべての卵祖細胞は卵母細胞になり卵母細胞は前期に留まる．排卵が何年後かに起こるまで第一減数分裂は完了しない．同時に，卵母細胞の自然減少が認められる．出生時，200万個の卵母細胞があるのに対し，思春期までに40万個しか残らなくなる．生殖期の終わりを示す閉経期には，ごくわずかな卵母細胞しか残らない．オスが精原細胞と精母細胞を継続的に形成するのに対して，メスは新しい卵祖細胞を，減少していく卵母細胞の貯蔵庫から作り出すことはない．

卵胞の発生は，**図10.7**にも示されている．以下のようなステップで起こる．

1. **第1期**．卵胞発生の初期は，卵母細胞の前期に対応する．そして，卵胞の第1期は長年続く．第1期として最短期間は約13年（最初の排卵が生じる年齢）であり，最長期間は50年（閉経期相当の年齢）である．一次卵母細胞が成長するにつれて，顆粒膜細胞は増殖し，栄養分とステロイドホルモンによって卵母細胞を育てる．このステップの間，原始卵胞は**一次卵胞**（primary follicle）に発達するとともに内卵胞膜細胞も発達し，顆粒膜細胞は液体を分泌し始め

女性における生殖生理　537

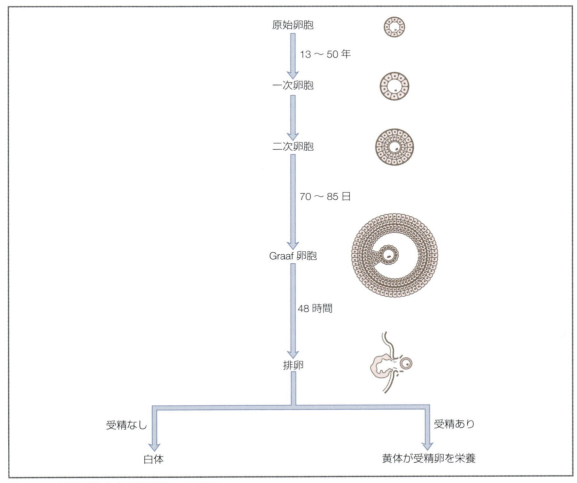

図10.7　原始卵胞から卵母細胞への発達.
受精が起こる場合，黄体はステロイドホルモンを分泌して発育過程の受精卵を支える．受精が起こらない場合，黄体は消失し白体になる．

る．思春期前の卵巣で卵胞が第1期を越えることはない．

2. **第2期**．卵胞発生の第2期は，第1期より非常に急速に起こる．このステップは70～85日間認められ，生殖期の間にだけ存在する．各月経周期の間に数個の卵胞が，このステップに入る．ステロイドホルモン，ムコ多糖類，タンパク質とFSHを含んでいる液体は，卵胞腔とよばれる卵胞の中心領域に蓄積する．ステロイドホルモンは，顆粒膜細胞からの直接的な分泌によって卵胞腔に達する．顆粒膜細胞と卵胞膜細胞は成長し続け，また第2期終盤には，卵胞はGraaf（グラーフ）卵胞（Graafian folli-cle）とよばれ，平均2～5mmの直径をもつようになる．

3. **第3期**．卵胞発生の第3かつ最終のステップは，月経（月経は以前の月経周期の終わりを示す）の5～7日後に最も急速に認められる．単一のGraaf卵胞は，その周りの卵胞群に対して優位性を獲得するとともに，周りの卵胞群は消失する．48時間以内に**主席卵胞（dominant follicle）**は直径20mmに増大する．28日間の月経周期の14日目に**排卵**は起こり，その際，主席卵胞は破裂して，腹膜腔にその卵母細胞を放出する．このときに第一減数分裂が完了し，結果として生じる二次卵母細胞は近くの卵管

に入り、第二減数分裂を開始する．卵管において精子による受精が起こる場合、第二減数分裂は完了し、23本の染色体を有する卵子が生じる．

一次卵胞が破裂した際の残留成分によって**黄体 (corpus luteum)** は形成される．黄体は主に顆粒膜細胞からなり、それ以外にも卵胞膜細胞、毛細管、線維芽細胞から構成される．黄体は、着床と受精卵の維持に必要なステロイドホルモンを合成・分泌する．受精が起きた場合、胎盤が妊娠後期にこの役割を引き受けるまで、黄体はステロイドホルモンを分泌し続ける．受精が起こらない場合、黄体は次の14日（月経周期の後半）の間に消退して、**白体 (corpus albicans)** とよばれる瘢痕に置き換えられる．

エストロゲンおよびプロゲステロンの合成と分泌

卵巣由来のステロイドホルモン（プロゲステロンと17β-エストラジオール）は、**顆粒膜細胞**と**卵胞膜細胞**の協調により卵胞で合成される（図10.8）．生合成経路における全過程は、副腎皮質や精巣の箇所でこれまでに論じた内容と同様である．副腎皮質がアンドロステンジオンのレベルまですべての中間体を産生すること、その一方で、17β-ヒドロキシステロイドデヒドロゲナーゼがないためテストステロンを産生できないこと、また、17β-ヒドロキシステロイドデヒドロゲナーゼを有する精巣がテストステロンを産生することを思い出してほしい．卵巣には、生合成に必要な全過程が、**アロマターゼ (aromatase)**（テストステロンを主要な卵胞ホルモンである17β-エストラジオールに変換する）を含めて存在する．

プロゲステロンと17β-エストラジオールは、以下の順序で合成される．**卵胞膜細胞**はプロゲステロンを合成して分泌する．卵胞膜細胞はアンドロステンジオンも合成する．このアンドロステンジオンは、卵胞膜細胞から17β-ヒドロキシステロイドデヒドロゲナーゼとアロマターゼを有する近傍の顆粒膜細胞まで拡散する．**顆粒膜細胞**では、アンドロステンジオンはテストステロンに変換され、テストステロンは17β-エストラジオー

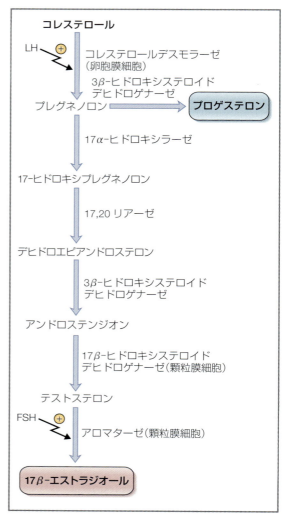

図10.8 プロゲステロンの生合成経路と卵巣における17β-エストラジオール．
黄体形成ホルモン (LH) は、卵胞膜細胞でコレステロールデスモラーゼを刺激する．卵胞刺激ホルモン (FSH) は、顆粒膜細胞でアロマターゼを活性化する．

ルに変換される．FSHとLHは、これらの合成過程をそれぞれ刺激する．LHは生合成経路の第1段階として、精巣でのLHの役割と同様に、卵胞膜細胞におけるコレステロールデスモラーゼを活性化する．FSHは顆粒膜細胞において、17β-エストラジオール合成における最終過程に必要なアロマターゼを活性化する．

卵巣機能の制御

前述の通り、卵巣には卵子形成と雌性ステロイ

ドホルモンの分泌という2つの機能がある。この両機能は、視床下部-下垂体系によって制御される。精巣と同様に、視床下部ホルモンはGnRHであり、下垂体前葉ホルモンはFSHとLHである。

■ GnRH

雄性における精巣機能のように、雌性における卵巣機能は、視床下部-下垂体系の**律動的**活動によって制御される。GnRHは高濃度で直接下垂体前葉に到達し、またFSHとLHの律動的分泌を促進する。FSHとLHは卵胞発生と排卵を促進し、雌性ステロイドホルモンの合成を刺激するために卵巣に作用する。

■ FSHとLH

卵巣に対する視床下部-下垂体系の制御を理解するうえで、周期的変動を理解することが必要である。卵胞形成、**排卵**、**黄体**形成と変性といった一連の事象は28日ごとの月経周期に繰り返される。月経周期の最初の14日は卵胞形成を含み、**卵胞期**（follicular phase）とよばれている。月経周期の最後の14日は黄体によって制御され、**黄体期**（luteal phase）とよばれている。月経周期の中間点として、卵胞期と黄体期との間に**排卵**が起こる。

卵胞形成や排卵に対するFSHとLHの作用は、以下のように説明される。

● FSH

顆粒膜細胞は、FSH受容体を発現する、卵巣で唯一の細胞である。FSHの最初の作用は、一次卵胞で顆粒膜細胞の成長を刺激して、エストラジオール合成を刺激することである。それから、局所的に産生されたエストラジオールは、FSHの卵胞細胞に対する栄養効果を支える。このように、FSHの顆粒膜細胞に対する2つの作用は相互に補強し合っており、より多くの細胞、より多くのエストラジオール、さらにより多くの細胞がもたらされる。

● LH

排卵はLHによって始まる。血中LH濃度は、排卵直前に急上昇して、主席卵胞の破裂を誘発した後、卵母細胞を放出する。LHは、黄体化とよ

ばれる黄体形成も刺激し、月経周期の黄体期の間に、黄体によるステロイドホルモン産生状態も維持する。

■ 負および正のフィードバック

女性では、月経周期の状態によって、視床下部-下垂体系が**負および正のフィードバックの両方**を受ける（**図10.9**）。

- 月経周期の**卵胞期**には、FSHとLHは卵胞細胞によってエストラジオールの合成と分泌を促進する。エストラジオールの1つの作用は、視床下部におけるGnRH分泌と、下垂体前葉におけるFSH、LH分泌に対する負のフィードバックである。このように卵胞期の視床下部-下垂体系は、エストラジオールによる負のフィードバック制御を受ける。

- 月経周期の**中間期**において、フィードバックのパターンは変化する。エストラジオールのレベルは、卵胞期に起こった卵胞細胞の増加とエストラジオール合成刺激の結果、急上昇する。エストラジオールが正常値上限（血漿1mL中少なくとも200pg（ピコグラム））に達すると、エストラジオールは視床下部におけるGnRH分泌、ならびに下垂体前葉でGnRH受容体発現を増やすことにより、GnRHに対する反応性を高め、FSH・LH分泌に正のフィードバック作用を及ぼし、その結果、FSHとLHのさらなる分泌を引き起こす。また、下垂体前葉における**FSH・LHサージ**とよばれる急峻なホルモン分泌は、成熟した卵母細胞の排卵を誘発する。

- 月経周期の**黄体期**では、卵巣における主要な分泌ホルモンとして**プロゲステロン**が挙げられる。プロゲステロンの作用の1つは、視床下部におけるGnRH分泌と、下垂体前葉におけるFSH・LH分泌に対する負のフィードバックである。このように、黄体期の視床下部-下垂体系では、プロゲステロンによる負のフィードバック作用の影響を受ける。

- **インヒビン**と**アクチビン**（activin）は、ともに糖タンパク質であり、トランスフォーミング増殖因子βスーパーファミリーに属し、卵巣の顆粒膜細胞によって産生される。インヒビンは、

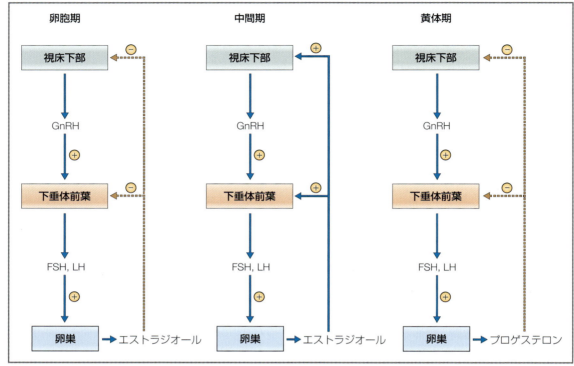

図10.9　月経周期中の卵胞刺激ホルモン(FSH)と黄体形成ホルモン(LH)分泌の制御.
卵胞期，黄体期には，それぞれエストラジオールとプロゲステロンによる下垂体前葉に対する負のフィードバックによって制御される．周期中は，下垂体前葉に対してエストラジオールの正のフィードバックによって制御される．GnRH：性腺刺激ホルモン放出ホルモン.

男性における作用と同様に，下垂体前葉からのFSH分泌を抑制する．アクチビンはFSH分泌を増大させ，卵胞形成を促進する．

エストロゲンとプロゲステロンの作用

エストロゲンとプロゲステロンの生理的作用を表10.2，10.3に要約した．通常は，この2つの卵巣由来のステロイドホルモンは，卵子の発達や受精卵を支える黄体形成，妊娠(pregnancy)，乳汁分泌のための乳房作用など，メスの生殖能を協調的に制御する．

通常，エストロゲンとプロゲステロンは，雌性生殖器において互いの動きを補足するか強め合う．その一方で，時として両ホルモンは互いの動きを拮抗するか制御することもある．月経周期の中で，卵巣によるエストロゲン分泌はプロゲステロン分泌に先行し，プロゲステロンに反応するた

表10.2　エストロゲンの標的組織における作用.

子宮，卵管，子宮頸部，膣の成熟と機能維持
思春期における雌性第二次性徴の発達
乳房の発達
卵巣の顆粒膜細胞の増殖，分化
エストロゲン，プロゲステロン，LH受容体の発現上昇
FSH，LH分泌に対する負あるいは正のフィードバック
妊娠の維持
子宮における収縮閾値低下
プロラクチン分泌刺激
プロラクチンによる乳腺作用の抑制
LDLコレステロールの低下
骨粗鬆症の防止

FSH：卵胞刺激ホルモン，LDL：低比重リポタンパク質，LH：黄体形成ホルモン．

表10.3　プロゲステロンの標的組織における作用.

黄体期における子宮からの分泌作用維持
乳房の発達
FSHとLH分泌に対する負のフィードバック
妊娠の維持
妊娠中の子宮における収縮閾値上昇

FSH：卵胞刺激ホルモン，LH：黄体形成ホルモン．

めの標的組織を準備する．この準備の例は，いくつかの標的組織において，"エストロゲンによるプロゲステロン受容体の発現上昇"という形で示される．エストロゲンとそれによるプロゲステロン制御作用がなければ，プロゲステロンはほとんど生物活性をもつことはない．その逆に，プロゲステロンはいくつかの標的組織でエストロゲン受容体の発現を低下させ，エストロゲンに対する標的組織での反応性を低下させる．

■ 雌性生殖器官の発達

思春期になると，FSHとLHの律動的分泌によって刺激を受けた卵巣はエストロゲンを分泌し始める．また，エストロゲンは子宮，卵管，子宮頸部，膣など，雌性生殖器官の成長と発達を促進する．プロゲステロンは，これらの組織でも活性を有し，通常それらの分泌活性を増加させる．このように，**子宮**においてエストロゲンは細胞増殖，細胞分化と収縮性増加をもたらし，プロゲステロンは分泌活性を増加させて収縮性低下をもたらす．**卵管**においてエストロゲンは線毛運動と収縮性を高め，子宮のほうへ精子が移動するのを手伝う．プロゲステロンは分泌活性を増加させて，収縮性を低下させる．**膣**においては，エストロゲンが上皮細胞増殖を刺激する一方で，プロゲステロンは分化を刺激するものの上皮細胞増殖を抑制する．

■ 月経周期

月経周期にわたって，エストロゲンとプロゲステロンは子宮内膜，子宮頸部，膣の変化に関与するとともに，下垂体前葉でのFSH，LH分泌のフィードバック制御にも作用する．

典型的な28日の周期に基づけば，月経周期の**卵胞期**は，排卵前の14日間である．**増殖期**（proliferative phase）ともよばれるこの期間はエストロゲンによって制御される．17β-エストラジオールの分泌は同期間内に著しく増加し，受精卵の受け入れに備えるため，子宮内膜に大きな影響を及ぼす．エストラジオールは子宮内膜の発達，子宮腺や子宮内膜間質の発達，**らせん動脈**（spiral artery）の伸長を刺激する．エストラジ

オールは頸管粘液を増加させ，その水様性や弾力性を増やす．ガラス標本に広げられるとき，卵胞期からの頸管粘液は"羊歯様現象"（ferning）として知られるパターンを示すが，頸管粘液のこの特徴は生理的に重要であり，水様性の粘液で通路ができ，子宮頸部を精子が通過できるようにする．

月経周期28日間のうち，**黄体期**は排卵後の14日間である．この期間は**分泌期**（secretory phase）ともよばれていて，プロゲステロンによって制御される．子宮内膜の増殖は低下し，厚みが減少する．子宮腺はより曲がりくねって，空胞でグリコーゲンを蓄積し粘液分泌物を増加させる．子宮内膜間質は浮腫状になり，らせん動脈はさらに伸びて巻きつけられる．また，プロゲステロン分泌は頸管粘液量を減少させるため，厚く弾性のない状態となり，ガラス標本の上で"羊歯様"変化を示さない．なぜなら，受精の可能性がなくなり，頸管粘液中に精子が入り込む必要はなくなるからである．

■ 乳房

乳房の発達は，エストロゲンに完全に依存している．乳房や乳腺は小葉からなり，小葉は乳汁を分泌している上皮によって内側を覆われる．小さい管は収束して，より大きな管になり乳頭に流入する．これらの腺構造は脂肪組織の中に形成される．思春期になると，エストロゲン分泌の影響により小葉が成長し，乳頭付近の領域は増大する．エストロゲンは脂肪組織の量も増加させ，乳房を女性特有の形にする．プロゲステロンは乳管で分泌活性を刺激することにより，エストロゲンとの協調的作用を担う．

■ 妊娠

エストロゲンとプロゲステロンの血中濃度は妊娠中に最も高くなり，妊娠初期には黄体で，妊娠中期から後期にかけては胎盤で産生される．エストロゲンとプロゲステロンは，妊娠中では複数の役割を有している．エストロゲンは，子宮筋，乳房における乳管の発達，プロラクチン（prolactin）分泌と外陰部の腫張，成長を刺激する．プロゲステロンは子宮の子宮内膜を維持し，子宮の収縮を

起こす(細胞膜電位の)閾値を引き上げる. このように, 胎児を出産するまでの間, 妊娠状態を持続させる.

■ エストロゲンとプロゲステロンの他の作用

これまでにみてきた作用に加えて, エストロゲンは思春期の急速な成長, その成長の終盤に骨端閉鎖と皮下脂肪(つまり女性の脂肪分布)の蓄積といった作用を有する. プロゲステロンには穏やかな発熱作用があり, 月経周期の黄体期に基礎体温を上昇させる. こうした黄体期の基礎体温の上昇を確認することがリズム避妊法の基礎であり, 体温上昇から排卵日を推定する際に用いられる.

月経周期と生理現象

月経周期は, 女性にとって思春期から閉経期までの生殖期間のうち, 約28日ごとに繰り返される. そこでは卵胞と卵母細胞の発生, 排卵, 受精卵を受け入れるための生殖器官の準備が含まれ, 受精が成立しない場合には子宮内膜の剥離を伴う. 月経周期長は21〜35日の間を変化する一方で, 平均的には28日間である. 月経周期長の変動は卵胞期の長さの変動に起因し, 黄体期は一定である. 28日間の月経周期に生じるホルモン動態や作用は図10.10に示しており, 以下のステップで説明する. ここでは月経開始日を0日目とする.

1. **卵胞期**または**増殖期**. 卵胞期は0〜14日目までの間, 認められる. この期間中, 原始卵胞はGraaf卵胞に発達し, 隣接した卵胞は閉鎖卵胞となり変性, 消失する. 隣接した卵胞が退化した後, 残った卵胞は**主席卵胞**とよばれる. 卵胞期のはじめに, FSHとLHの受容体は卵巣の卵胞膜細胞(莢膜細胞)と顆粒膜細胞で発現上昇が認められ, ゴナドトロピンはエストラジオールの合成を刺激する. 卵胞期は**17β-エストラジオール**によって支配され, 着実にその血中濃度も増加する. エストラジオールのレベルが高いと子宮内膜増殖を引き起こすとともに, 負のフィードバックによって, 視床下部からのGnRH分泌や下垂体前葉からのFSHとLH分泌

を抑制する(図10.9参照).

2. **排卵**. 排卵は月経周期28日間の14日目に生じる. 周期長に関係なく, 排卵は月経の約14日前に起こる. 例えば35日の周期であれば, 排卵は21日目または月経の14日前に起こり, 24日の周期の場合には排卵は10日目に生じる. 排卵は, 卵胞期の終わりにエストラジオール分泌の後に起こる. エストラジオールの急激な増加は, 視床下部からのGnRH分泌と, FSH・LHサージとよばれる下垂体前葉によるFSHとLH分泌に正のフィードバック作用を及ぼす. また, **FSH・LHサージ**によって成熟卵の排卵が起きる. 排卵で, 頸管粘液量が増加し, 精子の侵入・通過が起こりやすくなる. エストラジオールの濃度は排卵直後に減少する一方で, その濃度は黄体期に再び増加する.

3. **黄体期**または**分泌期**. 黄体期は14〜28日の間に認められ, 月経開始とともに終わる. 黄体期には, 黄体は発達してエストラジオールとプロゲステロンを合成し始める. この期間の高濃度**プロゲステロン**は, 子宮内膜の分泌活動を刺激し, 子宮での血管新生を促す. このように, 卵胞期にはエストラジオール作用により子宮内膜は増殖し, 黄体期にはプロゲステロン作用により, 受精卵を受けるための子宮内膜の準備が行われる. プロゲステロンは視床下部による設定体温を上昇させるため, 基礎体温が黄体期に上昇する. 頸管粘液は減少傾向となり内容も濃くなり, この時期には精液が卵子と受精するには遅すぎる状況となる. 黄体期の後半に受精が起こらなかった場合, 黄体は消失する. この退行により, 黄体からのエストラジオールとプロゲステロンの供給源は失われることになり, これらのホルモンの血中濃度は急に減少する.

4. **月経**. 黄体の退行と, それに伴うエストラジオールおよびプロゲステロンの突然の低下は, 月経, 生理出血の要因である子宮内膜剥離を引き起こす. 概して月経は4〜5日間続き, 0〜4, 5日目までの間が次の月経周期に対応する. この間に, 次の周期の原始卵胞が生じて発達し始めるようになる.

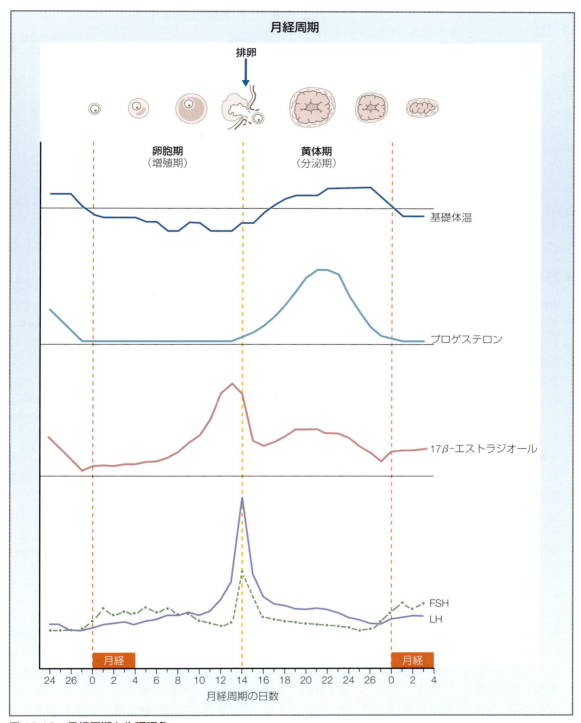

図10.10　月経周期と生理現象.
月経周期の日は，前回月経周期の開始から計数される．排卵は28日のサイクルの14日目に生じる．FSH：卵胞刺激ホルモン，LH：黄体形成ホルモン．

妊娠

卵子が精子によって受精する場合，受精卵は分裂し，胎児になる．胎児の成長段階は妊娠（pregnancy, gestation）とよばれ，ヒトの場合約40週間続く．

妊娠中に，エストロゲンとプロゲステロンの血中濃度は着実に増加する．これらのホルモンの機能として，子宮内膜の保持，分娩後の乳汁分泌のための乳房発達と新たな卵胞発生の抑制が挙げられる．妊娠初期（第1三半期）には，ステロイドホルモンの供給源は黄体であるが，妊娠中期から後期（第2，3三半期）では胎盤が供給源となる．

■ 妊娠初期に起きる現象

妊娠初期に起きる現象を**表10.4**にまとめる．タイムテーブルは排卵後の日数に基づいており，以下の各ステップを含む．

1. **膨大部（ampulla）**とよばれている卵管の末端部分において，卵子の**受精（fertilization）**は排卵の24時間以内に起こる．精子が卵子に到達すると第二極体が放出され，受精卵は分裂を始める．排卵4日後に，約100個の細胞からなる受精卵（**胚盤胞（blastocyst）**）が子宮に到着する．

2. **着床**．胚盤胞は子宮腔で1日浮遊した後，排卵5日後に子宮内膜に着床する．受精卵に対する子宮内膜の感受性は，**エストロゲン／プロゲステロン血中濃度比**が低いほど大きく，黄体からのプロゲステロン分泌が最大となる時期に高まる．着床時には，胚盤胞はやがて胎児になる内細胞塊と，**栄養膜（trophoblast）**とよばれる外縁の細胞からなる．栄養膜は子宮内膜に侵入して，母体側の膜に付着する．このように，栄養膜によって胎盤上での胎児の位置が決まる．着床の際に，プロゲステロンによる刺激のもとで，子宮内膜は**脱落膜細胞（decidual cell）**からなる層へと分化し，結果的に脱落膜は受胎産物全体を包みこむ．栄養膜細胞の増殖により，胚盤胞が子宮内膜の中へと透過できるように作用する**栄養膜合胞体層（syncytiotrophoblast）**を形成する．

表10.4 妊娠初期のイベント．

イベント	排卵後の日数
排卵	0日
受精	1日
胚盤胞が子宮腔へ入る	4日
着床	5日
栄養膜の形成と子宮内膜への付着	6日
栄養膜からhCG分泌開始	8日
hCGによる黄体の維持	10日

hCG：ヒト絨毛性ゴナドトロピン．

3. **hCGの分泌と黄体の保持**．やがて胎盤になる栄養膜は，排卵約8日後にhCGを分泌し始める．hCGはLHと類似した生物活性を有し，受精が起こったことを黄体に知らせるという決定的な役割を担う．その際，黄体はhCGの制御下で，着床のために子宮内膜を維持するのに必要なプロゲステロンとエストロゲンを合成し続ける．換言すれば，栄養膜（胎盤）からのhCGは，黄体が退行しないように保持する．受精とhCGによる刺激がない場合には，黄体は排卵12日後に消失し，ステロイドホルモンの産生が止まり月経が起きる．高濃度のエストロゲンとプロゲステロンは，次の周期の卵胞の発達を抑制する．

hCGの産生は，妊娠の最初の数週間に劇的に増加する．**妊娠試験（pregnancy test）**は，尿へのhCGの大量排出に基づいており，hCGは排卵9日後に母体の尿で検出可能である．

■ 妊娠関連ホルモン

妊娠期間は，慣例により最終月経の日付から計算される．妊娠は，最終月経の開始から約40週間，または最後の排卵日から38週間続き，3つの三半期に分けられ，各三半期は約13週からなる．妊娠中のホルモン血中濃度を**図10.11**に示す．

● 第1三半期

hCGは，受精約8日後に栄養膜から産生される．前述の通り，hCGは黄体を退行しないように保持し，LH同様の作用により，プロゲステロンと

女性における生殖生理　545

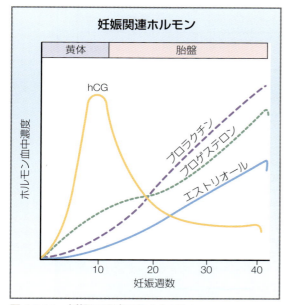

図10.11　妊娠に関連するホルモン．
妊娠週数は，最終月経の開始から数えられる．
hCG：ヒト絨毛性ゴナドトロピン．

エストロゲンの黄体からの産生を促進する．hCG レベルは妊娠約 9 週に最大で，その後低下する．hCG が妊娠期間に産生され続ける一方で，第 1 三半期を越えた時期での機能は不明である．

● 第 2，第 3 三半期

　第 2，第 3 三半期に，胎盤は母体と胎児との協力によりステロイドホルモンの産生を司る．プロゲステロンとエストロゲンの合成経路は図10.12 に示す．

　プロゲステロンは，以下の通りに胎盤から産生される．コレステロール(cholesterol)は母体循環から胎盤に入る．胎盤でコレステロールはプレグネノロン(pregnenolone)に変わり，さらにプロゲステロンへと変わる．

　妊娠中にエストロゲンの役割を果たすエストリオール(estriol)は，母親と胎盤の相互作用を通じて産生される．その際重要なことは，その産生には胎児が必要となることである．コレステロールは母体循環から胎盤に供給されて，胎盤でプレグネノロンに変わる．その後，プレグネノロンは胎児血中を通じて，胎児の副腎皮質でデヒドロエピアンドロステロン(DHEA)-硫酸塩(dehydroepi-androsterone(DHEA)-sulfate)に変わる．DHEA-硫酸塩は，胎生期の肝臓で 16-OH DHEA-硫酸塩に水酸化され，16-OH DHEA-硫酸塩は胎盤へと戻るが，胎盤ではスルファターゼが硫酸塩を除去し，アロマターゼによってエストリオールに変換される．

　胎盤は，ペプチドホルモンであるヒト胎盤性乳腺刺激ホルモン(human placental lactogen：hPL)も産生する．hPL は構造的に，成長ホルモンとプロラクチンに類似する．hPL は，グルコース(ブドウ糖)から脂肪酸やケトン体に変換することにより，胎児胎盤ユニットでエネルギー消費を調整する役割を担う．胎児は脂肪酸やケトン体をエネルギー源として使い，早期新生児期の栄養源として蓄える．

■ 出産

　出産(parturition)(胎児娩出)は，最終月経の約 40 週後に起こる．出産のメカニズムとしてエストロゲン，プロゲステロン，コルチゾール，オキシトシン(oxytocin)，プロスタグランジン，リラキシンなどの役割が指摘されている．以下の要素が，分娩の開始および維持に関与する．

● 子宮膨満

　ひとたび胎児がある一定の大きさに達した場合，膨張した子宮はその収縮性を増加させる．Braxton Hicks(ブラクストン・ヒックス)収縮(Braxton Hicks contraction)として知られている，不規則で痛みを伴わない子宮の収縮は，出産の約 1 ヵ月前に始まる．

● 子宮における PGF$_{2\alpha}$ とオキシトシンの受容体発現上昇

　出産が近づくと，これらの子宮における受容体発現は上昇し，プロスタグランジンやオキシトシンによる収縮作用に備える．また，子宮平滑筋間のギャップ結合複合体を構成する因子の発現も上昇する．

● 子宮におけるエストロゲン感受性上昇とプロゲステロン感受性低下

　プロゲステロンとエストロゲンは，子宮収縮に際して相反する作用を有する．プロゲステロンは子宮収縮力を抑制することで妊娠を維持する一方

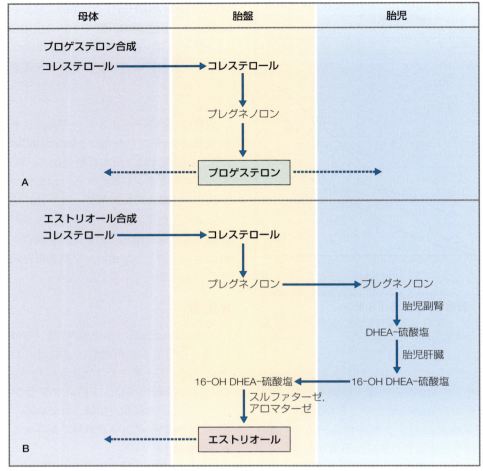

図10.12　妊娠中のプロゲステロンの合成(A)とエストリオールの合成(B).
プロゲステロンは，胎盤によってすべて合成される．エストリオール合成は，胎盤，胎児の副腎と胎生期肝臓を必要とする．DHEA：デヒドロエピアンドロステロン．

で，**エストロゲン**は子宮収縮力を増加させる．そのため，出産が近づくと，プロゲステロンと比較してエストロゲンに対する感受性が相対的に高くなり，エストロゲンによる子宮収縮作用が勝るようになる．

- 子宮におけるプロスタグランジン PGE_2 と $PGF_{2\alpha}$ の産生増加

エストロゲン作用の上昇（上記参照）とオキシトシンレベルの上昇（下記参照）により，子宮におけるプロスタグランジンレベルが上昇する．これらの局所的なプロスタグランジンは，3つの重要なパラクリン作用を有する．(1)プロスタグランジンは，子宮平滑筋細胞の細胞内カルシウム濃度を上昇させ，それによって子宮の収縮性を増加させ分娩を開始する．(2)プロスタグランジンは，子宮の同期的な収縮ができるようにするため，子宮平滑筋細胞間におけるギャップ結合の形成を促進する．(3)プロスタグランジンは，分娩初期に子宮頸部の軟化，菲薄化と拡張を生じさせる．

- 母体下垂体後葉からのオキシトシン分泌増加

オキシトシンは，子宮収縮の強力な刺激薬であり，実際に分娩を誘導するのに用いられている．オキシトシンレベルは妊娠中に上昇し，子宮に存在するオキシトシン受容体が陣痛に際して発現上昇することも知られている．オキシトシンとプロスタグランジンは，陣痛の進行に伴い収縮力に相乗的な作用を呈する．活発な陣痛の間，子宮頸管の拡張はオキシトシン分泌の強力な刺激となり，

オキシトシンが子宮収縮を高め，子宮頸管が拡張し，さらにオキシトシン分泌が高まるという正のフィードバックサイクルを引き起こす．分娩の最終段階である胎児および胎盤の娩出後，オキシトシンによる収縮作用は，子宮血管の収縮と産後の出血抑制に重要な役割を果たす．

正常分娩には4つの時期がある（**表10.5**）．**分娩第0期**では，子宮は静止し子宮頸管は閉じている．分娩第0期の終わり頃にBraxton Hicks収縮が始まる．**分娩第1期**では，（$PGF_{2\alpha}$およびオキシトシンを介した）子宮収縮刺激に対する受容体発現の上昇により，子宮は収縮可能な状態となる．**分娩第2期**では，$PGF_{2\alpha}$レベルの増加に伴い，子宮筋層細胞間のギャップ結合が顕著となり，子宮における$PGF_{2\alpha}$およびオキシトシンに対する反応性が高まる．子宮収縮によって胎児が子宮頸管のほうへ押し出され，子宮頸管が拡張し，最終的に胎児と胎盤が娩出される．**分娩第3期**において，オキシトシンは強力な子宮収縮作用を維持し，らせん動脈も収縮させて分娩後出血を防ぐのに役立っている．胎盤娩出の後のホルモン濃度は，授乳期に母体で高濃度が保たれるプロラクチンを除いて，妊娠前のレベルに戻る（**図10.11**参照）．

■ 乳汁分泌

妊娠全体を通じて，エストロゲンとプロゲステロンは乳房の形成と発達を促進し，乳汁分泌の準備をさせる．エストロゲンは下垂体前葉からのプロラクチン分泌も促進し，プロラクチン濃度は妊娠の過程を通じて着実に増加する（**図10.11**参照）．その一方で，妊娠中はプロラクチン濃度が高いにもかかわらず，エストロゲンとプロゲステロンがプロラクチンの乳房に及ぼす作用を抑制するため，乳汁分泌は起こらない．出産の後，エストロゲンとプロゲステロン値が急激に減少する際に，乳房に対するその抑制作用が解除され，乳汁分泌が始まる．**第9章**で記述しているように，乳汁分泌は哺乳によって維持され，また，哺乳によりオキシトシンとプロラクチンの分泌が促進される．

乳汁分泌が続く限り，乳頭吸引に伴って増加したプロラクチンは，視床下部からのGnRH分泌

表10.5　分娩のステージ.

段階	主な事象	詳細
0	潜伏期	子宮は弛緩 収縮刺激に対する感受性低下 子宮頸管閉鎖 第0段階終盤にBraxton Hicks陣痛が始まる
1	活動期	子宮におけるPGF$_{2\alpha}$およびオキシトシンの受容体増加 ギャップ結合成分の合成増加
2	活性期	$PGF_{2\alpha}$レベル上昇 子宮筋層細胞間のギャップ結合増加 $PGF_{2\alpha}$およびオキシトシンに対する子宮筋層の反応性増加 子宮収縮に伴う胎児の子宮頸管への移動 子宮頸管の軟化（展退） 子宮頸管拡張 胎児および胎盤の娩出
3	産褥期	胎児と胎盤の娩出後 オキシトシンによる強い子宮収縮維持→らせん動脈収縮 エストロゲン減少→子宮収縮

や下垂体前葉からのFSHとLH分泌を抑制するため，**排卵も抑制**される．100%効果的とはいえないが，世界のある地域では，母乳栄養を実際上の避妊法として産間調節の手法と捉えるところもある．

■ ホルモン避妊法

経口避妊薬（oral contraceptive）は，エストロゲンとプロゲステロンの合剤またはプロゲステロン単剤からなる．月経周期28日の0～21日目に経口服用し，22～28日目は消退出血を考慮して中断する．ピルには，エストロゲンとプロゲステロンが一定量配合されたものと，低用量のエストロゲンと種々の用量のプロゲステロンが配合されたものとがある．「ミニピル」はプロゲステロンのみを含有する．

配合剤による避妊作用は，エストロゲンとプロゲステロンが（GnRH分泌を抑制するための）視床下部と（FSHとLH分泌を抑制するための）下垂体前葉に及ぼす負のフィードバック効果に基づいている．FSHの減少により卵胞形成が抑制され，またLHの減少によりLHサージが抑制され，排卵が抑制される．さらに，配合剤のプロゲステロ

ン成分は，子宮頸管粘液を厚くして精子が侵入できないようにし，卵管運動性を低下させ，卵子と精子が受精部位に運ばれるのを阻害することにより受精能を低下させる．プロゲステロンのみを含有するピルの避妊効果は，プロゲステロン単独の子宮頸管粘液と卵管運動性に対する効果に基づいている．

閉経期

閉経期（menopause）または更年期（climacteric）は，女性における月経周期が停止し生殖機能の終わりの合図となり，約50歳で起こる．閉経期に数年間先行して無排卵周期（排卵が起こらない月経周期）が認められる場合もあり，機能的な卵胞数は減少する．それに伴い，エストロゲン分泌は段階的に低下し，最終的に止まる．エストロゲン血中濃度の低下により，下垂体前葉における負のフィードバックの減少が生じ，閉経期でFSHとLH分泌やその律動性が増加する．

閉経期の症状は，エストロゲンの供給源である卵巣の機能低下に起因するが，そこでは膣上皮の萎縮や膣分泌液の減少，骨盤部弛緩，膣の緩みや乳房容積の減少，骨量低下の加速や骨粗鬆症，顔面紅潮や寝汗などの血管運動神経症状，睡眠障害，気分の変調などが認められる（エストロゲンが脂肪組織でアンドロゲンの前駆体から生じることができるので，肥満女性は非肥満女性より症状が少ない傾向にある）．

ホルモン補充療法は，エストロゲンの供給源である卵巣機能に置き換わることを目的としており，閉経期症状の最小化や予防につながる．プロゲステロンは（子宮を有する女性に対して）エストロゲンとともに投与され，エストロゲン投与に伴う子宮内膜がんのリスクを軽減する．選択的エストロゲン受容体モジュレーター（selective estrogen receptor modulator：SERM）は，エストロゲン受容体と相互作用する化合物である．SERMは，標的組織に応じて，エストロゲン様の作動薬または同拮抗薬として作用する．例えば，タモキシフェンおよびラロキシフェンは，骨および心臓血管系では作動薬として作用する一方で，乳房および子宮においては拮抗薬として作用す

る．

まとめ

● 遺伝的性は，性染色体であるXXまたはXYによって規定される．性腺に基づく性は，精巣または卵巣の存在によって定義される．表現型の性は，性腺からのホルモン分泌によって規定される．

● 男性と女性における思春期はGnRHの律動的分泌によって開始され，それはFSHとLHの律動的分泌を引き起こす．FSHとLHの律動的分泌は，精巣と卵巣において各性ステロイドホルモン（テストステロンとプロゲステロンおよびエストロゲン）を分泌する．

● 男性において，精巣は精子形成とテストステロン分泌を担う．テストステロンは，Leydig細胞によってコレステロールから合成される．いくつかの標的組織で，テストステロンは5α-還元酵素の作用によってジヒドロテストステロンに変換される．テストステロンは精子形成に作用するだけでなく，骨格筋のような外部の標的組織上で局所的作用を有する．

● 精巣の制御には，視床下部および下垂体前葉に対するテストステロンとインヒビンの負のフィードバック作用がかかわる．

● 女性において，卵巣は卵子形成とプロゲステロンおよびエストロゲンの分泌を担う．プロゲステロンと17β-エストラジオールは，それぞれ卵胞膜細胞（莢膜細胞）と顆粒膜細胞によって，コレステロールから合成される．卵胞膜細胞はプロゲステロンとテストステロンを合成し，顆粒膜細胞はアロマターゼの作用によってテストステロンを17β-エストラジオールに変換する．

● 月経周期は，卵胞（増殖）期と黄体（分泌）期からなる．卵胞期はエストロゲンによって制御され，黄体期はプロゲステロンによって制御される．排卵は，月経周期28日間のうち14日目に生じる．受精が起こる場合，黄体は発育過程の受精卵を支えるためにステロイドホルモンを合成する．受精が認められない場合には黄体は

消失し，月経が起きる．

● 妊娠初期は，栄養膜（trophoblast）から分泌される hCG の作用により，黄体から産生されるステロイドホルモンで維持される．妊娠中の第2，第3の三半期は，胎盤から産生されるステロイドホルモンで維持される．プロゲステロン，エストリオール，プロラクチンの各濃度は，妊娠中に着実に増加する．分娩には，潜伏期，活動期，活性期，産褥期の4段階がある．

● 閉経期には月経周期が停止し，機能的な卵胞の数が減少し，エストロゲン分泌は低下する．その一方で，FSH と LH 分泌レベルとその律動性は増加する．

練習問題

各問に，単語，語句，数字で答えよ．選択肢が複数の場合，正解は1つとは限らず，ないこともある．正解は巻末に示す．

1 次の晩発思春期の原因のうち，性腺刺激ホルモン放出ホルモン（GnRH）の律動的刺激・投与が効果的であるのはどれか．

視床下部機能不全，Leydig 細胞機能不全，アンドロゲン不応症候群．

2 黄体形成ホルモン（LH）によって活性化するのは，テストステロン合成におけるどのステップか．

アンドロステンジオンからテストステロンへの変換，コレステロールからプレグネノロンへの変換，テストステロンからジヒドロテストステロンへの変換．

3 性腺に存在しないステロイド産生酵素はどれか．

17α-ヒドロキシラーゼ，21β-ヒドロキシラーゼ，コレステロールデスモラーゼ．

4 妊娠黄体を維持するのはどのホルモンか．

LH，ヒト絨毛性ゴナドトロピン（hCG），エストラジオール，プロゲステロン．

5 妊娠中の第3三半期，エストロゲンの合成に必要なものはどれか．

黄体，母体卵巣，胎盤，胎生期肝臓，母体の副腎皮質，母体の肝臓，胎児の副腎皮質．

6 月経周期中のどの期間に，主席卵胞はエストロゲンの大半を産生するか．

1〜4日目，5〜14日目，15〜20日目，21〜25日目，26〜28日目．

7 月経周期中，黄体退行が認められるのはどの期間か（受精が起こらない場合）．

1〜4日目，5〜14日目，15〜20日目，21〜25日目，26〜28日目．

8 5α-還元酵素欠損症の男性において，男性的特徴で認められるものはどれか．

精巣，筋量増加，男性の頭髪分布パターン，精巣上体，声変わり．

9 男性ホルモン不応症で認められるのはどれか．

男性の表現型，精巣，アンドロゲン受容体の発現上昇，膣．

10 FSH によって活性化されるのは卵巣のエストラジオール合成におけるどのステップか．

コレステロール→プレグネノロン，アンドロステンジオン→テストステロン，テストステロン→17β-エストラジオール．

練習問題の解答

第1章

1 溶液 B が陰性，もしくは溶液 A が陽性

2 150 mmol/L 尿素

3 増加する

4 活動電位の立ち上がり相

5 25 量子

6 ボツリヌス毒素

7 神経線維の活動電位，シナプス前神経終末の Ca^{2+} チャネルの開口，シナプス前神経終末からの ACh 放出，ニコチン受容体への ACh の結合，リガンド依存性イオンチャネルの開口，微小終板電位（MEPP），終板電位（EPP），筋線維の活動電位

8 ほぼ同じ（ヒント：この範囲では受動張力は無視できるほど小さい）

9 サブスタンス P，バソプレシン

10 2 倍（ヒント：$\Delta C = 10 - 1 = 9$．両方が 2 倍になると $\Delta C = 20 - 2 = 18$）

11 L-ドパ，ドパミン，ノルアドレナリン

12 神経の直径の増加：増加

内部抵抗（R_i）の増加：減少

膜抵抗（R_m）の増加：増加

膜容量（C_m）の減少：増加

長さ定数の増加：増加

時定数の増加：減少

13 脱分極．脱分極により Na^+ チャネルの不活性化ゲートが閉じて，筋の活動電位の立ち上がり相を担う Na^+ 電流が発生しなくなる

14 ミオシンの立体構造変化によりアクチンへの親和性が低下

15 ニコチン受容体拮抗薬，コリン再取り込み阻害薬，ACh 放出阻害薬

16 溶液 A から溶液 B に流れる（ヒント：計算上の溶液 A の有効浸透圧は溶液 B よりも低い．水は有効浸透圧が低いほうから高いほうへ流れる）

17 E_{K^+} は E_m より陰性が強いので，K^+ は膜電位をさらに陰性にしたいと "考える"．それを成し遂げるために，K^+ は細胞の外に出ていく＝外向き電流．E_{Cl^-} は E_m より陰性が弱いので，Cl^- は膜電位の陰性を弱めたいと "考える"．それを成し遂げるために，Cl^- は細胞の外に出ていく＝内向き電流（負電荷をもつ Cl^- が細胞の外に出ていくことは，正電荷が細胞の内に入ることと同等なので，内向き電流とよぶことに注意すること）

第2章

1 気道拡張，膀胱壁の弛緩

2 瞳孔括約（瞳孔収縮，輪状），ムスカリン

3 神経節が標的組織の中あるいは近傍にある（ヒント：節後ニューロンはすべてニコチン受容体を有する，汗腺はコリン作動性交感神経支配を受ける，節前ニューロンはすべてコリン作動性である）

4 β_1，阻害（遮断）

5 アドレナリンの作用により心収縮性が増加する，アドレナリンの作用により心拍数が増加する

6 フェニルエタノールアミン-N-メチルトランスフェラーゼ

7 α_1 アドレナリン受容体作動薬（血管平滑筋を収縮させて，さらに血圧を上昇させる），β_1 アドレナリン受容体作動薬（心拍数と心収縮性を増加させて，さらに血圧を上昇させる）

8 ムスカリン，収縮，ムスカリン，弛緩

9 α_q が GDP と結合，α_q が GTP と結合，ホスホリパーゼ C の活性化，IP_3 の生成，細胞内貯蔵部位からの Ca^{2+} の放出，プロテインキナーゼの活性化

10 洞房結節内伝導速度の低下，胃酸の分泌，勃起，暑い日の発汗

第3章

1 右視神経

2 左へ（ヒント：回転後の眼振は，元の回転と反

対の方向になる)

3 1

4 膝蓋腱反射，伸張反射(ヒント：膝蓋腱反射とは伸張反射の一例である)

5 相動性受容器

6 光，11-シスレチナールからオールトランスレチナールへの変換，トランスデューシン，cGMP 減少，Na^+チャネルの閉鎖，過分極，神経伝達物質放出

7 強く，低下させる

8 Golgi 腱器官：活性化

Ⅰa 群求心性線維：不変(ヒント：Ⅰa 求心性線維は伸張反射に関係している)

Ⅰb 群求心性線維：活性化

抑制性介在ニューロン：活性化

α運動ニューロン：抑制

9 タンパク質，グルコース，K^+

10 右への回旋初期―右の半規管が活性化される，頭部の回旋を止めたとき―左の半規管が活性化される

11 広く，柔らかく，低い

第4章

1 mmHg·min/mL または mmHg·min/L

2 800 msec(ヒント：1 min は 60 sec)

3 心室の活動電位，筋小胞体からの Ca^{2+} 放出，Ca^{2+} がトロポニン C に結合，張力，筋小胞体による Ca^{2+} 貯蔵

4 0.5(ヒント：この計算に心拍数は不要)

5 等容性心室弛緩期(ヒント：心室は心房収縮期にも充填される)

6 増加，増加

7 77 mL(ヒント：まず心拍出量と心拍数から1回拍出量を計算する．次に，その1回拍出量と与えられた拡張末期容量から収縮末期容量を計算する)

8 濾過，9 mmHg

9 すべて減少する

10 拡張末期容量(もしくは前負荷)

11 ホスホランバンのリン酸化の増加，活動電位の持続時間の延長

12 第0相

13 興奮性

14 増加(ヒント：どちらの変化も，おのおの心拍数増加に働く)

15 心拍数，皮膚血管床の血管抵抗，アンジオテンシンⅡ濃度(ヒント：unstressed volume は静脈収縮により減少する)

16 減少(ヒント：$T = P \times r$，P が増加すると，一定の壁張力を維持するためには，r は減少しなければならない)

17 肺(ヒント：肺血流は心拍出量の 100% を受け取る)

18 心収縮性の増加(ヒント：拡張末期容量が前負荷，大動脈圧が後負荷)

19 急速心室駆出期

20 減少，減少

21 大動脈圧上昇による二次性の心拍出量減少(ヒント：容積の仕事よりも圧の仕事のほうがエネルギーを要する)

22 3.33 から 2.5 に減少

23 血管 A(ヒント：速度＝血流量／断面積)

24 重複切痕：動脈圧曲線

β_1 受容体：洞房結節と心室筋

L_{max}：長さ張力曲線

半径の4乗：血管抵抗または Poiseuille の式

ホスホランバン：筋小胞体

陰性変伝導作用：房室結節

脈圧：動脈または動脈圧

正常自動能：洞房結節

駆出率：心室

25 急速心室駆出期，等容性心室弛緩期

26 内臓の細動脈の半径，TPR

27 収縮末期容量

28 交感神経作用による心収縮性の増加

29 65 mL(ヒント：心収縮性が突然減少すると，Frank-Starling 機序による代償性反応によって，1回拍出量は正常の方向へ部分的に補正される)

30 心拍出量の減少

第5章

1 1,500 mL

2 ミリリットル（mL）またはリットル（L）（ヒント：FEV_1 は強制呼出の最初の 1 秒間に呼出されるガス量であり，分画量ではない）

3 547.5 mmHg（ヒント：$[740-47]\times0.79$）

4 39.3 mL/min/mmHg（ヒント 1：$\dot{V}_{CO}=DL\times\Delta P$. ヒント 2：室内気 $P_{CO}=[P_B-47\,mmHg]\times0.001$ であり，血中 P_{CO} は最初はゼロである）

5 H^+ 濃度の増加，P_{CO_2} の上昇，2,3-ビスホスホグリセリン酸（2,3-BPG）濃度の増加（ヒント：P_{50} の上昇＝右方シフト）

6 いずれの選択肢も，ヘモグロビンの O_2 結合能の変化を引き起こさない（ヒント：O_2 結合能は，飽和度 100% でヘモグロビン 1 g に結合した O_2 量（mL）であり，左右のシフトにより飽和度は変化するが，飽和度 100% で結合できる O_2 の量は変化しない）

7 P_{O_2} は低下し，P_{CO_2} は上昇する

8 PA_{O_2}

9 血流量，換気量，P_{CO_2}

10 $\dot{V}/\dot{Q}$ 不均等，肺線維症，右心から左心へのシャント

11 最大吸気量

12 肺活量，FEV_1（ヒント：FEV_1/FVC は閉塞性肺疾患で減少し，拘束性肺疾患で増加する）

13 3.5 L/min（ヒント：最初に V_D を計算すると 200 mL である．記載されている値のいくつかは計算に必要ない）

14 増加する

15 気道圧 ＝ $+15\,cmH_2O$ および胸膜腔内圧 ＝ $+20\,cmH_2O$

16 高所

17 PI_{O_2} の低下，PA_{O_2} の低下，Pa_{O_2} の低下，過換気，PA_{CO_2} の低下，pH の上昇

18 FEV_1：努力性肺活量曲線またはその測定
$\dot{V}/\dot{Q}=0$：気道閉塞あるいはシャントのある肺部位
肺胞内圧（PA）＞動脈圧（Pa）：肺尖部
右室の後負荷：肺動脈あるいは肺動脈圧
γ鎖：胎児のヘモグロビン
P_{50}：ヘモグロビンの O_2 解離曲線
圧-容量曲線の傾き：コンプライアンス
正常で P_B より低い圧：胸膜腔
DL：肺胞-肺毛細血管障壁

$P_{O_2}<60\,mmHg$ による換気の亢進：末梢性化学受容器あるいは頸動脈小体

19 体循環動脈血 P_{O_2} と等しい

20 減少する

21 血流の大部分は $\dot{V}/\dot{Q}$ の低い領域と右-左シャントへ送られる．

22 PA_{CO_2} の低下（ヒント：死腔は PA_{O_2} の上昇と PA_{CO_2} の低下の両方を引き起こし，さらに PA_{CO_2} の低下が代償性気管支収縮を引き起こす）

第6章

1 輸出細動脈

2 血漿グルコース濃度が閾値以下の部分

3 上昇する（ヒント：糸球体毛細血管で濾過される液体が増えると，血漿タンパク質濃度が上昇する）

4 最大輸送量（T_m）以下（ヒント：T_m 以下の場合，腎静脈の PAH 濃度はほぼ 0 と仮定できる）

5 306.7 mOsm/L（ヒント：摂取後の体内全水分量 ＝ 45 L，NaCl は 2 つのイオンに解離する，摂取後の体内の総浸透圧物質量 ＝ 13,800 mOsm）

6 不変（ヒント：糸球体濾過量が一定で，尿流量が増加すると，尿中のイヌリン濃度は低下する）

7 増加

8 Bowman 腔もしくは近位尿細管前半部（ヒント：水再吸収が起こる前の $[TF/P]_{イヌリン}$ が最も低い）

9 Bowman 腔もしくは近位尿細管前半部

10 低下（ヒント：皮質髄質浸透圧勾配を形成するための対向流増幅系には，$Na^+-K^+-2Cl^-$ 共輸送体が必要である）

11 中枢性尿崩症

12 減少

13 mg/min（ヒント：重量／時間であれば，g/min 以外でも正答である）

14 低下

15 インスリン欠乏，スピロノラクトン，高浸透圧

16 Na^+-リン酸共輸送体の阻害，尿中 Ca^{2+} 排泄の減少

17 再吸収されている，1,100 mg/min

18 遠位尿細管前半部の終末部もしくは遠位尿細管後半部の起始部

19 最大輸送量（T_m）以下の PAH クリアランス（ヒント：閾値以下でのグルコースクリアランスはゼロである．イヌリンクリアランスは糸球体濾過量に等しい．T_m 以下の PAH クリアランスは腎血漿流量に等しい）

20 高 K^+ 食摂取時の K^+，イヌリン，Na^+，HCO_3^-，グルコース（閾値以下）

21 濾過量は正味の再吸収量より多い

第7章

1 弱酸 A

2 7.9 mEq/L

3 増加（ヒント：代謝性アシドーシスに対し呼吸性代償が働き，過換気が起こる）

4 下痢，サリチル酸中毒，慢性腎不全

5 ループ利尿薬，サイアザイド系利尿薬（ヒント：炭酸脱水酵素阻害薬，K 保持性利尿薬の使用では代謝性アシドーシスをきたす）

6 代謝性アシドーシス，アニオンギャップ：29 mEq/L

7 mOsm/L

8 嘔吐，モルヒネ中毒，閉塞性肺疾患，高アルドステロン症

9 糸球体毛細血管での HCO_3^- の濾過，Na^+-H^+ 交換，HCO_3^- の H_2CO_3 への変換，H_2CO_3 の CO_2 と H_2O への変換，H_2CO_3 の H^+ と HCO_3^- への変換，HCO_3^- の促通性拡散

10 70 mEq/day

11 慢性呼吸性アシドーシスの患者のほうが血液 HCO_3^- 濃度がより高く，pH もより高い（pH がより正常値に近い）

12 不可能（単純性酸塩基平衡異常ではない），代謝性アシドーシスと呼吸性アシドーシスが存在する

13 低下する（正常値に近づく）

14 糸球体 HPO_4^{2-} 濾過量（ヒント：尿中の総 H^+ 排泄量は尿中バッファーの量に依存する．他の選択肢である尿pHは遊離 H^+ 濃度と相関するのであって，H^+ 排泄量とは相関しない．尿中の NH_3 のほとんどは近位尿細管細胞内で産生されたものであり，糸球体で濾過されたものではない）

15 糖尿病性ケトアシドーシス

16 一次性の酸塩基平衡異常は，脳幹腫瘍による慢性呼吸性アルカローシスである．代償性変化の予測式によって計算される代償は，血中 HCO_3^- 濃度 18.4 mEq/L である．患者の実際の HCO_3^- 濃度は 22 mEq/L であるため，代謝性アルカローシスという 2 つ目の障害が存在することになる

17 アニオンギャップは 28 mEq/L であり，したがって，この患者はアニオンギャップ上昇性代謝性アシドーシスである．この場合，Δ/Δ 分析（ΔHCO$_3^-$/Δアニオンギャップ，p.374）により，2 つ目の代謝性酸塩基平衡異常が血中 HCO_3^- 濃度に影響を及ぼしているかどうかを判断することができる．Δアニオンギャップは 16 mEq/L，ΔHCO_3^- は 8 mEq/L であり，アニオンギャップの増加に比べて HCO_3^- の減少が大幅に少ない．このことから，2 つ目の代謝性酸塩基平衡異常として，血中 HCO_3^- を上昇させる代謝性アルカローシスが存在するとわかる

第8章

1 胆嚢の収縮，HCO_3^- 分泌の刺激，膵酵素分泌の刺激

2 細胞内環状 AMP（cAMP）レベルの低下

3 陰性が弱まる（ヒント：膜電位は細胞外電位に対して細胞内電位として表される）

4 溶質が水よりも多く吸収される

5 cAMP レベルを上昇させる，GTP 結合タンパク質の α_s サブユニットを活性する

6 スクロース

7 腸管内腔における脂質の乳化，膵リパーゼの作用，ミセル，コレステロールエステルの形成，キロミクロン

8 HCO_3^-

9 トリプシノーゲンからトリプシンへの変換，プロカルボキシペプチダーゼからカルボキシペプチダーゼへの変換

10 十二指腸

11 ガストリン分泌：G 細胞あるいは胃前庭
Na^+-胆汁酸塩共輸送体：回腸
H^+-K^+ ATPase：胃の壁細胞

内因子分泌：胃の壁細胞

オメプラゾールの作用：胃の壁細胞の H^+-K^+ ATPase

Na^+-グルコース共輸送体：腸上皮細胞の腸端膜（内腔側の膜）

二次胆汁酸（または胆汁酸塩）：小腸内腔

12 Na^+-K^+ ATPase の阻害

13 体脂肪の増加，インスリン濃度の上昇

14 輪状筋の収縮，輪状筋へのアセチルコリンの作用

第9章

1 コルチゾール：減少
ACTH：増加
血糖値：低下

2 ADH：増加
尿浸透圧：低下，あるいは希釈，あるいは低張

3 血漿 K^+：減少
血圧：上昇
レニン：減少（ヒント：血圧が上昇することによってレニン分泌が抑制されるため）

4 ACTH：増加
コルチゾール：増加
血糖値：上昇

5 血漿 Ca^{2+}：減少
血漿リン酸：増加
尿中 cAMP：減少

6 プロラクチン：増加
ADH：減少
血漿浸透圧：上昇（ヒント：ADH が減少するため）
PTH：変化なし

7 T_4：減少
TSH：増加
基礎代謝率：低下

T_3 レジン摂取率：減少（ヒント：T_3 レベルが減少するため）

8 ACTH：増加
コルチゾール：減少
デオキシコルチコステロン：減少
アルドステロン：減少
DHEA：増加（ヒント：中間生成物が副腎アンドロゲン生成経路へと過剰供給されるため）
尿中 17-ケトステロイド：増加

9 ACTH：減少
コルチゾール：減少（ヒント：内因性コルチゾールの分泌低下による）

10 血漿 Ca^{2+}：増加
PTH：減少（ヒント：血漿 Ca^{2+} が増加することにより内因性 PTH の分泌が抑制されるため）

11 血圧：上昇（ヒント：中間生成物がミネラロコルチコイド生成経路へと過剰供給されるため）
血糖値：低下
DHEA：減少
アルドステロン：減少（ヒント：デオキシコルチコステロンやコルチコステロンが過剰に生成されることによって血圧が上昇し，その結果，レニン分泌が抑制される）

第10章

1 視床下部機能不全

2 コレステロールからプレグネノロンへの変換

3 21β-ヒドロキシラーゼ

4 ヒト絨毛性ゴナドトロピン（hCG）

5 胎盤，胎生期肝臓，胎児の副腎皮質

6 5〜14日目

7 26〜28日目

8 精巣，筋量増加，精巣上体，声変わり

9 男性の表現型，精巣，膣

10 テストステロン → 17β-エストラジオール

略語と記号

ACE	angiotensin-converting enzyme アンジオテンシン変換酵素	**BUN**	blood urea nitrogen 血中尿素窒素
ACh	acetylcholine アセチルコリン	**C**	compliance, capacitance, or clearance コンプライアンス，キャパシタンス， またはクリアランス
AChE	acetylcholinesterase アセチルコリンエステラーゼ	**cAMP**	cyclic adenosine monophosphate 環状アデノシン一リン酸（環状 AMP）
ACTH	adrenocorticotropic hormone 副腎皮質刺激ホルモン	**CCK**	cholecystokinin コレシストキニン
ADH	antidiuretic hormone 抗利尿ホルモン	**cGMP**	cyclic guanosine monophosphate 環状グアノシン一リン酸（環状 GMP）
ADP	adenosine diphosphate アデノシン二リン酸	**CNS**	central nervous system 中枢神経系
ANP	atrial natriuretic peptide, or atriopeptin 心房性ナトリウム利尿ペプチド，ま たはアトリオペプチン	**COMT**	catechol-*O*-methyltransferase カテコール-*O*-メチルトランスフェ ラーゼ
ANS	autonomic nervous system 自律神経系	**COPD**	chronic obstructive pulmonary disease 慢性閉塞性肺疾患
ATP	adenosine triphosphate アデノシン三リン酸	**CRH**	corticotropin-releasing hormone 副腎皮質刺激ホルモン（コルチコトロ ピン）放出ホルモン
ATPase	adenosine triphosphatase アデノシントリホスファターゼ，ATP アーゼ	**CSF**	cerebrospinal fluid 脳脊髄液
AV node	atrioventricular node 房室結節	**DHEA**	dehydroepiandrosterone デヒドロエピアンドロステロン
BMR	basal metabolic rate 基礎代謝率	**DIT**	diiodotyrosine ジヨードチロシン
2,3-BPG	2,3-bisphosphoglycerate 2,3-ビスホスホグリセリン酸	**DNA**	deoxyribonucleic acid デオキシリボ核酸
BTPS	body temperature, pressure, saturated 体温，測定時の気圧，飽和水蒸気状 態（注：37℃，測定時の気圧，飽和水 蒸気状態という気体の標準状態での 気体量）	**DOC**	11-deoxycorticosterone 11-デオキシコルチコステロン

DPPC	dipalmitoyl phosphatidylcholine ジパルミトイルホスファチジルコリン	
ECF	extracellular fluid 細胞外液	
ECG	electrocardiogram 心電図	
EPP	end plate potential 終板電位	
EPSP	excitatory postsynaptic potential 興奮性シナプス後電位	
ER	endoplasmic reticulum 小胞体	
ERP	effective refractory period 有効不応期	
ERV	expiratory reserve volume 予備呼気量	
FRC	functional residual capacity 機能的残気量	
FSH	follicle-stimulating hormone 卵胞刺激ホルモン	
FVC	forced vital capacity 努力性肺活量	
GABA	γ-aminobutyric acid γ-アミノ酪酸	
GDP	guanosine diphosphate グアノシン二リン酸	
GFR	glomerular filtration rate 糸球体濾過量	
GH	growth hormone 成長ホルモン	
GHRH	growth hormone-releasing hormone 成長ホルモン放出ホルモン	
G_i	inhibitory G protein 抑制性 G タンパク質	
GIP	glucose-dependent insulinotropic polypeptide グルコース依存性インスリン分泌刺激ポリペプチド	
GMP	guanosine monophosphate グアノシン一リン酸	

GnRH gonadotropin-releasing hormone
性腺刺激ホルモン（ゴナドトロピン）放出ホルモン

GRP gastrin-releasing peptide
ガストリン放出ペプチド

G_s stimulatory G protein
促進性 G タンパク質

GTP guanosine triphosphate
グアノシン三リン酸

hCG human chorionic gonadotropin
ヒト絨毛性ゴナドトロピン

hPL human placental lactogen
ヒト胎盤性ラクトゲン

IC inspiratory capacity
最大吸気量

ICF intracellular fluid
細胞内液

IGF insulin-like growth factor
インスリン様成長因子

IP_3 inositol 1,4,5-triphosphate
イノシトール 1,4,5-トリスリン酸

IPSP inhibitory postsynaptic potential
抑制性シナプス後電位

λ length constant
長さ定数

LH luteinizing hormone
黄体形成ホルモン

MAO monoamine oxidase
モノアミンオキシダーゼ

MEPP miniature end plate potential
微小終板電位

MIT monoiodotyrosine
モノヨードチロシン

mRNA messenger ribonucleic acid
メッセンジャーリボ核酸（メッセンジャー RNA）

MSH melanocyte-stimulating hormone
メラニン細胞刺激ホルモン

NA noradrenaline
ノルアドレナリン

NO	nitric oxide 一酸化窒素	RV	residual volume 残気量
P	pressure 圧	SA node	sinoatrial node 洞房結節
PAH	para-aminohippuric acid パラアミノ馬尿酸	SERCA	sarcoplasmic and endoplasmic reticulum Ca^{2+} ATPase 筋小胞体・小胞体 Ca^{2+} ATPase
P_B	barometric pressure 大気圧	SHBG	sex hormone-binding globulin 性ホルモン結合グロブリン
PIF	prolactin-inhibiting factor プロラクチン抑制因子	SIADH	syndrome of inappropriate antidiuretic hormone 抗利尿ホルモン不適合分泌症候群
PIP_2	phosphatidylinositol 4,5-bisphosphate ホスファチジルイノシトール 4,5-ビ スリン酸	SNP	supranormal period 過常期
PLC	phospholipase C ホスホリパーゼ C	SR	sarcoplasmic reticulum 筋小胞体
PNS	peripheral nervous system 末梢神経系	SRIF	somatotropin release-inhibiting factor 成長ホルモン抑制因子（ソマトスタチ ン）
POMC	pro-opiomelanocortin プロオピオメラノコルチン	SRY	sex-determining region of Y chromosome Y 染色体性決定領域遺伝子
PTH	parathyroid hormone 副甲状腺ホルモン		
PTH-rP	parathyroid hormone-related peptide 副甲状腺ホルモン関連ペプチド	STPD	standard temperature, pressure, dry 標準温度，標準気圧，乾燥（注：標準 状態（0℃，1気圧），乾燥状態での気 体量）
PTU	propylthiouracil プロピルチオウラシル		
Q	blood flow or airflow 血流量または気流量	τ	time constant 時定数
σ	reflection coefficient 反射係数	T_3	triiodothyronine トリヨードサイロニン
R	resistance 抵抗	T_4	thyroxine サイロキシン
RBF	renal blood flow 腎血流量	TBG	thyroxine-binding globulin サイロキシン結合グロブリン
RNA	ribonucleic acid リボ核酸	TBW	total body water 体内全水分量
RPF	renal plasma flow 腎血漿流量	TLC	total lung capacity 全肺気量
RRP	relative refractory period 相対不応期	T_m	transport maximum 最大輸送量

TPR	total peripheral resistance 全末梢抵抗	**V̇**	urine or gas flow rate 尿量またはガス流量
TRH	thyrotropin-releasing hormone 甲状腺刺激ホルモン放出ホルモン	**V̇A**	alveolar ventilation 肺胞換気量
TSH	thyroid-stimulating hormone 甲状腺刺激ホルモン	**VC**	vital capacity 肺活量
VT(TV)	tidal volume 1回換気量	**VIP**	vasoactive intestinal peptide 血管作動性腸管ペプチド(血管活性腸管ペプチド)
V	volume 量, 容量, 体積, ボリューム	**VMA**	3-methoxy-4-hydroxymandelic acid 3-メトキシ-4-ヒドロキシマンデル酸 (バニリルマンデル酸)

括弧内の用語は同義語として使われるもの

正常値と定数

血漿，血清，血中濃度

物質	正常値	範囲	備考
HCO_3^-（重炭酸イオン）	24 mEq/L	22 ～ 26 mEq/L	
Ca^{2+}（カルシウム，イオン化）	5 mg/dL		
Ca^{2+}（カルシウム，総）	10 mg/dL		
Cl^-（塩素）	100 mEq/L	98 ～ 106 mEq/L	
クレアチニン	1.2 mg/dL	0.5 ～ 1.5 mg/dL	
グルコース（ブドウ糖）	80 mg/dL	70 ～ 100 mg/dL	空腹時
ヘマトクリット	0.45	0.4 ～ 0.5	男性：0.47，女性：0.41
ヘモグロビン	15 g/dL		
H^+（水素イオン）	40 nEq/L		動脈血
Mg^{2+}（マグネシウム）	0.9 mmol/L		
浸透圧濃度，容積オスモル濃度	287 mOsm/L	280 ～ 298 mOsm/L	重量オスモル濃度は mOsm/kgH₂O
酸素飽和度	98%	96 ～ 100%	動脈血
動脈血 P_{CO_2}	40 mmHg		
静脈血 P_{CO_2}	46 mmHg		
動脈血 P_{O_2}	100 mmHg		
静脈血 P_{O_2}	40 mmHg		
動脈血 pH	7.4	7.35 ～ 7.45	
静脈血 pH	7.37		
リン酸	1.2 mmol/L		
K^+（カリウム）	4.5 mEq/L		
アルブミン	4.5 g/dL		
総タンパク質	7 g/dL	6 ～ 8 g/dL	
Na^+（ナトリウム）	140 mEq/L		
血中尿素窒素（BUN）	12 mg/dL	9 ～ 18 mg/dL	タンパク質の摂取量により変化
尿酸	5 mg/dL		

560　正常値と定数

その他の指標や値

系	指標	平均正常値	備考
心血管	安静時心拍出量	5 L/min	
	運動時心拍出量	15 L/min	最大値
	1回拍出量	80 mL	
	安静時心拍数	60/min	
	運動時心拍数	180/min	最大値
	駆出率	0.55	$\dfrac{1回拍出量}{拡張末期容積}$
	平均体動脈圧	100 mmHg	収縮期：120 mmHg 拡張期：80 mmHg
	平均肺動脈圧	15 mmHg	収縮期：25 mmHg 拡張期：8 mmHg
	右房圧	2 mmHg	
	左房圧	5 mmHg	肺毛細血管楔入圧
呼吸	大気圧（P_B）	760 mmHg	海水面
	飽和水蒸気圧（P_{H_2O}）	47 mmHg	37℃
	全肺気量	6.0 L	
	機能的残気量	2.4 L	
	肺活量	4.7 L	
	1回換気量	0.5 L	
	STPD（標準温度, 標準気圧, 乾燥状態）	273 K，760 mmHg	標準状態
	BTPS（体温, 測定時の気圧, 飽和水蒸気状態）	310 K，760 mmHg，47 mmHg	体内状態
	血中酸素溶解度	0.003 mL O_2/100 mL 血液/mmHg	
	血中二酸化炭素溶解度	0.07 mL CO_2/100 mL 血液/mmHg	
	分時二酸化炭素産生量	200 mL/min	
	分時酸素消費量	250 mL/min	
	呼吸商	0.8	分時二酸化炭素産生量／分時酸素消費量
	ヘマトクリット	0.45	
	血液中ヘモグロビン濃度	15 g/dL	
	ヘモグロビンの酸素結合能	1.34 mL O_2/g ヘモグロビン	100%飽和のとき

正常値と定数　561

系	指標	平均正常値	備考
腎臓	体内全水分量	体重の60%	
	細胞内液量（ICF）	体重の40%	
	細胞外液量（ECF）	体重の20%	間質液と血漿
	糸球体濾過量（GFR）	120 mL/min	男性：120 mL/min 女性：95 mL/min
	腎血漿流量（RPF）	650 mL/min	パラアミノ馬尿酸（PAH）クリアランス
	腎血流量	1,200 mL/min	
	濾過比	0.2	$\dfrac{GFR}{RPF}$
	血漿アニオンギャップ	8〜16 mEq/L	$[Na^+]-([Cl^-]+[HCO_3^-])$

弱酸と弱塩基	酸解離定数 pK
アセト酢酸	3.8
アンモニア（NH_3/NH_4^+）	9.2
β-ヒドロキシ酪酸	4.8
炭酸（HCO_3^-/CO_2）	6.1
クレアチニン	5.0
デオキシヘモグロビン	7.9
オキシヘモグロビン	6.7
乳酸	3.9
リン酸（$HPO_4^{2-}/H_2PO_4^-$）	6.8

その他の値	
体表面積（体重70 kg男性）	$1.73\ m^2$
体重	70 kg
Faraday定数	9.65×10^4 C/mol（C：クーロン）
気体定数（R）	$0.082\ \dfrac{L \times atm}{K \times mol}$
2.3 RT/F	60 mV（37℃で）

和文索引

【数字】

1,25-ジヒドロキシコレカルシフェロール　438, 453, 520
Ⅰa群求心性神経　116
Ⅰa群求心性線維　116
Ⅰb群求心性神経　118
Ⅰ音　176
11β-ヒドロキシステロイドデヒドロゲナーゼ　496
11β-ヒドロキシラーゼ　532
11-シスレチナール　95, 97
11-デオキシコルチコステロン　491
17α-水酸化酵素欠損症　501
17β-エストラジオール　542
17β-ヒドロキシステロイドデヒドロゲナーゼ　532
17-ケトステロイド　491, 496
18-ヒドロキシラーゼ　491
1α-ヒドロキシラーゼ　438
1型糖尿病　13, 330, 506
1秒率　224
1秒量　224
1回換気量　217, 236
1回仕事量　172
1回拍出量　145, 168
1対1シナプス　34
1対多シナプス　34
1-デアミノ-8-D-アルギニンバソプレシン　349
2,3-ビスホスホグリセリン酸　252
Ⅱ音　177
Ⅱ型肺胞上皮細胞　216, 227, 232
Ⅱ群求心性神経　116
Ⅱ群求心性線維　116
21β-水酸化酵素欠損症　501
21β-ヒドロキシラーゼ　532
24,25-ジヒドロキシコレカルシフェロール　520
25-ヒドロキシコレカルシフェロール　520
25-ヒドロキシコレカルシフェロール-1-ヒドロキシラーゼ　520
2型糖尿病　506
2型尿細管性アシドーシス　376
2シナプス脊髄反射　118
2点識別　90, 93

2点識別覚　89
Ⅲ音　177
3-メトキシ-4-ヒドロキシマンデル酸　36
Ⅳ音　176
4型尿細管性アシドーシス　370
5′-脱ヨウ素酵素　480
5α-還元酵素　532, 534
5α-還元酵素抑制薬　534
5-ヒドロキシインドール酢酸　36
7回膜貫通型受容体タンパク質　67

【ギリシャ文字】

α₁アドレナリン受容体　137
α₁受容体　58, 69, 72, 197, 292
α₂受容体　70
α-γ連関　115, 117
α-アクチニン　42
αアドレナリン受容体　331
α-アミラーゼ　408, 427
α運動ニューロン　115, 200
α運動ニューロンプール　118
α間在細胞　10, 325, 332, 365, 368
α-ケトグルタル酸　368
α細胞　502, 508
α-デキストリナーゼ　427
α-ブンガロトキシン　32
β₁受容体　66, 70, 72, 159, 164
β₂アドレナリン受容体　137, 331
β₂受容体　63, 71, 72, 197, 215
βアドレナリン受容体　484
β細胞　502
β-ヒドロキシ酪酸　356, 370
β-リポタンパク質　435
γ-アミノ酪酸　34, 38, 122
γ運動ニューロン　115, 200
δ細胞　502, 509

【アルファベット】

A-a勾配　274
ACh受容体　55, 72
ACTH産生腫瘍　493
Addison病　497
ADH不適合分泌症候群　475
AT₁受容体　187

A帯　41
a波　176
Basedow病　484, 486
Bowman腔　279
Bowman腔圧　298, 302
Boyleの法則　238
BUN／血清クレアチニン比　303
Ca^{2+}-Na^+交換輸送　12
Ca^{2+}-Na^+交換輸送体　164, 166
Ca^{2+}-カルモジュリン依存性プロテインキナーゼ　128, 460
Ca^{2+}感作　50
Ca^{2+}感知受容体　338, 513, 518
Ca^{2+}脱感作　50
Ca^{2+}チャネル　153, 164
Ca^{2+}チャネル拮抗薬　153
Ca^{2+}誘発性Ca^{2+}放出　48, 153, 163
Cl^--HCO_3^-交換輸送　256
Cl^--HCO_3^-交換輸送体　355, 364
Cl^-拡散電位　319
Cl^--ギ酸陰イオン交換輸送体　318
Cl^-チャネル　411, 441
Corti器　103, 104
CO中毒　275
Cushing症候群　498
Cushing病　500
Cペプチド　503
C末端の4ペプチド　393
C末端の7アミノ酸　394
D₁受容体　123
D₂受容体　123
Deiters核　120
DNAの転写　482
D-グルコース　9
D-ツボクラリン　32
E₁状態　10
E₂状態　10
Edinger-Westphal核　64
Frank-Starling関係　169, 178
Frank-Starling機序　203
FSH・LHサージ　542
$GABA_A$受容体　38
$GABA_B$受容体　38
GABA作動性ニューロン　38, 125
Giタンパク質　160
Golgi腱器官　118
Golgi腱反射　117

和文索引 **563**

Golgi 細胞　121
GTPase 活性化タンパク質　457
G 細胞　393
G タンパク質　456
G タンパク質共役型受容体　67
G タンパク質の直接作用　74
H^+-K^+ 交換輸送　330
H_2 受容体　412
HCO_3^-/CO_2 バッファー　359, 371
Henderson-Hasselbalch の式　360, 361, 371
Henle ループ　342
Henle ループの太い上行脚　309, 315, 347, 348, 368
Henle ループの細い下行脚　309
Henry の法則　240, 246, 254
His 束　150, 155
HPO_4^{2-}/H_2PO_4 バッファー　361
H 帯　41
IP_3 依存性 Ca^{2+} 放出チャネル　48, 49
I 細胞　394
I 帯　41
Jackson 行進　125
K^+ コンダクタンス　105
K^+ バランス　331
K^+ 分泌　439
K^+ 保持性利尿薬　326, 336
K 複合波　126
Laplace の法則　173, 196, 231
Leydig 細胞　531
L-アミノ酸　432
L 型チャネル　153
L-ドパ　36, 124
M_2 ムスカリン受容体　160
M_3 ムスカリン受容体　412
Mas 受容体　189
Meissner 小体　90
Merkel 受容器　91
Müller 管　526, 527
M 線　41
Na^+-Cl^- 共輸送体　324, 347
Na^+-H^+ 交換輸送　188, 322
Na^+-H^+ 交換輸送体　355, 364, 365, 368, 381
Na^+-HCO_3^- 共輸送体　364, 368
Na^+-K^+-$2Cl^-$ 共輸送体　12, 323, 342, 347, 368
Na^+-アミノ酸共輸送体　12
Na^+ 依存性共輸送　428, 437
Na^+ 吸収　439
Na^+-グルコース共輸送　306
Na^+-グルコース共輸送体　12, 13,

306, 428
Na^+-グルコース共輸送体異常　308
Na^+-コリン共輸送体　32
Na^+ チャネル　98
Na^+ バランス　315
Nernst の式　27
NMDA 受容体　127
NO 合成酵素　39
N-メチル-D-アスパラギン酸（NMDA）受容体　127
O_2 含有量　247
O_2 結合能　247
O_2 最大容量　247
Oddi 括約筋　425
off 中心-on 周辺型　100
off 中心型　100
on 中心-off 周辺型　100
on 中心型　100
Pacini 小体　89
Parkinson 病　130
PR 間隔　161
PTH 関連ペプチド　517
Purkinje 系　150
Purkinje 細胞層　121
Purkinje 細胞の軸索　122
Purkinje 線維　155
P 波　161, 176
QRS 複合　161
QT 間隔　161
Ranvier の絞輪　30
REM 睡眠　126
R-R 間隔　161
Ruffini 小体　90
R タンパク質　437
Sertoli 細胞　530
SRY 遺伝子　525
Starling の式　193, 298
Starling 力　193, 206, 381
S 細胞　394
T_3 レジン摂取試験　480
TSH 欠乏症　486
TSH 分泌腫瘍　486
T 管　40, 42, 163
T 波　161, 177
UDP-グルクロン酸トランスフェラーゼ　443
$\dot{V}/\dot{Q}$ 不均等　220, 242, 263, 274
$\dot{V}/\dot{Q}$ 不適合　263
V_1 受容体　190, 474
V_2 受容体　190, 345, 474
Zollinger-Ellison 症候群　436
Z 線　163

Z 帯　41

【ア】

アイソトープ水　283
亜鉛フィンガー　462
アカラシア　401
アクアポリン　345
アクアポリン 2　345, 474
アクアポリン 4　130
悪性高熱症　201
悪性腫瘍に伴う高カルシウム血症　517
悪性貧血　417, 437
アクチビン　539
アクチン　40, 49, 163
アクロスファイバーパターンコード　111, 113
亜酸化窒素　244
アジソン病　466
アシデミア　330, 355, 511
アシドーシス　335, 371
アスピリン　201
アセチル CoA　31
アセチルコエンザイム A　31
アセチルコリン　18, 31, 35, 53, 160, 388
アセチルコリンエステラーゼ　32, 33
アセチルコリンエステラーゼ阻害薬　33
アセト酢酸　356, 370
圧覚　89, 93
圧較差　139, 292
圧仕事　173
圧受容器　184
圧受容器反射　184, 205, 208
アップレギュレーション　456
圧容積ループ　171
圧-容量曲線　226
アデニル酸シクラーゼ　67, 68, 86, 111, 337, 345, 456
アデノシン　39, 198, 199
アデノシン一リン酸　282
アデノシン二リン酸　10, 282, 442
アデノシン三リン酸　39, 57, 282
アドレナーキ　530
アドレナリン　36, 55, 58, 197, 209, 453
アドレナリン β 受容体遮断薬　27, 484
アドレナリン作動性　53, 57

564 和文索引

アドレナリン作動性交感神経節後線維 57
アドレナリン作動性交感神経線維 233
アドレナリン作動性ニューロン 36
アドレナリン受容体 53, 68
アドレノドキシン 490
アドレノドキシン還元酵素 490
アトロピン 413
アニオン 3
アニオンギャップ 372
アニオンギャップ上昇性代謝性アシドーシス 373
アニオンギャップ正常の高 Cl 性代謝性アシドーシス 374, 441
アブミ骨 102
アポタンパク質 435
アポフェリチン 438
アマクリン細胞 100
甘味 112, 113
アミノ酸 35, 414
アミロライド 326
アミンホルモン 449
アラニン 509
アルカリ血症 330, 355, 362, 371, 511
アルカリ尿 312
アルカレミア 330, 355, 511
アルカローシス 335, 371
アルギニン 508
アルコール 415
アルドステロン 188, 206, 315, 325, 334, 365, 368, 381, 439, 450, 462, 489, 491, 494, 497
アルドステロン欠乏症 288
アルドステロン合成酵素 491
アルファ律動 125
アルブミン 290
アロマターゼ 538
アンキリン 5
アンジオテンシノーゲン 187
アンジオテンシン I 187
アンジオテンシン II 187, 198, 206, 301, 322, 365, 381, 494
アンジオテンシン変換酵素 187, 189, 494
アンジオテンシン変換酵素阻害薬 187, 301
安静時振戦 122, 124
アンダーシュート 23, 24
暗電流 98
アンドロゲン受容体 526, 527

アンドロゲン不応症候群 526, 527
アンドロステンジオン 489

【イ】

胃液 410
イオン 9
イオン化 Ca^{2+} 濃度 362
イオン間相互作用 5
イオンチャネル 17, 86
イオンチャネル型受容体 37, 38, 98
イオン電流 21
異化 494
胃潰瘍 416
息こらえ 265, 267
閾電位 23, 151
胃結腸反射 405
胃食道逆流 401
異所性中枢 155
異所性ペースメーカ 155
胃切除術 437
胃相 413, 420
胃体部 401
一次運動皮質 80
一次運動野 125
一次感覚皮質 80
一次求心性感覚ニューロン 83
一次求心性ニューロン 83, 110, 404
一次視覚皮質 80
一次終末 116
一次性能動輸送 10, 333
一次体性感覚皮質 80
一次胆汁酸 423
一次聴覚皮質 80
一次ニューロン 92
一次卵胞 536
一次卵母細胞 536
一方向性のフラップ弁 195
一過性 88
一過性受容器 89
一過性受容器電位チャネル 91
一酸化炭素 240
一酸化炭素中毒 275
一酸化炭素ヘモグロビン 252
一酸化窒素 39, 55, 61, 257, 293, 401, 457, 460
一酸化窒素合成酵素 61
胃底部 401
イヌリン 283, 291, 302, 314
イヌリンクリアランス 302
胃の細胞 397
イノシトール 1,4,5-トリスリン酸

18, 74, 457
易疲労性 33
イリタント受容器 268
胃リパーゼ 433
陰窩 439
陰核 526
インクレチン 395, 396, 505
陰茎 526
飲小胞 192
インスリン 27, 330, 397, 454, 457, 501
インスリン受容体 461
インスリン抵抗性 508
インスリン様成長因子 457
インスリン様成長因子-1 469
インスリン様成長因子受容体 461
陰性変時作用 159
陰性変伝導作用 161
陰性変力作用 164, 165, 169
インターロイキン 1 200
インターロイキン 2 495
咽頭相 399
陰囊 526
インピーダンスの整合 104
インヒビン 534, 539
陰毛発現 530

【ウ】

ウアバイン 11
ウォルフ管 526
ウォルフ・チャイコフ効果 479
受入れ弛緩 401
内向き Ca^{2+} 電流 153, 163
内向き Na^+ 電流 24, 151, 154
内向き電流 23, 150
うっ血性心不全 167
旨味 112, 113
ウレアーゼ 416
ウロジラチン 327
ウロビリノーゲン 424, 443
ウロビリン 424
運動開始の遅延 122, 124
運動学習 120
運動系 77
運動失調 122
運動終板 32, 53, 72
運動神経 78
運動神経支配 116
運動性小人間像 125
運動前野 125
運動単位 30, 114

運動ニューロン　30, 82, 114
運動ニューロンプール　114
運動の実行　125
運動のプラン　125
運動のプランの作成　125

【エ】

栄養膜　544
栄養膜合胞体層　544
エキソペプチダーゼ　431
エストラジオール　450, 525
エストリオール　450, 545
エストロゲン　454, 456, 527, 546
エチドロン酸　518
エチレングリコール　356
エチレングリコール中毒　373
エディンガー・ウェストファル核
　59
エピネフリン　36, 453
エリスロポエチン　253, 273
遠位尿細管　188, 309, 332
遠位尿細管後半部　17, 315, 347, 349
遠位尿細管前半部　315, 347, 349
嚥下中枢　399
エンケファリン　39
炎症反応　91
遠心系　77
遠心性　116
遠心性神経　78
延髄　58, 77, 185, 399
延髄呼吸中枢　265
延髄錐体　120
延髄網様体　120
延髄網様体脊髄路　120
塩素　3
エンテロキナーゼ　431
エンテログルカゴン　396
エンドペプチダーゼ　431

【オ】

横隔神経　265
横隔膜　225
嘔気　405
横行小管　40, 42, 163
黄体　538
黄体期　539, 542
黄体形成ホルモン　454, 465, 528
黄体形成ホルモンレベル　527
黄疸　443
嘔吐　365, 377, 379

嘔吐中枢　405
嘔吐反射　405
黄斑　94
黄斑回避　101
横紋筋　40
大型有芯小胞　58, 61
オーバーシュート　23
オーバードライブ抑制　155
オームの法則　139
オールトランスレチナール　95, 97
オキシトシン　455, 463, 475, 545
オクトレオチド　470
オスモル　1
遅い痛み　94
遅い軸索輸送　81
オペラント条件づけ　127
オメプラゾール　11, 394, 411, 417
オリゴデンドロサイト　80
折りたたみナイフ反射　119
オルブライト遺伝性骨異栄養症　517
温受容器　91
温度覚　94
温度眼振試験　109
温度受容器　85, 89
温度または機械刺激に対する侵害受容
　器　91

【カ】

外因性調節　196
下位運動ニューロン　125
外核層　95
外顆粒層　95
開口放出　29, 435
介在ニューロン　82, 117, 118, 122
外耳　102
外傷　199
外傷性損傷　261
外節　97
外側核　109
外側嗅索　111
外側膝状体　100
外側前庭脊髄路　120
外側毛帯　106
回腸　425
回腸切除（術）　425, 437
外的K⁺バランス　329
回転後眼振　109
回転性眼振　109
外透明板　297
海馬　79, 80
海馬体　77

外腹側核　123
解剖学的死腔　220
蓋膜　104
界面活性物質　227, 231
外網状層　95
外有毛細胞　104
潰瘍　417
外リンパ液　103
外肋間筋　225
過塩素酸塩　479
下オリーブ核　121
下核　109
化学シナプス　29
化学受容器　77, 85, 206, 361
化学的変化ガス　240
化学平衡　357
過換気　265, 266, 269, 272, 361, 372,
　379, 383, 384, 386
蝸牛　103, 104
下丘交連　106
蝸牛頂部　106
蝸牛底部　106
蝸牛内電位　104
蝸牛マイクロフォン電位　105
核　449
顎下神経節　59
顎下腺　406
角加速度　106, 108
核鎖線維　116
拡散過程　242
拡散係数　8, 240
拡散障害　274
拡散制限性　242
拡散制限性O₂輸送　245
拡散電位　9, 18
学習　127
核心温　200
核袋線維　116
拡張　215, 293
拡張期圧　145
拡張能　225
下行路　78
籠細胞　121
可視光　94
加湿された気管内の空気　241
過常期　158
下垂体　462
下垂体茎　463
下垂体後葉　463
下垂体前葉　454, 462
下垂体前葉障害　486
下垂体前葉ホルモン　528, 533

566　和文索引

下垂体門脈　465
ガス交換　216, 237
ガストリン　391, 392
ガストリン放出ペプチド　392, 393
ガスの分圧較差　240
家族性低カルシウム尿性高カルシウム
　　血症　338, 518
カチオン　2
下腸間膜動脈神経節　57
褐色細胞腫　58
褐色脂肪組織　200
活性化ゲート　23
活動性充血　196, 197, 202
活動張力　46
活動電位　22, 27, 30, 163
括約筋　397
カテコール-*O*-メチルトランスフェ
　　ラーゼ　36
カテコールアミン　453
角ならし　307
カハール間質細胞　398
カフェイン　415
下部食道括約筋　400
カプトプリル　187
過分極　22, 34, 98, 105, 108, 150
過分極性　86
鎌状赤血球症　247
ガラクトース　428
カリウム　3
カリクレイン　408
顆粒細胞　111, 121
顆粒層　121
顆粒膜細胞　525, 537, 538
軽い圧刺激などの触覚　94
カルシウム　337
カルシトニン　511
カルセケストリン　42
カルデスモン　49
カルバミノヘモグロビン　253
カルビンディン D-28 K　438, 520
カルポニン　49
カルモジュリン　48
陥凹　91
感覚系　77
感覚受容器　77, 83
感覚神経　77, 78
感覚神経支配　116
感覚変換　83, 85
感覚毛　104, 105
感覚様式　83, 87
換気血流比　261
換気血流比不均等　220

換気量（率）　221
還元ヘモグロビン　247, 256
管腔液の流れ　342, 343
感光色素　97
感作　91, 127
幹細胞　81
間質液　1, 283
間質液の膠質浸透圧　194
間質液量　284
間質の静水圧　194
感受性　455
冠循環　198
緩衝　256
環状アデノシン一リン酸　18, 409,
　　457
環状グアノシン一リン酸　98, 257,
　　457
緩徐内向き電流　153
緩衝反応　361
緩衝物質　355, 356
緩徐波　47
眼振　109
関節・筋受容器　268
間接路　123, 415
肝臓　443
乾燥ガス　238
乾燥吸入気　241
桿体　94, 96, 97
間脳　77, 79
肝不全　480
眼房水　94
顔面神経　113
灌流制限性　242
灌流制限性 O_2 輸送　245
関連痛　94

【キ】

記憶　79, 80, 127
飢餓　467
期外収縮　165
機械受容器　85, 89, 185
気管支循環　217
気管支喘息　216, 224, 225
気胸　228
ギ酸　356, 373
希釈セグメント　324, 347, 350
希釈法　283
偽性副甲状腺機能低下症　337,
　　517
気体の一般法則　238
拮抗筋　118

拮抗薬　67
基底核　77, 79, 80
基底細胞　110, 112
基底側膜　411
基底膜　104, 106, 128
起電性　10, 13, 324
気道　215
気道抵抗　215, 233
起動電位　86
気道閉塞　264
企図振戦　122
希突起膠細胞　80, 82
キヌタ骨　102
キネシン　81
機能的残気量　217
機能的死腔　220
揮発性酸　356, 385
ギブス・ドナン効果　283
ギブス・ドナン平衡　4
基本味　112
逆説睡眠　126
逆転筋伸張反射　118
逆輸送　11, 12
ギャップ結合　29, 47, 156, 397
キャパシタンス　143
嗅覚異常　109
嗅覚受容器細胞　110
嗅覚受容体タンパク質　110
嗅覚消失　109
嗅球　111
球形嚢　106, 108
休止相　234
吸収　193, 426
弓状核　396, 533
球状核　122
球状帯　487, 491
嗅上皮　110
求心系　77
求心性　116
求心性神経　78
急性高山病　273
急性呼吸窮迫症候群　382
急性呼吸性アシドーシス　382
急性呼吸性アルカローシス　384,
　　385, 511
急速眼球運動睡眠　126
吸息曲線　227
吸息筋　225
吸息相　215, 234, 236
急速脱分極　151, 154
吸息中枢　265
吸入気の粘度　234

和文索引　567

橋　58, 77, 185
胸郭コンプライアンス　227
胸管　195, 435
競合　7
強酸　357, 358
強縮性収縮　45
橋小脳　120
強心配糖体　11, 165
強心薬　180
強制呼出　236
協調運動　122
協働運動　120, 122
協働筋　118, 119
協同的　63
胸膜腔内圧　226, 235, 236
莢膜細胞　525
橋網様体　120
橋網様体脊髄路　120
共輸送　11, 317
胸腰系　57
局所性調節　196, 202
局所代謝産物　198, 199
局所電流　26, 156
巨人症　470
起立性低血圧　207
キロミクロン　435, 437
近位曲尿細管　310
近位尿細管　7, 13, 299, 308, 315,
　332, 339, 348, 363, 368
筋緊張亢進　119
筋原説　196, 293
筋原線維　40
筋細胞膜　42
筋上皮細胞　406
筋小胞体　11, 40, 42, 163
筋小胞体・小胞体 Ca^{2+} ATPase　11
筋伸張反射　117
筋節　40, 41, 162
筋線維　40
筋層間神経叢　387
緊張性　88
緊張性収縮　397
緊張性受容器　89
筋紡錘　115
筋力低下　33

【ク】

グアニル酸シクラーゼ　257, 457,
　460
グアニンヌクレオチド交換因子　457
グアニンヌクレオチド放出因子　457

グアノシン二リン酸　457
グアノシン三リン酸　457
空間的加重　34
空腹期消化管強収縮運動　396, 403
クエン酸塩　531
駆出率　168
クスマウル呼吸　269, 378
下り坂輸送　6
屈曲　119
屈曲-逃避反射　117, 119
屈曲反射　119
屈筋　119, 120
屈筋-引っ込め反射　119
クッシング症候群　495
クッシング反射　190
駆動力　7, 20
クボステック徴候　510
グラーフ卵胞　537
クラーレ　32, 72
グリア細胞　80, 81
グリア細胞膜　128
クリアランス比　291
グリコール酸　356
グリシン　37
グルカゴン　501, 508
グルカゴン様ペプチド-1　396, 505
グルコース　131, 290, 428, 483, 503
グルコース依存性インスリン分泌刺激
　ポリペプチド　391, 505
グルコース滴定曲線　306
グルコース輸送体　428
グルコース輸送体 GLUT2　504
グルコース輸送体 GLUT4　9, 506
グルココルチコイド　487, 528, 532
グルタミナーゼ　368
グルタミン　368
グルタミン酸　37, 123, 127, 368
グルタミン酸受容体　37
グルタミン酸デカルボキシラーゼ
　38
くる病　438, 521
クレアチニン　303, 367
グレーブス病　482
クレチン病　476, 486
グレリン　397
クロスブリッジ　45, 163, 164
クロスブリッジサイクル　45, 49
クロム親和性細胞　58, 72
群発性呼吸　269
群発波　126

【ケ】

経口避妊薬　547
経口補水液　443
経細胞液　282
計算上の血漿浸透圧　373
形質膜　11
形質膜 Ca^{2+} ATPase　11
痙縮　119
頸動脈小体　190, 206, 268, 361
頸動脈洞　184
頸動脈洞神経　185, 205
頸粘液細胞　410
ゲート　17
ケーブル特性　27, 156
血液精巣関門　530
血液粘度　140, 143
血液脳関門　128
血液脳関門の透過性　130
血液の分布　179
血液量　179
血液量減少　181
血液量減少症　303
血管運動中枢　185, 208
血管拡張性代謝産物　197, 202
血管機能曲線　178, 181
血管作動性腸管ペプチド　39, 61, 388
血管作動性物質　197
血管収縮　292
血管周皮細胞　128
血管平滑筋　53, 72, 198
血管迷走神経性失神　208
月経　529, 542
月経周期　528, 539, 541
結合ガス　240
血行力学　135
血漿　1, 283
血漿アニオンギャップ　372
血漿膠質浸透圧　299, 301
血漿水分　283
楔状束核　93
血漿タンパク質　283, 362
血漿の膠質浸透圧　194
血漿量　283
血清アルブミン　15
血清クレアチニン濃度　303
血栓　143
血中尿素窒素　27, 303, 499
血流速度　138, 143
血流量　138, 139, 242
ケトアシドーシス　378
ケトコナゾール　491, 500

ケト酸　356, 370, 373, 376
下痢　438, 439, 441
ケルクリングの皺襞　426
減圧　101
限外濾過　283, 338
限外濾過液　1, 297
弦コンダクタンスの式　22
減数分裂　531
原発性アルドステロン症　500
原発性副甲状腺機能亢進症　515
原発性副腎皮質不全　497

【コ】

抗 Müller 管ホルモン　525, 526
高 Na^+ 食　334
高アルドステロン症　379
効果器官　53, 58
口渇　188
後過分極　23, 24
高カリウム血症　26, 330, 370, 379, 508
高カルシウム血症　338, 511, 517
交感神経　63, 185, 215, 403
交感神経活動　327
交感神経幹　55
交感神経系　53, 160
交感神経鎖　55
交感神経刺激　408
交感神経支配　197, 199, 406
交感神経単独支配　64
交換輸送　11, 12, 317
好気性代謝　222
口腔相　399
後根神経節　78
交叉　82, 84
交叉伸展反射　120
高次運動機能　79
鉱質コルチコイド　532
膠質浸透圧　193
甲状腺機能亢進症　199
甲状腺機能低下症　199, 485
甲状腺刺激抗体　482, 484
甲状腺刺激ホルモン　464, 465, 534
甲状腺刺激ホルモン放出ホルモン　456, 465
甲状腺腫　485
甲状腺脱ヨウ素酵素　480
甲状腺ペルオキシダーゼ　479
甲状腺ホルモン　199, 453, 462, 476
甲状腺濾胞　477
高所順応　252, 269

高所での O_2 輸送　246
高浸透圧　331
高浸透圧性　14, 285
拘束性肺疾患　225, 230
酵素成分　418
酵素連結型受容体　460
高タンパク食　294
高張　16
高張尿　340
後頭葉　80
更年期　548
後発射　120
後負荷　168
後負荷増加　171
興奮収縮連関　39, 42
興奮性　34, 86, 123, 157
興奮性シナプス後電位　34
興奮性入力　121
抗利尿ホルモン　17, 188, 206, 289, 326, 342, 344, 347, 463
抗利尿ホルモン不適合分泌症候群　17, 289, 347
高リン血症　517
交連　82
ゴールドマンの式　22
コーン症候群　500
小型透明小胞　61
小型有芯小胞　36, 57
小刻み歩行　124
呼吸困難　270
呼吸細気管支　216
呼吸周期　215
呼吸性アシドーシス　362, 365, 372, 381, 384, 386
呼吸性アルカローシス　272, 362, 365, 372, 383, 385, 386
呼吸性酸塩基平衡異常　374
呼吸性代償　356, 361, 372, 374, 382, 384, 385
呼吸中枢　265
呼吸調節中枢　265
呼吸領域　215
黒質　123
黒質緻密部　123, 124
黒質網様部　123
孤束　113
孤束核　113, 185
呼息曲線　227
呼息筋　225
呼息相　215, 234
呼息中枢　265
骨格筋　39, 200

骨芽細胞　514
骨形成　514
骨粗鬆症　514, 521
骨端閉鎖　536
骨軟化症　438, 521
骨盤神経　388
骨迷路　102
固定酸　356
古典的条件づけ　127
ゴナドトロピン　534
ゴナドトロピン放出ホルモン　528
ゴナドトロフ　465
鼓膜　102
固有感覚　89, 93
コリパーゼ　434
コリン　31
コリンアセチルトランスフェラーゼ　31
コリン作動性　53, 57, 61
コリン作動性受容体　55, 72
コリン作動性ニューロン　388
コリン作動性副交感神経節後線維　61
コリン作動性副交感神経線維　233
ゴルジ装置　450
コルチ器　85
コルチコステロン　490, 491
コルチコトロフ　465
コルチゾール　450, 489, 490, 496
コレカルシフェロール　519
コレシストキニン　391, 394, 509
コレステロール　424, 453, 487, 545
コレステロール 7α-ヒドロキシラーゼ　425
コレステロールエステル加水分解酵素　434
コレステロール側鎖切断酵素　490
コレステロールデスモラーゼ　490, 534, 538
コレラ　441
コレラ菌　442
コレラ毒素　442
コロイド　477
コロトコフ音　142
コロナウイルス感染症2019　189
混合静脈血　241, 250
混合性酸塩基平衡異常　372, 374, 376, 384
コンダクタンス　17
コンプライアンス　143, 225

和文索引　569

【サ】

サーファクタント　227, 231
サイアザイド系利尿薬　324, 336, 339, 349, 365, 475
再エステル化　434
再吸収　304
細静脈　137, 145, 191
サイズの原理　114
最大拡張期電位　154, 160
最大吸気量　217
最大輸送量　6, 13
細動脈　133, 137, 145, 189, 191
細動脈収縮　202
再分極　24, 153, 154
細胞外液　1, 282
細胞外液濃縮性アルカローシス　379
細胞外液量　283
細胞外液量減少　303, 315, 321
細胞外液量増加　315, 321
細胞外バッファー　359, 363, 385
細胞経路　426
細胞骨格タンパク質　41
細胞体　80, 81
細胞内 Ca^{2+} 濃度　164, 167
細胞内 Na^+ 濃度　166
細胞内 pH　355
細胞内液　1, 282
細胞内液量　284
細胞内タンパク質　15, 362, 382
細胞内バッファー　362, 381, 385
細胞膜　1, 11
細胞膜電位　150
細網内皮系　443
サイロキシン　199, 477
サイロキシン結合グロブリン　480
サイログロブリン　477
サイロトロフ　465
索跡終末　116
左室拡張末期容積　168, 178
左心不全　269
雑音　142
刷子縁　427
作動薬　67
サブスタンス P　39, 55
作用機序　65, 73
サリチル酸　311, 356, 373, 376
サリチル酸中毒　373, 384
酸塩基平衡異常　335
酸塩基マップ　360, 374, 384
酸化ヘモグロビン　247, 362
残気量　217

酸血症　330, 355, 357, 361, 362, 371, 384, 511
三次求心性感覚ニューロン　84
三次ニューロン　92
三重反応　199
酸性尿　312
三尖弁　135
酸素負債　196
散瞳　63, 64
酸分泌腺　410
酸味　112, 113

【シ】

ジアシルグリセロール　49, 70, 74
シータ波　126
塩味　112, 113
視蓋　120
視蓋脊髄路　120
視覚受容器　77
視覚皮質　100
耳下腺　406
弛緩　45, 63, 71, 164, 215
時間的加重　34
閾値　87, 307
色素上皮　95
色素上皮細胞層　95
色素沈着過剰　497
ジギタリス　11
識別性の高い触覚　89, 93
子宮　526, 541
子宮収縮　476
糸球体　111, 121, 122
糸球体周辺細胞　111
糸球体尿細管バランス　316
糸球体毛細血管　281
糸球体毛細血管圧　298
糸球体毛細血管網　279
糸球体濾過マーカー　291, 302
糸球体濾過量　280, 363
死腔　219
軸索　80, 81
軸索起始部・初節　81
軸索小丘　81
軸索輸送　39
シグナル伝達兼転写活性化因子　462
シクロオキシゲナーゼ　201
刺激　85
刺激受容器　268
刺激性 G タンパク質　457
視交叉　82, 100, 101
ジゴキシン　166

自己抗体　33
自己受容体　70
自己調節　196, 293
自己免疫性甲状腺炎　486
自己リン酸化　505
視細胞　94
視細胞層　95
視索　100, 101
視索上核　463, 472
支持細胞　110, 112
脂質　471
脂質二重層　5
思春期　467
視床　77, 79, 123
視床下核　123
歯状核　122
視床下部　77, 79, 200, 454
視床下部-下垂体系　492
視床下部前部　200
耳小骨　102
茸状乳頭　113
視神経　94, 101
耳神経節　59
視神経層　96
視神経乳頭　94
シスチン尿症　433
ジストロフィン　41
耳石器官　108
持続性　88
持続性吸息中枢　265
持続性受容器　89
膝蓋腱反射　118
実測の血漿浸透圧　373
室頂核　122
失調性呼吸　269
室傍核　463, 472
質量作用の法則　256, 357, 381, 385
時定数　27
自動能　154
シトクロム P-450　490
シトクロム P-450$_{c18}$　491
シトクロム P-450$_{scc}$　490
シナプス　29, 80, 81
シナプス可塑性　127
シナプス間隙　29, 81
シナプス強度　127
シナプス小胞　29
シナプス前神経終末　29, 80, 81
シナプス遅延　29
シナプス疲労　35
自発的脱分極　154

570 和文索引

ジパルミトイルホスファチジルコリン 232
篩板 110
ジヒドロテストステロン 526, 532, 534
ジヒドロピリジン受容体 42, 163
ジペプチド 429, 432
脂肪 403
脂肪細胞 397
視放線 101
脂肪分解 483
脂肪便 394, 417, 435
シメチジン 394, 412, 413, 417
弱塩基 312, 356
弱酸 311, 356, 358, 385
ジャクソン発作 125
射精 63, 531
射乳 475
シャント 259
シャント比の式 261
集合管 17, 188, 280, 315, 332, 347, 349, 368
シュウ酸 356
収縮 63, 69, 215
収縮期圧 145
収縮細胞 149
収縮性 164, 168
重症急性呼吸器症候群コロナウイルス2 189
重症筋無力症 33
自由水 350
自由水クリアランス 350
自由水再吸収 351
縦走筋 387, 397
収束 34
重炭酸 3, 359
重炭酸イオン 240
十二指腸潰瘍 394, 416
終脳 123
周波数局在 82
周波数局在地図 106
終板電位 32
終末槽 42
絨毛 426
重量オスモル濃度 14
重量モル浸透圧濃度 14
重力の影響 217
縮瞳 63, 64
主細胞 325, 332, 410
樹状突起 80, 81
樹状突起間シナプス 111
樹状突起ツリー 122

受精 544
受精能獲得 532
受精卵 536, 542
主席卵胞 537, 542
出血 133, 186, 203, 259, 292
出産 545
受動運動 119
受動張力 46
授乳 471, 475
受容器 77
受容器電位 83, 85, 86
受容性弛緩 401
受容体 29, 37, 455
受容体型チロシンキナーゼ 461
受容野 86
シュワン細胞 82
順化 127
順行性 81
順応 26, 88, 127
上位運動ニューロン 125
小陰唇 526
消化 426
障害因子 416
消化管 65
上核 109
消化性潰瘍 415
上丘 120
上頸神経節 55
条件刺激 127
条件反射 414, 475
上行脚 168
上行路 78
硝子体液 94
脂溶性 130, 191
脂溶性物質 129, 130, 137
小腸 387, 431
上腸間膜動脈神経節 57
小腸上皮細胞 12
情動 79, 80
小人間像 82
小脳 77
小脳性運動失調 122
上皮細胞 426
上皮性 Na^+ チャネル 113, 325, 462
上皮成長因子 461
上部食道括約筋 400
小胞体 11, 449
漿膜 387
正味の拡散 7
正味の限外濾過圧 299
正味の再吸収 304, 311
正味の分泌 304

静脈 133, 137, 145
静脈還流曲線 178
静脈還流量 133
静脈コンプライアンス 144
ジヨードチロシン 479
初期再分極 153
食道相 399
食道第一次蠕動収縮 400
食道第一次蠕動波 400
食道第二次蠕動収縮 401
食道第二次蠕動波 400
食欲低下ニューロン 396
初経 529
触覚円板 89
除脳硬直 120
除脳固縮 120
徐波 398, 402, 403
徐波睡眠 126
自律神経系 53, 215
腎 188
侵害受容器 85, 89
心機能曲線 178
伸筋 119, 120
腎クリアランス 289
神経インパルスの様式 88
神経筋遮断薬 72
神経筋接合部 30, 33, 81
神経効果器接合部 55
神経膠細胞 80, 81
神経膠細胞膜 128
神経細胞 80
神経修飾物質 39
神経新生 110
神経成長因子 461
神経性調節 196, 197, 453
神経節細胞 100
神経節細胞層 96
神経節遮断薬 72
神経地図 82, 88
神経伝達物質 29
神経伝導検査 33
神経ペプチド 35, 39, 463
神経ホルモン 39
腎血漿流量 295
心雑音 143
心室 133, 150
心室圧容積ループ 170
心室拡張末期容積 167
心室筋 66, 70
心室充満 171
心室の駆出 171
心周期長 161

腎循環 198
親水性 5
新生児呼吸窮迫症候群 232
腎性代償 356, 365, 372, 374, 382, 384, 385
腎性尿崩症 348, 349, 475
腎前性高窒素血症 303
心臓促進中枢 185
腎臓における Ca^{2+} 輸送 337
腎臓におけるリン酸の輸送 336
心臓分時仕事量 173
心臓弁膜症 143
心臓抑制中枢 185
伸張受容器 116, 118
伸張反射 116, 117
伸展 119, 414
伸展活性型 Ca^{2+} チャネル 293
心電図 161
伸展性 143, 225
浸透 13
浸透圧 285
浸透圧ギャップ 373
浸透圧性下痢 429
浸透圧性利尿薬 322
浸透圧調節 340
浸透圧利尿 322, 507
振動覚 89, 93
心拍出量 133, 168
心拍出量曲線 178
心拍数 161
深部体温 200
心ブロック 161
心房 133, 165
心房結節間伝導路 149
腎傍糸球体細胞 206
心房収縮期 176
心房性ナトリウム利尿ペプチド 198, 292, 327, 457, 460

【ス】

膵アミラーゼ 419
随意 53
随意運動 125
錘外筋線維 115
膵機能不全 435
膵酵素 433
髄質 279
髄質外層集合管 309, 343
髄質内層集合管 309, 343
髄鞘 29, 30, 81
髄鞘形成 29

膵臓β細胞 13
錐体 94, 96, 97
錐体外路 120
錐体路 120
膵タンパク質分解酵素 419
錘内筋線維 115
膵ポリペプチド 396, 502
睡眠紡錘波 126
水溶性 130, 192
水溶性物質 129, 137
膵リパーゼ 419, 433
スクラーゼ 427, 428
スターリング力 364
ステルコビリン 424, 443
ステロイド応答領域 462
ステロイドホルモン 449, 457, 462
スパイク開始部位 81
スパイク間隔 88
スパイロメータ 217
スピロノラクトン 326, 501
滑り説 163
スルホニル尿素薬 508

【セ】

精管 526
精細管 530
静止期 177
精子形成波 531
静止膜電位 21, 27, 150, 152, 153
星状膠細胞 82
正常呼吸 269
星状細胞 121
正常洞調律 150
生殖細胞 525
成人型ヘモグロビン 246
静水圧 193
性腺刺激ホルモン 471
性腺刺激ホルモン放出ホルモン 528
性染色体 525
精巣 530
精巣上体 526, 531
精巣性女性化症候群 527
生体アミン 35
成長ホルモン 456, 465, 466
成長ホルモン欠損症 469
成長ホルモン放出ホルモン 454
成長ホルモン放出抑制因子 468
精通 530
静的γ運動ニューロン 116
正の K^+ バランス 331
正の Na^+ バランス 315

精嚢 526, 531
正の協同性 249
正のフィードバック 453
性分化 525
精母細胞 530
性ホルモン結合グロブリン 533, 534
生理学的死腔 220
生理学的シャント 242, 259
"生理食塩水反応性"代謝性アルカローシス 381
"生理食塩水不応答性"代謝性アルカローシス 381
セカンドメッセンジャー依存性チャネル 18
赤核 120
赤核脊髄路 120
脊髄 77
脊髄小脳 120
脊髄神経 78
セクレチン 391, 394
セクレチン細胞 394
舌咽神経 113, 185
舌下腺 406
節後ニューロン 53, 57, 61
切痕 145
摂食促進ニューロン 396
摂食中枢 396
節前ニューロン 53, 57, 61
絶対不応期 26, 157
セットポイント 183, 199
舌リパーゼ 406, 408, 433
セリン／スレオニンキナーゼ 460
セルトリ細胞 525
セロトニン 36, 198, 495
セロトニン作動性ニューロン 36
全か無かの反応 23
前根 55
センサー 18
潜在ペースメーカ 155
栓状核 122
線条体 123
全身組織 242
全身プレチスモグラフ法 219
仙髄 58
先体反応 532
選択性 17
選択性フィルタ 17
選択的エストロゲン受容体モジュレーター 548
剪断 143
先端巨大症 469
全張力 46

572　和文索引

前庭小脳　120
前庭神経外側核　120, 122
前庭神経核　109
前庭有毛細胞　108
先天性副腎皮質過形成　501
蠕動運動　404
蠕動反射　404
前頭葉　80
セントラルコマンド　201
全肺気量　219
前負荷　45, 168
前負荷増加　171
前腹側核　123
腺房　406, 418
腺房細胞　406, 407, 418, 420
腺房中心細胞　418
全末梢抵抗　139, 180
前立腺　526, 532

【ソ】

増圧　101
増強　34, 127, 413
増殖期　541, 542
相対不応期　26, 158
相動性　88
相動性収縮　397
相動性受容器　89
相反性神経支配　63
相反的　63
僧帽細胞　111
僧帽弁　134
層流　142
阻害薬　33
足細胞　297
束状帯　487, 490, 491
促進拡散　9, 306
促進型グルコース輸送　306
促通　34
測定過小　122
測定過大　122
側頭葉　80
足突起　297
速度定数　357
側方細胞間隙　320
側方抑制　87
粗振動　90
疎水性　5
外向き K⁺電流　24, 153
外向き電流　23, 150
ソマトスタチン　39, 396, 415, 468, 502

ソマトスタチン類縁体　470
ソマトトロフ　465
ソマトメジン C　469
粗面小胞体　419
ゾリンジャー・エリソン症候群　393

【タ】

第 1 相反応　445
第 2 相反応　445
第Ⅶ脳神経　113
第Ⅷ脳神経　104
第Ⅸ脳神経　113, 185
第Ⅹ脳神経　185
大陰唇　526
体液量減少　285
体液量増加　285
体温　199
体温調節　199
体血管抵抗　139
体高血圧　173
対光反射　64
対向輸送　11, 12, 317
対向流交換系　281, 344
対向流増幅系　323, 342, 368
胎児型ヘモグロビン　247
胎児の循環　258
代謝性アシドーシス　356, 362, 370, 372, 373, 376, 377, 384, 385
代謝性アルカローシス　364, 372, 379, 385
代謝性酸塩基平衡異常　374
代謝説　196
代謝調節型受容体　37, 38, 98
体循環　133
体循環動脈血　221, 242, 249
代償性反応　171, 204
苔状線維　121, 122
大静脈　135
体性感覚　77
体性感覚小人間像　93
体性神経系　53
大腸菌　442
タイチン　42, 45
ダイテルス核　109
大動脈　137, 145
大動脈圧　168
大動脈弓　184
大動脈縮窄症　173
大動脈小体　190, 206, 268
大動脈弁逆流　147
大動脈弁狭窄　147

タイトジャンクション　129, 439
体内 K⁺バランス　329
体内全水分量　1, 282
第二次性徴　529
大脳半球　77
大脳皮質　77, 266
体部位局在地図　82
ダウンレギュレーション　456
多系統萎縮症　66
多血症　273
多シナプス反射　119
多対 1 シナプス　34
立ち上がり相　25, 151
脱髄性疾患　30
脱分極　22, 34, 98, 105, 108, 150
脱分極性　86
脱落膜細胞　544
多発性硬化症　30
多ユニット平滑筋　47
樽状胸郭　230
ダルトンの分圧の法則　238
単一運動ニューロン　114
単一効果　342
単一臓器の抵抗　139
単一ネフロン機能　312
単一ユニット平滑筋　47, 397
単一卵胞　536
短環フィードバック　454
短期抑圧　35
炭酸水素イオン　240
炭酸脱水酵素　240, 255, 356, 361, 366, 411
炭酸脱水酵素阻害薬　272, 364
単シナプス反射　117
胆汁酸塩　421, 422, 423, 433
胆汁色素　421, 424
単収縮　45
胆汁分泌　422
単純拡散　7, 191, 239
単純細胞　100
単純スパイク　122
単純性酸塩基平衡異常　371, 372, 374, 376, 384, 385
弾性　226
弾性収縮力　236
男性性機能　73
弾性組織　137
淡蒼球　80, 123
淡蒼球外節　123
淡蒼球内節　123
担体輸送　6
タンパク質　192, 282, 356, 362

和文索引 573

タンパク質分解　483
タンパク尿　298
短絡　259

【チ】

チアノーゼ　270
チェーン・ストークス呼吸　269
チオシアン酸塩　479
知覚　79
力速度関係　46
腟　526,541
緻密斑　294
緻密板　297
着床　536,544
チャネル　130
中継核　78,82,84
中耳　102
中心窩　94
中枢神経系　77,201
中枢性化学受容器　267
中枢性尿崩症　343,349,475
中脳　58,77
聴覚受容器　77
聴覚皮質　106
聴覚有毛細胞　105
腸肝循環　422
長環フィードバック　454
長期増強　35,127
長期抑圧　127
腸神経系　53,387,390,403
調節反射　64
腸相　413,420
超短環フィードバック　454
頂端膜　411
超複雑細胞　100
重複切痕　145,177
跳躍伝導　29,30
直血管　281,344
直接路　123,415
直線加速度　106,108
直腸肛門反射　405
直列抵抗　140
チロシン　453
チロシンキナーゼ　457,460,505
チロシンキナーゼ会合型受容体　461,
　469
チロシンヒドロキシラーゼ　36

【ツ】

椎前神経節　55,57

椎傍神経節　55
痛覚　94
痛覚過敏　91
ツチ骨　102

【テ】

低カリウム血症　330,336,370,380,
　439,441
低カルシウム血症　362,509,517
低カルシウム尿　339
低換気　267,269,274,372,380,381,
　384,386
低血糖　467
抵抗　139,292
低酸素　198
低酸素血症　232,271,272,274,275
低酸素症　253,274,275
低酸素性血管収縮　257,273
低酸素誘導因子1α　253
定常状態　180
低身長症　469
低浸透圧性　14,285
低張　16
低張性　406
低張尿　340
低ナトリウム血症　378
低マグネシウム血症　340
低リン血症　517
デオキシヘモグロビン　385
デキサメタゾン抑制試験　493,500
滴定曲線　358,361
滴定酸　363,365,370,385
デシベル　101
テストステロン　453,462,525,534
テタニー　362
テトラエチルアンモニウム　24
テトロドトキシン　24
デヒドロエピアンドロステロン　489
デヒドロエピアンドロステロン-硫酸
　塩　545
デメクロサイクリン　347,475
デルタ波　126
デルマトームの法則　94
電位依存性 Ca^{2+} チャネル　29,31,48,
　49
電位依存性 Na^+ チャネル　25
電位依存性チャネル　18
電解質　9
電気化学的平衡　18
電気シナプス　29
電気的拡張期　153

電気的中性　2
伝導細胞　149
伝導速度　27,82,155
伝播　23,26
伝播性消化管収縮運動　396
デンプン　427
電流　85

【ト】

動員　114
同化　506
透過係数　8
導管　406
導管細胞　406,407,418
導管領域　215
動機　80
同期　126
瞳孔括約筋　64
瞳孔径　64
瞳孔散大筋　64
瞳孔収縮筋　64
動作の緩徐さ　124
糖質コルチコイド　487,532
等尺性収縮　45
投射ニューロン　82
糖新生　483
等浸透圧性　14,285,347,439
等水素イオン線　360
頭仙系　59
頭相　413,420
闘争か逃走か　58,208
糖タンパク質　466
等張　16
等張性　407,419
等張性再吸収　316,364
等張性収縮　46
等張尿　340,350
頭頂葉　80
動的γ運動ニューロン　116
動的コンプライアンス　236
糖尿　13,307
糖尿病　308
糖尿病性ケトアシドーシス　370,
　373,507
糖尿病誘発性　494
頭部損傷　349
洞房結節　63,66,70,74,149,154
動脈　133,137
動脈管開存症　261
動脈血 pH　355
動脈血 P_{O_2}　190

574 和文索引

動脈硬化 143, 147
動脈コンプライアンス 144
同名筋 116, 118
動毛 108
等容性弛緩 171
等容性収縮 171
当量 1
特発性高カルシウム尿症 339
登上線維 121
ドパデカルボキシラーゼ 36
ドパミン 36, 57, 123, 293, 453
ドパミンβ-ヒドロキシラーゼ 36
ドパミン作動性ニューロン 36
トランスデューシン 98
トランスフェリン 438
トリアムテレン 326
トリガー Ca^{2+} 163
トリプシン 419, 431
トリペプチド 429, 432
トリヨードサイロニン 199, 456, 477
努力性肺活量 224
トルソー徴候 510
トレハラーゼ 428
トロポニン 40, 163
トロポニン C 41, 163
トロポニン I 40
トロポニン T 40
トロポミオシン 40, 45, 163
トロンボキサン A$_2$ 198, 258

【ナ】

内因子 410, 437
内因性調節 196
内核層 96
内顆粒層 96
内在性膜タンパク質 5
内耳 102
内耳神経 104
内節 97
内側核 109
内側嗅索 111
内側膝状体 106
内透明板 297
内皮細胞 129, 137
内網状層 96
内有毛細胞 104
内リンパ液 103
内肋間筋 225
長さ張力関係 45, 167
長さ定数 28

ナトリウム 3
慣れ 127
軟骨 215

【ニ】

におい地図 111
におい物質 109
苦味 112, 113
ニコチン受容体 32, 72
ニコチン性 72
二酸化炭素産生量 222
二次および三次感覚・運動野 80
二次求心性感覚ニューロン 84
二次終末 116
二次性能動輸送 11, 306
二次性副甲状腺機能亢進症 513, 517
二次性副腎皮質不全 498
二次胆汁酸 424
二次ニューロン 92
二重比率 314
二糖類 427
乳化 424, 433
乳酸 199, 356, 362, 373, 376
乳酸アシドーシス 373, 383
乳酸イオン 362
乳汁産生 470, 471
乳汁漏出症 472
乳頭 112, 279
乳糖不耐症 429
乳房発育 530
ニューロクリン 390, 391, 396
ニューロテンシン 39
ニューロペプチド Y 39, 57
ニューロン 80
尿細管管腔液 pH 366
尿細管最大輸送量 310
尿細管糸球体フィードバック機構 293
尿細管周囲毛細血管 281, 364
尿酸 310
尿酸排泄促進薬 311
尿素 16
尿素輸送体 309
尿素リサイクル 309, 342
尿中 cAMP 337
尿中の pH 緩衝剤 336, 337
尿中バッファー 365, 369
妊娠 308, 471, 540, 544
妊娠試験 544
認知 79
認知症 125

【ネ】

熱産生 199
熱射病 201
熱帯性スプルー 437
熱中症 201
熱疲労 201
熱放散 200
ネブリン 42
ネフロン終末部 324
ネルンストの式 19
粘液 410, 415
粘液水腫 486
粘膜 387
粘膜下神経叢 387
粘膜下層 387
粘膜筋板 387
粘膜固有層 387
粘膜層 387

【ノ】

脳 77
脳幹 77, 399
脳虚血 190, 206
濃縮性アルカローシス 322, 365, 381
脳循環 198
脳神経節 78
脳性ナトリウム利尿ペプチド 292, 327
濃度勾配 7
脳波 125
嚢胞性線維症 433, 435
脳梁 82
ノナペプチド 472
上り坂輸送 6
ノルアドレナリン 36, 53, 57, 58, 159, 209, 453
ノルエピネフリン 36
ノルメタネフリン 36
ノンレム睡眠 126

【ハ】

パーキンソン病 124
肺 215
肺界面活性物質 216
肺拡散能 240
肺活量 217
肺活量計 217
肺気腫 230, 237, 240, 244

和文索引 575

肺気量　234
肺気量分画　217, 276
肺血流　217
肺血流量　257
肺血流量の調節　217
肺腫瘍　347
肺循環　133, 198
肺伸展受容器　268
肺水腫　240, 274
肺線維症　225, 230, 240, 244, 245, 246, 274
背側および腹側蝸牛神経核　106
背側呼吸ニューロン群　265
肺塞栓症　263
肺内の血流分布　258
排尿　63
排尿反射　63
ハイパー直接路　123
胚盤胞　544
肺胞　216
肺胞管　216
肺胞換気　220
肺胞換気式　222
肺胞気　241
肺胞気式　223
肺胞気-動脈血酸素分圧較差　274
肺胞気-動脈血分圧較差　242
肺胞内圧　235
肺胞嚢　216
肺胞マクロファージ　216
肺容量　217, 276
排卵　525, 537, 542
白交通枝　55
白質　77
薄束核　93
白体　538
拍動　144, 145
バスケット細胞　121
バセドウ病　199, 482
バソプレシン　198, 472
パチニ小体　85
発熱　200
発熱物質　200
バッファー　355, 356
バニリルマンデル酸　36
バニロイド受容体　91
パブロフの犬　127
速い痛み　94
速い逆行性輸送　81
速い軸索輸送　81
パラアミノ馬尿酸　291, 295
パラクリン　294, 391, 396

バラニー検査　109
バリコシティ　55, 57
バルクフロー　128
バルサルバ操作　405
バルサルバ法　186
パルスオキシメトリー　250
バルビツール　38
パワーストローク　45
半規管　85, 103, 106
反射弓　117
反射係数　15, 192
板状終末　116
反跳現象　122
ハンチントン病　38, 124
バンド3タンパク質　256
反応性充血　196
反応性の関係　152
反復拮抗運動不能症　122
反復刺激後増強　34
半盲　101

【ヒ】

非アドレナリン非コリン作動性　55
非イオンの拡散　312
被殻　80, 123
光異性化　86, 97
光受容器　85
引きずり足歩行　124
皮質　279, 536
皮質延髄路　120
皮質集合管　309
皮質髄質浸透圧勾配　341
皮質脊髄路　120
皮質の希釈セグメント　324, 347
皮質表在ネフロン　280, 281
微絨毛　112, 427
び粥　394
尾状核　80, 123
微小終板電位　32
微小循環　191
ヒス束　149
ヒスタミン　36, 197, 199, 234, 396, 412, 495
ヒステリシス　226
非ステロイド性抗炎症薬　293
ビタミンB$_{12}$　437
ビタミンD　511, 519
ビタミンD抵抗性　521
非同期性　125
ヒト絨毛性ゴナドトロピン　466, 534
ヒト胎盤性乳腺刺激ホルモン　545

皮膚分節の法則　94
肥満細胞　36
びまん性　55
表在性膜タンパク質　5
表面張力　227, 230
ピリドスチグミン　33
ビリベルジン　443
ビリルビン　424, 443
ビリルビングルクロニド　424
非連合学習　127
貧血　143, 240, 275
頻呼吸　269

【フ】

ファントホッフの法則　14, 194
フィードバック制御　453
フィックの原理　174, 295
フィナステリド　534
フェニルエタノールアミン-N-メチルトランスフェラーゼ　36, 58
不応期　23, 26, 151, 157
負荷依存的　323, 324
不活性化ゲート　18, 24
不揮発性酸　356, 363, 366, 376, 379, 385
不均一性　307
腹腔神経節　57
副交感神経　63, 185, 215, 403
副交感神経系　53, 160, 161, 165
副交感神経刺激　408
副交感神経支配　406
副交感神経節　58
副甲状腺機能低下症　517
副甲状腺ホルモン　337, 450, 511
複雑細胞　100
複雑スパイク　121
副腎アンドロゲン　487, 497
副腎髄質　36, 487
副腎性器症候群　496, 501
副腎皮質　187, 487
副腎皮質機能亢進症　493
副腎皮質刺激ホルモン　465
副腎皮質刺激ホルモン放出ホルモン　491
不減衰　23
浮腫　195, 208, 315
不随意　53
不整脈　162
腹筋群　225
太い上行脚　332, 339, 342
太いフィラメント　40, 162

576 和文索引

舞踏運動 125
不動毛 108
不妊症 472
負のK^+バランス 331
負のNa^+バランス 315
負のフィードバック 453, 534
負のフィードバック制御 493
ブラクストン・ヒックス収縮 545
ブラジキニン 198
プラトー 151, 153
フランク・スターリング関係 168
プリン体 39
ふるえ 200
プルキンエ系 149
プルキンエ細胞 120
フルクトース 428, 531
プレグネノロン 545
プレプロ PTH 512
プレプロインスリン 503
プレプロオキシフィジン 472
プレプロオピオメラノコルチン 466
プレプロプレッソフィジン 472
プレプロホルモン 449
プロ PTH 512
プロインスリン 503
ブロードマン 4 野 125
ブロードマン 6 野 125
プロオピオメラノコルチン 396, 466
プロゲステロン 450, 456, 525, 542, 545
プロスタグランジン 198, 293, 415, 531, 545
プロスタグランジン I_2 258
プロスタサイクリン 198, 258
フロセミド 518
プロテインキナーゼ A 345, 459
プロテインキナーゼ C 460
プロピルチオウラシル 479, 485
プロプラノロール 27
プロベネシド 310, 311
プロホルモン 449
ブロモクリプチン 471, 472
プロラクチン 456, 465, 470, 471, 541
プロラクチン過剰分泌 472
プロラクチン欠損症 472
プロラクチン抑制因子 470
プロレニン 187
分圧勾配 242
分画濃度 238
分子層 121
分時肺胞換気量 221, 222

分配係数 8
分泌 304
分泌期 541, 542
分泌小胞 39, 450
分裂 177
分裂促進因子活性化プロテインキナーゼ 460

【ヘ】

平滑筋 39, 47, 137, 215
平滑筋の興奮収縮連関 48
平滑筋の弛緩 49
平均循環充満圧 179, 181
平均動脈圧 145, 147, 183
閉経期 548
平行線維 121
平衡定数 357
平衡電位 18, 150
並列抵抗 141
ベインブリッジ反射 191
ペースメーカ 47
ペースメーカ電位 154
ベータ律動 125
壁細胞 10, 11, 410
ヘキサメトニウム 72
壁張力 196
壁内外圧差 226, 235
ベツォルドーヤーリッシュ反射 210
ヘテロ三量体 68
ヘテロ受容体 70
ペニシリン 310
ペプシノーゲン 410
ペプシン 411, 431
ペプチド YY 396, 397
ペプチド作動性ニューロン 388
ペプチドホルモン 449
ヘマトクリット 283
ヘミコリニウム 33
ヘモグロビン 240, 246, 362
ヘモグロビン A 246
ヘモグロビン F 247
ヘモグロビン S 247
ヘモグロビンのO_2解離曲線 249
ヘリウム希釈法 219
ヘリング・ブロイエル反射 268
ヘルツ 101
辺縁系連合野 80
変時作用 158
ベンゾジアゼピン 38
ヘンダーソン・ハッセルバルヒの式 357

変伝導作用 160
扁桃体 77, 79, 80, 123
ヘンリーの法則 239
変力作用 164

【ホ】

ポアズイユの式 140
ポアズイユの法則 233
ボイルの法則 219
膀胱 63, 64
傍細胞経路 319, 426
傍糸球体装置 294
房室結節 70, 149, 155
房室伝導 161
房室伝導遅延 156
房室弁 133
放射状筋 63, 64
放出ホルモン 471
膨疹 199
傍髄質ネフロン 280, 281
膨大部 108, 544
膨大部頂 108
膨張圧 226
ボウディッチ階段現象 165
乏突起膠細胞 82
傍肺毛細血管受容器 268
ボウマン嚢 279
傍濾胞細胞 519
飽和 6, 13, 307
ボーア効果 251
ホールデン効果 255
保護因子 416
補助呼吸筋 225
ホスファチジルイノシトール 4,5-ビスリン酸 49
ホスホジエステラーゼ 459
ホスホランバン 164
ホスホリパーゼ A_2 434
ホスホリパーゼ C 49, 68, 74, 456
細い下行脚 323
細い上行脚 323
細いフィラメント 40, 163
補足運動野 125
勃起 63
ボツリヌス毒素 32
ポリモーダル侵害受容器 91
ホルネル症候群 65
ホルモン 449
ホルモン性調節 196
ホルモン補充療法 548

和文索引　577

【マ】

マイスネル小体　85
マイスネル神経叢　387
膜貫通型タンパク質　5
膜抵抗　28
膜電位の変化　150
膜内粒子　346
マグネシウム　3, 339
膜迷路　102
膜容量　28
マスト細胞　91
末梢神経系　77
末梢性化学受容器　268, 272
マルターゼ　427
慢性　521
慢性アシドーシス　369
慢性高カルシウム血症　513
慢性高血圧　185
慢性呼吸性アシドーシス　383
慢性呼吸性アルカローシス　384
慢性腎臓病　370
慢性腎不全　253, 370, 373
慢性膵炎　433, 435
慢性低カルシウム血症　513
慢性閉塞性肺疾患　224, 230, 269, 382
マンニトール　283, 285
満腹中枢　396

【ミ】

ミエリン　29, 81
ミオシン　40, 49, 162
ミオシン軽鎖　40, 49
ミオシン軽鎖キナーゼ　49
ミオシン重鎖　40
味覚　111
味覚異常　112
味覚過敏　112
味覚受容器細胞　112
味覚消失　112
味覚鈍麻　112
右-左シャント　275
ミクログリア細胞　80, 82
短いペプチド　414
ミセル　421, 434, 437
ミネラロコルチコイド　487, 528, 532
脈圧　145
脈絡叢　128
脈絡叢の上皮細胞　128

ミルクアルカリ症候群　379

【ム】

無学習反応　127
無気肺　232
無機リン酸　10, 361, 365
無呼吸　269
無条件刺激　127
無条件反応　127
無髄神経　29
ムスカリン受容体　61, 165, 215, 409
ムスカリン性　72

【メ】

迷走神経　59, 185, 388
迷走神経刺激　417
迷走神経反射　388, 402
メタネフリン　36
メタノール　356
メタノール中毒　373
メタロドプシンⅡ　97
メチラポン　491, 500
メトヘモグロビン　247
メトホルミン　508
メラニン細胞刺激ホルモン　466
メルケル受容器　89

【モ】

毛細血管　133, 137, 145, 191
毛細血管床　191
毛細血管内皮細胞　128
毛細血管の静水圧　194
毛細リンパ管　195, 435
網状帯　487, 490, 491
盲点　94
毛包　90
網膜の耳半側　100
網膜の鼻半側　100
網膜部位局在　82
毛様体筋　64
毛様体神経節　59
モチリン　395, 402
モノアミンオキシダーゼ　36
モノヨードチロシン　479
モル　1

【ヤ】

ヤヌスキナーゼ　461

【ユ】

有郭乳頭　112
有機アニオン交換輸送体　310
有機塩基　291
有機酸　291, 309
有機リン酸　282, 362, 382, 385
有効浸透圧　15, 193
有効動脈血液量　326
有効不応期　158
有糸分裂　531
有髄神経　29, 30
有窓　192
幽門腺　410
幽門洞　401
輸出細動脈　281, 292
輸送サイクル　10
輸入細動脈　281

【ヨ】

陽圧呼吸時　259
溶解O_2　246
溶解ガス　240
溶質　319
葉状乳頭　113
陽性階段効果　165
陽性変時作用　159
陽性変伝導作用　160
陽性変力作用　164, 165, 167, 169
容積オスモル濃度　2, 14
容積仕事　173
容積モル浸透圧濃度　14, 285
容積流　128
ヨウ素欠乏症　477, 486
腰椎穿刺　128
容量受容器　206
用量反応関係　455
翼口蓋神経節　59
抑制性　34, 37, 86
抑制性Gタンパク質　457
抑制性シナプス後電位　34
予備吸気量　217
予備呼気量　217
四次求心性感覚ニューロン　84
四次ニューロン　92

【ラ】

ライスナー膜　104
ライディッヒ細胞　525
ラクターゼ　428

578 和文索引

ラクターゼ欠乏　442
ラクトトロフ　465
らせん動脈　541
ラトケ嚢　464
ラプラスの法則　173, 230
ラロン型低身長症　469
ランヴィエの絞輪　29, 81
卵管　526, 541
卵形嚢　106, 108
ランゲルハンス島　502
卵巣　536
卵巣門　536
卵祖細胞　525, 536
卵胞期　539, 541, 542
卵胞刺激ホルモン　454, 465, 528
卵胞膜細胞　525, 537, 538
卵母細胞　525, 536
乱流　142

【リ】

リアノジン受容体　42, 163
リガンド依存性 Ca^{2+} チャネル　48, 49
リガンド依存性イオンチャネル　127
リガンド依存性チャネル　18
利胆作用　425
立体特異性　7
律動的分泌　528

リドカイン　24
利尿薬　335, 336
リバース T_3　477, 480
リポコルチン　495
リボシル化　442
リボソーム　449
硫酸　356
流束　7
流動モザイクモデル　5
瘤波　126
量子　31
量子的放出　31
両親媒性　5, 232, 424, 434
履歴現象　226
リン酸　336, 356, 359, 365
リン酸化　345
リン酸尿　514, 515
リン酸尿症　337
リン脂質　5, 424
輪状筋　63, 387, 397
リンパ管　191
リンパ系　195

【ル】

ループ利尿薬　324, 336, 338, 339,
　351, 365
ルフィニ小体　89

【レ】

冷受容器　91
レイノルズ数　142
レチナール　85
レニン　187, 206, 494
レニン-アンジオテンシン-アルドステ
　ロン系　184, 186, 206, 328, 365,
　381, 491
レプチン　397
レム睡眠　126
連合学習　127
連合野　80

【ロ】

ロイコトリエン　234, 258
濾過　145, 193, 304, 332
濾過係数　193, 194, 298
濾過スリット　297
濾過比　321
濾過平衡　299
濾過量　304
ロサルタン　187
ロドプシン　97

欧文索引

【数字】

1,25-dihydroxycholecalciferol　438, 453
11-*cis*-retinal　95
11-deoxycorticosterone　491
11β-hydroxylase　532
11β-hydroxysteroid dehydrogenase　496
17-ketosteroid　491
17β-hydroxysteroid dehydrogenase　532
1-deamino-8-D-arginine vasopressin　349
1α-hydroxylase　438
2,3-bisphosphoglycerate　252
2,3-BPG　252
21β-hydroxylase　532
21β-hydroxylase deficiency　501
24,25-dihydroxycholecalciferol　520
25-hydroxycholecalciferol　520
25-hydroxycholecalciferol-1-hydroxylase　520
3-methoxy-4-hydroxymandelic acid　36
5'-iodinase　480
5-hydroxyindoleacetic acid　36
5α-reductase　532
5α-reductase inhibitor　534

【ギリシャ文字】

α motoneuron　115, 200
α motoneuron pool　118
α_1 receptor　58, 292
α_1-adrenergic receptor　137
α-actinin　42
α-adrenergic receptor　331
α-amylase　408, 427
α-cell　502
α-intercalated cell　325, 332, 365
α-ketoglutarate　368
α-γ linkage　117
β_1 receptor　67, 159
β_2 receptor　63, 197, 215
β_2-adrenergic receptor　137, 331
β-adrenergic blocking agent　27
β-cell　502
β-hydroxybutyric acid　356
β-lipoprotein　435
γ motoneuron　115, 200
γ-aminobutyric acid　34, 38, 122
δ-cell　502

【A】

A band　41
a wave　176
A-a difference　242
A-a gradient　274
abdominal muscle　225
abetalipoproteinemia　435
absolute refractory period　26, 157
absorption　193, 426
accessory muscle　225
accommodation　26
accommodation reflex　64
ACE　187, 189, 494
ACEi　187, 301
acetoacetic acid　356
acetyl CoA　31
acetyl coenzyme A　31
acetylcholine　18, 53, 388
acetylcholinesterase　32
ACh　18, 31, 35, 53, 55, 160, 388, 412, 421, 441
ACh receptor　55
AChE　32
AChE inhibitor　33
acid-base disturbance　335
acid-base map　360
acidemia　330, 355, 511
acidic urine pH　312
acidosis　335, 371
acinus　406
acromegaly　470
acrosome reaction　532
across-fiber pattern code　111
ACTH　465, 490
actin　40, 163
action potential　22
activation gate　23
active hyperemia　196
active tension　46

activin　539
acute altitude sickness　273
acute respiratory acidosis　382
acute respiratory alkalosis　384, 511
acute respiratory distress syndrome　382
adaptation　88
adaptation to high altitude　252
Addison disease　466
adenosine　39
adenosine diphosphate　10, 282, 442
adenosine monophosphate　282
adenosine triphosphate　39, 57, 282
adenylyl cyclase　67, 86, 337, 456
ADH　17, 188, 206, 289, 326, 463
ADP　10, 282
adrenal androgen　487
adrenal cortex　187, 487
adrenal medulla　36, 487
adrenaline　36, 55, 197, 453
adrenergic　53
adrenergic neuron　36
adrenocorticotropic hormone　465
adrenodoxin　490
adrenodoxin reductase　490
adrenogenital syndrome　496
adrenoreceptor　53, 68
adult hemoglobin　246
aerobic metabolism　222
afferent　116
afferent artery　281
afferent division　77
afferent nerve　78
after discharge　120
afterhyperpolarization　23
afterload　46, 168
ageusia　112
agonist　67
airway　215
airway resistance　215, 233
alanine　509
Albright hereditary osteodystrophy　517
albumin　290
aldosterone　188, 325, 365, 439, 450
aldosterone deficiency　288
aldosterone syntase　491

alkalemia 330, 355, 511
alkaline urine 312
alkalosis 335, 371
all-or-none response 23
all-*trans*-retinal 95
alpha rhythm 125
alveolar air 241
alveolar arterial oxygen gradient 274
alveolar duct 216
alveolar gas equation 223
alveolar macrophage 216
alveolar sac 216
alveolar ventilation 220
alveolar ventilation equation 222
alveolus 216
amiloride 326
amine hormone 449
amino acid 35, 414
AMP 282
amphipathic 5, 424
ampulla 108, 544
amygdala 77
anabolic 506
anatomic dead space 220
androgen insensitivity syndrome 526, 527
androgen receptor 526
androstenedione 489
anemia 143, 240
Ang 1-7 189
angiotensin Ⅰ 187
angiotensin Ⅱ 187, 365
angiotensin-converting enzyme 187, 494
angiotensin-converting enzyme inhibitor 187, 301
angiotensinogen 187
angular acceleration 106
anion 3
anion gap 372
anion gap of plasma 372
ankyrin 5
anorexigenic neuron 396
anosmia 109
ANP 198, 292, 327, 457, 460
antagonist 67
antagonistic muscle 118
anterior hypothalamus 200
anterior pituitary 454, 462
anterior pituitary failure 486
anterior pituitary hormone 528
anterograde 81

anticholinesterase 33
antidiuretic hormone 17, 188, 289, 463
antimüllerian hormone 525
antiport 11
antrum 401
aorta 137, 145
aortic arch 184
aortic body 190, 206, 268
aortic pressure 168
aortic regurgitation 147
aortic stenosis 147
apical membrane 411
apnea 269
apneustic center 265
Apo B 435
apoferritin 438
apoprotein 435
AQP2 346, 474
AQP4 130
aquaporin 2 345, 474
aqueous humor 94
arcuate nucleus 396, 533
ARDS 382
area 4 125
area 6 125
arginine 509
aromatase 538
ARP 157
arrhythmia 162
arterial pH 355
arteriole 133, 137, 191
arteriosclerosis 147
artery 133, 137
ascending limb 168
ascending pathway 78
aspirin 201
association area 80
associative learning 127
asthma 216
astrocyte 80
AT$_1$ receptor 187
ataxia 122
ataxic respiration 269
atelectasis 232
atherosclerosis 143
ATP 10, 39, 57, 282
atrial internodal tract 149
atrial natriuretic peptide 292, 457
atrioventricular (AV) valve 133
atrium 133

atropine 413
auditory cortex 106
auditory hair cell 105
auditory receptor 77
augmentation 34
autoimmune thyroiditis 486
automaticity 154
autonomic nervous system 53, 215
autophosphorylate 505
autoreceptor 70
autoregulation 196, 293
AV delay 156
AV node 149
AV node conduction 161
axon 80
axon hillock 81
axon of Purkinje cell 122
axonal transport 39

【B】

Bainbridge reflex 191
band three protein 256
Bárány test 109
barbiturate 38
baroreceptor 184
baroreceptor reflex 184, 205
barrel-shaped chest 230
basal cell 110
basal ganglia 77
Basedow's disease 199, 482
basilar membrane 104
basket cell 121
basolateral membrane 411
benzodiazepine 38
beta rhythm 125
Bezold-Jarish reflex 210
bicarbonate 3, 240, 359
bile pigment 421
bile salt 421
bile secretion 422
bilirubin 424, 443
bilirubin glucuronide 424
biliverdin 443
biogenic amine 35
bitter 112
blastocyst 544
blind spot 94
blood-brain barrier 128
blood-testes barrier 530
blood urea nitrogen 27, 303, 499
blood viscosity 140

欧文索引 581

blood volume 179
BNP 292, 327
body of stomach 401
body plethysmograph 219
body temperature 199
Bohr effect 251
bone formation 514
bony labyrinth 102
botulinus toxin 32
bound gas 240
Bowditch staircase 165
Bowman's capsule 279
Bowman's space 279
Boyle's law 219
brain 77
brain ischemia 190
brain natriuretic peptide 292, 327
brain stem 77, 399
Braxton Hicks contraction 545
breath-holding 265
breathing cycle 215
bromocriptine 471
bronchial circulation 217
brown fat 200
bruit 143
brush border 427
BTPS 222, 238
buffer 256, 355
bulk flow 128
BUN 27, 303, 499
bundle of His 149
burst 126

[C]

C peptide 503
Ca^{2+} ATPase 10, 11, 42, 164
Ca^{2+}-calmodulin-dependent protein
  kinase 128, 460
Ca^{2+} channel 153
Ca^{2+} channel blocker 153
Ca^{2+}-desensitization 50
Ca^{2+}-induced Ca^{2+} release 48, 153
Ca^{2+}-Na^+ exchange 12
Ca^{2+}-Na^+ exchanger 164
Ca^{2+}-sensing receptor 338, 513
Ca^{2+}-sensitization 50
cable property 27, 156
calbindin D-28 K 438, 520
calcitonin 511
caldesmon 49
calmodulin 48

caloric test 109
calponin 49
calsequestrin 42
CaMK 128, 460
cAMP 18, 345, 409, 412, 441, 457,
  515
capacitance 143
capacitation 532
capillary 133, 137
capillary bed 191
capillary endothelial cell 128
capillary hydrostatic pressure 194
capillary oncotic pressure 194
captopril 187
carbaminohemoglobin 254
carbon monoxide 240
carbon monoxide poisoning 275
carbonic anhydrase 240, 356, 411
carbonic anhydrase inhibitor 272,
  364
carboxyhemoglobin 252
cardiac accelerator center 185
cardiac function curve 178
cardiac glycoside 11, 165
cardiac inhibitory center 185
cardiac minute work 173
cardiac output 133, 168
cardiac output curve 178
cardiac valvular disease 143
carotid body 190, 206, 268, 361
carotid sinus 184
carotid sinus nerve 185
carrier-mediated transport 6
cartilage 215
catabolic 494
catalytic receptor 460
catecholamine 453
catechol-O-methyltransferase 36
cation 2
caudate nucleus 80
CCK 391, 403, 420, 422, 509
CCK-7 394
celiac ganglion 57
cell body 80
cell membrane 1, 11
cellular path 426
central chemoreceptor 267
central command 201
central diabetes insipidus 343, 475
central nervous system 77, 201
centroacinar cell 418
cephalic phase 413

cerebellar ataxia 122
cerebellum 77
cerebral circulation 198
cerebral cortex 77, 266
cerebral hemisphere 77
cerebral ischemia 206
cerebrospinal fluid 128
cGMP 98, 257, 457
chemical equilibrium 357
chemical synapse 29
chemoreceptor 77, 85, 206, 361
chest wall compliance 227
Cheynes-Stokes respiration 269
chief cell 410
chloride 3
cholecystokinin 391, 509
cholera 441
cholera toxin 442
choleretic effect 425
cholesterol 424, 453, 545
cholesterol 7α-hydroxylase 425
cholesterol desmolase 490, 534
cholesterol ester hydrolase 434
choline 31
choline acetyltransferase 31
cholinergic 53
cholinergic neuron 388
cholinoreceptor 55
chord conductance equation 22
choreic movement 125
choroid plexus 128
chromaffin cell 58
chronic acidosis 369
chronic hypercalcemia 513
chronic hypertension 185
chronic hypocalcemia 513
chronic kidney disease 370, 521
chronic obstructive pulmonary disease
  224, 382
chronic pancreatitis 433, 435
chronic renal failure 253, 370
chronic respiratory acidosis 383
chronic respiratory alkalosis 384
chronotropic effect 158
Chvostek sign 510
chylomicron 435
chyme 394
cilia 104
ciliary ganglion 59
ciliary muscle 64
cimetidine 394, 412
circular muscle 63, 387

circumvallate papilla　112
Cl^- diffusion potential　319
Cl^--formate-anion exchanger　318
Cl^--HCO_3^- exchange　256
Cl^--HCO_3^- exchanger　355
clasp-knife reflex　119
classic conditioning　127
clearance ratio　291
climacteric　548
climbing fiber　121
clitoris　526
cluster respiration　269
CNS　77, 201
CO　240
CO_2 production rate　222
cochlea　103
cochlear microphonic potential　105
cognition　79
cold receptor　91
colipase　434
collecting duct　17, 280, 368
colloid　477
colloid osmotic pressure　193
commissure　82
commissure of inferior colliculus　106
compensatory response　171
competition　7
complex cell　100
complex spike　121
compliance　143, 225
compliance of the veins　144
compression　101
COMT　36
concentration gradient　7
conditioned reflex　414
conditioned stimulus　127
conductance　17
conducting cell　149
conducting zone　215
conduction velocity　27, 82, 155
cone　94
congenital adrenal hyperplasia　501
congestive heart failure　167
Conn syndrome　500
constriction　215
contractile cell　149
contractility　164
contraction　63
contraction alkalosis　322, 365
converge　34
coordination　122
COPD　224, 230, 269, 382

core temperature　200
coronary circulation　198
corpus albicans　538
corpus callosum　82
corpus luteum　538
cortex　279
cortical collecting duct　309
cortical diluting segment　347
corticobulbar tract　120
corticopapillary osmotic gradient　341
corticospinal tract　120
corticosterone　490
corticotroph　465
corticotropin-releasing hormone　491
cortisol　450
cotransport　11, 317
countercurrent exchange　344
countercurrent multiplication　323, 342, 368
countertransport　11, 317
COVID-19　189
cranial nerve ganglia　78
craniosacral division　59
creatinine　303, 367
cretinism　477
CRH　491, 492
cribriform plate　110
cross-bridge　45, 163
cross-bridge cycle　45
crossed-extension reflex　120
crypt　439
CSF　128
C-terminal heptapeptide　394
C-terminal tetrapeptide　393
cupula　108
curare　32, 72
current flow　85
Cushing disease　500
Cushing reaction　190
Cushing syndrome　495
cycle length　161
cyclic adenosine monophosphate　18, 409, 457
cyclic guanosine monophosphate　98, 257, 457
cyclooxygenase　201
CYP27B1　520
cystic fibrosis　433, 435
cystinuria　433
cytochrome P-450　490, 520
cytoskeletal protein　41

【D】

D_1 receptor　123
D_2 receptor　123
DAG　49
Dalton's law of partial pressure　238
damaging factor　416
dark current　98
dB　101
dDAVP　349, 475
dead space　219
decerebrate rigidity　120
decibel　101
decidual cell　544
decompression　101
decussation　82
dehydroepiandrosterone　489
dehydroepiandrosterone（DHEA）-sulfate　545
Deiters nucleus　109
delayed onset　122
delta wave　126
demeclocycline　347
dementia　125
demyelinating disease　30
dendrite　80
dendritic tree　122
dendrodendritic synapse　111
dentate nucleus　122
deoxyhemoglobin　247, 362
depolarization　22, 98, 150
depolarizing　86
dermatomal rule　94
descending pathway　78
desynchronous　125
dexamethasone suppression test　493
D-glucose　9
DHEA　489
diabetes mellitus　308
diabetic ketoacidosis　370, 507
diabetogenic　494
diacylglycerol　49, 70
diaphragm　225
diarrhea　438, 441
diastasis　177
diastolic pressure　145
dicrotic notch　145, 177
diencephalon　77
diffuse　55
diffusion coefficient　8, 240
diffusion limited　242
diffusion-limited O_2 transport　245

diffusion potential 9, 18
digestion 426
digitalis 11
digoxin 166
dihydropyridine receptor 42, 163
dihydrotestosterone 526
diiodotyrosine 479
dilation 215
diluting segment 324, 350
dilution method 283
dipalmitoyl phosphatidylcholine 232
dipeptide 429
direct action of the G protein 74
direct pathway 123, 415
disaccharide 427
discriminative touch 93
dissolved gas 240
dissolved O_2 246
distensibility 143, 225
distention 414
distribution of blood 179
distribution of pulmonary blood flow 258
disynaptic spinal cord reflex 118
DIT 479
diuretic 335, 336
D_L 240
$D_{L_{CO}}$ 240
DOC 491
dominant follicle 537
dopa decarboxylase 36
dopamine 36, 57, 123, 293, 453
dopamine β-hydroxylase 36
dopaminergic neuron 36
dorsal and ventral cochlear nuclei 106
dorsal respiratory group 265
dorsal root ganglia 78
dose-response relationship 455
double ratio 314
downhill transport 6
down-regulation 456
DPPC 232
DRG 265
driving force 7, 20
dromotropic effect 160
dry inspired air 241
D-tubocurarine 32
duct 406
ductal cell 406
duodenal ulcer 394, 416
dV/dT 156

dwarfism 469
dynamic compliance 236
dynamic γ motoneuron 116
dysdiadochokinesia 122
dysgeusia 112
dysosmia 109
dystrophin 41

【E】

EABV 326
ECF 1, 282
ECF volume 283
ECF volume contraction 315
ECF volume expansion 315, 321
ECG 161
ectopic focus 155
ectopic pacemaker 155
edema 195, 315
Edinger-Westphal nucleus 59
EEG 125
effective arterial blood volume 326
effective osmotic pressure 15, 193
effective refractory period 158
effector organ 53
efferent 116
efferent artery 281
efferent division 77
efferent nerve 78
EGF 461
ejaculation 63, 531
ejection fraction 168
EKG 161
elastance 226
elastic recoil 236
elastic tissue 137
electrical synapse 29
electrocardiogram 161
electrochemical equilibrium 18
electroencephalogram 125
electrogenic 10, 324
electrolyte 9
electroneutrality 2
elementary taste quality 112
emboliform nucleus 122
emotion 79
emphysema 230
emulsification 433
emulsify 424
ENaC 113, 325, 462
end plate potential 32
endocochlear potential 104

endolymph 103
endopeptidase 431
endoplasmic reticulum 11, 449
endothelial cell 129, 137
enkephalin 39
enteric nervous system 53, 387, 390, 403
enteroglucagon 396
enterohepatic circulation 422
enterokinase 431
enzymatic portion 418
epidermal growth factor 461
epidicymis 526
epinephrine 36, 453
epithelial cell 426
epithelial cells of the choroid plexus 128
epithelial Na^+ channel 113, 462
EPO 253, 273
EPP 32
EPSP 34
equilibrium constant 357
equilibrium potential 18, 150
equivalent 1
ER 11
erection 63
ERP 158
ERV 217
erythropoietin 253
Escherichia coli 442
esophageal phase 399
estimated plasma osmolarity 373
estradiol 450, 525
estriol 450, 545
estrogen 455, 527
ethylene glycol 356
ethylene glycol poisoning 373
eupnea 269
exchange 11, 317
excitability 157
excitation-contraction coupling 39
excitation-contraction coupling in smooth muscle 48
excitatory 34, 86
excitatory input 121
excitatory postsynaptic potential 34
execution of a movement 125
exocytosis 29, 435
exopeptidase 431
expanding pressure 226
expiratory center 265
expiratory phase 215

584 欧文索引

expiratory reserve volume　217
extension　119
extensor muscle　119
external ear　102
external intercostal muscle　225
external K$^+$ balance　329
extracellular buffer　359
extracellular fluid　1, 282
extrafusal fiber　115
extrapyramidal tract　120
extrasystole　165
extrinsic control　196

【F】

facilitated diffusion　9, 306
facilitated glucose transport　306
facilitation　34
fallopian tube　526
familial hypocalciuric hypercalcemia
　338, 518
fast axoplasmic transport　81
fast pain　94
fast retrograde transport　81
fastigial nucleus　122
fat cell　397
feedback mechanism　453
feeding center　396
fenestrated　192
fertilization　544
fertilized ovum　536
fetal circulation　258
fetal hemoglobin　247
FEV$_1$　224
FEV$_1$%　224
fever　200
FHH　338, 518
fibrosis　225
Fick principle　174, 295
fight or flight　208
filtered load　304
filtration　145, 193, 304
filtration coefficient　193, 298
filtration equilibrium　299
filtration fraction　321
filtration slit　297
finasteride　534
first heart sound　176
first-order neuron　92
first-order sensory afferent neuron
　83
fixed acid　356

flap valve　195
flexion　119
flexion reflex　119
flexor muscle　119
flexor-withdrawal reflex　117, 119
flow　7, 138
fluid mosaic model　5
flux　7
folds of Kerckring　426
foliate papilla　113
follicle-stimulating hormone　454, 528
follicular phase　539
foot process　297
forced expiration　236
forced expiratory volume % in first
　second　224
forced expiratory volume in first
　second　224
forced vital capacity　224
force-velocity relationship　46
formic acid　356
fourth heart sound　176
fourth-order neuron　92
fourth-order sensory afferent neuron
　84
fovea　94
fractional concentration　238
Frank-Starling relationship　168
FRC　217, 236
free water　350
free-water reabsorption　351
frontal lobe　80
fructose　428
FSH　454, 465, 528, 534, 538
functional dead space　220
functional residual capacity　217
fundus of stomach　401
fungiform papilla　113
FVC　224

【G】

G protein　456
G protein-linked receptor　67
GABA　34, 38, 122, 123
GABAergic neuron　38, 125
GAD　38
galactorrhea　472
galactose　428
ganglion cell layer　96
ganglionic-blocking agent　72
GAP　457

gap junction　29, 156, 397
gas exchange　216, 237
gastrectomy　437
gastric cell　397
gastric juice　410
gastric lipase　433
gastric phase　413
gastric ulcer　416
gastrin　391
gastrin-releasing peptide　392, 393
gastrocolic reflex　405
gastroesophageal reflux　401
gastrointestinal tract　65
gate　17
GDP　457
GEF　457
general gas law　238
generating a plan of movement　125
generator potential　86
germ cell　525
gestation　544
GFR　280, 363
GH　456
ghrelin　397
GHRH　454, 468
Gi protein　160
Gibbs-Donnan effect　283
Gibbs-Donnan equilibrium　4
Gibbs-Donnan ratio　4
gigantism　470
GIP　391, 505
glial cell　80
globose nucleus　122
globus pallidus　80, 123
globus pallidus external segment　123
globus pallidus internal segment　123
glomerular capillary　281
glomerular capillary network　279
glomerular filtration rate　280, 363
glomerular marker　291
glomeruli　122
glomerulotubular balance　316
glomerulus　111, 121
glossopharyngeal nerve　185
GLP-1　396, 505
glucagon　501
glucagon-like peptide-1　396, 505
glucocorticoid　487, 532
gluconeogenesis　483
glucose　290, 428, 483
glucose-dependent insulinotropic
　polypeptide　391, 505

欧文索引 585

glucose titration curve 306
glucose transporter 1 504
glucose transporter 2 428, 504
glucose transporter 4 506
glucosuria 13, 307
GLUT1 131, 504
GLUT2 428
glutamate 37, 368
glutamate receptor 37
glutamic acid decarboxylase 38
glutaminase 368
glutamine 368
glycine 37
glycolic acid 356
glycoprotein 466
GnRH 471, 528
goiter 485
Goldman equation 22
G_{olf} 111
Golgi apparatus 450
Golgi cell 121
Golgi tendon organ 118
Golgi tendon reflex 117
gonadotroph 465
gonadotropin 534
gonadotropin-releasing hormone 471, 528
Graafian follicle 537
granular layer 121
granule cell 111, 121
granulosa cell 525
Graves' disease 482
gravitational effect 217
GRF 457
group Ⅰa afferent fiber 116
group Ⅰa afferent nerve 116
group Ⅰb afferent nerve 118
group Ⅱ afferent fiber 116
group Ⅱ afferent nerve 116
growth hormone 456
growth hormone deficiency 469
growth hormone-releasing hormone 454
GRP 392, 393
GTP 457
GTPase-activating protein 457
guanine nucleotide-exchanging factor 457
guanine nucleotide-releasing factor 457
guanosine diphosphate 457
guanosine triphosphate 457

guanylyl cyclase 257, 457
gustation 111

【H】

H zone 41
H^+ ATPase 365, 366, 368
H^+–K^+ ATPase 10, 11, 333, 365, 368, 411
H^+–K^+ exchange 330
H_2 receptor 412
H_2CO_3 255, 356
$H_2PO_4^-$ 365
habituation 127
hair follicle 90
Haldane effect 255
HbF 247
hCG 466, 534
HCl 410
HCO_3^- 254, 256, 415
HCO_3^-/CO_2 buffer 359
heart block 161
heart rate 161
heat exhaustion 201
heat loss 200
heat stroke 201
helium dilution method 219
hematocrit 283
hemianopia 101
hemicholinium 33
hemodynamics 135
hemoglobin 240, 246, 362
hemoglobin A 246
hemoglobin F 247
hemoglobin S 247
hemorrhage 133, 186, 203, 259, 292
Henderson-Hasselbalch equation 357
Henry's law 239
hepatic failure 480
Hering-Breuer reflex 268
hertz 101
heterogeneity 307
heteroreceptor 70
heterotrimeric 68
hexamethonium 72
higher motor function 79
hilum 536
hippocampal formation 77
histamine 36, 234, 396, 495
homonymous muscle 116
homunculus 82
hormonal control 196

hormone 449
Horner syndrome 65
hPL 545
$HPO_4^{2-}/H_2PO_4^-$ buffer 361
human chorionic gonadotropin 466, 534
human placental lactogen 545
humidified tracheal air 241
humoral hypercalcemia of malignancy 517
hump 126
Huntington disease 38, 124
hydrogencarbonate 240
hydrophilic 5
hydrophobic 5
hydrostatic pressure in Bowman's space 298
hydrostatic pressure in glomerular capillary 298
hyperaldosteronism 379
hyperalgesia 91
hypercalcemia 511
hyperchloremic metabolic acidosis with a normal anion gap 374
hypercomplex cell 100
hypercortisolism 493
hyperdirect pathway 123
hypergeusia 112
hyperkalemia 26, 330, 370, 508
hypermetria 122
hyperosmolarity 331
hyperosmotic 14, 285
hyperosmotic urine 340
hyperpigmentation 497
hyperpolarization 22, 98, 150
hyperpolarizing 86
hyperpolarizing afterpotential 23
hyperthyroidism 199
hypertonic 16
hypertonus 119
hyperventilation 265, 269, 361
hypocalcemia 362, 509
hypocalciuric 339
hypogeusia 112
hypoglycemia 467
hypokalemia 330, 370, 439
hypomagnesemia 340
hypometria 122
hyponatremia 378
hypoparathyroidism 517
hypophosphatemia 517
hypophysis 462

hyposmia 109
hyposmotic 14, 285
hyposmotic urine 340
hypothalamic-hypophysial portal vessel 465
hypothalamic-pituitary axis 492
hypothalamus 77, 200, 454
hypothyroidism 200, 485
hypotonic 16, 406
hypoventilation 267, 269, 372
hypovolemia 303
hypoxemia 232
hypoxia 253
hypoxia-inducible factor 1α 253
hypoxic vasoconstriction 257
hysteresis 226
Hz 101

【I】

I band 41
I cell 394
IC 217
ICF 1, 282
ICF volume 284
idiopathic hypercalciuria 339
IGF 457, 461
IGF-1 469
$I_{\text{K-ACh}}$ 160
IL-2 495
ileal resection 425
ileum 425
impedance matching 104
implantation 536
inactivation gate 24
incisura 145
incretin 395, 396, 505
incus 102
indentation 91
indirect pathway 123, 415
inferior colliculus 106
inferior mesenteric ganglion 57
inferior olivary nucleus 121
inferior vestibular nucleus 109
infertility 472
inflammatory response 91
infundibulum 463
inhibin 534
inhibitory 34, 86
inhibitory postsynaptic potential 34
initial repolarization 153
initial segment 81

inner ear 102
inner hair cell 104
inner medullary collecting duct 309
inner nuclear layer 96
inner plexiform layer 96
inner segment 97
inorganic phosphate 10, 361
inositol 1,4,5-trisphosphate 18, 457
inotropism 164
inspiratory capacity 217
inspiratory center 265
inspiratory phase 215
inspiratory reserve volume 217
insulin 330, 397, 454
insulin-like growth factor 457
insulin resistance 508
integral membrane protein 5
intention tremor 122
interleukin-1 200
internal intercostal muscle 225
internal K^+ balance 329
interneuron 82, 117
interspike interval 88
interstitial cells of Cajal 398
interstitial fluid 1, 283
interstitial fluid volume 284
interstitial hydrostatic pressure 194
interstitial oncotic pressure 194
intestinal epithelial cell 12
intestinal phase 413
intracellular buffer 362
intracellular fluid 282
intracellular pH 355
intracellular protein 15, 362
intrafusal fiber 115
intramembranous particle 346
intrapleural pressure 226
intrinsic control 196
intrinsic factor 410
intrinsic primary afferent neuron 404
inulin 283, 291
inverse myotatic reflex 118
involuntary 53
inward Ca^{2+} current 153
inward current 23, 150
inward Na^+ current 151
iodine deficiency 477
ion 9
ion channel 17, 86
ionic current 21
ionic interaction 5
ionized Ca^{2+} concentration 362

ionotropic receptor 37, 98
IP_3 18, 74, 409, 457
IP_3-gated Ca^{2+} release channel 48
IP_3/Ca^{2+} 412
IPAN 404
IPSP 34
irritant receptor 268
IRV 217
islet of Langerhans 502
isohydric line 360
isometric contraction 45
isosmotic 14, 285, 439
isosmotic reabsorption 316, 364
isosmotic urine 340
isotonic 16, 407
isotonic contraction 46
isotopic water 283
isovolumetric contraction 171
isovolumetric relaxation 171

【J】

J receptor 268
jacksonian march 125
jacksonian seizure 125
JAK 461
Janus kinase 461
jaundice 443
joint and muscle receptor 268
juxtaglomerular apparatus 294
juxtamedullary nephron 280

【K】

K complex 126
K^+ 199
K^+-ACh 160
K^+ balance 331
K^+ conductance 105
K^+ secretion 439
K^+-sparing diuretic 326, 336
kallikrein 408
ketoacid 356
ketoacidosis 378
kinesin 81
kinocilium 108
knee-jerk reflex 118
Korotkoff sound 142
Kussmaul's respiration 269, 378

【L】

labia majora 526
labia minora 526
lactase 428
lactase deficiency 442
lactate 362
lactatic acid 362
lactic acid 356
lactic acidosis 373
lactose intolerance 429
lactotroph 465
lamina densa 297
lamina propria 387
lamina rara externa 297
lamina rara interna 297
laminar flow 142
L-amino acid 432
large dense-core vesicle 58, 61
Laron dwarfism 469
late distal tubule 17
latent pacemaker 155
lateral geniculate body 100
lateral inhibition 87
lateral intercellular space 320
lateral lemniscus 106
lateral olfactory tract 111
lateral vestibular nucleus 109, 120
lateral vestibulospinal tract 120
law of Laplace 173, 230
law of mass action 256, 357
L-dopa 36, 124
left ventricular end-diastolic volume 168
left-sided heart failure 269
length constant 28
length-tension relationship 45, 167
leptin 397
leukotriene 234, 258
Leydig cell 525
LH 454, 465, 528, 534, 538
lidocaine 24
ligand-gated Ca^{2+} channel 48
ligand-gated channel 18
ligand-gated ion channel 127
light touch 94
limbic association area 80
linear acceleration 106
lingual lipase 406
lipid bilayer 5
lipid-soluble 130
lipid-soluble substance 129, 137

lipocortin 495
lipolysis 483
liver 443
L_{max} 167
load dependent 323, 324
local control 196
local current 26, 156
longitudinal muscle 387
long-loop feedback 454
long-term depression 127
long-term potentiation 35, 127
loop diuretic 324, 365
lower esophageal sphincter 400
lower motoneuron 125
LTD 127
LTP 127
L-type channel 153
lumbar puncture 128
lumen-positive potential difference 324
lung 215
lung capacity 217, 276
lung diffusing capacity 240
lung stretch receptor 268
lung tumor 347
lung volume 217, 276
luteal phase 539
luteinizing hormone 454, 528
lymphatic capillary 195, 435
lymphatic system 195
lymphatic vessel 191

【M】

M line 41
M_2 muscarinic receptor 160
M_3 muscarinic receptor 412
macula 94
macula densa 294
macular sparing 101
magnesium 3
male sexual function 73
malignant hyperthermia 201
malleus 102
maltase 427
mannitol 283
many-to-one synapse 34
MAO 36
MAPK 460
Mas receptor 189
mast cell 36, 91
maximum amount of O_2 247

maximum diastolic potential 154
mean arterial pressure 145, 147, 183
mean circulatory filling pressure 179
mean systemic filling pressure 179
measured plasma osmolarity 373
mechanoreceptor 85, 185
medial geniculate nucleus 106
medial olfactory tract 111
medial vestibular nucleus 109
medulla 58, 77, 185, 279, 399
medullary pyramid 120
medullary respiratory center 265
medullary reticular formation 120
medullary reticulospinal tract 120
meiotic division 531
Meissner corpuscle 85, 90
Meissner plexus 387
melanocyte-stimulating hormone 466
membrane capacitance 28
membrane potential 150
membrane resistance 28
membranous labyrinth 102
memory 79
menarche 529
menopause 548
menstrual 529
menstrual cycle 528
menstruation 529
MEPP 32
Merkel receptor 89, 91
metabolic acidosis 356
metabolic acidosis with an increased anion gap 373
metabolic disorder 374
metabolic hypothesis 196
metabotropic receptor 37, 98
metanephrine 36
metarhodopsin II 97
methanol 356
methanol poisoning 373
methemoglobin 247
micelle 421
microcirculation 191
microglial cell 80
microvilli 112, 427
micturition 63
micturition reflex 63
midbrain 58, 77
middle ear 102
migrating myoelectric complex 396
milk-alkali syndrome 379
mineralocorticoid 487, 532

miniature end plate potential 32
minute alveolar ventilation 221
miosis 63, 64
MIT 479
mitogen-activated protein kinase 460
mitotic division 531
mitral cell 111
mitral valve 134
mixed acid-base disorder 372
mixed venous blood 241
mole 1
molecular layer 121
monoamine oxidase 36
monoiodotyrosine 479
monosynaptic reflex 117
mossy fiber 121
motilin 395
motivation 80
motoneuron 30, 82
motoneuron pool 114
motor division 77
motor end plate 32, 53
motor homunculus 125
motor innervation 116
motor learning 120
motor nerve 78
motor neuron 30
motor plan 125
motor unit 30, 114
mRNA 449, 462
MSA 66
MSH 466
mucosal 387
mucosal layer 387
mucous neck cell 410
mucus 410
Müllerian duct 526
multiple sclerosis 30
multiple system atrophy 66
multiunit smooth muscle 47
murmur 142, 143
muscarinic receptor 61, 165, 215, 409
muscle fiber 40
muscle of expiration 225
muscle of inspiration 225
muscularis mucosae 387
myasthenia gravis 33
mydriasis 63, 64
myelin 29, 81
myelin sheath 29, 81
myelinated nerve 29

myelination 29
myenteric plexus 387
myoepithelial cell 406
myofibril 40
myogenic hypothesis 196, 293
myosin 40, 162
myosin heavy chain 40
myosin light chain 40
myosin-light-chain kinase 49
myotatic reflex 117
myxedema 486

【N】

N_2O 244
Na^+ absorption 439
Na^+-amino acid cotransporter 12
Na^+ balance 315
Na^+ channel 98
Na^+-choline cotransporter 32
Na^+-Cl^- cotransporter 324
Na^+-dependent cotransport 428
Na^+-glucose cotransport 306
Na^+-glucose cotransporter 12, 306, 428
Na^+-H^+ exchange 322
Na^+-H^+ exchanger 355
Na^+-HCO_3^- cotransport 364
Na^+-K^+ ATPase 3, 10, 150, 166, 199, 482
Na^+-K^+-$2Cl^-$ cotransporter 12, 323, 368
Na^+-K^+ pump 3
nasal hemiretina 100
nebulin 42
negative chronotropic effect 159
negative feedback 453
negative inotropic effect 164
negative K^+ balance 331
negative Na^+ balance 315
neonatal respiratory distress syndrome 232
nephrogenic diabetes insipidus 348, 475
Nernst equation 19
nerve cell 80
nerve growth factor 461
net diffusion 7
net reabsorption 304
net secretion 304
net ultrafiltration pressure 299
neural control 196

neural map 82
neural mechanism 453
neurocrine 390, 391
neuroeffector junction 55
neurogenesis 110
neuroglial membrane 128
neurohormone 39
neuromodulator 39
neuromuscular-blocking agent 72
neuromuscular junction 30, 81
neuron 80
neuropeptide 35, 39, 463
neuropeptide Y 39, 57
neurotensin 39
neurotransmitter 29
NGF 461
nicotinic receptor 32
nitric oxide 39, 55, 257, 293, 457
nitric oxide synthase 61
nitrous oxide 244
NMDA 37
NMDA receptor 127
N-methyl-D-aspartate(NMDA) receptor 127
NO 39, 55, 61, 257, 401, 457
NO synthase 39
nociceptor 85
node of Ranvier 29, 81
nonadrenergic 55
nonapeptide 472
nonassociative learning 127
noncholinergic 55
nondecremental 23
non-ionic diffusion 312
non-REM sleep 126
nonsteroidal anti-inflammatory drugs 293
nonvolatile acid 356
noradrenaline 36, 53, 453
norepinephrine 36
normal sinus rhythm 150
normetanephrine 36
NSAIDs 293
nuclear bag fiber 116
nuclear chain fiber 116
nucleus 449
nucleus cuneatus 93
nucleus gracilis 93
nucleus tractus solitarius 185
nystagmus 109

欧文索引 589

【O】

O_2-binding capacity   247
O_2 content   247
O_2-hemoglobin dissociation curve   249
O_2 transport at high altitude   246
occipital lobe   80
octreotide   470
odor map   111
odorant   109
off-center   100
off-center, on-surround   100
Ohm's law   139
olfactory bulb   111
olfactory epithelium   110
olfactory receptor cell   110
olfactory receptor protein   111
oligodendrocyte   80
omeprazole   11, 394
on-center   100
on-center, off-surround   100
oncotic pressure   193
oncotic pressure in glomerular capillary   299
one-to-many synapse   34
one-to-one synapse   34
oocyte   525
oogonia   525
operant conditioning   127
optic chiasm   82
optic disc   94
optic nerve   94
optic nerve layer   96
optic tract   100
oral contraceptive   547
oral phase   399
oral rehydration solution   443
orexigenic neuron   396
organ of Corti   85
organic acid   291
organic anion exchanger   310
organic base   291
organic phosphate   282, 362
orthostatic hypotension   207
osmolality   14
osmolar gap   373
osmolarity   2, 14, 285
osmole   1
osmoregulation   340
osmosis   13
osmotic diarrhea   429
osmotic diuresis   508

osteoblast   514
osteomalacia   438, 521
osteoporosis   514, 521
otic ganglion   59
otolith organ   108
ouabain   11
outer hair cell   104
outer medullary collecting duct   309
outer nuclear layer   95
outer plexiform layer   95
outer segment   97
outward current   23, 150
overdrive suppression   155
overshoot   23
ovulation   525
oxalic acid   356
oxygen debt   196
oxyhemoglobin   247, 362
oxyntic gland   410
oxytocin   455, 545

【P】

P wave   161
pacemaker   47
pacemaker potential   154
Pacinian corpuscle   85, 89
PAH   291, 295
pain   94
pancreatic amylase   419
pancreatic enzyme   433
pancreatic insufficiency   435
pancreatic polypeptide   396, 502
pancreatic protease   419
pancreatic β cell   13
papilla   112, 279
para-aminohippuric acid   291, 295
paracellular path   426
paracrine   294, 391
paradoxical sleep   126
parafollicular cell   519
parallel fiber   121
parallel resistance   141
parasympathetic   215, 403, 408
parasympathetic cholinergic nerve fiber   233
parasympathetic ganglia   58
parasympathetic innervation   406
parasympathetic nervous system   53, 160, 165
parasympathetic postganglionic cholinergic nerve   61

parathyroid hormone   337
paraventricular nucleus   463
paravertebral ganglia   55
parietal cell   10, 410
parietal lobe   80
Parkinson disease   124
parotid gland   406
partial pressure difference of the gas   240
partial pressure gradient   242
partition coefficient   8
parturition   545
passive movement   119
passive tension   46
patent ductus arteriosus   261
pattern of nerve impulse   88
Pavlov's dog   127
P_{CO_2} 190
pelvic nerve   388
penicillin   310
penis   526
pepsin   411
pepsinogen   410
peptic ulcer disease   415
peptide hormone   449
peptide YY   396, 397
peptidergic neuron   388
perception   79
perchlorate   479
perfusion limited   242
perfusion-limited O_2 transport   245
pericyte   128
periglomerular cell   111
perilymph   103
peripheral chemoreceptor   268
peripheral membrane protein   5
peripheral nervous system   77
peristalsis   404
peristaltic reflex   404
peritubular capillary   281, 364
permeability   8
pernicious anemia   417, 437
pH   2, 190, 355
pharyngeal phase   399
phase I reaction   445
phase II reaction   445
phasic   88
phasic contraction   397
phasic receptor   89
phenylethanolamine-N-methyltransferase   36, 58
pheochromocytoma   58

phosphate 359
phosphatidylinositol 4,5-bisphosphate 49
phosphaturia 337, 514
phosphodiesterase 459
phospholamban 164
phospholipase A_2 434
phospholipase C 49, 68, 456
phospholipid 5, 424
phosphoric acid 356
phosphorylation 345
photoisomerization 86
photopigment 97
photoreceptor 85, 94
photoreceptor layer 95
phrenic nerve 265
physiologic shunt 242, 260
physiological dead space 220
Pi 10
PIF 470
pigment cell layer 95
pigment epithelium 95
pinocytotic vesicle 192
PIP_2 49
pituitary gland 462
PKA 459
PKC 460
plasma 1, 283
plasma membrane 11
plasma-membrane Ca^{2+} ATPase 11
plasma protein 283, 362
plasma volume 283
plasma water 283
plate ending 116
plateau 151
PLC 49
PMCA 11
pneumotaxic center 265
pneumothorax 228
PNMT 36, 58
PNS 77
podocyte 297
Poiseuille equation 140
Poiseuille law 233
polycythemia 273
polymodal nociceptor 91
polysynaptic reflex 119
POMC 396, 466
pons 58, 77, 185
pontine reticular formation 120
pontine reticulospinal tract 120
pontocerebellum 120

positive chronotropic effect 159
positive cooperativity 249
positive feedback 453
positive inotropic agent 180
positive inotropic effect 164
positive K^+ balance 331
positive Na^+ balance 315
positive pressure breathing 259
positive staircase effect 165
posterior pituitary 463
postganglionic neuron 53
postrotatory nystagmus 109
post-tetanic potentiation 34
potentiation 127, 413
power stroke 45
PR interval 161
preganglionic neuron 53
pregnancy 308, 540, 544
pregnancy test 544
pregnenolone 545
preload 45, 168
premotor cortex 125
preprohormon 449
preproinsulin 503
prepro-opiomelanocortin 466
preprooxyphysin 472
preprovasopressin 472
preproPTH 512
prerenal azotemia 303
pressure 93
pressure difference 139
pressure gradient 292
pressure-volume loop 226
pressure work 173
presynaptic terminal 29, 80
prevertebral ganglia 55
primary active transport 10, 333
primary adrenocortical insufficiency 497
primary afferent neuron 83
primary auditory cortex 80
primary bile acid 423
primary ending 116
primary follicle 536
primary hyperaldosteronism 500
primary hyperparathyroidism 515
primary motor cortex 80, 125
primary oocyte 536
primary peristaltic contraction 400
primary peristaltic wave 400
primary sensory cortex 80
primary somatosensory cortex 80

primary visual cortex 80
principal cell 325
probenecid 310, 311
progesterone 453, 456, 525
prohormone 449
proinsulin 503
projection neuron 82
prolactin 456, 541
prolactin deficiency 472
prolactin excess 472
prolactin-inhibiting factor 470
proliferative phase 541
pro-opiomelanocortin 396, 466
propagation 23
propranolol 27
proprioception 93
proPTH 512
prorenin 187
prostacyclin 198, 258
prostaglandin 293, 415, 531
prostaglandin I_2 258
prostate 526
protein 282, 356
protein kinase A 345, 459
protein kinase C 460
proteinuria 298
proteolysis 483
proximal tubule 7, 299, 363
pseudohypoparathyroidism 337, 517
pterygopalatine ganglion 59
PTH 337, 511
PTH-related peptide 517
pubarche 530
puberty 467
pulmonary blood flow 217
pulmonary circulation 133, 198
pulmonary edema 240
pulmonary embolism 263
pulmonary surfactant 216
pulsatile secretion 528
pulsation 144
pulse oximetry 250
pulse pressure 145
pupillary constrictor muscle 64
pupillary dilator muscle 64
pupillary light reflex 64
pupillary sphincter muscle 64
purine 39
Purkinje cell 120
Purkinje cell layer 121
Purkinje system 149
putamen 80, 123

欧文索引 591

pyloric gland　410
pyramidal tract　120
pyridostigmine　33
pyrogen　200
PYY　397

【Q】

QRS complex　161
QT interval　161
quantal release　31
quantum　31

【R】

R protein　437
radial muscle　63
rapid eye movement sleep　126
rate constant　357
Rathke's pouch　464
reabsorption　304
reactive hyperemia　196
rebound phenomenon　122
receptive field　86
receptive relaxation　401
receptor　29, 455
receptor potential　83
receptor tyrosine kinase　461
reciprocal innervation　63
reciprocally　63
recruitment　114
rectosphincteric reflex　405
red nucleus　120
re-esterification　434
re-esterify　434
referred pain　94
reflection coefficient　15, 192
reflex arc　117
refractory period　23, 151
regulation of body temperature　199
regulation of pulmonary blood flow
　217
Reissner membrane　104
relative refractory period　26, 158
relaxation　45, 63, 164, 215
relaxation of smooth muscle　49
relay nucleus　78
renal circulation　198
renal clearance　289
renal compensation　356
renal handling of phosphate　336
renal juxtaglomerular cell　206

renal plasma flow　295
renin　187
renin-angiotensin-aldosterone system
　184, 328, 365, 492
repolarization　24
RES　444
residual volume　217
resistance　139, 292
resistance in a single organ　139
respiratory acidosis　362
respiratory alkalosis　272, 362
respiratory bronchiole　216
respiratory center　265
respiratory compensation　356
respiratory disorder　374
respiratory zone　215
responsiveness relationship　152
rest　234
resting membrane potential　21, 150
resting tremor　122
restrictive lung disease　225
retching　405
reticuloendothelial system　443
retinal　85
retinotopic　82
retropulsion　402
Reynolds number　142
ribosome　449
ribosylation　442
rickets　438, 521
rod　94
rotatory nystagmus　109
rough endoplasmic reticulum　419
RPF　295
R-R interval　161
RRP　158
rubrospinal tract　120
Ruffini corpuscle　89, 90
RV　217
ryanodine receptor　42, 163

【S】

S cell　394
S_1　176
S_2　177
S_3　177
S_4　176
saccule　106, 108
sacral spinal cord　58
salicylate poisoning　373
salicylic acid　311, 356

"saline-responsive" metabolic alkalosis
　381
"saline-unresponsive" metabolic
　alkalosis　381
saltatory conduction　29
salty　112
sarcolemma　42
sarcomere　40, 41, 162
sarcoplasmic reticulum　11, 42, 163
SARS-CoV-2　189
satiety center　396
saturation　6, 307
Schwann cell　82
scrotum　526
second heart sound　177
second messenger-gated channel　18
secondary active transport　11, 306
secondary and tertiary sensory area
　80
secondary bile acid　424
secondary ending　116
secondary hyperparathyroidism　513,
　517
secondary peristaltic contraction　401
secondary peristaltic wave　400
secondary sex characteristic　529
second-order neuron　92
second-order sensory afferent neuron
　84
secretin　391
secretin cell　394
secretion　304
secretory phase　541
secretory vesicle　39, 450
selective estrogen receptor modulator
　548
selectivity　17
selectivity filter　17
semicircular canal　85
seminal vesicle　526
seminiferous tubule　530
sensitivity　455
sensitization　91
sensor　18
sensory division　77
sensory innervation　116
sensory modality　83
sensory nerve　77, 78
sensory receptor　77
sensory transduction　83
SERCA　11, 42, 164
series resistance　140

serine/threonine kinase 460
SERM 548
serosal 387
serotonergic neuron 36
serotonin 36, 495
Sertoli cell 525
serum albumin 15
serum creatinine concentration 303
set point 183, 199
seven-pass transmembrane receptor protein 67
sex chromosome 525
sex hormone-binding globulin 533
sexual differentiation 525
SGLT 12
SGLT1 428
SGLT2 306
SHBG 533, 534
shear 143
shivering 200
short-loop feedback 454
short-stepped gait 124
short-term depression 35
shuffling gait 124
shunt 259
shunt fraction equation 261
SIADH 17, 289, 475
sickle cell disease 247
signal transducers and activators of transcription 462
simple acid-base disorder 371
simple cell 100
simple diffusion 7, 191, 239
simple spike 122
single motoneuron 114
single nephron function 312
single ovarian follicle 536
sinoatrial (SA) node 63, 149
size of the pupil 64
size principle 114
skeletal muscle 39
sleep spindle 126
sliding filament model 163
slow axoplasmic transport 81
slow inward current 153
slow pain 94
slow wave 47, 398
slowness of movement 124
slow-wave sleep 126
small clear vesicle 61
small dense-core vesicle 36, 57
small intestine 387

small peptide 414
smooth muscle 39, 47, 137, 215
SNP 158
sodium 3
solitary nucleus 113
solitary tract 113
soma 80
somatic nervous system 53
somatomedin C 469
somatosensory homunculus 93
somatosensory receptor 77
somatostatin 39, 396, 415, 468
somatostatin analogue 470
somatotopic map 82
somatotroph 465
somatotropin release-inhibiting factor 468
sour 112
spasticity 119
spatial summation 34
spermarche 530
spermatocyte 530
spermatogenic wave 531
sphincter 397
spike initiation zone 81
spinal cord 77
spinal nerve 78
spinocerebellum 120
spiral artery 541
spirometer 217
spironolactone 326
splay 307
spontaneous depolarization 154
SR 11, 42, 163
SR and endoplasmic reticulum Ca^{2+} ATPase 11
SRE 462
SRIF 468
stapes 102
starch 427
Starling equation 193, 298
Starling force 193, 364
starvation 467
STAT 462
static γ motoneuron 116
steady state 180
steatorrhea 394
stellate cell 121
stem cell 81
stercobilin 424, 443
stereocilia 108
stereospecificity 7

stereotypical 117
steroid hormone 449
steroid-responsive element 462
stimulus 85
STPD 238
stressed volume 137, 179
stretch-activated calcium channel 293
stretch receptor 116
stretch reflex 117
striated muscle 40
striatum 123
stroke volume 145, 168
stroke work 172
strong acid 357
sublingual gland 406
submandibular ganglion 59
submaxillary gland 406
submucosal layer 387
submucosal plexus 387
substance P 39, 55
substantia nigra 123
substantia nigra pars compacta 123
substantia nigra pars reticulata 123
subthalamic nucleus 123
sucrase 427, 428
sulfuric acid 356
superficial cortical nephron 280
superior cervical ganglion 55
superior colliculus 120
superior mesenteric ganglion 57
superior vestibular nucleus 109
supplementary motor cortex 125
supporting cell 110
supranormal period 158
supraoptic nucleus 463
surface tension 227
surfactant 227
SVR 139
swallowing center 399
sweet 112
sympathetic 215, 403, 408
sympathetic adrenergic nerve fiber 233
sympathetic chain 55
sympathetic innervation 197, 406
sympathetic nerve activity 327
sympathetic nervous system 53, 160
sympathetic postganglionic adrenergic nerve 57
symport 11
synapse 29, 80

欧文索引 593

synaptic cleft 29, 81
synaptic delay 30
synaptic fatigue 35
synaptic plasticity 127
synaptic strength 127
synaptic vesicle 29
synchronous 126
syncytiotrophoblast 544
syndrome of inappropriate antidiuretic
　hormone 17, 475
synergistic muscle 118
synergistically 63
synergy 120
systemic arterial blood 221
systemic circulation 133
systemic hypertension 173
systemic tissue 242
systemic vascular resistance 139
systolic pressure 145

【T】

T wave 161
T_3 199, 456
T_3 resin uptake test 480
T_4 199
tachypnea 269
tactile disc 89
tapping and flutter 90
taste receptor cell 112
TBG 480
TEA 24
tectorial membrane 104
tectospinal tract 120
tectum 120
telencephalon 123
temperature 94
temporal hemiretina 100
temporal lobe 80
temporal summation 34
terminal nephron 324
testicular feminization 527
testis 530
testosterone 453, 525
tetanic contraction 45
tetanus 45
tetany 362
tetraethylammonium 24
tetrodotoxin 24
thalamus 77, 123
theca cell 525
thelarche 530

thermal or mechanical nociceptor 91
thermogenic 199
thermoreceptor 85
theta wave 126
thiazide diuretic 324, 365
thick ascending limb of Henle's loop
　309, 368
thick filament 40, 162
thin ascending limb 323
thin descending limb 323
thin descending limb of Henle's loop
　309
thin filament 40, 163
thiocyanate 479
third heart sound 177
third-order neuron 92
third-order sensory afferent neuron
　84
thirst 188
thoracic duct 195, 435
thoracolumbar division 57
threshold 87, 307
threshold potential 23, 151
thromboxane A_2 198, 258
thrombus 143
thyroglobulin 477
thyroid deiodinase 480
thyroid follicle 477
thyroid hormone 453
thyroid peroxidase 479
thyroid-stimulating hormone 465,
　534
thyroid-stimulating immunoglobulin
　482
thyrotroph 465
thyrotropin-releasing hormone 456
thyroxine 199
thyroxine-binding globulin 480
tidal volume 217
tight junction 129, 439
time constant 27
titin 42
titratable acid 365
titration curve 358
TLC 219
T_m 7
tonic 88
tonic contraction 397
tonic receptor 89
tonotopic 82
tonotopic map 106
total body water 1, 282

total lung capacity 219
total peripheral resistance 139
total tension 46
TPR 139, 180, 203
trail ending 116
transcellular fluid 282
transducin 98
transferrin 438
transient receptor potential (TRP)
　channel 91
transmembrane protein 5
transmural pressure 226
transport cycle 10
transport maximum 6
transverse (T) tubule 40, 163
traumatic injury 261
trehalase 428
TRH 456, 465, 481
triamterene 326
tricuspid valve 135
triiodothyronine 199, 456
tripeptide 429
triple response 199
trophoblast 544
tropical sprue 437
tropomyosin 40, 163
troponin 40, 163
Trousseau sign 510
trypsin 419
TSH 465, 481, 534
TSH deficiency 486
TSH-secreting tumor 486
tubuloglomerular feedback 293
turbulent flow 142
twitch 45
two-point discrimination 89, 93
tympanic membrane 102
type 1 diabetes mellitus 13, 330, 506
type 2 renal tubular acidosis 376
type 4 renal tubular acidosis 370
type Ⅱ alveolar cell 227
type Ⅱ pneumocyte 216
tyrosine 453
tyrosine hydroxylase 36
tyrosine kinase 457
tyrosine kinase-associated receptor
　461

【U】

UDP-glucuronyl transferase 443
ulcer 417

ultrafiltrate 1, 297
ultrafiltration 283
ultrashort-loop feedback 454
umami 112
unconditioned stimulus 127
undershoot 23
unitary smooth muscle 47, 397
unlearned response 127
unmyelinated nerve 29
unstressed volume 137, 179
uphill transport 6
upper esophageal sphincter 400
upper motoneuron 125
up-regulation 456
upstroke 151
URAT1 310
urea 16
urea recycling 309
urea transporter 2 309
urease 416
uricosuric 311
urinary bladder 63
urinary buffer 365
urinary buffer for H^+ 337
urobilin 424
urobilinogen 424, 443
urodilatin 327
UT-A1 309
uterus 526
utricle 106, 108

【V】

$\dot{V}/\dot{Q}$ 261
$\dot{V}/\dot{Q}$ defect 263
$\dot{V}/\dot{Q}$ mismatch 263
V_1 receptor 190, 474
V_2 receptor 190, 474
vagal stimulation 417
vagina 526
vagus nerve 59, 185, 388
Valsalva maneuver 186, 405
van't Hoff 194
van't Hoff law 14
vanilloid receptor 91

vanillylmandelic acid 36
varicosity 55
vas deferens 526
vasa recta 281, 344
vascular function curve 178
vascular smooth muscle 53
vasoactive intestinal peptide 39, 61, 388
vasoconstriction 292
vasodilation 293
vasodilator metabolite 197
vasomotor center 185
vasopressin 198
vasovagal reflex 388
vasovagal syncope 208
VC 217
vein 133, 137
velocity of blood flow 138
vena cava 135
venous return 133
venous return curve 178
ventilation rate 221
ventilation/perfusion defect 220
ventilation/perfusion ratio 261
ventral anterior nucleus 123
ventral lateral nucleus 123
ventral root 55
ventricle 133
ventricular ejection 171
ventricular end-diastolic volume 167
ventricular filling 171
ventricular muscle 66
ventricular pressure-volume loop 170
venule 137, 191
vestibular hair cell 108
vestibular nucleus 109
vestibulocerebellum 120
vestibulocochlear nerve 104
vibration 93
Vibrio cholerae 442
villi 426
VIP 39, 61, 388, 402, 441
viscosity of inspired air 234
visible light 94
visual receptor 77

vital capacity 217
vitamin B_{12} 437
vitamin D 511
vitamin D resistance 521
vitreous humor 94
VMA 36
volatile acid 356
voltage-gated Ca^{2+} channel 29
voltage-gated channel 18
voltage-gated Na^+ channel 25
volume contraction 285
volume expansion 285
volume receptor 206
volume work 173
voluntary 53
voluntary movement 125
vomiting 365, 379
vomiting center 405
vomiting reflex 405
V_T 217

【W】

wall tension 196
warm receptor 91
water-soluble 130
water-soluble substance 129, 137
weak acid 311, 356
weak base 312, 356
wheal 199
white matter 77
white ramus 55
Wolff-Chaikoff effect 479
wolffian duct 526

【Z】

Z band 41
zinc finger 462
Zollinger-Ellison syndrome 393
zona fasciculata 487
zona glomerulosa 487
zona reticularis 487

監訳者略歴

林　俊宏
（はやし　としひろ）

1993 年	東京大学医学部医学科卒業
2002 年	東京大学大学院医学系研究科脳神経医学専攻修了博士（医学）
2003 年	ピッツバーグ大学医学部神経生物学・放射線科 Research Associate
2004 年	日本学術振興会海外特別研究員
2008 年	東京大学医学部附属病院神経内科特任助教
2010 年	東京大学大学院医学系研究科分子脳病態科学特任助教
2014 年	東京大学医学部附属病院神経内科助教
2016 年	東京大学医学部附属病院神経内科講師
2017 年	帝京大学医学部生理学講座教授

高橋　倫子
（たかはし　のりこ）

1992 年	東京大学医学部医学科卒業
1994 年	東京大学医学部第三内科
1997 年	日本学術振興会特別研究員
1998 年	東京大学大学院医学系研究科博士課程修了博士（医学）
2000 年	岡崎国立共同研究機構生理学研究所助手
2002 年	科学技術振興機構さきがけ研究者（兼任）
2006 年	東京大学大学院医学系研究科特任講師
2010 年	東京大学大学院医学系研究科構造生理学部門講師
2017 年	北里大学医学部生理学主任教授

コスタンゾ明解生理学　原著第7版

2007 年 12 月 25 日　原著第 3 版第 1 刷発行
2019 年 9 月 20 日　原著第 6 版第 1 刷発行
2024 年 1 月 5 日　原著第 7 版第 1 刷発行

原　著　者：Linda S. Costanzo
監　訳　者：林　俊宏，高橋　倫子
発　行　人：石川　大地
発　行　所：エルゼビア・ジャパン株式会社

〒 106-0044　東京都港区東麻布 1-9-15　東麻布 1 丁目ビル
電話 03-3589-5024（編集）　03-3589-5290（営業）
URL　http://www.elsevierjapan.com/

組版・印刷・製本：広研印刷株式会社

©2024 Elsevier Japan KK

本書の複製権・翻訳権・上映権・譲渡権・公衆送信権（送信可能化権を含む）はエルゼビア・ジャパン株式会社が保有します．
本書のコピー，スキャン，デジタル化等の無断複製は著作権法上の例外を除き禁じられています．違法ダウンロードはもとより，
代行業者等の第三者によるスキャンやデジタル化はたとえ個人や家庭内での利用でも一切認められていません．著作権者の許諾を
得ないで無断で複製した場合や違法ダウンロードした場合は，著作権侵害として刑事告発，損害賠償請求などの法的措置をとるこ
とがあります．

JCOPY〈（一社）出版者著作権管理機構委託出版物〉

本書の無断複写は著作権法上での例外を除き禁じられています．複写される場合は，そのつど事前に，（一社）出版者著作権管理機
構（電話 03-5244-5088，FAX 03-5244-5089，e-mail：info@jcopy.or.jp）の許諾を得てください．

落丁・乱丁はお取り替え致します．　　　　　　　　　　　　　　　　　　　ISBN978-4-86034-688-1